AKADEMIE DER WISSENSCHAFTEN DER DDR
Forschungsstelle für Wirbeltierforschung
(im Tierpark Berlin)
Abteilung für Zoo- und Wildtiererkrankungen
Berlin-Friedrichsfelde

ERKRANKUNGEN DER ZOOTIERE

Verhandlungsbericht des
28. Internationalen Symposiums über die Erkrankungen der Zootiere
vom 28. April bis 3. Mai 1986 in Rostock

Herausgegeben von
Prof. Dr. med. vet. habil. Rudolf Ippen
und Dr. med. vet. Hans-Dieter Schröder

Mit 139 Abbildungen und 104 Tabellen

AKADEMIE-VERLAG BERLIN
1986

ISBN 3-05-500 147-8
ISSN 0138-5003

Erschienen im Akademie-Verlag 1086 Berlin, Leipziger Straße 3—4

Lizenznummer: 202 · 100/490/86
Printed in the German Democratic Republic
Druck: VEB Druckkombinat Berlin
LSV 2905
Bestellnummer: 763 519 3 (2136/20)

VERANSTALTER

Die Forschungsstelle für Wirbeltierforschung (im Tierpark Berlin),
Abteilung für Zoo- und Wildtiererkrankungen,
der Akademie der Wissenschaften der DDR
in Zusammenarbeit mit dem
Zoologischen Garten Rostock und dem
Bezirksinstitut für Veterinärwesen, Rostock

Tagungsort
Rostock

Inhaltsverzeichnis

Seite

Seite

Seite

Rückblick auf das 27. Internationale Symposium über die Erkrankungen der Zoo- und Wildtiere, St. Vincent/Torino, 9. - 13. Juni 1985

Zum 27. Internationalen Symposium über die Erkrankungen der Zoo- und Wildtiere, das von der Abteilung für Zoo- und Wildtiererkrankungen der Forschungsstelle für Wirbeltierforschung (im Tierpark Berlin) der Akademie der Wissenschaften der DDR in Zusammenarbeit mit der Facoltà di Medicina Veterinaria Università degli Studi di Torino, der Regione Autonoma della Valle d' Aosta, der Regione Piemonte, dem Instituto Zooprofilattico Sperimentale del Piemonte, Liguria e Valle d' Aosta, dem Parco Nazionale del Gran Paradiso, der Commune di Torino, dem Giardino Zoologico di Torino, der Azienda Regionale des parchi suburbani Tenuta "La Mandria" und der S.I.T.A.V. Saint-Vincent veranstaltet wurde, waren 186 aktive Teilnehmer und 78 Begleitpersonen aus 25 Staaten angereist, und zwar aus Ägypten, Algerien, Belgien, Berlin-West, BRD, VR Bulgarien, Dänemark, DDR, Finnland, Frankreich, Großbritannien, Italien, Irland, SFR Jugoslawien, Marokko, Mexiko, Niederlande, Norwegen, Österreich, VR Polen, Schweden, Schweiz, Spanien, Ungarische VR und USA.

Am 2. Juni eröffnete Herr Prof. Dr. Dr. DATHE im Namen und im Auftrag des Präsidenten der Akademie der Wissenschaften der DDR das Symposium mit folgenden Worten:

Sehr verehrte Autoritäten des Aosta Tales!
Sehr verehrte Spektabilität Prof. GOBETTO, Dekan der Tierärztlichen Fakultät der Universität Turin, Vertreter seiner Magnifizenz des Herrn Rektors!
Sehr verehrter Herr PAPINI, Präsident der Gesellschaft des Gran Hotel Billie, dessen Gäste wir hier sind!
Sehr verehrter Herr Dr. MARGAROLI, regionaler Tierarzt des Aosta-Tales!
Verehrte Kolleginnen und Kollegen, liebe Freunde! Meine sehr verehrten Damen und Herren!

Nach langer Zeit folgten wir wieder einmal dem Zuge aller Nordländer entsprechend - geographisch zu unserem diesjährigen Tagungsort gesehen - nach dem Süden ins sonnige Italien. Da wir diesmal uns in einer so herrlichen Landschaft zusammenfinden, wird es niemand wundern, daß wiederum eine große Zahl von Fachkollegen, viele erfreulicherweise mit ihren Gattinnen, unserer Einladung Folge leisteten. Wir glauben, daß wir ebenso wissenschaftlich ergebnisreich wie heiter-gesellig zusammen sein werden wie 1984 in Brno.

Inzwischen haben nicht wenige aus dem hier versammelten Kreis das im Herbst 1983 in Betrieb genommene Gebäude der Forschungsstelle für Wirbeltierforschung (im Tierpark Berlin) besucht und besichtigt und damit auch die gewaltige Verbesserung hinsichtlich der Arbeitsräume der Abteilung für Zoo- und Wildtiererkrankungen sehen können. Alle Vorhaben, die wir uns seinerzeit vornahmen, sind mittlerweile in Gang gekommen, dazu wurden aber noch Arbeiten mit immunpathologischer Zielrichtung - zunächst durch Gastforscher - aufgenommen. Auch sonst konnte das Potential der genannten Abteilung sinnvoll erweitert werden.

Vor einigen Wochen wurde im Beisein einiger Autoren der erste stattliche Band des "Handbuches der Zootierkrankheiten", nämlich der den Reptilien gewidmete, durch die Vertreter des Akademie-Verlages Berlin der Öffentlichkeit im Rahmen einer kleinen Feier vorgestellt. Hierdurch wurde - im wesentlichen aus den Symposiumsberichten gespeist - ein erster umfänglicher Extrakt aus den Ergebnissen unserer Zusammenkünfte den Fachkollegen und den Liebhabern jener Tiere aufbereitet. Es hat sich ja die Zahl der Terrarianer in allen Ländern außerordentlich vergrößert, leider aber - diese Tatsache hängt aber nicht mit den Liebhabern für Reptilien und Amphibien zusammen, wie vorbeugend bemerkt sei - sind diese Tiere rapide in ihrem Bestand zurückgegangen. Das neue Buch wird nun nicht nur eine Übersc hau bislang erworbener Erkenntnisse sein, sondern auch Basis künftiger Forschungen an diesen so lange vernachlässigten Tierarten. Inzwischen wurden aber bereits die Arbeiten an 2 weiteren Bänden, nämlich über Raubtiere und Vögel aufgenommen.

Als Zeichen, daß fleißige und unverdrossene Arbeit auch ihre Anerkennung findet, sei mitgeteilt, daß Dr. SCHRÖDER zum Veterinärrat ernannt wurde. Die Arbeit am und fürs Symposium hat nicht zuletzt diese Auszeichnung mit bewirkt. Wir freuen uns mit ihm!

Das seinerzeit vom Tierpark Berlin angeregte und vom unvergessenen Prof. DOBBERSTEIN vom ehemaligen Institut für vergleichende Pathologie der Akademie der Wissenschaften der DDR, der die zukunftsträchtige Idee sofort erkannte, mitgetragene Symposium hat sich längst zu einer regelmäßigen Einrichtung, die für die Tiergärten und die Zootiermedizin gleichermaßen wichtig wurde, eingespielt. Es darf an dieser Stelle einmal mehr dankbar anerkannt werden, daß Kontinuität und wissenschaftliche Qualität ohne den Rückhalt, die unsere Forschungsstelle in der Akademie der Wissenschaften der DDR hat, schlechterdings unmöglich wäre. Es wird daher jedermann einleuchten, daß die materielle, personelle und finanzielle Basis für die zu treffenden Entscheidungen bestimmend bleiben muß. Man bedenke, daß Prof. IPPEN mit fast seiner ganzen Abteilung monatelang die oft sehr komplizierte Last der Vorbereitung neben seiner Tagesarbeit zu jedermanns Nutzen leistet. Dafür sei ihm und seinen Damen und Herren auch an dieser Stelle herzlich und offiziell gedankt. Für Vorschläge zur Verbesserung unserer Zusammenkünfte sind wir jederzeit dankbar, sie müssen aber der genannten Sachlage angemessen und sinnvoll sein!

Diese Symposien haben sich aus kleinsten Anfängen zu einer geachteten alljährlichen Veranstaltung mit voller internationaler Wirkung und hohem Nutzen für alle, die sich weltweit um die Erhaltung der Tierwelt bemühen, entwickelt. Wir, die wir die Verantwortung für den Ablauf tragen, werden unbeirrt und gradlinig unsere Tätigkeit - und ich hoffe zu Ihrer Zufriedenheit - fortsetzen. Kleine Unebenheiten, die unvermeidbar sind, sollte man, darum bitten wir, nicht aufblähen. Das stört unnötigerweise die Geschlossenheit unserer gewachsenen Gemeinschaft.

Wir sind heuer mit einem besonders stattlichen Verhandlungsbericht angereist, 513 Seiten stark, ein Dokument zoogener Forschungstätigkeit. Wir sind gern und auch neugierig der Einladung Prof. GUARDAS nach Turin und ins Aostatal gefolgt, hat doch dieser Teil Italiens für viele von uns einen besonderen Klang. Alpensteinbock, Capra ibex, heißt das lockende Ziel für Tierkundler. Dieses imposante europäische Säugetier war vom Menschen unbarmherzig verfolgt worden. HEDIGER hat als erster darauf hingewiesen, daß besonders die Tiere vom Aussterben bedroht werden, die für die Heilkunde interessant waren oder sind. Es sei an Nashörner, Biber und Murmeltier erinnert. Beim Alpensteinbock war man auf das sogenannte "Herzkreuzel", die Bezoarkugeln und das Horn der Hufe aus. Es wurde daher nicht nur gejagt, sondern auch gewildert. Der Steinbock wurde so ziemlich schnell ausgerottet und wäre wohl gänzlich vernichtet worden, hätten nicht sozusagen 5 Minuten vor 12, präzise 1816, der Forstinspektor von GRESSONEY und der Naturwissenschaftler ZUMSTEIN, alias Delapierre, es geschafft, die Gouvernementsverwaltung von Piemont zu überzeugen, daß der letzte Rest des Steinwildes im Gebirgsstock des Gran Paradiso - nur noch wenige Dutzend - unter Schutz gestellt werden müsse. Als dann König VICTOR EMANUEL I. die Jagd auf dieses wahrhaft königliche Wild 1821 zu seinem Privileg machte, begann die erfolgreiche Hege dieser Tiere. 1921 wurde der genannte Gebirgsteil zum Nationalpark erklärt, womit dann gar der Bestand des Alpensteinbocks als gesichert gelten durfte. Nach dem 2. Weltkrieg, der den Steinböcken schwere Verluste abforderte, machte sich der Turiner Professor VIDESOTTS um die Wiederaufstockung des Bestandes sehr verdient. Inzwischen sind aus Tiermaterial des Gran Paradiso in den Alpen neue Kolonien entstanden. Übrigens hat sich auch der Berliner Zoo 1936 an Einbürgerungsunternehmungen des Alpensteinbockes im Berchtesgadener Land beteiligt. Es zeigte sich also auch im vorliegenden Falle, daß die Jagdlust einzelner eine Tierart erhielt, so wie wir zweifellos auch Rothirsch, Reh und Wisent dieser menschlichen Eigenschaft einflußreicher Persönlichkeiten im Laufe der Jahrhunderte verdanken. Landschaft und Tierwelt der Alpen, aber auch der Zoo Turin können unserer Aufmerksamkeit sicher sein.

Wir danken schon jetzt unserem verehrten Kollegen GUARDA für die Einladung in sein Heimatland. Wir sind gewiß, daß auch diese Tagung in ihrem positiven Ergebnis sich den Vorhergehenden anschließen wird.

Es bleibt mir nun nur noch, Ihnen herzliche Grüße des Herrn Präsidenten der Akademie der Wissenschaften der DDR, Prof. Dr. Dr. h. c. mult. Werner SCHELER, und des Leiters des Forschungsbereiches Biowissenschaften und Medizin, Prof. Dr. Martin RINGPFEIL, zu überbringen, die dem 27. Internationalen Symposium über die Erkrankungen der Zootiere einen vollen Erfolg wünschen.
Damit erkläre ich das Symposium in Turin für eröffnet!

Anschließend begrüßten Prof. MARGAROLI und Prof. GOBETTO die Tagungsteilnehmer im Namen der örtlichen Mitveranstalter. Abschließend hieß Herr Prof. Dr. IPPEN, als Leiter der Veranstaltung, die Symposiumsteilnehmer mit folgenden Worten herzlich willkommen:

Meine sehr geehrten Damen und Herren!

Nachdem wir 1976 als Gast der Stadt Innsbruck schon einmal die Schönheit der Alpenlandschaft im Verlaufe unseres Symposiums bewundern konnten, führte uns in diesem Jahr erneut der Weg in die Alpen, und zwar in den italienischen Teil, in die unmittelbare Nähe des Gran Paradiso, einem Gebiet, das mit seinen phantastischen Steinbockbeständen gerade für uns ein Anziehungspunkt besonderer Art darstellt.

Wir möchten gleich zu Beginn unserer Veranstaltung unseren Gastgebern ganz herzlich nicht nur für die Einladung, sondern auch für die reibungslose Organisation des Symposiums hier in dem traumhaft schönen Kongreßzentrum danken. Ganz besonders möchte ich dabei die Mitarbeiter im Organisationskomitee ansprechen, die unter der Federführung von Professor GUARDA aus Turin eine Vielzahl von Besonderheiten vorbereitet haben, die uns den Aufenthalt hier zu einem Erlebnis werden lassen. Professor BALBO bemühte sich um alle Notwendigkeiten zur Abhaltung der wissenschaftlichen Sitzungen am dritten Arbeitstag in La Mandria, einem hochinteressanten Wildforschungsgebiet, und der uns vom letzten Symposium her gut bekannte Kollege PERACINO wird die alle interessierende Exkursion in das Gran Paradiso-Gebiet organisieren.
Ihnen und den vielen ungenannt gebliebenen Helfern nochmals schon jetzt herzlichen Dank.

Das diesjährige Hauptthema fand im gesamten Teilnehmerkreis besonderen Zuspruch, was sich in der sehr großen Zahl von eingereichten Beiträgen ausdrückte. Wir haben mit dem diesjährigen Verhandlungsbericht erstmalig eine Arbeitsunterlage, die über 500 Seiten aufweist. Eine sehr große Zahl der Referate beschäftigt sich mit den Erkrankungen der Cerviden. Diese Tatsache macht deutlich, welchen Stellenwert gerade diese Tierarten auch für die Zoologischen Gärten haben, und es wird deutlich, daß eine enge Zusammenarbeit zwischen denjenigen, die die gesundheitliche Betreuung von Cerviden in tiergärtnerischen Einrichtungen durchführen, und denen, die sich um Gatterwild und freilebendes Wild kümmern, bestehen muß. Die in vielen Ländern Europas sich stark vergrößernden Wildbestände in der freien Natur haben oftmals vorher nicht beobachtete Verluste zur Folge. So konnten wir z.B. bei gezielten Untersuchungen nachweisen, daß bei zu großer Wilddichte der Parasitenbefall sich derart erhöhte, daß in seiner Folge nicht nur ein Kümmern, sondern auch Todesfälle auftraten. Dieser Feststellung eingedenk ist die Situation der verschiedenen Cervidenarten in den Zoos wesentlich günstiger, da hier nicht nur eine kontinuierliche Kontrolluntersuchung stattfinden kann, sondern auch eine Bekämpfung von Parasitosen möglich ist. Dieser hier kurz aufgezeigte Gesichtspunkt läßt deutlich werden, daß die Übernahme von Tieren aus der freien Wildbahn in menschliche Obhut eine Fülle von Problemen mit sich bringen kann.

Fast jeder Zoo verfügt über einen beträchtlichen Cervidenbestand, und die sogenannten Heimattiergärten, besonders in Mitteleuropa, sind auf die Haltung von Hirschen spezialisiert. Bei genauer Durchsicht der in diesem Jahr zur Diskussion gestellten Themen wird deutlich, daß die Kenntnisse über die unterschiedlichen Krankheitsgeschehen bei den Cerviden keineswegs zufriedenstellend sind, um vorhandene Bestände problemlos zu halten und zu vermehren. Vielmehr wird deutlich, daß eine Fülle von zusätzlichen Aufgaben notwendig ist, um bisher Unbekanntes abzuklären. Derartige neu zu schaffende Erkenntnisse, besonders an Cerviden, die in der Hand des Menschen gehalten werden, können andererseits auch wertvolle Hinweise für die Erhaltung der Bestände unter dem jagdbaren Wild darstellen. Die hier kurz angeschnittene Problematik macht deutlich, daß unsere Arbeit in den Zoologischen Gärten durchaus auch im größeren Rahmen Bedeutung gewinnt und mit einen Beitrag zum Umweltschutz im weitesten Sinne darstellen kann.

Zum Abschluß meiner einführenden Worte darf ich Sie noch wissen lassen, daß sich über 180 aktive Teilnehmer aus 29 Ländern zur diesjährigen Veranstaltung angemeldet haben, womit sich erneut dokumentiert, wie wichtig diese von der Akademie der Wissenschaften der DDR veranstalteten Symposien sind. Es erscheint daher gerechtfertigt, einen Dank an die Leitung der Akademie der Wissenschaften der DDR für die uneingeschränkte Unterstützung bei der Organisation der Tagung zu sagen. Nicht vergessen sein dürfen auch diesmal die Mitarbeiter der

Forschungsstelle für Wirbeltierforschung (im Tierpark Berlin), die sich mit großem persönlichen Einsatz um die termingerechte Gestaltung der Verhandlungsberichte, die Abfassung der Programme und die zahlreichen Kleinarbeiten bemühten, die die Organisation einer solchen Veranstaltung mit sich bringt. Ihnen allen gilt unser besonderer Dank.

Bedauerlicherweise ist es uns auch in diesem Jahr auferlegt, eines über viele Jahre aktiven Mitgestalters unserer Symposien gedenken zu müssen. Kurz nach dem letztjährigen Symposium in Brno verstarb unerwartet der Kollege SCHÜTZE aus Gießen an den Folgen eines Herzversagens. Als passionierter Parasitologe hat er auf den Veranstaltungen nicht nur durch eigene Beiträge, sondern vor allem auch durch seine fachlich fundierten Diskussionen wesentlich zur effektiven Gestaltung der Symposien beigetragen. Wir werden seiner stets in Ehren gedenken.

Zum Schluß darf ich Ihnen wünschen, daß die Tagung hier in Italien für Sie eine Fülle von fachlichen Erkenntnissen vermitteln möge und daß der Aufenthalt in diesem hochinteressanten Gebiet zu einem großen Erlebnis werden möge.

Im Mittelpunkt der wissenschaftlichen Sitzung des ersten Tagungsabschnitts standen die "Erkrankungen der Cerviden". Anschließend wurden Vorträge zu "Umweltbedingten Schäden bei Zoo- und Wildtieren" gehalten. In den Abendstunden wurde den Tagungsteilnehmern ein folkloristisches Programm im Kongreßzentrum dargeboten.

Die wissenschaftliche Sitzung des zweiten Tages war freien Vorträgen vorbehalten. Anschließend wurde die Fragestunde über aktuelle Probleme der Zootierkrankheiten durchgeführt. In den Abendstunden hatte die Region Aosta-Tal und die S.I.T.A.V. zu einem Gala-Abend im Kongreßzentrum eingeladen.

Die wissenschaftliche Sitzung des dritten Tages wurde im Wildforschungsgebiet "La Mandria" abgehalten und beschäftigte sich vorrangig mit Fragen der parasitären Erkrankungen der Cerviden. Nach einer Wildparkbesichtigung luden die Gastgeber die Tagungsteilnehmer zu einem Mittagessen ein. In den Abendstunden fand ein Rundgang durch den Zoologischen Garten Turin statt, der seine Gäste anschließend zu einem gemütlichen Beisammensein einlud.

Den Abschluß des Symposiums bildete eine wissenschaftliche Exkursion in den Nationalpark Gran Paradiso. Diese Exkursion fand, wie alle anderen von den örtlichen Mitveranstaltern ausgezeichnet vorbereiteten Rahmenveranstaltungen, bei den Tagungsteilnehmern hohe Anerkennung, so daß alle die Heimreise mit vielen bleibenden Eindrücken antreten konnten.

H.-D. Schröder

From the Departments of Pathology and Animal Health, National Zoological Park, Smithsonian Institution, Washington, D. S.

A REVIEW OF SOME DISEASES OF AQUATIC SPECIES RELATED TO CAPTIVITY

By R. J. Montali and R. Wallace

Introduction

The ability of an animal to adapt successfully in captivity is usually a function of what its specialized requirements are in the free-living state. Many types of species living in aquatic habitats have evolved anatomic modifications and physiologic functions that are dependent totally or, in part, on their aqueous environment. Anatomically streamlined shapes and specialized diving reflexes as occurs in marine mammals are some of the better known modifications; less well known are such phenomena as the periocular salt-eliminating glands in certain marine birds and reptiles which enables them to drink sea water (SCHMIDT-NIELSEN, 1959) and subcutaneous air sacs in pelicans which provide a cushioning effect during their forceful dives for fish (SCHREIBER and CURTSINGER, 1975; FOWLER, 1978).

Disease states frequently arise in relationship to these specialized requirements; occasionally, peculiar pathologic processes occur relative to these biologic modifications. For example, primary subcutaneous aspergillosis has been observed in pink-backed pelicans (Pelecanus rufescens) at the National Zoological Park based on the presence of the subcutaneous air sac system noted above (Figure 1).

Of the many specialized factors important in maintaining and propagating aquatic-dependent species in captivity, water quality and nutrition are of utmost importance. Despite rigid requirements by some aquatic-dependent species (e. g. salt water aquarium fish), adaptability from a natural environment to a controlled microenvironment is possible amongst certain others. Pinnipeds, for example, are far more tolerant to salinity differences than cetaceans (SIMPSON and CORNELL, 1983) and can eventually adjust to fresh water. However, improper temperature and chlorination has lead to mycotic dermatitis and ocular problems in California sea lions (Zalophus californianus) and gray seals (Halichaerus grypus) kept in captivity which will be further discussed and illustrated in this report.

Nutritional diseases become important in piscivorous species primarily because fish is such a labile food item and it is difficult to adapt the fish-eaters to non-fish or even fish-simulated diets (SIMPSON and CORNELL, 1983). We have encountered several disease conditions associated with feeding frozen fish diets including Vitamin E-related myopathy and hyponatremia in a young California sea lion, Vitamin E-related myopathy in brown (P. occidentalis) and Eastern white (P. onocrotalus) pelicans, and rickets in parent-reared double-crested cormorant chicks (Phalacrocorax auritus), which will also be discussed and illustrated in this paper.

Water related conditions

Dermatitis associated with Fusarium sp. infection developed in three California sea lions and three grey seals (Halichobrus gryps) at the National Zoological Park in Washington, D. C. (MONTALI et al., 1981). The lesions were papular or nodular and were distributed mainly on the face, trunk, and flippers (Figures 2 and 3).

One sea lion died six weeks after extensive cutaneous involvement. The lesions regressed after one mild exacerbation in the other two sea lions. In the gray seals, the condition appeared to worsen during the summer and to regress during the winter despite oral and topical treatment with miconazole and thiabendazole.

Fusarium sp. was repeatedly isolated from biopsy specimens of the lesions. Hyperplasia of epidermal and follicular epithelium was associated with acute and chronic inflammation and fungal hyphae (Figure 4). The species of the fungus in one of the grey seals was determined to be F. solani, a type that has been associated with keratitis and opportunistic infections in human beings.

Initial excessive chlorination and high fluctuating pool temperatures attributed to a faulty water treatment system were considered as factors in promoting fungal growth. This resulted in a cyclic dermatomycosis observed over a two and a half year period. In one grey seal (Gunar), the intensity of the cutaneous fungal infection correlated with elevated pool water temperature (Figure 5); when the pool was maintained at cooler temperatures (usually below 80 F. or 26.6 C.), Gunar's skin condition improved and eventually went into complete remission (Figure 6).

Recently, further problems with chilling of the water during the warm months has occurred, resulting in exacerbation of the cutaneous lesions as well as an increased incidence of keratopathies. During this time, a gray seal developed cutaneous nocardiosis due to Nocardia asteroides (Figures 7A, B). Nocardiosis has been reported as a common pulmonary pathogen in marine mammals (MIGAKI and JONES, 1983), but in our case fortunately did not appear to become systemic.

Nutritional-related conditions

A severe nutritional myopathy occurred in a one year old female California sea lion born at the National Zoological Park (CITINO et al., 1985). The sea lion showed weakness in its foreflippers and dyspnea. Clinical chemistry evaluation just prior to death indicated hyponatremia (131 meq/L) and elevated serum enzyme levels including a creatine kinase of 20,000 IU/L, and a serum Vitamin E level of only 5.3 micrograms/ml. At necropsy there was bilaterally symmetrical myodegeneration of the foreflippers and respiratory muscles with marked involvement of the subscapular muscles (Figure 8) and diaphragm. The animal died of complications associated with the myopathy including pneumonia and myoglobinuric nephrosis. Although Vitamin E, thiamine, and sodium chloride were usually added, these supplements had been inadvertently withdrawn from the sea lions' diet approximately one month before the young sea lion died.

We have also experienced Vitamin E-related myopathy in both brown and eastern white pelicans. Cases in the brown pelicans have been previously reported (CAMPBELL and MONTALI, 1980) and occurred in two separate flocks in which the bird's diets consisted solely of frozen smelt. The birds were either found dead or died suddenly when approached or were lightly restrained. At necropsy, the birds had good fat storages, but there was white streaking of the breast, leg, and wing muscles; microscopically there was extensive skeletal muscle (Figure 9) and myocardial degeneration. A similar condition was observed in two eastern white pelicans that died three and six months after arriving at the National Zoo. They also had been fed unsupplemented frozen fish and at necropsy showed extensive involvement of the pectoral muscles (Figure 10) and lesser involvement of wing and leg muscles. Microscopically, the changes were characteristic of white muscle disease, but in contrast to the brown pelicans, the myocardium was spared.

We also have reported metabolic bone disease in double-crested cormorant chicks whose parents would only accept frozen smelt to eat (NICHOLS et al., 1983). Five chicks ranging from 20 - 28 days from two nesting pairs of cormorants developed marked beak and limb deformities which showed gross (Figure 11) and microscopic changes characteristic of rickets. The chicks had no exposure to sunlight and it was believed that the Vitamin D and perhaps other fat soluble micronutrients had dissipated in the fish that had been frozen for an indefinite period of time.

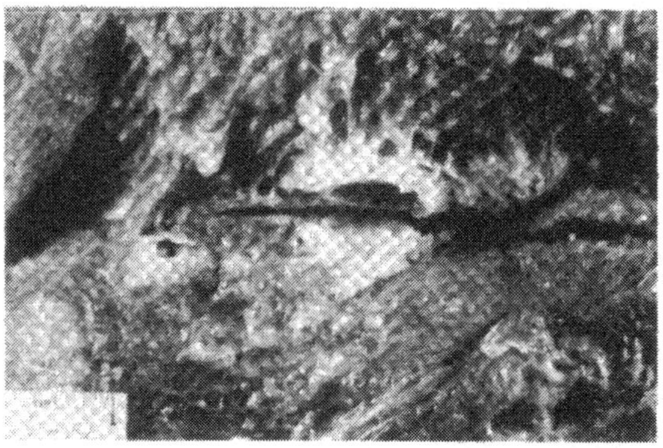

Figure 1.: Gross appearance of subcutaneous air sacculitis due to *Aspergillus fumigatus* in a pink-backed pelican (*Pelecanus rufescens*).

Figure 2.: Lesions of fusariomycosis attributed to elevated pool temperatures in Gunar, a gray seal (*Halichoerus grypus*). Reprinted from J. Am. Vet. Med. Assoc. by permission of the author.

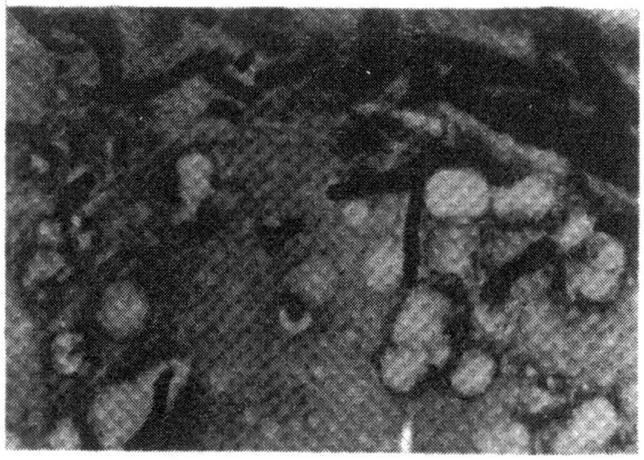

Figure 3.: Lesions of fusariomycosis in another gray seal involves the flipper and nail beds.

Figure 4.: Microscopic appearance of cutaneous lesions from Gunar shows fusarium hyphae in the epidermis. Gomori's methenamine silver, X150.

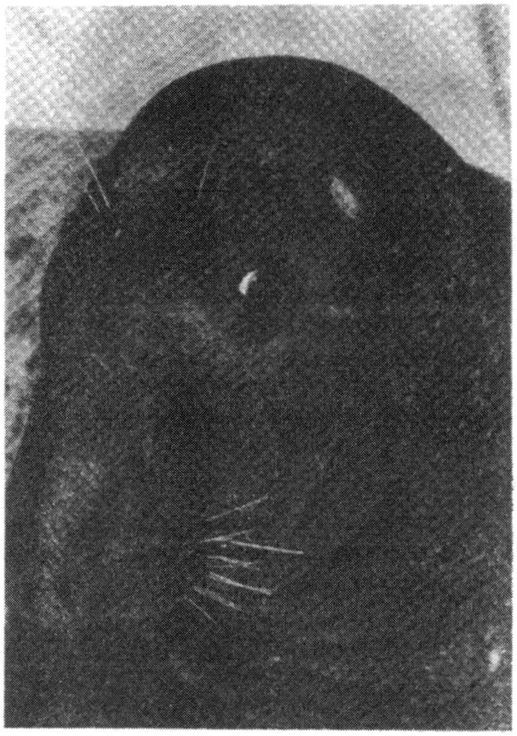

Figure 6.: Gunar in complete remission during the winter months.

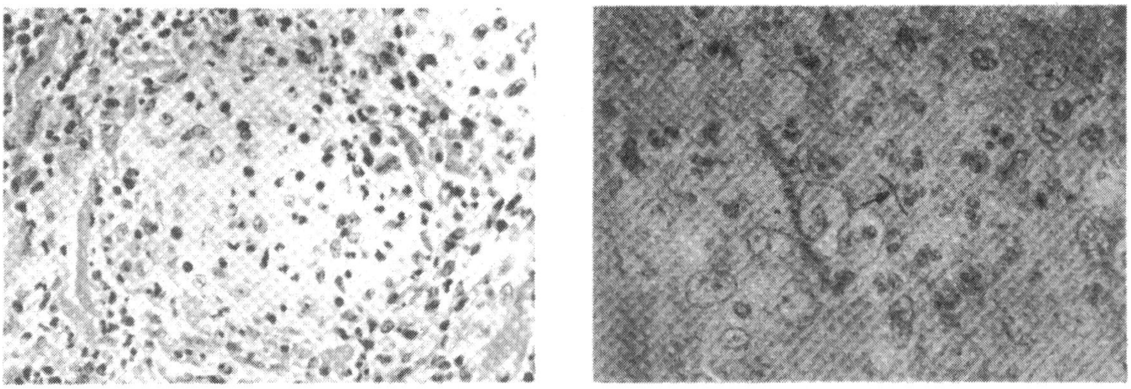

Figure 7.: A. Microscopic appearance of cutaneous nocardia granuloma from a gray seal. H & E, X160; B. Higher magnification demonstrating filamentous acid-fast positive Nocardia asteroides within macrophage. Zeehl-Nielsen, X400.

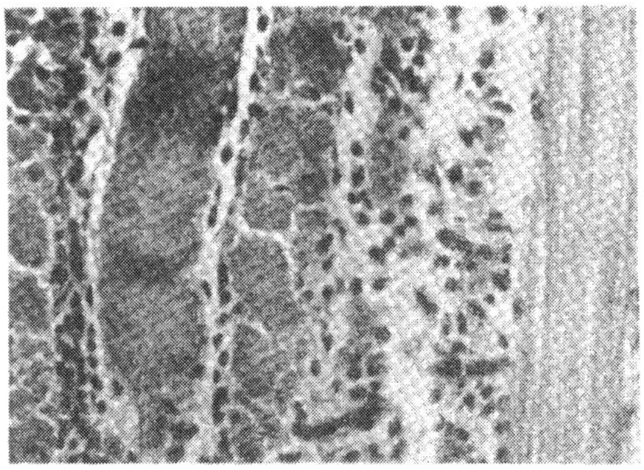

Figure 8.: Gross appearance of subscapular muscles from young California sea lion (Zalophus californianus) with white muscle disease.

Figure 9.: Microscopic appearance of myodegeneration associated with Vitamin E deficiency in a brown pelican (Pelecanus occidentalis), H&E, X100.

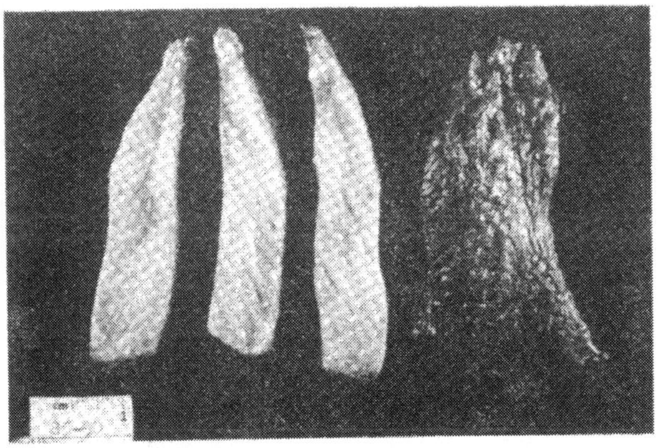

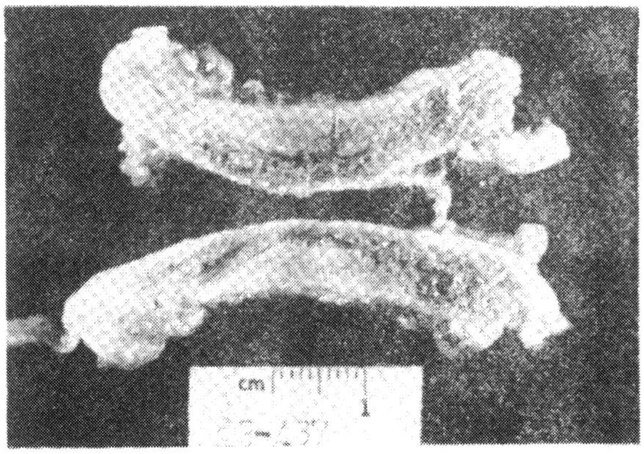

Figure 10.: Three strips of deep pectoral muscle affected with white muscle disease (left) from an Eastern white pelican (Pelecanus onocrotalus) contrasted with normal superficial pectoral muscle on right.

Figure 11.: Gross appearance of bowed humerus (bisection) of a cormorant chick with rickets. Folding fracture and fibrosis present. Reprinted from J. Zoo An. Med. with the permission of the author.

Discussion

These cases clearly point out the importance of being able to control two important factors-water and nutrition-when trying to exhibit and propagate species that have dependencies on aquatic environments. Even though pinnipeds can adapt well from salt water to fresh water (HUBBARD, 1968), water conditions with temperatures maintained between 60 - 70 F. (15.5 - 21.1 C.) and approximately 0.5 ppm/chlorine should limit the cutaneous and ocular problems that we have encountered. Coliform counts performed weekly on the pinniped pools stayed well below the thousand colonies /100 ml of water required in the United States by the Department of Agriculture (USDA regulations, 1979).

Our experiences with fish-eating animals points out the importance of feeding high quality fish that has not been frozen so long as to allow dissipation of fat soluble vitamins, thiamin and other nutrients which may lead to nutritional diseases. These may occur as primary diseases in the adults or arise secondarily as happened in the California sea lion pup and cormorant chicks. It is likely that in these cases, parent-animals were marginally or borderline vitamin deficient since they themselves did not exhibit clinical signs of myopathy in the case of the sea lion or of rickets in the case of the cormorants. Where there is doubt about the quality of the fish, supplementation with the appropriate vitamins and minerals should proceed post haste! We have done this with seven pink-backed pelicans now at the National Zoological Park which appear to be thriving well on frozen sea mackeral. Each pelican is daily handfed one of the fish containing a 100 IU Vitamin E capsule and a quarter of a tablet fortified with Vitamins A and D, some additional Vitamin E, thiamin and sodium chloride (Seatabs - Pacific Research Labs, Inc., El Cajon, Ca. 92022).
Although myodegeneration and/or steatits are the classic signs of Vitamin E deficiency in many animals, pinnipeds appear to exhibit a wider range of clinical and pathological manifestations, including abnormal molting patterns (ENGELHARDT and GERACI, 1978) and hyponatremia (GERACI, 1972), with myopathy less frequently reported. Suggestions to prevent Vitamin E levels from falling below the 7 - 10 micrograms/ml recommended for pinnipeds (GERACI, 1981) have recently been summarized (CITINO et al., 1985). These same suggestions might apply to any aquatic-dependent species including piscivorous birds.

Acknowledgements

This study was supported by the Smithsonian Research Opportunity Fund. Micronutrient recommendation for pelican diets were provided by Mary Allen.

Summary

A Review of Some Diseases of Aquatic Species Related to Captivity

This is a review of some diseases of aquatic species related to captivity in which improper water conditions were associated with cutaneous fusariomycosis and nocardiosis in pinnipeds. Also, the feeding of frozen fish without micronutrient supplementation was attributed to white muscle disease and other metabolic disorders in piscivorous birds and mammals.

It was concluded that fresh water at 60 - 70 F. (20 - 21.1 C.), 0.5 ppm chlorine and less than 1000/100 ml coliforms for pinniped pools, and supplementing frozen fish diets with Vitamin E (and other fat soluble vitamins) thiamin, and sodium chloride in the fish-eating species should help eliminate these problems.

Zusammenfassung

Ein Überblick über einige Erkrankungen bei Meerestieren und ihre Beziehung zur Gefangenschaftshaltung

Es wird ein Überblick über einige Krankheiten bei Pinnipediern gegeben, wobei besonders auf die durch Wasserverunreinigung verursachten Hautpilzerkrankungen und Nokardiosen eingegangen wird. Weiterhin wird auf das Auftreten von Weißmuskelkrankheit und andere

Stoffwechselstörungen bei fischfressenden Vögeln und Säugetieren nach der Fütterung mit gefrorenem, nicht mit Spurenelementen angereichertem Fisch verwiesen. Zur Verringerung der Probleme wird eine Wassertemperatur von 20 - 21° C bei einer Chlorierung von 0,5 ppm und einem maximalen Gehalt von 1000/100 ml coliformer Keime für die Haltung von Pinnipediern vorgeschlagen. Gefrorener Fisch sollte vor Verfütterung mit Vitamin E und anderen fettlöslichen Vitaminen, Thiamin sowie Kochsalz angereichert werden.

Résumé

Un aperçu sur quelques maladies des animaux marins et leur relation à la garde en captivité de ces animaux

L'auteur donne un aperçu sur quelques maladies des pinnipèdes en discutant particulièrement les mycoses de la peau et nocardioses causées par la pollution des eaux. En outre il renvoie à l'apparition de la maladie "White Muscle Desease" et d'autres maladies du métabolisme chez les oiseaux piscivores et les mammifères qui se sont nourris des poissons surgelés non enrichis aux oligo-éléments. Pour la diminution des problemes de la garde des pinnipèdes il propose une température d'eau de 20 à 21°C avec une chloruration de 0,5 ppm et un titre maximum de germes coliformes de 1000/ 100 ml. Avant la distribution aux animaux le poisson surgelé devrait être enrichi aux vitamine E et autres vitamines liposolubles, thiamine et sel de cuisine.

Резюме

Обзор заболевания морских животных и их отношение к неволе.

Описываются заболевания Pinnipediern , при этом особо освещаются вопросы загрязнения водоемов и, в связи с этим, грибковые поражения кожи и нокардиозы. Кроме того описано поражение белых мышц и другие нарушения обмена веществ у птиц, питающихся рыбой, а также у млекопитающих, получающих в пищу мороженную рыбу без добавок микроэлементов. Для решения проблем по содержанию Pinnipediern предлагается снизить температуру воды до 20 - 22°C при хлорировании 0,5 ppм и достигнуть количество коли бактерий не больше, 1000/100 мл.Замороженную рыбу желательно снобдить добавкой витамина E и другими жирорастворимыми витаминами, тиманом и поваренной солью.

References

CAMPBELL, G., and R. J. MONTALI (1980): Myodegeneration in Captive Brown Pelicans Attributed to Vitamin E Deficiency. J. Zoo An. Med., 11, 35 - 40.

CITINO, S. B., MONTALI, R. J., and M. BUSH (1985): Nutritional Myopathy in a Captive California Sea Lion. J. Am. Vet. Med. Assoc., 187 (in press).

ENGELHARDT, F. R., and J. R. GERACI (1978): Effects of Experimental Vitamin E Deprivation in the Harp Seal (Phoca groenlandica). Can. J. Zool., 56, 2186 - 2193.

FOWLER, M. E. (1978): Miscellaneous Water Birds, In: Zoo and Wild Animal Medicine. Ed., Fowler, M. E., p. 213. Philadelphia: W. B. Saunders Co.

GERACI, J. R. (1972): Hyponatremia and the Need for Dietary Supplementation in Captive Pinnipeds. J. Am. Vet. Med. Assoc. 161, 618 - 623.

GERACI, J. R. (1981): Dietary Disorders in Marine Mammals: Synthesis and New Findings. J. Am. Vet. Med. Assoc. 179, 1183 - 1191.

HUBBARD, R. T. (1968): Husbandry and Laboratory Care of Pinnipeds, In: The Behavior and Physiology of Pinnipeds. Ed., Harrison, R. J., et al., pp. 299 - 358. New York: Appleton-Century Crofts.

MIGAKI, G., and S. R. JONES (1983): Mycotic Diseases in Marine Mammals, In: Pathobiology of Marine Mammal Diseases. Ed., Howard, B. Vol. II, pp. 1 - 28. Florida: CRC Press, Boca Raton.

MONTALI, R. J., BUSH, M., and J. D. STRANDBERG (1981): Cyclic Dermatitis Associated with Fusarium sp. Infection in Pinnipeds. J. Am. Vet. Med. Assoc., 179, 1198 - 1202.

NICHOLS, D., MONTALI, R. J., and C. PICKETT (1983): Rickets in Double-Crested Cormorants (Phalacrocorax auritus). J. Zoo An. Med., 14, 115 - 124.

SCHMIDT-NIELSEN, K. (1959): Salt glands, In: Vertebrate Adaptations. Ed., Wessells, N. K., pp. 199 - 204. San Francisco: W. H. Freeman and Company.

SCHREIBER, R. W. and W. R. CURTSINGER (1975): Bad Days For the Brown Pelican. National Geographic, 147, 111 - 123.

SIMPSON, J. G., and L. H. CORNELL (1983): Diseases Associated with Stranding in Captivity, In: Pathobiology of Marine Mammal Diseases. Ed., Howard, E. B., Vol. II, pp. 29 - 64. Florda: CRC Press, Boca Raton.

U. S. Dept. of Agriculture Marine Mammal Regulations (1979): Fed. Regist. 44, 36868 - 36883.

Address of authors: R. J. M o n t a l i , DVM, and R. W a l l a c e
National Zoological Park
Smithsonian Institution
Washington D. C. 20008 (USA)

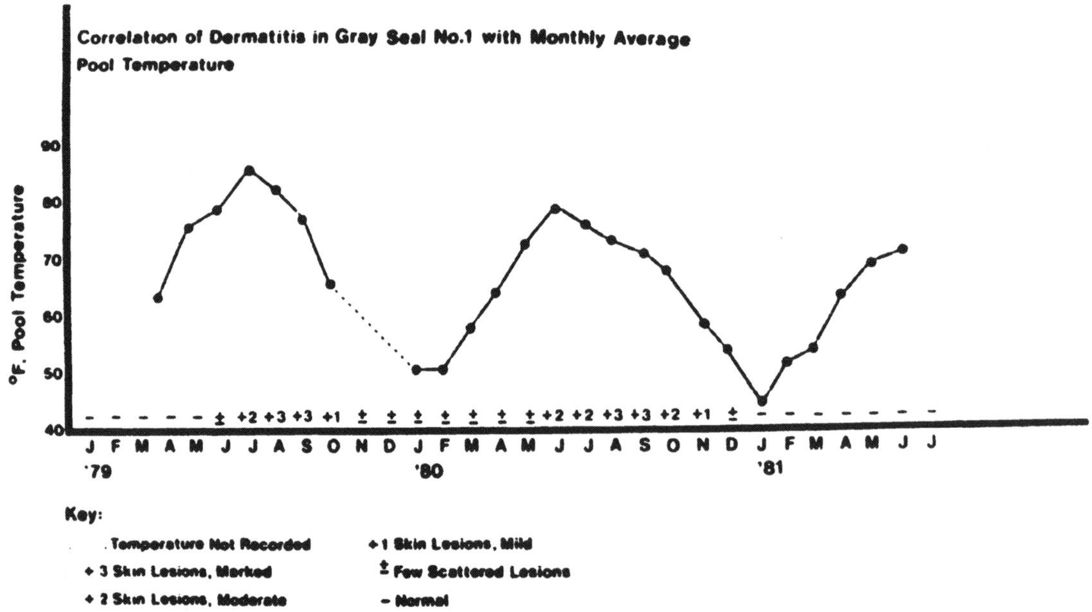

Figure 5: Graph depicting correlation of dermatitis in gray seal #1 (Gunar) with monthly average pool temperature. Reprinted from the J. Am. Vet. Med. Assoc. with permission of the author.

Aus dem Bezirksinstitut für Veterinärwesen Rostock (Direktor: OVR Dr. W. EHRENTRAUT)

SEKTIONSERGEBNISSE BEI ZOOTIEREN MARITIMER REGIONEN

Von H. Kiupel

Zu den Tieren aus maritimen Regionen, die im Zoo Rostock seit längerer Zeit in Gruppen gehalten werden, gehören Eisbären (Thalarctos maritimus), Pinguine (Sphenisciformes) und Robben (Pinnipedia). Nachfolgend sind die Sektionsergebnisse bei diesen Tieren von 1974 bis 1985 zusammengestellt und gewertet worden. Die pathol.-anatomischen, histologischen und bakteriologischen Untersuchungen erfolgten mit dem üblichen Methodenspektrum in der Abteilung Diagnostik des Bezirksinstitutes für Veterinärwesen Rostock.

1. Eisbären (Thalarctos maritimus)

Von 1972 bis 1985 wurden 34 Eisbären seziert. 27mal handelte es sich um Neonaten oder wenige Wochen alte Jungtiere. Die Sektionsergebnisse dieser Altersgruppe wurden bereits mitgeteilt (RITSCHER et al., 1984). Die Befunde bei den 7 adulten Eisbären sind nachfolgend aufgeführt:

	Datum	Alter (Jahre)	Geschlecht	Diagnose	Weitere Befunde
1)	29.5.76	15	männlich	Jauchige Pleuritis	Autolyse, Fäulnis
2)	17.7.79	8	weiblich	traumat. Schock	Lungenödem, Askaridenbefall
3)	15.12.81	11	männlich	Enzephalomalazie	Myokardose, Lungenemphysem, Dermatitis, Autolyse
4)	3.9.82	30	männlich	Tuberkulose	Trichinose, Askaridose, Dermatitis profunda
5)	14.2.85	20	weiblich	Narkoseschock	Trichinose, Chorioptes-Räude
6)	17.9.85	28	weiblich	traumat. Schock	Trichinose, Nebennierenrindenatrophie, Chorioptes-Räude
7)	19.12.85	13	weiblich	traumat. Schock	Tragend (Embryo 1 cm)

Die besondere Problematik der Sektion adulter Eisbären liegt in den postmortal außerordentlich schnell einsetzenden Autolyse- und Fäulnisprozessen. Nur hochgradige pathol.-anatomische Veränderungen sind dann noch diagnostisch erkennbar. Histologische Untersuchungen sind häufig nicht mehr möglich oder bleiben ohne Ergebnis. Nur das Tier 6 wurde bereits eine Stunde post mortem seziert. Alle übrigen Bären waren schon 12 und mehr Stunden tot.

Die Sektionsergebnisse weisen darauf hin, daß auch in der Rostocker Eisbärengruppe Tiere mit schwerster Trichinose vorkommen. In allen 3 Fällen war die gesamte Skelettmuskulatur, das Zwerchfell und die Zungenmuskulatur von Trichinen durchsetzt. Die beim Tier 4 nachgewiesene Tuberkulose war durch unregelmäßig strukturierte Epitheloidzelltuberkel in Leber, Nieren, Organ- und Unterhautlymphknoten sowie kavernöse Einschmelzungen in der Leber gekennzeichnet. Die weiteren Sektionen, Umgebungs- und Kotuntersuchungen ergaben keine Hinweise auf weitere Tuberkulosefälle in der Gruppe.
Die Untersuchung der Nebennieren führte bei 3 Bären zu folgenden Befunden:

	Gewicht (g) links	rechts	Befund
Tier 4	13,4	13,1	Blutungen in der Zona (Z.) reticularis, Vakuoläre Degeneration einzelner Zellen der Z. fasciculata
Tier 5	6,0	6,0	Ausgedehnte Fibrose der Z. reticularis und Z. fasciculata mit Schwund der Drüsenzellen beider Zonen
Tier 6	16,5	16,5	Beginnende Fibrose der Z. reticularis und der inneren Z. fasciculata

Degenerative Veränderungen bei den Tieren 4 und 5 konnten auf Grund starker Autolyse nicht sicher beurteilt werden. Die Wertung der ausgeprägten Rindenatrophie bei Tier 5 ist nicht möglich, da uns keine Angaben über die mögliche Altersinvolution der Nebenniere bei Eisbären zur Verfügung standen und ausreichende Vergleiche im eigenen Material fehlten. Die Hautveränderungen im Zusammenhang mit dem Chorioptes-Milbenbefall waren durch squamöse Epidermitis, diskrete lymphoplasmazelluläre Koriuminfiltrate sowie Dilatation einzelner Haarbalgtrichter bei gleichzeitiger lamellärer Keratinanschoppung gekennzeichnet. Vereinzelt ließen sich in Korium und Subkutis Granulome nachweisen. Im Zentrum lagen polymorphkernige Leukozyten, die von einer Epitheloidzellschicht mit eingelagerten Fremdkörperriesenzellen umgeben wurden. Nach außen folgte eine schmale Zone aus Plasmazellen, Lymphozyten und Fibroblasten. Mitunter war das ganze Granulom bindegewebig abgekapselt. Beziehungen zu Milben oder anderen Ursachen ließen sich nicht herstellen.

Bei Tier 7 befand sich im linken Uterushorn eine kugelförmige Umfangsvermehrung von 3,5 cm Ø. Im Innern lag ein 1 cm langer Embryo, der schalenförmig von der Plazenta umgeben wurde. Die anderen weiblichen Eisbären waren zu dieser Zeit bereits in ihren Wochenstuben beim Werfen.

2. Robben (Pinnipedia)

Seziert wurden insgesamt 17 Tiere folgender Arten:

Seehunde (Phoca vitulina)	2
Ringelrobben (Pusa hispida)	6
Kegelrobben (Halichoerus grypus)	8
Klappmütze (Cystophora cristota)	1

Die meisten Robben kamen in den Monaten Juli, August, Oktober und November zur Sektion. Die pathol.-anatomische Untersuchung ist nach unserer Auffassung schwierig und erfordert Erfahrung, weil die fast regelmäßig vorhandenen starken Stauungserscheinungen spezifische Symptome überdecken oder verschleiern können.

Bei den beiden Seehunden wurde eine Gastritis nachgewiesen. Einmal blieb die Ätiologie unklar. Beim anderen Tier lag starker Anisakabefall vor.
Die Zerlegung der 6 Ringelrobben führte zu folgenden Diagnosen: 1x Staphylokokkensepsis nach Wundinfektion, 1x traumatischer Schock, 1x Otitis media, 2x Clostridium perfringens Typ A-Enteritis und 1x Schock ohne erkennbare Ursachen.

Die Clostridienenteritis hat vermutlich fütterungsbedingte Ursachen. Aus den verabreichten Heringen und Sprotten wurde ebenfalls Clostridium perfringens Typ A isoliert. Außerdem fielen bei einem Tier histologisch Sarkosporidienzysten in der Skelettmuskulatur auf. Bei beiden Tieren und einer dritten Ringelrobbe, bei der lediglich Schock als Todesursache ausgewiesen wurde, lag ein deutlicher Befall mit Milben (Halarachne spec.) im respiratorischen Pharynx vor. Die Schleimhaut wies unregelmäßige bis stecknadelkopfgroße Blutungen auf, war dunkelrot und samtartig. Ferner hatten diese Tiere ein bronchiales Lungenödem, ein alveoläres und interstitielles Lungenemphysem sowie lobuläre Atelektasen. Eindeutige reaktive, pneumonische Prozesse konnten wir auch unter Beachtung der Untersuchungsergebnisse von BLESSING et al. (1968) nicht feststellen. Die Besiedlung der oberen Luftwege bei Robben mit Milben ist mindestens 50 Jahre bekannt. Die pathogenetische Bedeutung wird unterschiedlich interpretiert (VITZTUM,1936). Ebenso wie KUTZER et al. (1983) konnten wir zumindest lokale regressive und reaktive Prozesse in der Pharynxschleimhaut nachweisen, die durch die Milben ausgelöst wurden. Es bleibt nach unserer Auffassung noch zu klären, ob diese lokalen Reaktionen bei entsprechender Intensität und unter Beachtung der Lebensweise der Robben Störungen der Atemtätigkeit und auch morphologische Veränderungen an der Lunge auszulösen vermögen.

Ungewöhnlich war der Nachweis einer beidseitigen Otitis media mucopurulenta. Aus dem Exsudat der Paukenhöhle ließ sich Proteus vulgaris in Reinkultur isolieren. Das Tier war klinisch bereits wegen Bewegungsstörungen und Ohrausfluß auffällig gewesen. Zu den weiteren pathol.-anatomischen Befunden gehörte ein ausgeprägtes Lungen- und Mediastinalemphysem.

Die Untersuchung der Kegelrobben führte zu folgenden Diagnosen: 1x traumatischer Schock, 2x Verdacht auf Botulismus, 1x tox. Schock nach Autintoxikation, 1x Schock ohne erkennbare Ursache, 1x Lungen- und Mediastinalemphysem. Einmal handelte es sich um einen mazerierten, 170 g schweren und 23 cm langen Fetus, bei dem sich keine Aborturşachen ermitteln ließen. Die Organe waren vollständig entwickelt und Sinushaare vorhanden. Die Körperbehaarung fehlte. Ein zweiter Fetus wog 4,5 kg, war 50 cm lang und vollständig behaart. Die Atemwege enthielten Fruchtwasser. In der Plazenta wurden ausgedehnte Blutungen festgestellt.

Die Autintoxikation bei einer 132 kg schweren weiblichen Kegelrobbe ist auf eine Geburtsstörung zurückzuführen gewesen. Der Fetus wog 15 kg (11,4 % des Körpergewichts der Mutter) und befand sich in Hinterendlage mit nach dorsal abgeknicktem Schwanz. Der Uterus wies ausgedehnte Wandnekrosen auf und enthielt außerdem plattenartig zusammengepreßte Haare. Die Plazenta war nicht mehr nachzuweisen. CURRY-LINDAHL (1970) gibt für Kegelrobben das Geburtsgewicht im Durchschnitt mit 9,2 kg an. Demnach dürfte die Ursache der Geburtsstörung in unserem Fall eine absolut zu große Frucht gewesen sein.

Die Kegelrobbe mit dem Lungenemphysem wies außer Schocksymptomen lediglich noch einen massiven Milbenbefall auf. Die Nebennieren wogen jeweils 9 g und fielen durch unregelmäßige linsengroße Vorwölbungen der Oberfläche auf. Auf der Schnittfläche ließen sich fokale, graue Bezirke mit spröder Konsistenz zwischen Mark und Rinde erkennen. Histologisch ergaben sich auffällige Störungen der Struktur der Zona fasciculata und der Zona reticularis. In diesen Gebieten waren die Zellen völlig regellos angeordnet oder neigten zur Läppchenbildung. Die Kerne zeigten deutliche Anisomorphie und waren teilweise hyperchromatisch und deutlich pyknotisch. Ferner fanden sich fokale eosinophile Sekretansammlungen, Nekrobiosen und Kalkeinlagerungen. Auf Grund der pathomorphologischen Befunde stufen wir diese Veränderungen als Nebennierenrindenadenom ein.

3. Pinguine (Sphenisciformes)

Von 1974 bis 1985 wurden insgesamt 42 Tiere seziert, die folgenden Arten angehörten:

15 Felsenpinguine	(Endyptes cristatus)	9 männliche, 6 weibliche
15 Brillenpinguine	(Spheniscus demersus)	8 männliche, 7 weibliche
10 Humboldtpinguine	(Spheniscus humboldti)	6 männliche, 4 weibliche

Männliche Tiere waren etwas häufiger als weibliche vertreten. Bei den Felsenpinguinen handelte es sich fast ausschließlich um adulte Tiere, während annähernd die Hälfte der Brillenpinguine und der Humboldtpinguine Nest- oder Jungtiere waren. 76 Prozent aller Tiere kamen von Mai bis Oktober zur Sektion. Wobei die Monate August mit 11 (26 %) und September mit 7 (16 %) Sektionen nochmals herausragen. Die höchste Abgangsrate trat damit eindeutig im Spätsommer auf. Über ähnliche Beobachtungen berichtete HEIDENREICH et al. (1977).

Verteilung der häufigsten Todesursachen:

Diagnose	absolut	%
Pasteurellose	13	30,9
Malaria	6	14,2
Botulismus	4	9,5
Lungenerkrankungen	4	9,5
Magenerkrankungen	4	9,5
Mykosen	3	7,1

Die höchsten Verluste verursachte die Pasteurellose. Bis 1983 wurde Pasteurella multocida bei 2 Felsenpinguinen und 1 Bastard nachgewiesen. Von Mai bis Oktober 1984 verendeten 5 Brillen- und 5 Humboldtpinguine an Pasteurellose. Die Erregerdifferenzierung ergab Pasteurella multocida Typ D nach CARTER mit gleichzeitiger schwächerer Reaktion auf Typ E +). Da die Therapiemaßnahmen wenig Erfolg erkennen ließen, wurde aus den isolierten Stämmen eine Adsorbatvakzine hergestellt (VEB Impfstoffwerk Dessau-Tornau) und ab September 1984 eingesetzt. Jeder Pinguin erhielt 2 ml intramuskulär appliziert. Nach 14 Tagen wurde die Vakzinierung wiederholt. Außerdem erfolgte im Februar 1985 nochmals die Vakzinierung aller Tiere nach demselben Prinzip. Seit der 1. Vakzination waren lediglich noch drei Abgänge zu registrieren. Im Oktober 1984 ergab die Sektion bei einem Humboldtpinguin eine fremdkörperbedingte Magenperforation als Todesursache. Anfang Februar verendete ein adulter Brillenpinguin noch vor der Vakzination an Pasteurellose. Im Oktober 1985 wurde bei einem 20 Tage alten Brillenpinguin Pasteurellose mit gleichzeitiger Malaria nachgewiesen. Dies waren die einzigen Verluste bis zum Jahresende 1985.

Die als zweithäufigste Erkrankung nachgewiesene Malaria ist von uns erst ab 1978 mit ausreichender Sicherheit diagnostiziert worden.

+) Die Typenbestimmung führte Dr. S c h i m m e l am Institut für Bakterielle Tierseuchenforschung in Jena durch.

In den Jahren vorher sind vermutlich bei Tieren mit Lungenerkrankungen oder Kreislaufschocks Malariafälle nicht erkannt worden. ZWART (1983) wies bereits auf die Bedeutung der Lunge für die Malariadiagnose hin. Es ist auch nach unseren eigenen Erfahrungen für die diagnostische Sicherheit bei der extraerythrozytären Malariaform unbedingt erforderlich, neben Milz und Leber die Lunge histologisch zu untersuchen.

Die Bedeutung von Haltungs- und Fütterungsstörungen für Pinguine in Tiergärten ist wiederholt herausgearbeitet worden (PREUSS, 1975). In unserem Material weisen 4 Fälle mit fremdkörperbedingter Magenperforation bzw. -obstipation darauf hin. Bei 5 weiteren Tieren wurden Magendilatationen oder unvollständige Obstipationen durch Fremdkörper als Nebenbefunde festgestellt. Die Pinguine hatten schlanke 17 bis 19 cm lange Fremdkörper, zumeist dicke Federkiele, Schilfrohrstücke oder gerade Äste, in unterschiedlichen Mengen aufgenommen. Vermutlich ist die Formähnlichkeit mit der natürlichen Nahrung für die bevorzugte Aufnahme solcher Fremdkörper ausschlaggebend. Betroffen waren sowohl Jung- als auch Alttiere.

Zusammenfassung

Sektionsergebnisse bei Zootieren maritimer Regionen

Die Sektionsergebnisse der Jahre 1974 bis 1985 bei 7 adulten Eisbären (Thalarctos maritimus), 17 Robben (Pinnipedia) und 42 Pinguinen (Sphenisciformes) aus dem Zoo Rostock werden zusammengefaßt dargestellt und gewertet.

Summary

Histological Findings from Zoo Animals of Maritime Regions

An evakuating summary is presented in this paper of post-mortem results obtained in the Rostock Zoo, between 1974 and 1985, from seven adult polar bears (Thalarctos maritimus), 17 seals (Pinnipedia), and 42 penguins (Sphenisciformes).

Résumé

Les résultats de dissections effectuées chez des animaux gardés en provenance de régions maritimes

Sont regroupés et évalués les résultats de dissections effectuées entre 1974 et 1985 sur 7 ours blancs (Thalarctos maritimus), 17 pinnipèdes (Pinnipedia) et sur 42 pingouins (Sphenisciformes) du jardin zoologique de Rostock.

Резюме

Результаты секционных исследований на животных зоопарка из прибрежных районов.

Сообщаются результаты секциоопых исследований, проводимых с 1974 по1985 год в зоопарке города Ростока на 7 белых медведях (Thalarctos maritimus), на 17 тюленях (Pinnipedia) и 42 пингвинах (Sphenisciformes).

Literaturverzeichnis

BLESSING, M.H., und R. RUMMELD (1968): Morphologische Beobachtungen zur Bronchopneumonie des Seehundes (Phoca vitulina). Verh.ber. Erkrg. Zootiere 10, 59 - 61.

CURRY-LINDAHL, K. (1970): Bredding biology of the Baltic grey seal (Halichoerus grypus). Zool. Garten 38, 16 - 29.

HEIDENREICH, M., und K.H. HINZ (1977): Pinguinerkrankungen in Zoologischen Gärten. Verh.ber. Erkrg. Zootiere 19, 227 - 234.

KUTZER, E., und H. BURTSCHER (1983): Nasenmilben-(Orthohalarachne attenuata)-Befall bei Mähnenrobben (Otaria byronia). Verh.ber. Erkrg. Zootiere 25. 331 - 336.

PREUSS, B. (1975): Beobachtungen und Untersuchungen an Pinguinen und Alkenvögeln unter besonderer Berücksichtigung ihrer Haltungsansprüche. Zool. Garten 45, 233 - 317.

RITSCHER, D., KIUPEL, H., und G. FRICKE (1984): Bemerkungen zu postnatalen Verlusten bei Eisbären im Zoologischen Garten Rostock. Verh.ber. Erkrg. Zootiere 26, 117 - 123.

VITZTUM, H. (1936): Ein akarologischer Nachruf für Roland. Tierärztl. Rdschau 14, 266 - 269.

ZWART, P. (1983): Lungenveränderungen bei Vögeln aus histomorphologischer Sicht. Verh.ber. Erkrg. Zootiere 25, 67 - 72.

Anschrift des Verfassers: VH Dr. H. K i u p e l
Bezirksinstitut für Veterinärwesen Rostock
DDR-2500 Rostock 1
Thierfelderstraße 18/19, PS 64 (DDR)

Aus den Wissenschaftsbereichen Fortpflanzung landwirtschaftlicher Nutztiere (Leiter: OVR Prof. Dr. sc. J. SCHULZ), Pathologie (Leiter: VR Prof. Dr. sc. U. JOHANNSEN) und Veterinärparasitologie (Leiter: VR Prof. Dr. sc. Regine RIBBECK) der Sektion Tierproduktion und Veterinärmedizin der Karl-Marx-Universität Leipzig und dem Zoologischen Garten Leipzig (Direktor: Dr. S. SEIFERT)

HALTUNG UND KRANKHEITEN DER ROBBEN IM ZOO LEIPZIG

Von K. Eulenberger, P. Müller, K. Schüppel, W. Haupt und K. Elze

In den Jahren 1960 bis 1985 wurden im Zoo Leipzig 27 Robben in 6 verschiedenen Arten gehalten (Tab. 1), gegenwärtig setzt sich der Bestand aus 1,4 Südafrikanischen Seebären und 1,1 Baikalrobben zusammen. Die Haltung der Hundsrobben (Ostsee-Ringelrobbe und Baikalrobben) erfolgte in den letzten Jahrzehnten in der 1934 errichteten Pinguinanlage gemeinsam mit Humboldt- und Brillenpinguinen. Diese Vergesellschaftung hat sich gut bewährt. Das Wasserbecken ist ca. 0,70 m tief und enthält etwa 75 m^3 Wasser. Bei der Reinigung der Anlage gehen die Robben in einen kleinen Innenstall unter den Felsaufbauten, den sie auch zu anderen Zeiten gelegentlich aufsuchen.

Die Kalifornischen Seelöwen und die Südafrikanischen Seebären waren bzw. sind in einem etwa 94 m^3 fassenden und ca. 0,80 m tiefen Becken am "Neuen Vogelhaus" untergebracht. Das flache Landteil weist ein erhöhtes Podest auf, von dem die Tiere gern ins Wasser springen oder das sie zum Sonnen nutzen. Es steht den Robben ein schwach beheizter Innenstall mit einer gesonderten Absperrmöglichkeit für den Bullen zur Verfügung.

Seit 1977 wird dem Wasser der Ohrenrobben, seit 1980 auch dem der Hundsrobben Natriumchloridsole S 4 mit einem NaCl-Gehalt von ca. 300 g/l beigegeben. Zur Zeit werden im 14tägigen Turnus 5 bzw. 2 m^3 Sole in die beiden Becken gelassen und der Wasserdurchlauf abgestellt bzw. gedrosselt. Dadurch erhält sich über einige Tage der Salzgehalt von ca. 1,2 % (das entspricht etwa dem der westlichen Ostsee). Auf Grund der Wasserverschmutzung muß danach aber wieder ein Durchlauf gewährleistet sein, woraus sich eine allmähliche Verringerung des Salzgehaltes ergibt.

Die Fütterung bei allen Robbenarten erfolgt überwiegend mit Heringen, die wir tiefgefroren erhalten. Sie werden im fließenden Wasser aufgetaut und im Ganzen verfüttert. Wenn Heringe nicht zur Verfügung stehen, kommen bei den Ohrenrobben, aber gelegentlich auch bei den Hundsrobben, Makrelen oder Dorsche, seltener auch Eisfische zum Einsatz.

Tabelle 1: Robbenbestand im Zoo Leipzig von 1960 bis 1985

Art Geschlecht	Name	Zugang	Abgang	Art Geschlecht	Name	Zugang	Abgang
Südafrikanischer Seebär (Arctocephalus pusillus) (SCHREBER, 1777)				Kalifornischer Seelöw (Zalophus californianus) (LESSON, 1828)			
0,1	-	28.07.1977	06.09.1977	1,0	-	26.05.1960	30.11.1962
0,1	Merit	28.07.1977	13.02.1982	0,1	-	26.05.1960	26.11.1960
0,1	Minea	28.07.1977		0,1	Dicke	26.05.1960	21.10.1966
0,1	Teje	28.07.1977		0,1	Mausi	26.05.1960	08.12.1975 (verkauft)
1,0	Oneh	09.02.1978		1,0	-	18.04.1963	26.07.1967
?	-	06.03.1981	06.03.1981 (Frühgeburt)	0,1	Franziska	18.04.1963	11.03.1975
0,1		03.04.1984		0,1	-	10.05.1966	10.05.1966 (Totgeburt)
0,1		03.04.1984		1,0	Bonzo	24.10.1967	06.05.1974
1,0	-	22.05.1984	22.05.1984 (Totgeburt)	0,1	-	24.10.1967	08.11.1967
1,0	-	02.06.1985	02.06.1985 (Lebensschwäche)	0,1	-	07.12.1967	08.12.1975 (verkauft)
Ostsee-Ringelrobbe (Pusa hispida botnica) (GMELIN, 1788)				Baikalrobbe (Pusa sibirica) (GMELIN, 1788)			
1,0	-	15.12.1971	01.12.1974	1,0	-	15.05.1959	14.06.1964
1,0	-	15.12.1971	11.11.1975	1,0	-	29.05.1977	12.12.1977
				0,1	Nadja	29.05.1977	30.09.1983
				1,0	-	17.05.1978	26.09.1978
				1,0	Slawa	21.05.1979	
				0,1	Lisa	21.05.1979	

Art Geschlecht	Name	Zugang	Abgang	Art Geschlecht	Name	Zugang	Abgang
Sattelrobbe (Pagophilus groenlandicus) (ERXLEBEN, 1777)				Seehund (Phoca vitulina) (LINNE, 1758)			
1,0	-	16.04.1960	12.05.1960	1,0	Heini	17.06.1960	18.11.1970
0,1	-	16.04.1960	24.05.1960				

Als Vitaminsubstitution hat sich in den letzten Jahren für die Baikalrobben eine tägliche Gabe von 4 Dragees (= 120 000 IE) Vitamin A, 4 Dragees Vitamin-B-Komplex (= 0,02 Thiaminhydrochlorid; 0,008 Pyridoxinhydrochlorid; 0,08 Nicotinamid; 0,012 Dexpanthenol) und 1 Dragee (= 0,12 α-Tokopherolazetat) Vitamin E pro Tier und für die Seebären die Verabreichung von täglich 4 Dragees Vitamin A, 4 Dragees Vitamin-B-Komplex und 2 Dragees Vitamin E pro Tier bewährt.

Zum klinischen Krankheitsgeschehen

Das klinische Krankheitsgeschehen bei den Robben des Zoo Leipzig soll an Hand der in Tab. 2 für den Zeitraum von 1960 bis 1985 zusammengestellten Angaben analysiert werden. Als Grundlage für diese Zusammenstellung dienten die Aufzeichnungen der behandelnden Tierärzte, die über die sorgfältig von Fräulein v. EINSIEDEL geführte Krankenkartei für die vorliegende Auswertung benutzt wurden, sowie die von den jeweiligen Instituten bzw. heutigen Wissenschaftsbereichen erhobenen pathologischen, mikrobiologischen und parasitologischen Befunde.

Aus dieser Zusammenstellung geht hervor, daß an 27 Robben 152mal Behandlungen erforderlich wurden. Rezidive nach zwischenzeitlicher klinischer Genesung wurden dabei jeweils als erneute Behandlung gewertet.
Im weiteren wurde die Häufigkeit der wichtigsten klinischen Diagnosen ausgewiesen, die Veranlassung für das Einleiten therapeutischer Maßnahmen waren. Das gleichzeitige Auftreten mehrerer der in Tab. 2 aufgeführten Symptome bzw. Erkrankungen erklärt den Unterschied zwischen deren Häufigkeiten (199) und denen für die durchgeführten Behandlungen (152).

Tabelle 2 : Analyse der Häufigkeit klinischer Erkrankungen bei Robben des Zoo Leipzig von 1960 - 1985 (in Klammern Zahl der erkrankten Tiere)
X) Häufigkeit nicht mehr exakt feststellbar

Tierart (n)	Behandlungen (n)	Häufigkeiten von							
		Keratokonjunktivitis	Ekzem	Stomatitis	Erkrankungen der Atmungsorgane	Erkrankungen der Verdauungsorgane	Parasitosen	Inappetenz	Traumen
Sattelrobbe (1)	1	-	-	-	-	1 (1)	-	-	-
Seehund (1)	15	7 (1)	6 (1)	-	1 (1)	1 (1)	-	-	-
Ringelrobbe (2)	9	9 (2)	2 (1)	-	2 (1)	1 (1)	-	-	-
Baikalrobbe (6)	31	14 (4)	31 (6)	3 (3)	3 (4)	-	-	-	-
Kalifornischer Seelöwe (9)	53	11 (4)	9 (6)	X)	4 (3)	12 (6)	8 (4)	4 (4)	1 (1)
Südafrikanischer Seebär (7)	43	12 (5)	-	28 (4)	13 (4)	6 (5)	2 (2)	2 (2)	6 (3)
		n=199							
Σ 27	152	53(16) = 26,6 %	48(14) = 24,1 %	31(7) = 15,6 %	23(13)= 11,6 %	21(14)= 10,6 %	10(6)= 5,0 %	6(6)= 3,0 %	7(4)= 3,5 %
		132 = 66,3 %							

Am häufigsten mußten Behandlungen wegen Keratokonjunktivitis und lokalen Ekzemen vorgenommen werden, wobei beide Symptome in vielen Fällen gleichzeitig auftraten. Da im Zusammenhang mit diesen Erkrankungen der Augen und der Epidermis auch das Auftreten der Stomatitis zu sehen ist, werden alle 3 Symptome als ein gemeinsamer Symptomenkomplex verstanden und im folgenden als gemeinsames Syndrom besprochen. Tierartliche Unterschiede zeigen sich insofern, als die Hautveränderungen vor allem bei den Hundsrobben, seltener auch bei den Seelöwen, nicht aber bei den Seebären aufgetreten sind. Bei diesen kommt es jedoch relativ oft zu einer hoch akuten Stomatitis. Von der Konjunktivitis und Keratokonjunktivitis waren alle Arten mit Ausnahme der nur kurzzeitig gehaltenen Sattelrobben etwa gleich betroffen, in etwas geringerem Maße noch die Seelöwen, bei denen trotz längeren Aufenthalts nur 4 von 7 Tieren erkrankten. Obwohl die Erkrankungen der Atmungsorgane möglicherweise zumindest teilweise im Zusammenhang mit dem oben genannten Syndrom gesehen werden können, hielten wir auf Grund ihres häufig komplizierten Verlaufs und der zu erwartenden heterogenen Ätiologie eine Abgrenzung vom erstgenannten Symptomenkomplex für notwendig. Die ausgewiesenen tierartlichen Unterschiede lassen eine unterschiedliche Anfälligkeit, aber auch eine differenzierte Abwehrlage zwischen den Hundsrobben und denen der Ohrenrobben vermuten.

Erkrankungen der Verdauungsorgane waren in gleicher Häufigkeit wie die des Atmungstraktes zu verzeichnen, wobei die Seelöwen am häufigsten betroffen waren. Möglicherweise besteht ein Zusammenhang zu dem z.Z. der Seelöwenhaltung noch bedeutsameren Befall mit Magen-Darm-Parasiten, wobei Parasitosen mit 5 % Häufigkeit ansonsten nur von geringgradiger Bedeutung sind. Inappetenz, in den aufgeführten Fällen als einziges klinisches Symptom erkennbar, trat in 3 % der Fälle auf und war bei 2 Tieren bereits Ausdruck eines moribunden Zustandes. Zwei als Jungtiere erworbene Seebären erwiesen sich noch nicht an die Aufnahme toter Futterfische gewöhnt. Sie mußten vorübergehend mit Fischmus per Schlundsonde und lebenden Süßwasserfischen ernährt werden.

Die traumatischen Erkrankungen, nachweislich fast ausschließlich auf Bißverletzungen zurückgehend, sind mit 3,5 % anteilmäßig zwar recht unbedeutend, da sie sich aber vorrangig auf die Seebärengruppe beschränken und die Verletzungen mitunter erheblich sind, stellen sie dennoch ein ständig zu beachtendes Problem dar. Möglicherweise besteht eine Beziehung zu fortpflanzungsbiologischen Verhaltensweisen, denn vorrangig ist das einzige bislang gravid gewordene Tier davon betroffen. Nach Aussagen der Pfleger gehen allerdings die Auseinandersetzungen mit dem Bullen häufig von diesem Weibchen aus. Dafür spricht auch, daß selbst der körperlich den weiblichen Tieren weit überlegene Bulle bereits zur Wundbehandlung vorgestellt worden ist.

Keratokonjunktivitis, Ekzem der Haut, Stomatitis

Diese mit mehr als 66 % aller zu therapeutischer Einflußnahme führenden Symptome und deshalb mit großem Abstand als bedeutsamste Erkrankungen unserer Robben einzuschätzen, lassen bei allen Patienten weitgehend gleichen Verlauf und gleiches Erscheinungsbild erkennen. Es sollen deshalb Krankheitsbild und -verlauf sowie die zur Anwendung gekommenen therapeutischen Maßnahmen an Hand von Einzelbeispielen dargestellt werden. Da, wie bereits erwähnt, offenbar Unterschiede bezüglich der Anfälligkeit gegenüber den ekzematösen Hautveränderungen zwischen Hundsrobben und Seebären bestehen, wurden zu diesem Zwecke die Krankengeschichten von 1,2 Seebären und 1,3 Baikalrobben ausgewählt (Tab. 3, 4).

Tabelle 3: Krankheitsverlauf bei Südafrikanischen Seebären mit Verdacht auf primäre Herpesvirusinfektion

Erkrankte Tiere	Datum	Klinik	Therapie
0,3	20.12.77	Inappetenz, Schnupfen	2 x täglich Oxytetracyclin (OTC) 0,5 über 6 d p.o., Vitaminsubstitution erhöht
	27.12.77	klinische Heilung	
0,1	28.12.77	Stomatitis, verminderter Appetit	Chloramphenicol
	31.12.77	unverändert	Doxycyclin 0,2 über 2 d; 0,1 über 6 d p.o.
	03.01.78	Heilung	
1,0 (Neuzugang am 9.2.78)			
0,1	11.07.78	Keratokonjunktivitis	2 x täglich Trimethoprim 0,08 plus Sulfa-

Erkrankte Tiere	Datum	Klinik	Therapie
			merazin 0,12 über 12 d p.o.; 2 x täglich Prednisolon 0,02 über 12 d p.o. Sole in Wasserbassin
	25.07.78	Heilung	
1,2	03.10.78	verminderter Appetit Keratitis	Prednisolon 0,02 über 4 d, Sole
	10.10.78	AB ungestört, Augen unverändert	
	14.11.78	Heilung	
1,3	09.07.78–24.07.78	Katarrh der oberen Luftwege	2 x täglich OTC 0,75 p.o. über 7 d
	16.10.79–23.10.79	Katarrh der oberen Luftwege	Trimethoprim plus Sulfamerazin wie 11.7.78
0,1	25.10.79	Stomatitis, Keratokonjunktivitis, Inappetenz	wie 16.10.79
	08.01.80	Keratokonjunktivitis chronisch	
1,3	23.02.80	Stomatitis	Sulfonamide (Mebacid(R), Berlin-Chemie)
	11.03.80	AB gedämpft, Maulschleimhaut stark gerötet mit Erosionen	2 x täglich OTC 1,0 über 10 d p.o.
	26.03.80	Heilung	
1,0	04.06.81	Inappetenz, eitriger Nasenausfluß, Stomatitis	2 x täglich OTC 1,0 Prednisolon 0,05 über 5 d
0,3		Stomatitis, verminderter Appetit	2 x täglich OTC 0,75 Prednisolon 0,025 über 5 d
	09.06.81	Heilung	
0,1	30.06.81–15.09.81	wiederholt Störungen des AB, gelegentlich Stomatitis	OTC p.o.; Penicillin/Streptomycin i.m. Mebacid(R), Berlin-Chemie
	22.09.81	Heilung	
	13.02.82	plötzlich Exitus letalis infolge degenerativem Myocard- und Leberschadens	
1,2	16.03.82	Inappetenz, Stomatitis	OTC wie 4.6.81
	23.03.82	Heilung	
1,0	01.07.82	Stomatitis	2 x täglich Ampicillin 2,0 über 10 d p.o. täglich 100 000 IE Vitamin A über 30 d
	06.07.82	Heilung	
	21.07.84	häufiges Niesen, Nasenausfluß, hustet	Ampicillin wie 1.7.82, Mebendazol 0,01/kg KM
	31.07.84	Heilung	
1,1	07.08.84	Inappetenz, Stomatitis, Aeromonas hydrophila im Kot	2 x täglich Chloramphenicol 1,5 über 5 d p.o.
	14.08.84	Heilung	
,0	05.03.85–12.03.85	Stomatitis, AB gedämpft	Ampicillin wie 1.7.82
	09.07.85–16.07.85	Stomatitis	Trimethoprim/Sulfamerazin wie 11.7.78

AB = Allgemeinbefinden; p.o. = per os; i.m. = intramuskulär

Ihre Auswertung gestattet folgende spezielle Schlußfolgerungen:

- Zwischen den ekzematösen Veränderungen der Haut bei den Baikalrobben bzw. der Stomatitis der Seebären und den entzündlichen Veränderungen am Auge beider Tierarten besteht ein enger zeitlicher Zusammenhang.
- Vorrangig bei den Seebären, gelegentlich aber auch bei den Baikalrobben, sind gleichzeitig oder kurz vor dem Auftreten von Stomatitis und akuter Konjunktivitis auch katarrhalische Affektionen der oberen Luftwege zu verzeichnen.
- Die ständige Wiederkehr des Krankheitssyndroms läßt eindeutig auf eine rekurrierende Manifestation schließen.
- Die in ihrem Erscheinungsbild und ihrer Intensität von Mal zu Mal etwas differierenden Veränderungen an Haut und Schleimhäuten sprechen für eine sekundäre Begleitflora (Bakterien, Pilze), die den Krankheitsverlauf erheblich zu komplizieren und in die Chronizität zu drängen vermag.
- Die im Verlaufe der Jahre größer gewordenen Intervalle zwischen den Rezidiven sprechen für eine Konsolidierung der Immunitätslage im Bestand und für eine höhere Effektivität der komplexen Bekämpfungsmaßnahmen.
- Von den therapeutischen Maßnahmen haben sich in Übereinstimmung mit den Behandlungsergebnissen bei weiteren Patienten vor allem die sofortige allgemeine Antibiose, kombiniert mit kurzzeitigen Glukokortikoidgaben, erhöhter Vitaminsubstitution und - wahrscheinlich als wichtigster Maßnahme - der Solezusatz in die Wasserbassins bewährt. Obwohl schnelle therapeutische Erfolge nach verschiedenen Antibiotika erzielt wurden, kann die sicherste Wirkung dem Oxytetracyclin bzw. dem Doxycyclin (Vibramycin, Pfizer) zugesprochen werden. Die alleinige lokale Behandlung der Haut- und Augenveränderungen ist als nicht wirksam genug einzuschätzen; die Gefahr ist dann groß, daß sich chronische Prozesse entwickeln.
- Die Veränderungen der Haut, insbesondere die haarlosen Areale, bleiben auch über das akute Stadium hinaus meist noch längere Zeit bestehen, ohne sich jedoch weiter auszubreiten, und verschwinden erst mit dem Haarwechsel.
- Ein unmittelbarer Zusammenhang zwischen den entzündlichen Haut- und Schleimhauterkrankungen und den Todesursachen läßt sich nur im Falle der an hämorrhagischer Pneumonie verendeten männlichen Baikalrobbe (Tab. 4) herstellen.

Tabelle 4: Krankheitsverlauf bei Baikalrobben mit Verdacht auf primäre Herpesvirusinfektion

Erkrankte Tiere	Datum	Klinik	Therapie
1,1	22.11.77	AB ungestört, einzelne Erosionen der Haut mit Wallbildung	Vitamine A,B,E bis 31.1.78, Trimethoprim + Sulfamerazin (2mal täglich 0,08 + 0,4 über 6 d)
	29.11.77	Erosionen verschorft, guter Appetit	
1,0	11.12.77	AB schlecht, Inappetenz, röchelnde Atmung	Penicillin/Streptomycin i.m., Prednisolon i.m.
	12.12.77	Exitus letalis infolge hämorrhagischer Pneumonie, Leberschaden, Darmbluten	
0,1	12.12.77		metaphylaktisch 200 mg Doxycyclin über 2 d; 100 mg Doxycyclin über 6 d
	10.01.78	AB ungestört, Ekzem am Kopf verschorft	
	17.01.78	Blepharitis	
	04.04.78	pustulöses Ekzem, Alopezie an Stellen alter Pusteln	100 mg Doxycyclin über 5 d p.o.
	25.04.78	geheilt entlassen	
	07.06.78	stark juckendes Ekzem an Lippen (steht ständig Kopf)	Hydrocortison- und Chloramphenicolspray
	21.06.78	Befunde am Maul unverändert; stärker geschwollen	100 mg Doxycyclin über 4 d p.o.
	12.12.78	einsetzende Behaarung der abgeheilten Hautgebiete	
	15.1. 79	erneuter Juckreiz im Nasenbereich	Oxycortspray, Polfa

Erkrankte Tiere	Datum	Klinik	Therapie
	27.02.79	wieder deutliches Ekzem, Juckreiz, Candida albicans nachgewiesen	500 000 IE Vitamin A wäßrig täglich über 10 d p.o.
	27.03.79	Ekzem breitet sich im Maulbereich aus	2 x täglich 500 000 IE Levorin über 14 d p.o., Nystatinsalbe lokal
	10.04.79	Juckreiz nachgelassen, Hauteffloreszenzen verschorft	
	17.04.79	Ausbreitung der ca. pfennig-großen Epidermisdefekte über gesamten Körper	2 x täglich Trimethoprim 0,08 plus Sulfamerazin 0,12 über 10 d, Vitamin-B-Komplex, Methionin 0,50 über 40 d
	02.05.79	Heilung	
1,2	29.01.80	AB ungestört, fünfpfennig-große, helle Hautläsionen an Unterbauch und Körperseiten	2 x täglich Oxytetracyclin (OTC) 0,5 über 10 d p.o.
	12.02.80	keine weiteren Hautdefekte	
	11.03.80	AB gedämpft, stark gerötete Maulschleimhaut mit herpesartigen Erosionen	2 x täglich OTC 0,5 über 10 d p.o.
	26.03.80	AB ungestört, Maulschleimhaut o.b.B., Hautdefekte trocken, Keratokonjunktivitis	
	15.04.80-23.04.81	rezidivierende Keratokonjunktivitis und Eccema pustulosa, Hautveränderungen nie völlig zurückgegangen	Chloramphenicolspray, Jodsubstitution, Vitaminsubstitution
	05.05.81	Beginn des Fellwechsels, verminderter Appetit	wöchentlich Sole ins Wasserbecken verbracht
	01.06.81	nach Abschluß der Härung Haut o.b.B.	
	23.03.82	AB gestört, typische stark juckende Erosionen der Haut, Stomatitis, Konjunktivitis	OTC, Chloramphenicol ohne deutlichen Effekt
	10.04.82	AB gut, Appetit schlecht, Haut wenig verändert	3 x täglich 400 000 IE Phenoxymethylpenicillin p.o.
	20.04.82	AB ungestört, Appetit gut, Behaarung der Hautdefekte deutlich, Maul o.b.B.	

Erkrankungen der Atmungsorgane

Auf die möglichen Beziehungen von Erkrankungen der Atmungsorgane zu dem vorstehend besprochenen Symptomenkomplex wurde bereits eingegangen. Die beobachteten Symptome bei Affektionen der Atmungsorgane reichen von häufigem Niesen mit lediglich serösem Nasenausfluß über mukösen bis mukopurulenten Auswurf, der gelegentlich vor allem bei Seelöwen und Seebären beobachtet wurde. Wird Husten als alleiniges Symptom festgestellt, so ist an Lungenwurmbefall zu denken. Pneumonien führen häufig ohne oder erst mit kurz vorher festgestellten Krankheitssymptomen zum Tode, ohne daß therapeutische Maßnahmen eingeleitet werden konnten. Entscheidend für die Therapieerfolge bei Atemweginfektionen ist eine schnell einsetzende Antibiose. Bewährt hat sich vor allem das CTC (Ursocyclin-Kapseln(R), Bernburg) in den in den Tabellen 3 und 4 angegebenen Dosierungen. Bei gleichzeitiger Inappetenz erwiesen sich je 2 Mill. IE Benzylpenicillinum Dibentylaethelendiaminum und Dehydrostreptomycinum sulfuricum (Sulfastrepdipen wäßrig(R), Bernburg) intramuskulär als gut wirksam. Erfolglos blieb die Therapie mit Sulfastrepdipen bei dem Seehund "Heini", der nach 10jährigem Aufenthalt im Zoo Leipzig einer Pneumonie infolge Pseudomonas aeruginosa-Infektion erlag (s. Tab. 7). Weniger sicher als mit OTC waren die Therapieerfolge nach Chloramphenicol, Ampicillin, Mebacid und Trimethoprim/Sulfamerazin.

Als unterstützende Therapie kamen zur Anwendung:
- orale oder parenterale Vitaminsubstitution (A, D_3, E, C, B- Komplex)
- Glukokortikoide (20 bis 50 mg Prednisolon)
- gelegentlich Analgetika, Antihistaminika.

Erkrankungen der Verdauungsorgane

Für Erkrankungen der Verdauungsorgane sprechende klinische Symptome - ohne Berücksichtigung der Stomatitis - waren Diarrhoe mit z.T. wäßrigem bis dünnbreiigem, grauem übelriechendem Kot, Vomitus und Koliksymptome mit und ohne Inappetenz. Als Ursachen bzw. prädisponierende Faktoren könnten angeführt werden:

- Magen-Darm-Infektionen (u.a. Salmonellose in einem Fall)
- Magen-Darm-Parasiten
- Fremdkörper (u.a. zu Ileus und Volvulus des Jejunums führende Aufnahme von Fallaub)
- ungenügende Qualität der Futterfische
- sekundäre Schädigung der Schleimhäute infolge Nephritis bei den Seelöwen (s.u.).

In den letzten Jahren ergaben sich sowohl klinisch als auch an Hand von Sektionsbefunden Hinweise für einen Rückgang der gastrointestinalen Erkrankungen. Als mögliche Ursachen dafür kommen in Betracht:

- eine höhere Anfälligkeit der heute nicht mehr im Bestand befindlichen Kalifornischen Seelöwen
- die Eliminierung der Magen-Darm-Parasiten, insbesondere der Hakenwürmer und Kratzer
- bessere Fütterungshygiene durch die ausschließliche Verwendung tiefgefroren gelagerte Futterfische
- regelmäßige Solezufuhr
- Optimierung der Vitaminsubstitution.

Zur Therapie erwiesen sich besonders Chloramphenicol (2mal täglich 1 bis 1,5 g) per os oder intramuskulär, aber auch OTC und Ampicillin (2mal täglich 0,5 bis 1,0 g) als wirksam. Zusätzliche Vitamingaben, Spasmolytika bzw. Spasmoanalgetika und Antihistaminika waren Bestandteile der unterstützenden bzw. symptomatischen Therapie.

Parasitosen

Wie aus Tab. 5 hervorgeht, spielen Parasitosen bei den von uns gegenwärtig gehaltenen Robben offensichtlich keine Rolle mehr. Dank der heute zur Verfügung stehenden Breitbandanthelminthika werden die Magen-Darm-Parasiten sehr gut beherrscht. Aber auch der Lungenwurmbefall ist stark zurückgegangen; mit Ausnahme bei der in Tab. 4 ausgewiesenen Ringelrobbe wurde seit 1967 weder klinisch noch koprologisch oder anläßlich von Sektionen Lungenwurmbefall nachgewiesen. Gelegentlich - besonders beim Auftreten von Krankheitsanzeichen im Bereich des Respirationstrakts - wurde metaphylaktisch mit 10 bis 20 mg/kg KM Mebendazol (Mebenvet(R), Richter) behandelt. Erstmalig erfolgte der Einsatz von Mebendazol im Jahre 1975, und seitdem wurden auch niemals mehr Entwicklungsstadien von Askariden, Hakenwürmern oder Kratzern der in Tab. 5 genannten Gattungen nachgewiesen.

Seitdem ab Mitte der 60er Jahre ausschließlich tiefgekühlt gelagerte Futterfische gefüttert werden, konnte auch Bandwurmbefall nur noch bei neu erworbenen Seebären, 9 Monate nach Zukauf des männlichen Tieres, nachgewiesen werden. Die weiblichen Seebären waren 6 Monate vorher angeschafft worden. Ob alle Tiere dieser Gruppe durch die nicht exakt bestimmbare Art der Ordnung Pseudophyllidea befallen waren, konnte nicht festgestellt werden.

Abschließend ist darauf hinzuweisen, daß sich auch dank der guten Kondition der Robben, ihrer offensichtlich weitgehend bedarfsgerechten Ernährung und Vitaminversorgung, die Widerstandskraft gegenüber Helmintheninvasionen, besonders aber gegenüber solchen von Lungenwürmern, erhöht haben dürfte.

Tabelle 5: Parasitologische Befunde und durchgeführte Therapie bei Kalifornischen Seelöwen, Südafrikanischen Seebären und einer Ostsee-Ringelrobbe

Tierart/ Datum	Nachweis-methode	Parasiten bzw. deren Entwicklungsstadien	Therapie
1,3 Seelöwen 6.6.60	koproskopische Untersuchung	Lungenwurm-Larven, Askariden-Eier, Pseudophyllidea-Eier	
1,0 Seelöwen 19.11.62	parasitologische Sektion	Kratzer der Gattung Corynosoma	
1,3 Seelöwen 11.5.63	Koproskopische Untersuchung	Lungenwurm-Larven	20 mg Cyanacethydrazid/ kg KM/d, 3 d lang (Benecid(R), Arzneimittelwerk Dresden

Tierart/ Datum	Nachweis-methode	Parasiten bzw. deren Entwicklungsstadien	Therapie
0,1 Seelöwe 24.10.67	parasitologische Sektion	Kratzer der Gattung Corynosoma, Hakenwürmer der Gattung Uncinaria	
1,0 Ringelrobbe	histologische Untersuchung	Lungenwürmer	
1,2 Seebären	koproskopische Untersuchung	Pseudophyllidea-Eier	2,5 g Niclosamid/Tier (Radeverm(R)-Tabletten, Arzneimittelwerk Dresden)

Fortpflanzung

Während im Leipziger Zoo in den Jahren von 1930 bis 1939 bei 44 Kalifornischen Seelöwen und von 1936 bis 1945 bei einem Bestand von insgesamt 17 Südafrikanischen Seebären 7 Jungtiere bzw. 1 Jungtier zur Welt kamen, von denen 4 Seelöwen aufwuchsen (MÜLLER, 1984), waren es von 1960 bis 1985 nur 1 Seelöwe und 3 Seebären, die alle tot oder lebensschwach geboren wurden (Tab. 6).

Tabelle 6: Daten zum Fortpflanzungsgeschehen bei Kalifornischen Seelöwen und Südafrikanischen Seebären von 1960 - 1985 im Leipziger Zoo

Tier	Datum	Zustand der Frucht	bakteriologische Untersuchung
Seelöwe	10.5.66	tot geboren, Leberruptur	E. coli (geringgradig)
Seebär "Merit"	6.3.81	Totgeburt	negativ
Seebär "Minea"	8.2.83	nur Plazenta aufgefunden	Corynebacterium pyogenes
dto.	22.5.84	Totgeburt, Hämatome	koliforme Keime in allen Organen
dto.	2.6.85	lebensschwach, Exitus letalis am 1. d post natum	Clostridium perfringens in Niere, Darm und Darmlymphknoten

Den 2 Geburten von "Minea" war ein Abort vorangegangen und danach auf Grund des bakteriologischen Befundes eine 10tägige Therapie von dem oral zu verabreichenden Präparat V-Tablopen (täglich 3,6 Mill. IE Phenoxymethylpenicillin), Arzneimittelwerk Dresden, durchgeführt worden.
Welche Bedeutung den im Plazentagewebe bzw. den Feten nachgewiesenen unterschiedlichen Erregern für die Auslösung des Abortes bzw. das Absterben der Früchte beizumessen ist, kann an Hand der wenigen Fälle nicht endgültig entschieden werden. Erregerart, Lokalisation und Intensität des Befalls lassen sie jedoch zumindest als unmittelbare Todesursachen in Betracht kommen. Die im Leipziger Zoo in früheren Jahren erzielten Zuchterfolge sind ohne Zweifel auf die ehemals günstigeren Haltungsbedingungen in sauberem Flußwasser zurückzuführen (MÜLLER, 1984), die für bessere Zuchtkondition der Muttertiere und geringeren Infektionsdruck unter jenen Bedingungen sprechen.
Gleichzeitig ist jedoch darauf zu verweisen, daß in dem vergleichsweise kürzeren Zeitraum von 1930 bis 1945 weit mehr Tiere gehalten wurden und somit die Anzahl zuchttauglicher Tiere potentiell höher sein mußte.

Pathologisch-anatomische Befunde

Insgesamt starben im angegebenen Zeitraum 18 Robben; die als Todesursachen angenommenen Befunde sind neben der Haltungsdauer in Tab. 7 aufgeführt. Daraus geht hervor, daß 8 von 18 Tieren innerhalb des ersten Jahres starben, davon 4 während der ersten 2 Monate.
Über die in Tab. 7 als Todesursachen angegebenen pathologischen Befunde hinaus sind aus pathologischer Sicht noch folgende Ergebnisse zusammengefaßt hervorzuheben:
Bis auf 1 Tier lag bei allen sezierten Kalifornischen Seelöwen ein deutlicher Herzmuskelschaden vor, der sich meist durch eine hochgradige Herzkammerdilatation zu erkennen gab. Bei zwei von diesen Tieren wurde histologisch eine Herzmuskeldegeneration festgestellt. Bei einem Seelöwen, der zwei Wochen nach dem Ankauf verstarb, wurde im Rahmen einer Salmonelleninfektion durch Salmonella enteritidis eine Myokarditis nachgewiesen. Die Herzmuskelschäden führten zu erheblichen Blutstauungserscheinungen in den großen Parenchymen sowie zu beachtlichen Lungenödemen. Bei

Tabelle 7: Angaben zu Haltungsdauer und Todesursachen der Robben

Tierart	Geschlecht	Sterbedatum	Haltungsdauer	Todesursache
Zwergseebär	weibl.	6.9.77	40 d	Herzmuskelschaden Hepatitis
Zwergseebär	weibl.	13.2.82	4,5 Jahre	Herzmuskelschaden Leberdegeneration
Seelöwe	weibl.	26.11.60	0,5 Jahre	Leberdegeneration Herzmuskelschaden
Seelöwe	männl.	30.11.62	2,5 Jahre	Gastroenteritis
Seelöwe	weibl.	21.10.66	6,5 Jahre	Brustwandphlegmone Herz- u. Leberdegeneration
Seelöwe	männl.	26.7.67	4 Jahre	Gastroenteritis
Seelöwe	weibl.	8.11.67	15 d	Salmonellose
Seelöwe	männl.	6.5.74	6,5 Jahre	interstitielle Hepatitis und Nephritis Bronchitis, Herzmuskelschaden
Seelöwe	weibl.	11.3.75	12 Jahre	Herzkreislaufversagen interstitielle Nephritis
Ringelrobbe	männl.	1.12.74	3 Jahre	akute Pneumonie
Ringelrobbe	männl.	8.11.75	4 Jahre	abszedierende Pneumonie, abszedierende Pankreatitis (Micrococcus albus)
Baikalrobbe	männl.	14.6.64	30 d	Herzmuskelschaden chronische Stauungsleber
Baikalrobbe	männl.	12.12.77	0,5 Jahre	akute Pneumonie
Baikalrobbe	männl.	26.9.78	0,5 Jahre	Ileus, Volvulus jejuni nach Aufnahme von Falllaub
Baikalrobbe	weibl.	30.9.83	6,5 Jahre	fibrinöse Pneumonie
Sattelrobbe	männl.	12.5.68	26 d	Pyelonephritis
Sattelrobbe	weibl.	24.5.60	38 d	Gastroenteritis
Seehund	männl.	19.11.70	10,5 Jahre	Pneumonie

einer männlichen Baikalrobbe sprach die chronische Stauungsleber bereits für ein längeres Bestehen der Herz-Kreislauf-Insuffizienz.
Bei 5 Robben lagen schwerwiegende Lungenaffektionen vor. Eine Baikalrobbe und eine Ringelrobbe erlagen daher einer ausgedehnten akuten katarrhalischen Pneumonie. Eine weitere Baikalrobbe verstarb an einer fibrinösen Pneumonie. Bei einem männlichen Seelöwen war eine chronische Bronchitis vorhanden, wobei offensichtlich die chronisch interstitielle Hepatitis und ein Herzmuskelschaden letztendlich zum Tod des Tieres geführt hatten. Trotz umfangreicher virologischer und bakteriologischer Untersuchungen konnte bei diesen Lungenaffektionen Erreger nicht nachgewiesen werden.
Ein Seehund verstarb an einer Pneumonie durch Pseudomonas aeruginosa bei gleichzeitigem Vorliegen einer chronischen Gastroenteritis.
Bei 6 der 18 sezierten Robben wurde eine degenerative Leberverfettung festgestellt. Bei 3 Tieren konnten beachtliche entzündliche Affektionen in Form einer interstitiellen Hepatitis ermittelt werden.

Interstitielle Nephritiden wurden bei 3 Seelöwen bei Vorliegen einer Brustwandphlegmone, bei Vorhandensein einer starken interstitiellen Hepatitis unklarer Genese und im Falle eines Herz-Kreislauf-Versagens nachgewiesen. Bei der an einer fibrinösen Pneumonie verstorbenen Baikalrobbe war eine Glomerulonephritis und bei der an einer katarrhalischen Pneumonie verendeten Ringelrobbe eine Tubulonephrose vorhanden. Eine Sattelrobbe erlag einer Pyelonephritis bei gleichzeitigem Vorliegen einer Enteritis.
Gastroenteritiden wurden bei 3 Robben als Todesursache nachgewiesen. Eine Baikalrobbe verstarb, wie bereits erwähnt, an einem Ileus mit Volvulus des Jejunums nach Aufnahme von Falllaub.
Pathologisch-anatomisch und histologisch konnten bei den sezierten Robben keine Anhaltspunkte für eine Herpesvirusinfektion erhalten werden; lediglich bei einem Seelöwen wurde an den Lippen nach dreiwöchigem Krankheitsverlauf in der Submukosa herdförmige plasmazelluläre und histiozytäre Infiltrate ermittelt. Intraepitheliale Bläschen oder Erosionen waren nicht vorhanden.

Diskussion

Daß Krankheit der Haut an der Spitze der Robbenkrankheiten stehen, wurde bereits von anderen Autoren (SWEENEY, 1972/73, 1974; DRESCHER, 1978; BACH et al., 1983; u.a.) hervorgehoben. Sie wurden sowohl bei freilebenden als auch bei in Gefangenschaft gehaltenen Robben beobachtet. Es kann als sicher gelten, daß die Ätiologie der Hautkrankheiten der Robben nicht einheitlich ist. Ätiologisch eindeutig bestimmt wurden bisher die Pocken (WILSON et al., 1972; BACH et al., 1983) und die Dermatophilose (FRESE und WEBER, 1971; FRESE et al., 1972), wobei sowohl von FRESE et al. (1972) als auch von WILSON et al. (1972) auf die Möglichkeit einer sekundären Dermatophilose nach Poxvirus-Infektion hingewiesen worden ist.
Von SMITH et al. wurde erstmals 1973 über das vom Virus des vesikulären Exanthems der Schweine nicht zu unterscheidende San Miguel Seelöwen-Virus, ein Calici-Virus, berichtet.

Die an unseren Tieren beobachteten Symptome unterscheiden sich deutlich von denen der oben genannten Krankheiten. Sie stimmen dagegen gut mit den von SWEENEY (1972/73) beschriebenen überein, die nach Antibiotikagaben zwar abheilten, vom Autor jedoch als ätiologisch ungeklärt betrachtet wurden. Eine primäre Virusinfektion wurde nicht ausgeschlossen.
Auch der rezidivierende Verlauf und die immer wieder nachweisbaren zeitlichen Beziehungen zum Erkranken anderer Organe (Augen, Schleimhäute des Nasen-Rachen-Raumes) gestatten somit allein auf Grund des klinischen Bildes eine differentialdiagnostische Abgrenzung zu den genannten Hautkrankheiten der Robben, auch wenn BACH et al. (1983) mit Nachdruck darauf hinweisen, daß die Pocken beim Seehund ein wenig charakteristisches Krankheitsbild darstellen.

Über weitere Hautveränderungen bei Robben berichteten LARSEN (1967), MARMA (1971), GERACI (1972), JEDLICKA und HOJOVCOVA (1973). JOHNSTON und FUNG (1970, zit. n. BIGG, 1981) wiesen 15 verschiedene Bakterienarten im Bereich der natürlichen Körperöffnungen wilder Pazifikseehunde nach, die alle für Infektionen der Haut zumindest an Stellen verminderter lokaler Resistenz in Frage kommen. Nach GREENWOOD et al. (1974, zit. n. BIGG, 1981) gelingt bei Infektionen im Bereich der Lippen und Mundwinkel gewöhnlich der Nachweis von Pseudomonasarten. WALLACH und BOEVER (1983), die bakterielle Follikulitis und pustulöse Dermatitis im Zusammenhang mit schlechten hygienischen Bedingungen sehen, geben Staphylokokken, Streptokokken sowie Pseudomonas- und Aeromonasarten als die für diese Hautkrankheiten verantwortlichen Erreger an. Wie auch in einigen unserer Fälle wurden auch Pilze im Bereich pathologisch veränderter Hautpartien nachgewiesen (FAY et al., 1978, zit. n. FROST und LOWRY, 1981; JAROFKE und KLÖS, 1975) oder für solche Veränderungen verantwortlich gemacht (LARSEN, 1962; SPENGLER, 1982).

Bei klinischer Betrachtung der Dermatosen der im Leipziger Zoo gehaltenen Robben ist die Schlußfolgerung zu ziehen, daß es sich bei den verschiedenen nachgewiesenen Bakterien und Pilzen lediglich um Sekundärerreger handelt, so wie es FRESE und WEBER (1971) für die Dermatophilose diskutiert haben.
Ohne den histologischen und virulogischen Nachweis geführt zu haben, lassen das klinische Bild und der rezidivierende Verlauf der Hautkrankheiten vielmehr den Verdacht auf eine primäre Herpesvirusinfektion zu (SEIFERT et al., 1986). Die bei aller Gemeinsamkeit dennoch festzustellenden individuellen Unterschiede in der Ausbildung der Hautveränderungen müssen

mit den unterschiedlichen Wirkungen der verschiedenen Sekundärerreger erklärt werden. Dabei lassen sich vor allem die letztlich durch Pilze hervorgerufenen Veränderungen durchaus bereits adspektorisch relativ gut abgrenzen. Sie sind ähnlich denen von WALLACH und BOEVER (1983) bei einer Baikalrobbe abgebildeten.

Die in unserem Material in gleicher Häufigkeit wie die Hautkrankheiten, aber auch bei den von Hautkrankheiten verschont gebliebenen Seebären regelmäßig auftretenden Keratokonjunktivitiden sind ein seit langem aus vielen Tiergärten, aber auch aus freier Wildbahn bekanntes Krankheitsbild. Das hatte besonders die Auswertung einer Fragebogenanalyse von KÜHME und LINDAU (1978) gezeigt. Weitere Literaturangaben zu dieser Problematik sind der Arbeit der beiden Autoren zu entnehmen.
Als ein wesentliches, die Veränderungen auslösendes Moment wurde dabei eine zu intensive Sonneneinwirkung diskutiert. Unsere Erhebungen ergaben jedoch das Auftreten der Keratokonjunktivitis auch in der lichtarmen Jahreszeit. Von GERACI (1972) wurden bei jungen Sattelrobben, bei denen kurze Zeit später Hyponatriämie und Hypochlorämie mit schweren Krankheitssymptomen diagnostiziert wurden, Augen- und Hautveränderungen in ähnlicher Form beobachtet, wie sie bei unseren Robben auftraten. Von STOSKOPF und HIRST (1982) werden die im Schrifttum diskutierten möglichen Ursachen der Hornhautkrankheiten einer kritischen Wertung unterzogen. Dabei verweisen sie besonders darauf, daß die gleichen Veränderungen durch die unterschiedlichsten Ursachen hervorgerufen werden können, außerdem auf die enorme Regenerationsfähigkeit dieses Gewebes, wenn nach Einwirkung einer Schädigung diese unverzüglich beseitigt wird. Neben verschiedenen Erregern des Wassermilieus heben sie die besondere Bedeutung von Oxidantien, wie z.B. chlorhaltige Desinfektionsmittel, zu intensive Sonnenlichteinwirkung und - mit Einschränkung - den fehlenden oder ungenügenden Salzgehalt des Wassers hervor. Auch sie betrachten jedoch das Problem der Augenkrankheiten der Robben als einen Schwerpunkt weiterer diagnostischer Arbeit bei dieser Tiergruppe.

Die vor allem bei unseren Seebären rezidivierend vorkommenden akuten Stomatitiden - in diesem Zusammenhang ist auf häufig gleichzeitiges Auftreten katarrhalischer Affektionen der Schleimhäute der Atmungsorgane und der Konjunktiva hinzuweisen - stützen die klinische Verdachtsdiagnose einer Basisvirose durch Herpesviren. In einigen Fällen kam es zu ähnlichen Ulzerationen, wie sie von WALLACH und BOEVER (1983) bei einem Seelöwen festgestellt und abgebildet wurden. Für eine vorrangig bakterielle Sekundärinfektion der Stomatitiden spricht der meist durch OTC zu erzielende schnelle therapeutische Erfolg und der zweimal geführte Nachweis von Aeromonas hydrophila. Allerdings sind auch Spontanheilungen oder Heilungserfolge nach Einbringen von Sole in die Wasserbassins allein möglich. Bei längerer Krankheitsdauer besteht aber in solchen Fällen die Gefahr des Übergangs zum chronischen Verlauf.

Die komplexe Betrachtung der diskutierten Krankheitsbilder drängt zum Vergleich mit der felinen Rhinotracheitis (WINKLER und LIEBERMANN, 1968), deren Erreger in vielen Katzenbeständen der Zoologischen Gärten wie auch in unserem endemisch sein dürfte (ELZE et al., 1981).

Die Bedeutung der möglicherweise auf einer Herpesvirose beruhenden Erkrankung der Haut und der Kopfschleimhäute für den weiteren Haltungserfolg der Robben in Zoologischen Gärten ist nicht eindeutig zu bestimmen. Der hohen Morbidität steht eine äußerst niedrige Mortalität gegenüber. In den Sektionsstatistiken, z.B. von RÜEDI und LANG (1974) und JAROFKE und KLÖS (1984), rangieren wie auch bei unserer Auswertung andere Krankheiten an vorrangiger Stelle, während die des klinisch bedeutsamsten Krankheitsbildes meist völlig fehlen oder höchstens Nebenbefunde darstellen. Es muß jedoch angenommen werden, daß eine Belastung anderer Organsysteme, insbesondere von Atmungs- und Herz-Kreislauf-System sowie der Nieren Ausdruck der wiederholten infektiösen Belastung sein können. Das gilt in besonderem Maße für die mit einer Ausnahme bei allen Sektionen nachgewiesenen Myokardschäden.

Es ist deshalb beim Auftreten erster Krankheitsanzeichen unverzüglich eine Therapie einzuleiten, um vor allem den Sekundärinfektionen schnell entgegenzuwirken. Die im Vergleich zu konservativem Vorgehen schnelleren Therapieerfolge, zumeist mit OTC, rechtfertigen ein solches Vorgehen. Zur Metaphylaxe und Therapie sind darüber hinaus die bewährten Maßnahmen, wie ständige oder vorübergehende Erhöhung der Vitaminsubstitution, Kontrolle der Futterfische, Schutz vor zu intensiver Sonnenbestrahlung bei Keratokonjunktivitis, gründliches Spülen der Wasserbecken nach Anwendung von Desinfektionsmitteln und vor allem die Erhöhung des Salzgehaltes des Wassers zusätzlich anzuwenden.

Die Bedeutung der letztgenannten Maßnahmen für das Wohlbefinden in menschlicher Obhut gehaltener Robben wird in der Literatur allgemein hoch eingeschätzt. Allerdings wird auch darauf hingewiesen, daß Haltung in Salzwasser nicht unbedingte Voraussetzung für das Vermeiden der Keratokonjunktivitis ist (KÜHME und LINDAU, 1977; WALLACH und BOEVER, 1983) und auch darauf, daß Unterschiede zwischen den verschiedenen Robbenarten bestehen. So besitzen nach GERACI (1972) Sattelrobben eine geringere Toleranz gegenüber Süßwasserhaltung als Seehunde, die auch natürlicherweise öfter Brack- oder Flußwasser aufsuchen. Der Autor begründet diese Unterschiede mit einer höheren Fähigkeit der Seehunde zur Aldosteronsekretion. Die von ihm betreuten Sattelrobben waren nur bei einer Haltung in 1,5-prozentigem Salzwasser und einer Zulage von 3 bis 6 g NaCl pro kg Futterfisch am Leben zu erhalten. Die Pathogenese von Krankheiten infolge Salzmangels bei maritimen Säugern wird von GERACI (1972) mit einer Stressorwirkung erklärt. Die dadurch hervorgerufene Aktivierung der Nebennierenrinde führte zur erhöhten Glukokortikoidsekretion und zur Einschränkung der Sekretion von Aldosteron mit Verminderung der renalen-tubulären Natriumresorption. Eine solche hypothetische Erklärung würde die häufig diskutierte höhere Krankheitsanfälligkeit der Robben beim Zusammenkommen mehrerer Stressoren gut begründen. Allerdings konnten wir die von GERACI (1972) bei stark erniedrigten Na^+- und Cl^--Blutspiegeln beobachteten zentralnervösen Symptome nie diagnostizieren. Bezüglich der vorher festgestellten Hautveränderungen und Keratitiden besteht dagegen Übereinstimmung mit unseren Beobachtungen.

Neben der die allgemeine Krankheitsanfälligkeit der Robben senkenden Wirkung ausgleichender NaCl-Gaben ist nach Erhöhung der Salzkonzentration im Wasser und die dadurch bewirkte Änderung des Milieus auch mit einer Reduzierung der für Sekundärinfektionen in Frage kommenden Erreger zu rechnen. Eine solche Schlußfolgerung liegt auch deswegen nahe, weil unsere Baikalrobben ebenfalls eine günstige Beeinflussung der Krankheitsprozesse nach Solezugabe erkennen ließen.

Über eine weitere Möglichkeit zur Erhöhung der allgemeinen Abwehrlage, nämlich durch Paramunisierung (von BACH et al., 1983, auch als Wirkprinzip ihrer Heilungserfolge bei Pocken angenommen), wird in einem weiteren Beitrag berichtet (SEIFERT et al., 1986).

Die Krankheiten der Lunge, der Verdauungsorgane und der Nieren, meist erst durch die Sektion im vollen Umfang diagnostiziert, sind in unserem Material in gleicher Häufigkeit vertreten wie in dem anderer Untersucher (ERICKSEN, 1962; LARSEN, 1962; JAROFKE und KLÖS, 1984). Das gilt auch für die Art der festgestellten Veränderungen, die bei Einzeltieren in ähnlicher Form auch von anderen Autoren berichtet wurden, wie Gastroenteritiden (z.T. hämorrhagischer Natur) und Ulzera im Magen und Pylorusbereich (RIDGWAY et al., 1975, zit. n. ODELL, 1981). Die Ätiologie dieser Veränderungen bleibt meist jedoch ungeklärt. Volvulus als Todesursache, bei unserer Baikalrobbe nach Aufnahme von Laub entstanden, wurde auch bei einem Nördlichen Seelefanten (Mirounga angustirostris) festgestellt (JAROFKE und KLÖS, 1984). Von anderen Autoren bisher nicht berichtet wurde über das Auftreten von interstitieller Nephritis, die in unserem Material immerhin bei 3 von 18 obduzierten Tieren diagnostiziert worden ist. Über ihre Ätiologie können wir jedoch keine endgültige Aussage treffen. Es ist jedoch naheliegend, sie auf infektiös-toxische Reize zurückzuführen.

In den letzten 25 Jahren traten in keinem Fall bei unseren Robben klinisch manifeste Vitaminmangelerscheinungen auf, wie sie z.T. von WILSON (1972) als diffuse Muskeldegeneration bei jungen Seehunden infolge Vitamin-E- bzw. Selenmangels diagnostiziert wurden. Es kann in diesem Zusammenhang festgestellt werden, daß die von RÜEDI und LANG (1974) eingesetzten Dosen und die von KRAFT (1971) und WALLACH und BOEVER (1983) aufgestellten Normen vor allem zur Thiaminversorgung bei in Zoos gehaltenen Robben (täglich zusätzlich 300 mg Vitamin B_1) mindestens erreicht bzw. weitgehend erfüllt werden. Ungeklärt bleibt allerdings die Ätiologie der Leber- und Myokarddegeneration in unserem Untersuchungsgut; auf Grund der jeweils vorangegangenen Erkrankung ist jedoch eher an infektiös-toxische Ursachen als an Folgen eines Vitaminmangels zu denken, obwohl die verabreichten Vitamin E-Dosen an der unteren Grenze der von WALLACH und BOEVER (1983) als Supplement empfohlenen liegen.

Schlußfolgerungen

- Die hohe Verlustquote während des ersten Haltungsjahres verweist auf Transportstreß, Akklimatisationsprobleme und dadurch aktivierte latente Infektionen und zwingt zur besonderen tiergärtnerischen und tierärztlichen Überwachung dieser Phase der Eingewöhnung.
- Als Ursache der entzündlichen Veränderungen der Haut, der Augen und der Kopfschleimhäute bei Robben wird eine latent in den Robbenbeständen vorhandene primäre Herpesvirose angenommen, die bei Einwirken resistenzmindernder Faktoren klinisch manifest wird und dadurch das Haften sekundärer bakterieller Erreger oder Pilze in ihrem klinischen Bild variiert. Weitere Untersuchungen zur Ätiologie und Bekämpfung dieser Krankheit sind dringend erforderlich.
- Durch Vermeiden bzw. Eliminieren von Stressoren (Fehlernährung, ungenügende NaCl-Versorgung, Vitaminmangel, Transportstreß, intensive UV-Bestrahlung u.a.) kann ein klinisches Manifestwerden der Krankheit über längere Zeit hinausgezögert, aber wohl nicht für immer vermieden werden.
- Beim Auftreten erster Krankheitsanzeichen wird eine unverzügliche Therapie auf der Basis jeweils vorliegender klinischer Erfahrungen für richtig befunden und als Voraussetzung für das Vermeiden schwererer Krankheitsbilder vor allem an den Atmungs- und Verdauungsorganen angesehen. Weitere labordiagnostische Untersuchungen sind bei ausbleibendem Therapieerfolg für Korrekturen des Behandlungsregimes notwendig.
- Vitaminmangelerkrankungen, klinisch manifester Kochsalzmangel und Parasitosen sind durch die gezielte Verbessung der Bedingungen in den Robbenhaltungen der Zoologischen Gärten weitgehend eliminiert, die Inzidenz der Magen-Darm-Erkrankungen und parasitär bedingten Krankheiten der Lunge ist zurückgegangen.
- Die Nachzuchtergebnisse bei Robben in den Zoologischen Gärten sind völlig unzureichend. Untersuchungen zur Verbesserung der Fortpflanzungsergebnisse müssen neben Fragen der weiteren Verbesserung der Haltungsbedingungen fortpflanzungsbiologische Aspekte beinhalten.

Zusammenfassung

Haltung und Krankheiten der Robben im Zoo Leipzig

Die Auswertung des klinischen Krankheitsgeschehens bei den Robben des Leipziger Zoo für die Zeit von 1960 bis 1985 ergibt eine besondere Häufigkeit der Erkrankungen der Haut, der Augen und der Schleimhäute des Nasen-Rachen-Raumes. Es wird für diesen Symptomenkomplex der klinische Verdacht einer primären Herpesvirusinfektion ausgesprochen. Die Mortalitätsrate nach diesen Erkrankungen ist gering. Sie ist am höchsten bei Erkrankungen des Magen-Darm-Kanals und bei Pneumonien. Es werden die im Zoo Leipzig gesammelten Erfahrungen zur Prophylaxe und Therapie der Robbenkrankheiten diskutiert.

Summary

Keeping and Diseases of Seals in Leipzig Zoo

Diseases contracted by seals in the Leipzig Zoo, between 1960 and 1985, were evaluated. High on the incidence list were diseases of skin, eyes, and rhino-pharyngeal mucous membranes. This complex of clinical symptoms was thought to be attributable to primary herpes infection. Mortality rates were low. They were higher for diseases of the gastro-intestinal tract and for pneumonia. Experience obtained from prohylaxis and therapy of seal diseases in the Leipzig Zoo is discussed in greater detail.

Résumé

Traitement et maladies des pinnipèdes au jardin zoologique de Leipzig

L'évaluation des résultats cliniques obtenus en observant les maladies des pinnipèdes au jardin zoologique de Leipzig au cours de la période entre 1960 et 1985 montre une fréquence particulière des affections de la peau, des yeux et de la muqueuse de la région nasale et pharyngienne. En rapport avec ce complexe de symptômes, il est à supposer qu'il s'agit là d'une infection herpétique primaire. Le taux de mortalité est faible à la suite de ces affections. Il est le plus élevé en cas de maladies affectant le système stomacal et intestinal ainsi qu'en cas de pneumonies. L'auteur soumet à la discussion les expériences faites au jardin zoologique de Leipzig à propos des mesures de prophylaxie et de thérapie des maladies de pinnipèdes.

Резюме

Содержание и состояние здоровья тюленей в зоопарке города Лейпцига.

Оценка клинически охваченных заболеваний тюленей в Лейпцигском зоопарке с 1960 по 1985 год показала особую частоту заболеваний кожи, глаз и слизистых оболочек носоглотки. Из этого возникло подозрение на первичную инфекцию герписа. Смертность при данном заболевании не высока. Наивысшей степени она достигает при поражениях желудочно-кишечного тракта и пневмонии. Обсуждаются полученные в зоопарке сведения по профилактике и терапии заболеваний тюленей.

Literaturverzeichnis

BACH, F., WACKER, D., POLEY, D., und H. MAYER (1983): Pocken der Haut bei Seehunden (Phoca vitulina LINNE 1758). Verh.ber. Erkrg. Zootiere 25, 255 - 262.

BIGG, M.A. (1981): Harbour Seal - Phoca vitulina and P. largha. In: Handbook of marine mammals (Ed. RIDGWAY, S.H., and R.J. HARRISON). London, New York, Toronto, Sydney, San Francisco: Academic Press.

DRESCHER, H.E. (1978): Hauterkrankungen beim Seehund (Phoca vitulina LINNE 1758). Säugetierkundliche Mitt. 26, 50 - 59.

ELZE, K., EULENBERGER, K., SEIFERT, S., POHLE, V., SCHÜPPEL, K.-F., und H.J. SELBITZ (1981): Über ein enzootisches Auftreten der felinen viralen Rhinotracheitis (Herpesvirusinfektion) im Großkatzenbestand des sogenannten Neuen Raubtierhaus des Zoologischen Garten Leipzig. Verh.ber. Erkrg. Zootiere 23, 23 - 42.

ERICKSEN, E. (1962): Diseases of Seals in the Copenhagen Zoo. Nord. Vet.-Med. 14, Suppl. 1, 150 - 160.

FRESE, K., und A. WEBER (1971): Eine Dermatitis bei Mähnenrobben (Otaria bryonia BLAINVILLE), hervorgerufen durch Dermatophilus congolensis. Berl. Münch. Tierärztl. Wschr. 84, 50-54.

FRESE, K., WEBER, A., und E. WEISS (1972): Dermatophilose bei Mähnenrobben (Otaria bryonia BLAINVILLE) - Diagnose und Differentialdiagnose unter besonderer Berücksichtigung von Pockeninfektionen. Verh.ber. Erkrg. Zootiere 14, 217 - 220.

FROST, KATHRYN, I., and L.F. LOWRY (1981): Ringend, Baikal and Caspian Seal - Phoca hispida, Phoca sibirica and Phoca caspica. In: Handbook of marine mammals (Ed. RIDGWAY, S.H., and R.J. HARRISON). London, New York, Toronto, Sydney, San Francisco: Academic Press.

GERACI, J.R. (1972): Hyponatremia and the need for dietary salt supplementation in captive pinnipeds. J. Amer. vet. med. Assoc. 161, 618 - 623.

JAROFKE, D., und H.-G. KLÖS (1975): Über einige Hauterkrankungen bei Zootieren des Zoologischen Gartens Berlins. Verh.ber. Erkrg. Zootiere 17, 81 - 83.

JAROFKE, D., und H.-G. KLÖS (1984): Auswertung der Robbenverluste (PINNIPEDIA) des Berliner Zoologischen Gartens (1957-1983). Verh.ber. Erkrg. Zootiere 26, 263 - 265.

JEDLICKA, J., und M. HOJOVCOVA (1973): Erkrankungen der Haut bei Seelöwen (Zalophus californianus) nach Transporten. Verh.ber. Erkrg. Zootiere 15, 227 - 230.

KRAFT, H. (1971): Die Vitaminversorgung von in Gefangenschaft gehaltenen Meeressäugetieren. Kleintierpraxis 16, 160 - 161.

KÜHME, W.-D., und K.-H. LINDAU (1977): Augenerkrankungen bei Robben - Haltungsprobleme in Zoologischen Gärten. Verh.ber. Erkrg. Zootiere 19, 311 - 315.

LARSEN, S. (1962): A survey of the post mortem findings in Pinnipedia, autopsied during the 10-year period 1952-1961. Nord. Vet.-Med. 14, Suppl. 1, 150 - 160.

MARMA, B. (1971): Krankheits- und Todesfälle bei Robben im Zoologischen Garten Kaunas. Verh.ber. Erkrg. Zootiere 8, 309 - 312.

MÜLLER, P. (1984): Erfahrungen mit Robben im Leipziger Zoo. Panthera, S. 14 - 18.

ODELL, D.K. (1981): California Sea lion - Zalophus californianus. In: Handbook of marine mammals (Ed. RIDGWAY, S.H., and R.J. HARRISON). London, New York, Toronto, Sydney, San Francisco: Academic Press.

RÜEDI, D., und E.M. LANG (1974): Über die Seelöwenhaltung im Zoologischen Garten Basel. Verh.ber. Erkrg. Zootiere 16, 245 - 251.

SEIFERT, S., SELBITZ, H.-J., BIELLA, U., WIEMERS, ULRIKE, und K. ELZE (1986): Erste Erfahrunrungen mit der Paramunisierung bei Robben. Verh.ber. Erkrg. Zootiere 28 (im Druck).

SMITH, A.W., AKERS, T.G., MADIN, S.H., and N.A. VEDROS (1973): San Miguel sea lion virus isolation, preliminary charakterization and relationship to vesicular exanthema of swine virus. Nature (London) 244, 108 - 110.

SPENGLER, R. (1982): Dermatomykose bei einer Mähnenrobbe und ihre Therapie. Verh.ber. Erkrg. Zootiere 24, 243 - 244.

STOSKOPF, M.K., and L.W. HIRST (1982): Examination of the anterior segment of the pinniped eye. Proceedings Ann. meeting Amer. Ass. Zoo Veterinarians. New Orleans, S. 64 - 68.

SWEENEY, I.C. (1972/73): Management of pinniped diseases. Proceedings - Ann. meeting Amer. Ass. Zoo Veterinarians. Houston 1972, Columbus 1973, S. 141 - 171.

SWEENEY, I.C. (1974): Common diseases of pinnipeds. J. Amer. vet. med. Assoc. 165, 805 - 810.

WALLACH, I.D., and W.I. BOEVER (1983): Diseases of exotic animals. Philadelphia, London, Toronto ...: W.B. SAUNDERS Company, 727 - 759.

WILSON, T.M. (1972): Diffuse muscular degeneration in captive Harbor seals. J. Amer. vet. med. Ass. 161, 608 - 610.

WILSON, T.M., DYKES, R.W., and K.S. TSAI (1972): Pox in young, captive Harbor seals. J. Amer. vet. med. Ass. 161, 611 - 617.

WINKLER, W., und H. LIEBERMANN (1968): Die virusbedingten Katzenseuchen. In: Handbuch der Virusinfektionen bei Tieren (Hrsg. H. RÖHRER). Jena: Fischer Bd. III/2, S. 903 - 932.

Anschrift der Verfasser: Dr. sc. K. E u l e n b e r g e r
DDR-7010 Leipzig
Margarete-Blank-Str. 8, Fach 26 (DDR)

Aus dem Zoologischen Garten Leipzig (Direktor: Prof. Dr. S. SEIFERT) und der Karl-Marx-Universität Leipzig, Sektion Tierproduktion und Veterinärmedizin, Wissenschaftsbereiche Mikrobiologie und Tierseuchenlehre (Leiter: OVR Prof. Dr. sc. H. LIEBERMANN), Fortpflanzung landwirtschaftlicher Nutztiere (Leiter: OVR Prof. Dr. sc. J. SCHULZ) und der Klinik und Poliklinik für Hautkrankheiten (Direktor: Prof. Dr. sc. U.-F. HAUSTEIN) des Bereiches Medizin

ERSTE ERFAHRUNGEN MIT DER PARAMUNISIERUNG BEI ROBBEN (PINNIPEDIA)

Von S. Seifert, H.-J. Selbitz, U. Biella, Ulrika Wiemers und K. Elze

Zur Herkunft der Tiere und zu den Bedingungen ihrer Haltung im Leipziger Zoo

Am 21. Mai 1979 erwarben wir von Zooobjedinenjije 1,1 juvenile Baikal-Ringelrobben (Pusa sibirica /Gmelin, 1788/). Seither bewohnen sie bei uns eine Anlage, zu der ein Becken mit 75 m^3 Wasserinhalt und ein Landteil zählen, dessen Boden aus Sand- und Betonflächen mit eingefügten großen runden Natursteinen besteht.
Die beiden Robben halten wir in dem beschriebenen Gehege gemeinsam mit Brillenpinguinen (Spheniscus demersus) und Humboldt-Pinguinen (Spheniscus humboldti). Diese Vergesellschaftung verläuft problemlos. Lediglich im jugendlichen Alter schwammen die Baikal-Ringelrobben spielerisch den Pinguinen nach, ließen aber immer bald wieder von ihnen ab.

Seit dem Jahre 1980 versetzen wir das aus dem städtischen Leitungsnetz entnommene Wasser unserer Robbenbecken mit einer Natriumchlorid-Sole, die wir im Kesselwagen aus einer in der Nähe von Halle gelegenen Saline beziehen. Die Salzlösung enthält 300 g NaCl pro Liter Wasser; der Salzgehalt des Beckenwassers beträgt unmittelbar nach Einbringen der Sole etwa 1 %, das ständig zufließende Frischwasser verändert dieses Verhältnis entsprechend. Die Anreicherung des Wassers mit Sole betreiben wir im Interesse unserer Meeresrobben und Pinguine. Hierbei gehen wir davon aus, daß dies auch den im Süßwasser lebenden Robben bei entsprechend niedriger Salzkonzentration nicht schaden, vielleicht eher nützen kann.

Als tägliche Futtermenge werden von jeder unserer erwachsenen Baikal-Ringelrobben etwa 4 kg Fisch aufgenommen. Überwiegend stehen dafür Hering (Clupea harengus), gelegentlich Karausche (Carassius carassius), die wir möglichst lebend anbieten, zur Verfügung.

Als ständige Vitaminsubstitution sind täglich 4 Drg. Vitamin A (= 120 000 IE), 4 Drg. Vitamin-B-Komplex (= 0,02 Thiaminhydrochlorid, 0,008 Pyridoxinhydrochlorid, 0,08 Nicotinamid, 0,012 Dexpanthenol) und 1 Drg. Vitamin E (= 0,12 Tokopherolazetat) pro Tier verordnet.

Klinisches Bild aufgetretener Erkrankungen und Therapieversuche

Die über Jahre hinweg bei unseren Baikalrobben am häufigsten diagnostizierten klinischen Veränderungen betreffen Effloreszenzen und Exantheme der Haut, Konjunktivitiden und Keratitiden. Bereits 1975 wurde das erste Mal bei derartigen Hautveränderungen aus klinischer Sicht der Verdacht auf eine ätiologische Beteiligung von Herpesviren geäußert. Immer wieder traten in der Folgezeit solche, meist fünf- bis zehnpfennigstückgroße Läsionen am Kopf und im Rumpfbereich der Tiere auf, die sich entweder als vesikuläre Effloreszenzen oder kreisrunde, helle Stellen markierten. Waren ausgeprägte Veränderungen im Kopfbereich vorhanden, so rieben die Tiere ihre Köpfe am Rand und am Boden des Beckens, wobei es auch zu Blutungen kam.

Mykologische Untersuchungen wurden mehrfach durchgeführt, erbrachten aber keine Befunde, die zur Klärung der Ätiologie beigetragen hätten. Bei phlegmonösen Erscheinungen an den Gliedmaßen züchteten wir aus dem entnommenen Material Candida albicans an und führten eine erfolgreiche Behandlung mit Fungicidin-Salbe (Nystatin) durch. Diese Erkrankung hatte aber offenbar keine ätiologischen Beziehungen zu den oben beschriebenen Hautveränderungen. Unter Berücksichtigung der ebenfalls rezidivierenden Konjunktivitiden und Keratitiden verdichtete sich immer mehr der Verdacht auf die rekurrierende Manifestation einer Herpesvirusinfektion.

Das therapeutische Vorgehen schloß in erster Linie die orale Vitaminsubstitution (Vitamine A, E, B-Komplex) und die orale Chemotherapie (Oxytetrazyklin, Penizillin, Ampizillin, Trimethoprim-Sulfamerazin) sowie unterstützend auch lokale Behandlungen mit chloramphenikolhaltigem Spray und die orale Verabreichung von Methionin in Drageeform ein.

Alle diese Therapiemaßnahmen führten jedoch nicht zu einer durchgreifenden Reduzierung der Rezidivhäufigkeit. Auch aus humanmedizinischer Literatur ist zu ersehen, daß völlig befriedigende Therapieregimes bisher fehlen und letztlich die Polypragmasie vorherrscht.
Jeder Mitteilung, die begründete Hoffnungen auf eine Verbesserung dieser Situation in Aussicht stellt, ist daher große Aufmerksamkeit sicher. Wir griffen Erfahrungen aus der Humanmedizin auf, wonach durch orale Applikation von Poliomyelitisvakzinen rekurrierende Herpesvirusinfektionen erfolgreich behandelt werden können (TAGER, 1974; HAUSTEIN und WIEMERS, 1980).

Paramunisierung mit Poliomyelitis-Impfstoff

An der Hautklinik der Karl-Marx-Universität Leipzig wurden gute Ergebnisse bei der Behandlung von Herpes simplex recidicans mit Poliomyelitisvakzine erzielt. Insgesamt 40 Patienten erhielten in vierwöchigem Abstand je drei Mal vier Tropfen des Poliomyelitis-Impfstoffes trivalent[R] aus dem VEB Sächsischen Serumwerk Dresden. Im 1. Jahr nach der Behandlung trat eine signifikante Reduzierung der Herpesrezidive ein, im 2. Jahr post vaccinationem stieg die Rezidivhäufigkeit zwar wieder an, blieb aber immer noch signifikant unter den prätherapeutischen Werten. Die Verabreichung des Impfstoffes erwies sich als völlig frei von Nebenwirkungen. Mit diesen von HAUSTEIN und WIEMERS (1980) mitgeteilten Ergebnissen konnten erstmals von TAGER (1974) publizierte Beobachtungen in vollem Umfang bestätigt werden.

Da das Infektionsgeschehen bei unseren Baikalrobben unvermindert anhielt und von 1980 bis 1983 pro Tier jährlich etwa 3 Rezidive auftraten, entschlossen wir uns im Jahre 1984 diese Behandlungsmethode zu erproben. Im März und April 1984 verabreichten wir an jede Robbe jeweils 1 ml des trivalenten Poliomyelitis-Impfstoffes (VEB Sächsisches Serumwerk Dresden) über Fische. Während des gesamten Jahres blieben die Tiere frei von Rezidiven, es traten weder Hautveränderungen noch Konjunktivitiden oder Keratitiden auf.
Am 24.1.1985, also mehr als 9 Monate nach der letzten Immunisierung, zeigten sich erstmals wieder bei beiden Baikalrobben vesikuläre Effloreszenzen. Daraufhin setzten wir in den Monaten Februar bis Mai 1985 erneut den Impfstoff ein. Bis einschließlich Mitte Dezember 1985 traten keine weiteren Redzidive auf.

Diskussion

Zum Wirkungsmechanismus der Poliomyelitisvakzine auf die rekurrierenden Herpesvirusinfektionen liegen uns keine sicheren Angaben vor. HAUSTEIN und WIEMERS (1980) zogen die Induktion von Interferonen bzw. andere unspezifische Stimulationseffekte des Immunsystems in Betracht.
MAYR et al. (1977) setzten ein attenuiertes Avipoxvirus erfolgreich zur Therapie von Herpes zoster bei Menschen ein. Als nachgewiesene Effekte dieses Immunstimulators führten sie die Aktivierung von Phagozytosevorgängen und die Interferoninduktion an. Mit dem gleichen und ähnlich konzipierten Stimulationspräparaten wurden in den letzten Jahren auch in der Veterinärmedizin umfangreiche Untersuchungen durchgeführt (MAYR, 1982, 1985; MAYR und BÜTTNER, 1984). MAYER et al. (1984) berichteten erst vor zwei Jahren über eine Pockeninfektion bei Seehunden, die sie mit einer Autovakzine, hergestellt aus Material von papillomartig veränderten Hautpartien, günstig beeinflussen konnten. Als Wirkungsmechanismus wurde eine Paramunitätsinduktion angenommen.
Die von uns beobachtete Wirksamkeit der Poliomyelitisvakzine gegen rekurrierend auftretende Hautaffektionen von vermutlicher Herpesvirusgenese dürfte ebenfalls durch unspezifische Immunstimulation zu erklären sein. Das von MAYR (1985) entwickelte Konzept der Paramunität-Paramunisierung stellte den umfassendsten Versuch dar, die unspezifische Stimulation der Abwehrmechanismen medizinisch zu nutzen. Zur Bedeutung derartiger Paramunisierungen für die Bekämpfung von Infektionskrankheiten bei Zootieren hat SELBITZ (1982) Stellung genommen.

Da die geschilderte Behandlungsmethode völlig frei von Nebenwirkungen ist, kann sie für die Therapie ähnlich gelagerter Hauterkrankungen von Robben empfohlen werden. Dabei sollten alle Möglichkeiten ausgeschöpft werden, um die Wirksamkeit zu objektivieren und den Wirkungsmechanismus aufzuklären.

Zusammenfassung

Erste Erfahrungen mit der Paramunisierung bei Robben (Pinnipedia)

Zur Therapie rekurrierender Hauteffloreszenzen, Konjunktivitiden und Keratitiden mit vermutlicher Herpesvirusgenese wurde bei Baikalrobben erfolgreich die Anwendung von Poliomyelitisimpfstoff erprobt. Die Wirkung wird auf die unspezifische Stimulation von Abwehrmechanismen im Sinne der Paramunisierung zurückgeführt. Die Behandlung ist frei von Nebenwirkungen.

Summary

Preliminary Experience from Para-Immunisation of Seal (Pinnipedia)

The application of poliomyelitis vaccine was successfully tested on Baikal seals for therapeutic control of recurrent dermal efflorescence, conjunctivitis, and keratitis with presumed herpes virus aetiology. Effectiveness is attributed to unspecific stimulation of defence mechanisms in terms of para-immunisation. No side-effects were recordable from treatment.

Résumé

Quelques premières expériences avec la para-immunisation des pinnipèdes (pinnipedia)

Chez les pinnipèdes du Baikal on a essayé avec succès un vaccin de poliomyelite pour la thérapie des efflorescences récidives de la peau, des conjonctivites et kératitides avec une génèse soupçonnée du virùs hépatique. Les effets sont associés à la stimulation aspécifique des méchanismes de résistance dans le sens d'une para-immunisation. L e traitement ne suscite pas des effets secondaires.

Резюме

Опыты параммунизации тюленей (Pinnepedia)

Для лечения рекурриренднoй эффлоресценции кожи, коньюктивитов и кератитидов с предполагаемой герписовой инфецией, применялась сыворотка против полимиелита.Действие основылось на не специфичной стимуляции защитных средств организма в смысле параммунизации. Побочных явлений не наблюдалось.

Literaturverzeichnis

HAUSTEIN, U.-F., und ULRIKE WIEMERS (1980): Zur Behandlung des Herpes simplex recidivans mit Poliomyelitisimpfstoff. Dermatol. Monatsschr. 166, 751 - 752.

MAYER, H., POLEY, D., WACKER, R., und F. BACH (1984): Pockeninfektionen beim Seehund. Prakt. Tierarzt 65, 152 - 155.

MAYR, A. (1982): Wissenschaftliche Entwicklungen auf dem Gebiete der medikamentösen Steigerung der nichtantigenspezifischen, körpereigenen Abwehr. Prakt. Tierarzt 63, 329 - 342.

MAYR, A. (1985): Paramunität und Paramunisierung. Mh. Vet. Med. 40, 12 - 15.

MAYR, A., und M. BÜTTNER (1984): Neue Erkenntnisse über die Grundlagen der Paramunität und Paramunisierung. Berl. Münch. Tierärztl. Wschr. 97, 429 - 435.

MAYR, A., STICKL, H., WESTHUES, M., GILLESBERGER, W., SCHWARZ, D., und BARBARA BIBRACK (1977): Therapie von Herpes zoster durch aktive Prämunisierung. Fortschr. Med. 95, 87-93, 119-158.

SELBITZ, H.-J. (1982): Erhöhung der Grundimmunität, Paramunisierung und Interferonanwendung - neue Aspekte bei der Bekämpfung von Infektionskrankheiten. Verh.ber. Erkrg. Zootiere 24, 249 - 255.

TAGER, A. (1974): Preliminary report on the treatment of recurrent Herpes simplex with Poliomyelitis vaccine (Sabin's). Dermatologica 149, 253 - 255.

Anschrift der Verfasser: Prof. Dr. S. S e i f e r t
Zoologischer Garten Leipzig
DDR-7010 Leipzig
Dr. Kurt-Fischer-Str. (DDR)

From Zoological Garden of Warsaw (Governor: M. REMBISZEWSKI)

HEALTH PROBLEMS OF A GREY SEAL HERD IN ZOOLOGICAL GARDEN OF WARSAW

By J. Gosławski and Sławomira Lepianka

Wild animals may be considered largely adapted to the environment of a zoological garden, if no postpartum symptom of illness are exhibited by mothers and their newborns, followed by normal neonate development.

Reproductive disorders were recorded from a herd of grey seal in the Zoological Garden of Warsaw, between 1968 and 1985. The young proved to be difficult to be raised to maturity. An account of these phenomena will be given in this report.

Observations

The individuals from which this herd of grey seal developed had been captured in the wild and taken to the Zoological Garden of Warsaw, between 1957 and 1963. The herd originally consisted of two males and four females and has now changed to three males and five females. All four females and one of the two males were below one year of age at the time of arrival in Warsaw. The other male was two years old. They were all kept under the following conditions:
The seal pond covered an area of 1.000 m^2, with 681 m^2 being permanently flooded. The water surface was surrounded by artificial rock and dry land. The bottom of the pond was mildly sloped from south to north. Maximum depth at the northernmost end was three metres. The water in the pond is stagnant and fully exchanged three or four times a year. Yet, it has always remained to be biologically active. There has been a fairly high rate of algal growth, and small crustacean species developed quite easily. Small underwater rocks are provided as rest places where the seals can stay in isolation from zoo visitors.

In extremely cold winter seasons, escape holes were cut into the frozen surface through which the seals could emerge and slip onto dry land. A separated area has been used by females for delivery. A bank of ice blocks, with passages cut into them for mother animals, used to be erected inmidst of the seal yard to isolate mothers and baby seals from the rest of the herd. In mild winter seasons, contact between mothers and baby seals, on the one hand, and other individuals of the herd, on the other, has been automatically ruled out by lowering of the water level.
The seals were fed twice a day with dead cod, herring, hake, and mackerel which had been defrosted in running water, with the first two species being strongly preferred. Daily rations for an adult animal were between five and ten kilogram, a variation in response to changes in seasonal appetite.
The first young was born five years after first formation of the basic herd, whereafter parturitions occurred every year. Fifty pups, including one pair of twins, have so far been born in 49 parturitions. They have been 20 males, 29 females, and one pup of indefinite sex.
Breeding rates relating to individual females, between 1968 and 1985, may be seen from Table 1.

The entire herd had been dominated by one male up to 1974, wherafter two rivals began to compete for females during oestrus. A third male was born in the zoo in 1979 and fought with good success for participation in mating. At the time of first copulation, "Gustav", a male captured in the wild was twelve years of age. "Helmut", also captured in the wild, was eleven years old, while the third male, born in the zoo, was aged six years.
No inborn defects were ever recorded from stillborn pups nor from aborted specimens, ever since the herd had begun to reproduce.
Causes of death prior to, during, and immediately after parturition have been summarised in Table 2.

Table 1:

Name and origin of female	Age at first parturition (years)	Total numb. of parturitions	Number of abortions	Number of still-births	Number of live births	
					drowned	reared
"GRODZA" - captured	18	5	3	-	-	2
"RUGIA" - captured	8	12	-	-	1	11
"KRYNICA" - captured	5	14	1	2	-	11
"OLIWA" - captured	5	14	-	2	1	11
"IZOLDA" - born at Warsaw Zoo	5	5	2	2	1	-
Total	-	50	6	6	3	35

Table 2:

Abortions	Bacteriological examination	Pathomorphological examination	Total
	1 specimen - Salmonella typhimurium x) 1 specimen - negative result	4 specimens - decomposition of foetus	6 specimens
Stillbirths	negative result	3 specimens - obvious case of oversize foetus (16.70 - 17.80 kg in body weight) 3 specimens - suffocation with amniotic fluid	6 specimens
Dead by third day from parturition	--	2 specimens - drowned during parturition 1 specimen - drowned on third day of age	3 specimens

x) Bacteriological examination was carried out at the Department of Veterinary Hygiene in Warsaw.

The following findings were recorded from all post-mortem examinations of seal pups which were found to have died of suffocation from amniotic fluid: large amounts of blood-containing liquid in the thoracic cavity, atelectasis as well as congestion of and presence of amniotic fluid in the windpipe. Suffocation had been caused by excessively extended parturition due to aggressive behaviour of males. The following pathomorphological changes were recorded, on the other hand, from seals whose deaths had been attributed to drowning: presence of impure liquid in the respiratory tract and high amounts of atelectasis in both lungs. One case of drowning had been observed in 1981. The pup had been delivered directly into the water, since males in competition for females were chasing the females back into the water, as soon as any of them attempted to climb into dry land to give birth to her young.

Lactation took ten to 26 days, with no medical or other kind of assistance being required by 35 pups. One exception has been described by LANDOVSKI and VOLINSKI (1970). The pups were seen to be suckled eight times on average in 24 hours. The white coat was gradually replaced by juvenile fur, as of the 15th day of age. Change of coat was completed by the time the young animals began to take solid food, Periods of physiological rejection of any feed whatsoever varied between nine and 57 days, according to calculations, in those young seals which switched easily from mother's milk to fish. The newborn pups weighed between nine and 14 kilogram. Yet, live weights by the time of weaning were between 20 kg and 38.5 kg.

Eleven of 35 young seals continued to refuse acceptance of any solid feed, after physiological starvation, with no obvious reason for such behaviour being established. Some of them were force-fed herring pap through a tube, 10 mm in diameter, which was inserted into the nasal cavity and gullet. Small herrings were directly fed into the gullet of others. With some of the animals attempts were made to stimulate interest in feeding by throwing herrings nearby. Whenever young seals were caught for feeding, they were first physically examined for clinical parameters. Body temperatures were recorded by anal measurement and varied between 35.7° C and 36.2° C. Cardiac sound was regular but hardly audible. Auscultation of the lungs proved to be useless, as no sound was ever heard over the lung region. All exposed mucous membranes were perfect by appearance. Faeces were compact in consistency, as judged by traces that stuck to thermometers after temperature measurement. Hence, the persistent anorexia was not attributed to any illness.
Listed in Table 3 are the results obtained from attempts for rearing of young seals.

Ten in eleven rearing attempts of adolescent seals were failures, as may be seen from Table 3. On post-mortem examination of the corpses of pups that had been force-fed whole herrings, traces of fishbones were recorded from the stomach. The small intestines were empty, and traces of faeces were found in the final segment of the large intestines.

"Sigma", a young female, will have to be described in greater detail, because she had been treated in a way different from the other animals, before she died as well. A preparation under the name of "Bykahepar" (clanobutin sodium) had been intramuscularly injected to "Sigma", on the sixtieth day of starvation. This had been accompanied by intravenous injection of a physiological salt solution. According to the manufacturers (Manual of Veterinary Medicaments, 1984), the effect of Bykahepar was to show immediately after injection, by activation of bile secretion as well as of pepsin, trypsin, chymotrypsin, and alpha-amylase. Administration of both medicaments was repeated within four days. However, no symptoms of appetite were exhibited by the seal, though fish was thrown into its vicinity, and an attempt of forced feeding was made. The animal reacted aggressively to the attempt to force-feed whole fish directly into the gullet. "Sigma" was then immobilised and tube-fed herring pap. Vetalar (ketamine hydrochloride, supplied by Parke-Davis) was the immobilising agent used. Included in the injection dose per kg/body weight were 5 mg of "Vetalar" plus 0.1 mg of Reladorm (106 mg of diazepam and 960 mg of fanodorm in 30 ml).
Reladorm was first injected and followed by "Vetalar" within 15 minutes. Reladorm resulted in some slight sedation, though defensive reflexes continued. Total sedation within five minutes with absolute disappearance of any aggressive behaviour was produced by

Table 3:

Sex, name and origin of neonate	Suckling period, days	Weight after weaning, kg	Food refusal, days	Weight after physiol. starvat. kg	Manner of feeding	Result of rearing
♀ "GAMA" f. "Gustaw" m. "Rugia"	15	34.00	80	13.00	enticing	death - pneumonia
♀ "HOŁDA" f. "Gustaw" m. "Rugia"	21	38.70	86	18.30	enticing	death - infection with haemolithic B. streptococus and E. coli haem.
♀ "JOTKA" f. "Gustaw" m. "Oliwa"	23	43.50	68	24.00	enticing	death - salmonellosis
♀ "KRA" f. - m. "Rugia"	14	21.40	116	-	enticing	death - cardiac insufficiency
♀ "KAMCZATKA" f. - m. "Krynica"	21	42.30	128	25.30	enticing	death - pneumonia
♀ "LADY" f. - m. "Oliwa"	18	41.20	100	20.70	tube	unknown
♂ "LORD" f. - m. "Krynica"	21	44.00	92	20.50	tube	reared
♂ "OSKAR" f. "Gustaw" m. "Krynica"	18	41.00	82	23.50	enticing	death - acute catarrh of alimentary tract and ulceration of rectum
♀ "PIETRUCHA" f. "Gustaw" or "Ikar" m. "Krynica"	16	28.50	51	22.50	enticing	death - acute inflammation of stomach and intestines
♀ "SIGMA" f. "Ikar" m. "Oliwa"	21	40.50	67	-	forced feeding and tube	death - suffocation with gastric content
♂ "WIR" f. "Ikar" m. "Oliwa"	19	52.00	78	28.00	per vorce	death - stomach ulceration

0

♀ = female, ♂ - male, f - father, m - mother

addition of Vetalar. A nasal-gullet probe, ten millimetres in diameter, was introduced into the gullet under visual control, and two litres of liquid herring pap were poured in for about ten minutes. On withdrawal of the probe, gastric matter was observed to be leaking from a corner of the animal's mouth. The seal was suspended with its head down. It started to vomit violently and died. Suffocation from gastric matter was established as the cause of death by post-mortem analysis. No other macroscopically visible pathomorphological changes were recorded.

These had been the only abnormal findings recordable in the postpartum period and in adolescence. All animals were otherwise clinically intact. Ulcus cornae was sporadically noted but was easily cured, using intramuscular penicillin injections and Syntarpen ointment (cloxacylinum sodium). There were no other disorders whatsoever.
Females which aborted had been in perfect health prior to abortion. Appetite, alertness, general appearance, and condition of genitals (e. g. outflow and push-down) had been absolutely satisfactory.

Discussion

LANDOVSKI and VOLINSKI (1970) suggested that hierarchy in a herd of seal was built up gradually, under conditions of a zoological garden, and caused no major damage to health and general wellbeing of the animals involved. The authors of this paper, finally, arrived at a quite different conclusion, after having observed a basic herd in the process of breeding (copulations, parturitions) and after having analysed pathologico-anatomic changes and bacteriologically examined stillborn pups. The authors are now satisfied to the effect that male seals in a zoo-kept herd can never be sexually satisfied, since the male-female ratio is inadequate. The number of females was found to be insufficient. Fighting among males for priority in copulation may thus become a predominant factor in herd life, at the expense of other biological functions of importance, such as delivery of pups. The very existence of the herd may thus be put in jeopardy.

The data given in Table 2 and the description of an example of parturition in 1981 are likely to suggest that "sexual excitement" may escalate from the status of a mere behaviour element to the level of a "herd disease". Twenty-one of 50 seal pups died of the following causes: six (twelve per cent of total loss) as a result of rut fighting among males, three of drowning, three of suffocation with amniotic fluid, three of disproportionately extended parturition, and six after premature birth. The sexual impulse, consequently, may be considered to be one of the major causes of mortality during and immediately after parturition. The authors feel that this factor is just as harmful as the causes of abortion (which so far have remained to be unknown but for one case of salmonellosis) and that it is more harmful than complications in parturition.

Pathological symptoms can be recognised by the veterinarian, according to FOWLER (1978), by clinical examination, including auscultation, percussion, and visual assessment of faeces. The example quoted by him was an individual of the pinniped genus. However, in the cases reported in this paper, routine examinations of such kind proved to be medically useless, since the findings obtained suggested repeatedly that the persistent anorexia observed might have been a matter of idiopathy, while post-mortem checks produced evidence to the effect that death had been caused by disease in a particular system (inflammation of alimentary tract) or organ (pneumonia). Enzymatic immaturity was ruled out, since the traces of fishbones recovered from the stomach had been largely digested. Moreover, properly shaped faeces were recorded from the terminal section of the rectum.

KLÖS and LANG (1976) found that intestinal catarrh and infections of the respiratory system were likely to develop in young seals which had been deprived of their mothers' colostrum. Yet, both disorders were recorded by the authors of this paper from seals that had received colostrum and, consequently, should have been immunologically resistant.

Other health-affecting phenomena were not observed either in the basic herd under review, for example, hyponatraemia or thiamine deficit (vitamin B_1). KLÖS and LANG (1976) reported some effects of sodium deficiency which had been, occasionally, responsible for seal deaths in zoological gardens. Both authors spoke of environmental aspects, namely death caused by the type of freshwater in which seals were kept or feeding errors which, by the way, occurred also in the Zoological Garden of Warsaw. (Fish being defrosted in running water which reduced the salt level by 75 per cent.)

Table 3 shows that anorexia persisting for more than 57 days from weaning is a major non-pathognomonic symptom of disease which can ever be recorded from a young seal while still alive. Such symptom, therefore, should be handled with closest attention, as it is an alarm signal which calls for more sophisticated examination, even in the absence of any visible pathological symptoms. Such examination should be undertaken for the purpose of ruling out subclinical disorders which might have caused anorexia, for example, deficiency of vitamins B_1, C, and D_3 or mineral deficit. The real aetiological background of anorexia still is a mystery to the authors of this paper, There were no pathologico-anatomic changes either by which to determine whether the diseases of which the young seals eventually died had been the original cause of the persistent anorexia (catarrh of alimentary tract, pneumonia, cardiac insufficiency). It might as well have been idiopathic. If the latter assumption was true, extended abstention from feeding might have first destroyed general immunity and thus given rise to the development of a disease. That was the reason why pharmacological medication had been applied to "Sigma", namely to rule out involvement of an idiopathic nervous factor as the cause of anorexia.

FOWLER (1978) suggested that to prevent convulsion seals should be immobilised, using between 4.5 mg and 11.0 mg/kg body weight of ketamine hydrochloride, while a mixture of 5.0 mg/kg body of ketamine with 0.1 mg/kg of diazepam would be applicable to sea lion. He also found that application of ketamine to seal could be fatal. That has been obviously confirmed by the case of "Sigma". However, it should be remembered that, except for pathological changes, such as suffocation from gastric matter, no pathological findings were macroscopically recordable from any body cavity.

Summary

Health Problems of a Grey Seal Herd in Zoological Garden of Warsaw

Fifteen of fifty seal pups, born in the Zoological Garden of Warsaw, between 1968 and 1985, died during or immediately after parturition. Another ten died during adolescence, following physiological starvation.
The casualties were attributed equally to two factors, abortion and male sexual impulse which was later defined as a "herd disease".
Rearing of the adolescent seals failed because of aetiologically obscure anorexia.
Idiopathic anorexia was assumed to be present in the young seals, for they refused to accept any feeding even after 57 days of starvation, with no obvious reason established.
Also described is an attempt to feed an immobilised young seal.

Zusammenfassung

Gesundheitsprobleme bei Robben im Zoologischen Garten Warschau

Von 50 im Zoologischen Garten Warschau von 1968 bis 1985 geborenen Robben starben 15 während bzw. unmittelbar nach der Geburt. Weitere 10 Jungrobben starben nach physiologischer Aushungerung. Die Verluste werden auf Aborte sowie auf den Geschlechtsimpuls der männlichen Tiere zurückgeführt, der später als "Herdenkrankheit" bezeichnet wurde. Wegen ätiologisch ungeklärter Appetitlosigkeit scheiterten alle Aufzuchtversuche. Die Appetitlosigkeit wurde als idiopathisches Geschehen eingestuft, da ohne sichtbaren Grund selbst nach 57tägiger Fastenzeit die Nahrungsaufnahme verweigert wurde. Außerdem wird ein Fütterungsversuch an einer immobilisierten Jungrobbe beschrieben.

Résumé

Problèmes de la santé des phoques dans le Jardin Zoologique de Varsovie

Des 50 phoques nés dans le Jardin Zoologique de Varsovie dans la période de 1968 à 1985 15 ont succombé pendant ou immédiatement après la naissance. 10 jeunes phoques ont mouru après une famine physiologique. Les pertes sont attribuées aux avortements et à l'impulsion sexuelle des mâles, ce que plus tard a été nommé "la maladie grégaire". L'étiologie de l'inappétance étant incertaine, tous les essais de l'élevage ont échoué. L'inappétance a été considérée comme un phénomène idiopathique parce que les animaux refusaient la nourriture même après une période de 57 jours de jeûne. En outre un essai de faire manger un jeune phoque immobilisé est décrit.

Резюме

Проблемы состояния здоровья тюленей в зоопарке города Варшавы.

Из 50 в зоопарке Варшавы рожденных тюленя с 1968 по 1985 год погибло 15 во время или после рождения. Следующие 10 животных пали в результате физиологического голодания. Потери были вызваны абортами и сексуальными импульсами самцов. Все попытки выращивания из-за этиологически не определенного отсутотвия аппетита не дали положительных результатов. Отсутствие аппетита рассматривается идиопатическое состояние, при котором даже после 57-дневного голодания животные отказывались от принятия пищи. В работе описывается попытка вскармливания молодого иммобилизованного тюленя.

References

FOWLER, M. E. (1978): Zoo and Wild Animal Medicines, Philadelphia, London, Toronto; W. B. Saunders Company.

KLÖS, H. G., und E. M. LANG (1976): Zootierkkrankheiten. Berlin und Hamburg: Paul Parey.

LANDOVSKI, J., und Z. VOLINSKI (1970): Geburt und künstliche Aufzucht einer Kegelrobbe im Zoologischen Garten von Warschau. D. Zool. Garten, 1/6, 157 - 173.

VADEMECUM LEKOW WETERYNARYJNYCH (1984): Praca zbiorowa pod redakcja Zbigniewa Rolińskiego Wydawnictwo "PRASA ZSL".

Address of authors: J. G o s ł a v s k i and Slavomira L e p i a n k a
Zoological Garden of Warsaw
ul. Ratuszowa 1/3
03-461 Warsaw (Poland)

Aus dem Medizinischen Institut für Umwelthygiene an der Universität Düsseldorf (Direktor: Prof. Dr. H.-W. SCHLIPKÖTER), dem Robert-Koch-Institut (Leiter: Prof. Dr. W. WEISE) des Bundesgesundheitsamtes Berlin und dem Staatlichen Tierärztlichen Untersuchungsamt Heidelberg (Direktor: Ltd. Reg.-Vet. Dir. Prof. Dr. J. NASSAL)

POCKEN BEI SEEHUNDEN (PHOCA VITULINA) IN EINER AUFZUCHTSTATION

Von J. Pilaski, H. Gelderblom und H. Mayer

Im September 1981 beobachteten BACH et al. (1983) im Heidelberger Zoologischen Garten Hautveränderungen bei 6 Seehunden, die aus der Seehund-Aufzuchtstation im Nordseeaquarium in Büsum stammten. Die knopf- und blumenkohlartigen Epidermisproliferationen ließen bei den Autoren zunächst den Verdacht auf das Vorliegen einer Papillomatose entstehen. Auch bei 9 weiteren Tieren, die im November 1981 aus der gleichen Heuler-Station nach Heidelberg kamen, waren diese papillomartigen Veränderungen zu sehen. Histologisch konnten jedoch in den Proliferationen neben einer ballonierenden Degeneration intrazytoplasmatische Einschlußkörperchen nachgewiesen werden, also für eine Poxvirusinfektion typische zelluläre Veränderungen. Leider war beim Bekanntwerden des histologischen Befundes kein unfixiertes Material mehr vorhanden, so daß eine Virusisolierung nicht mehr möglich war. In den folgenden Jahren blieben die jungen Seehunde in der genannten Station in Büsum von dieser Erkrankung verschont. Erst im Sommer 1985 traten die gleichen Veränderungen wieder auf. Nun galt es, zunächst einmal den Erreger zu isolieren.

Tierbestand, Unterbringung, Fütterung und Pflege

Die Heuler-Aufzuchtstation im Nordseeaquarium Büsum besteht seit 1969 als Familienbetrieb, also vorwiegend auf privater Basis. Die im Nordsee-Küstenbereich von Schleswig-Holstein aufgefundenen verwaisten jungen Seehunde werden hier zunächst mit Kuhmilch und später mit Heringen von Hand aufgezogen. Das Einzugsgebiet umfaßt die Küste Schleswig-Holsteins von der Insel Sylt im Norden bis zur Elbmündung bei Glückstadt im Süden. Nur wenige Heuler werden aus dem Bereich der westlichen Ostsee eingeliefert. Die ersten Tiere gelangen meistens Mitte Juni in die Station. Dieser Zeitpunkt war im Jahre 1984 der 11.6. und 1985 der 14.6. Die Tiere werden zunächst telefonisch in Büsum gemeldet. Danach werden sie entweder mit dem Kraftwagen von Büsum aus abgeholt, oder es wird eine andere Transportmöglichkeit organisiert wie z.B. mit einem Kleinflugzeug. Während dieser Aufzuchtphase, die häufig bis in den November hineinreicht, sind die Tiere in einem etwa 25 m^2 großen Becken untergebracht, welches täglich gereinigt und mit frischem, gefiltertem Seewasser aus der Wasseraufbereitungsanlage des nahen Hallenschwimmbades gefüllt wird.

1984 wurden ca. 60 Tiere aufgezogen. Im Jahre 1985 gelangten insgesamt 42 Jungtiere nach Büsum. 18 Heuler stammten allein von der Insel Sylt, wo sie im Zeitraum vom 21.6. bis 6.9. aufgefunden wurden. Die einzelnen Funddaten und Tierzahlen sind bei 15 jungen Seehunden von Sylt bekannt (Tab. 1). 3 weitere Seehunde stammten vom Vorjahr und waren in einem separaten Becken untergebracht.

Tabelle 1: Angaben über die im Jahre 1985 auf der Insel Sylt aufgefundenen Heuler (nach D. UNRUH, 1985)

Funddatum	Gewicht (in kg)	Gesamtlänge (in cm)	Fundort	Bemerkungen
21.6.	-	83	Hörnum	
22.6.	9	83	Kampen	
22.6.	10	88	Rantum	
24.6.	-	-	Rantum	2 Tage alt
6.7.	-	85	Kampen	
8.7.	-	93	Kampen	
12.7.	-	88	Sturmhaube/Kampen	
20.7.	-	88	Kampen	
23.7.	-	-	List/Ellenbogen	klein, abgemagert
28.7.	9	83	Hörnum/Weststrand	

Funddatum	Gewicht (in kg)	Gesamtlänge (in cm)	Fundort	Bemerkungen
1.8.	9	78	List/Ellenbogen	
1.8.	9	80	Hörnum	
4.8.	12	-	Hornum	
20.8.	12	90	Kampen/Sturmhaube	
6.9.	-	88	Westerland	

Von den 42 Heulern wurden 3 Tiere tot eingeliefert, 4 starben unmittelbar nach dem Eintreffen in Büsum. Das erste Tier mit pockenartigen Hautveränderungen traf am 24.7.85 (Datum nicht sicher belegt) aus Westerland von der Insel Sylt ein. In den folgenden Wochen erkrankten dann nacheinander alle Tiere in dem Aufzuchtbecken und zeigten die aus dem Jahre 1981 bekannten charakteristischen pockenartigen Hautveränderungen. Durch einen Brand am 27.9.85 wurde das Dach des Beckens zerstört. Einige brennende Balken stürzten auf die Seehunde, wodurch Hautverbrennungen entstanden. 8 Tiere starben oder mußten infolge der starken Verbrennungen getötet werden, darunter 2 Tiere vom Vorjahr. 5 Tiere wurden an die am 7.8.85 neu eröffnete Seehund-Anlage in Friedrichskoog abgegeben, wo pockenartige Hautveränderungen etwa 2 - 3 Wochen später beobachtet wurden. 2 weitere Seehunde gelangten nach Saarbrücken. Einer der 42 Heuler war eine junge Ringelrobbe (Pusa hispida), die am 16.7. eingeliefert, aber eine Woche später wieder freigelassen wurde. Während dieser Zeit zeigte sie keinerlei Hautveränderungen. Etwa eine Woche nach dem Brand wurde das letzte der noch lebenden Tiere vom Vorjahr in das Becken der Jungtiere gesetzt. Etwa 2 - 3 Wochen später zeigte es ebenfalls die pockenartigen Hautveränderungen. 13 Tiere wurden am 24.11. ausgesetzt (LÜTJE, 1985).

Klinisches Krankheitsbild und therapeutische Maßnahmen

Die von BACH et al. (1983) beschriebenen Hautveränderungen konnten am 9.10.85 während eines Besuchs der Station bei den verbliebenen 24 Tieren (ein Tier vom Vorjahr) in unterschiedlich starker Ausprägung festgestellt werden. Auch dieses Mal standen wieder prolifertive, knopfartige, haselnuß- bis walnußgroße (Durchmesser in einzelnen Fällen bis ca. 5 cm) Hautveränderungen im Vordergrund, wobei vor allem der Kopf, aber auch die Flossen und der Rumpf betroffen waren (Abb. 1 und 2). Die Hautveränderungen waren an der Oberfläche leicht zerklüftet, fleischfarben, teilweise gelblich marmoriert. In einzelnen Fällen bestand ähnlich wie bei den Tieren in Heidelberg im Bereich dieser Proliferationen eine Neigung zu Blutungen. Ein Tier mit einer etwa markstückgroßen Veränderung an einer Hinterflosse zog eine Blutspur hinter sich her, als es sich auf einer aus Brettern gezimmerten Plattform am Rande des erwähnten Aufzuchtbeckens vorwärts bewegte. Die Tiere waren aber trotz dieser Hautveränderungen munter und nahmen die angebotenen Heringe gerne auf. Einige Tiere zeigten noch deutlich von dem erwähnten Brand herrührende Hautveränderungen, besonders im Bereich des Rückens (PILASKI).

Die Hautveränderungen wurden von den beiden Tierärzten J. KNOBLOCH und H. TIEDGEN in der üblichen Weise mit Chloromycetin-Spray (Parke Davis) und Lotagen-Konzentrat (Byk Gulden, Konstanz) behandelt. Jedoch ließ sich ein therapeutischer Effekt hierbei ebenso wenig nachweisen wie nach einer subkutanen Verimpfung der von A. MAYR, München, entwickelten MVA-Virusvakzine. Da eine Entfernung der Proliferationen am 16.9. mit Hilfe eines Scharfen Löffels zu schlecht stillbaren Blutungen führte, wurden bei einer späteren Materialentnahme (ca. 1.10.85) die Veränderungen mit Hilfe von Synthacord (P.W. Beyvers, Berlin) abgebunden.

Histologische und virologische Befunde

Über die Methodik des Poxvirus-Nachweises wurde bereits ausführlich berichtet (SCHALLER und PILASKI, 1979; PILASKI et al., 1983). In den um den 1.10.85 entnommenen und in 3 %iger Glutaraldehydlösung fixierten Biopsieproben konnten mit Hilfe von Ultradünnschnitten in den ballonierend degenerierten Zellbezirken Anhäufungen von Elementarkörperchen nachgewiesen werden, wie sie für Poxviren typisch sind (Abb. 3). In einigen Zellen fanden sich auch Pilzhyphen (Abb. 4). Im Porzellanmörser wurde eine etwa 10 %ige Verreibung mit Wasser hergestellt, in welcher mit Hilfe der Negativkontrastierung für Parapoxviren typische Elementarkörperchen nachweisbar waren (Abb. 5). Der Erreger ließ sich nicht auf der CAM des bebrüteten Hühnereis vermehren. Dagegen gelang eine Isolierung und Passagierung in verschiedenen Zellkulturen, so in Vero- und embryonalen Schafhautzellen, in denen für Parapoxviren typische kleine Plaques gebildet wurden.

Diskussion

Die Ergebnisse zeigen, daß der Erreger der von BACH et al. (1983) erstmals für den europäischen Bereich beschriebenen proliferativen Hauterkrankung des Seehunds ein Virus aus der Gruppe der Parapoxviren ist. Auf Grund von elektronenmikroskopischen Untersuchungen von SCHÖNBAUER hatten bereits MAYER et al. (1984) vermutet, daß ein Poxvirus ursächlich an der Entstehung der proliferativen Hautveränderungen des Seehunds beteiligt ist. Bislang wurden Parapoxvirus-Erkrankungen im europäischen Raum ausschließlich bei Paarhufern (Artiodactyla) nachgewiesen, wobei es gelegentlich zu Übertragungen auf den Menschen kam (LIESS, 1962; LIEBERMANN, 1967; KRAUSS und WEBER, 1975; SCHIEFERSTEIN et al., 1976).

Der erste Bericht über eine Poxvirus-Infektion von Ohrenrobben (Otariidae) stammt von WILSON et al. (1969) aus Nordamerika. Sie beschrieben eine mit proliferativen Hautveränderungen einhergehende Erkrankung von Kalifornischen Seelöwen (Zalophus californianus) die in der Gefangenschaft gehalten wurden. WILSON und SWEENEY (1970) konnten in Verreibungen aus den Hautveränderungen dieser Tiere für Parapoxviren typische Elementarkörperchen nachweisen. Obwohl es nicht gelang, das Virus zu isolieren, erbrachte eine in Nordamerika durchgeführte Umfrage, daß das Poxvirus enzootisch in den Populationen wildlebender wie in Gefangenschaft lebender Robben vorkommt (WILSON et al., 1972a). Mit Hilfe von licht- und elektronenmikroskopischen Methoden konnten WILSON et al. (1972b) das Virus außer bei Zalophus californianus auch bei Phoca vitulina und dem Südamerikanischen Seelöwen (Otaria bryonia) in den Hautveränderungen nachweisen. Epizootiologische Untersuchungen ergaben, daß Virusträger als Ansteckungsquelle für empfängliche Tiere fungieren können oder in bestimmten Streß-Situationen (z.B. Gefangenschaft, Haltung auf zu engem Raum) eine klinisch manifeste Erkrankung entwickeln können (WILSON et al., 1969, 1972b; SMITH and SKILLING, 1979). Ähnlich müssen wir auch die Erkrankungen in Büsum erklären. Begünstigend für eine Übertragung des Erregers von Tier zu Tier dürfte die auf recht engem Raum erfolgte Unterbringung der Tiere sein. Pilze und Bakterien müssen als Sekundärerreger angesehen werden.

Umfragen bei anderen Seehund-Aufzuchtstationen im Bereich der europäischen Nordseeküste sollten klären, ob diese Form einer Hauterkrankung auch schon an anderer Stelle beobachtet worden war. Zu diesem Zwecke wurden Fotografien, die am 9.10. in Büsum von den kranken Seehunden aufgenommen wurden, nach Norden, Pieterburen und De Koog/Insel Texel versandt. Es zeigte sich, daß die Erkrankung zumindest in zwei Stationen bekannt war, nämlich in Norden und Pieterburen. In Norden war sie jedoch innerhalb einer 15jährigen Beobachtungszeit erstmals in dieser Saison bei 3 Tieren aufgetreten. Es wurde ihr keine Bedeutung beigemessen, da die Tiere trotzdem eine gute Gewichtszunahme zeigten (WILLHAUS, 1985). In Pieterburen tritt sie seit vielen Jahren regelmäßig auf, jedoch nur bei den Kegelrobben (Halichoerus grypus). In dieser holländischen Station werden jährlich ca. 75 Robben aufgezogen, darunter 10 - 15 Kegelrobben und 2 - 4 Ringelrobben. Von den Kegelrobben zeigen jährlich etwa 2 - 5 Tiere die beschriebenen Veränderungen (NICOLAY, 1985). In der Station in De Koog herrschte Unsicherheit über das Vorkommen der Krankheit. Möglicherweise wurden dort aber nur kleinere Proliferationen auf der Haut der Heuler festgestellt (DE HAAN, 1985).

Zahlreiche Fragen müssen zur Zeit als ungelöst angesehen werden: Ist das Poxvirus bei den europäischen Kegelrobben häufiger verbreitet als bei den Seehunden? Gibt es unterschiedliche Virusstämme bei den einzelnen europäischen Robbenarten? Wie steht es mit der Verwandtschaft des Parapoxvirus otariae zu den anderen Parapox-Virusstämmen? Detaillierte DNA-Analysen, wie sie von RAYMANN (1980) und GASSMANN (1983) durchgeführt wurden, könnten uns bei der Lösung dieser Fragen wichtige Informationen liefern. Unklar ist auch, ob das Auftreten der Veränderungen von der Schadstoffbelastung der Nordsee abhängig ist. Der Seehundbestand an der schleswigholsteinischen Küste ist in den letzten 10 Jahren von 1400 auf 3000 Tiere angewachsen (HEIDEMANN, 1985). Begünstigt eine größere Populationsdichte der Tiere im Freiland eine stärkere Verbreitung des Virus?

Zusammenfassung

Pocken bei Seehunden (Phoca vitulina) in einer Aufzuchtstation

In einer Seehundaufzuchtstation an der deutschen Nordseeküste wurde in den Monaten August bis November 1985 eine Pockenerkrankung mit proliferativen Hautveränderungen beobachtet, von der alle 27 Tiere betroffen waren. Als ursächlich beteiligtes Agens konnte ein Parapoxvirus nachgewiesen werden.

Summary

Pox in Harbour Seals (Phoca vitulina) in Rearing Station

Pox with proliferative skin alterations was observed in a seal rearing station at the German North Sea coast, between August and November 1985. All 27 seals were affected. A parapox virus was found to be causatively involved.

Résumé

Apparition de la petite vérole chez les phoques (Phoca vitulina) dans une station d'élevage

Dans la période d'août à novembre 1985 on a pu observer, dans une station d'élevage de phoques au bord allemand de la Mer du Nord, une apparition de la petite vérole aux altérations prolifères de la peau chez tous les 27 animaux de la station. Un virus parapoxe a été décelé comme l'agent causal.

Резюме:

Оспа у тюлений (Phoca vitulina) в питомнике

В одном из питомников на немецком побережье Северного моря с августа по ноябрь 1985 г. у тюлений наблюдалось заболевание оспой с явно выраженными пролиферативными поражениями кожного покрова,заболели все 27 животных.Выявлен парапокс-вирус,вызвавшей заболевание. Он способен распространятся в различных клетках млекопитающих.

Literaturverzeichnis

BACH, F., WACKER, R., POLEY, D., und H. MAYER (1983): Pocken der Haut bei Seehunden (Phoca vitulina Linne 1758). Verh.ber. Erkrg. Zootiere 25, 255 - 261.

DE HANN (1985): Persönl. Mitt.

GASSMANN, U. (1983): Klassifizierung von Parapockenviren mittels Kartierung Restriktionsenzym-Schnittstellen und Hybridisationen auf der Virus-DNA. Vet. med. Diss. Zürich.

HEIDEMANN, G. (1985): Persönl. Mitt.

KRAUSS, H., und A. WEBER (1975): Aktuelle Zoonosen in der tierärztlichen Praxis. Tierärztl. Prax. 3, 149 - 155.

LIEBERMANN, H. (1967): Die verwandtschaftlichen Beziehungen der Stomatitis papulosa zu anderen Erkrankungen bei Mensch und Tier. Arch. Exp. Vet. Med. 21, 1391 - 1397.

LIESS, B. (1962): Beobachtungen und Untersuchungen über den Lippengrind (Ecthyma contagiosum) der Schafe als Zooanthroponose. Zbl. Bakt. I. Orig. 180, 289 - 304.

LÜTJE, W. (1985): Persönl. Mitt.

MAYER, H., POLEY, D., WACKER, R., und F. BACH (1984): Pockeninfektionen beim Seehund. Prakt. Tierarzt, H. 2, 152 - 156.

NICOLAY, M. (1985): Persönl. Mitt.

PILASKI, J., BÖSCH, B., MARSCHALL, H.-J., FREY, H.-R., LIESS, B., und H. MAYER (1983): Ein Beitrag zu weiteren Pockenausbrüchen bei Elefanten (Elephas maximus) in Europa mit methodischen Hinweisen für die Diagnostik. Verh.ber. Erkrg. Zootiere 25, 249-254.

RAYMANN, K. (1980): Klassifizierung von Parapockenviren mit Hilfe des Restriktionsanalyse. Vet. med. Diss. Zürich.

SCHALLER, K., und J. PILASKI (1979): Pocken bei Breitmaulnashörnern (Ceratotherium s. simum) im Zoologischen Garten Münster. Zool. Garten N.F. 49, 169 - 184.

SMITH, A.W., and D.E. SKILLING (1979): Viruses and Virus Diseases of Marine Mammals. J. Amer. Vet. Med. Ass. 175, 918 - 920.

UNRUH, D. (1985): Persönl. Mitt.

WILLHAUS, T. (1985): Persönl. Mitt.

WILSON, T.M., CHEVILLE, N.F., and L. KARASTAD (1969): Seal Pox. Case history. Bull. Wildl. Dis. Assoc. 5, 412 - 418.

WILSON, T.M., BOOTHE, A.D., and N.F. CHEVILLE (1972): Sealpox field survey. J. Wildl. Dis. 8, 158 - 160.

WILSON, T.M., CHEVILLE, N.F., and A.D. BOOTHE (1972b): Sealpox questionaire survey. J. Wildl. Dis. 8, 155 - 157.

WILSON, T.M., and J. PEGLAYEN-NEUWALL (1971): Pox in South American Sea Lions (Otaria bryonia). Can. J. Comp. Med. 35, 174 - 177.

WILSON, T.M., and P.R. SWEENEY (1970): Morphological studies of seal poxvirus. J. Wildl. Dis. 6, 94 - 97.

Anschrift der Verfasser: Dr. med. vet. J. Pilaski
Medizinisches Institut für Umwelthygiene
Auf'm Hennekamp 50
D-4000 Düsseldorf 1 (BRD)

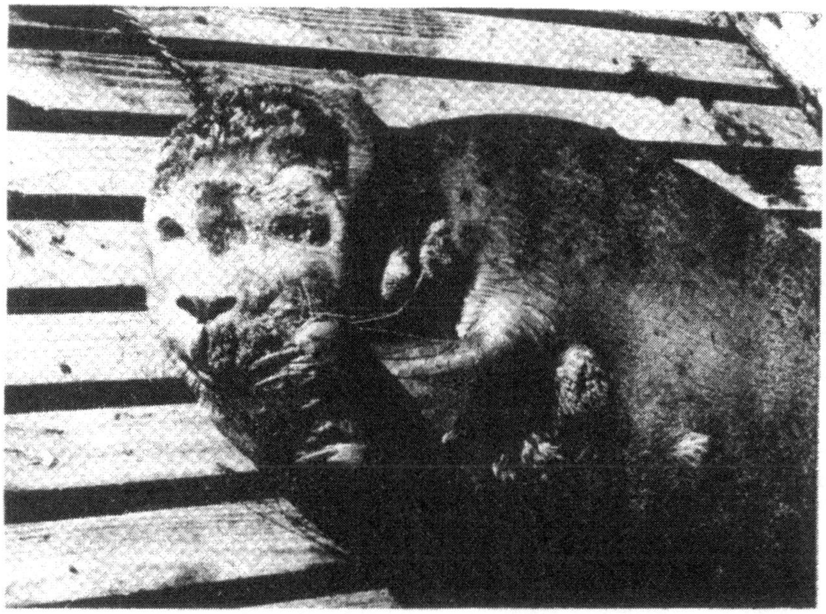

Abb.1: Seehund mit proliferativen Hautveränderungen im Bereich des Kopfes, aufgenommen am 9.10.85

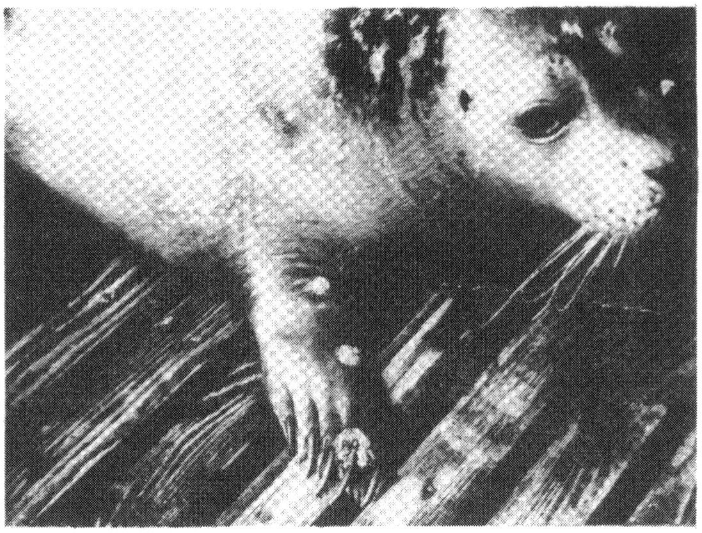

Abb. 2: Seehund mit proliferativen Hautveränderungen im Bereich der rechten Vorderflosse, aufgenommen am 9. 10. 85.

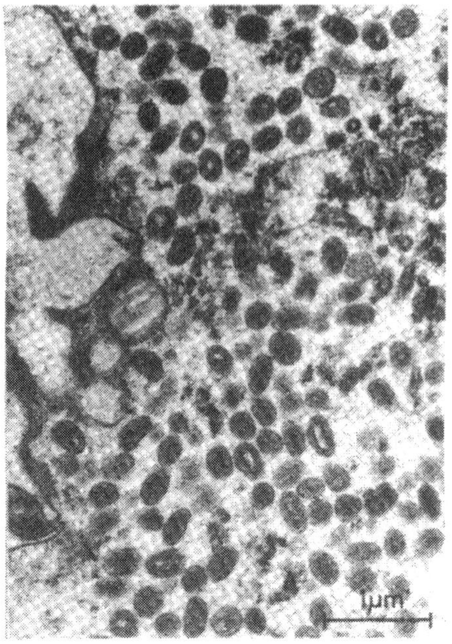

Abb. 3: Dichte Ansammlung von typischen Poxvirus-Elementarkörperchen im Zytoplasma der ballonierend degenerierten Epidermis-Zellen (Positivkontrastierung).

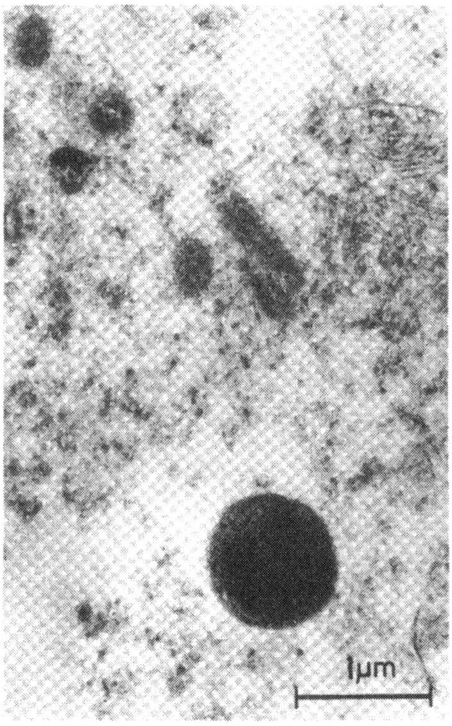

Abb. 4: Elektronenmikroskopischer Nachweis von Pilzhyphen in einigen Zellen innerhalb der veränderten Epidermis-Bezirke (Positivkontrastierung).

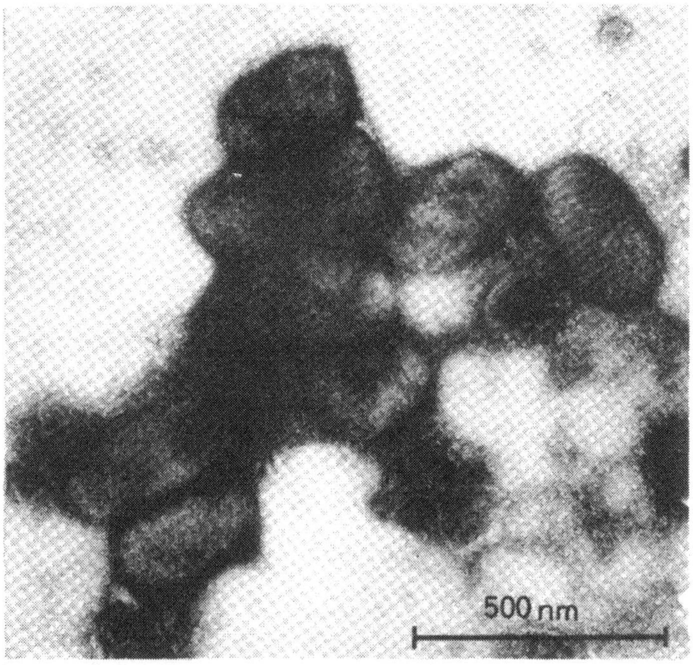

Abb. 5: Mit Hilfe der Negativkontrastierung Nachweis typischer Parapoxvirus-Partikel.

Aus dem Zoologischen Garten Leipzig (Direktor: Prof. Dr. S. SEIFERT) und den Wissenschaftsbereichen Fortpflanzung landwirtschaftlicher Nutztiere und Mikrobiologie und Tierseuchen der Sektion Tierproduktion und Veterinärmedizin (Direktor: Prof. Dr. sc. Dr. h.c. H.-J. SCHWARK) der Karl-Marx-Universität Leipzig

ERKRANKUNGEN UND TODESFÄLLE BEIM EISBÄR (THALARCTOS MARITIMUS PHIPPS, 1774)

Von K. Elze, G. Krische, K. Eulenberger, S. Seifert und H.-J. Selbitz

Seit über 100 Jahren (1884) werden im Leipziger Zoo Eisbären gehalten, ausgenommen die Jahre 1922 bis 1924. In wenigen Jahren betrug der Bestand am 1. Januar nur 0,1 Tier, durch eine vom Zirkus Amarant übernommene Gruppe 1931 bis 1933 als Höchstbestand 7,8. Am 31. Dezember 1985 umfaßte er 1,4 Tiere (1,2 jetzt siebzehnjährige züchtend, dazu zwei sechsjährige, im Leipziger Zoo geborene Weibchen). Insgesamt wurden bislang 210 Eisbären registriert, davon sind 59 (28,1 %) erworben. Von diesen wurden 30 Tiere wieder abgegeben, drei leben noch und 26 starben. 1,2 Eisbären wurden über 25 Jahre alt, das erste Zuchtmännchen über 30 Jahre.

Seit 1929 steht für die Haltung und Zucht von Bären im Leipziger Zoo die Bärenburg zur Verfügung, eine hufeisenförmige Anlage aus dunklen Klinkern mit fünf bühnenartigen Freianlagen für fünf verschiedene Bärengruppen, in der Mitte die Anlage für Eisbären. Die Begrenzung zum Besucher erfolgt durch einen Wassergraben. Unter den Bühnen, im Inneren der Bärenburg, liegen die Wurfboxen, in die die Eisbärinnen in der Regel Ende Oktober genommen werden.

Die Fütterung der Eisbären besteht aus Portionen fetten Fleisches oder von Fleischabschnitten, insbesondere vom Schwein und Rind, seltener vom Pferd sowie Heringen, ergänzt durch Gemüse und Obst. Lebertran und Vitamine werden verabreicht. In der Wochenstube wird die Nahrung auf eine Milchsuppe umgestellt, die die Mütter während der Säugezeit erhalten. Sie dient auch den Jungen als erste zusätzliche Nahrung.

Tabelle 1 gibt einen Einblick in die weltweite Situation der Haltung und Zucht von Eisbären, wie sie sich in den Angaben des INTERNATIONAL ZOO YEARBOOK widerspiegelt. Im Jahre 1972 z.B. hielten 162 Einrichtungen 518 Eisbären. In 25 Zoologischen Gärten wurden 48 Eisbären geboren, von denen 16 (33,33 %) in neun Zoos aufkamen (über 4 Wochen alt). Die Tabelle 1 zeigt auch, daß sich die Aufzuchtergebnisse seit 1969 kaum verändert haben.

Tabelle 1: Haltung, Zucht und Aufzucht von Eisbären in Zoologischen Gärten der Welt (nach Angaben des International Zoo Yearbook 1960, 1965, 1968, 1971, 1974, 1977, 1982, 1984)

Jahr	Eisbärenbestand lt. Int.Zoo Yearbook					Zucht v.Eisbären		Aufzucht von Eisbären		
	Einrichtungen n	Eisbären insgesamt	Eisbären Geschlecht	davon in Zoos geb. insges.	davon in Zoos geb. % d. Ges.best.	Einrichtungen n	gezüchtet n	Einrichtungen n	insges.	% d. Gezüchteten
1960						14				
1963						14[3xx)]	16			
1966	145	433	161/265/7 x)	65	15,01	23[1]	32	15	20	62,50
1969						34[2]	64	14	27	42,19
1972	162	518	213/287/18	127	24,52	25[1]	48	9	16	33,33
1975						30	63	13	23	36,51
1978						29	58	15	24	41,38
1981						32[2]	54	14	21	38,89

x) 161/265/7 = 161 Männchen, 265 Weibchen, 7 ohne Angabe
xx) einschl. Einrichtungen ohne Angabe der Jungtierzahl

Eisbärenzucht im Zoo Leipzig

Im Leipziger Zoo begann die Zucht von Eisbären nach bisherigen Erkenntnissen 1892 mit einem Zwillingswurf. Insgesamt wurden bis 1984 in 81 Würfen 151 Eisbären geboren (71,9 % der registrierten), das entspricht einer durchschnittlichen Wurfgröße von 1,86. Maximal fielen sechs Würfe mit elf Jungen in einem Jahr (1931). In der Regel bestand die Zuchtgruppe aus einem Männchen und drei bis vier Weibchen. Tabelle 2 vermittelt einen Überblick über Lebens- und Haltungsdauer aller 210 im Leipziger Zoo registrierten Eisbären und läßt Schlüsse zu über die Jungtiersterblichkeit und damit also auch die Aufzuchtverluste. 117 der 151 geborenen Eisbären (77,48 %) starben im ersten Lebensmonat, 62 Tiere (41,06 %) wurden keinen oder nur einen Tag alt. Den ersten Lebensmonat überlebten 34 Eisbärenjunge (22,52 %), davon drei in künstlicher Aufzucht. 26 Eisbären (17,22 % aller geborenen) konnten an andere Einrichtungen abgegeben werden, zwei bereits genannte Weibchen stehen noch im Bestand. Der Anteil züchtender Weibchen liegt im Leipziger Zoo mit 85,71 % aller über 5 Jahre alten Eisbärinnen ziemlich hoch. Auch alle zur Zucht eingesetzten sieben Männchen haben sich fortgepflanzt.

Tabelle 2: Lebens- und Haltungsdauer von Eisbären im Zoologischen Garten Leipzig (1884–1985)

	Im Leipziger Zoo geboren n = 151 (71,9%)					Vom Leipziger Zoo erworben n=59(28,1%)				
Dauer	gest.	abgeg.	noch im Zoo lebend	insges.	% der Geborene	gest.	abgeg.	noch im Zoo leb.	insges.	% d. Erworb.
unbekannt (vermutl. bis 1 Wo.)	7			7	4,64					
0 Tage	38			38	25,17					
1 Tag	24			24	15,89					
bis 3 Tage	27			27	17,88					
bis 1 Wo.	13			13	8,61					
bis 1 Monat	8			8	5,30					
0 Tag bis 1 Monat	117			117	77,49					
bis 3 Monate	2			2	1,32		4		4	
bis 6 Monate	2	3		5	3,31	1	4		5	
bis 1 Jahr	1	8		9	5,96	1	3		4	
bis 1 Jahr	5	11		16	10,59	2	11		13	22,03
bis 5 Jahre	1	14		15	9,94	7	13		20	
bis 10 Jahre			2	2	1,32	6	5		11	
bis 15 Jahre		1		1	0,66	5	1		6	
bis 20 Jahre						3		3	6	
bis 25 Jahre										
über 25 Jahre						3			3	
Σ üb. 1 Jahr	1	15	2	18	11,91	24	19	3	46	77,97
insgesamt	123	26	2	151	100,00	26	30	3	59	100,00
%	81,46	17,22	1,32	100,00		44,07	50,85	5,08	100,00	

Das Problem liegt in der unbefriedigenden Aufzuchtleistung. Die hohen Aufzuchtverluste bestätigen die allgemeine Erfahrung, daß vor allem die Aufzucht von Eisbären noch immer zu den besonderen Schwierigkeiten in der Zootierhaltung gehört.

Eindeutig bestehen bei den Weibchen individuelle Unterschiede bezüglich der Fähigkeit, sich an die gegebenen Bedingungen anzupassen und Junge aufzuziehen. Alle erfolgreichen Weibchen haben mehrmals aufgezogen. An der Spitze liegt "Leila", von deren 10 Jungen in sechs Würfen acht den ersten Lebensmonat überlebten; zwei Tiere starben allerdings im 2. bzw. 3. Lebensmonat, sechs konnten abgegeben werden. Die beiden gegenwärtigen Zuchtweibchen haben jeweils in acht Würfen von 16 Jungen sechs bzw. von 15 Jungen fünf aufgezogen, zwei weitere haben in sieben bzw. fünf Würfen je vier Jungtiere hochgebracht. Auf der anderen Seite hat eine Eisbärin in neun Würfen mit 22 Jungen (Durchschnittswurfgröße 2,44) nicht ein einziges Tier über den ersten Lebensmonat gebracht, desgleichen ein zweites Weibchen in sieben Würfen mit 18 Jungen (Durchschnittswurfgröße 2,57).

Einen gewissen Einfluß scheint die Wurfgröße zu haben. In Leipzig wurden 21 Würfe mit einem Jungtier festgestellt, davon fünf aufgezogen (23,81 %). Aus 50 Zwillingswürfen überlebten in 18 Würfen 22 Junge (22,0 %) den ersten Lebensmonat. Aus zehn Drillingswürfen (zwei Bärinnen je viermal, zwei Bärinnen je einmal Drillinge) kamen nur zweimal je ein Eisbär auf (6,67 %) und zwar bei den gegenwärtigen Zuchtweibchen, also erfahrenen Müttern. Bei Zwillingswürfen erfolgte Aufzucht in etwa jedem 3. Wurf, bei Einlingswürfen in jedem 4. und bei Drillingswürfen in jedem 5. Wurf.

Im Leipziger Zoo ergeben sich, wie Tabelle 3 ausweist, drei Zuchtzeiträume, von denen zwei gut vergleichbar sind und erkennen lassen, daß im III. Zeitraum 1959 bis 1984 eine Senkung der Aufzuchtverluste gegenüber dem II. Zeitraum 1930 bis 1944 um etwa 10 % erreicht werden konnte. Mit 73,24 % gegenüber 83,1 % liegen sie aber immer noch sehr hoch.

Tabelle 3: Aufzuchtergebnisse in drei Zuchtzeiträumen im Zoologischen Garten Leipzig

Zeitraum	Würfe	Anzahl Jungtiere	durchschnittl. Wurfgröße	b.3 Mon. gestorben	% d.i.Zeitraum geb.	über 3 Mon. alt gew.	% d.i.Zeitraum geb.
I 1892–1910	6	9	1,50	8	88,89	1	11,11
II 1930–1944	38	71	1,87	59	83,10	12	16,90
III 1959–1984	37	71	1,92	52	73,24	19	26,76
insgesamt	81	151	1,86	119	78,81	32	21,19

Erkrankungs- und Todesfälle bei Jungtieren im III. Zuchtzeitraum

Die seit 1959 gestorbenen Jungtiere wurden soweit wie möglich der Sektion zugeleitet. Ohne Sektion blieben 25 Jungtiere. In Tabelle 4 sind die Erkrankungs- und Todesfälle bei jungen Eisbären im Zeitraum 1959 – 1985 ersichtlich.

Tabelle 4: Erkrankungs- und Todesfälle bei jungen Eisbären (1. Lebensjahr) im Zoo Leipzig (1959 – 1985)

Lfd. Nr.	Populations-Nr.	Züchter-Nr.	Geschl.	Geburtstag	Todes-/Abgabetag	Alter x) J/M/T	Klin. Sympt./Diagnose	Therapie	Ausgang/Obduktionsbefund
1	2	3	4	5	6	7	8	9	10
1	128	81	0,1	7.12.59	9.12.59	-/-/2	-	-	leichter Ikterus, Streptococcus pyogenes +++, Streptokokkensepsis
2	135	84	1,0	18.12.63	25.12.59	-/-/7	-	-	frisches Schädeltrauma
3	137	86	1,0	7.12.64	3.4.65	-/3/27	Apathie Dyspnoe Krämpfe .Infektion .Herz-Kreislaufstörung	Antibiotika parenteral, Herz-Kreislaufmittel, Elektrolyt u.Glucoseinfusion	Myokarddegeneration, toxische Leberdystrophie
4	142	90	0,1	4.12.66	5.12.66	-/-/1	unterkühlt Dyspnoe Brustkorbverletzg. .Koli- oder Streptokokkeninfektion	Antibiotika, Herz-Kreislaufanaleptika, Sondenernährung	Brustkorbtrauma, Gastroenteritis (E.coli + Klebsiellen pos.)

x) J = Jahr; M = Monat; T = Tag

1	2	3	4	5	6	7	8	9	10
5	146	93	1,0	25.11.68	2.12.68	-/-/7	Brustkorb-trauma .Pneumonie	Antibiotika parenteral, Wundbehandlung, Glucose parenteral	Pneumonie Dünndarminvagination
6	147	94	0,1	25.11.68	25.11.68	-/-/-	-	-	Leber- und Milzruptur
7	155	97	1,0	29.12.70	12.2.71	-/1/14	gerötete Konjunktiven, Apathie, geschwollene Gelenke (erfordert Abnahme von Mutter) . Sepsis	Antibiotika parenteral, Vitamin A, D,E,C parenteral, Herz-Kreislaufmittel parenteral	eitrige Perikarditis, multible Arthritis, Staphylokokkensepsis
8	157	99	0,1	23.12.71	abgeg. 29.6.72	-/6/6	Husten, Atemgeräusch verschräft bronchial, . Bronchopneumonie	Antibiotika parenterial, Vit. A,E,C parenteral, Glukokortikoide parenteral	Heilung (Alter 3 Monate)(Krankheitsdauer und Behandlung 11 Tage)
9	159	101	1,0	23.11.74	24.11.74	-/-/1	-	-	gelebt, nicht getrunken
10	160	102	0,1	23.11.74	24.11.74	-/-/1	-	-	gelebt, nicht getrunken
11	162	104	0,1	25.11.74	25.11.74	-/-/-	-	-	gelebt, nicht getrunken
12	164	106	0,1	1.12.74	8.12.74	-/-/7	saugt nicht mehr, unterkühlt, arterielle Blutung aus Nase u.Maul .Trauma/ Kolisepsis	Antibiotika parenteral, Glukokortikoide parenteral, B-Komplex parenteral	Trauma Enteritis Kolisepsis
13	165	107	1,0	3.12.74	abgeg. 12.5.75	-/5/9	bleibt in Masseentwicklung zurück, Schaukeln in der Nachhand, Rachen leicht gerötet, hustet, Rachen- u.Analabstrich: E. coli pos. .Bronchopneumonie	Antibiotika parenteral, Vitamin A, D3, E, C parenteral	Heilung (2 Monate alt) Erkrankungsdauer und Rekonvaleszenzzeit 1 Monat
14	170	112	0,1	4.12.75	5.12.75	-/-/1	-	-	Enteritis/Pseudomonas aeruginosa, E.coli
15	171	113	0,1	4.12.75	6.12.75	-/-/2	-	-	Enteritis, Pseudomonas aeruginosa, E.coli
16	172	114	1,0	5.12.76	17.12.76	-/-/12	-	-	Enteritis, leerer Magen, Streptokokkensepsis
17	174	116	1,0	8.12.76	10.12.76	-/-/2	-	-	Magen leer, Kolisepsis
18	175	117	1,0	8.12.76	10.12.76	-/-/2	-	-	Magen leer, Kolisepsis
19	176	118	1,0	12.12.77	12.12.77	-/-/-	-	-	schwere Traumatisierung
20	177	119	1,0	12.12.77	12.12.77	-/-/-	-	-	Totgeburt
21	179	121	1,0	15.12.77	abgeg. 16.12.78	1/-/1	Apathie, Nasenausfluß, Atmungsgeräusche verschärft bronch., Nachhandschwäche .Virus (Herpes?) inf.	Antibiotika, Glukokortikoide, Vit.B-Komplex, Vit A,E parenteral	Heilung (Alter 6 Monate) Krankheitsdauer und Behandlg. 2 Monate)

1	2	3	4	5	6	7	8	9	10
22	180	122	0,1	15.12.77	19.12.77	-/-/4	-	-	Perikarditis, Sepsisleber/ Kolisepsis
23	181	123	1,0	18.12.77	abgeg. 16.12.78	-/11/29	leichte Apathie, quäkt viel, Unruhe .latenter Infekt	Depotantibiotika parenteral (Tier bleibt an Mutter)	Heilung (2 Mon. alt) Krankheitsdauer 3 Tage
24	186	128	1,0	18.12.78	20.12.78	-/-/2	-	-	Magen-Darm leer, Kolisepsis
25	189	131	1,0	23.12.78	9.1.79	-/-/17	-	-	Enteritis, schlechte Entwicklung, Darm: Pasteurella multocida
26	195	137	1,0	27.12.79	3.1.80	-/-/7	-	-	Magen leer, Inanition, Streptokokkensepsis
27	196	138	0,1	27.12.79	3.1.80	-/-/7	-	-	wenig Mageninhalt, Inanition, Streptokokkensepsis
28	198	140	1,0	17.11.80	17.11.80	-/-/-	-	-	schwer traumatisiert
29	199	141	1,0	17.11.80	17.11.80	-/-/-	-	-	schwer traumatisiert
30	200	142	0,1	2.12.81	2.12.81	-/-/-	-	-	Lunge nur teilweise beatmet, große Gebiete atelektatisch
31	202	144	1,0	8.12.82	9.12.82	-/-/1	-	-	Magen leer, Inanition
32	205	147	0,1	10.12.83	18.12.83	-/-/8	-	-	Magen leer, Kolisepsis (E.coli 08 K87 (B))
33	206	148	0,1	10.12.83	abgeg.- 17.12.84	1/-/7	Entwicklung stagniert, quäkt viel, Grätschen der Hinterhand .Vit.E,D, Selendefizit?	Vit.A,D_3,E parenteral,	Heilung (ca. 2 Mon. alt) Krankheitsdauer 14 Tage, danach starke Besserung
34	209	151	0,1	30.11.84	4.10.85	-/10/4	Apathie, Krämpfe, .Stoffwechselstörung? . Trauma?	Glukokortikoide parenteral, Antibiotika parenteral, Elektrolyt- u.Glucoseinfusions parenteral	Blutungen im Stammhirn (Krankheitsdauer 6 Stunden)

Tabelle 5: Häufigkeit und Klinik der Erkrankungen bei Eisbären (ab 2. Lebensjahr) im Zoo Leipzig (1957 - 1985)

Anzahl	Alter/ Jahre	Geschlecht	Hauptsymptome	Klinische Diagnose	Therapie	Ausgang	Obduktionsdiagnose
1	2	3	4	5	6	7	8
6	4 x 1 1 x 10 2 x 23	1,3 0,1 0,1	Schwäche Dyspnoe gerötete Skleralgefäße und Konjunktiven schnaufende Atmung	Bronchopneumonie	Antibiotika parenteral oder oral Acetylsalicylsäure unspezifische Reiztherapie Expektorantien	Heilung	

1	2	3	4	5	6	7	8
8	2 x 2 1 x 3 1 x 4 1 x 6 1 x 8 2 x 9	0,2 0,1 0,1 1,0 1,0 1,1	Haarbruch Juckreiz	Räude	Besprühen bzw. waschen mit Schrubber narkotisierter Tiere je nach den Jahren mit 5%iger Jakutin-, 10%iger Pedix-, 0,5%iger Aluganlösung	in jedem Falle Besserung 2.Teil Rezidive 2.Teil klinische Heilung	
16	1 - 23	2,14	offene Wunden Phlegmonen nach Bißverletzungen Panaritium Intertrigo Eckzahnfraktur	Verletzungen Pyämien	In der Mehrzahl der Fälle -orale Chemotherapie (z.B. 3000-4000 mg Chloramphenicol in 2-3 Teildosen pro Tag über 6-10 Tage) und -Wasserbadbehandlung durch Schlauchdusche; in Einzelfällen unter Narkose, Beginn obigen Schemas mit -Wundtoilette -Zahnextraktion -Zehenamputation u.a.m. sowie einer parenteralen Gabe eines Depotantibiotikums	Heilung	
1	> 20	1,0	Abmagerung Somnolenz Schwäche, sich auf den Beinen zu halten	Altersschwäche	keine	Euthanasie	Nephrose Trichinose
1	4	0,1	Inappetenz steifer Gang Abmagerung Polydipsie	Nierenerkrankung	Sulfonamide oral Pepsin-Zitronensäure oral Vitamin E oral	exitus letalis	ausgedehnte Nephrose (Schrumpfung der Glomeruli)
1	2	0,1	Apathie steifer Gang	Rheuma? E-Hypovitaminose	Antibiotika oral Vitamin E oral	exitus letalis (plötzlich)	Myokarddegeneration (E-Hypovitaminose?)
1	1	0,1	Inappetenz plötzlich somnolent stark gerötete Konjunktiven	perakute Infektion oder Intoxikation, Nierenerkrankung	Antibiotika	exitus letalis (plötzlich)	Inkarzeration u. Nekrose einer 25 cm langen Dünndarmschlinge in 2-Markstückgroße Nabelbruchpforte
1	1	0,1	Apathie Zittern leichte Dyspnoe	E-Hypovitaminose Kreislaufbelastung	Kreislaufunterstützung Vitamin E oral	Heilung	
1	1	1,0	Apathie Durchfall (Kot gelb, wäßrig, schäumend)	Kolienterotoxämie? (Salm.negativ Beta-hämolysierende E. coli)	Chloramphenicol oral Streptomyzin parenteral Diät	Heilung	

1	2	3	4	5	6	7	8
1	12	1,0	Apathie Durchfall (Kot grau, wäßrig, blutig)	Salmonellose (Salm.oranienburg)	4000 mg Chloramphenicol tgl. in 3 Teildosen oral über 7 Tage	Heilung	
1	8	0,1	Apathie Azetongeruch (2 Tage nach Geburt v. 2 lebenden Welpen, die künstlich aufgezogen werden mußten)	Stoffwechselstörung in Verbindung mit Geburt und Puerperium	Dextropur oral Methionin oral Folia uvae ursi Extrakt oral Vitamin E oral	Heilung	
1	15	0,1	Apathie (8 Tage nach Geburt eines toten Welpen)	Stoffwechselstörung im Puerperium	Dextropur oral Methionin oral Vitamin E oral	Heilung	
1	13	1,0	vom 14.4.83 bis 21.8.84 intermittierend; gestörtes Allgemeinbefinden Zittern schlechter Appetit gerötete Konjunktiven vom 14.4.83 bis 20.9.83 starke Nachhandschwäche bis 16.1.84 gebessert vom 17.1.84 bis 9.8.84 wieder stärkere Nachhandschwäche ab 9.8.84 AB wesentlich gebessert Nachhandschwäche läßt zunehmend nach Tier zeigt sich ab 21.8.84 klinisch völlig ungestört	Differentialdiagnose; Trichinose rheumatischer Infekt mit sekundärer Durchblutungsstörung primäre Kreislaufstörung Vit.D-Hypovitaminose	wiederholt über jeweils 5-8 Tage Chemotherapeutika u. Prednisolon (20 mg/Tag) oral Erhöhung der Vitaminsubstitution (Vit. A, B-Komplex, E) Digitoxinkuren Dekristolsubstitution . 2.9.83 1200000 E oral .19.10.83 600000 E oral .27.12.83 600000 E oral .19.6.84 1800000 E oral . 7.8.84 2400000 E oral	Heilung	

Auswertung

Todesfälle bei Neugeborenen

Von den 34 ausgewerteten Eisbärjungtieren waren 23 Tiere ohne vorherige Erfassungsmöglichkeit eines klinischen Geschehens tot aufgefunden worden, so daß von diesen Tieren nur der Obduktionsbefund vorliegt. 16 dieser Tiere wurden am Tage der Geburt oder an den nächsten 2 Tagen, 1 Tier am 4., 4 Tiere am 7. und 8., 1 Tier am 12. Tag und 1 Tier am 17. Tag tot aus den Muttertierstuben geborgen.

Klinisches Krankengut - Jungtiere

Bei 11 als erkrankt erkannten Tieren wurde eine klinische Untersuchung und Therapie eingeleitet. Diese Tiere hatten folgende Altersverteilung: 3 Tiere waren 1 bis 7 Tage alt. Klinisch wurde Traumatisierung und Bronchopneumonie diagnostiziert. Diese 3 Tiere verstarben innerhalb von 24 Stunden nach der Erstuntersuchung, die Obduktion bestätigte die klinische Diagnose. 1 Tier mit multiplen Arthritiden wurde im Alter von 44 Tagen somnolent vorgestellt, die Obduktion ergab Staphylokokkensepsis.

4 Tiere wurden im Alter von ca. 2 Monaten vorgestellt. Bei 2 Tieren sprach das klinische Bild nur für eine E-Hypovitaminose, bei einem Tier für E-Hypovitaminose und latente Infektion, und bei einem Tier lag eine Bronchopneumonie vor. Ex juvantibus bestätigten sich die Diagnosen. Die Patienten wurden an den Muttertieren belassen und zu den erforderlichen Behandlungen abgesperrt. Diese 4 erst 2 Monate alten Jungtiere genaßen. Ebenso genaß ein im Alter von 6 Monaten an einer Bronchopneumonie (Virusinfektion) erkranktes Tier.

Zwei im Alter von 4 und 10 Monaten in Krämpfen liegend vorgestellte Tiere kamen in wenigen Stunden zum Tode. Bei dem 4 Monate alten Tier ergab die Sektion eine Myokarddegeneration und toxische Leberdystrophie, was für eine hochgradige E-Hypovitaminose spricht, bei dem 10 Monate alten Tier ergab die Sektion Blutungen im Stammhirn.

Neugeborenentod - Form - mögliche Ursachen - Gedanken zur Präventive

Von den 34 untersuchten Eisbärenjungtieren sind 24 in den ersten 7 Lebenstagen, davon wieder 17 Tiere am 1. und 2. Lebenstag verendet. Dazu kommen die 25 Tiere, die ebenfalls bis zum 2. Lebenstag durch schwere Traumatisierung verlustig gingen und nicht zur Sektion kamen (ganz gefressen, total zerquetscht oder stark angefressen geborgen).

Das bedeutet, daß 59,1 % der neugeborenen Eisbären bereits in den ersten zwei Lebenstagen verenden und danach oder auch vorher angefressen oder gefressen werden. Nur in Einzelfällen, die vorerst unbeachtet gelassen werden können, wurden die Welpen tot geboren. Der Hauptanteil wird lebend geboren. Ca. 59 % aller neugeborenen Eisbären bekommen aber keine Milch und werden durch die Mutter verletzt. Am Anfang der Pathogenese der Neugeborenenerkrankungen steht die Inanition, ihr folgen Unruhe und Schwäche, die erheblich die Muttertiere beunruhigt, ihre Traumatisierung bedingt und letztlich zum Fressen der Jungen führt. Ohne primäre Bedeutung sind die bei diesen Neugeborenen immer wieder nachgewiesenen Sepsisformen infolge Infektionen mit E.coli oder Streptokokken. Diese sind als Sekundärinfektionen und zum Teil sogar als postmortale Ausbreitungen zu werten.

Beachtet man aber, wie bei der Diagnostik von Jungtiererkrankungen und -verlusten erforderlich, die funktionelle Einheit von Muttertier und neugeborenem Jungtier, so zeigt sich, daß zu fast 60 % diese biologisch-funktionelle Einheit in der Eisbärenzucht noch gestört ist. Die Form der Störung kann sehr unterschiedlich sein. Folgende Möglichkeiten kommen in Betracht:

1. Die Eisbärinnen haben keine Milch, dann werden die Eisbärenneugeborenen entweder schnell schwach und bilden für die Mutter keinen Reiz mehr, oder sie beunruhigen durch Schreien und Quäken ihre Mutter. Die Folgen sind Traumen, zum Teil werden die Neugeborenen gefressen oder es kommt zur Vermehrung von Erregern infektiöser Faktorenkrankheiten. Am Ende der Pathogenese stehen bei diesen Tieren Koli- und Streptokokkensepsis.
2. Durch akustische Störungen sowie andere Noxen werden die Mütter in einen sympathikotonen Zustand versetzt, der eine weitere Oxytozinausschüttung und damit die Milchejektion stört.
3. Die Bärinnen befinden sich je nach Veranlagung in einer Art Dauerstreß. Das bedeutet, Störung der Vorbereitung auf Geburt und Laktation, fehlender Milchdruck, fehlende Antwort auf Saugreize, fehlende Kontaktaufnahme zum Säugling, Unruhe, Traumatisierung.

Ein Programm zur Präventive müßte aus bisheriger Sicht folgende Elemente enthalten:

- Überprüfung und Sicherung einer erweiterten Reservenährstoffbildung in der Hochgravidität, besonders an Na, Ca und P sowie fettlöslichen Vitaminen als Voraussetzung einer mit der Geburt plötzlich beginnenden katabolen Stoffwechselsituation, der eine stark anabole Phase vorangegangen sein muß.
- Frühes Verbringen in die Wochenstuben mit reichlich Nestbaumaterialien und Begünstigung von

absoluten Ruhezeiten entsprechend den natürlichen Verhältnissen.
- Sicherung von Ruhe und relativer Dunkelheit in den Wochenstuben, da in der Natur die Tiere zu dieser Zeit nahezu keinen Lichteinwirkungen ausgesetzt sind.
- Eventuell starke Prägungen der Tiere auf den Menschen, damit keine inneren Dauerstreßsituationen entstehen. Unsere Erfahrungen bei Raubkatzen, Nagern u.a. Tieren besagen entgegen althergebrachter Auffassungen, daß gut auf den Pfleger geprägte Tiere im allgemeinen besser aufziehen, da sie in Zoohaltung weniger nervös reagieren. Daß sicherlich gerade Eisbären zu "inneren Zwängen" neigen, zeigt das bei Eisbären nicht seltene Vorkommen des sogenannten "Webens" oder anderer stereotyper Bewegungen.

Hypovitaminosen

Im Alter von ca. 2 Monaten bis ins frühe Absetzalter hinein zeigen nicht wenige Eisbärenjungtiere die bekannten klinischen Symptome einer A-E-D-Hypovitaminose in Form von
- Minderentwicklung und -wuchs
- geringerem Bewegungsdrang
- Grätschen in der Nachhand
- pumpender Atmung
- Festliegen in Krämpfen

und postmortal in Form von
- Herzmuskeldegeneration und
- toxischer Leberdystrophie.

Bis auf den plötzlichen Todesfall des Tieres Nr. 3 konnten die anderen Patienten durch wiederholte Multivitamininjektionen und vermehrte orale Zufuhr von Vitaminen A und E sehr schnell klinisch geheilt werden. Die Tiere wurden nicht abgesetzt, sondern erhielten nur abgeschützt von der Mutter Suppe mit den verordneten Vitaminzugaben.

Bronchopneumonie

Im Altersbereich von 2 Monaten bis über einem Jahr erkranken die jungen Eisbären ebenso wie die Jungtiere anderer Landraubtiere (ELZE et al., 1974; IPPEN und SCHRÖDER, 1974; SCHRÖDER, 1968; ELZE und EHRENTRAUT, 1968; WEDLICH, 1982) nicht selten an Bronchopneumonie, in Einzelfällen auch Alttiere. Nach dem klinischen Bild wie den Obduktionsbefunden handelt es sich wie bei anderen Jungtieren (ELZE et al., 1985), auch um Basisvirosen mit bakteriellen Sekundärinfektionen. Die bakteriologischen Untersuchungen ergaben in unseren Fällen das Vorkommen von:
- Streptococcus viridans sp.
- Staphylococcus aureus
- Pasteurella multocida und
- Klebsiella pneumoniae.

Die Ergebnisse einer frühzeitig eingesetzten Chemotherapie waren gut. 1968 berichteten wir (ELZE und EHRENTRAUT, 1968) bereits speziell über das Erkrankungsgeschehen der Atmungsorgane bei neugeborgenen Bären.

Aus der Sicht der Präventive sollten folgende Fakten Berücksichtigung finden:
- Beachtung einer bedarfsgerechten Vitaminisierung (besonders mit den Vitaminen A, C und E)
- Schutz vor zu hoher relativer Luftfeuchte in den Bärenhäusern (nicht über 60 - 70 %)
- Schutz vor zu hohen Schadgaskonzentrationen
- in gefährdeten Gruppen möglicherweise Paramunisierung mittels Einsatz eines geeigneten Induktors.

Im Erkrankungsfall verlangt die Frühtherapie zur Verhinderung der Ausbreitung einer bronchialen Obstruktion gleichermaßen wie beim Kind (TACKE, 1983) die Medikation von:
- Chemotherapeutika
- Glukokortikosteroiden (z.B. 1 - 5 mg Prednisolon/kg und Tag)
- Bronchospasmolytika und
- Sekretolytika.

Für die Sicherung einer guten Rekonvaleszenz ist die Berücksichtigung folgender Maßnahmen angezeigt:
- Ruhe, keine Belastung

- Durchblutungsförderung
- Wiederherstellung einer vollen Belüftung der Lunge durch Sekretlösung und Entzündungshemmung
- Erhöhung der unspezifischen Abwehr durch Paramunisierung
- Umweltgestaltung

Spezifische Erkrankungen der adulten Eisbären

Die Analyse der Erkrankungsfälle der erwachsenen Tiere zeigt, daß bei Eisbären im Vergleich zu den anderen Landraubtieren speziell den Hunde- und Katzenartigen, die spezifischen Infektionen und Nierenerkrankungen eine untergeordnetere Bedeutung haben. Es kristallisieren sich drei Schwerpunktkomplexe an Erkrankungen neben beachtenswerten Einzelfällen, wie Salmonellose (GARLT, 1974), Kolienterotoxämie, Stoffwechselstörungen post partum und einer Vielzahl von Verletzungsfällen, heraus. Das sind:

Räude

8 Tiere zeigten Fellschäden und Juckreiz. Ex juvantibus bestätigen wir auf Grund der befriedigenden Ergebnisse mit unserer Sprüh- bzw. Waschbehandlung mit Antiparasitarika die erste klinische Diagnose von Frau Dr. SCHERBAUER, die die Fellschäden der Eisbären bereits 1959 als Räude ansah.
Dankenswerterweise hatte sie mich schon damals auf diese Diagnose und entsprechende Therapiemaßnahmen aufmerksam gemacht. 1962 erschien dann im Zoologischen Garten ihre Publikation zu dieser Problematik (SCHERBAUER, 1962). Schließlich berichteten NICKEL et al. (1974) über den Nachweis von Ursoptesmilben bei Thalarctos maritimus. Sicherlich stehen uns in Zukunft durch den Einsatz von Ivermectin noch praktikablere parenterale Therapiemöglichkeiten als die bisherigen Alluganwaschungen der narkotisierten Tiere zur Verfügung.

Nachhandschwäche und steifer Gang

Die Genese dieses Krankheitsbildes gilt es differenziert zu betrachten. Bei einem gewissen Teil der Tiere ist dieser Symptomenkomplex sicherlich Ausdruck einer Trichinose, wie bei unserem über 20jährigen männlichen Patienten, über den 1970 KRONBERGER et al. bereits berichteten und wie aus zahlreichen anderen Publikationen hervorgeht. Es sei diesbezüglich auch auf die Dissertation von WEDLICH (1982) verwiesen.
Bei älteren Tieren ist aber differentialdiagnostisch in jedem Fall auch an interstitielle Nephritiden und Nephrosen zu denken, obwohl diese bei den Eisbären seltener sind als bei den Hunde- und Katzenartigen, die nach klinischem Ermessen, wie bereits oben genannt, einem wesentlich höheren und breiteren Infektionsdruck sowie zusätzlich zahlreicheren Impfungen ausgesetzt sind (ELZE et al., 1974). Folglich ist bei diesen die Möglichkeit für Antigen-Antikörper-Komplex-Reaktionen aus dieser Sicht wesentlich höher als bei Eisbären. Desweiteren muß bei Eisbären in jedem Fall auch an eine E-Hypovitaminose gedacht werden, die sowohl primär als auch sekundär infolge der Aufnahme von Fetten mit zu hoher Peroxidzahl entstehen kann. Letztlich gilt es in Zukunft abzuklären, inwieweit gerade beim Eisbär dieses Bild, die Klinik einer Osteomalazie ist, da in dem Fall der Erkrankung unseres 13jährigen Tieres eine endgültige klinische Heilung erst nach 2 Applikationen von Dekristol in hoher Dosis einsetzte.
Daß das Tier nach 16monatiger Erkrankung jetzt bereits 16 Monate wieder klinisch gesund ist, läßt eine Nephrose weitgehend ausschließen, das Vorliegen einer ruhenden Trichinose ist nicht auszuschließen. Ex juvantibus spricht aber vieles dafür, daß ein Vitamin-D-Defizit vorlag. Über eine Osteomalazie beim Bären berichteten bereits IPPEN und SCHRÖDER (1974). Über den Bedarf an fettlöslichen Vitaminen von Eisbären sollten nach den gegebenen Möglichkeiten mehr Erhebungen und Untersuchungen erfolgen, da er ausgehend von der natürlichen Nahrung vermutlich wesentlich höher liegen wird als wir ihn bei der routinemäßigen Fütterung decken können. Möglicherweise liegen hierin auch die Reserven für eine Erhöhung der Fruchtbarkeits- und Aufzuchtergebnisse bei Eisbären in der Zootierhaltung.

Zusammenfassung

Erkrankungen und Todesfälle beim Eisbär (*Thalarctos maritimus* Phipps, 1774)

Es erfolgt eine Analyse des Zucht-, Aufzucht- sowie Erkrankungsgeschehens bei Eisbären des Leipziger Zoos. Von 1959 bis 1985 wurden 71 Eisbären geboren. 59,1 % der Neugeborenen gingen intra- und besonders früh perinatal bis zum 2. Lebenstag vorrangig infolge Inanition und Traumatisierung verlustig. Der Schwerpunkt zur Verbesserung der Aufzuchtergebnisse wird in der weiteren Verminderung von Streßeinwirkungen in der Eisbärenhaltung gesehen. Bei den halbwüchsigen Tieren stehen die Bronchopneumonien im Vordergrund. Verletzungen und Phlegmonen sowie Räude sind häufig. Nephritiden kommen seltener als bei Cynofeloidea vor. Die Ätiopathogenese der Nachhandschwäche wird diskutiert. Trichinose, Nephrose, E-Hypovitaminose und besonders Osteomalazie werden differentialdiagnostisch berücksichtigt.

Summary

Diseases and Deaths of Polar Bear (*Thalarctos maritimus* Phipps, 1774)

Breeding, rearing, and diseases of polar bears in the Zoological Garden of Leipzig were analysed. Seventy-one polar bears were born, between 1959 and 1985. Intranatal and early perinatal deaths up to the second day of age accounted for 59.1 per cent of all newborns, with inanition and traumatisation being major causes of death. Further reduction of stress factors in polar bear keeping is considered the most important priority for improvement of rearing results. Bronchopneumonia was the most common disease of adolescents. Injuries, phlegmons, and mange were common, as well. The incidence of nephritis in polar bear was found to be lower than in cynofeloidea. The pathogenetic background of hindleg feebleness is discussed. Trichinosis, nephrosis, E-hypovitaminosis, and, more strongly, osteomalacia are considered in differential diagnosis.

Résumé

Maladies et cas mortuels chez l'ours polaire (*Thalarctos maritimus* Phipps,1774)

Analyse de l'élevage, de la maturation et de l'évolution de maladies des ours polaires dans le Zoo de Leipzig. Dans la période de 1959 à 1985 71 ours polaires sont nés. 59,1 % des nouveaux-nés, cependant, ont été perdu dans la phase intranatale et la phase immédiate périnatale avant le 2ème jour de leur vie. La cause de ces pertes a été avant tout une inanition et traumatisation. Une réduction continuelle des effets du stress est considérée comme la mesure la plus importante relative à l'amélioration des résultats de l'élevage, en captivité, des ours polaires. Chez les juveniles on observe avant tout des bronchopneumonies. En outre on trouve souvent des lésions et phlégmons ainsi que la gale, pendant que les néphritides sont plus rares comparées à leur manifestation chez les cynoféloidés. l'étio-pathogénèse de l'ataxie de la patte de derrière est discutée. Les trichinose, néphrose, E-hypovitaminose et particulièrement ostéomalacie sont considérées sur la base du diagnostic différentiel.

Резюме

Заболевания и падеж у белых медведей (*Thalarctos maritimus* Phipps,1774)

Проводится анализ выращивания , разведения и заболеваний белых медведей в зоопарке города Лейпцига. С 1959 по 1985 год в зоопарке родилось 71 белых медведей. 59,1 % новорожденных погибло особенно в раннюю перинатальную стадию до 2 лет в результате травмирования. Основное внимание при улучшении результатов разведения должно уделятся снижению стрессовых состояний при содержании белых медведей. У молодняка на первом месте заболеваний стоит бронхопневмония. Часто наблюдаются повреждения, флегмоны и парша. Нефритиды встречаются реже чем у Cynofeloides . Описаны трихиноз, нефроз, Е-гиповитаминоз . Остеомалазия диагностицирована дифференциальными методами.

Literaturverzeichnis

ELZE, K., und W. EHRENTRAUT (1968): Erkrankungen der Atmungsorgane bei neugeborenen Bären (Ursiden). Verh.ber. Erkrg. Zootiere 10, 49-51.

ELZE, K., EULENBERGER, K., SEIFERT, S., KRONBERGER, H., SCHÜPPEL, K.-F., und UTE SCHNURRBUSCH (1974): Auswertung der Krankengeschichten der Felidenpatienten (1958 - 1973) des Zoos Leipzig. Verh.ber. Erkrg. Zootiere 16, 5 - 18.

ELZE, K., MEYER, H., und G. STEINBACH (1985): Jungtierkrankheiten, 2. Auflage. Jena: VEB G. Fischer.

GARLT, CH. (1974): Beitrag zu einem gehäuften Auftreten von Salmonellen bei Säugetieren im Zoologischen Garten Rostock. Verh.ber. Erkrg. Zootiere 16, 191 - 200.

INTERNATIONAL ZOO YEARBOOK (2/1960, 5/1965, 8/1968, 11/1971, 14/1974, 17/1977, 20/1982, 23/1984) London: Zoological Society of London.

IPPEN, R., und H.-D. SCHRÖDER (1974): Auswertung der postmortalen Untersuchungsergebnisse bei in Gefangenschaft gehaltenen Landraubtieren. Verh.ber. Erkrg. Zootiere 16, 29-37.

KRONBERGER, H., SCHÜPPEL, K.-F., und S. SEIFERT (1970): Trichinose als Lahmheitsursache. Verh.ber. Erkrg. Zootiere 12, 139 - 140.

NICKEL, S., RIBBECK, R., und K. PETERSEN (1974): Durch Milbenbefall verursachte Hautveränderungen bei Eisbären (Thalarctos maritimus). Verh.ber. Erkrg. Zootiere 16, 311-313.

SCHERBAUER, I. (1962): Behandlung der Räude bei Bären. Zool. Garten (NF) 26, 263 - 265.

SCHRÖDER, H.-D. (1968): Erkrankungen der Respirationsorgane der Landraubtiere. Verh.ber. Erkrg. Zootiere 10, 17 - 21.

TACKE, A. (1985): Akute Infektionen des Respirationstraktes bei Kindern. Z. ärztl. Fortbild. 79, 603 - 606.

WEDLICH, V. (1982): Großbären (Ursidae) in der veterinärmedizinischen Literatur. Vet. Med. Diss. Hannover.

Anschrift der Verfasser: VR Prof. Dr. sc. med. vet. K. E l z e
DDR-7010 Leipzig
Margarete-Blank-Straße 8 (DDR)

From Department of Veterinary Science, The Zoological Society of London, Whipsnade Park Zoo, Department of Medicine, Royal Veterinary College, and Pathology Laboratory, Department of Veterinary Science, The Zoological Society of London, Regent's Park

ALOPECIA IN POLAR BEARS (THALARCTOS MARITIMUS): A REPORT OF TWO CASES

By R. A. Kock, L. R. Thomsett, and G. M. Henderson

Introduction

Alopecia has been recognised in polar bears under captive conditions, and there has been considerable debate as to its cause. The condition has frequently been described as a dermatitis.

Dermatophilus congolensis has been implicated in its aetiology (SMITH and CORDES, 1972; NEWMAN et al., 1975; KITCHEN et al., 1977; FOSTER, 1981). HOFF (1979) implicated hypothyroidism as a possible underlying cause, and FOWLER and others (1979) proposed that audycoptic mange mites may play a role in the aetiology. Various treatments have been discussed, and FOSTER (1981) advocated a nutritional approach to therapy. His suggestion was that the health of the skin was compromised by vitamin A deficiency, and that this predisposed to secondary bacterial or fungal infections leading to alopecia and dermatitis. The use of vitamin A in the treatment of alopecia in two polar bears at Whipsnade Park is described in this paper.

Case report

The two polar bears, "Amos", a male, and "Sabrina", a female, were housed in a concrete polar bear exhibit. The housing included a complex of rooms of varying sizes, with small entrance holes through which the animals could gain access to the outside area, which included a pool with fresh water. The area available for exercise was approximately 400 sq. metres.

"Amos" was born in 1964, and had been housed at Whipsnade since 1973, at which time no evidence of alopecia was recorded. In 1975 the animal had been immobilised with etorphine, and areas of alopecia 1 - 10 cm in diameter, characterised by thickening, crusting and pigmentation of the skin on the head, neck, shoulders and axillae, were seen. Skin scrapings and a biopsy of a lesion on the face were examined. No diagnosis was made, and no treatment attempted at this time. During 1976 some minor wounds were treated and a biopsy from an ulcerated skin lesion on the face was taken. For the next three years no more treatment had been undertaken. The alopecia remained and, although the extent of the skin lesions varied, the condition never resolved. During a period of lameness in 1980, the animal was examined and the areas of alopecic skin and certain areas of skin which were not alopecic, were noted to be remarkably thickened.

On this occassion it was recorded that the lesions looked similar to those seen in the Society's kodiak bears. Further biopsies were taken in 1980. By 1983 the condition had still not resolved (Fig. 4).

"Sabrina" was born in 1966. She was transferred from Regent's Park to Whipsnade in 1980. In November 1982 she was observed to have areas of alopecia over the head, neck, shoulders and axillae. The lesions appeared to be pruritic, and she was frequently observed to rub them against cage fixtures. A single dose of ivermectin (Ivomec: MSD Agvet) was administered, and a dietary supplement of six Fish-eater tablets (Special Diet Services) per day was instigated. There was no resolution of the condition after three months of treatment.

The extent of the skin lesions in "Sabrina" is shown in Figs. 1, 2 and 3, and Diagrams 1 and 2.

It was decided to approach the problem by analysing the ration and looking for evidence of vitamin, mineral or general nutritional deficiency. In particular, the vitamin A content of the ration was examined. The diet is shown in Table 1, indicating that the level of vitamin A was approximately 8,500 international units per kg of ration fed daily.

"Sabrina" was given additional vitamin A supplementation through provision of Ultra-high potency cod oil (British Cod Liver Oils) to a total of 500,000 i.u. per day, gradually increasing to 1,000,000 i.u. per day.

It was not possible to provide this level of vitamin A with the conventional supplements. This dietary change was initiated on 15th February 1983. On 23rd February 1983 the animal was sedated with etorphine when skin scrapings and biopsies were taken. Even at this early stage there appeared to be some new growth of fur (Fig. 3). By 4th March 1983 it was quite clear that a fuzz was appearing over all the alopecic areas, and by 1st April 1983 the new hair was approximately one inch in length. On 21st April 1983 there was excellent hair cover over all the alopecic areas (Fig. 6), and we decided to maintain the vitamin A dosage for a further month. On 11th May 1983 the animal was again sedated and skin biopsies taken. The skin and fur appeared normal.

On 28th May 1983 the vitamin A supplementation was reduced to 500,000 i.u. per day. The coat remained in good condition. In September 1983 the vitamin A supplementation was gradually reduced below 500,000 i.u. per day on a slowly decreasing basis, with the result that over the next two to three months, hair loss was evident and areas of alopecia recurred.

In January 1984, it was decided to try a powder supplement instead of cod liver oil, in order to eliminate the possibility that the improvement in skin and coat condition was due to fatty acids provided, or some other factor in the cod liver oil. A vitamin A rich carnivore supplement (Special Diet Services) was used to provide 1,000,000 i.u. of vitamin A per day to both "Amos" and "Sabrina". "Amos" had suffered alopecia since 1975 and had been repeatedly examined with skin biopsies taken in 1975, 1976 and 1980. No successful therapy had been found. After the vitamin A therapy, "Amos" showed marked hair growth over the alopecic areas within three weeks. There was also a good response in "Sabrina". The vitamin A supplementation to "Amos" was reduced to 500,000 i.u. per day after this time, and there was slight regression. In May 1984 "Amos" was given pure synthetic vitamin A Rovimix A 500 (Roche) at a dosage of 1,000,000 i.u. per day instead of the vitamin A rich carnivore supplement (Special Diet Services). The regression seen when the vitamin A rich carnivore supplement (Special Diet Services) had been reduced to 500,000 i.u. vitamin A per day was reversed, and the coat became normal again (Fig. 5). "Sabrina" was then given 5,000,000 i.u. vitamin A per day as powder for five months, and the coat condition remained stable. No apparent signs of toxicity were observed during this period.

During July 1984 "Amos" had an episode of acute gastro-enteritis with diarrhoea, and the animal was immobilised for clinical investigation. A bacterial infection was diagnosed, and this responded rapidly to antibiotic therapy with amoxycillin (Clamoxyl: Beechams). The skin condition was excellent at this time.

Both "Amos" and "Sabrina" were maintained at their respective levels of vitamin A until October 1984 without any further problems. The hair coat remained in good condition over this period (Figs. 4 and 5), and they were then moved to Chester Zoo, where the dietary vitamin A levels have been maintained at 1 - 3,000,000 i.u. per day up to the present time.

Haematological and biochemical investigations

Three blood samples were taken from "Sabrina" during her time at Whipsnade. Initially she was found to have monocytosis and eosinophilia (Table 2) in February 1983. These raised cell counts, which may have reflected a chronic dermatitis, decreased over the period of treatment until October 1984 when the haematological values were normal.

The first two blood samples from "Amos" are related to episodes of illness - one of lameness in March 1980 and the other of acute gastro-enteritis in July 1984. The haemopathological changes seen (e. g., neutrophilia and hyperfibrinogenaemia on both occasions and monocytosis on the second in July 1984) were probably as a result of these episodes of illness. The final blood sample in the clinically normal animal showed

eosinophilia, otherwise nothing of note.
In "Sabrina" the biochemical findings were unremarkable except for a gradual increase in plasma vitamin A over the period of treatment, and a slight reduction in plasma iron (Table 3).

"Amos" did not show any marked biochemical changes other than an elevation of plasma bilirubin in July 1984, probably attributable to anorexia during the period of gastroenteritis, and a low plasma iron level in July 1984. This animal received an iron supplement at this time, and the plasma iron increased.

Histopathological findings in skin biopsies

A series of skin biopsies and deep skin scrapings had been taken from various sites on each of the animals over a seven-year period. No evidence of ectoparasites could be found in the skin scrapings, and cultural examination for fungal or bacterial pathogens gave negative results. Histopathological examination of skin biopsies was carried out.

A skin biopsy was taken from "Amos" face in March 1975 (a); again from an ulcerated lesion on his face in November 1976 (b), and finally from an early lesion on the neck where the skin was palpably thickened in March 1980 (c). The histopathological findings are reported below:

(a) The epidermis showed marked hyperkeratosis, which extended into the hair follicles. There was some evidence of mild parakeratosis with hyperpigmentation. The stratum corneum was equal in thickness to that of the cellular layers of the living epidermis. No significant abnormality could be seen to be affecting the apocrine glands, and the pilosebaceous complexes averaged 12 follicles, all of which contained hairs. The dermis showed little abnormality.

(b) A chronic inflammatory lesion was present, characterised by focal acanthosis with organising granulation tissue, in which there was extensive proliferation of capillaries. The apocrine secretory epithelium appeared normal.

(c) The epidermis was acanthotic, with marked hyperkeratosis which extended into the living epithelium of the follicles. There was an area of focal erosion of the epidermis with granulation and proliferation of capillary buds into the tissue. The inflammatory process associated with the erosive lesion extended to the mid dermis, and was confined to the area below the superficial lesion. Other dermal structures appeared to be normal.

Skin biopsies were taken from "Sabrina" in February 1983 (d) eight days after the commencement of vitamin A therapy - one from an alopecic lesion, and another from a relatively unaffected area of skin. Post treatment biopsies were taken three months later in May 1983 (e). The histopathological findings on examination of various sections of these biopsies are reported below:

(d)(i) The epidermis showed areas of marked hyperkeratosis, the cornified layer being equal in thickness to the acanthotic layers of living epidermis (Fig. 7). No significant changes were seen in the dermal structures. The sebaceous glands were large and actively secretory.

(ii) An erosive lesion showed loss of parts of the epidermis, with associated areas of parakeratosis, acanthosis and hyperkeratosis. The inflammatory response in the vicinity of the erosive lesions extended into the dermis as a mild perifolliculitis.

(iii) The epidermis showed extensive hyperkeratosis. The upper dermis adjacent to an area of erosion showed a focal area of oedema and early separation at the dermoepidermal junction, and there was a chronic inflammatory infiltrate of cells into the upper dermis between the collagen bundles.

(iv) The epidermis was markedly acanthotic, and was overlaid by a very thick hyperkeratotic stratum corneum. There was an area of focal erosion of the epidermis,

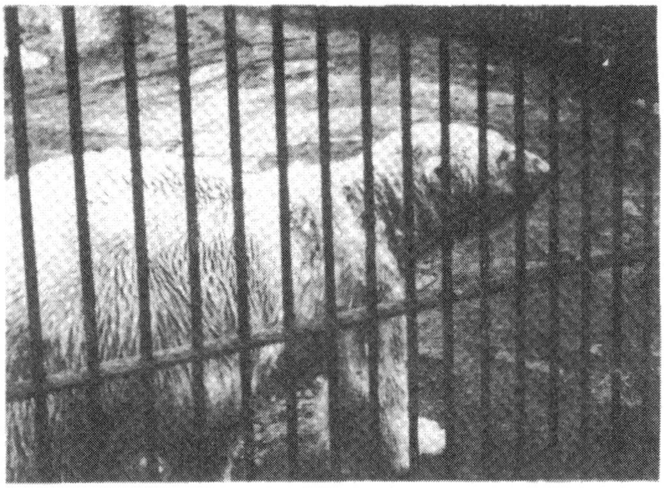 

Figure 1 and Figure 2: Female polar bear "Sabrina" showing extensive hair loss and hyperpigmentation over the head, neck and shoulders.

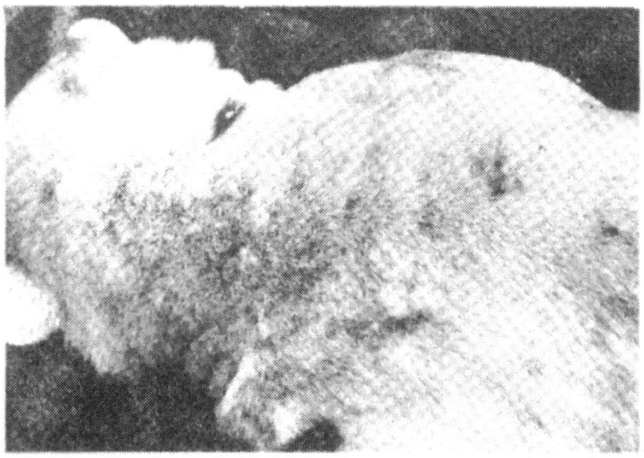 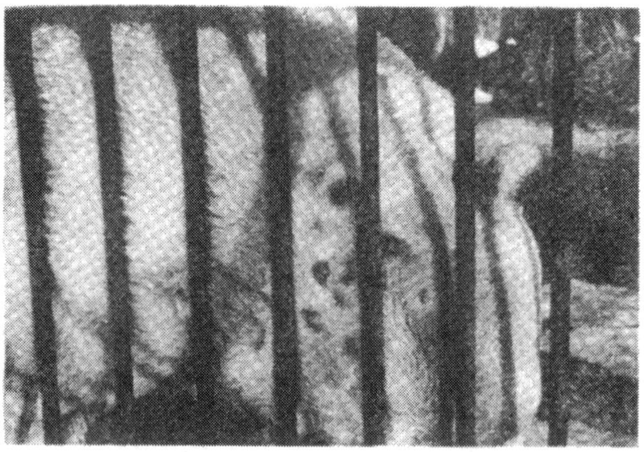

Figure 3: Female polar bear "Sabrina" showing initial regrowth of hair following high doses of vitamin A. (Note site of skin biopsy).

Figure 4: Male polar bear "Amos" showing skin lesions on head.

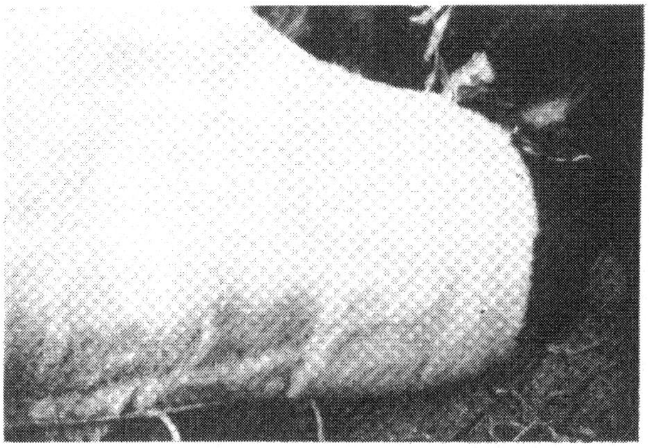

Figure 5: Male polar bear "Amos" showing complete remission of clinical signs following ten months of megavitamin A therapy.

Figure 6: "Sabrina" showing normal coat condition following megavitamin A therapy.

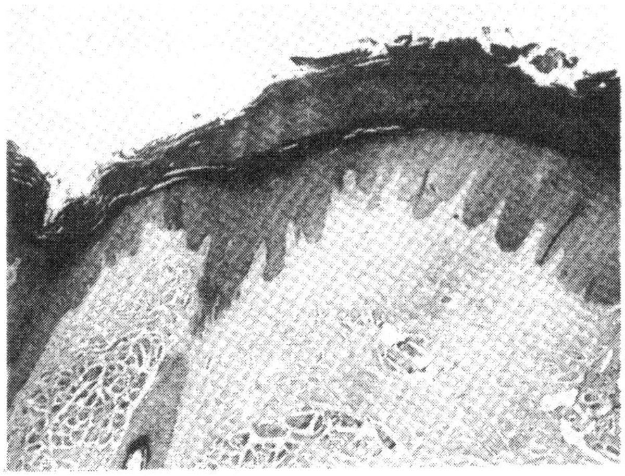

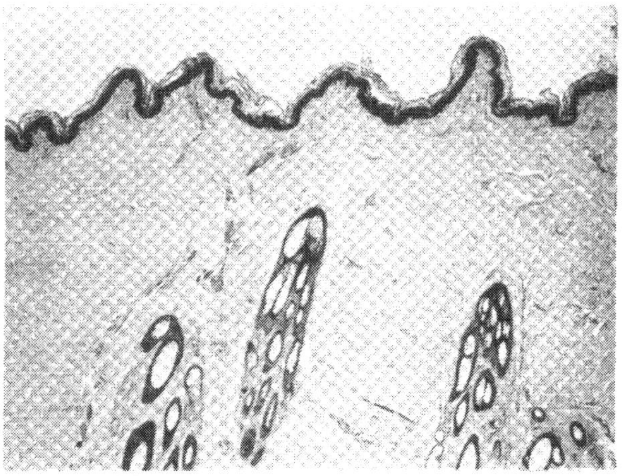

Figure 7: Skin biopsy from "Sabrina" showing marked hyperkeratosis with parakeratosis and acanthosis, as well as hyperpigmentation. Biopsy taken 23rd February 1983. X 100 H & E.

Figure 8: Skin biopsy from "Sabrina" showing normal epithelium after therapy. Biopsy taken 11th May 1983. X 40 H & E.

with capillary proliferation into the granulatin lesion. The sebaceous glands appeared to be normal, while the apocrine gland epithelium showed some flattening but no obvious keratinisation.

(e)(i) The living epidermis was, on average, four cells thick, showing no evidence of acanthosis, nor of any excess thickening of the stratum corneum. The pilosebaceous complexes contained between eighteen to twenty-one apparently normal follicles with hairs. The apocrine and sebaceous glands were normal. There was no evidence of hyperkeratosis of the hair follicle epithelium, nor of the secretory epithelium of the apocrine glands. The supportive dermal structures were apparently normal (Fig. 8).

(ii) Epidermis was four cells thick, with a normal stratum corneum. The hair follicle epithelium was normal, the sebaceous glands active, and the apocrine glands normal and actively secreting.

Discussion

In both animals described above, a chronic, unremitting alopecia with thickening and pigmentation, as well as pruritis leading to excorioration and ulceration from self-inflicted trauma, was evident, and this had been unresponsive to treatment, where attempted, until megavitamin A therapy was instituted, whereupon both animals showed a rapid clinical response, which, in "Sabrina's" case, was confirmed histologically.

There have been many reviews of the role of vitamin A in human and animal nutrition, and it is known that one function is in the maintenance of epithelial integrity. Both MORI (1925) and WOLBACH and HOWE (1925) showed that vitamin A deficiency caused squamous metaplasia of secretory epithelia, with subsequent keratinisation. WORDEN (1965), reviewing nutritional influences on the skin of domestic animals, stated that hypovitaminosis A in cattle caused retarded horn development, dry, wrinkled, inelastic skin, with accumulation of keratinous debris on the surface. MULLER and KIRK (1983) categorised the skin changes in small animals likely to occur as a result of vitamin A deficiency as hyperkeratosis of epithelial surfaces (e. g., ducts of sebaceous glands with their subsequent occlusion), papular eruptions, poor coat, alopecia, scaling and an increased susceptibility to infection. That a greater likelihood of infection may occur can be directly related to the fact that hypovitaminosis A leads to an impairment of the immune response (failure to stimulate phagocytosis and synthesis of antibody protein) (HERLYN and GLASER, 1976).

Hyperkeratosis of body surface epithelium has not been recorded as a feature of spontaneous hypovitaminosis A in domestic animals. However, the interference with vitamin A metabolism, at one time seen in cattle suffering from chlorinated naphthalene toxicity, was characterised by hyperkeratosis of skin, and hyperkeratosis of the snout occurs in vitamin A deficient pigs.

The vitamin A requirements of the polar bear have not been defined. The improvement in skin condition observed here following change in daily intake from 200 i.u./kg body weight to up to 20,000 i.u./kg body weight suggests that this species may have an exceptionally high dietary requirement for vitamin A. It is of interest to note, for comparison, that the daily requirements of adult dogs and cats are 110 i.u./kg (ANON, 1974) and approximately 300 i.u./kg (ANON, 1978) respectively.

There is evidence of an exceptionally high dietary intake of vitamin A by free-living wild polar bears. For example, a seal liver, which may be entirely consumed by a polar bear during the course of a single meal, may contain up to 100,000,000 i.u. vitamin A (FOSTER, 1981). The same author cites LEWIS and LENTFER, who report that the vitamin A content of free-living wild polar bear livers can vary from 13,000 to 26,700 i.u./g. It would therefore not be surprising if the polar bear had evolved a specific requirement for and tolerance of high dietary vitamin A as a result of its position in the food chain, since it is clearly able to ingest and store high levels of this vitamin.

Table 1: Polar Bear Diet

Adult

Meat (lean beef)	4.5 kg
Fish (mackerel)	1.8 kg
Doggie Dominoes (wheat flour) (Magnet Pet Foods Ltd.)	1.6 kg
Omnicarnivore Supplement (Special Diet Services Ltd.)	120 g
Fish-eater tablets	3 - 4 tablets

Note: Approximately 64,000 i.u. vitamin A in total daily ration.

Table 2: Haematological Findings in the Polar Bears "Sabrina" and "Amos"

	"AMOS"			"SABRINA"		
	4.3.80	3.7.84	2.10.84	23.2.83	11.5.83	2.10.84
RBC	8.91	6.71	7.5	7.5	7.22	7.32
Hb	22.2	15.7	17.9	18.7	17	16.9
PCV	62.5	44	48.5	49	49.5	46
MCV	70.1	65.6	64.5	65.3	68.6	62.8
MCH	24.9	23.4	23.9	24.9	23.5	23.1
MCHC	35.5	35.7	36.9	38.2	34.3	36.7
Retics.	1.1	0	0.5	0.7	0.3	0.1
WBC	15.4	18.7	9.2	8.5	6.9	3.6
Neutros. (%)	78	92	50	58	52	50
Lymphs.	22	3	26	17	38	38
Monos.	0	5	6	13	0	4
Eos.	0	0	8	13	10	8
Basos.	0	0	0	0	0	0
Neutros. (10^9/litre)	12012	17204	4600	4930	3588	1800
Lymphs.	3388	561	2392	1445	2622	1368
Monos.	0	935	552	1105	0	144
Eos.	0	0	1656	1105	690	288
Basos.	0	0	0	0	0	0
Platelets	250	276	270	-	394	-
Fibrinogen	461	584	174	180	224	Clot
ESR	0	16	0	0	1	-

Anaesthesia = Etorphine ± Acepromazine.
RBC: red cell count. Hb: Haemoglobin. PCV: Packed cell volume. MCV: Mean cell volume. MCH: Mean cell haemoglobin MCHC: Mean cell haemoglobin concentration. Retics.: Reticulocytes. WBC: White cell count. Neutros.: Neutrophils. Lymphs.: Lymphocytes. Monos.: Monocytes. Eos.: Eosinophils. Basos.: Basophils. ESR: Erythrocyte sedimentation rate.

Anaesthesia = Etorphine ± Acepromazine.
RBC: red cell count. Hb: Haemoglobin. PCV: Packed cell volume. MCV: Mean cell volume. MCH: Mean cell haemoglobin. MCHC: Mean cell haemoglobin concentration. Retics.: Reticulocytes. WBC: White cell count. Neutros.: Neutrophils. Lymphs.: Lymphocytes. Monos.: Monocytes. Eos.: Eosinophils. Basos.: Basophils. ESR: Erythrocyte sedimentation rate.

Table 3: Biochemical Findings in the Polar Bears "Sabrina" and "Amos"

		"AMOS			"SABRINA"		
		4.3.80	3.7.84	2.10.84	23.2.83	11.5.83	2.10.84
Glucose	(mmol/l)	2.0	1.9	2.7	-	2.6	3.3
Plasma urea	(mmol/l)	4.9	4	10.1	12.8	7.6	10
Creatinine	(u/mol/l)	177	151	193	85	83	92
Bicarbonate	(mmol/l)	16	16	18	22	19	20
Chloride	(mmol/l)	102	98	105	97	106	101
Sodium	(mmol/l)	139	132	136	134	141	136
Potassium	(mmol/l)	3.9	3.5	4.3	4.1	4.2	4.2
Ions Difference	(mmol/l)	25	22	20	19	20	19
Total Protein	(g/l)	92	81	84	83	84	77
Albumin	(g/l)	43	38	45	40	41	42
Globulin	(g/l)	49	43	39	43	43	35
Calcium	(mmol/l)	2.3	2.19	2.36	2.16	2.26	2.12
Inorganic Phosphate	(mmol/l)	1.52	1.83	1.87	2.44	2.2	1.99
Alkaline Phosphate	(Iv/137°)	86	67	64	71	29	46
Total Bilirubin	(mmol/l)	4	11	2	1	2	1
Conjugated Bilirubin	(mmol/l)	1	4	1	0	2	0
Alanine Transaminase	(Iv/137°)	72	30	26	27	33	15
Y-Glutamyl Transferase	(Iv/137°)	123	49	34	135	38	69
Aspartate Transaminase	(Iv/137°)	68	80	163	112	231	32
Cholesterol	(mmol/l)				7.3	7.7	
Cortisol			220				
Vit. A	(Iu/100 ml)			360	110	160	270
Vit. E			1.3 ug/ml 3.0 umol/l				
Iron	(mmol/l)		6.9	20.7	21.3	26.9	15.1

Anaesthesia = Etorphine + Acepromazine.

SKIN DIAGRAM

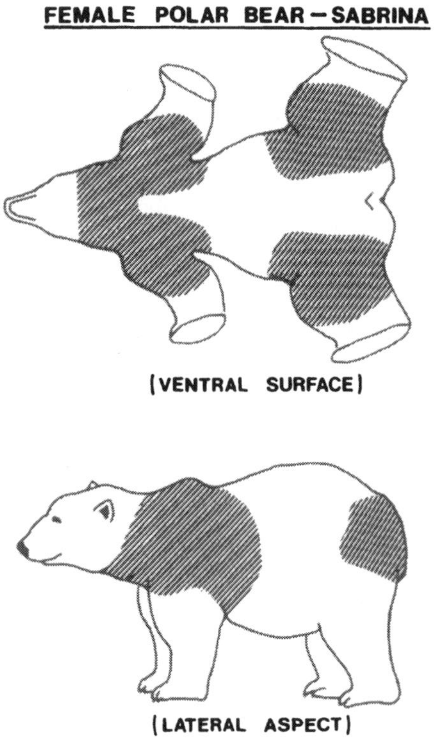

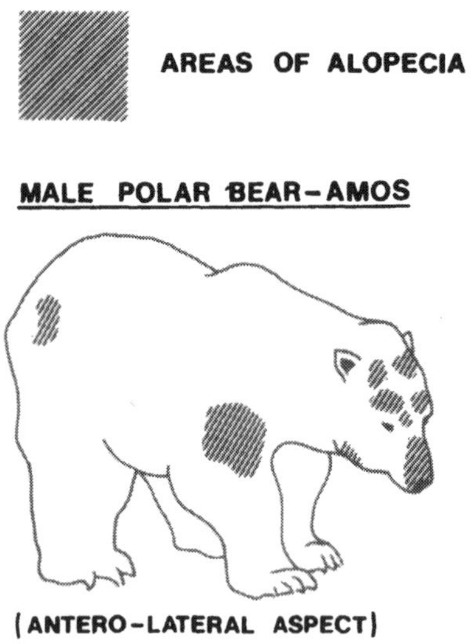

Illustrations to show the extent and distribution of the skin lesions on the female "Sabrina" and the male "Amos".

Hyperkeratotic lesions of hypothyroidism appear to closely resemble those of hypovitaminosis A, possibly reflecting an insufficient conversion of ingested carotene to vitamin A in the hypothyroid state (RUSSEL, 1970). The role of thyroid metabolism in the cases presented here was not investigated, but may merit investigation in future such cases.

The significant histological changes in the skin of the polar bears in this report were acanthosis, parakeratosis, hyperkeratosis, hyperpigmentation, focal erosions and, in one instance, some squamous metaplasia of the secretory epithelium of the apocrine glands which, with subsequent keratinisation, has been shown to be a change characteristic of hypovitaminosis A. Coupled with this, the clinical evidence of alopecia, poor coat quality, scaliness of the skin, and the supporting evidence in respect of the haematological and biochemical findings and dietary analysis and subsequent response to megavitamin A therapy, which, when reduced on one occasion in each bear, resulted in a relapse of the clinical condition, gives credence to a presumptive diagnosis of hypovitaminosis A.

Acknowledgements

We would like to thank the keeping staff of the Carnivore Section at Whipsnade for their kind assistance; Mr. R. Cinderey for technical assistance;
Dr. Christine M. Hawkey and Mr. M. Hart for carrying out haematological examinations;
Dr. D. Gardner and his staff at the Chemical Pathology Department, University College Hospital, London, for biochemical analyses;
Mr. T. Dennett for photographic assistance, and Miss Eleanor Smith and Mrs. Dena Hickman for the typing. Dr. J. K. Kirkwood kindly read and commented on the manuscript.

Summary

Alopecia in Polar Bears (Thalarctos maritimus): A Report of two Cases

Alopecia, with poor coat condition, hyperpigmentation, scaliness and thickening of the skin with pruritis, excoriation and ulceration, is described in two polar bears. Clinical investigation, including haematological, biochemical and histopathological examination, as well as dietary analysis, was carried out. Prolonged therapy and maintenance with exceptionally high doses of vitamin A appeared to result in complete remission of the clinical condition.

Zusammenfassung

Alopezie bei Eisbären (Thalarctos maritimus) - ein Bericht über zwei Fälle

Es wird das klinische Bild der Alopezie mit Hyperpgimentation, Schuppenbildung, Verdichtung der Haut mit Juckreiz sowie Abschürfung und Ulzeration bei zwei Eisbären beschrieben. Es wurden sowohl klinische Untersuchungen, die hämatologische, biochemische und histologische Untersuchungen einschlossen, als auch Futteranalysen durchgeführt. Eine verlängerte Therapie, unterstützt durch außergewöhnlich hohe Vitamin A-Gaben, führte zum Verschwinden der klinischen Erscheinungen.

Résumé

Alopécie chez les ours polaires (Thalarctos maritimus) - un rapport sur deux cas

Description de la manifestation clinique, chez deux ours polaires, d'une alopécie avec hyperpigmentation, desquamation, épaississement de la peau avec prurit ainsi qu'une écorchure et ulcération. On a fait des examens cliniques qui ont compris aussi des examens hématologiques, biochimiques et histologiques et des analyses du fourrage. Une thérapie prolongée qui a été accompagné de doses extrêmement élevées de vitamine A a fait disparaître les phénomènes cliniques.

Резюме

Алопезия у белых медведей (Thalarctos maritimus), описание двух случаев

Описана клиническая картина алопезии с гиперпегментацией, образованием перхоти, утолщением кожи с часоткой, а также возникновением ссадин, ульцерации у двух белых медведей. Даны клинические, биохимические, гематологические и гистологические исследования и анализ корма. Длительная терапия с повышенной дозировкой витамина А привела к исчезновению всех клинических симптомов заболевания.

References

ANON (1974): In: Nutrient requirements of domestic animals, Number 8. Nutrient requirements of dogs. National Academy of Sciences, Washington, D.C., p. 17.

ANON (1978): In: Nutrient requirements of domestic animals, Number 13. Nutrient requirements of cats. National Academy of Sciences, Washington, D.C., p. 12.

FOSTER, J. W. (1981): Dermatitis in polar bears - a nutritional approach to therapy. Ann. Proc. A. A. Z. V., Seattle, 58 - 60.

FOWLER, M. E., LAVOIPIERRE, M., and T. SCHULZ (1979): Audycoptic mange in bears. Ann. Proc. A. A. Z. V., Denver, 104 - 105.

HERLYN, D., and H. GLASER (1976): Vitamin supply and immune response. Roche Information, Animal Nutrition, p. 6. F. Hoffman - La Roche & Co., A. G., Basel, Switzerland.

HOFF, S. (1979): Skin diseases in two polar bears (Thalarctos maritimus) at the Stanley Park Zoo. Ann. Proc. A. A. Z. V., Denver, 107 - 112.

KITCHEN, H., DAYHUFF, K., and C. RICKETTS (1977): Diseases of hair in polar bears and Bengal tigers. Ann. Proc. A. A. Z. V., 118 - 120.

MORI, S. (1922): The changes in the para-ocular glands which follow the administration of diets low in fat soluble A. With notes on the effect of the same diets on the salivary glands and the mucosa of the larynx and trachea. Bull. Johns Hopkins Hosp. 33, 357.

MULLER, G. H., KIRK, R. W., and D. W. SCOTT (1983): In: Small Animal Dermatology, 3rd Edition, pp. 659 - 660. Philadelphia: W. B. Saunders.

NEWMAN, M. S., COOK, R. W., APPELHOF, W. K., and H. KITCHEN (1975): Dermatophilosis in two polar bears. J. A. V. M. A. 167, 561 - 564.

RUSSELL, W. C. (1970): Hypothyroidism in a grizzly bear. J. A. V. M. A. 157, 656 - 662.

SMITH, C. F., and D. O. CORDES (1972): Dermatitis caused by Dermatophilus congolensis infection in polar bears (Thalarctos maritimus). Br. Vet. J. 128, 366 - 371.

WOLBACH, S. B., and P. R. HOWE (1925): Tissue changes following deprivation of fat soluble A vitamin. J. Exptl. Med. 42, 753.

WORDEN, A. N. (1965): Nutritional influences on the skin of domestic animals. In: Comparative Physiology and Pathology of Skin. Ed. ROOK, A. J., and G. S. WALTON, p. 261. Oxford: Blackwell Scientific.

Address of authors: R. K o c k , M.A., Vet. MB, MRCVS
Whipsnade Park
Dunstable, Beds
LU 6 2 LF (U. K.)

Aus dem Zoologischen Garten der Stadt Karlsruhe (Direktor: Dr. A. KOHM)

HAUTERKRANKUNGEN BEI EISBÄREN (THALARCTOS MARITIMUS) UND IHRE BEHANDLUNG MIT IVOMEC[R]

Von A. Kohm

Eine der wichtigsten Aufgaben eines Zoologischen Gartens ist die Erhaltung vom Aussterben bedrohter Tierarten. Jeder Zoo ist daher bemüht, seine Schützlinge in bester Kondition zu präsentieren. Veränderungen im Fell bzw. Haarkleid fallen dem Zoobesucher meist auf, der sie auf eine schlechte, den Tieren nicht entsprechende Haltungsart zurückführt. Alle Zoologischen Gärten sind daher bemüht, die Ursachen solcher Fellschäden möglichst schnell zu ergründen und rasch abzustellen. In Karlsruhe hatten wir, bis zur vorübergehenden Einstellung eines Eisbärenmannes im Rahmen einer Zuchtgemeinschaft, keine Probleme mit dem Haarkleid der Bären. Es soll an dieser Stelle vermerkt werden, daß der Zoologische Garten in Karlsruhe in den letzten Jahren auf eine erfolgreiche Eisbärenzucht zurückblicken konnte. Nach dem Ableben des eigenen Eisbärenmannes "Nanuk" konnten wir keinen neuen zuchtfähigen Eisbärenmann bekommen, so daß wir eine Zuchtgemeinschaft eingingen (KOHM, 1985).

Der geliehene Eisbär kam am 9.3.1984 nach Karlsruhe. Die Eingewöhnung in die Karlsruher Eisbärengruppe, die aus fünf weiblichen Tieren besteht, machte überhaupt keine Schwierigkeiten. Nachdem der Eisbärenmann die Bärinnen belegt hatte, wurde er am 10.10.1984 wieder zurückgegeben. Aus dieser Zuchtgemeinschaft gingen fünf Jungbären hervor, die von den Eisbärinnen ohne jegliche Probleme aufgezogen wurden.

Die Freude über die Aufzuchterfolge und über die Verträglichkeit bei der Eingewöhnung in die Karlsruher Bärengruppe und über die erfolgreiche Belegung der Eisbärinnen war groß, jedoch mußten wir nach einem Aufenthalt von ca. vier Monaten feststellen, daß drei der fünf Eisbärinnen an einer Hauterkrankung erkrankt waren. Es blieb zu vermuten, daß der Eisbärenmann diese Hauterkrankung mitgebracht hatte, obwohl bei ihm keine nennenswerten Hautveränderungen beim Eintreffen in Karlsruhe ermittelt werden konnten. Es ist allgemein bekannt, daß es sich bei diesen Hauterkrankungen oft um Räude handelt, die bei Eisbären sehr unangenehm verläuft. JEDLICKA et al. (1972) berichteten über Sarcoptesräude bei Bären im Zoologischen Garten Brno. Die weit stärksten Fellveränderungen zeigten die Eisbären. Bei den Baribals war der Verlauf unauffälliger, und bei den Braunbären verlief die Erkrankung klinisch fast symptomlos. FOWLER et al. (1980) berichteten über den Befall mit Milben bei Primaten und Bären, wobei ebenfalls bei Eisbären die schwersten Hautveränderungen zu verzeichnen waren.

Mitte Juli 1984 wurden bei drei Eisbärinnen unseres Bestandes ein extrem starker Juckreiz, Alopezie sowie eine Acanthosis an verschiedenen Körperstellen festgestellt. Solche Erscheinungen konnten in den vorhergehenden Jahren bei keinem Bären des Karlsruher Zoologischen Gartens beobachtet werden. Neben der Alopezie und einem starken Juckreiz zeigten sich Krustenbildungen, Erytheme und eine beginnende Hyperkeratose. An sechs Stellen wurden durch eine Biopsie Hautproben zur parasitologischen, mykologischen und histologisch-dermatologischen Untersuchung entnommen. Die Untersuchungen auf einen Räudemilbenbefall, auch aus den tiefen Hautschichten, sowie die mykologischen Untersuchungen verliefen negativ. Bei der dermatologischen Untersuchung konnte der Verdacht auf eine Allergie bestätigt werden. Bei der Untersuchung von Hautgeschabseln wurden in den Epidermisanteilen, den Haarschäften und den entzündlichen Detritusmassen massenhaft grampositive Kokken nachgewiesen. In der Epidermis zeigte sich ein beträchtliches Ödem sowie große subkutane Abszesse mit massenhaft grampositiven Kokken im Zentrum. Daneben traten große intra- bzw. subepidermale Blasen auf. Im Corium subepidermale fanden sich erhebliche Ödeme mit Entzündungsinfiltraten. Die Haarfollikel und die Adnexalstrukturen zeigten keine pathologischen Veränderungen. Die abschließende Beurteilung ergab das Vorliegen einer chronischen, rezidivierenden bullösen Dermatitis mit einem hochgradigen Kokkennachweis. Pilze oder Parasiten konnten in den Geschabseln nicht nachgewiesen werden. Der Befund spricht, in Anlehnung an die Kleintierdermatologie, für eine Pyodermie. Wahrscheinlich handelt es sich um einen Sekundärbefund. Primär könnte eine Futtermittelallergie oder eine allergische Kontaktdermatitis bestehen. Für ein inhalationsallergisches Geschehen fanden sich keine Hinweise (Labor Dr. BEARDI, Hannover, 1984). Die Blutserumuntersuchung brachte einen Vitamin-A-Gehalt von 330 ng/ml (Labor Dr. HAUCK und Dr. ZIEGLER, Karlsruhe, 1984).

Die gesamte Eisbärengruppe bekam pro Tier und Tag 20,0 A-D_3-E-Vitamin, drei Eßlöffel Lebertran, drei Eßlöffel Daninova[R] (Parke Davis) sowie fünf Tabletten Dexamethason (Ferring). Rein empirisch wurden im 14tägigen Wechsel Antorgan[R] (Shell) sowie Alugan[R]-Konzentrat-Besprühungen (Hoechst), jeweils in 3 %iger Lösung, vorgenommen. Diese Behandlungen brachten in den folgenden Wochen wohl eine deutliche Besserung, aber keine Ausheilung. Die Besprühungen erfolgten mit einer Hochdruckspritze. Alle Eisbären, auch die, die keine Krankheitssymtome zeigten, wurden in das Behandlungsverfahren mit einbezogen. Durch das Absprühen wurde nach zwei Tagen bei zwei Bären eine Konjunktivitis festgestellt, die aber ohne jede Behandlung abheilte.

Mitte Oktober 1984 wurden die Eisbären in ihre Wurfhöhlen gebracht, wo sie zur Geburt vorbereitet wurden. Von vier Eisbärinnen wurden fünf Jungtiere aufgezogen. Im Januar und Februar 1985 verschlechterte sich jedoch der Zustand der drei Eisbären ganz erheblich. Es zeigte sich ein starker Haarausfall im Bereich des Halses, auf dem Rücken sowie im Lendenbereich. Nach dem Absetzen der Jungtiere am 21. März 1985 wurden die Bärinnen am 26.3. und 3.4.1985 einer Behandlung mit 1 ml/kg KM Ivomec[R] (Merck) unterzogen. Ivomec[R] ist eine Injektionslösung zur subkutanen Injektion für Rinder und enthält in 1 ml = 10 mg Ivermectin. Es soll nur subkutan verabreicht werden. Unseren Eisbären wurde jedoch Ivomec[R] mit dem Injektionsgewehr intramuskulär verabreicht. Symptome einer Unverträglichkeit konnten nicht festgestellt werden. Eine einmalige Verabreichung von Ivomec[R] in einer Dosierung im Mikrogrammbereich pro kg KM führt zu einer schnellen und wirksamen Bekämpfung der meisten Endo- und Ektoparasiten beim Rind. Ivomec[R] kann wegen des geringen Dosisvolumens leicht und schnell injiziert werden und besitzt ein breites Wirkungsspektrum sowohl gegen Magen- und Darm-Rundwürmer und Lungenwürmer als auch gegen Dassellarven, Läuse und Räudemilben des Rindes. Ivermectin ist nicht wirksam gegen Leberegel und Bandwürmer, da diese die Gamma-Amino-Buttersäure nicht als Neurotransmitter besitzen. In therapeutischen Dosen hat Ivermectin keine erkennbare Wirkung auf Säugetiere. Ivermectin ist strukturell völlig verschieden von den bisher angewandten Endo- und Ektoparasitika. Versuche haben gezeigt, daß ein Auftreten von Kreuzresistenzen unwahrscheinlich ist.

Für das neue Zuchtjahr wurde der Eisbärenmann am 5.4.1985 erneut nach Karlsruhe übernommen. Diesmal konnten wir auch bei ihm Hautveränderungen mit Fellschäden und zwar im Bereich des Halses und auf dem Nasenrücken feststellen, so daß wir ihn sofort in unser Behandlungsverfahren mit Ivomec[R] einbezogen. Schon nach wenigen Wochen waren die haarlosen Stellen wieder zugewachsen. Der Juckreiz verlor sich. Nach weiteren vier Wochen waren die Fellschäden vollständig ausgeglichen.

Im August 1985 waren wir jedoch überrascht, daß bei denselben drei Eisbärinnen und auch beim Eisbärenmann wieder Fellschäden, allerdings nur in einer sehr abgeschwächten Form, an denselben Körperstellen zu verzeichnen waren. Eine weitere Behandlung mit Ivomec[R] wurde am 28.8., am 14.9. und am 10.10.1985 in derselben Dosierung vorgenommen.

Die Parasitologin der Leipziger Sektion Tierproduktion und Veterinärmedizin, Frau Prof. Dr. Ribbeck, teilte auf meine Anfrage über den Direktor des Zoologischen Gartens Leipzig, Herrn Prof. Dr. SEIFERT (1985) mit, daß sie bei Eisbären mit Hautveränderungen bislang Milben aus zwei verschiedenen Gattungen gefunden hat. Im Hautgeschabsel hatte sie den Nachweis nicht führen können. Das gelang erst, als bei der Obduktion eines Tieres eine größere veränderte Hautpartie zur Verfügung stand. Bei einer in diesem Jahr vorgenommenen Untersuchung von Hautgeschabseln konnten echte Räudemilben nachgewiesen werden. Der Nachweis von Ursokoptes ist schon vor einigen Jahren veröffentlicht worden (NICKEL et al., 1974).

Gleiche Feststellungen, wie sie von NICKEL et al. (1974) erhoben wurden, trafen wir bei der Karlsruher Gruppe, nur mit dem Unterschied, daß es sich bei der Karlsruher Gruppe um eine altersgleiche Herde von 19jährigen Eisbären handelte, wobei in der Jungbärengruppe solche Hautveränderungen nie auftraten. Aufgrund der angeführten Untersuchungsergebnisse darf angenommen werden, daß die nachgewiesenen Ursocoptesmilben Ursache der Fellveränderungen bei den Eisbären sind. Angaben zum Entwicklungszyklus sowie über die Lebensweise und die Schadwirkung von Milben der Gattung Ursocoptes liegen im internationalen Schrifttum unseres Wissens nicht vor. Die Beschreibung der Art Ursocoptes americanus beim Baribal (Ursus americanus) basiert auf Angaben von FAIN und JOHNSTON (1970). Unsere seit langem gehegte Vermutung, daß es sich bei den Hautveränderungen der Eisbären um einen durch Milben verursachten Schaden handelt, halten wir durch den erfolgreichen Einsatz von Ivomec[R] sowie durch das Auffinden von Räudemilben durch Frau Prof. Dr. Ribbeck und durch die Ausführungen von NICKEL et al. (1974) als bestätigt.

WEILENMANN (1976) berichtete über eine Dermatose bei Eisbären, hervorgerufen durch einen Befall mit Sarcoptes- und Psoroptesmilben. Bei einem handaufgezogenen weiblichen Eisbären trat im Alter von vier Jahren heftiger Juckreiz an allen vier Gliedmaßen, Hals, Schulter und Kopf mit starker Verdickung der Haut und Haarausfall an den befallenen Hautpartien auf. Die histologische Untersuchung an einer Dermatologischen Klinik der Universität Zürich sprach für das Vorliegen eines Hautparasiten, ohne daß der Parasit selbst nachgewiesen werden konnte. Es erwies sich erneut, daß der Milbennachweis äußerst schwierig ist. Auch wir haben in wiederholten Untersuchungen keine Räudemilben finden können. Eine rein empirisch vorgenommene Behandlung mit Ivomec[R] konnte vorübergehend die Hautschädigung ganz beheben. Es wird erforderlich sein, daß bis zur vollständigen Aufklärung weitere Untersuchungen und Behandlungen mit Ivomec[R] durchgeführt werden müssen, um sichere Aussagen in Zukunft über einen Erfolg machen zu können. Wir sind jedoch davon überzeugt, daß uns dies durch die weitere Anwendung von Ivomec[R] gelingen wird.

Bei den aufgezogenen fünf jungen Eisbären konnten bisher keine Fellschäden festgestellt werden. Sie wurden prophylaktisch im Alter von vier Monaten einer einmaligen 3 %igen Alugan[R]-Waschbehandlung unterzogen.

Zusammenfassung

Hauterkrankungen bei Eisbären (Thalarctos maritimus) und ihre Behandlung mit Ivomec[R]

Es wird über Fellschäden bei Eisbären im Zoologischen Garten der Stadt Karlsruhe berichtet. Auf Grund von Aussagen, laufenden Untersuchungen und durch Sichtung der Literatur wird angenommen, daß es sich bei den Erkrankungen um Räude handelt. Eine wiederholte Behandlung mit Ivomec[R] brachte einen guten Erfolg. Das Präparat, das in der Rinderpraxis nur streng subkutan appliziert werden soll, wurde von unseren Eisbären bei intramuskulärer Verabreichung mit dem Injektionsgewehr gut und reaktionslos vertragen.

Summary

Dermatoses of Polar Bears (Thalarctos maritimus) and Treatment, using Ivomec(R)

Reported in this paper is skin damage to polar bears in the Zoological Garden of Karlsruhe. Information obtained from elsewhere, regular examinations, and eference to literature are likely to support the assumption that the cases observed were outbreaks of mange. Good results were obtained from repetitive Ivomec(R) treatment. In cattle practice Ivomec(R) should be applied only by subcutaneous injection, but intramuscular application, using an injection gun, was properly tolerated without any reaction by the polar bears under review.

Résumé

Maladies de la peau des ours polaires (Thalarctos maritimus) et traitement à l'Ivomec[R]

Description des dépilages chez les ours polaires dans le Jardin Zoologique de Karlsruhe. Sur la base des rapports, des investigations permanentes et d'un dépouillement de la littérature on suppose que ces maladies de la peau sont une gale. Le traitement répété à l'Ivomec[R] a été plein de succès. Pendant que chez les bovinés cette préparation doit être appliquée strictement souscutanément, nos ours polaires ont supporté très bien et sans réaction une application intramusculaire au fusil d'injection.

Резюме

Кожные заболевания у белых медведей (Thalarctos maritimus) и их лечение с помощью Ivomec(R)

Сообщается о повреждении шкуры белых медведей в зоопарке города Карлсруе. На основе исследований выявлены клещи. Повторное лечение Ivomec(R) привело к положительным результатам. Препарат , применяемый в практике лечения скота строго субкутанно, нами вводился белым медведям внутримышечно с помощью инъекционного ружья.

Literaturverzeichnis

BEARDI, B. (1984): Schriftliche Mitteilung.

FAIN, A. et D.E. JOHNSTON (1970): Un nouvel acarien de la famille Audycoptidae chez l'ours noir Ursus americanus (Sarcoptiformes). Acta Zool. et Pathol. Antverpiensia 50, 179.

FOWLER, M., LAVOIPIERRE, M., and T. SCHULZ (1980): Audycoptid Mite Infestation in Primates and Bears. Verh.ber. Erkrg. Zootiere 22, 287.

HAUCK, W., und B. ZIEGLER (1984): Schriftliche Mitteilung.

JEDLICKA, J., und M. HOJOVCOVÁ (1972): Sarcoptesräude bei Bären im Zoologischen Garten Brno. Verh.ber. Erkrg. Zootiere 14, 257 - 260.

KOHM, A. (1985): Fortsetzung einer erfolgreichen Eisbärenzucht im Karlsruher Zoo mit dem Eisbärenmann "Willi" aus dem Berliner Zoologischen Garten (im Druck).

NICKEL, S., RIBBECK, R., und K. PETERSEN (1974): Durch Milbenbefall verursachte Hautveränderungen bei Eisbären (Thalarctos maritimus). Verh.ber. Erkrg. Zootiere 16, 311 - 313.

SEIFERT, S. (1985): Schriftliche Mitteilung.

WEILENMANN, P. (1976): In KLÖS, H.G., und E.M. LANG (1976): Zootierkrankheiten. Hamburg - Berlin; Parey.

Anschrift des Verfassers: Dr. A. K o h m
Battstr. 14
D-7500 Karlsruhe 51 (BRD)

Aus dem Zoologischen Garten Rostock (Direktor: Dr. rer. nat. D. SCHWARZ), dem Bezirksinstitut für Veterinärwesen Rostock (Direktor: OVR Dr. med. vet. W. EHRENTRAUT) und dem Wissenschaftsbereich Parasitologie (Leiter: VR Prof. Dr. sc. Regine RIBBECK) der Sektion Tierproduktion und Veterinärmedizin der Karl-Marx-Universität Leipzig

ZUM PROBLEM DER FELLSCHÄDEN BEI EISBÄREN (URSUS MARITIMUS) DES ZOOLOGISCHEN GARTENS ROSTOCK

Von Dagmar Ritscher, Regine Ribbeck, G. Fricke und Annegret Semlow

Seit mehr als 15 Jahren geben die Fellveränderungen bei unseren Eisbären Anlaß zu veterinärmedizinischen Aktivitäten, aber auch zu vielseitigen Diskussionen zwischen Besuchern, Tiergärtnern und Tierärzten. Bereits 1974 wurde im Rahmen dieser Symposien ein Bericht über Milbenbefall und dessen erfolgreiche Bekämpfung bei Eisbären des Zoologischen Gartens Rostock gegeben (NICKEL et al., 1974). In den Folgejahren traten immer wieder Haar- und Hautschäden auf, dazu ein Verhalten der Eisbären, das auf starken Juckreiz schließen ließ. Offenbar unterlag das Geschehen einem bestimmten jahreszeitlichen Turnus, wobei im Winterhalbjahr die Symptome am stärksten ausgeprägt waren.
Obwohl unsere diagnostischen Möglichkeiten genutzt wurden, gelang der Nachweis von Ektoparasiten bis zum Herbst 1984 in keinem weiteren Fall. Das Fehlen eines Zwangskäfigs und die Notwendigkeit, geeignete Narkosemittel sparsamst einzusetzen, um die Tiere nicht zu großen Belastungen auszusetzen, ließen gründliche Untersuchungen der Haut nicht zu. Wir mußten uns daher auf Untersuchungen an Tieren beschränken, die wegen anderer Indikationen immobilisiert wurden. Außerdem wurden alle gestorbenen Tiere unter diesem Aspekt untersucht, es waren in diesem Zeitraum 5 adulte und 23 juvenile bzw. neugeborene Eisbären.

Anhand der Untersuchungen an immobilisierten Tieren, der Adspektionen und der Befunderhebungen bei Sektionen läßt sich das klinische Bild wie folgt beschreiben:
Die Eisbären zeigen, beginnend kurz hinter den Ohren bis hin zum Steißbein einen breiten Streifen schütteren Haarkleides, mit Partien durchsetzt, die nur noch Haarstümpfe aufweisen oder an denen die Haare fehlen. Schulter- und Oberarmbereich sind in einigen Fällen einbezogen, die Hintergliedmaßen fast nie. Die seitliche Begrenzung der Hautveränderungen verläuft meist bogenförmig und auffällig symmetrisch. Da die Haut der Eisbären schwarz pigmentiert ist, wirken die Tiere von weitem bei starker Alopezie schmutzig grau oder, wenn noch viele Haarstümpfe vorhanden sind, schmutzig- bis rotgelb. Nach dem Baden markieren sich die haarlosen Fellbezirke fast schwarz. Innerhalb der befallenen Fellzone können zusätzlich verschiedene Hautveränderungen auffällig werden, die den Stadien einer Dermatitis mit sekundären Komplikationen entsprechen, also Schwellung, Hyperplasie, Hypertrophie, Rhagaden, Krusten, Erosionen, Pusteln, Ulzera und Exkoriationen.
Da bis zum Herbst 1984 bei unseren Eisbären - abgesehen von den Befunden 1974 - Ektoparasiten oder deren Entwicklungsstadien nicht gefunden wurden, schien die These, daß Milben als Primärursache der Fellveränderungen anzusehen seien, sehr in Frage gestellt. Vielmehr war ein Zusammenwirken verschiedener Faktoren wahrscheinlich, und zwar solcher Faktoren, die gerade für die Spezies Ursus maritimus von besonderer Bedeutung sind. Diese Überlegung führte zu vielfältigen Aktivitäten bezüglich der Klärung der Ursachen bzw. der Behebung der Fellschäden.
Um negative Auswirkungen des feuchten Raumklimas auszuschalten, wurde die Haltung verändert. Die Boxen wurden intensiv mit Sägespänen eingestreut. Die Eisbären erhielten morgens ihr Futter und blieben nachts auf der Außenanlage. Außerdem wurde die Futterzusammensetzung verändert. Die Tiere erhalten jetzt zusätzlich zu Fleisch, Fisch, Obst und Gemüse Allesfresserpellets, täglich Pflanzen und Fischöl, Eier, durchgedrehten Geflügelganzkörper, Vitamine E und A und Vitamin-B-Komplex. Die Umgewöhnung auf die Pellets war langwierig, deren Aufnahme schwankt.
Um allergische Reaktionen auf bestimmte Futterstoffe oder mangelbedingte Schäden auszuschließen, erprobten wir auch das Hinzufügen bzw. Weglassen bestimmter Futterkomponenten.

Seetang und verschiedene Mineralstoffmischungen wurden eingesetzt. Eine Wertung des Einflusses dieser veränderten Futterzusammensetzung auf die Haut- und Fellqualität war bislang noch nicht möglich. Wir betrachten die diesbezügliche Beurteilung als Langzeitprogramm.
Zwei Eisbären, die in den Zoo Schwerin umgesetzt wurden, zeigten dort mehrere Jahre eine bessere Fellqualität als der Durchschnitt unserer Gruppe. Sie wurden dort prophylaktisch bzw. metaphylaktisch ohne weitere Untersuchungen mit Trichlorphonlösung äußerlich behandelt.

Aufgrund unserer unbefriedigenden Ergebnisse entschlossen wir uns 1983, unser ältestes und kleinstes Eisbärenweibchen "Rukla" zu untersuchen und zu behandeln. Wir immobilisierten es medikamentell mit Hilfe des Blasrohrs mit 1,5 ml Parkesernyl und 1 ml Combelen und 300 IE Hylase.
Obwohl wir in mehreren Regionen des Körpers Haare und Hautgeschabsel lege artis entnahmen, war das Ergebnis der parasitologischen Untersuchung wieder negativ. Bakteriologisch wurden Staphylokokken und Streptokokken ermittelt. Nach dem Einbürsten von wässriger Trichlorphonlösung (2 %ig) nahmen die Dermatitiserscheinungen sowie das Scheuern und Kratzen zu, offenbar durch Ausbreitung der bakteriellen Besiedlung. Nach lokaler Behandlung mit Aethacridinspülungen und Wundstreupuder gingen die provozierten akuten Hautveränderungen etwa auf den Zustand vor der Trichlorphonbehandlung zurück. Wegen dieses Mißerfolges sahen wir von weiteren derartigen Behandlungen ab.
Als Fazit der negativen Untersuchungsbefunde und der fehlgeschlagenen therapeutischen Versuche neigten wir immer mehr zu der Meinung, daß neuroendokrinen Prozessen eine wichtige Rolle bei der Genese der Fellveränderungen unserer Eisbären zukommen könnte. Einige zur Ergänzung des Bestandes zugekaufte, junge Tiere zeigten auch nach Jahren noch ein ansehnliches Fell, obwohl sie unmittelbaren Kontakt mit unseren alteingesessenen Bären hatten. Die männlichen Eisbären hatten durchweg eine bessere Fellqualität und nur wenig ausgeprägte Fellschäden.
Andere Ursiden, z. B. unsere Kodiaks und Kragenbären, die Boxennachbarn in der Innenanlage sind, zeigten nie derartige Fellschäden, obwohl eine Übertragung von Ektoparasiten unter unseren Haltungsbedingungen bei so engem räumlichen Kontakt niemals auszuschließen, sondern eher wahrscheinlich ist.
Die Stressoren, die die Aufzucht negativ beeinflussen, können über das Endokrinum auch die Funktion der Haut schädigen, etwa im Sinne eines Morbus Cushing. Wir bemühen uns, durch Hormonspiegelbestimmungen[x)] unsere These zu objektivieren. Leider konnten wir nur wenige Ergebnisse erhalten.

		Cortisol	T_4 (Gesamtthyroxin)
2. 11. 1984	Eisbärin "Rukla" geb. 1962	326,9 nmol/l	nicht untersucht
15. 2. 1985	Eisbärin "Salka" geb. 1961	167 nmol/l	17,7 nmol/l
26. 3. 1985	Eisbärin "Longa" geb. 1970	494 nmol/l	13,1 nmol/l

In Auswertung der Diskussion auf unserem Symposium 1984, daß Besserungen des klinischen Bildes bei Eisbären in verschiedenen Gärten nach Akarizidbehandlungen beobachtet wurden, setzten wir im Herbst 1984 erstmalig bei zwei Bärinnen das Präparat Ivomec$^{(R)}$ (Wirkstoff Ivermectin) ein. Bei einem Tier war ohnehin ein chirurgischer Eingriff notwendig. Wir immobilisierten per Blasrohr mit 2,8 ml Combelen + 2,8 ml Parkesernyl + Hylase beim Bären "Longa" mit einer geschätzten Körpermasse von 190 kg und 1 ml Parkesernyl + 1,5 ml Combelen + Hylase beim Bären "Rukla" mit einer Körpermasse von etwa 90 kg. Außer ca. 3 min

x) Für die freundlicherweise in der Abteilung für Endokrinologie und Stoffwechselkrankheiten der Klinik für Innere Medizin der Wilhelm-Pieck-Universität Rostock durch Herrn Doz. Dr. D a b e l s durchgeführten Untersuchungen möchten wir an dieser Stelle Dank sagen.

anhaltenden Krämpfen bei "Longa" etwa 1½ Stunden nach der Injektion, die ohne Behandlung abklangen, gab es keine Komplikationen bei der Behandlung, Bei beiden Bärinnen erfolgten Hautbioptatentnahmen und Vitamininjektionen von 5 ml Ursovit ADEC + 5 ml Ursovit A, das sind insgesamt 500 000 IE Vit. A.
Das Präparat Ivomec wurde in einer Dosis von 1 ml/50 kg Körpermasse unter die Haut des Rückens injiziert. Unverträglichkeitserscheinungen konnten weder lokal noch allgemein beobachtet werden. Aus den Bioptaten wurden erstmalig seit 1974 Milben isoliert. Während 1974 Ursocoptes sp. (Familie Audycoptidae) nachgewiesen wurden (NICKEL et al., 1974), gehörten die 1984 isolierten Milben der Gattung Chorioptes (Familie Psoroptidae), also den sogenannten Räudemilben, an. Von den gewonnenen Bioptaten wurden ganze Hautstückchen mazeriert. Auch bei unveränderter Hautoberfläche zeigten sich Milben und deren Entwicklungsstadien. Da die einzelnen Haare sehr tief inserieren und die Epidermis dazwischen hochgewölbte Polster bildet, ist anzunehmen, daß die Chorioptesmilben entsprechend tief eingebettet leben.

In der Folgezeit nach der Ivermectin-Applikation veränderte sich die Fellqualität nicht spürbar. Da die Bärinnen in die Wochenstuben gebracht wurden, konnte ihr Verhalten schlecht beobachtet werden. Der Milbennachweis und die Verträglichkeit des Präparates Ivomec(R) bei 2 Eisbärinnen veranlaßte uns zu einer Räude-Bekämpfungsaktion im Februar 1985. Nach dem Januar sind keine Geburten bei den Eisbären mehr zu erwarten, bis zur nächsten Brunstperiode ist noch genügend Zeit für therapeutische Maßnahmen. Die Fellschäden sind zu dieser Jahreszeit sehr ausgeprägt. Die Außentemperaturen lassen in den Wintermonaten erwarten, daß adulte Milben und deren Entwicklungsstadien, die z. B. in Spalten der zum Scheuern benutzten Steine sitzen, schnell absterben. Die medikamentelle Immobilisierung würde dankenswerterweise von Kollegen VR Dr. Seidel vom Tierpark Berlin vorgenommen. Zielstellung waren die gleichzeitige intensive Untersuchung und Behandlung unserer 9 Eisbären nebst gründlicher Reinigung und Desinfektion von Käfigtrakt und Außenanlage. Untersuchungen, Probenentnahmen und Behandlungen erfolgten deshalb in einem beheizten Zelt auf dem Hof der Bärenanlage. Die behandelten Tiere kamen in trockene, kühle, vorher von ihnen nicht benutzte Boxen und durften 4 Wochen nicht auf die Außenanlage, die in dieser Zeit ebenfalls gereinigt und desinfiziert wurde. Die Eisbärenboxen und der Wärtergang wurden nach der Reinigung und Desinfektion wieder bezogen. Diese Maßnahmen wurden nach 10 Tagen wiederholt. Die Sägespäneeinstreu wurde mit Aluganlösung 0,6 %ig getränkt.
Vier Bären erhielten je 20 ml Vitamin-B-Komplex, Ursovit A und Ursovit E subkutan und nach Ermittlung der genauen Körpermasse Ivomec subkutan in die Lendengegend in einer Dosierung von 1 ml/50 kg KM. Aufgrund eines technischen Zwischenfalles mußte die medikamentelle Immobilisierung nach dem 4. Tier abgebrochen werden. Die weiteren fünf Eisbären erhielten das Ivomec, unfixiert im Laufgang sitzend, unter Ausnutzung des Überraschungseffektes. Sie nahmen diese Injektion mit nur geringen Abwehrreaktionen hin. Die Wiederholung nach 4 Wochen bei allen Tieren erwies sich schon schwieriger. Die 4 Wochen vorher gewonnenen Erfahrungen und die angeborene Vorsicht machten die Eisbären sehr mißtrauisch, so daß sie sich nur mit Mühe in den Laufgang treiben ließen. Bei einer Eisbärin war es überhaupt nicht möglich. Einige Bären zeigten sehr schnelle Abwehrreaktionen. Bei diesen fünf Bären erfolgte die Dosierung nach geschätzter Körpermasse. Probenentnahmen und Untersuchungen waren bei diesen Tieren nicht möglich.
Bei keinem der behandelten Eisbären ließen sich adspektorisch Anzeichen für lokale oder allgemeine Unverträglichkeitserscheinungen feststellen.
Bei zwei der immobilisierten Bärinnen waren jeweils zwei Hautbioptate entnommen worden. In diesen Präparaten ließen sich massenhaft Milben nachweisen, die nach übereinstimmenden Untersuchungsergebnissen ebenfalls der Gattung Chorioptes zuzuordnen waren. Bei der feingeweblichen Untersuchung der Hautbioptate[x)] ergaben sich eine mittelgradige Hyperkeratose

x) Für die Durchführung der histologischen Untersuchungen danken wir Herrn VR Dr. K i u p e l , Leiter der Abt. Diagnostik im Bezirksinstitut für Veterinärwesen Rostock, recht herzlich.

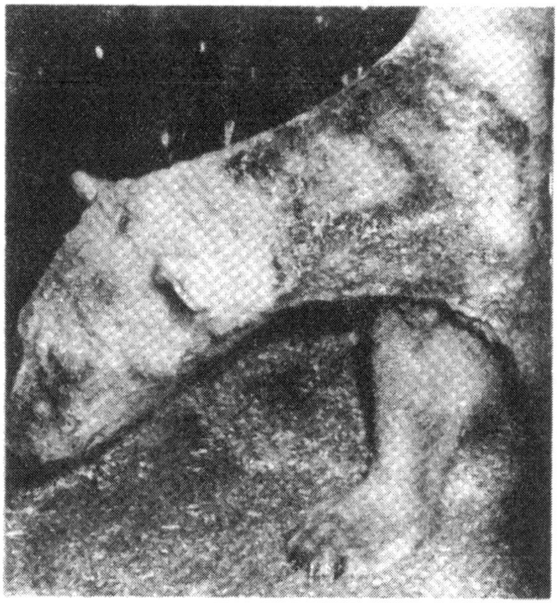

Abb. 1
Eisbärin "Rukla", Februar 1985

Abb. 2
Eisbärin "Kara", September 1985

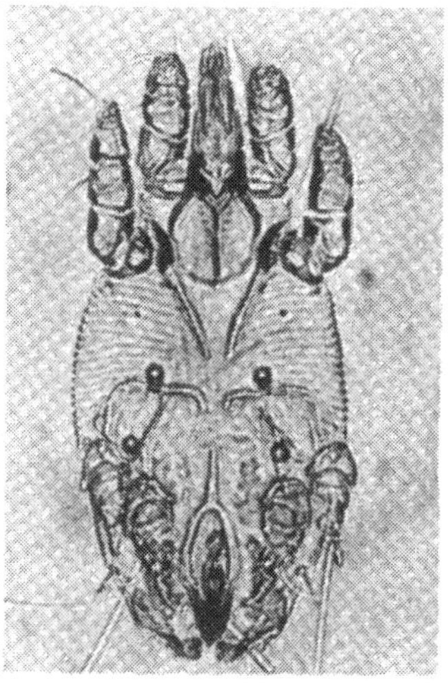

Abb. 3
Ursocoptes americanus von Eisbären

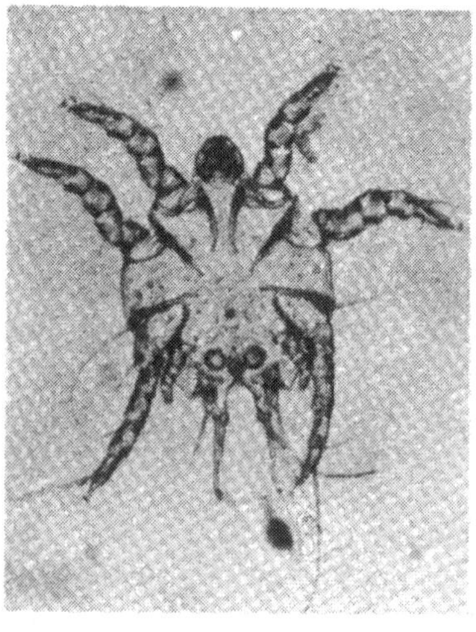

Abb. 4
Chorioptes sp. von Eisbären

und lokale histiozytäre perivasale Infiltrate, die als unspezifische Abwehrreaktion gedeutet wurden. In Hautgeschabselproben der erwähnten zwei Bärinnen sowie je eines weiteren weiblichen und männlichen Tieres konnten nach Kalilauge-Mazeration ebenfalls Chorioptes-Milben und Milbeneier gefunden werden. Dabei ist bemerkenswert, daß bei der klinischen Untersuchung des Eisbärenmannes Hautveränderungen nicht auffielen, das Fell erschien geschlossen und glatt. Dermatophyten konnten in den Bioptaten nicht nachgewiesen werden, jedoch Staphylokokken, Streptokokken und Korynebakterien. Obwohl niemals otitisverdächtige Erscheinungen beobachtet wurden, fanden wir in Tupferproben aus den Gehörgängen Staphylokokken, Hefen und Pityrosporum.
Nach dieser Bekämpfungsaktion wurden die Tiere weniger häufig beim Kratzen und Scheuern beobachtet. Allerdings hatten sie in den ersten Wochen nach der Behandlung auch keine Gelegenheit, ihre bevorzugten Scheurstellen auf der Außenanlage aufzusuchen.
Die Fellqualität der gesamten Gruppe verbesserte sich. Inwieweit hier auch saisonale Einflüsse mitspielen, ist nicht eindeutig zu klären. Auffällig war die Verbesserung bei unserer greisenhaften "Rukla". Sie wurde jedoch wegen ihres schlechten Erscheinungsbildes länger als die anderen Bären isoliert gehalten. Im Sommer präsentierte sie sich in einem ansehnlichen weißen Pelz. Ein Mißerfolg war bei "Kara" zu verzeichnen. Dauerndes Kratzen und Scheuern, ausgedehnte Alopezien, blutige Erosionen und Krustenbildung veranlaßten uns, dieses Tier im August 1985 einer 3. Ivomecbehandlung zu unterziehen, aber leider erfolglos.

Da inzwischen die Wochenstubenperiode angebrochen war und "Kara" sich auch recht aggressiv bei der Behandlung zeigte, wurde von weiteren Behandlungen abgesehen. Erstaunlicherweise wurden 6 Wochen nach der Ivomecbehandlung anläßlich einer koprologischen Routineuntersuchung bei "Kara" als einzigem Eisbären Askariden nachgewiesen.
Eines unserer Eisbärenweibchen, "Katja", fiel im gesamten Berichtszeitraum durch ein gleichmäßig dichtes Haarkleid auf. "Katja" zog als einziges Muttertier ständig ihre Jungtiere auf (RITSCHER et al., 1984). Leider fiel sie im September 1985 einer Attacke eines neu der Gruppe zugesetzten männlichen Tieres zum Opfer.
Bei der Sektion wurde ein volles, dichtes Fell und unveränderte Haut (Epidermis völlig glatt; Haare an ihrer Basis und auch im Schaft gut entwickelt) festgestellt, jedoch konnten massenhaft Chorioptes-Milben nachgewiesen werden.

Diskussion

Die intensive Beschäftigung mit dem Problem "Fellschäden bei Eisbären" hat uns im wesentlichen folgende Erkenntnisse gebracht:

1. Neben den bereits in der Literatur beschriebenen Milben Ursocoptes americanus, Sarcoptes sp. sowie Psoroptes sp. vermögen auch Räudemilben der Gattung Chorioptes Hautveränderungen und Fellschäden bei Eisbären hervorzurufen.

2. Außer Bären mit klinisch manifester Räude kamen in der von uns untersuchten Eisbärengruppe auch Tiere vor, die zwar Milbenträger waren, Fellschäden und Hautveränderungen jedoch nicht aufwiesen. Diese Beobachtung verdient aus epizootiologischer Sicht hinsichtlich der Verbreitung der Milbeninfektion große Bedeutung.

3. Wie auch bei Haustieren muß die Räude der Eisbären als eine Faktorenkrankheit angesprochen werden.

Bei Haustieren gelten u. a. qualitative Mangelernährung - besonders Eiweiß-, Vitamin- und Mineralstoffmangel -, Haltungsfehler, hohe Wirtstierpopulationen, Erkrankungen anderer Genese, d. h. herabgesetzte Widerstandsfähigkeit des Organismus, sowie geringe UV-Einstrahlung als prädisponierende Faktoren, die das Angehen einer Räudemilbeninfektion ermöglichen und den Ausbruch klinischer Erscheinungen begünstigen. Welche prädisponierenden Faktoren bei den Milbeninfektionen unserer Eisbären im einzelnen wirksam geworden sind, kann bislang nur vermutet werden. Wir stellen zur Diskussion: Die Fellschäden treten analog der Räude bei Haustieren im Winterhalbjahr, d. h. bei geringer Sonneneinstrahlung, am häufigsten auf. Ob diese saisonale Dynamik auch durch zyklische Schwankungen in der Größe der Milbenpopulationen bedingt oder mit beeinflußt wird, bleibt offen. UV-Licht wirkt abtötend auf Milbenarten, die bei unseren Haustieren parasitieren

(GEHRT et al., im Druck). Die Tatsache, daß von 1974 bis 1984 Ektoparasiten an den Rostocker Eisbären bei korrekter Entnahme von Hautgeschabselproben nicht gefunden wurden, läßt sich nicht befriedigend damit erklären, daß Sektionen verendeter adulter Tiere bis auf eine Ausnahme (ein männlicher Bär starb im Januar 1981) immer im Sommer erfolgten. Bei den neugeborenen Tieren hatte wohl deren Lebenszeit noch nicht zur Entwicklung eines massenhaften Milbenbefalls ausgereicht.
Die Tatsache, daß 1974 Ursocoptes americanus, 1984 aber Chorioptes sp. nachgewiesen wurden, spricht für die erfolgreiche Bekämpfung der einen (Ursocoptes) und die Einschleppung der anderen Milbenart in die Eisbärengruppe.
Hormonelle Diskrepanzen sind in unsere ätiologischen Überlegungen mit einzubeziehen. Da die Fellschäden immer bei unseren fertilen Weibchen und nur schwach angedeutet bei den männlichen Tieren aufgetreten sind, dürfte der Einfluß von Sexualhormonen weitgehend auszuschließen sein. Das Vorkommen der Fellschäden nur bei alten und älteren Tieren läßt an langzeitig einwirkende Noxen, die chronische Schäden induzieren, oder an die herabgesetzte Widerstandskraft des Organismus alter Individuen denken. Erschöpfung bestimmter Abwehrmechanismen, Allergien, Autoimmunprozesse und neuroendokrine Störungen wären z. B. vorstellbar. Wie wir schon 1984 (RITSCHER et al.) ausgeführt haben, messen wir dem Leben der Eisbären im Zoo in einer großen Gruppe adulter Tiere auf engem Raum eine Stressorwirkung zu. Eisbären leben in der Wildnis solitär in großen Freiräumen in steter Wanderschaft. Die 1974 von LANG mitgeteilte Beobachtung, daß derartige Fellschäden bei Einzelhaltung und bei Zirkustieren nie auftraten und bei in Gruppen gehaltenen Eisbären nach Bestandsreduzierung verschwanden, deutet in diese Richtung. Auch SEIFERT (1974) äußerte den Hinweis, die psychische Belastung der Eisbären mit in die Diskussion über die Pathogenese der Fellschäden einzubeziehen.
Der Einfluß des neuroendokrinen Systems auf Haut und Haar ist vom Menschen und von vielen Tierarten bekannt. Für einen Hyperkortizismus im Sinne eines Morbus Cushing, wie er auch bei Hunden beschrieben wird (SIEGEL, 1982; NIEMAND, 1980), sprechen das Auftreten nur bei älteren Tieren, Lokalisation, Lebervergrößerung, Umfangsvermehrung des Bauches, Hyperkeratose und Pyodermie. Der beim Eisbären stärker als beim Hund ausgeprägte saisonale Haarwechsel überlagert vielleicht etwas das klinische Bild. Eine Behandlung mit DDT-haltigen Präparaten, wie sie in der Vergangenheit beim Verdacht auf Ektoparasiten üblich war, könnte auch auf die hypertrophierte Nebennierenrinde hemmend eingewirkt und dadurch einen positiven Effekt ausgelöst haben, der falsch interpretiert wurde. Das o,p-DDD, ein Derivat des DDT, wird bekanntlich zur Therapie des Cushing-Syndroms eingesetzt (SIEGEL, 1982; NIEMAND, 1980). Um den Verdacht auf Morbus Cushing zu objektivieren, müßten umfangreiche Hormonuntersuchungen durchgeführt werden. Da uns der Normalwertbereich der Hormonkonzentrationen nicht bekannt ist, hat z. B. ein Wert pro Tier, noch eingeschränkt durch den Einfluß der Narkose, keine Aussagekraft. Zur Absicherung wären Verlaufsuntersuchungen sowie Stimulations- und Hemmungstests erforderlich. Unsere vorhergehenden Untersuchungsergebnisse können daher nur ein allererster Schritt in diese Richtung sein.

Hinsichtlich des Einflusses der Thyreoidea sind aufgrund unserer Untersuchungsergebnisse Aussagen nicht möglich. Da die von Prof. USPENSKI auf der Wrangelinsel beobachteten und auch die ca. 130 von ihm immobilisierten Eisbären keine Veränderungen, vergleichbar den bei unseren Tieren vorhandenen Fellschäden, aufwiesen, obwohl ca. 70 % der von ihm sezierten Eisbären mit Trichinellen infiziert waren (USPENSKI, 1985), ist ein Zusammenhang zwischen Trichinellose und Fellveränderungen unwahrscheinlich. Außerdem wäre der Einfluß einer Trichinellose gleichbleibend schädigend und saisonalen Schwankungen nicht unterworfen; männliche Tiere sind zudem ebenso mit Trichinellen behaftet wie weibliche. Auch KRONBERGER (1970), SEITZ (1973) sowie IPPEN und SCHRÖDER (1974) teilen Sektionsbefunde von trichinellenbefallenen Eisbären mit, ohne dabei auffällige Fellveränderungen zu erwähnen.
Da Fellschäden bei Eisbären in vielen Tiergärten der Welt ein Problem darstellen, ist der Einfluß unterschiedlicher Klimata und Fütterungsregimes wohl weitgehend auszuschließen. Allerdings fehlen den in menschlicher Obhut gehaltenen Eisbären sicher immer und überall die extremen klimatischen Reize der Arktis - Kälte, Sturm, Dunkelheit, starke UV-Einstrahlung und Lufttrockenheit. Aber auch Zirkusbären leben unter relativ reizarmen

Bedingungen hinsichtlich Klima und Fütterung und haben meist ein sehr gutes Fell. Eine qualitative Mangelernährung bemühten wir uns bei unseren Tieren weitgehend auszuschalten, so daß Eiweiß-, Vitamin- und der Mineralstoffmangel als begünstigende Faktoren wohl kaum in Betracht kommen dürften.
Da es uns nicht möglich ist, die prädisponierenden Faktoren eindeutig zu erkennen und auszuschließen, kommt der medikamentellen Bekämpfung der Ektoparasiten eine umso größere Bedeutung zu. Wir halten den Einsatz des Ivermectins bei subkutaner Injektion gegenwärtig im Vergleich z. B. mit Organochlor- oder Organophosphat-Behandlungen (Wasch- oder Sprühverfahren sowie transkutane Applikation) für eine optimale Behandlungsmethode. Bei Haustieren kann Ivermectin auch per os zur Räudebekämpfung eingesetzt werden, diese Verabreichungsform wäre bei Eisbären im Zoo zu überprüfen. Hinsichtlich des Wirkungseintritts bei Ivermectin-Gabe ist zu beachten, daß die akarizide Wirkung nicht schlagartig einsetzt, sondern, wie bei Nutztieren nachgewiesen, mit einer Latenzzeit von mehreren Tagen gerechnet werden muß, während der auf den behandelten Tieren noch lebens- und infektionsfähige Milben angetroffen werden können. Mit den Akarizideinsatz hat jeweils eine Reinigung und Desinfektion des Lebensraumes der Bären einherzugehen, wobei besonders die Ruheplätze und Scheuerstellen einzubeziehen sind, um vom Wirt isolierte Milben abzutöten.

Zusammenfassung

Zum Problem der Fellschäden bei Eisbären (Ursus maritimus) des Zoologischen Gartens Rostock

Räudemilben der Gattung Chorioptes wurden als Ursache von Hautveränderungen und Fellschäden bei Eisbären in Gefangenschaft nachgewiesen. Bei Ausbruch der klinischen Erkrankungen wirken prädisponierende Faktoren mit, deren Wertigkeit im einzelnen bei der Räude der Eisbären noch nicht klar ist. Zur medikamentellen Bekämpfung der Ektoparasiten wurde Ivomec(R) (Wirkstoff Ivermectin) subkutan eingesetzt und führte zum Abklingen der klinischen Erscheinungen.

Summary

Lesions to Polar Bear Skin (Thalarctos maritimus) in Zoological Garden of Rostock

Chorioptes mange mites were found to have caused skin and fur lesions to polar bears in captivity. Factors of predisposition were involved in the outbreak of the clinical disease, though the roles they actually played in polar mange is still obscure. Ivomec[R] (active principle of ivermectine) was subcutaneously used for medicamentous control of the ectoparasites and led to subsidence of clinical symptoms.

Résumé

A propos du problème des dépilations chez les ours polaires (Ursus maritimus) dans le Jardin Zoologique de Rostock

Les mites de gale de l'espèce Chorioptes ont été identifiés comme cause des altérations de la peau et dépilations chez les ours polaires en captivité. Des facteurs prédisposants participent à l'apparition des maladies cliniques, facteurs dont la valence pour la gale des ours polaires n'est pas encore démontrée en tout détail. Les ectoparasites ont été combattus par l'application sous-cutanée d'Ivomec[R] (agent Ivermectine) et ce médicament a fait diminuer les phénomènes cliniques.

Резюме

О проблемах поражения кожного покрова у белых медведей (Ursus maritimus) в зоопарке города Ростока.

Часоточный клещ семейства Ursus marit. **явился причиной поражения шкуры белого медведя в неволе. При начале клинического заболевания влияют предрасположенные факторы, значение которых при часотке белых медведей еще не выяснены. Для медикаментозной борьбы с эктопаразитами применялся субкутанно**

Literaturverzeichnis

GEHRT, M., REICHHARDT, R., RIBBECK, R., und Th. HIEPE: Einfluß von UV-Strahlen auf parasitische Arthropoden. 2. Mitteilung: Untersuchungen in vitro über den Einfluß einer einmaligen UV-Bestrahlung auf Entwicklungsstadien von Psoroptes cuniculi (acaridida: Psoroptidae). Arch. Exper. Vet.-Med. (im Druck).

IPPEN, R., und H. D. SCHRÖDER (1974): Auswertung der postmortalen Untersuchungsergebnisse bei in Gefangenschaft gehaltenen Landraubtieren. Verh.ber. Erkrg. Zootiere 16, 29 - 37.

KRONBERGER, H., SCHÜPPEL, K.-F., und S. SEIFERT (1970 a): Trichinose als Lahmheitsursache. Verh.ber. Erkrg. Zootiere 12, 139 - 140.

LANG, E. (1974): Persönliche Mitteilung

NICKEL, S., RIBBECK, R., und K. PETERSEN (1974): Durch Milbenbefall verursachte Hautveränderungen bei Eisbären (Thalarctos maritimus). Verh.ber. Erkrg. Zootiere 16, 311 - 313.

NIEMAND, H. (1980): Praktikum der Hundeklinik. Berlin und Hamburg: Paul Parey.

RITSCHER, D., KIUPEL, H., und G. FRICKE (1984): Bemerkungen zu postmortalen Verlusten bei Eisbären im Zoologischen Garten Rostock. Verh.ber. Erkrg. Zootiere 26, 117 - 123.

SEIFERT, S. (1974): Persönliche Mitteilung.

SEITZ, A. (1973): Beitrag zur Zucht des Eisbären (Thalarctos maritimus). Zool. Gart. (NF) 43, 293 - 304.

SIEGEL, E. (1982): Endokrine Krankheiten des Hundes. Berlin und Hamburg: Paul Parey.

USPENSKI, S. (1985): Persönliche Mitteilung.

Anschrift der Verfasser: Dr. Dagmar R i t s c h e r
Bezirksinstitut für Veterinärwesen
Bereich Tierklinik
DDR-2500 Rostock
Thierfelderstr. 18/19 (DDR)

Aus der Klinik für Klein- und Heimtiere Berlin (Direktor: Vet.-Rat Dr. L. SASSENBURG), Poliklinik Lichtenberg, Ambulanz für Exoten, Wild- und Zirkustiere (Leiter: Vet.-Rat Dr. habil. A. KUNTZE)

BRUNSTBEDINGTE PROBLEME MIT EISBÄREN (THALARCTOS MARITIMUS) UND BRAUNBÄREN (URSUS ARCTOS) IM ZIRKUS UNTER BESONDERER BERÜCKSICHTIGUNG DER OVAREKTOMIE

Von A. Kuntze

Die Arbeitsfähigkeit eines Zirkustieres wird weitgehend von dessen angeborenem Verhaltensinventar bestimmt. Überempfindliche, besonders schreckhafte, nervöse oder aggressive Individuen oder Tierarten sind für die Dressur nicht geeignet: Sie gefährden Gesundheit oder Leben des Tierlehrers.

Seit alters her werden die sexuell stimulierten Verhaltensänderungen ("Brunstaggressivität", Rivalenkämpfe) durch Kastration der männlichen Zirkustiere abgeblockt (KUNTZE, 1968, 1980, 1982). Brunstbedingte Modifikationen im Verhalten weiblicher Nutztiere (Rind, Pferd, Schwein) sind für das Pflegepersonal im allgemeinen unproblematisch. Der unmittelbare körperliche Kontakt mit sexuell erregten weiblichen Raubtieren birgt jedoch erhebliche Risiken.

Kasuistik

1. Im Sommer 1982 werden bei allen vier, damals 18jährigen, Eisbärinnen einer 10köpfigen Gruppe so außergewöhnlich starke Brunstsymptome beobachtet, daß die Vorführung der Gruppe tageweise nicht verantwortbar war. Die Bärinnen leben und arbeiten seit 1964 ständig mit 6 gleichaltrigen Artgenossen, die sämtlich 1965/66 kastriert wurden. Die Bärinnen sind seit 1968 regelmäßig in den Monaten März/April (- Mai), manchmal auch ein zweites Mal (Juni/August) läufig geworden. Die Brunstsymptome waren auch in den Vorjahren stets deutlich erkennbar: Die Vulva war während der Brunstzeit gerötet, apfel-- bis männerfaustgroß sichtbar und wurde in kurzen Abständen von den Kastraten beleckt oder olfaktorisch überprüft. Mitunter wurden Aufreitversuche unternommen und Rivalenkämpfe zwischen den ranghöheren Kastraten ausgelöst, ohne daß die täglichen Vorführarbeiten ausgesetzt werden mußten. Von März 1975 bis Oktober 1981 weilte die Gruppe zu einem Gastspiel in den USA, wo die arbeitsfreie Zeit und die Wintermonate in den südlichen Staaten (z.B. tropisches Florida) verbracht wurden. Die Rückkehr in die DDR erfolgte bei winterlichen Temperaturen über die Nordroute und endete am 13.12.1981. Bis zum Tourneebeginn Anfang März 1982 war die Gruppe in offenen Außenkäfigboxen bei Temperaturen, die gelegentlich -20 °C unterschritten, untergebracht.

Die Brunstsymptome setzten Anfang April mit solcher Heftigkeit ein, daß alle Tiere außerhalb der Manege in ständige Unruhe und kritische Auseinandersetzungen gerieten. Die ranghöchsten Bären wurden regelrecht zu Aufreitversuchen gereizt. Echte Kopulationen (Immissio penis, Friktionsbewegungen) konnten nicht exakt belegt werden, obwohl "Grönland" mitunter stundenlang in Kopulationsstellung auf "Oslo" oder "Spitzbergen" verharrte. Vollständig erigierte Penes wurden - bei der Arbeit in der Manege - bei allen 6 Kastraten regelmäßig sinnfällig. Während 2 Bärinnen sexuell unbeachtet blieben, sorgten "Oslo" und "Spitzbergen" durch ununterbrochene Kopulationsaufforderungen für unerträgliche Unruhe und Beißereien. Versuche, mit Gestagenen (anfänglich 8 Chlormadinontabletten 10 d lang, später 20 Tabletten täglich) blieben erfolglos. Erst Ende August klangen die Symptome allmählich ab.

Die Brunstperiode 1983 verlief weniger turbulent, lag jedoch noch über dem Niveau der Normalsituation, die ab 1984 wieder einkehrte. Bei "Oslo" entwickelte sich eine Art "Dauerbrunst", d.h., sie ist bis jetzt (Dezember 1985) sexuell sehr interessiert. Die perivulväre Behaarung ist dunkelbräunlich verfärbt. Zeitweilig konnte blutiger Fluor registriert werden. Aus Vaginaltupfer- und Harnkontrollproben wurden Mikrokokken, E. coli und Proteus isoliert+).

2. Die Arbeitsfähigkeit einer ausländischen Braunbärengruppe, deren Individuen stets einzeln gekäfigt leben, wurde während der Brunstzeit stets gestört. Durch die von dem zuständigen

+) Für die Laboruntersuchungen bin ich Frau Dr. Fiolka vom Bezirksinstitut für Veterinärwesen Berlin (Direktor: OVR Dr. S. Baldauf) zu Dank verpflichtet.

Kollegen wiederholt verordneten Medikamente (vermutlich Gestagene) konnte eine gewisse Beruhigung der Bärinnen erwirkt werden. Nach deren Applikation entwickelten sich bei einer Bärin erhebliche Schwellungen am Kopf und Atemnot (Allergie?). Auf Wunsch des Dompteurs wurden 2 Braunbärinnen ovarektomiert.

Beide Tiere sind etwa 5 Jahre alt und wurden mit Methadon-Xylazin i.m. betäubt. Die etwa 90 kg schwere "Kristina" mit 18 ml Polamivet[R] und 65 mg Rompun, die ca. 85 kg wiegende "Lady" mit 22 ml Polamivet und 72 mg Rompun. Das Operationsfeld wurde großzügig vom Nabel bis zur Vulva rasiert, mit Optal entfettet und Jodtinktur desinfiziert. Der bei "Kristina" ursprünglich dicht kaudal des Nabels gelegte 10 cm lange Schnitt in der Linea alba erwies sich als unzureichend. Erst nach Verlängerung des Schnittes (bis in Höhe des kranialen Beckenrandes!) konnten die knapp 5 cm langen, etwa bleistiftdicken Uterushörner nach mühevollem Suchen identifiziert werden. Die Exstirpation der gut kirschgroßen, rundlichen Ovarien gelang problemlos. Um Nahtdehiszenzen vorzubeugen (ca. 8 cm dickes subkutanes, 2,5 cm dickes subseröses Fettgewebe, 22 cm langer Schnitt) wurde das Peritoneum mit fortlaufender Catgutnaht (Nr. 6) adaptiert, bevor durch rückläufige Achternähte ein alle Wundschichten erfassender Verschluß erfolgte. Intraabdominal wurde Ursophenikolsalbe® (1 % Chloramphenikol®), subkutan 2,5 Mill. I.E. Strepdipen wäßrig® verabfolgt. Die Strepdipeninjektionen wurden an den folgenden 5 Tagen wiederholt. Der Wundkamm wurde mit Becarmalpuder® abgedeckt und die kaudale Körperhälfte der Bärin in eine große "Schlafanzughose" gesteckt. Zusätzlich sicherte ein neuer Leinensack, der wie eine Schlauchbinde von allen 4 Extremitäten gehalten wurde, als zweite Schutzhülle die Wunde vor angenommenen Irritationen durch die Patientin. Wundgebiet und "Verband" blieben überraschenderweise unbeachtet. Die Wunde heilte p.p.i. 12 d p.op. wurden der Verband und die Hefte entfernt.

Bei "Lady" wurde die Bauchhöhle in der Linea alba kranial des Beckenrandes 8 cm lang eröffnet. Das Auffinden und Vorlagern der etwa 14 cm langen, jedoch nur reichlich strohhalmstarken Unterushörner gelang wie die Ovarektomie auf Anhieb. Die Ovarien beider Bärinnen wurden histologisch untersucht. Die Bauchwunde wurde durch 4 rückläufige, alle Schichten umfassende Achternähte verschlossen. Becarmalpuder und Verbandschutz wie bei "Kristina". Strepdipen wäßrig (je 2,5 Mill. I.E.) wurde nur an zwei aufeinanderfolgenden Tagen injiziert. Die Wunde heilte p.p.i., so daß die Fäden und der Verband 9 d p.op. entfernt werden konnten.

Diskussion

Es ist unbestritten, daß die Bärin im Brunstzustand besonders unleidlich ist. Eine Braunbärin, die während dieser Zeit ihre einjährigen Jungen dauernd biß, benahm sich erst danach wieder friedlich zu ihnen (DATHE, 1961). Die brünstige Zirkusbärin stellt somit ein erhebliches Sicherheitsrisiko dar. Die zeitweilige oder dauernde Ausschaltung des ovariellen Zyklus wird zum Arbeitsschutzerfordernis.

Der Sexualzyklus der Eisbärin wird durch Winterkälte offensichtlich wesentlich beeinflußt. Die Hypersexualität der mit 18 Jahren nicht mehr jungen Eisbärinnen erklärt sich aus dem mehrjährigen Tropenaufenthalt. Die in den USA beobachteten Brunstsymptome waren unterdurchschnittlich bis normal. Der für den optimalen Zyklusablauf wichtige physiologische Kältereiz provozierte nach mehrjährigem Fehlen nunmehr überdurchschnittliche hypophysäre und ovarielle Reaktionen. Auch die Brunst des Jahres 1983 verlief noch stürmischer als gewohnt. Erst 2 Jahre nach der Rückkehr ins kalte Europa haben sich die Brunstsymptome auf das normale Niveau wieder eingepegelt. Bedauerlicherweise konnten weder bei den Bärinnen (Östrogen) noch bei den Kastraten (Testosteron) Harn- oder Blutspiegelhormonbestimmungen vorgenommen werden. Die von den Bärinnen ausgehenden sexuellen Reize waren so intensiv, daß - abweichend von den "Normaljahren" - alle Kastraten deutlich erregt wurden. Mitteilenswert erscheint, daß alle Tiere vor der Pubertät kastriert worden waren.

Grundsätzlich ist auch bei der Bärin mit Hilfe hormonell wirksamer Medikamente (Antikonzeptiva, Gestagene) eine zeitweilige Abschwächung oder Aufhebung der Brunstsymptome denkbar. Durch die von uns gewählten Gestagengaben (mehrwöchige Chlormadinonapplikation!) blieb die Brunstsymptomatik bei den Eisbärinnen unbeeinflußt. Die Dosierung lag weit höher als bei GÖLTENBOTH (1981), der bei Großkatzen mit einmal wöchentlich 50 - 200 mg Medroxyprogesteronazetat den Brunstzyklus unterdrücken konnte. Da exakte Östrogenkonzentrationsmessungen nicht vorgenommen werden konnten, bleibt es spekulativ, ob hierfür "bärenspezifische" Zyklusbesonderheiten (längere Keimlingsruhe ohne Implantation!) verantwortlich sind. Nach Implantation einer (vermutlich gestagenhaltigen) Hormonkapsel 1978/79 in den USA blieb die Eisbärin "Spitzbergen" in den Sommern 1979 und 1980 voll arbeitsfähig. Es ist jedoch nicht auszuschließen, daß hierdurch letztendlich gravierende hormonelle Diskrepanzen initiiert wurden, die bis jetzt als "Dauerbrunst" und pyometraähnliche Symptomatik sinnfällig sind. Abgesehen von diesen beachtlichen Nebenwirkungen ist der Einsatz hormonhaltiger Implantate ohnehin nicht immer erfolgreich (SEAGER et al., 1984). GRAF und TOTH (1982) halten ohnehin die Ovarektomie für die einzig sinnvolle Therapie bei brunstbedingt aggressiven Raubtieren. Während über die Kastration weiblicher Großkatzen mit (KUNTZE, 1980, 1984) oder ohne Pyometra (GRAF und TOTH, 1982) wiederholt berichtet wurde, ist die Ovarektomie der Bärin offensichtlich nicht beschrieben worden (WEDLICH, 1982).

Von der weitverbreiteten Vorstellung ausgehend, daß die anatomische Situation der des Hundes entspricht (WALLACH and BOEVER, 1983), schien das chirurgische Vorgehen unproblematisch. Die Praxis bewies jedoch die Unhaltbarkeit derartig irrealer Vorstellungen. Die Uterushörner der Erstoperierten ("Kristina") reichten nicht über das Niveau ihrer nur kinderfaustgroß gefüllten Harnblase hinaus. Sie waren vermutlich extrem klein. Demgegenüber entsprachen die Unterushornlängen der ebenfalls nulliparen "Lady" etwa den von DITTRICH und KRONBERGER (1963) an frischgraviden Braunbärinnen ermittelten Verhältnissen. Hier kamen uns die bei "Kristina" gesammelten schlechten Erfahrungen zunutze. Der kurze, beckennahe Schnitt erwies sich trotz der etwa 14 cm langen Uterushörner für die Vorlagerung der Ovarien als ausreichend. Von der gleichen Stelle aus wäre allenfalls mit sehr langen Fingern die Palpation des Hundeovars, seine Exstirpation jedoch lege artis nicht möglich gewesen.

Überraschenderweise ließen beide Bärinnen Wunden und Verbände unbeachtet. Dadurch entfielen die beabsichtigte Überwachung oder medikamentelle Zwangsmaßnahmen. Beide Bärinnen verschliefen die meiste Zeit bis zum Fädenziehen. Tägliche Temperaturkontrollen ergaben, daß sich die Rektalwerte zwischen 37,3 - 37,9 °C bewegten und damit nach WEILENMANN (1976) als physiologisch anzusehen waren. Während "Kristina" einige Tage schlechter als sonst fraß, verzehrte "Lady" noch am Operationstag ihre normale Portion. Ob das ungewöhnliche Schlafverhalten auf das dicke Strohpolster, die straff sitzenden Verbände oder den kahlgeschorenen Bauch zurückzuführen war, bleibt ungeklärt. Es endete abrupt nach dem Fädenziehen.

Zusammenfassung

Brunstbedingte Probleme mit Eisbären (Thalarctos maritimus) und Braunbären (Ursus arctos) im Zirkus unter besonderer Berücksichtigung der Ovarektomie

Der stürmische Verlauf der Brunstsymptome bei Eisbärinnen nach mehrjährigem Tropenaufenthalt und Versuche zur hormonellen Unterdrückung des Zyklus werden erörtert. Die Ovarektomie zweier Zirkusbraunbärinnen wird unter besonderer Berücksichtigung der anatomischen Situation beschrieben.

Summary

Oestric Problems with Polar Bears (Thalarctos maritimus) and Brown Bears (Ursus arctos) in Circus, with Particular Reference to Ovarectomy

Discussed in this paper are the ardent course of oestric symptoms in female polar bears, following several years in tropic regions, and attempts towards hormonal suppression of the cycle. Ovarectomy on two female brown bears in a circus is described, with particular reference being made to the anatomic conditions.

Résumé

Problèmes causés par la chaleur chez les ours polaires (Thalarctos maritimus) et les bruns (Ursus arctos) dans un cirque en considération de l'ovarectomie

L'évolution violente des symptômes de la chaleur chez les ours polaires femelles après un séjour de plusieurs années dans les régions tropicales et les essais d'une oppression hormonale du cycle oestral sont discutés. L 'auteur décrit l'ovarectomie chez deux bruns femelles d'un cirque en considération spéciale de la situation anatomique.

Резюме

Проблемы течки у белых (Thalarctos maritimus) и бурых медведей (Ursus arctos) при особом учете оварэктомии

Описаны бурные симптомы протекания течки у белых медведиц после длительного пребывания в тропиках и опыты по гормональному снижению цикла.Описывается оварэктомия у двух бурых медведиц из циркапри учете анатомической ситуации.

Literaturverzeichnis

DATHE, H. (1961): Beobachtungen zur Fortpflanzungsbiologie des Braunbären, Ursus arctos L. D. Zoll. Garten (NF) 25, 235 - 250.

DITTRICH, L., und H. KRONBERGER (1963): Biologisch-anatomische Untersuchungen über die Fortpflanzungsbiologie des Braunbären (Ursus arctos L.) und anderer Ursiden in Gefangenschaft. Zschr. f. Säugetkd. 28, 129 - 155.

GÖLTENBOTH, R. (1981): Tierärztliche Prophylaxe im Zoo Berlin. Verh.ber. Erkrg. Zootiere, 23, 17 - 22.

GRAF, Z., und I. TOTH (1982): Ovarektomie bei erwachsenen Löwen. Verh.ber. Erkrg. Zootiere, 24, 113 - 115.

KLÖS, H.-G., und E.M. LANG (1976): Zootierkrankheiten. Berlin, Hamburg: Paul Parey.

KUNTZE, A. (1968): Operationen am Genitaltrakt bei Zirkus- und Zootieren. Verh.ber. Erkrg. Zootiere, 10, 105 - 110.

KUNTZE, A. (1980): Operative Eingriffe an Raubtieren unter Ambulanz-Bedingungen (1970 - 1979). Verh.ber. Erkrg. Zootiere, 22, 223 - 231.

KUNTZE, A. (1982): Zur Kastrationstechnik bei Ursiden und kryptorchiden Trampeltieren (Camelus bactrianus). Verh.ber. Erkrg. Zootiere, 24, 183 - 186.

KUNTZE, A. (1984): Zum Endometritis-Pyometrakomplex der Löwin. Verh.ber. Erkrg. Zootiere, 26, 141 - 145.

SEAGER, S.W.J., FOSTER, J.W., and J.W. MORTON (1984): Laparoscopie Sterilization of captive female African Lions (Panthera leo). Ann. Proc. Am. Ass. Zoo Vet. 186.

WALLACH, J.D., and W.J. BOEVER (1983): Diseases of Exotic Mammals. Medical and Surgical Management. Philadelphia, London, Toronto: W.B. Saunders Company.

WEDLICH, V. (1982): Großbären (Ursidae) in der veterinärmedizinischen Literatur. Vet. med. Diss. Hannover.

WEILENMANN, P. (1976): Bären. In KLÖS - LANG (1976): Zootierkrankheiten. Berlin, Hamburg: Paul Parey, 113 - 118.

WISSDORF, H., BRANDT, H.-P., und L. DITTRICH (1981): Vasektomie eines männlichen Braunbären (Ursus arctos). Verh.ber. Erkrg. Zootiere, 23, 313 - 316.

Anschrift des Verfassers: VR Dr. habil. A. K u n t z e
DDR-1157 Berlin
Robert-Siewert-Str. 34 (DDR)

Aus der Forschungsstelle für Wirbeltierforschung (im Tierpark Berlin)
(Direktor: Prof. Dr. sc. Dr. h. c. H. DATHE) der Akademie der Wissenschaften der DDR

OBDUKTIONSBEFUNDE BEI BÄREN (PROCYONIDAE, AILURIDAE UND URSIDAE

Von R. Ippen und Doris Henne

Bären sind für den Zoobesucher wegen ihres beachtlichen Artenreichtums und der gravierenden Größenunterschiede sehr beliebte und überall erwünschte Tiere. Den von Kindesbeinen an vertrauten Teddybär lebendig tapsig im Zoo zu erleben, ist der Wunsch von groß und klein. Aus diesem Grunde werden, entsprechend den örtlichen Voraussetzungen, in den meisten tiergärtnerischen Einrichtungen Bären gehalten. Im Gegensatz zu den Paarhufern ist die Zahl der ausgestellten Bären im allgemeinen nur gering, was sich logischerweise aus den besonderen Anforderungen bei der Haltung dieser Tiere ergibt. Ganz besonders gilt dies für die Großbären. So erscheint es auch nicht verwunderlich, daß die Zahl der zur Obduktion gelangten gestorbenen Bären niedriger als die anderer Zootiere ist. Interessanterweise wurden im Berichtszeitraum von 28 Jahren nicht mehr Eisbären als Elefanten von uns obduziert. Die immer wieder auftretenden Schwierigkeiten bei der Haltung, Zucht und Aufzucht gerade von Eisbären läßt jede erreichbare Information über Krankheitsgeschehen bei diesen Tieren besonders wichtig erscheinen, da die ausgesprochen kleinen Obduktionszahlen keine allgemein gültigen Rückschlüsse erlauben. Dies gilt in vollem Umfang auch für einige andere Bärenarten.

Bei den von uns zusammengestellten Auswertungen handelt es sich um Obduktionsbefunde von Bären aus verschiedenen tiergärtnerischen Einrichtungen, zirzensischen Unternehmen, Privathaltungen und städtischen Bärenzwingern. Die Zerlegungen sowie histologischen und bakteriologischen Untersuchungen wurden über einen Zeitraum von 28 Jahren von verschiedenen Obduzenten vorgenommen. Einige wenige Tiere, die zum Zeitpunkt der Obduktion bereits so stark verfault waren, daß keine Befunde mehr erhoben werden konnten, wurden nicht mit in die Auswertung aufgenommen.
Um das relativ kleine Material möglichst umfassend dem interessierten Fachmann zugänglich zu machen, wurde für jedes Tier ein Exposé der wichtigsten Aussagen aus den Befunden niedergeschrieben und tabellarisch zusammengestellt. Soweit es den uns zur Verfügung stehenden Unterlagen zu entnehmen war, wurden von jedem Tier Angaben über Geschlecht, Alter und Gewicht vorausgeschickt. Die Gliederung der gesamten Auswertung wurde bewußt auf die drei Familien Kleinbären (Procyonidae), Katzenbären (Ailuridae) und Großbären (Ursidae) ausgerichtet, da es sich zeigte, daß jeweils für die Vertreter der verschiedenen Familien recht unterschiedliche Krankheitsgeschehen im Vordergrund standen. Es muß an dieser Stelle darauf verwiesen werden, daß zu einem früheren Zeitpunkt schon ein Teil der hier beschriebenen Bärenobduktionen im Rahmen der Auswertung postmortaler Befunde von Landraubtieren (IPPEN und SCHRÖDER, 1974) mit einbezogen wurde. Die damalige zahlenmäßige Wiedergabe der verschiedenen Befunde erfolgte jedoch gemeinsam für alle Vertreter der Canoidea, so daß keine konkreten Aussagen, speziell über die Krankheiten der Bären, gemacht wurden.

Die zahlenmäßige Aufgliederung der untersuchten Bären soll den eigentlichen Ergebnissen vorausgeschickt sein (Tabelle 1).

Von den insgesamt untersuchten 144 Bären waren 58 Tiere den Kleinbären, 25 den Katzenbären und 61 den Großbären zuzuordnen. Hinsichtlich der Altersstaffelung trat hervor, daß es sich bei der Hälfte der Großbären um wenige Tage bis Wochen alte Jungtiere handelte. Insgesamt sind die Stückzahlen jedoch so gering, daß es ungerechtfertigt erscheint, hieraus Rückschlüsse zu ziehen. So kann die Tatsache, daß es sich bei 5 der 13 untersuchten Eisbären um sehr alte Tiere handelte, ein ausgesprochener Zufall sein.

Betrachten wir die Befunde der drei Bärenfamilien im einzelnen, so muß für die Kleinbären (Procyonidae) und dabei speziell für die Waschbären (Procyon lotor und cancrivorus) (Tab.2) herausgestellt werden, daß über den gesamten Berichtszeitraum von 28 Jahren die krankhaften Veränderungen der Schilddrüsen absolut an erster Stelle stehen. Allein 18 der 25 untersuchten Tiere zeigten entsprechende Befunde. Mit Sicherheit wurde in 10 Fällen das Vorliegen eines Schilddrüsenkarzinoms, z. T. mit Metastasierung in die Lunge, nachgewiesen. In einem Fall wurde ein Schilddrüsenadenom festgestellt. Bei den übrigen 7 Tieren wurden enorme

Tabelle 1: Überblick über die in die Auswertung einbezogenen 144 Bären

	gesamt	davon jung	davon alt
KLEINBÄREN (Procyonidae)	58	11	12
Nordamerikanischer Waschbär (Procyon lotor)	22	2	5
Krabbenwaschbär (Procyon cancrivorus)	3	-	-
Südamerikanischer Nasenbär (Nasua nasua)	32	9	7
Wickelbär (Potos flavus)	1	-	-
KATZENBÄREN (Ailuridae)	25	5	4
Katzenbär (Ailurus fulgens)	25	5	4
GROSSBÄREN (Ursidae)	61	31	11
Kamtschatkabär (Ursus arctos beringianus)	3	2	-
Europäischer Braunbär (Ursus arctos arctos)	9	1	3
Baribal (Ursus americanus)	6	5	1
Kragenbär (Ursus thibetanus)	9	8	-
Eisbär (Thalarctos maritimus)	13	5	1
Malaienbär (Helarctos malayanus)	10	6	2
Brillenbär (Tremarctos ornatus)	11	4	4

Schilddrüsenvergrößerungen, Hyperplasien, zystöse Entartungen und eine Struma parenchymatosa ermittelt. Als weitere Tumorbefunde sind ein metastasierendes Gallengangskarzinom sowie bei zwei Tieren mit Schilddrüsenkarzinom zusätzlich in einem Fall ein papilläres Nierenadenom sowie bei einem zweiten ein Herzbasistumor zu nennen. Entzündliche Prozesse treten gegenüber den zuvor angeführten Befunden in den Hintergrund. Erwähnenswert bleibt eine generalisierte Tuberkulose (M. bovis). In einem Fall konnte eine Verlegung des Darmlumens vom Jejunum durch einen abgeschluckten Kindernuckel festgestellt werden. Weitere Einzelbefunde lassen sich aus der Tabelle 2 entnehmen.

Als nächstes wäre auf die Krankheitsbefunde der Nasenbären (Nasua nasua) (Tab. 2) einzugehen. Interessanterweise stehen bei ihnen die entzündlich-infektiösen Veränderungen mit 20 von 32 Fällen weit im Vordergrund. So wurden neben drei Tuberkulosen gehäuft Pneumonien, abszedierende Prozesse, Enteritiden sowie eine eitrige Blasenentzündung festgestellt. Als Erreger wurden aus den Veränderungen mehrfach Kokken isoliert, oftmals war aber wegen einer vorausgegangenen Antibiotikabehandlung der Nachweis von bakteriellen Erregern aus den Organen nicht mehr möglich. Gehäuft traten Kalkstoffwechselstörungen und Knochendeformationen auf, wobei es sich unter anderem um zwei typische Bimsteinlungen bei erwachsenen Tieren handelte. Mehrmals lagen Schilddrüsenveränderungen vor. Als Hauptbefunde bei obduzierten Jungtieren müssen Lungenaffektionen und Inanitionen angeführt werden.

Der einzige Wickelbär (Potos flavus) (Tab. 2) zeigte eine Leberzelldegeneration und

Tabelle 2:

K L E I N B Ä R E N (Procyonidae)

NORDAMERIKANISCHER WASCHBÄR (Procyon lotor)

1. 0,1; 20 Jahre; 6,4 kg
Onkozytäres Karzinom der Schilddrüse: Tuberkulose in Lunge, Leber und Darm (Mycobacterium bovis).

2. 1,0: über 11 Jahre 6,2 kg
Zystöse Entartung und Hyperplasie der Schilddrüse.

3. 0,1: 11 Jahre 5,6 kg
Follikuläres Schilddrüsenkarzinom; chronische interstitielle Nephritis; Pankreasdegeneration; Anthrakose.

4. 1,0: 10 Jahre: 7,9 kg
Struma parenchymatosa; chronische interstitielle Nephritis; Verkalkung Lunge, Gefäße; Anthrakose; Streptokokkeninfektion.

5. 1,0: 10 Jahre 5,4 kg
Schilddrüsenkarzinom; Pneumonie.

6. 0,1; 7,5 Jahre: 7,7 kg
Beidseitige Schilddrüsenhyperplasie; Struma parenchymatosa; Lungenembolie.

7. 0,1; 6 Jahre; 9 kg
Struma diffusa parenchymatosa; Phlegmone am rechten Vorderfuß; Nephrose.

8. 1,0: adult; 9,2 kg
Obturation des Jejunums durch einen Kindernuckel.

9. 1,0; adult; 8,0 kg
Kreislaufinsuffiziens während Narkose: Schilddrüsenkarzinom: fettige Leberzelldegeneration.

10. 0,1: adult: 6,4 kg
Schilddrüsenvergrößerung: kleinzystische Entartung: adenomatöse Gewebsveränderung.

11. 0,1; adult: 6,4 kg
Schilddrüsentumor; Lungenmetastasen: Herzbasistumor.

12. 0,1; adult; 6,2 kg
Schilddrüsentumor.

13. 0,1; adult: 5,8 kg
Solides, follikuläres Schilddrüsenkarzinom mit Lungenmetastasen; Leberzellverfettung.

14. 0,1; adult; 5,8 kg
Eingeklemmter Bruch; fibrinöse Peritonitis; Pneumonie; Enteritis.

15. 0,1; adult; 5,4 kg
Rechtsseitige zystöse Schilddrüsenentartung; Abszeß in der Darmschleimhaut; Blutungen in der Nebennierenrinde.

16. 0,1 adult; 5,3 kg
Schilddrüsenkarzinom und Nierentumor (Adenoma papillare); Ikterus.

17. 0,1; adult; 5,1 kg
Exitus post operationem: Schilddrüsenkarzinom: Verschluckpneumonie.

18. 1,0; adult; 4,9 kg
Schilddrüsenkarzinom mit Lungenmetastasen.

19. 0,1; adult: 4,2 kg
Gallengangskarzinom mit Lungenmetastasen; Aszites.

20. 0,1; 1,5 Jahre 3,52 kg
Fettige Leberzelldegeneration; fortschreitende Autolyse.

21. 1,0; 17 Tage 70 g
Meningitis; Lungenödem.

22. 1,0; 1 Tag: 80 g
Getötet: deformierte Hinterextremitäten: Skelettdeformation; Zunge zur Hälfte abgebissen.

KRABBENWASCHBÄR (Procyon cancrivorus)

1. 0,1; adult; - ? -
Schilddrüsenvergrößerung; Struma diffusa parenchymatosa; Pneumonie.

2. 0,1; adult: - ? -
Schilddrüsenvergrößerung: Gastroenteritis: Epikardblutungen: Intoxikationsverdacht.

3. 0,1; adult: - ? -
Magennekroseherde; Leberdegeneration: Intoxikationsverdacht.

Fortsetzung - Tabelle 2: KLEINBÄREN

SÜDAMERIKANISCHER NASENBÄR (Nasua nasua)

1. 0,1; 12 Jahre; 3,7 kg
Eitrige Bronchopneumonie; fettige Leberzelldegeneration; Pankreasödem; Glomerulonephrose; Antibiotikabehandlung.

2. 0,1; 10 Jahre; 3,4 kg
Getötet aus Altersgründen: umfangreiche Verkalkungen im Lungen- und Nierengewebe: Infektion mit Staphylococcus aureus.

3. 0,1; 10 Jahre; 4,0 kg
Getötet wegen Altersbeschwerden; Bronchitis: Verkalkungen in der Niere.

4. 1,0; 9 Jahre 6,5 kg
Altersveränderungen: hühnereigroßer Abszeß am Präputium: Anthrakose: chronische Hepatitis; Enteritis: Lungenödem; Staphylokokken-Infektion.

5. 1,0; 9 Jahre 6,0 kg
Abszeß im Halsbereich; deformierende Wirbelknochenveränderungen im Brustwirbelbereich; Anthrakose.

6. 0,1; 6 Jahre: 4,5 kg
Streptokokkeninfektion: Glomerulonephritis: serofibrinöse Pleuritis: Lungenödem: Anthrakose.

7. 0,1; alt; 4,6 kg
Getötet: Alopezie am Kopf: Chronische interstitielle Nephritis.

8. 1,0: 5 Jahre; 5,0 kg
Herzdilatation: Aszites, Unterhautödem: Kreislaufinsuffizienz.

9. 1,0; 2,5 Jahre: 5,0 kg
Generalisierte Tuberkulose: Tbc auch in den Hoden, den Kniegelenken und dem Bauchfell.

10. 0,1; adult; 5,3 kg
Generalisierte miliare Lungen- und Lebertuberkulose: schwartige Brustfellveränderungen.

11. 0,1; adult: 3,7 kg
Eitrige Enteritis: Kokkeninfektion; Verkalkungen in Niere, Milz und Nebenniere.

12. 0,1; adult; 6,0 kg
Struma parenchymatosa nodosa; eitrige Harnblasenentzündung; Nephrose: Anthrakose.

13. 0,1; adult: 5,8 kg
Interstitielle Nephritis; Leberdegeneration; Hodenatrophie.

14. 1,0; adult; 6,5 kg
Bauchdeckennekrosen: fortgeschrittene Fäulnis.

15. 1,0; adult: 4,6 kg
Enteritis: Leberdegeneration; interstitielle Nephritis: Lungenemphysem.

16. 1,0; adult; 4,9 kg
Kalzinose; Bimsteinlunge, Diplokokkeninfektion.

17. 0,1; adult; 5,3 kg
Pneumonie; Enteritis; fettige Leberzelldegeneration; Gefäßwandverkalkung.

18. 0,1; adult; 3,2 kg
Akute Bronchopneumonie; Streptokokkeninfektion.

19. 0,1; adult; 3,2 kg
Generalisierte Tuberkulose durch Mycobacterium bovis; alle Organe lassen knötchenartige Veränderungen erkennen.

20. 0,1; adult; 2,9 kg
Kalzinose; Bimsteinlunge; Nephrose; Struma diffusa parenchymatosa.

21. 1,0; 6 Monate; 1,3 kg
Peritonitis; Mäuseknochen perforierte die Darmwand.

22. 1,0; 8 Wochen; 385 g
Pneumonie; Kehlkopfnekrosen; Leberzelldegeneration: Anämie.

23. 0,1; juvenil; 1600 g
Stoffwechselstörung: Wirbelknochendeformationen im Brustbereich; Schilddrüsenvergrößerung.

24. 0,1; juvenil; 530 g
Rippenfrakturen; Wirbelfraktur: Trauma.

25. 1,0; 8 Wochen; 480 g
Bronchitis, Anämie.

26. 1,0; 8 Wochen 390 g
Pneumonie; Anämie.

27. 1,0; 8 Wochen: 390 g
Bronchitis, Tracheitis: Anämie.

28. 1,0; juvenil; 100 g
Lebensschwäche; Anämie, Lungenödem.

29. 1,0; juvenil: 85 g
Lebensschwäche, Anämie: Lungenödem.

30. 1,0; juvenil; 75 g
Lebensschwäche; Anämie; Lungenödem.

31. 1,0; 4 Tage; 70 g
Pneumonieverdacht: Magen leer.

32. 0,1; 4 Tage; 70 g
Pneumonieverdacht; Magen leer.

WICKELBÄR (Potos flavus)

1. 0,1; adult; 2,1 kg
Staupeverdacht; Einschlußkörperchen; Trauma an den Hinterextremitäten; Leberzellverfettung; Kalkmetastasen in der Lunge.

Verkalkungen in der Lunge. Wegen des Nachweises von Einschlußkörperchen wurde ein Staupeverdacht ausgesprochen.

Katzenbären (Ailurus fulgens) (Tab. 3) wurden insgesamt 25 mal zur Sektion eingesandt, fünf Tiere davon waren Jungtiere. Bei 10 Tieren wurde eine Hundestaupe nachgewiesen beziehungsweise der Verdacht auf das Verliegen einer Hundestaupe ausgesprochen. Diese Befunde wurden bereits veröffentlicht (v. MICKWITZ, 1968; v. MICKWITZ und SCHRÖDER, 1967: IPPEN und SCHRÖDER, 1974), wobei auch besonders darauf verwiesen wurde, daß bei Katzenbären eine Staupeinfektion durch Salmonellen überlagert sein kann. Weiterhin wurden neben Salmonellen Kokken und einmal Pasteurellen nachgewiesen, bei mehreren Tieren konnten die Erreger der entzündlichen Veränderungen nicht ermittelt werden. Mehrmals wurden Leberzelldegenerationen und bei einem alten Tier Gallengangssysten in der Leber nachgewiesen. In drei Fällen konnte eine Parasitose ermittelt werden, darunter eine unbekannte Protozoeninfektion, möglicherweise eine Toxoplasmose (IPPEN et al., 1985). Gefäßwandverkalkungen bestanden bei zwei Tieren, zweimal lag ein Trauma, je einmal eine Darminvagination und eine Parodontose bei einem alten Tier vor. In den Schilddrüsen wurden einmal Verkalkungen und einmal Fettablagerungen festgestellt.

Tabelle 3:

K A T Z E N B Ä R E N (Ailuridae)

KATZENBÄR (Ailurus fulgens)

1.	0,1;	13 Jahre;	4,0 kg	Pleuritis:Perikarditis, Leberdegeneration: Gallengangssystenbildung: Zystenniere; Parodontose.
2.	0,1;	über 10 Jahre;	4,2 kg	Pneumonie: Lungenwurmbefall: Myokarditis: Glomerulonephrose; Gefäßwandverkalkungen; Anämie; Streptokokkeninfektion.
3.	0,1:	sehr alt:	4,4 kg	Chronische interstitielle Nephritis: Leberzelldegeneration: Verkalkungen in Herz, Schilddrüse und Aorta.
4.	0,1:	9 Jahre:	4,2 kg	Nicht sicher bestimmte Protozoeninfektion (eventuell Toxoplasmose)
5.	1,0;	7 Jahre;	4,2 kg	Staupeinfektion: Nachweis von Einschlußkörperchen: fibrinöse Pneumonie; Konjunktivitis: Hepatitis.
6.	1,0;	6 Jahre:	3,9 kg	Staupeinfektion, fluoreszenzmikroskopisch nachgewiesen: Darmparasitose.
7.	1,0;	6 Jahre	5,0 kg	Herzmuskeldegeneration: Leberzelldegeneration; Mischinfektion mit Salmonellen und Kokken.
8.	1,0;	adult;	3,2 kg	Getötet; wegen Sohlennekrose Hinterextremität amputiert: Kniegelenknekrose: Streptokokkeninfektion.
9.	0,1;	adult;	4,3 kg	Pneumonie: Enteritis, Myokarditis; Leberzelldegeneration;Staupeverdacht.
10.	I,1;	adult:	3,8 kg	Pasteurellose; Pleuritis; Pneumonie; (Quarantänetier)
11.	0,1;	adult	4,0 kg	Staupeinfektion: Magenruptur, Herzmuskeldegeneration.
12.	0,1;	adult;	3,8 kg	Erstickungstod durch Magenüberladung: Staupeverdacht; Schilddrüsenverfettung.
13.	0,1;	adult;	3,7 kg	Staupeverdacht; Frischimport; Salmonella typhi murium-Infektion.
14.	1,0;	adult;	4,0 kg	Staupeverdacht; fibrinöse Pneumonie; Salmonella typhimurium-Infektion
15.	0,1;	adult;	3,7 kg	Staupeverdacht; Darminvagination; Salmonella typhimurium-Infektion.
16.	1,0;	adult;	4,2 kg	Staupeverdacht; Leberzelldegeneration: Salmonella typhimurium-Infektion.
17.	0,1;	adult;	3,4 kg	Salmonellose: Pneumonie.
18.	1,0;	adult:	2,1 kg	Streptokokkeninfektion; eitrige Bronchopneumonie.
19.	1,0;	juvenil;	1,45 kg	Künstliche Aufzucht; eitrige Bronchopneumonie: fibrinöse Pleuritis: Enteritis.
20.	0,1;	juvenil:	1,2 kg	Transportschaden: Kachexie, Enteritis.
21.	1,0;	juvenil:	670 g	Staupeinfektion: Einschlußkörper nachgewiesen.
22.	0,1:	9 Wochen;	360 g	Halsbißverletzung: Pneumonie.
23.	1,0;	10 Wochen;	480 g	Verletzungen am Hals durch Herumtragen: Anämie.
24.	0,1;	6 Wochen:	250 g	Enzephalitis: Pneumonie: Sondenernährung.
25.	0,1;	wenige Tage:	60 g	Enzephalitis: Pneumonie.

Schließlich bleiben noch die Krankheitsbefunde der Großbären (Ursidae) (Tab. 4) zu besprechen. Die untersuchten 61 Tiere verteilen sich auf sieben verschiedene Arten. Den größten Anteil stellen die Eisbären (13) und die Brillenbären (11). Interessanterweise zeichnet sich bei der Durchsicht der Befunde deutlich ab, daß im Gegensatz zu den vorher besprochenen Bären, bei den Großbären die durch traumatische Einwirkung entstandenen Veränderungen an erster Stelle stehen. Neben Bißverletzungen spielen durch abstürzen entstandene Schlagverletzungen, besonders im Schädelbereich, eine herausragende Rolle. Frakturen, ausgedehnte Hämatome, Muskel- und Gefäßzerreißungen sowie Magenrupturen konnten beobachtet werden.

Besonders erwähnenswert ist das häufige Auftreten tumoröser Veränderungen. Allein bei den 11 untersuchten Brillenbären konnten wir erstens bei einem 28jährigen Tier ein Schilddrüsenkarzinom mit Metastasen in den Lungen, Unterhaut, Herzbeutel und Mediastinum beobachten, zweitens bei einem weiteren Tier ein Mammakarzinom, vergesellschaftet mit einem kavernösen Hämangiom in der Milz ermitteln und drittens bei einem anderen Brillenbären ein hepatozelluläres, stark metastasierendes Karzinom feststellen, beim gleichen Tier trat zusätzlich ein stark schleimbildendes, metastasierendes Adenokarzinom unbekannten Ursprungs auf. Zwei weitere Neubildungen waren die beiden Schilddrüsenadenome bei Malaienbären,und bei einem 30jährigen Braunbären wurde ein multiples, epitheliales Gewebswachstum diagnostiziert, was nicht exakt differenziert werden konnte.

Recht überraschend war die Feststellung, daß zwei Eisbären und ein Brillenbär typische Gallensteinbildungen erkennen ließen, ein Braunbär wies Gallenblasenkonkremente auf und ein dritter Eisbär zeigte eine schwere Gallenblasenentzündung. Die Gallenkonkrementbildungen entsprechen den vom Menschen her bekannten Steinbildungen und zeigen auch gleichartige Zusammensetzung (IPPEN, 1975). Mehrfach konnten zum Teil altersbedingte Wirbelknochenveränderungen nachgewiesen werden. Kalkablagerungen traten in Gefäßwandungen und Organen auf, in einem Falle handelte es sich um eine typische Bimsteinlunge bei einem jungen Brillenbären, als deren Ursache eine Vitamin D-Überdosierung nachgewiesen werden konnte (DJAKOV, 1967). Zu Cholesterinablagerungen kam es bei einem 30jährigen Malaienbären in der Lunge und bei einem 18jährigen Brillenbären wurde ein Plexus-Cholesteatom im Gehirn nachgewiesen. Entzündliche Prozesse, zum Teil in Form von Abszessen, aber auch als direkte Organentzündungen, wurden mehrfach durch Kokkeninfektionen hervorgerufen. Vereinzelt wurden Tuberkulose, Salmonellose und histologisch eine Mykose diagnostiziert. Wichtig erscheint es, an dieser Stelle noch einmal darauf aufmerksam zu machen, daß bei mehreren Tieren vor dem Tod eine Antibiotikabehandlung erfolgte, wodurch der bakteriologische Nachweis von Erregern unmöglich wurde. Von den parasitären Erkrankungen fielen die fünf zum Teil schweren Muskeltrichinosen der Eisbären besonders auf, wogegen zwei Askaridosen, ein Globidiennachweis und in einem Fall der Nachweis von Parasitengranulomen in der Lunge nur Einzelbefunde darstellten.

Versucht man abschließend die kurz erläuterten Befunde bei den verschiedenen Bärenarten im ganzen zu sehen, so wird deutlich, daß sich grundsätzliche Unterschiede in den Prioritäten der Krankheitsgeschehen abzeichnen. Die herausragende Bedeutung der Schilddrüsenerkrankungen einschließlich der Tumoren bei den Waschbären findet sich bei keiner anderen Bärenart in ähnlich ausgeprägter Form wieder. Bei den Nasenbären traten besonders stark entzündlich-infektiöse Prozesse hervor und die Katzenbären erkrankten und verstarben auffällig oft an einer Hundestaupe-Infektion. Die relativ große Gruppe der Großbären zeigte eine große Zahl von traumatisch bedingten Veränderungen und ließ mit 8 verschiedenen Tumoren bei 6 Tieren besonders häufig Geschwulsterkrankungen erkennen. Gallensteinbildungen und Trichinosen sind zwei weitere Besonderheiten, die speziell bei Eisbären beobachtet werden konnten. Es zeigte sich deutlich, daß man bei einer überblicksmäßigen Besprechung der Bärenkrankheiten nicht global von Bären sprechen und ausgehen sollte, sondern möglichst differenzieren muß, um brauchbare Aussagen zu erhalten. Auffällig bleibt jedoch der bei allen untersuchten Bärenarten zu beobachtende hohe Anteil von Schilddrüsenveränderungen sowie das gehäufte Auftreten von Tumoren bei Waschbären und Großbären.

Tabelle 4:

G R O S S B Ä R E N (Ursidae)

KAMTSCHATKABÄR (Ursus arctos beringianus)	
1. 1,0; adult; 215 kg Verletzung im Wasser führte zu Lähmungen, Epikardblutungen, Ösophagitis, Gastroenteritis. 2. 1,0; 3 Monate; 6,2 kg Darminvagination, Rektumprolaps von Geburt an, Exitus bei Operation.	3. 0,1; wenige Tage; 370 g Pleuropneumonie, Salmonellose, Globidienbefund.
EUROPÄISCHER BRAUNBÄR (Ursus arctos arctos)	
1. 1,0: 32 Jahre 250 kg Klinisch altersbedingter Verfall, hochgradig in Fäulnis übergegangen. 2. 0,1; 30 Jahre: 94 kg Kokkenseptikämie; Hüftgelenkentzündung: Nierenbeckenentzündung: Leberzirrhose: Enteritis: Gallenblasenkonkrement. 3. 0,1; über 30 Jahre 48 kg Multiples epitheliales Tumorwachstum ohne Enddifferenzierung; chronische interstitielle Nephritis: Schilddrüsen zystöse Entartung; Gefäßwandverkalkung. 4. 1,0; 8 Jahre; 250 kg Meningoencephalitis, Abszeßbildung in Unterhaut linksseitig, 3 l Eiter; Antibiotikabehandlung.	5. 1,0: 6 Jahre 207 kg Getötet wegen zentral-nervöser Störungen, Organe unverändert, Gehirn nicht untersucht. 6. 0,1: 6 Jahre: 220 kg Hitzschlag, maximale Hyperämie in allen Organen. 7. 1,0; 3,5 Jahre; 180 kg In der Umzäunung hängengeblieben, schwere Verletzungen im Halsbereich. 8. 0,1: juvenil: 12 kg Transporterschöpfung, Schädeltrauma. 9. 1,0: juvenil; 2,2 kg Pneumonie.
BARIBAL (Ursus americanus)	
1. 0,1: 10 Jahre: 150 kg Kreislaufversagen nach Immobilisation zur Versorgung einer Ulna-Radius-Fraktur. 2. 0,1: 6 Tage; 420 g Katarrhalische Pneumonie. 3. 0,1; 5 Tage; 275 g Keine Nahrungsaufnahme, Kreislaufinsuffizienz, Diplokokkeninfektion.	4. 1,0; 4 Tage: 250 g Pneumonie. 5. 1,0; 2 Tage; 330 g Kokkeninfektion: Verkalkungsvorgänge im Nierenmark; Blasenentzündung. 6. 0,1: 1 Tag; 350 g Hämatome im Halsbereich, Trauma.
KRAGENBÄR (Ursus thibetanus)	
1. 0,1; juvenil: 67 kg Streßsituation beim Einfangen, Nebennierenblutungen, Glomerulonephritis. 2. 1,0: 18 Monate; 61 kg Epileptiforme Anfälle, ausgedehnte Unterhauthämatome, keine Organschäden. 3. 1,0; 5 Tage; 400 g Pneumonie, Kokkeninfektion. 4. 1,0; 6 Tage; 380 g Mykose in Lunge und Darm; Histologischer Nachweis.	5. 0,1: 4 Tage: 450 g Pneumonie; Kokkeninfektion. 6. 1,0; 4 Tage; 380 g Pneumonie, Kokkeninfektion. 7. 0,1; 3 Tage; 350 g Pneumonie, Bronchitis. 8. 0,1: 4 Tage: 330 g Pneumonie, Enteritis. 9. 1,0; 1 Tag; 345 g Beginnende Pneumonie.

1. Fortsetzung Tabelle 4: GROSSBÄREN

EISBÄR (Thalarctos maritimus)

1. 0,1; etwa 30 Jahre; 150 kg
Getötet, Gallenblasenstein 50 g, Gallengangsentzündung, schwere Askaridose, chronische interstitielle Nephritis, Anthrakose.

2. 0,1; mindestens 26 Jahre; 152 kg
Getötet aus Altersgründen, Aortaverkalkung, Trichinose, zystöse Gallengangserweiterung, Nierenverkalkung.

3. 1,0; 22 Jahre ca. 180 kg
Kreislaufkollaps nach Sedierung, Blutungen an Herz und Nebenniere, Trichinose.

4. 0,1; etwa 20 Jahre; 205 kg
Gesichtsschädelverletzungen, Blut aus Mund und Nase, ertrunken, Lungenemphysem.

5. 1,0; 17 Jahre; 200 kg
Nekrose der Glans penis, Blasenlähmung, Abszeß und konfluierende Mikroabszesse im Unterbauchbereich, Leberdegeneration, Askaridose, Trichinose, Streptokokkeninfektion.

6. 0,1; etwa 8 Jahre; 260 kg
Totgebissen von Artgenossen, Jugularvenen zerrissen, Gallenstein, Anthrakose.

7. 0,1; etwa 4 Jahre; 160 kg
Vergiftung durch Hexachlorzyklohexan.

8. 1,0; adult; 300 kg
Herzdilatation, Blutungen im Kranzgefäßbereich, fortgeschrittene Fäulnis.

9. 0,1; adult; 260 kg
Phlegmone mit Nekrose am Zungengrund, Herzmuskeldegeneration, Leberdegeneration, Antibiotikabehandlung.

10. 0,1; adult; 145 kg
Getötet wegen Bewegungsunfähigkeit auf Grund einer massiven Trichinose, Plaquebildung in der Aortenwand, chronische interstitielle Nephritis, Enteritis.

11. 0,1; adult; 250 kg
Schwere traumatische Veränderungen im Halsbereich, Muskelzerreißungen und Hämatome, Kugelherz, Hyperämie.

12. 0,1; adult; 240 kg
Schädeltrauma durch Absturz ins Wasserbecken, Endokardblutungen, Trichinose, Lungenödem.

13. 0,1; 4 Tage; 675 g
Pneumonie, Glomerulonephritis.

MALAIENBÄR (Helarctos malayanus)

1. 0,1; 30 Jahre; 49,5 kg
Gebißdefekt, Oberkiefervereiterung, Zahnextraktion, chronische interstitielle Nephritis, Gastroenteritis, Cholesterinablagerung in der Lunge, Antibiotikabehandlung.

2. 1,0; 27 Jahre; 45 kg
Schilddrüsenadenom; Enteritis; Leberzirrhose; Anthrakose.

3. 1,0; adult; 46,0 kg
Getötet, Magengeschwüre, Wirbelknochen-Exostosen.

4. 0,1; adult; 45,0 kg
Enorme Schilddrüsenvergrößerung, Abszeßbildung nach Strumektomie, eitrige Thyreoditis, adenomatöse Schilddrüsenentartung, interstitielle Nephritis.

5. 0,1; 10 Wochen; 2,6 kg
Künstliche Aufzucht, Enteritis, fibrinöse Pleuritis, Antibiotikabehandlung.

6. 1,0; 8 Wochen 1,7 kg
Pneumonie, linksseitige Herzhypertrophie, Emphysem, deutliche Zyanose, Antibiotikabehandlung.

7. 1,0; 8 Tage; 470 g
Künstliche Aufzucht, Hepatitis, Pneumonie, eitrige Peritonitis.

8. 1,0; 1 Tag; 385 g
Bißverletzungen am Thorax und an den Hinterextremitäten, traumatisch bedingter Tod.

9. 1,0; 1. Tag; 400 g
Getötet wegen Bißverletzungen an der linken Hinterextremität.

10. 1,0; neugeboren; 360 g
Getötet, weil vom Muttertier Hinterbein abgebissen wurde.

2. Fortsetzung   Tabelle 4: GROSSBÄREN

BRILLENBÄREN (Tremarctos ornatus)	
1. 1,0; 28 Jahre; 179 kg Getötet wegen Bewegungsstörungen, bedingt durch Wirbelknochenexostosen, verruköse Endokardauflagerungen, Kranzgefäßverkalkungen, Hodensklerose, verkalkte Lungenparasitenknoten, Gallenblasenkonkremente.	5. 1,0; 7 Jahre; 74,2 kg Getötet wegen kavernöser verkäsender Lungentuberkulose, Nebennierentuberkulose.
2. 0,1; 28 Jahre: 70 kg Getötet: Schilddrüsenkarzinom mit Metastasen in mehreren Organen.	6. 0,1; adult; 43,0 kg Getötet wegen Mammakarzinom; Milz kavernöses Hämangiom; Herzklappenauflagerungen; Nephritis; Anthrakose.
3. 1,0; 18 Jahre: 72 kg Altersschwäche, verruköse Herzklappenauflagerungen, Wirbelknochenexostosen, Leberzirrhose, Nierengefäßwandhypertrophie, Gehirn: Cholesteringranulome, Nebennierensklerose, Hoden verkalkt.	7. 1,0; juvenil; 6,4 kg Enteritis; Leberschwellung (Verdacht auf H. c. c.)
	8. 0,1; 12 Wochen: 3,4 kg Ca-Stoffwechselstörung: Bimsteinlunge: Vitamin D-Überdosierung.
4. 0,1: ca. 18 Jahre: 49 kg Metastasierendes hepatozelluläres Karzinom. Gleichzeitiges Auftreten eines stark schleimbildenden Adenokarzinoms unbekannten Ursprungs mit Metastasen auf der Bauchhöhlenserosa. Tubulinephrose; Organkalzifizierung: Enteritis.	9. 1,0; wenige Tage; 630 g Lebensschwäche; Lungenödem.
	10. 0,1; wenige Tage; 520 g Keine Nahrungsaufnahme.
	11. 0,1; wenige Tage: 605 g Lungenödem.

Zusammenfassung

Obduktionsbefunde bei Bären (Procyonidae, Ailuridae und Ursidae)

Es werden von 144 Bärenobduktionen die Befunde dokumentiert und diskutiert. Gravierende Unterschiede in den Sektionsbefunden treten deutlich bei Kleinbären, Katzenbären und Großbären auf. Schilddrüsenerkrankungen, Staupeinfektionen, bakterielle Infektionen, Verletzungen, Geschwulstbildungen, Gallensteinbildungen und Trichinosen stellen besonders wichtige Krankheitsgeschehen bei Bären dar.

Summary

Diseases of Bear Species (Procyonidae, Ailuridae, and Ursidae)

A documentation is presented and discussed of 144 post-mortem findings obtained from bears. Significant differences were primarily found to exist between diseases of bears, raccoons and allies, and pandas. Thyroid diseases, distemper, bacterial infections, injuries, tumours, biliary calculi, and trichinosis ranked high on the list of common bear diseases.

Résumé

A propos des maladies d'ursidés (Procyonidae, Ailuridae et Ursidae)

L'auteur présente la documentation de 144 dissections d'ursidés pour les discuter par la suite. Des différences profondes apparaissent nettement dans le cours des maladies qui affectent les petits ours, les petits pandas et les grands ours. Les maladies essentielles chez des ursidés sont des maladies de la glande thyroïde, des infections morveuses, des infections bactériennes, des lésions, la formation de tumeurs, de calculs biliaires ainsi que des trichinoses.

Резюме

Заболевания медведей (Procyonidae, Ailuridae und Ursidae)

Обсуждаются и документируются результаты I44 секционных обследований медведей. Наблюдаются резкие различия в болезнях у малых, кошачьих и больших медведей. Основными заболеваниями медведей является поражение щитовидной железы, заразные инфекции, бактериальные инфекции, ранения, образование опухолей, образование камней в почечных протоках и трихиноз.

Literaturverzeichnis

DJAKOV, L., (1967): Calcinosis universalis bei einem jungen Brillenbären (Tremarctos ornatus). Zool. Garten 34, 270 - 275.

IPPEN, R., und H.-D. SCHRÖDER (1974): Auswertung der postmortalen Untersuchungsergebnisse bei in Gefangenschaft gehaltenen Landraubtieren. Verh.ber.Erkrg. Zootiere 16, 29 - 38.

IPPEN, R. (1975): Ein Beitrag zu einigen stoffwechselbedingten Veränderungen bei Zoo- und Wildtieren. Verh.ber. Erkrg. Zootiere 17, 187 - 196.

IPPEN, R. MEISTER, R., und D. HENNE (1985): Zu einigen Protozoenfunden bei Zoo- Carnivora. Milu, 6, 60 - 68.

v. MICKWITZ, C. U., und H.-D. SCHRÖDER (1967): Staupeinfektion beim Katzenbär (Ailurus fulgens). Verh.ber. Erkrg. Zootiere 9, 215 - 217.

v. MICKWITZ, C.U. (1968): Zur Staupe der Kleinbären (Procyoniden). Kleintierprax. 13, 80.

Anschrift der Verfasser: VR Prof. Dr. R. I p p e n
und Vet.Ing. Doris H e n n e
DDR-1136 Berlin
Am Tierpark 125 (DDR)

Aus der Klinik für Klein- und Heimtiere Berlin (Direktor VR Dr. L. SASSENBURG), Poliklinik Lichtenberg, Ambulanz für Exoten, Wild- und Zirkustiere (Leiter: VR. Dr. habil. A. KUNTZE) und aus der Sektion Tierproduktion und Veterinärmedizin, Bereich Chirurgie und Röntgenologie mit Tierklinik Hoppegarten (Leiter: OVR Prof. Dr. sc. O. DIETZ)

ELEKTROKARDIOGRAFISCHE UNTERSUCHUNGEN AN MIT METHADON - XYLAZIN BETÄUBTEN BÄREN (THALARCTOS MARITIMUS UND URSUS ARCTOS)

Von A. K u n t z e und J. M i l l

Nur ganz wenige Bären sind so zahm, daß einfache tierärztliche Manipulationen (klinische Untersuchungen, Injektion per Hand) ohne vorherige Immobilisation des Patienten durchführbar sind. Die medikamentelle Ausschaltung der Abwehrreflexe - eine conditio sine qua non in der zootierärztlichen Praxis - hat längst weltweit die für Kreislauf und adrenergisches System bedrohlichen mechanischen Zwangsmittel abgelöst. Bären zählen zu den Tierarten, bei denen narkosebedingte Zwischenfälle nicht a priori einkalkuliert werden müssen, obwohl auch hier - ganz anders als bei Mensch und Haustier - der pränarkotische Gesundheitszustand der großen Parenchyme und des Kreislaufs unbekannt ist. Nebenwirkungsfreie Betäubungsmittel gibt es nicht. Durch Kombination unterschiedlich angreifender Narkotika wird versucht, die Nebenwirkungsquote so gering wie möglich zu halten. Die gründliche Überwachung des Narkoseverlaufs durch Fachkräfte für Anästhesiologie bleibt auf große Tierkliniken beschränkt. Wichtige Parameter (Elektrokardiogramm, Laborwerte) können jedoch auch unter Praxisbedingungen kontrolliert werden.

Untersuchungsmaterial

16 Braun- (Ursus arctos) und 10 Eisbären (Thalarctos maritimus) wurden z.T. mehrmals mit Methadon (Polamivet[R]) und Xylazin (Rompun[R]) betäubt, so daß insgesamt 39 Narkosen ausgewertet werden konnten. Die meisten der 13,3 Braunbären waren nicht älter als 6 (1,5 - 8) Jahre (Tab. 1). Mit Ausnahme einer Zweijährigen befanden sich die restlichen 6,3 Eisbären im höheren (17 - 21 Jahre) Lebensalter (Tab. 2). Nur ausnahmsweise war die Körpermasse exakt bekannt, so daß der Dosierung das Schätzgewicht zugrunde gelegt wurde. Bei beiden Tierarten wurden durchschnittlich 0,1 - 0,2 ml/kg KM Polamivet und in der überwiegenden Mehrzahl nicht mehr als 0,6 - 1,0 mg/kg KM Rompun simultan in Mischspritze intramuskulär injiziert. Anfänglich waren 2,0 - 3,3 mg/kg KM Xylazin verabreicht worden. Die Wirkung begann etwa 5-8 min post injectionem und erreichte nach weiteren 10-18 min operationstüchtige Toleranz, die rund 20 - 35 Minuten andauerte. In Einzelfällen, wo sich die Anfangsdosierung als unzureichend erwies, wurden Teilmengen nachinjiziert. Zur Verlängerung des Toleranzstadiums wurden Nachinjektionen nicht vorgenommen. Postoperativ wurden die Patienten mehrere Stunden in wohltemperierter Umgebung (im Sommer im Schatten, während der Wintermonate zugfrei in einer Halle bei etwa 6 - 10 °C) gelagert. Narkosezwischenfälle oder auffällige klinische Veränderungen wurden nicht beobachtet.

Tabelle 1: Braunbären

Nr.	Geschlecht	Alter (Jahre)	Indikation	KM (kg) geschätzt	Polamivet ml	Rompun mg	Bemerkungen
1.	1,0	6	Klin.Unters.	150	30	100	+++ sehr kalt
2.	ders.	6	Röntgen,Blutbild	150	30	100	+++
3.	ders.	7	Blutentnahme	150	25	100	++
4.	1,0	6	Kastration	130	30	100	+++
5.	ders.	7	Blutentnahme	130	22	90	++
6.	0,1	7	Blutentnahme	75	10	50	+++
7.	0,1	5	Zahnextraktion	70	18	75	+++
8.	dies.	5	Ovarektomie	70	18	60	+++
9.	0,1	5	Ovarektomie (3)	65	18 (+4)	70 (+10)	++
10.	1,0	4	Kastration	150	25	75	+++ (xx)
11.	1,0	4	Kastration	130	20	75	+++
12.	1,0	2	Kastration	125	25	200	+++
13.	1,0	8	Abszeßspaltung (3)	150	30	500	+++

Nr.	Geschlecht	Alter (Jahre)	Indikation	KM (kg) geschätzt	Polamivet ml	Rompun mg	Bemerkungen
14.	1,0	2	Kastration	125	25	250	+++
15.	1,0	2	Kastration	84 (x)	16	85	+++
16.	1,0	3	Kastration	100	20	200	+++
17.	1,0	2	Kastration	90	18	175	+++
18.	1,0	1	Zahnextraktion	40	12	30	++
19.	1,0	1,5	Kastration	70	15	50	++ (xx)
20.	1,0	1,5	Kastration	50	12	40	++ (xx)

\+ = befriedigende Immobilisation (x) = gewogen
++ = gute Immobilisation (xx) = zusätzliche Lokalanästhesie
+++ = chirurgische Toleranz (3) = EKG

Tabelle 2: Eisbären

Nr.	Geschlecht	Alter (Jahre)	Indikation	KM (kg) geschätzt	Polamivet ml	Rompun mg	Bemerkungen
21.	1,0	18	klin.Unters.(3)	400	80	400	+++
22.	ders.	18	klin.Unters.(3)	400	80	400	+++
23.	0,1	19	Blutentnahme, klin.Unters. (3)	250	43	250	+++
24.	0,1	2	Zungenamputation	100	13,5	200	+ frak.Gabe
25.	1,0	17	Zahnextraktion	700	80	500	++
26.	ders.	17	Röntgen (3)	700	90	450	+++
27.	ders.	19	Blutentnahme	700	90	480	+++
28.	0,1	19	Sohlenwundversorgung (3)	250	45 (+5)	250 (+50)	++
29.	dies.	20	Sohlenwundversorgung	250	45	250	+++
30.	dies.	21	Sohlenwundversorgung (3)	250	45	250	+++
31.	1,0	18	Präput.op.	500	90	450	+++
32.	ders.	18	Laparotomie (3)	500	85	400	+++
33.	0,1	19	Opht. Unters. (3)	250	50	200	+ (xx)
34.	1,0	17	Dyspnoe,Tonsill.	600	80	500	+++
35.	1,0	18	Tonsillitis (3)	812 (x)	90	400	+++
36.	ders.	19	Sohlenkorrektur (3)	800	85	400	+++
37.	ders.	20	Sohlenkorrektur (3)	800	85	400	+++
38.	ders.	21	Zehenamputation (3)	750	75	400	+++
39.	1,0	18	Zahnextraktion	600	100	450	+++

\+ = befriedigende Immobilisation (x) = gewogen
++ = gute Immobilisation (xx) = zusätzliche Lokalanästhesie
+++ = chirurgische Toleranz (3) = EKG

Unter der Narkose wurden von 2 (1,1) Braun- und 5 (3,2) Eisbären sowie ohne medikamentelle Beeinflussung von einem zahmen Polarbären insgesamt 14 Elektrokardiogramme angefertigt. Die Elektrokardiogramme wurden als Extremitätenableitungen I II III VR VL und VF liegend (Seiten-, Bauch-, Rückenlage) in Geschwindigkeiten von 25 und 50 mm aufgezeichnet. Dabei wurden neben Narkoseverläufen auch besondere operationsbedingte Manipulationen erfaßt. Kurvenverlaufs- und Zeitwertanalysen wurden durchgeführt. Die Amplitudenbeurteilung war nur bedingt möglich und ließ aufgrund der variablen Körperlagen keine vektoriale Deutung des EKG's zu.

Diskussion

Xylazin zählt heute zu den Pharmaka, die in Kombination mit echten Narkotika oder dissoziativen Anästhetika weltweit bei nahezu allen Säugetieren Anwendung finden. Als alleiniges Immobilisans beim Grizzlybären (LINDAU und GORGAS, 1969), Kodiakbären (SAGNER und HAAS, 1969), Baribal und Brillenbären (SEIDEL, 1971) hat es sich nicht bewährt. In Verbindung mit Phenzyklidin (EULENBERGER und PUSCHMANN, 1976) erwies es sich als brauchbar. Vielerorts wird es heute mit Ketamin kombiniert (FOWLER, 1978; STRAUSS und SEIDEL, 1981; GÖLTENBOTH und KLÖS, 1982; WALLACH and BOEVER, 1983). Nur HAIGH et al. (1984) halten es beim wildlebenden Eisbären für nicht empfehlenswert.

Um wenigstens einmal von Medikamenten unbeeinflußte Basiswerte zu erhalten, wurde bei einem 18jährigen gesunden Eisbären das Elektrokardiogramm stehend und ohne Zwangsmaßnahmen aufgezeichnet (Tab. 3). Die Herzschlagfrequenz betrug 98 Herzschläge/min. Im Vergleich mit den narkotisierten Tieren ist die Überleitungszeit (PQ - Zeit) von den Vorkammern zu den Kammern relativ kurz. Wir sind uns bewußt, daß die so registrierte Herzfrequenz nicht frei von psychogenen Einflüssen ist und vermutlich höher als im Ruhezustand liegt, der narkosebedingte Abfall auf durchschnittlich 55,3 Herzschläge/min ist unverkennbar. Nach WALLACH und BOEVER (1983) schwankt die normale Herzfrequenz der Ursiden zwischen 60 - 90/min. In früheren Untersuchungen (an nicht betäubten Bären aller Spezies!) wurden Werte zwischen 88 - 140/min ermittelt (KUNTZE, 1965). 10 Minuten nach der i.m. Injektion war die Herzfrequenz auf 68 Herzschläge/min gesunken. In der Aufwachphase, die in Abhängigkeit von der Dosierung allgemein 1 - 1,15 h p.inj. einsetzte, resultierte allmähler Herzfrequenzanstieg mit gleichzeitiger Verkürzung der PQ-Zeit. Intraoperativ wurden z.B. bei Punktion der Zungenvene, Exungulation einer Zehe, Nierenpalpation oder Hautnaht Herzfrequenzerhöhungen registriert, wobei schlagartig die Reizleitungsstörungen aus dem elektrokardiografischen Bild verschwanden. Absetzen des Eierstockes, Blasen-, Bauchfell- und Muskelnaht waren nicht von Frequenzanstieg begleitet.

Tabelle 3:	HF	R-R t/sec	P	PQ Zeit	QRS	QT	ST	T	TQ	relat. QT Zeit
EKG ohne Medikation	98	0,61	0,08	0,13	0,06	0,30	0,15	0,08	0,33	0,38
10 min nach Beginn	68	0,96	0,08	0,20	0,12	0,32	0,12	0,08	0,59	0,33
20 min nach Beginn	57	0,98 bis 1,06	0,06	0,18	0,16	0,36	0,12	0,10	0,62	0,35
40 min nach Beginn	38	1,60	0,10	0,20	0,10	0,32	0,14	0,08	1,30	0,26
45 min nach Beginn	41	1,50	0,08	0,20	0,08	0,27	0,16	0,09	1,17	0,22
Aufwachphase	56	1,08	0,04	0,16	0,08	0,32	0,20	0,08	0,80	0,30
Durchschnittswert während der OP	47	1,29	0,06	0,18	0,08	0,33	0,17	0,12	1,02	0,29
Exungulation der Kralle	75 bis 65	0,80 bis 0,92	0,04	0,12	0,08	0,32	0,16	0,08	0,76	0,36 bis 0,33

Der Wirkungseintritt des Xylazins ist durch einen katecholaminbedingten kurzzeitigen, d.h. vorübergehenden Blutdruckanstieg gekennzeichnet, dem Bradykardie, myokardiale Depression und Blutdruckabfall folgen (KLEIN, 1980). Beim Pferd dauert der Blutdruckabfall mindestens 60 Minuten an (KERR et al., 1972). Wie die meisten kardiodepressiv wirkenden Pharmaka verursacht auch Xylazin Herzrhythmusstörungen (KLIDE, 1972/73). Sie sind nach SEDGWICK (1980) als erster Hinweis auf hypoxämische Zustände im Sinusrhythmus zu werten. Azidose und Anästhesie inaugurieren weitere Katecholaminausschüttung und Herzrhythmusstörungen (MATTSON, 1972/73). Schon 1971 beobachtete KRAFT rompunbedingte Herzreizleitungsstörungen beim Fleischfresser. Er rät, wie SHMIDL (1975) es bei herz-, leber- und nierengeschädigten Patienten vorsichtig anzuwenden. Bei einigen Tierarten wird im EKG nach intravenöser und auch nach intramuskulärer Verabreichung ein sinusatrialer und unter hoher Dosierung ein atrioventrikulärer Herzblock II. Grades (SCHMIDT, 1975) gefunden. In eigenen elektrokardiografischen Untersuchungen an Elefanten (MILL und KUNTZE, 1973) wurden zwar Sinusbradykardien, Herzblöcke jedoch nicht nachgewiesen. Das Herzminutenvolumen ist initial signifikant herabgesetzt, ohne daß sich das Schlagvolumen ändert offenbar ändert (CLARKE und HULL, 1969; GARNER et al., 1971).

Die meisten der elektrokardiografisch kontrollierten Ursiden waren vorgeschädigt. Der achtjährige Braunbär vertrug nach mehrwöchiger Krankheitsdauer (multipe subkutane Abszeßbildungen, zentralnervöse Störungen, Anorexie) die realtiv hohe Xylazindosierung (3,3 mg/kg) ohne gravierende Alterationen. Die narkosebedingte Hypoxie wird - wie das EKG von einer fünfjährigen Braunbärin belegt - offensichtlich gut vertragen, weil beide Betäubungsmittel relativ schnell metabolisiert und ausgeschieden werden. Nach GARCIA-VILLAR et al. (1981) beträgt die Xylazinhalbwertszeit 50 Minuten. Nur vereinzelt wurden bei beiden Braunbären atrioventrikuläre Blöcke sichtbar, sonst blieb der Herzrhythmus m.o.w. gleichmäßig und regelmäßig.

Abb. 1: Interpolierte ventrikuläre Extrasystole

Abb. 2: Ventrikuläre Extrasystolen

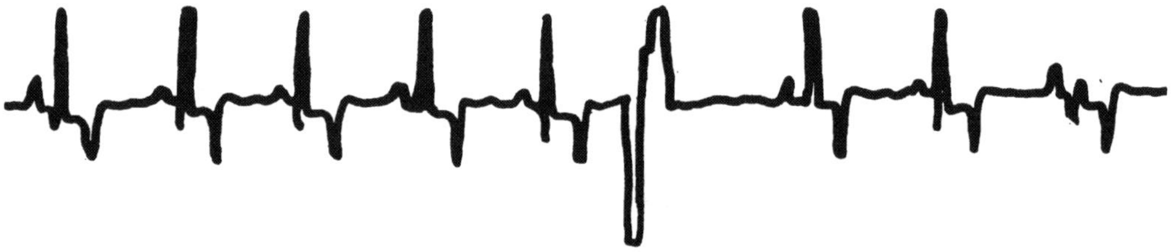

Abb. 3: A-V Extrasystolen mit kompensatorischer Pause

Im Gegensatz dazu fanden wir bei den wesentlich älteren Eisbären regelmäßig Störungen im Reizbildungs- und Reizleitungssystem. Sinusbradykardie, Vorhofextrasystolen, in einem Fall Vorhofflattern, ventrikuläre Extrasystolen und atrioventrikuläre Leitungsstörungen als AV - Block II. Grades traten auf (Abb. 1 - 3). Reizbildungsstörungen wurden gehäuft in den Anfangsphasen unserer EKG-Aufzeichnungen, d.h. 8 - 10 min post injectionem gefunden. In der Aufwachphase traten zwischen Herzfrequenzanstiegen auf 83 Hs/min immer wieder längere Phasen des Absinkens mit starken Unregelmäßigkeiten im Herzrhythmus auf.

Neben diesen m.o.w. funktionellen Störungen wurden bei den Eisbären auch Anzeichen rein organischer Schäden gefunden. Rechts- und Linksschenkelblöcke als Zeichen fokaler Nekrosen oder Myokardnarben, Anzeichen von Klappenfehlern in Form von Stenosen und Hinweise auf rechts- bzw. linksseitige Myokarderweiterungen waren nachweisbar.

Die Untersuchungen beweisen, daß die Herzfrequenz während der kombinierten Xylazin-Methadon Anästhesie deutlich absinkt. Die Erregungsüberleitung von den Vorkammern zu den Hauptkammern ist durch die Verlängerung der PQ-Zeit verzögert. Inwieweit diese Verzögerung einem AV Block I. Grades gleichzusetzen ist, kann hier nicht geklärt werden. Sympatikusreizung hebt diese Erscheinungen teilweise auf, indem die HF ansteigt und die PQ-Zeit sich verkürzt. Aus den Verlaufsuntersuchungen ist zu erkennen, daß etwa 15 - 20 min nach intramuskulärer Injektion ein operationsfähiges Narkosestadium mit vollständiger Sedierung und guter Analgesie erreicht ist, das etwa 45 - 60 min anhält. Danach klingt die analgetische Wirkung ab, während die Sedation noch weiter anhält.

Für die älteren, nachweislich kardial geschädigten Eisbären kann die anästhesiebedingte Hypoxie nicht kalkulierbare Risiken heraufbeschwören, da regelmäßig Reizbildungs- und Reizleitungsstörungen provoziert werden. Sie werden durch die xylazintypischen Eigenschaften, die Kontraktionsfähigkeit des linken Ventrikels herabzusetzen, begünstigt, wodurch es zur Stase im kleinen Kreislauf und weiterer Verschlechterung der Ventilationsverhältnisse kommen kann. Offenbar reicht auch die atropinähnliche Komponente des Methadons nicht aus, die xylazinbedingten Rhythmusstörungen zu kompensieren, obwohl die letztendlich von uns gewählten Dosierungen (0,5 - 0,8 mg/kg) unter den sonst praktizierten Mengen liegen; So verwendeten LINDAU und GORGAS 7 mg/kg, SAGNER und HAAS 9 mg/kg. BAUDITZ (1972) empfiehlt 8 - 10 mg/kg. SEIDEL (1971) sah nach 10 mg/kg Tachypnoe und heftige klonische Krämpfe. In Kombination mit Ketaminhydrochlorid werden 2 mg (WALLACH und BOEVER, 1983), 2,3 mg/kg (STRAUSS und SEIDEL, 1981) und von GÖLTENBOTH und KLÖS (1982) 1,5 mg/kg als ausreichend angesehen. Die von uns inzwischen begonnenen elektrokardiografischen Untersuchungen an mit Ketamin-Xylazin betäubten Bären werden zeigen, welche Narkotikakombination schonender ist. Wir sind uns bewußt, daß die von DUCKERT et al. (1985) vorgeschlagene Sauerstoffbeatmung in der Aufwachphase die Ventilationsverhältnisse wesentlich verbessern würde. Es ist nicht auszuschließen, daß durch optimale Haltung (tägliche Manegenarbeit, intensive Bademöglichkeiten) die Herzkreislaufdynamik verbessert und das Narkoserisiko etwas gemindert würde.

Zusammenfassung

Elektrokardiografische Untersuchungen an mit Methadon-Xylazin betäubten Bären (Thalarctos maritimus und Ursus arctos)

Von 39 Bärennarkosen mit Methadon (0,1 - 0,2 ml/kg KM) und Xylazin (durchschnittlich 0,6 - 0,8 mg/kg KM) intramuskulär, die an jungen (1,5 - 8 Jahre) Braun- und älteren Eisbären (18 - 20 Jahre alt) aus unterschiedlichster Indikation notwendig waren, wurden bei 2 Braun- und 12 Eisbären elektrokardiografische Kontrolluntersuchungen vorgenommen. Während bei den Braunbären nur vereinzelt hypoxämisch bedingte Arrhythmien auftraten, wurden bei den Eisbären Reizleitungs- und Reizbildungsstörungen; Vorhofextrasystolen, Herzblöcke I. und II. Grades und gelegentlich Vorhofflattern registriert. Die xylazinbedingten Narkoserisiken werden diskutiert.

Summary

Electrocardiographic Examination of Bears (Thalarctos maritimus and Ursus arctos) in Methadone-Xylacine Anaesthesia

Anaesthesia based on intramuscular injections of methadone (0.1 to 0.2 ml/kg body weight) and xylacine (between 0.6 and 0.8 mg/kg on average) was applied in 39 instances to young brown bears (between 1.5 and eight years of age) and to somewhat older polar bears (between 18 and 20 years old) for most various indications. Electrocardiographic follow-up checks were made on two of the brown bears and on twelve polar bears. Hypoxaemia-related arrhythmia was recorded in few cases from the brown bears. However, conduction defects, disturbed nervous impulses of the heart, auricular extrasystoles, atrioventricular blocks of first and second degree, and occasionally atrial flutter were recorded from the polar bears. Xylacine-related risks of anaesthesia are discussed.

Résumé

Examens électrocardiographiques des ours (Thalarctos maritimus et Ursus arctos) insensibilisés au Méthadon-Xylazine

Après les narcoses intramusculaires au Méthadon (0,1 à 0,2 ml/kg) et Xylazine (en moyenne 0,6 à 0,8 mg/kg) qui ont été nécessaires à cause des indications les plus différentes chez 39 ours bruns et ours polaires (les bruns à l'âge de 1,5 à 8 ans, les ours polaires de 18 à 20 ans), 2 ours bruns et 12 ours polaires ont été soumis aux examens de contrôle électrocardiographique. Pendant que chez les ours bruns on n'a observé que des arrhythmies sporadiques hypoxémiques, les ours polaires ont manifesté des perturbations de la conduction et de la formation des irritations: des extrasystoles de l'oreillette, des blocages du coeur Ier et IIe degré et par occurence battement de l'oreillette du coeur. Les risques de la narcose au Xylazine sont discutés.

Резюме

Электрокардиографические исследования на усыпленных Methadon-Xylazin медведях (Thalarctos maritimus, Urus arctos).

На 39 медведях применялся внутримышечный наркоз от 0,I - 0,2 мл/кг веса метадона и в среднем 0,6 - 0,8 мг/кг ксилацина.Наркоз проводился изза различных индикаций на молодых (I;5 - 8 лет) бурых и старых белых медведях (I8 - 20 лет), в дополнение на 2 бурых и I2 белых медведях электрокардиологические обследования велись для контроля. В то время как у бурых медведей только единичные вызванные гипоксемией арритмии, у белых медведей наблюдались возбуждение и нарушение передачи возбуждения,экстросистолы предсердья, блокада сердца I и II степени иногда мирцание предсердия. Обсуждается риск, вызванный применением ксилацина.

Literaturverzeichnis

BAUDITZ, R. (1972): Sedation, Immobilisation und Anästhesie von Zoo- und Wildtieren mit Rompun. Vet. med. Nachr. 204 - 230.

CLARKE, K.W., and L.W. HALL (1969): Xylazine - a new sedative for horses and cattle. Vet. Rec. 85, 512 - 517.

DUCKERT, J., SCHATZMANN, U., und E. AMMANN (1985): Die postnarkotische Hypoxie und ihre Therapie beim Pferd. Pferdeheilkd. 2, 95 - 98.

EULENBERGER, K., und W. PUSCHMANN (1976): Erfahrungen bei der Sedierung, Immobilisation und Anästhesie von Tieren des Leipziger Zoologischen Gartens. Verh.ber. Erkrg. Zootiere 18, 279 - 285.

FOWLER, M.E. (1978): Zoo and Wild Animal Medicine. Philadelphia, London, Toronto: W.B. Saunders Company.

GARCIA-VILLAR, R., TOUTAIN, P.L., ALVINERIE, M., and X. RUCKEBUSCH (1981): The Pharmacokinetics of Xylazine HCl: an interspecific study. J. Vet. Pharmacol. Therap. 4, 87 - 92.

GARNER, H.E., AMEND, J.F., and J.P. ROSBOROUGH (1971): Effects of Bay Va 1470 on cardiovascular parameters in ponies. Vet. Med. Small. Anim. Clin. 66, 1016 - 1021.

GÖLTENBOTH, R., und H.-G. KLÖS (1982): Die Immobilisation und Narkose von Zootieren im Zoo Berlin. Verh.ber. Erkrg. Zootiere 24, 125 - 130.

HAIGH, J.C., STIRLING, I., and E. BROUGHTON (1984): Clinical Experiences with Telazol for Polar Bear Immobilization. Ann. Proc. Am. Ass. Zoo Vet. 130 - 131.

KERR, D.D., JONES, E.W., HÜGGINS, R., and W.C. EDWARTS (1972): Sedation and other effects of Xylazine given intravenously to horses. Am. J. Vet. Res. 33, 525 - 532.

KLEIN, L. (1980): Clinical Pharmacology of Agents used in Restraint of Felidae and Hoofed Stock. Ann. Proc. Am. Ass. Zoo Vet. 7, 12.

KLIDE, A.M. (1972/73): Mechanismus of acute death associated with Restraint and Handling of Wild Animals. Ann. Proc. Am. Ass. Zoo Vet. 102 - 104.

KRAFT, H. (1971): Sedierung und Immobilisation von Zoo- und Wildtieren zum Transport. Verh.ber. Erkrg. Zootiere 13, 213 - 233.

KUNTZE, A. (1965): Klinische Beiträge zur Anästhesie und medikamentellen Immobilisation der Zootiere (Ursiden, Feliden, Ruminantier). Habil. Schrift, Humboldt-Universität, Berlin.

KUNTZE, A. (1980): Operative Eingriffe an Raubtieren (Felidae, Ursidae) unter Ambulanz-Bedingungen (1970 - 1979). Verh.ber. Erkrg. Zootiere 22, 223 - 231.

LINDAU, K.H., und M. GORGAS (1969): Versuche mit Bay Va 1470. Verh.ber. Erkrg. Zootiere 11, 135 - 137.

MATTSON, J.L. (1972/73): Understanding Respiratory Physiology as a Foundation for Restraint of Wild Animals. Ann. Proc. Am. Ass. Zoo Vet. 222 - 228.

MILL, J., und A. KUNTZE (1983): Elektrokardiographische Untersuchungen an liegenden und stehenden Elefanten (Elephas maximus) unter besonderer Berücksichtigung des Xylazineinsatzes Verh.ber. Erkrg. Zootiere 25, 349 - 355.

SAGNER, G., und G. HAAS (1969): Ein neues Mittel zur Anästhesie von Haus- und Wildtieren. Verh.ber. Erkrg. Zootiere 11, 131 - 133.

SCHMIDT, M. (1975): The use of Xylazine in captive Asian Elephants. Ann. Proc. Am. Ass. Zoo Vet. 1 - 11.

SEDGWICK, CH.J. (1980): Issues in Zoo Animal Medicine. Ann. Proc. Am. Ass. Zoo Vet. 12 - 15b.

SEIDEL, S. (1971): Erfahrungen mit Rompun (Bay-Va 1470) bei Immobilisation und Anästhesie von Wildtieren. Verh.ber. Erkrg. Zootiere 13, 219 - 225.

SHMIDL, J.A. (1975): Experimental use of Rompun. Ann. Proc. Am. Ass. Zoo Vet. 43 - 47.

STRAUSS, G., und B. SEIDEL (1981): Strumektomie bei einem Malayenbären (Helarctos malayanus Reffles 1821) und einem Indischen Löwen (Panthera leo persica Meyer 1826). Verh.ber. Erkrg. Zootiere 23, 307 - 312.

WALLACH, J.D., and I. BOEVER (1983): Diseases of Exotic Animals; Medical and Surgical management. Washington, Toronto: W.B. Saunders Company.

Anschrift der Verfasser: VR Dr. habil. A. K u n t z e
DDR-1157 Berlin
Robert-Siewert-Str. 34 (DDR)

Aus der Forschungsstelle für Wirbeltierforschung (im Tierpark Berlin)
(Direktor: Prof. Dr. sc. Dr. h. c. H. DATHE) der Akademie der Wissenschaften der DDR

BEITRAG ZU DEN ERKRANKUNGEN DER PINGUINE

Von H.-D. Schröder

Als urkomisch putzige, kleine Gesellen im schwarz-weißen Rock (GILLIARD und STEINBACHER, 1959) begegnen uns die Pinguine in vielen Zoologischen Gärten und Tierparks. Sie zählen mit zu den Hauptanziehungspunkten für die Besucher. Da ihre Einfuhr aus den Ursprungsländern sehr eingeschränkt wurde, kommt der gesundheitlichen Betreuung der vorhandenen Tiere sowie der Pflege ihres Nachwuchses eine besondere Bedeutung zu. Um Hinweise auf die hauptsächlichsten Krankheitskomplexe zu erhalten, wurden die bei 122 obduzierten Pinguinen (Tab. 1) erhobenen Befunde einer eingehenden Auswertung unterzogen. Das Material stammte aus verschiedenen tiergärtnerischen Einrichtungen und von einer Antarktisexpedition, an der Mitarbeiter der Forschungsstelle federführend beteiligt waren.

Tab. 1: Untersuchungsmaterial

Humboldtpinguine (Spheniscus humboldti)	62
Brillenpinguine (Spheniscus demersus)	28
Felsenpinguine (Eudyptes cristatus)	15
Eselspinguine (Pygoscelis papua)	14
Zügelpinguine (Pygoscelis antarctica)	2
Adeliepinguin (Pygoscelis adeliae)	1
	122

Mit 29,5 % kommt den Mykosen in unserem Untersuchungsmaterial zweifellos die größte Bedeutung zu. Sie werden überwiegend durch Aspergillus fumigatus verursacht. Die klinischen Erscheinungen sind in der Anfangsphase uncharakteristisch. Die Tiere können bei ungestörter Futteraufnahme abmagern, aber auch das abgeschluckte Futter wieder herauswürgen. Im fortgeschrittenem Stadium werden Atembeschwerden beobachtet, die auch bei anderen Erkrankungen auftreten können. Meistens kommt bereits in dieser Phase, wie die anschließenden Obduktionsergebnisse bestätigen, jeder Behandlungsversuch zu spät. Mit dem pathologisch-anatomischen Bild der Lungen- und Luftsackmykosen haben sich vor allen Dingen APPLEBY (1961), IPPEN (1961) und erst kürzlich LOUPAL (1983) eingehend befaßt. Danach ist das makroskopische Bild der Luftsackmykose weitgehend vom Alter des Prozesses abhängig. Da es in den dünnen, serösen Häuten der Luftsäcke nicht zur Ausbreitung in die Tiefe kommen kann, bestehen die ersten Veränderungen auf der epithelialen Auskleidung der Luftsäcke aus kleinen, erhabenen, weißen Flecken. Bei Fortschreiten des Krankheitsprozesses wird die gesamte innere Oberfläche des Luftsackes in Mitleidenschaft gezogen, so daß die normalerweise dünne, durchsichtige Luftsackwand bindegewebig verhärtet und somit ihre Elastizität verliert. Schließlich können die Luftsäcke nicht mehr kollabieren und bleiben als steife, pergamentartige Tüten zurück. Neben diesen Prozessen werden auch häufig im Lungengewebe zahlreiche, kleine, gelblichweiße Knoten, die meistens scharf vom umgebenden unveränderten Gewebe abgesetzt sind, angetroffen. Daß derartige Prozesse vorher kaum noch therapeutisch zu beeinflußen waren, versteht sich von selbst. Es kommt also darauf an, eine Pilzinfektion in ihrer Anfangsphase zu erkennen. Die sich hierfür anbietenden diagnostischen Möglichkeiten sind aber fast alle mit einer gewissen Unsicherheit behaftet. So liegt beim Trachealabstrich die Unsicherheit in der Unterscheidung von saprophytischem und pathologischem Vorkommen von Pilzen. Bei der röntgenologischen Untersuchung ergibt sich die Schwierigkeit der differentialdiagnostischen Abgrenzung anderer krankhafter Prozesse. Am ehesten könnte im Röntgenbild noch die Verdickung einer Luftsackwand als Hinweis auf eine Mykose gedeutet werden. Es wäre zu überlegen, ob in derartigen Fällen die Endoskopie zur Absicherung der Diagnose herangezogen werden sollte. Sie würde außerdem den Vorteil der Materialentnahme unter Sichtkontrolle bieten. In jüngster Zeit sind auch serologische Verfahren zur Feststellung der Aspergillose bei Vögeln eingesetzt worden. So haben GRIMM (1981) sowie RÜBEL und ISENBÜGEL (1983) den indirekten Hämagglutinationstest zur Diagnostik der Aspergillose herangezogen. Sowohl

GRIMM (1981) bei Bussarden als auch RÜBEL und ISENBÜGEL (1983) bei Papageien fanden im Anfangsstadium einer Aspergillose höhere Titer, die bei Bestehenbleiben der Erkrankung langsam wieder absanken. Titer von 1 : 8 wurden als fraglich und solche von 1 : 16 als positiv bewertet. In eigenen Untersuchungen wurden bisher die Seren von 44 Zoovögeln, darunter von 12 Pinguinen, +) mit diesem Verfahren überprüft. Für diese Untersuchungen wurde das Aspergillus fumigatus - HA - Antigen (Roche) eingesetzt. Es handelt sich bei diesem Antigen um Polysaccharide mit mehreren serologisch aktiven Komponenten. Es werden Antikörper erfaßt, die gegen die Zellwandantigene des Pilses gerichtet sind. Von den getesteten Pinguinen reagierten im indirekten Hämagglutinationstest 11 Tiere negativ, während bei einem Tier ein Titer von 1 : 32 festgestellt wurde. Da dieses Tier Gleichgewichtsstörungen und Stagnation in der Entwicklung zeigt, wurde es separiert und behandelt, so daß auch serologische Verfolgsuntersuchungen möglich sind. Es sind weitere Untersuchungen vorgesehen, um abzuklären, welche Titerstufe bei Pinguinen für eine frische Infektion spricht. Eine wirksame Behandlung ist offensichtlich nur von einer Kombinationstherapie zu erwarten, in der neben der oralen Applikation von Antimykotika gleichzeitig eine Inhalationsbehandlung vorgenommen wird. Die Hauptstoßrichtung bei der Bekämpfung der Mykosen ist aber zweifelsohne in der Prophylaxe zu sehen. Hierzu gehören neben entsprechenden Hygienemaßnahmen eine optimale Fütterung und Vitaminversorgung. Nach WALLACH und BOEVER (1983) wird ein Thiamindefizit als entscheidender Faktor bei der Entstehung von Mykosen angesehen. Auf die Bedeutung der nasalen Salzsekretion bei Meeresvögeln für die Entwicklung von Mykosen (DATHE, 1962; SCHWARZ, 1967) sei nochmals hingewiesen. Hinzu kommt, daß die von den Pinguinen angelegten Bruthöhlen günstige Voraussetzungen für die Vermehrung von Pilzen bieten. Wir konnten schon bei Jungtieren, die der Bruthöhle entnommen worden waren, mykotische Veränderungen in den Lungen feststellen. Bekanntlich können Pilzsporen die unversehrte Eischale durchdringen, so daß sich die Frage stellt, ob nicht in gefährdeten Beständen alle Jungtiere nach Verlassen der Bruthöhlen einer Daktarinkur unterzogen werden sollten.

Als zweithäufigste Erkrankung folgen in unserem Material mit 15,6 % die Plasmodieninfektionen. Sie werden hauptsächlich in den Sommermonaten (Juli/August) beobachtet und verlaufen meist akut bis perakut. In Einzelfällen wurde auch ein protrahierter Verlauf festgestellt. Bei akutem und perakutem Geschehen sterben die Tiere ohne vorher klinisch wahrnehmbare Anzeichen einer Erkrankung gezeigt zu haben. Bei der Sektion werden neben Milz- und Leberschwellung Stauungserscheinungen in den Lungen ermittelt. Bei der histologischen Untersuchung werden meistens exoerythrozytäre Entwicklungsformen der Plasmodien in den Zellen des retikoloendothelialen Systems gefunden, während im Blutausstrich keine Erreger bzw. ihre Entwicklungsstadien nachweisbar sind. Das erklärt sich aus der Tatsache, daß Pinguine für Plasmodien ungewöhnliche Wirte darstellen und sich daraus Abweichungen vom normalen Entwicklungszyklus der Parasiten ergeben, in dem vermehrt exoerythrozytäre Generationen auftreten und die aus erythrozytären Schizonten stammenden Merozoiten wiederum Zellen des retikoloendothelialen Systems befallen können, woraus ausgesprochene Superinfektionen resultieren (MUDROW und REICHENOW, 1959). Diese Besonderheiten im Entwicklungszyklus von Plasmodien bei Pinguinen, die oft schon zu Fehldiagnosen geführt haben, lassen sich nach GRÜNBERG und KUTZER (1963) damit erklären, daß der phylogenetisch ältere Befall der Körperzellen gegenüber dem Befall der Erythrozyten nur dann dominiert, wenn es einer Plasmodienart gelingt, in einem sogenannten ungewöhnlichen Wirt Fuß zu fassen. Für die Übertragung der Infektion ist Culex pipiens, die in unseren Breiten häufigste Stechmücke verantwortlich. GRÜNBERG und KUTZER (1963) konnten in den Speicheldrüsen und der Thoraxmuskulatur von im Tiergarten Schönbrunn gefangenen Mücken mehrmals Sporozoiten nachweisen. Die in fast allen tiergärtnerischen Einrichtungen vorhandenen Teich- und Wassergräben bieten diesen Mücken geeignete Brutplätze. Als Infektionsreservoir sind gekäfigte und freilebende Sperlingsvögel anzusehen, die latent infiziert sind. So stammt der erste überhaupt in Deutschland im Jahre 1899 von FROSCH gemachte Fund von Vogelplasmodien aus Sperlingen des Bezirks Berlin-Weißensee (RAETHEL, 1960).

+) Der Leitung und den beteiligten Mitarbeitern des Zoologischen Garten Schwerin (Direktor: Dipl.-Biologe D. Z s c h e i l e) sei auch an dieser Stelle für die Unterstützung bei der Durchführung dieser Untersuchungen gedankt.

Bei der Bekämpfung leisten die bekannten Anti-Malaria-Präparate (Tindurin, Primaquine u.a.) gute Dienste. Nach eigenen Erfahrungen kann die Mortalitätsrate im Verlauf einer Malaria-Enzootie erheblich gesenkt werden. Besser ist selbstverständlich eine entsprechende Prophylaxe mit diesen Präparaten. Sie sollten in Abhängigkeit von den jeweiligen klimatischen Bedingungen zum Einsatz kommen. Nach GRÜNBERG und KUTZER (1963) liegt die untere Temperaturgrenze der Entwicklungsfähigkeit für Plasmodien in Culexarten bei etwa 14 °C, so daß normalerweise nur bei diesen Bedingungen infektiöse Mücken auftreten können. ENIGK (1961) empfiehlt außerdem die vorhandenen Teiche und kleinen Wasseransammlungen in den Sommermonaten mit einer Kontaktinsektizidemulsion zu besprühen, um dadurch die Mücken als Zwischenwirte zu bekämpfen.

Mit 9,8 % stehen die <u>Fußleiden</u> bei den Pinguinen bereits an dritter Stelle. Sie beginnen meistens mit Erosionen an den Fußsohlen und Knotenbildungen an den Schwimmhäuten. Nicht immer wird Lahmheit im Anfangsstadium beobachtet. Im weiteren Krankheitsverlauf weisen die Knotenbildungen zentrale, nekrotische Zonen auf. Bei Anschnitt wird ein körniger, abszeßähnlicher Inhalt sichtbar, wie man ihn vergleichsweise bei den Ballengeschwülsten der Greifvögel antrifft. Auch das nachgewiesene Keimspektrum ist sehr ähnlich. So konnten wir auch bei Pinguinen in mehreren Fällen in den nekrotischen Massen Staphylococcus aureus ermitteln. Bei Fortschreiten der Erkrankung werden auch die benachbarten Knochen, Sehnen und Gelenke in Mitleidenschaft gezogen, was schließlich zur Septikämie und zum Tod der Tiere führen kann. Die Ursachen dieser Fußerkrankungen sind offensichtlich komplexer Natur. GUTHKNECHT (1978) sieht z.B. in der Bodenbeschaffenheit einer Pinguinanlage den Grund für die Entstehung dieser Fußleiden. Nachdem ein rauher Zementboden mit einem entsprechenden Anstrich versehen wurde, gingen die Erkrankungen erheblich zurück. SPENGLER (1979) vermutet, daß der überwiegende Aufenthalt von Pinguinen auf dem Land mit dem Aufquellen der Sohlenhaut durch zu feuchte Haltung zusammenhängt und daß Drucknekrosen entstehen, die sekundär mit gehegespezifischen Erregern infiziert werden. Während im Anfangsstadium der Erkrankung noch ein Behandlungsversuch mit antibiotischen Salben und Kortisonpräparaten gerechtfertigt erscheint, sind fortschreitende Prozesse therapeutisch kaum noch zu beeinflußen. Nach SPENGLER (1979) bietet der Einsatz einer Autovakzine größere Erfolgsaussichten. Möglicherweise kommt auch noch anderen Faktoren (Mangelzuständen?) bei der Entstehung dieser Erkrankungen eine Bedeutung zu.

Die in unserem Material geführten Parasitennachweise betrafen fast ausschließlich Tiere, die von der schon erwähnten Antarktisexpedition stammten. Im Vordergrund der pathologisch-anatomischen Veränderungen standen die parasitären Knotenbildungen im Darmtrakt, die durch Bandwürmer (Parorchitis zederi) verursacht worden waren (IPPEN et al., 1981). Hierdurch wird erneut die Notwendigkeit der parasitologischen Kontrolluntersuchung neu eingestellter Tiere unterstrichen, selbst wenn diese direkt aus antarktischen Regionen kommen.

In sechs Fällen wurden Pseudomonas-Infektionen, hauptsächlich durch Pseudomonas aeruginosa verursacht, ermittelt. Im pathologisch-anatomischen Bild dominierten die Serositiden und Perikarditiden. Meistens wiesen die Tiere einen guten Ernährungszustand auf, was auf einen akuten Krankheitsverlauf schließen läßt. Ähnliche Beobachtungen hatten auch HEIDENREICH und HINZE (1977) gemacht.

Bei zwei Pinguinen wurden Perforationen des Magendarmkanals durch Fremdkörper festgestellt. Bei einem dieser Tiere wurden am Vortage Blutaustritt aus dem Schnabel und röchelnde Atmung beobachtet. Bei der Sektion wurde festgestellt, daß ein Holzstück den Verdauungskanal im Bereich des Übergangs vom Ösophagus zum Magen perforiert hatte.

<u>Zusammenfassung</u>

<u>Beitrag zu den Erkrankungen der Pinguine</u>

Auf der Basis der bei 122 Pinguinen erhobenen Obduktionsbefunde wird zu den hauptsächlichsten Krankheitskomplexen Stellung genommen. Die größte Bedeutung kommt danach den Mykosen (29,5 %), den Plasmodieninfektionen (15,6 %) sowie den Fußleiden (9,8 %) zu. Die sich daraus für die Diagnostik, Therapie und Prophylaxe ergebenden Schlußfolgerungen werden diskutiert.

Summary

Diseases of Penguins

Reference is made to the most common causes of death, with the information being largely based on post-mortem findings recorded from 122 penguins. Mycoses were Number One in the list (29.5 per cent), followed by plasmoidian infections (15.5 per cent), and foot diseases (9.8 per cent). Conclusions resulting from these findings for diagnosis, therapy, and prophylaxis are discussed in some detail.

Résumé

Une contribution aux maladies des pingouins

Sur la base des constatations lors de l'autopsie de 122 pingouins l'auteur discute les causes primordiales des pertes parmi eux. Ainsi, les mycoses (29,5 %), les infestations aux plasmodiums (15,5 %) et les affectations aux pieds (9,8 %) sont les maladies les plus fréquentes. L'auteur discute les conclusions relatives au diagnostic, à la thérapie et à la prévention des maladies.

Резюме

Сообщение о заболеваниях пингвинов.

На основе обдукционых исследований I22 пингвинов, дается обзор , описывающей причины падежа.Большую часть заболеваний дают микозы (29,5 %),инфекции плазмодиями (I5,5 %) и заболевания лапок (9,8 %). Обсуждается диагностика, терапия и профилактика выше указанных заболеваний.

Literaturverzeichnis

APPLEBY, E. C. (1961): Mycosis of the respiratory tract of penguins. Verh.ber.Erkrg. Zootiere 3, 93 - 101.

BERGER, G., und H.-E. SCHNEIDER (1973): Haltungsbedingungen und Erkrankungen bei Pinguinen im Zoo Dresden. Verh.ber.Erkrg. Zootiere 15, 307 - 315.

DATHE, H. (1962): Zur Pathogenese von Mykosen bei Zoovögeln. Mh.Vet.-Med. 17, 544 - 548.

ENIGK, K. (1961): DieBekämpfung der parasitären Infektionen der Zootiere. Verh.ber.Erkrg. Zootiere 3, 1 - 12.

GILLIARD, E. T., und G. STEINBACHER (1959): Knaurs Tierreich in Farben. Vögel. München und Zürich: Droemersche Verlagsanstalt.

GRIMM, F. H. (1981): Der indirekte Hämagglutinationstest zur Diagnose der Aspergillose. Unveröffentlicht.

GRINER, L. A., and B. W. SHERIDAN (1967): Malaria (Plasmodium relictum) in penguins at the San Diego Zoo. Am. J. Vet. Clin. Path. 1, 7.

GRÜNBERG, W. und E. KUTZER (1963): Infektionen mit Plasmodium praecox bei Humboldt- (Spheniscus humboldti) und Brillenpinguinen (Spheniscus demersus). Zbl. Bakt. I. Orig. 189, 511 - 520.

GUTHKNECHT, P. (1978): Fußerkrankungen bei Humboldt-Pinguinen. Verh.ber.Erkrg. Zootiere 20, 255 - 256.

HEIDENREICH, M., und K. H. HINZ (1977): Pinguinerkrankungen in zoologischen Gärten. Verh.ber.Erkrg. Zootiere 19, 227 - 234.

IPPEN, R. (1961): Über die Aspergillose bei verschiedenen Vogelarten in Zoologischen Gärten. Verh.ber.Erkrg. Zootiere 3, 107 - 110.

IPPEN, R., ODENING, K.,und D. HENNE (1981): Cestoden- (Parorchites zederi) und Sarkosporidienbefall (Sarcocystis spec.) bei Pinguinen der Süd-Shetland-Inseln. Verh.ber.Erkrg. Zootiere 23, 203 - 210.

LINDT, S., und B. HOERNING (1966): Über Malaria bei Pinguinen. Verh.ber.Erkrg. Zootiere 8, 223 - 230.

MUDROW, L., und E. REICHENOW (1959): Malariaerkrankungen bei Pinguinen. D. Zool. Garten 26, 284 - 286.

RAETHEL, H.-S. (1960): Plasmodieninfektionen bei Pinguinen des Berliner Zoologischen Gartens und ihre Bedeutung für die Pinguinhaltung. Kleintierprax. 5, 64 - 70.

RÜBEL, A., und E. ISENBÜGEL (1985): Diagnose und Therapie der Atemwegsaspergillose bei Psittasiden. Unveröffentlicht.

SCHWARZ, D. (1967): Der Einfluß der Salzsekretion auf die Entwicklung von Mykosen bei Meeresvögeln. Verh.ber.Erkrg. Zootiere 9, 291 - 296.

SPENGLER, R. (1979): Zu einigen Erkrankungen bei Humboldtpinguinen im Zoo Landau, Verh.ber.Erkrg. Zootiere 21, 231 - 233.

STOSKOPF, M. K., and J. BEIER (1979): Avian malaria in African black-footed penguins. J. Am. Vet. Med. Assoc. 175, 944 - 947.

WALLACH, J. D., and W. J. BOEVER (1983): Diseases of exotic animals. Philadelphia-London - Toronto: W. B. Saunders Company, p. 856.

Anschrift des Verfassers: VR Dr.med.vet. H.-D. S c h r ö d e r
DDR - 1136 Berlin
Am Tierpark 125 (DDR)

From Department of Veterinary Pathology, Division for Diseases of Special Animals, State University Utrecht (Head: Prof. Dr. P. ZWART)

PLESIOMONAS SHIGELLOIDES IN BLACK-FOOTED PENGUINS - A FACTOR IN BREEDING RESULTS?

By P. Zwart, N. Willebrands, M. N. Buitelaar, and G. M. Dorrestein

Introduction

Plesiomonas shigelloides is a gram-negative non-sporulating, motile bacterium provided with lophotric flagellae. It was recognised as a separate genus by HABS and SCHUBERT (1962), belonging to the family of the vibrionaceae. The bacterium can be isolated more or less selectively on brilliant-phenol-red (B. P. R.) agar and SS-agar. Adding inositol to the B. P. R. agar provides an effective selective medium (SCHUBERT, 1977).

P. shigelloides occurs worldwide in a wide variety of hosts, predominantly in animals which live in or near waters or from animals which eat fish. P. shigelloides also occurs in zoological garden BAUWENS et al. (1983) isolated Plesiomonas from mammals like bears, seals, a sea lion, and from birds, such as penguins, a pelican, cormorants, a heron, storks, ibises, flamingos and gulls. The microorganism has also been isolated from freshwater fishes (ARAI et al., 1980, SCHUBERT, 1981).

The pathogenicity of P. shigelloides is still somewhat unclear. In case of diarrhoea, however, especially during summertime, its frequency is increased. On the other hand, P. shigelloides in many places occurs in natural surroundings without any indication of beiing infectious. Experimental infection of human volunteers gave no illness (SAKAZAKI et al., 1959). The microorganism may trigger pathogenic effects of well known pathogens, such as Shigellae and Salmonellae.

It was noted that breeding results of penguins in the Amsterdam Zoo "Artis" were not optimal and that a larger percentage of young birds died. P. shigelloides occurred in quantity in dead chicks. A study was made on the frequency and possible pathogenic effects of the microorganism.

Material and methods

Breeding results and death rates of chicks of black-footed penguins (Spheniscus demersus) were analysed from zoo records. Pathogenic effects were concluded from post mortem examinations. Faecal examination of a group of 27 clinically healthy black-footed penguins was either performed by cloacal swabbing or by examination of spontaneously produced faeces. Inoculations were made on blood agar, inositol-brilliant-green bile-salt agar (Plesiomonas differential agar, Merck 15106), B. P. R. agar (Kristensen, mod. IUB), and tetrathionate broth. Identification of isolates was performed with the APO 20E system.

The surroundings, i. e. nesting holes, water from the basin, feed fish, and 13 herons living free in the zoo were also examined for the presence of Plesiomonas.

A therapy, based on antibiograms (Neosensitabs Rosco), was induced in one breeding season over a period of five days. Vitamin A, carotene, and beta carotene levels of the liver were analysed for their importance to the resistance of the animals.

Results

Breeding results. The results of the years 1961 - 1982 have been recorded by LELOUP (1982) and are summarised for the period of our own observations (Table 1).

Results of post mortem examinations

Results of post mortem examinations are summarised in Table 2.

Table 1: Breeding records of black-footed penguins, 1980 - 1984

Findings	1980 - 1981x	1981 - 1982x	1982 - 1983x	1983 - 1984x	Mean
Eggs produced(n)	138	100	125	119	120
Eggs hatched(n)	72	56	61	47	59
Chicks dead 6 wks old(n)	42	7	37	22	27
Chicks alive 6 wks (n)	30	49	24	25	32
Eggs hatched (%)	52.2	56	48.8	39.5	53.2
Chicks 6 wks old (%)	41.7	87.5	39.3	53.2	55.4

x Breeding season is from August to May

Table 2: Post mortem examination of black-footed penguins, 1981 - 1984

Findings	1981	1982	1983	1984	Total
Penguins dead (n)	42	29	31	16	118
Sent for post mortem (n)	19	16	17	13	65
Plesiomonas isolated (n)	7	3	6	5	21
Ples. in anim. 6 wks (n)	7	2	5	5	19
Ples. + Aspergillosis (n)	2	-	-	1	3
% pos. Plesiomonas	36.8	18.8	35.3	38.5	32.35x

x Mean of percentages

In a number of cases the infection was found in animals of only one or a few days old and once in an animal that stuck in the egg. In all cases Plesiomonas was isolated from the intestinal tract and, occasionally, from parenchymal organs, too. There was no distinct pathology which could be attributed to Plesiomonas.

Faecal examination of fully grown healthy black-footed penguins (Table 3).

Contamination of food and environment (Table 3).

Table 3: Plesiomonas in healthy penguins, food and environment

Material	n	n pos.	% pos.
Faeces, penguins (spontaneous)	20	10	50
Faeces, penguins (swab)	24	16	66.7
Fish	2	1	50
Brooding holes	12	4	33.3
Water basin	2	1	50
Faeces, free living herons	13	3	23.1

Therapeutic treatment of black-footed penguins

From antibiograms made of five isolates, it appeared that all of these were sensitive to chloramphenicol, flumequine, sulphonamide, trimetoprim-sulph (TMP-S), and trimetoprim. T + S was choosen for practical reasons. In a trial with two penguins faecal excretions were examined over 24 hours. It appeared that 24 hours after a single dose of TMP-S at 20 mg/kg body weight (60 mg/animal) therapeutic concentrations were still present in the faeces (92.6 resp. 45.7 mcg/g faeces). (Analyses: Dr. J. F. M. NOUWS, Laboratory Municipal Slaughterhouse, Nijmegen, the Netherlands). On this basis, a group of 24 penguins was dosed with TMP-S over a period of five consecutive days. To perform this, an aqueous solution of TMP-S was injected into feeding fish. Faecal examination, a few days after therapy, revealed that all animals were free of P. shigelloides. Some months later, 14 individuals of the treated group were checked again. It appeared that at that moment seven (50 %) harboured Plesiomonas in the faeces.

Vitamin A status of black-footed penguins

Vitamin A content, carotene, and beta carotene were analysed in the livers of twelve penguins aged 2 - 38 days (Table 4). (Analyses: Central Institute for Food Research (CIVO), Chemical Department, Zeist, the Netherlands)

Discussion

The group of adult penguins was fairly constant over the period from 1980 to 1984. There were sufficient nesting holes in that period to prevent marked competition. No eggs were laid in the open air, which added to goal breeding results. Compared to the situation in nature where hatching occurs from about 70 % of eggs, results in a zoo are clearly poorer. In captivity, fracture of egg shells contributes distinctly to poor hatching results. It appears also that the percentage of animals dying before six weeks of age is high. In this respect, the quality of feeding fish might be of primary importance. Deficiencies and infections, i. e. aspergillosis and possibly Plesiomonas, could also contribute. To possibly clarify the various factors, we have consider the results of laboratory testing.
From post mortem examinations, it appears that the percentage of dead animals from which Plesiomonas shigelloides was isolated is distinctly lower (mean 32.35 %) than from fully grown clinically healthy penguins. BAUWENS et al. (1983), too, found Plesiomonas in clinically healthy animals. The death rate among young penguins was lower in 1982, and so was the incidence of Plesiomonas in the same year, another result to support the assumption that Plesiomonas was a primary or at least contributory factor. In our opinion, the more finding of Plesiomonas is insufficient to be considered as the primary cause of disease or death.

Table 4: Vitamin A status of young black-footed penguins (livers)

Age Days	Cause of death	Vitamin A IU/G	Carotene Mcg/g	Beta carotene Mcg/g
2	Unknown	98	0.68	0.3
4	Pericarditis	13	0.19	0.1
12	Unknown	32	0.20	0.1
13	Unknown	26	0.27	0.1
19	Aspergillosis	31	0.36	0.1
20	Plesiomonas	33	0.38	0.1
25	Aspergillosis	11	0.37	0.1
29	Pneumonia	31	0.14	0.1
30	Aspergillosis	41	0.24	0.1
38	Pneumonia	29	0.39	0.1
?	Plesiomonas	61	0.39	0.1
?years	Malaria	1260	0.25	0.1

In this respect, the results of therapy are of interest, as well. It is clearly possible to eradicate Plesiomonas from a group of penguins in which the animals live in close contact with each other. However, after some months, 50 % of the treated animals re-excreted the microorganism. These animals had been most probably infected from the environment, such as water, food or contaminated material in the surroundings. Periodic cleaning and disinfection of nesting holes and frequent change of water could improove the situation. The vitamin A status of the animals which died was examined as a possible factor influencing the resistance of animals. Young birds, generally, have low levels of vitamin A in their livers, which however are built up within some weeks (Chicken at 1 - 4 weeks of age 61 IU vit. A /gm liver and 333 IU at 4 - 7 weeks of age.) From analyses of the penguins, it appears that vitamin A levels in the liver did not change over of five to six weeks after birth. The poor vitamin A status certainly contributed to increased susceptibility to various infections, such as aspergillosis. It is known from chicken (MORTON, 1960) that vitamin A deficiency in itself could be a cause of death of young black-footed penguins.

Summary

Plesiomonas shigelloides in black-footed Penguins - A factor in breeding results?

Supposing that poor breeding results in black-footed penguins (Spheniscus demersus) were related to the occurrence of the gramnegative bacterium Plesiomonas shigelloides, an analysis was made of its occurrence and possible importance. P. shigelloides was found in 32.35 % of penguins that died but in 50 - 66 % of clinically healthy animals. Therapy had no permanent effect on the rate of infection. The vitamin A content of livers of young penguins did not rise over five to six weeks. Thus, poor vitamin A status could be either a primary cause of death or contribute to susceptibility to Plesiomonas shigelloides.

Zusammenfassung

Plesiomonas shigelloides-Infektionen bei Brillenpinguinen - ein Faktor bei der Aufzucht?

Von der Vermutung ausgehend, daß schlechte Aufzuchtergebnisse bei Brillenpinguinen mit dem Vorkommen von Plesiomonas shigelloides im Zusammenhang stehen können, wurden Untersuchungen über die mögliche Bedeutung dieser Keimart durchgeführt. Dabei konnte Plesiomonas shigelloides bei 32,35 % der gestorbenen Pinguine, aber auch bei 50 - 66 % der klinisch gesunden Tiere, nachgewiesen werden. Eine Behandlung hatte keinen permanenten Einfluß auf die Infektionsrate. Der Vitamin-A-Gehalt der Leber bei jungen Pinguinen stieg innerhalb von fünf bis sechs Wochen nach der Geburt nicht an. Somit könnte schon der Vitamin-A-Mangel allein den Tod der Tiere erklären, aber zumindest zu einer erhöhten Empfänglichkeit gegenüber Infektionen mit Plesiomonas shigelloides führen.

Résumé

A propos des infestations aux Plésiomonas-shigelloides chez les manchots du Cap - s'agit-il d'un facteur de l'élevage?

En soupçonnant une relation entre les résultats mauvais de l'élevage des manchots du Cap et la présence de Plésiomonas shigelloides on a étudié l'importance petentielle de ces germes. On a pu identifier les Plésiomonas shigelloides chez 32,35 % des manchots mourus et aussi chez 50-66 % des animaux sains. Le traitement n'avait pas des effets permanents au degré de l'infestation. Le teneur en vitamine A du foie des jeunes manchots du Cap n'a pas été augmenté pendent les 5 à 6 semaines après la naissance. Ainsi, seule l'avitaminose A pourrait expliquer la mort des animaux mais au moins susciter une sensibilité plus élevée aux infestations aux Plésiomonas shigelloides.

Резюме

Plesiomonas shigelloides - инфекция у очкастых пингвинов - фактор разведения ?

Исходя из предположения, что неудовлетворительные результаты разведения очкастых пингвинов находятся в зависимости от наличия инфекции,
авторами проводились исследования по выяснению возможного значения этого вида инфекции. При этом у 32,35 % павших пингвинов и у 50 - 66 % клинически здоровых птиц обнаружены возбудители Plesiomonas shigelloides Лечение не оказывало влияние на степень заражения. Содержание витамина A в печени молодых пингвинов не повышалось в течение пяти - шести недель после рождения. Смерть животных уже можно было бы обьяснить недостатком витамина A, или по крайней мере недостаток витамина способствовал или приводил к повышенной чувствительности к Plesiomonas shigelloides инфекции.

References

ARAI, T., IKEJIMA, N., ITOH, T., SHIMADA, T., and R. SAKAZAKI (1980): A survey of Plesiomonas shigelloides from aquatic environments, domestic animals, pets and humans. J. Hyg. 84, 203 - 211.

BAUWENS, L., De MEURICHY, W., LEMMENS, P., and J. VANDEPITTE (1983): Isolation of Plesiomonas shigelloides and Edwardsiella species in the Antwerp Zoo. Acta Pathol. et Zool. Antwerp. (in press).

HABS, H., und R. H. W. SCHUBERT (1962): Über die biochemischen Merkmale und die taxonomische Stellung von Pseudomonas shigelloides (Bader). Zbl. Bakt. Abt. I. Orig. 186, 316 - 326.

LELOUP, M. J. A. E. (1982): The black-footed penguin Spheniscus demersus in Artiszoo Amsterdam, 1961 - 1982. Bijdragen tot de dierkunde. 52, 61 - 81.

MORTON, R. A. (1960): Vitamins and hormones. 18 543. (Cited by STAM, J. W. E. Een onderzoek naar de Vitamine A behoefte bij de duif. Diss. Utrecht, 1965).

SAKAZAKI, R., NAMIOKA, S., NAKAYA, R., and H. FUKUMI (1959): Studies on so-called paracolon C27 (Ferguson). Jap. J. med. Sci. Biol. 12, 355 - 363.

SCHUBERT, R. H. W. (1977): Über den Nachweis von Plesiomonas shigelloides HABS und SCHUBERT, 1962, und ein Elektivmedium, den Inositol-Brillantgrün-Gallesalz Agar. E. Rodenwald-Arch. 4, 97 - 103.

SCHUBERT, R. H. W. (1981): Zur Ökologie von Plesiomonas shigelloides. Zbl. Bakt. Hyg. Abt. I. Orig. 172, 528 - 533.

Address of authors: Prof. Dr. P. Zwart
Veterinary Faculty
3508 TD Utrecht (Netherland)

From University of Jyväskylä, Department of Biology, University of Oulu, Finland, and from University of Ljubljana, Faculty of Biological Engineering, Veterinary Department, Ljubljana, Yugoslavia

STUDIES ON HYMENOLEPIDID CESTODES IN TUFTED DUCK (AYTHYA FULIGULA) FROM THE HAILUOTOT ISLAND IN THE BAY OF BOTHNIA

By T. E. Valtonen, E. Merila, and J. Brglez

Introduction

Although a number of studies dealing with the parasitic fauna of European waterfowl exist, only few surveys have been published on the northern most part of our continent. While several cestode families parasitise anatids, including Aythya spp., the most frequently encountered tapeworms, have been described from Central and Western Europe. Presented in this report are the results of parasitological faunistic examinations of 43 tufted ducks, Aythya fuligula, from the island of Hailuoto in the Bay of Bothnia, with particular reference being made to hymenolepidid cestodes. Tufted duck is the most abundant local and migrant bird among all waterfowl on Hailuoto island. Tufted ducks nest in colonies, generally close to the water. They are gregarious birds, usually seen in parties of a few dozens though sometimes in big flocks, and they mix freely with pochards and other species of waterfowl. They are diving ducks. According to the ornithological data on the island of Hailuoto to 1.200 nesting pairs of birds are registered.

The most prevalent species of hymenolepidid tapeworms in tufted duck from the Hailuoto island were Fimbriaria fasciolaris, Dicranotaenia coronula, Microsomacanthus compressa, and M. arcuata.

Material and methods

Between 1977 and 1979, during the hunting season, 43 tufted ducks, Aythya fuligula, of different sex and ages from the Hailuoto island in the northern part of the Bay of Bothnia were parasitologically examined for hymenolepidid cestodes. The birds were shot down and, as a rule, were autopsised several hours after their death. Therefore, it was possible to collect numerous live parasite species. Worms were relaxed and fixed in 5 % formalin before being stored in 70 % ethanol. Representative scolices were aquash mounted to faciliate observation and measurement of hooks.

Results

Among different species of helminths the following hymenolepidid cestodes were recorded: Anatinella spinulosa (DUBININA, 1953) SPASSKY, 1963, Aploparaksis furcigera (RUDOLPHI, 1819) FUHRMANN, 1926, Dicranotaenia coronula (DUJARDIN, 1845), Fimbriaria fasciolaris (PALLAS, 1781), Diorchis elisae (SKRJABIN, 1941) SPASSKY and FRESE, 1961, Microsomacanthus compressa (LINTON, 1892) LOPEZ-NEYRA, 1943, 1942, M. paracompressa (CZAPLINSKI, 1956) SPASSKAJA and SPASSKY, 1961, M. arcuata (KOWALEWSKI, 1904), Sobolevicanthus gracilis (ZEDER, 1803) SPASSKY and SPASSKAJA, 1954, S. octacantha (KRABBE, 1869) SPASSKY and SPASSKAJA, 1954, S. dafilae (POLK, 1942) Yamaguti, 1959, S. krabbeella (HUGHES, 1940) RYJIKOV, 1956 and Retinometra macracanthos (LONSTOW, 1877) SPASSKY, 1963.

Fimbriaria fasciolaris was found in 65.1 % of examined ducks, Dicranotaenia coronula in 44.2 %, Microsomacanthus compressa in 46.5 % and M. arcuata in 34.9 % of the examined tufted ducks.

A great number of juvenile cestodes in examined tufted ducks were observed, and up to 350 specimens of tapeworms in one single bird indicated that tufted ducks on the Hailuoto island were among the most havily infected ducks in this nesting and breeding ground of waterfowl.

Close examination of ducks, Anatidae, from the Hailuoto island, by species, age and by season, revealed interesting patterns of population growth of different hymenolepidid cestode species. This could be seen by comparing the cestode fauna which was very rich only in few cestode species in immature birds. Epizootiologically, tufted ducks were in the same time migrating visitors on the island from northern Europe. The hymenolepidid cestodes fauna in tufted ducks from the Hailuoto island is present in the same host in Iceland, West Siberia, Kamchatka, and other regions, as reported by McDONALD (1969), BAER (1956, 1962), SPASSKAJA (1966), and others.

Summary

Studies on hymenolepidid cestodes in tufted duck (Aythya fuligula) from the Hailuoto island in the Bay of Bothnia

Presented in this report are the results of parasitological faunistic examinations of 43 tufted ducks, Aythya fuligula, from the island of Hailuoto in the Bay of Bothnia. The most prevalent species of hymenolepidid cestodes were Dicranotaenia coronula, Microsomacanthus compressa, M. arcuata, and Fimbriaria fasciolaris.

Zusammenfassung

Studien über die hymenolepididen Cestoden der Reiherenten (Aythya fuligula) von der Insel Hailuoto in der Bothnischen Bucht

In dieser Studie wird über die faunistischen Ergebnisse bei 43 Reiherenten (Aythya fuligula) von der Insel Hailuoto in der Bothnischen Bucht berichtet. Die häufigsten Bandwurmarten waren Dicranotaenia coronula, Microsomacanthus compressa, M. arcuata und Fimbriaria fasciolaris.

Résumé

Quelques études des cestodes hyménolépidides chez les canards (Aythya fuligula) de l'île de Hailuoto dans la baie de Bothnie

Les auteurs présentent les résultats faunistiques des 43 canards (Aythya fuligula) de l'île de Hailuoto dans la baie de Bothnie. Les espèces les plus féquentes de ténia ont été les Dicranotaenia coronula, Microsomacanthus compressa, M. arcuata et Fibriaria fasciolaris.

Резюме

Изучение гименолепидидных гестодов у уток (Aythya fuligula) острова Наилуото в Ботнической бухте

Описаны результаты обследований 43 уток Aythya fuligula проживающих на острове Наилуото в Ботнической бухте. Чаще всего у птиц встречались солитеры вида: Dicranotaenia coronula, Microsomacanthus compressa, M. arcuata, Fibriaria fasciolàris.

References

BAER, J. G. (1956): Parasitic helminths collected in West Greenland. Meddel. Grønland, 124, 1 - 55.

BAER, J. G. (1962): Cestoda. Zool. Iceland, 2, 1 - 63.

McDONALD, M. (1969): Catalogue of Helminths of waterfowl (Anatidae). Wildlife No. 125, Washington.

SPASSKAJA, D. P. (1966): Cestody ptic SSSR, Gimenolepididi. Nauka, Moskva.

Address of authors: Dr. T. E. Valtonen
University of Jyväskylä
Seminaarinkatu 15
SF - 40100 Jyväskylä (Finland)

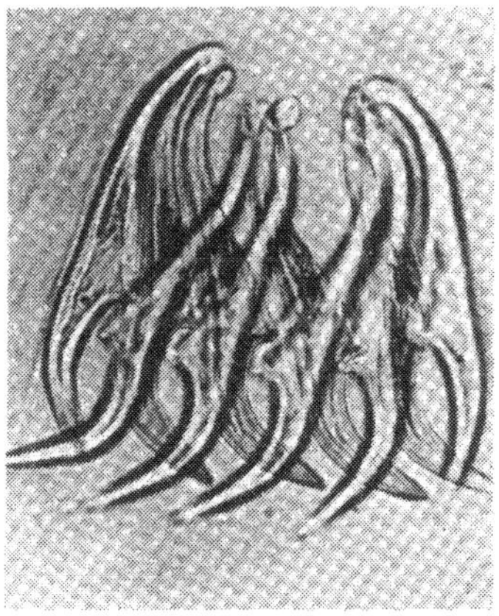

Fig.1: Anatinella spinulosa,hooks on the rostellum

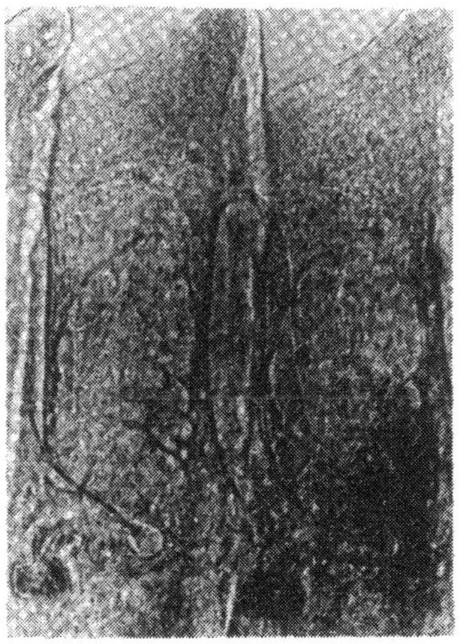

Fig.2: Sobolevicanthus octacantha,part of strobila

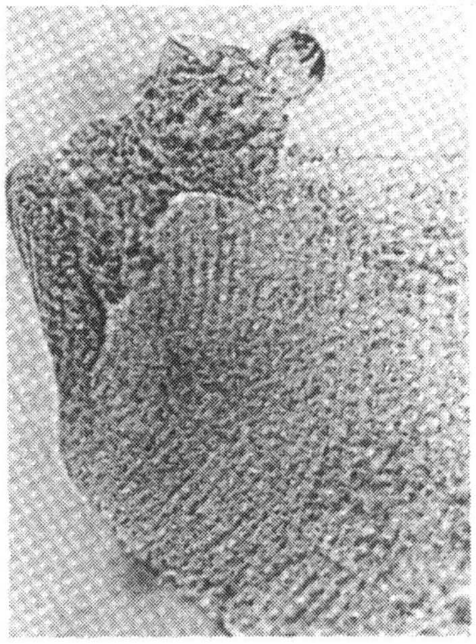

Fig.3: Fimbriaria fasciolaris, anterior part

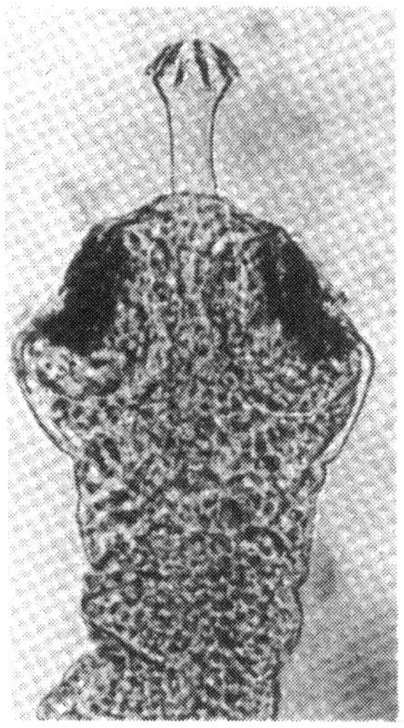

Fig.4: Diorchis elisae, scolex and rostellum

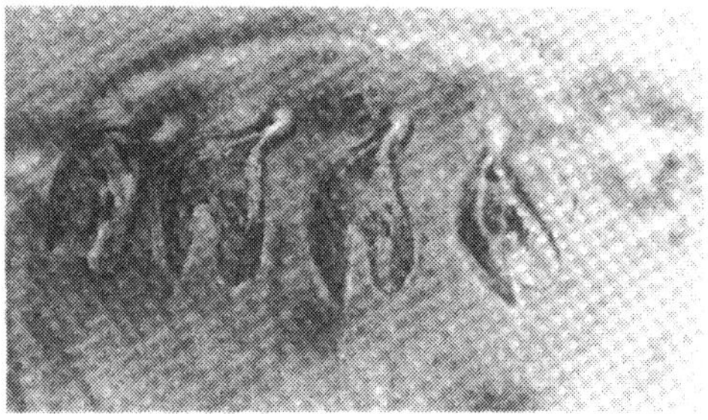

Fig.5: Aploparaksis furcigera, hooks on the rostellum

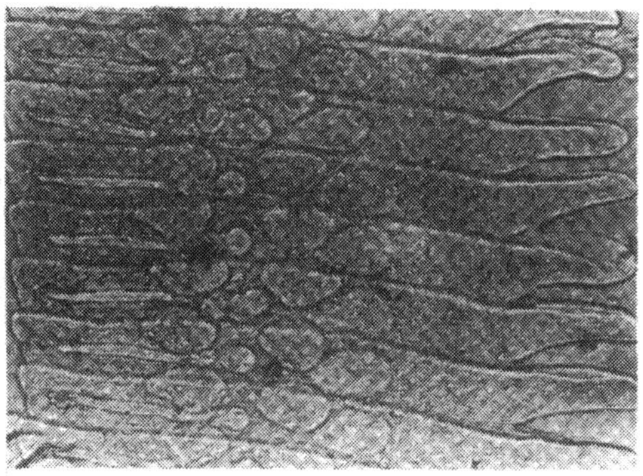

Fig.6: Microsomacanthus arcuata, strobila

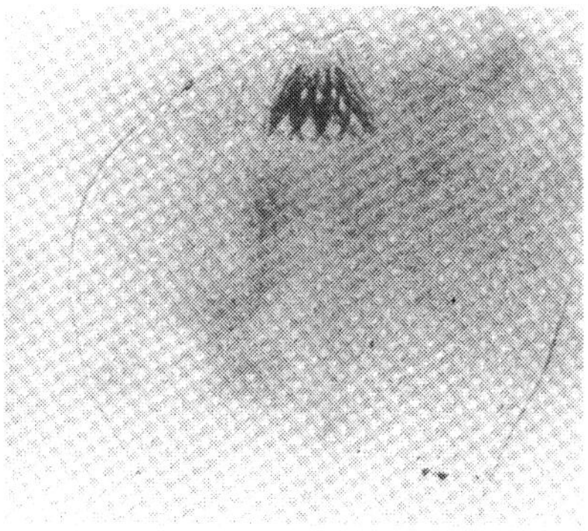

Fig.7: Microsomacanthus crabbeella, scolex

Fig.8: Microsomacanthus compressa

From University of Ljubljana, Faculty of Biological Engineering, Veterinary Department, Ljubljana, Yugoslavia and from University of Oulu, Finland

HYMENOLEPIDID CESTODES OF DUCKS FROM THE ISLAND OF HAILUOTO IN THE BAY OF BOTHNIA

By J. Brglez, T. E. Valtonen, and E. Merila

Introduction

The present paper describes the results of an investigation of hymenolepidid cestodes in 121 ducks, Anatini, from the island of Hailuoto in the Bay of Bothnia. Parasitological, faunistic, and epizootiological examinations were carried out during the period from August 1978 to autumn 1981 and were based on material of 50 teals, Anas crecca, 25 pintails, A. acuta, 19 wigeons, A. penelope, 16 mallards, A. platyrhynchos, six garganeys, A. querquendula, and five showelers, A. clypeata.

Twenty-one species of different hymenolepidid cestodes were recovered and identified in the following order: Anatinella spinulosa (DUBININA, 1953) SPASSKY, 1963, Aploparaksis furcigera (RUDOLPHI, 1819) FUHRMANN, 1926, Dicranotaenia coronula (DUJARDIN, 1845) TAILLIET and HENRY, 1909, Diorchis asiatica SPASSKY, 1963, Diorchis elisae (SKRJABIN, 1941), Diorchis inflata (RUDOLPHI, 1819), Diorchis ransomi SCHULTZ, 1940, Diorchis stefanskii CZAPLINSKI, 1956, Diploposthe laevis (BLOCH, 1782) JACOBI, 1897, Drepanidolepis anatina (KRABBE, 1869) SPASSKY, 1963, Drepanidotaenia lanceolata (BLOCH, 1782) RAILLIET, 1892, Fimbriaria fasciolaris (PALLAS, 1781) FROELICH, 1802, Microsomacanthus abortiva (LINSTOW, 1904), Microsomacanthus arcuata (KOWALEWSKI, 1904) SPASSKAJA and SPASSKY, 1961, Microsomacanthus compressa (LINTON, 1892) LOPEZ-NEYRA, 1942, Microsomacanthus paracompressa (CZAPLINSKI, 1956) SPASSKAJA and SPASSKY, 1961, Myxolepis collaris (BATSCH, 1786) SPASSKY, 1959, Retinometra macracanthos (LINSTOW, 1877) SPASSKY, 1963, Sobolevicanthus gracilis (Zeder, 1803) SPASSKY and SPASSKAJA, 1954, Sobolevicanthus dafilae (POLK, 1942) YAMAGUTI, 1959, Sobolevicanthus krabbeella (HUGHES, 1940) RYJIKOV, 1956, Sobolevicanthus octacantha (KRABBE, 1869) SPASSKY and SPASSKAJA, 1954.

Of the 121 ducks collected in the course of this study, none was found to be completely free of infection by hymenolepidid cestodes. The data presented here are intended to supplement previous studies of parasitic fauna concerning ducks in the Bay of Bothnia to provide a more compete picture of distribution of tapeworms among different species of waterfowl in this region where there are known breeding and nesting grouds for a huge number of waterfowl.

History

A bibliographic collection concerning helminthic parasites of Anatidae, McDONALD (1969) included the few examinations of hymenolepidid cestodes in waterfowl in the northern most part of our continent. In a Catalogue of Helminths of Waterfowl (Anatidae), McDONALD reported of all of the known distribution of some tapeworm species among different final hosts and, at the same time, summarised other information available on each helminth which parasitesed in waterfowl. BAER (1956, 1962) reportet of findings of Haploparaxis groenlandica, Hymenolepis pseudosetigera, and Diorchis diorchis, and other species of cestodes in waterfowl from West Greenland and Iceland. FUHRMANN (1913) reported of Fimbriaria intermedia, Anomotaenia ciliata, Hymenolepis macrocephala, H. jaegerskioeldi and H. diorchis in the examined material from the Museum of Göteborg in Sweden. FUHRMANN (1914) added information about his finding of a tapeworm of Fimbriaria fasciolaris and F. intermedia in Sweden. CZAPLINSKI (1956) summarised hymenolepidid cestodes among domestic and wild Anseriformes in Poland. SPASSKAJA (1966) reported in her monograph on hymenolepidid cestodes in the territory of the Soviet Union. McLAUGHLIN and BURT (1973) recorded the cestode parasites of black duck, Anas rubripes, from New Brunswick, and BISHOP and THREFALL (1974) recorded parasites of the common eider, Somateria mollissima, from Newfoundland. McLAUGHLIN and BURT (1979) reported on hymenolepidid cestodes in waterfowl from New Brunswick in Canada. The authors recorded twenty-one species of tapeworms, among them A. rubripes, A. discors, A. americana, A. platyrhynchos, A. acuta, Aythya sp., Branta canadensis, Bucephala clangula, and others.

Material and methods

Between August 1979 and autumn 1981, 121 ducks, Anatini, were examined for hymenolepidid cestodes, among them 50 teals, A. crecca, 25 pintails, A. acuta, 19 wigeons, A. penelope, 16 mallards, A. platyrhynchos, six gargeneys, A. querquendula, and five showelers, A. clypeata, which came from the Hailuoto island in the Bay of Bothnia in Finland. Birds were aged and sexed, and two age categories were recognised young birds, hatched within the same year, and a socalled adult group of birds. Nearly all birds were shot down by hunters in the hunting season between 21 and 31 of August. Ducks were autopsied as soon as possible, and their opened intestines were washed by the Whitlock technique. Tapeworms were collected and fixed in 5 % formalin (24 hours) and stored in 70 % ethanol and morphologically examined and processed as previously outlined (BRGLEZ, 1981). Details of morphological examinations were compared with descriptions by SPASSKAJA (1966), SPASSKY and SPASSKAJA (1954), YAMAGUTI (1959), and others.

Results

The results of parasitological faunistic examinations of 121 ducks, Anatini, from the nesting and breeding grounds of the island Hailuoto in the Bay of Bothnia in Finland are given in the following tables. Parasitological examinations revealed twenty-two species of hymenolepidid cestodes among different species of ducks.

Table 1

Incidence of hymenolepidid cestodes in A.acuta and A.querquendula from the Hailuoto island in the Bay of Bothnia

Species of hymenolepidid cestode	Anas acuta						Anas querquendula					
	All 25		Adult 15		Young 1o		All 6		Adult 1		Young 5	
	Infect.	%		%		%		%		%		%
Anatinella spinulosa	4	16.o	1	6.6	3	3.3	–		–		–	
Aploparaksis furcigera	3	12.o	3	20.o	–		–		–		–	
Diorchis elisae	–		–		–		2	33.3	1	(1oo)	1	20.o
Diorchis inflata	2	8.o	2	13.3	–		–		–		–	
Diorchis stefanskii	9	36.o	5	33.3	4	40.o	2	33.3	1	(1oo)	1	20.o
Drepanidotaenia anatina	1	4.o	–		1	10.o	–		–		–	
Drepanidotaenia lanceolata	–		–		–		1	16.6	1	(1oo)	–	
Microsomacanthus abortiva	2	8.o	1	6.6	1	1o.o	–		–		–	
Microsomacanthus arcuata	2	8.o	1	6.6	1	1o.o	–		–		–	
Microsomacanthus paracompressa	8	32.o	6	40.o	2	20.o	–		–		–	
Myxolepis collaris	3	12.o	2	13.3	1	1o.o	–		–		–	
Retinometra macracanthos	1	4.o	1	6.6	–		–		–		–	
Sobolevicanthus dafilae	1	4.o	1	6.6	–		–		–		–	
Sobolevicanthus octacantha	–		–		–		5	50.o	1	(1oo)	2	40.o
Fimbriaria fasciolaris	9	36.o	3	33.3	4	40.o	2	33.3	1	(1oo)	1	20.o

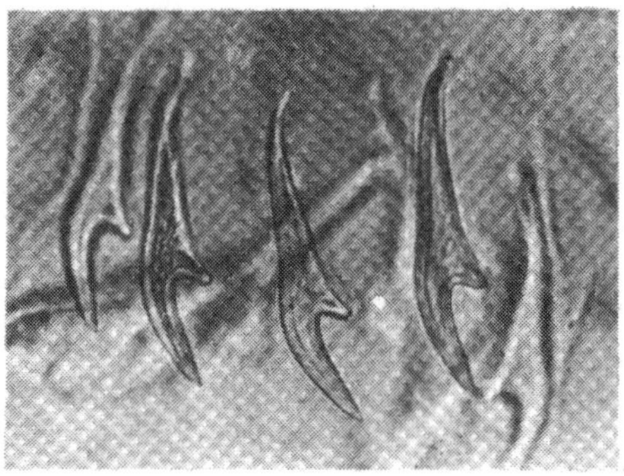

Fig.1: Drepanidotaenia anatina,hooks

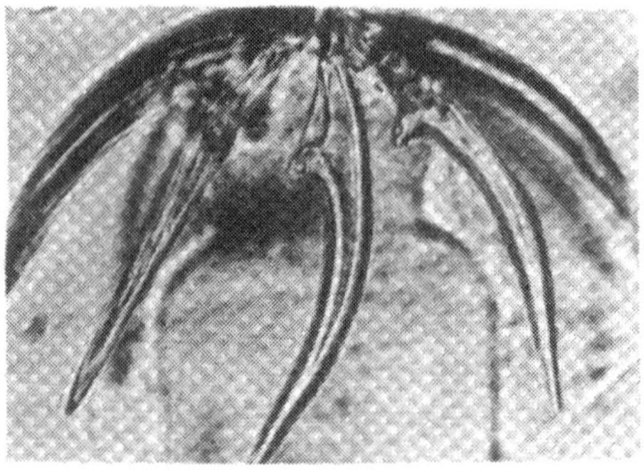

Fig.2: Retinometra macracanthos,hooks

Table 3

Incidence of hymenolepidid cestodes in A.clypeata and A.penelope from the Hailuoto island in the Bay of Bothnia

Species of hymenolepidid cestodes	Anas clypeata All 5 Infect.	%	Adult 1	%	Young 4	%	Anas penelope All 19	%	Adult 4	%	Young 15	%
Anatinella spinulosa	-		-		-		1	5.2	-		1	5.25
Aploparaksis furcigera	-		-		-		1	5.2	1	25.0		-
Dicranotaenia coronula	-		-		-		1	5.2	1	25.0		-
Diorchis ransomi	2	40.0	-		2	50.0	-		-			-
Diorchis stefanskii	-		-		-		1	5.2	1	25.0		-
Drepanidotaenia lanceolata	-		-		-		3	15.7	1	25.0	2	13.3
Drepanidotaenia anatina	-		-		-		3	15.7	1	25.0	2	13.3
Diorchis asiatica	-		-		-		1	5.2	1	25.0		-
Diploposthe laevis	-		-		-		4	21.0	-		4	26.6
Fimbriaria fasciolaris	2	40.0	-		2	50.0	-		-			-
Microsomacanthus arcuata	1	20.0	1	(100)	-		-		-			-
Microsomacanthus compressa	1	20.0	1	(100)	-		4	21.0	-		4	26.6
Myxolepis collaris	2	40.0	1	(100)	1	25.0	-		-			-
Sobolevicanthus gracilis	1	20.0	1	(100)	-		-		-			-
Retinometra macracanthos	-		-		-		2	10.5	-		2	13.3

Table 2

Incidence of hymenolepidid cestodes in A.platyrhynchos and A.crecca from the Hailuoto island in the Bay of Bothnia

Species of hymenolepidid cestode	Anas platyrhynchos All Infect.	%	Adult	%	Young	%	Anas crecca All	%	Adult	%	Young	%
Anatinella spinulosa	4	25.0	1	14.2	3	33.3	1	2.0	1	6.2	-	
Aploparaksis furcigera	5	31.2	3	42.8	2	22.2	2	4.0	1	6.2	1	2.9
Diorchis elisae	1	6.2	1	14.2	-		1	2.0	1	6.2	-	
Diorchis inflata	1	6.2	1	14.2	-		-		-		-	
Diorchis ransomi	3	18.7	3	42.8	-		1	2.0	1	6.2	-	
Diorchis stefanskii	3	18.7	2	28.5	1	11.1	6	12.0	2	12.5	4	11.7
Dicranotaenia coronula	9	56.2	6	85.7	3	33.3	3	6.0	1	6.2	2	5.8
Fimbriaria fasciolaris	3	18.7	2	28.5	1	11.1	4	8.0	1	6.2	3	8.8
Drepanidotaenia anatina	1	6.2	1	14.2	-		2	4.0	-		2	5.8
Microsomacanthus arcuata	-		-		-		1	2.0	1	6.2	-	
Microsomacanthus compressa	-		-		-		1	2.0	1	6.2	-	
Microsomacanthus paracompressa	3	18.7	2	28.5	1	11.1	1	2.0	1	6.2	-	
Diploposthae laevis	1	6.2	1	14.2	-		-		-		-	
Myxolepis collaris	1	6.2	1	14.2	-		2	4.0	-		2	5.8
Sobolevicanthus gracilis	3	18.7	2	28.5	1	11.1	3	6.0	2	12.5	1	2.9
Sobolevicanthus dafilae	-		-		-		5	10.0	1	6.2	4	11.7
Sobolevicanthus krabbeella	-		-		-		18	36.0	3	18.7	15	44.1
Sobolevicanthus octacantha	1	6.2	1	14.2	-		2	4.0	1	6.2	1	2.9
Retinometra macracanthos	3	18.7	2	28.5	1	11.1	-		1	6.2	-	

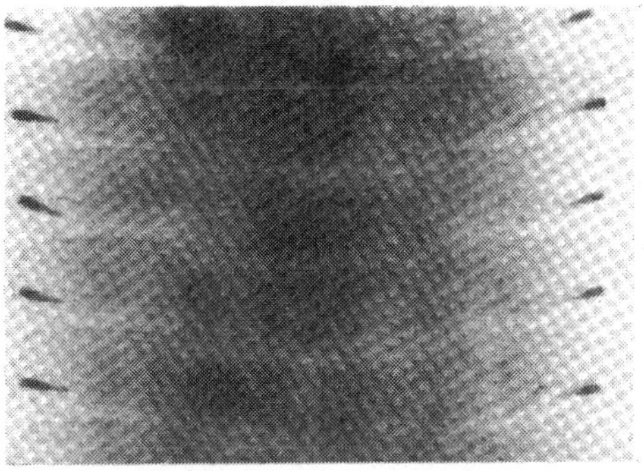

Fig.3: Diploposthe laevis, part of strobila

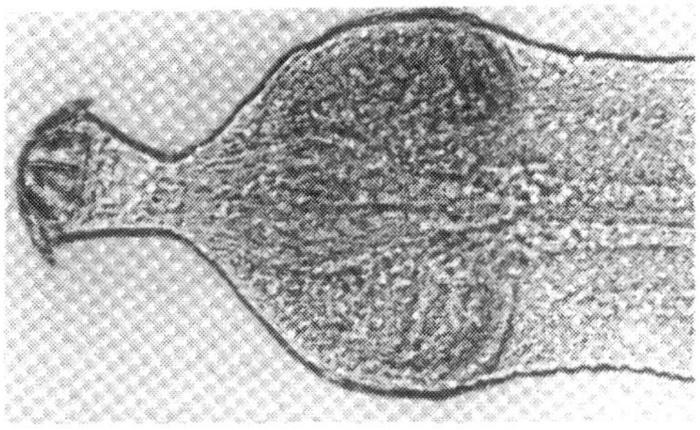

Fig.4: Diorchis stefanskii, scolex

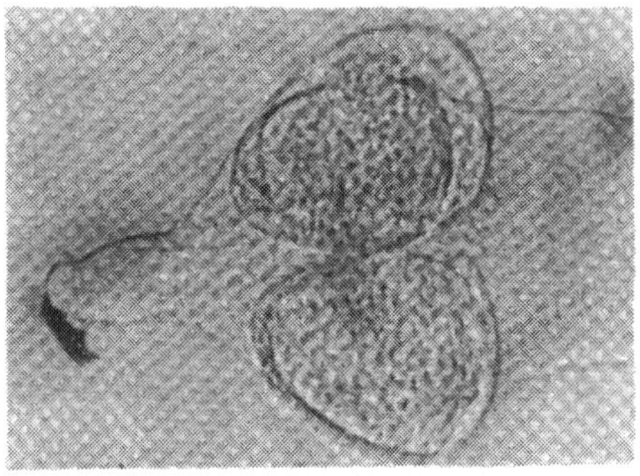

Fig.5: Sobolevicanthus gracilis,scolex

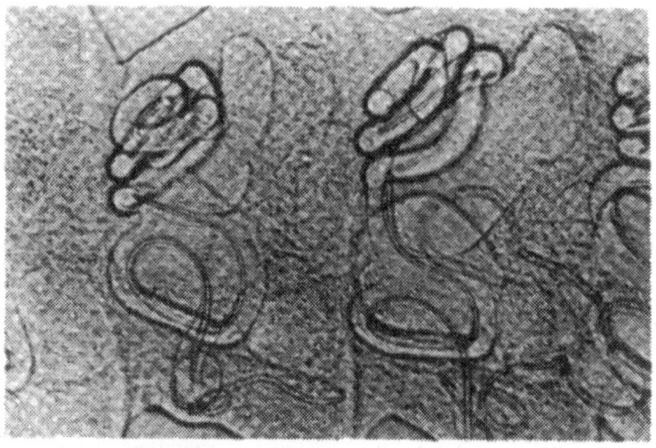

Fig.6: Sobolevicanthus crabbeella,part of strobila

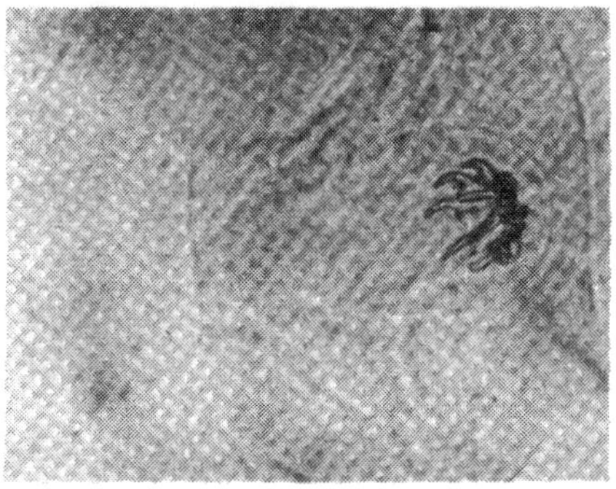

Fig.7: Drepanidotaenia lanceolata,scolex

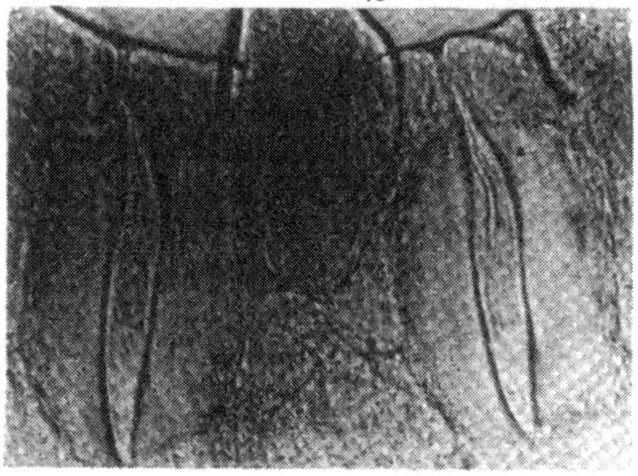

Fig.8: Microsomacnthus paracompressa,part of strobila

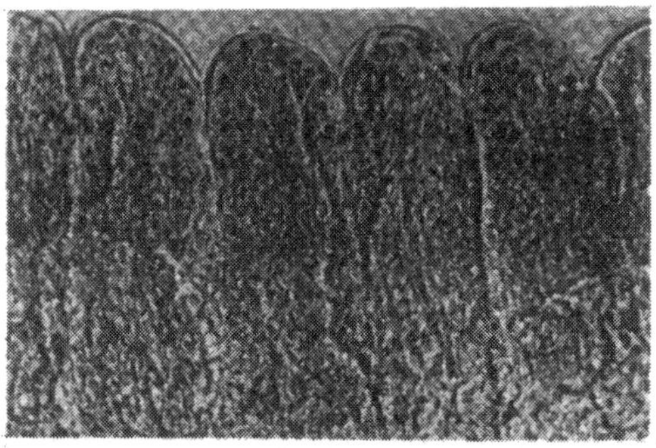

Fig.9: Fambriaria fasciolaris,part of strobila

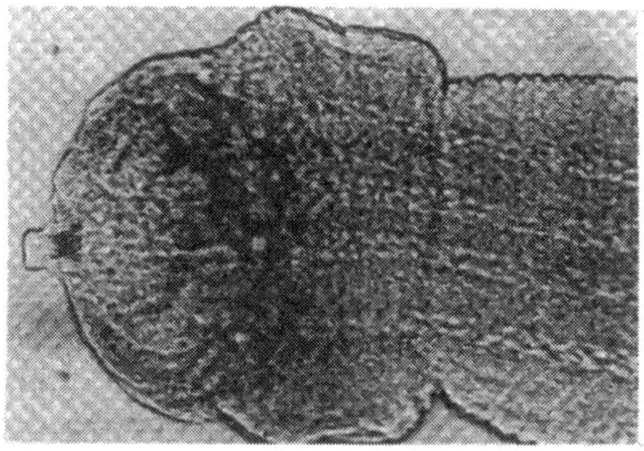

Fig.1o: Diorchis inflata,scolex

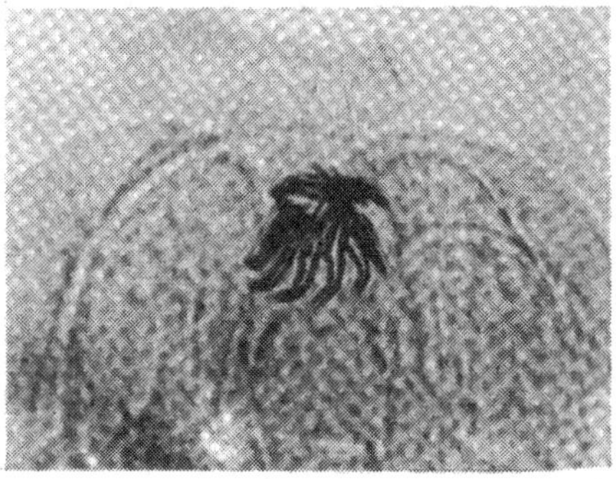

Fig.11: Hymenolepis collaris,scolex

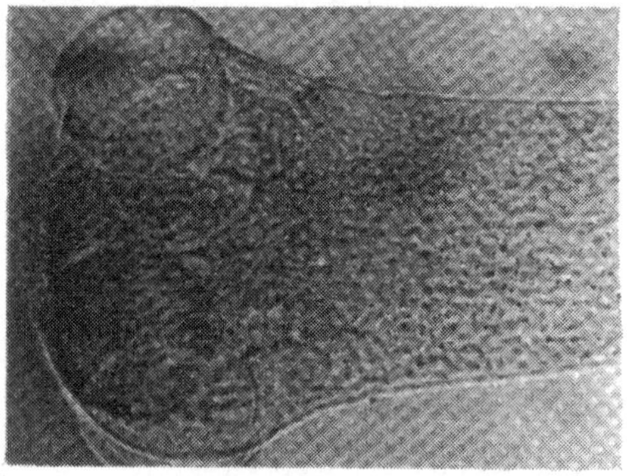

Fig.12: Dicranotaenia coronula,scolex

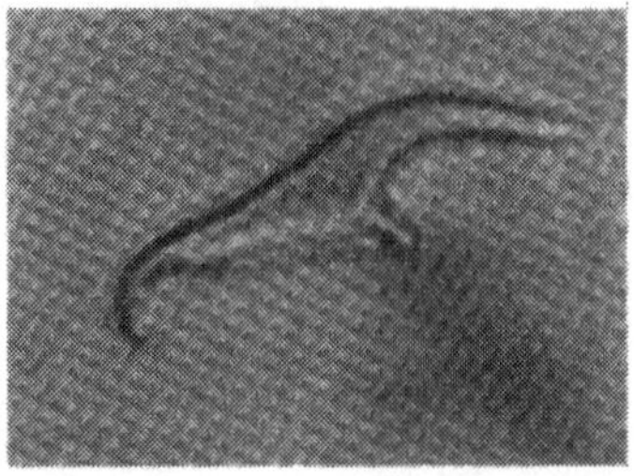

Fig.13: Sobolevicanthus octacantha,hook

Discussion

The tabulated results of the parasitological examination of 121 ducks collected during the hunting period from 1978 to 1981 in the island of Hailuoto in the Bay of Bothnia show that among the most common hymenolepidid cestodes in A. acuta are Fimbriaria fasciolaris, Diorchis stefanskii and Microsomacanthus paracompressa. In A. querquendula the most frequent cestodes is Sobolevicanthus octacantha, in A. platyrhynchos Dicranotaenia coronula, in A. crecca Sobolevicanthus crabbeella and Diorchis stefanskii, in A. clypeata Myxolepis collaris, and in A. penelope Diploposthe laevis and Microsomacanthus compressa.

A great number of juvenile cestodes in examined ducks in late summer and infections of young birds indicated that they infected themselves in the breeding ground on the island of Hailuoto, where a great population of different species of other waterfowl had their nesting grounds. According to preliminary ornithological observations during the period from 1973 to 1976, mallard had up to 130 nests, teal 330, garganey 90, wigeon 280, pintail 200, and showeler 120. In autumn, many other waterfowl species, when migrating, swarmed there from the northern most part of the Baltic, Iceland, and West Siberia.

Comparison of the hymenolepidid cestodes between Anatidi and Ayitini revealed in the Hailuoto island nearly the same species and intensity of infection. Waterfowl returning to or passing through the island Hailuoto in great flocks brought helminth eggs and formed the local pool of infection capable of hybernation in the intermediate hosts. Species capable of developing in many local Anatidae would be maintained and birds can exchange helminths among themselves through the local infective pool.

Summary

Hymenolepidid cestodes of ducks from the island of Hailuoto in the Bay of Bothnia

Twenty-one species of different hymenolepidid cestodes have been recovered and identified in 121 ducks from the island of Hailuoto in the Bay of Bothnia. Fimbriaria fasciolaris, Diorchis stefanskii und Microsomacanthus paracompressa were the most common parasites in Anas acuta, in A. querquendula Sobolevicanthus octacantha, in A. platyrhynchos Dicranotaenia coronula, in A. crecca Sobolevicanthus crabbeella and Diorchis stefanskii, in A. clypeata Myxolepis collaris, and in A. penelope Diploposthe laevis.

Zusammenfassung

Die hymenolepididen Cestoden der Enten von der Insel Hailuoto in der Bothnischen Bucht

Es wurden 21 Arten von hymenolepididen Cestoden bei 121 Enten von der Insel Hailuoto in der Bothnischen Bucht ermittelt und determiniert. Die häufigsten Bandwurmarten waren Fimbriaria fasciolaris, Duorchis stefanskii und Microsomacanthus paracompressa bei Anas acuta, Sobolevicanthus ostacantha bei A. querquendula, Dicranotaenia coronula bei A. platyrhynchos, Sobolevicanthus crabbeella und Diorchis stefanskii bei A. crecca, Myxolepis collaris bei A. clypeata und Diploposthe laevis bei A. penelope.

Résumé

Les cestodes hyménolépidides des canards de l'île de Hailuoto dans la baie de Bothnie

21 types de cestodes hyménolépidides ont été identifiés et déterminés chez 121 canards de l'île de Hailuoto dans la baie de Bothnie. Les espèces les plus fréquentes de ténia ont été Fimbriaria fasciolaris, Duorchis stefanskii, et Microsomacanthus paracompressa chez les Anas acuta, Sobolévicanthus octacantha chez les A. querquendula, Dicranotaenia coronula chez les A. platyrhynchos, Sobolévicanthus crabbeella et Diorchis stefanskii chez les A.crecca, Myxolepsis collaris chez les A. clypéata et Diploposthe laevis chez les A. penelope.

Резюме

Гименолепидидные гестоды у уток острова Наилуото в Ботнической бухте.

У I2I утки с острова Наилуото в Ботнической бухте обнаружено 2I вид гименолептидных гистодов. Чаще всего встречаются солитеры видов: Fimbriaria fasciolaris, Duorchis stefanskii, Microsomacanthus paracompressa b. Anas acuta, Sobolevicanthus ostacantha b. A. querquendula, Dicranotaenia coronula b. A. platyrhynchos, Sobolevicanthus crabbeelaa, Diorchis stefanskii b. A. crecca, Myxolepis collaris b. A. clypeata, Diploposthe laevis b. A. penelope.

References

BAER, J. G. (1956): Parasitic helminths collected in West Greenland. Meddel. Grønland, 124, 1 - 55.

BAER, J. G. (1962): Cestoda. Zool. Iceland, 2, 1 - 63.

BISHOP, C. A., and W. THREFALL (1974): Helminths parasites of the common eider duck, Somateria mollissima (L.) in New-Foundland and Labrador. Proc. Helminthol. Soc. Wash. 41, 25 - 33.

BRGLEZ, J. (1973, 1981): Zajedavci pri pticah v Sloveniji. Supl. Zb. Biotehn. fak.-Vet., Ljubljana, 1 - 297, 1 - 410.

CZAPLINSKI, B. (1956): Krytyczne opracowanie listy gatunkow Hymenolepididae wystepujacych w Anseriformes. Wiadom. Parazytol., 2, 241 - 243.

CZAPLINSKI, B. (1956): Hymenolepididae Fuhrmann, 1907 (Cestoda) u niektorych Anseriformes domowych i dzikich w Polsce. Wiadom. Parazytol., 2, 269 - 270.

FUHRMANN, O. (1911 - 1912): Nordische Vogelzestoden aus dem Museum von Göteborg. Göteborgs K. Vetensk. o. Vitterhest-Samh. Handl. 4, 14 - 15. Medd. Göteborgs Mus. Zool. Avd., 1, 41.

McDONALD, M. (1969): Bibliography of Helminths of Waterfowl (Anatidae). Wildlife No. 125, Washington.

McDONALD, M. (1969): Catalogue of Helminths of Waterfowl (Anatidae). Wildlife No. 126, Washington.

McLAUGHLIN, J. D., and D. B. BURT (1976): A contribution to the genus Diorchis Clerc (Cestoda:Hymenolepididae): a redescription of Diorchis americana Ransom, 1909 from Fulica americana (Gm.). Canad. J. Zool. 54, 10, 1754 - 1759.

McLAUGHLIN, J. D., and D. B. BURT (1970): Observations on the morphology and life cycle of Hymenolepis hopkinsi Schiller, 1951 (Cestoda:Cyclophyllidea) a parasite of black ducks (Anas rubripes Brewster). Canad. J. Zool. 48, 1043 - 1046.

SPASSKAJA, L. P. (1966): Cestody ptic SSSR, Gimenolepididi. Nauka, Moskva.

YAMAGUTI, S. (1935): Studies on the helminth fauna of Japan. Part IV. Cestodes of birds. Jpn. J. Zool. 6, 183 - 232.

Address of authors: Prof. Dr. J. B r g l e z
VTOZD za veterinarstvo BF
61.000 Ljubljana (SFR Yugoslavia)

Aus der Inselstation Helgoland des Instituts für Vogelforschung, Vogelwarte Helgoland

KRANKHEITEN BEI WILDLEBENDEN MÖWEN (LARUS SPEC.) AUS DEM BEREICH DER INSEL HELGOLAND

Von Erika V a u k - H e n t z e l t

Die wohl am verbreiteste und am häufigsten vorkommende Möwenart im Bereich der deutschen Bucht ist die Silbermöwe (Larus argentatus). Auf Helgoland ist sie Brut- und Jahresvogel mit einem Maximalbestand von durchschnittlich 603 Individuen im Dezember (PRÜTER und VAUK, 1984; KUSCHERT und WITT, 1985). Mantelmöwen (Larus marinus) sind zwar keine Brutvögel in Deutschland, auf Helgoland hat diese Art aber den Status eines Überwinterers mit hohen Bestandszahlen von Oktober bis Januar (max. 836 Individuen) (KUSCHERT und WITT, 1985).

Über Krankheiten von Möwen ist relativ wenig bekannt. Es ist aber davon auszugehen, daß Beeinträchtigungen des Normalzustandes verschiedenster Arten auch bei Wildpopulationen vorkommen. Allerdings werden Möwen oft als besonders widerstandsfähig gegenüber negativen Umwelteinflüssen (z.B. Vermüllung der Landschaft, Lärm), Verletzungen und Mißbildungen geschildert. Meist werden nur spektakuläre Verletzungen mit Todesfolgen beschrieben, so daß sich der oben genannte Eindruck bestätigt (u.a. BUB, 1955; GOETHE, 1956; LYSTER, 1972; VAUK, 1980). Auch als Überträger von Krankheiten wie Salmonellose werden Möwen häufig genannt (LÜTJE, 1955).

An dieser Stelle möchte ich eine Übersicht der bisher bei Möwen aus dem Bereich der deutschen Bucht festgestellten Krankheiten geben und zusätzlich noch neuere Befunde einbringen.

Auf Helgoland und im Nordseeküstenbereich wurden im Rahmen eines Möwenforschungsprogramms der Vogelwarte Helgoland Bestandslenkungen an Silbermöwen vorgenommen, und aus diesem Grunde konnte ein großes Möwenmaterial gesammelt werden +). An diesen Tieren wurden u.a. biometrische und parasitologische Untersuchungen (KUSCHERT, 1980; BÖCKELER, und VAUK-HENTZELT, 1980; PLÖTZ, 1980; PRÜTER, 1985) und Analysen zur Belastung mit Umweltgiften durchgeführt (VAUK et al., 1979).

Reihenuntersuchungen auf Krankheiten bei Möwen aus der freien Wildbahn sind selten. Als Ausnahme kann die Erfassung der Salmonellose bei Möwen gelten (u.a. HEILMANN et al., 1973; HENZE, 1961). Die Angaben über einen positiven Salmonellenbefund für Kot- und Organproben variieren zwischen 1 % bis 80 % sehr deutlich. Für fast alle Arbeiten wurden an Kläranlagen und Müllplätzen gesammelte Möwen bearbeitet.

Im Einzugsgebiet der deutschen Bucht liegt die Stadt Cuxhaven (Elbmündung), hier wurden im Rahmen des oben genannten Forschungsprogramms 1978/79 631 Möwen aus fünf Arten an verschiedenen Rast- und Nahrungsplätzen geschossen und auf Salmonellenbefall untersucht. Insgesamt konnten nur drei infizierte Vögel nachgewiesen werden (und zwar zwei mit S.typhimurium und einer mit S.saint-paul (SCHREY, 1980). Auf Helgoland ergab die Einzeluntersuchung einer sterbenden Sturmmöwe (Larus canus) eine Mischinfektion von S.typhi-murium und S.oranienburg).

Die bisher veröffentlichten Salmonellenbefunde bei Möwen stammen oft aus räumlich begrenzten Untersuchungsgebieten und sind zeitlich eingeschränkt. In den meisten Fällen wurden Vögel von Müllplätzen und Kläranlagen untersucht. Nach den von SCHREY (1980) vorgelegten Untersuchungsergebnissen, die über einen längeren Zeitraum verteilt waren und bei denen die Möwen von unterschiedlichen Herkunftsorten stammten, sollte man "die Möwen" nicht als regelmäßige Salmonellenausscheider bezeichnen.

+) gefördert mit Jagdforschungsmitteln des Landes Niedersachsen. Herrn Dr. G. V a u k danke ich für die Materialbeschaffung und die Durchsicht des Manuskriptes.

Als eine weitere bakterielle Krankheit bei Möwen ist die Geflügeltuberkulose (M. avium) bekannt. In der veterinärmedizinischen Literatur nimmt diese Infektionskrankheit einen breiten Raum ein. Als betroffene Tierarten werden meist Haus- und Ziergeflügel angegeben. FRITSCHE und GERRIETS (1962) bezeichnen alle Hausgeflügelarten als empfänglich für Geflügeltuberkulose, besonders Hühnervögel, seltener dagegen Tauben und Wassergeflügel. WETZEL und RIECK (1972) nennen Krähe (Corvus spec.), Trauerente (Melanitta nigra), Ringeltaube (Columba palumbus), Bläßhuhn (Fulica atra), Birkhuhn (Lyrurus tetrix), Auerhuhn (Tetrao urogallus), Rebhuhn (Perdix perdix) und Fasan (Phasanus colchicus). GRATZL und KÖHLER (1963) nennen auch die Silbermöwe, ebenso wie GÖLTENBOTH (1976), der aber Infektionen mit dem Mycobacterium avium bei Möwen als sehr selten bezeichnet.

Außer einem Fall von Rindertuberkulose bei einer Silbermöwe (JACOB, 1953) sind mir keine Fälle aus dem ornithologischen Schrifttum bekannt. Auf Helgoland konnten wir bisher in zwei Fällen Geflügeltuberkulose bei Möwen nachweisen. Dabei handelte es sich um eine diesjährige krank gebrachte und eine siebenjährige als gesund geschossene Silbermöwe. Beide Vögel waren stark abgemagert, ihre Luftsäcke mit Tuberkulomen behaftet, ebenso wie der Darm, in dem die Tuberkulome bis in die Darmmukosa reichten. Daneben fiel bei beiden Möwen eine diffuse gelbe Leber- und Nierendegeneration auf (VAUK et al., 1980).

Das geschossene Tier muß als Ausscheider von pathogenen Tuberkulosekeimen bezeichnet werden.

Durch Fadenpilze verursachte Krankheiten wie Aspergillosis sind meines Wissens bei Möwen bisher noch nicht beschrieben worden. Bei Haus- und Ziergeflügel hat sich die Anzahl der Pilzerkrankungen durch Verbesserung der Stallhygiene und der Futterart und -Methoden gegenüber früher erheblich verringert, so daß heute die Aspergillose nur noch selten vorkommt (FRITSCHE und GERRIETS, 1962). Man muß aber davon ausgehen, daß diese Pilze nicht aus der Geflügelhaltung verschwunden sind, sondern lediglich durch verbesserte Haltungsbedingungen und vorbeugende Behandlung zurückgedrängt wurden.

Eine große Menge von Pilzsporen sind nötig, um eine Infektion hervorzurufen, wobei Gewebeläsionen den Krankheitsverlauf begünstigen (NICOLAUS, 1933). Besonders häufig können Küken, aber auch schon Embryonen befallen werden, worauf hin sich die Schlupfrate deutlich verringern kann und nur noch etwa 1/3 der Küken schlüpfen (GERRIETS, 1959).

Auf Helgoland konnten in letzter Zeit drei Fälle von Aspergillose bei Möwen nachgewiesen werden, und zwar bei zwei diesjährigen Silbermöwen-Weibchen. Eines dieser Tiere wurde tot gefunden, das andere als gesund geschossen, bei dem weiteren Fall handelte es sich um ein diesjähriges Mantelmöwen-Männchen, das frisch tot gefunden wurde.

In allen drei Vögeln wurden größere gelblich-weiße Herde in den Lungen und thorakalen Luftsäcken festgestellt, die sowohl rund als auch klumpig erschienen. In diesen Herden waren grünlich-weißliche Beläge zu sehen: eine mikroskopische Untersuchung (Quetschpräparate) zeigte fortgeschrittene Stadien (Pilzhyphen) von Aspergillus spec.. Alle drei Möwen waren stark abgemagert, bei dem geschossenen Tier konnte außerdem eine Leberschwellung und Darmentzündung festgestellt werden.

Neben den beiden bisher genannten Infektionskrankheiten, konnten bei den von uns untersuchten Möwen noch andere pathologische Befunde wie "Geschwüre", Mißbildungen der Extremitäten, des Brustbeins und des Schnabels, Flügel- oder Fußbrüche und andere äußere Verletzungen diagnostiziert werden. Es zeigte sich, daß von 600 in den Jahren 1978 bis 1980 untersuchten Silbermöwen bei 61 Tieren (10,2 %) derartige Befunde erhoben wurden (Tab. 1) (VAUK-HENTZELT, 1980). Am häufigsten waren durchlöcherte oder eingerissene Schwimmhäute und verheilte Fußbrüche. Geschwulstbildungen, mehr oder weniger abgekapselte Gewebeknoten von Erbsen- bis Taubeneigröße am Kopf, Lauf, Hals und After konnte ich bei sieben Silbermöwen erkennen. Über die Art und Entstehung dieser Gewebewucherungen kann ich nichts aussagen, da bisher keine pathologischen Untersuchungen durchgeführt werden konnten.

Nach neuesten Untersuchungen an Silbermöwen auf Helgoland, die in den Jahren 1982 bis 1985 durchgeführt wurden, erhöhte sich der Prozentsatz der pathologischen Befunde auf 21,9 % gegenüber dem der Untersuchung der Jahre 1978 bis 1980, wo er bei 10,2 % lag. So zeigen von 983 Silbermöwen (873 geschossene und 110 frisch tot gefundene) 215 Vögel (178 geschossene und 37 tot gefundene) entsprechende Befunde (21,9 %) (Tab. 2).

Bei 411 Mantelmöwen, die von 1982 bis 1985 auf Helgoland gesammelt und bei denen auch Krankheitserscheinungen notiert wurden, lag mit 16,1 % der Anteil der Befunde um knapp 6 % unter dem der Silbermöwen. Es wurden pathologische Veränderungen notiert, die auch bei Silbermöwen vorkommen (Tab. 2).

Schlußbetrachtung

Infektionskrankheiten sind bei wildlebenden Möwen nach Literaturangaben und eigenen Untersuchungen bekannt, kommen aber nach bisher vorliegenden Ergebnissen relativ selten vor. Bislang wurden Geflügel- und Rindertuberkulose, Salmonellose und Aspergillose festgestellt.Da nur in Ausnahmefällen (z.B. der Salmonellose) Reihenuntersuchungen vorgenommen wurden, ist anzunehmen, daß Infektionskrankheiten verschiedenster Art häufiger vorkommen als bisher bekannt ist.

Im Falle der Tuberkulose ist eine Verbreitung der Krankheit über den Kot der Vögel leicht möglich und es wäre denkbar, daß eine Epidemie in übervölkerten Silbermöwenkolonien zu einem Bestandsrückgang in der betroffenen Kolonie führen kann. Da sich auch Silbermöwen unter bestimmten Umständen in großer Anzahl auf Weide- und Wiesenflächen in bäuerlichen Gebieten aufhalten können, könnte für Haustiere mit Weidegang ein Infektionsrisiko bestehen. Aus hygienischer Sicht besteht auch für den Menschen Ansteckungsgefahr, wenn kranke Tiere durch Fütterungen in die Städte gelockt werden und die Umgebung mit Kot beschmutzen.

Ähnliche Aspekte müssen sicher auch bei der Aspergillose bedacht werden, nur daß hier die Krankheitserreger (Pilzsporen) oral oder aerogen aufgenommen werden. An Aspergillose erkrankte Vögel leiden im fortgeschrittenen Krankheitsstadium an Mattigkeit und Atemnot (FRITSCHE und GERRIETS, 1962). Gerade diese Tiere lassen sich leicht greifen, hier ist Vorsicht angezeigt.

Salmonellosen scheinen bei Möwen aus dem Bereich des Küstenraumes und des offenen Meeres seltener aufzutreten, als bei im Inland lebenden Vögeln. Ihre Bedeutung als Krankheitsüberträger muß in diesem Fall als gering eingeschätzt werden.

Andere Abweichungen vom Normalzustand wie frische oder ausgeheilte Knochenbrüche (meist Fuß- oder Flügelbrüche) oder Verletzungen der Schwimmhaut, Schnabelmißbildungen, Veränderungen der inneren Organe oder Geschwulstbildungen aus unbekannter Ursache treten bei Großmöwen häufig auf. Bei 10 % bis 22 % aller untersuchten Möwen fanden sich entsprechende Veränderungen.

In jedem Fall wären Reihenuntersuchungen von Möwen aus freier Wildbahn wünschenswert, allerdings sollten diese in enger interdisziplinärer Zusammenarbeit zwischen Biologen, Tiermedizinern und Medizinern durchgeführt werden.

Tabelle 1: Häufigkeit der Befunde nach Altersklassen bei geschossenen Silbermöwen (nach VAUK-HENTZELT, 1980)

Alter	Anzahl	davon mit Befund	
		Anzahl	%
dj	199	8	4,0
vj	129	9	7,0
zweij.	67	8	11,9
dreij.	46	5	10,9
vierj.	18	3	16,7
adult	141	28	19,9
Summe	600	61	10,2

Tabelle 2: Art und Anzahl der festgestellten Krankheiten bei Silbermöwen (n=215) und Mantelmöwen (n=66) - Helgoland 1982 bis 1985 -

Krankheit	Silbermöwe		Mantelmöwe	
	n	%	n	%
Schwimmhaut-Defekt	144	66,7	27	40,9
Fuß-, Flügelbruch, "Amputation" usw.	23	10,7	16	24,2
Gewebeknoten	9	4,2	6	9,1
Veränderungen inn. Organe (incl. Tuberkulose, Aspergillose)	19	8,8	13	19,7
Schnabelmißbildung, -Verletzung	5	2,3	-	-
Plastikverstrickung/ Verhungert	3	1,4	3	4,5
Brustbeinverkrümmung	1	0,5	1	1,5
Ungeklärte Fälle	11	5,1	-	-
Summe	215	100	66	100

Zusammenfassung

Krankheiten bei wildlebenden Möwen (Larus spec.) aus dem Bereich der Insel Helgoland

Das Vorkommen von Infektionskrankheiten wie Tuberkulose, Aspergillose und Salmonellose bei wildlebenden Silbermöwen aus dem Bereich der deutschen Bucht wird beschrieben. Nur bei Salmonellose wurden Reihenuntersuchungen vorgenommen. Danach kann man Möwen nicht als regelmäßige "Salmonellen-Ausscheider" bezeichnen. Zwei Fälle von Geflügeltuberkulose (Mycobacterium avium) bei Helgoländer Silbermöwen und drei Fälle von Aspergillose (Aspergillus spec.) bei Silber- und Mantelmöwen werden beschrieben.

Der Prozentsatz der pathologischen Befunde bei Helgoländer Silbermöwen erhöhte sich von 10,2 % (1978 - 1980) auf 21,9 % (1982 - 1985). Bei Mantelmöwen wurden in 16,1 % aller untersuchten Vögel Abweichungen vom Normalzustand diagnostiziert. Am häufigsten wurden Schwimmhautdefekte, Fuß- und Flügelbrüche und Veränderungen an den inneren Organen festgestellt.

Summary

Diseases of Wild-Living Seagulls (Larus spec.) on the Island of Heligoland

Reported in this paper is the incidence among wild-living herring gulls in the Heligoland Bay of infectious diseases, including tuberculosis, aspergillosis, and salmonellosis. Screen testing was undertaken only for salmonellosis. Seagulls, as a result, cannot be considered to be regular spreaders of salmonellae. Described are two cases of fowl tuberculosis (Mycobacterium avium) in Heligoland herring gulls and three cases of aspergillosis (Aspergillus spec.) in both herring and great black-backed gulls. Pathological findings from Heligoland herring gulls went up from 10.2 per cent (1978-1980) to 21.9 per cent (1982-1985). Deviations for normal conditions were diagnosed in 16.1 per cent of all great black-backed gulls examined. Web defects, foot and wing fractures, and alterations in inner organs were the most common findings.

Résumé

A propos des maladies des goélands sauvages (Laurus spéc.) dans la région de l'île de Helgolande

Description de l'occurrence, chez les goélands argentés sauvages dans la région de la baie allemande, des maladies infectieuses comme la tuberculose, l'aspergillose et la salmonellose. Des examens de masse ont été fait dans le cas de salmonellose seulement et ont démontré que les goélands ne sont pas des "sécréteurs réguliers de salmonelles". L'auteur explique deux cas de tuberculose de volaille (Myobacterium avium) chez les goélands argentés helgolandais et trois cas d'aspergillose (Aspergillus Spec.) chez les goélands argentés et les goélands marins.

Chez les goélands argentés le pourcentage des constatations pathologiques s'est accru de 10,2 % (1977-1980) à 21,9 % (1982-1985). Chez les goélands marins on a trouvé dans le cas de 16,1 % des oiseaux examinés des déviations de l'état normal. Les palmures défectueuses, les fractures des pieds et ailes et les altérations aux organes intérieurs ont été les constatations les plus fréquentes.

Резюме

Заболевание чаек, проживающих в районе Нельголанда.

Описаны инфекционные заболевания как туберкулез, аспергиллоз и салмонеллоз у диких чаек, проживающих в районе немецкой бухты. Всесторонне птицы обследовались только на сальмонеллоз. При этом выяснено,что чаек нельзя считать постоянными выделителями сальмонелл. Описаны два случая птичьего туберкулеза (Mycobacterium avium) у нельголанской серебряной чайки и три случая аспергиллоза (Aspergillus spec.) у серебряной и мантелевой чайки. Процент патологических поражений повысился от 10,2 % (197 -1980) до 21,9 % (1982 - 1985). У мантелевых чаек диагностицирован 16,1 % нарушений в нормальном развитии. Чаще всего обнаруживались дефекты плавательной кожи, фрактуры лапок и крыльев и изменения во внутренних органах.

Literaturverzeichnis

BÖCKELER, W., and E. VAUK-HENTZELT (1980): Aspects of the biology of Reighardia sternae (Pentastomida). Zbl. Bakt. Hyg. I. Abt. Ref. 267, 318.

BUB, H. (1955): Silber- und Mantelmöwen-(Larus argentatus und L.marinus) sterben durch einen Beutefisch. Orn. Mitt. 7, 172.

EWALD, K. (1979): Beiträge zur Ernährung sowie zum Parasiten-, Salmonellosen- und Chlamydienbefall von Lachmöwen (Larus ridibundus) in bayrischen Karpfenteichgebieten. J. Orn. 120, 89 - 101.

FRITSCHE, K.,und E. GERRIETS (1962): Geflügelkrankheiten. Berlin und Hamburg: P. Parey.

GERRIETS, E., und E. FABIUNKE (1959): Eine Brutschrank-Infektion durch Aspergillus fumigatus bei Enten. Mh. Vet. Med. 21, 672 - 674.

GOETHE, F. (1956): Die Silbermöwe. Wittenberg: A. Ziemsen.

GÖLTENBOTH, R. (1976): Vögel. In: KLÖSS, H.G. und E.M. LANG: Zootierkrankheiten. Berlin und Hamburg: P. Parey.

GRATZEL, E., und H. KÖHLER (1963): Spezielle Pathologie und Therapie der Geflügelkrankheiten. Stuttgart: Enke.

HEILMANN, G., W. HÖPKEN, und W. MÜHLENBERG (1973): Salmonellen bei Lachmöwen - ein neues Problem für die Landwirtschaft. Gesundhwes. u. Desinf. 65, 358 - 363.

HENZE, B. (1961): Auftreten von Salmonellen bei Lachmöwen auf Berliner Rieselfeldern. Gesundhwes. u. Desinf. 53, 167.

JACOB, E. (1953): Tuberkulose in freier Natur. Fund bei einer Silbermöwe. Berlin, Münch. Tierärztl. Wschr. 66, 358 - 363.

KUSCHERT, H. (1980): Morphologisch-biometrische Untersuchungen an Silbermöwen (Larus argentatus) einer Binnenlandskolonie Schleswig-Holsteins. Angew. Orn. 5/4, 190 - 194.

KUSCHERT, H., und H. WITT (1985): Ergebnisse der Mantel- und Silbermöwenzählungen (Larus marinus und L. argentatus) auf Helgoland 1971 - 1979 - ein Beitrag zum Jahreszyklus dieser Arten in der deutschen Bucht. Seevögel Sb. 5, 133 - 136.

LÜTJE, F. (1955): Zusammenstellung des jüngeren Schrifttums über die Freilandbiologie der Salmonellen, Salmonellosen der Möwenvögel und ihre Beziehung zum Abwasser und zum Menschen. Berlin, Münch. Tierärztl. Wschr. 68, 249.

LYSTER, L. H. (1972): Mole kills Herring gull. Scot. Birds 7, 207 - 208.

NICOLAUS (1933): In FRITSCHE, K., und E. GERRIETS: Geflügelkrankheiten. Berlin und Hamburg: P. Parey.

PLÖTZ, J. (1980): Parasitosen durch Nematodenbefall bei Silbermöwen (Larus argentatus) und Mantelmöwen (l.marinus) von der Insel Helgoland. Angew.Ornith. 5, 195 - 200.

PRÜTER, H., und G. VAUK (1984): Zahl und Herkunft der auf Helgoland rastenden Silbermöwen (Larus argentatus). Vogelwarte 32, 219 - 225.

PRÜTER, J. (1985): Zur Art, Alters- und Geschlechtszusammensetzung der Großmöwenbestände auf Helgoland. Seevögel, 6, 137 - 140.

SCHREY, E. (1980): Untersuchungen zur Salmonellenbelastung Cuxhavener Möwen. Angew. Ornith. 5, 201 - 203.

VAUK, G., und F. STEINIGER (1960): Über eine Salmonellen-Mischinfektion bei einer Sturmmöwe auf Helgoland. Dt. Tierärztl. Wschr. 11, 300 - 301.

VAUK, G., H. LOHSE, und B. ZUNK (1979): Untersuchungen zur Schwermetallbelastung Helgoländer Land- und Seevögel sowie einiger Säuger der Insel. Veröff. Übersee. Mus. Bremen, Reihe E.

VAUK, G., E. VAUK-HENTZELT, und M. STEDE (1980): Nachweise von Geflügeltuberkulose (Tuberculosis avium) bei freilebenden Silbermöwen (Larus argentatus). Angew. Ornith. 5, 185 - 189.

VAUK, G. (1982): Bestandsentwicklung der Silbermöwe (Larus argentatus) und die Regulierung ihres Bestandes durch jagdliche Maßnahmen auf der Insel Helgoland. Seevögel 3, 71 - 84.

VAUK-HENTZELT, E. (1982): Mißbildungen, Verletzungen und Krankheiten auf Helgoland erlegter Silbermöwen. Nieders. Jäger 15, 700 - 702.

WETZEL, und W. RIECK (1972): Krankheiten des Wildes. Berlin und Hamburg: P. Parey.

Anschrift des Verfassers: Dipl.-Biol. Erika Vauk-Hentzelt
Inselstation Helgoland
des Instituts für Vogelforschung
Vogelwarte Helgoland
D-2192 Helgoland (BRD)

Aus der Staatlichen Tierärztlichen Gemeinschaftspraxis Stralsund (Leiter: Dr. med. vet. H.-J. SCHLÜTER), dem Institut für Gerichtliche Medizin (Direktor: Prof. Dr. sc. med. W. HAFERLAND) des Bereiches Medizin der Wilhelm-Pieck-Universität Rostock, dem Meeresmuseum Stralsund, Museum für Meereskunde und Fischerei der DDR (Direktor: OMUR Dr. rer. nat. S. STREICHER) und der Forschungsstelle für Wirbeltierforschung (Direktor: Prof. Dr. sc. Dr. h.c. H. DATHE) der Akademie der Wissenschaften der DDR

PLÖTZLICHER TOD GROSSER MEERESSCHILDKRÖTEN IM AQUARIUM

Von H.-J. Schlüter, D. Tiess, K.-H. Tschiesche und Jutta Wisser

Meeresschildkröten werden in der DDR nur in wenigen tiergärtnerischen Einrichtungen den Besuchern vorgestellt. Durch ihre im ausgewachsenen Zustand erhebliche Körperdimension und im Lebensraum Wasser große Aktivität, stellen sie immer eine Attraktion dar. Ein Verlust derartiger Tiere ist deshalb von Relevanz, weil eine Neuanschaffung auf große Schwierigkeiten stößt. Eine Entnahme aus der Natur ist nach dem Washingtoner Artenschutzabkommen nicht gestattet, und Zuchterfolge in Menschenhand gehaltener Tiere sind schwerlich möglich.

Die Kenntnisse über physiologische und ethologische Daten von diesen poikilothermen Tieren sind noch lückenhaft. Da die klinische Symptomatik aus verschiedenen Gründen häufig keine festen diagnostischen Anhaltspunkte ergibt, entstammen wesentliche Erkenntnisse den Ergebnissen postmortaler Untersuchungen. Hinzu kommt, daß sich bei diesen Tierarten der Krankheitsverlauf sehr stark von dem warmblütiger Organismen unterscheidet, andere Infektionserreger eine Rolle spielen und sicher auch andere toxische Grenzwerte gelten. Plötzlich auftretende Todesfälle mehrerer Tiere in kurzer Zeit geben jedoch Anlaß, dem gründlich nachzugehen, insbesondere dann, wenn sie in einem neu eingerichteten Aquarium auftreten.

Haltung

Meeresschildkröten (Familie Cheloniidae) gehören seit 1970 zum Tierbestand der Schauaquarien des Meeresmuseums Stralsund. Zur Zeit werden drei Arten aus drei Gattungen gepflegt. Gegenstand des vorliegenden Berichtes sind folgende Tiere:

1. eine Suppenschildkröte (Chelonia mydas) vom Meeresmuseum übernommen am 7.3.1977, Gewicht: 89 g, Rückenpanzerlänge: 8,5 cm,
2. zwei Unechte Karettschildkröten (Caretta caretta) vom Meeresmuseum übernommen am 13.10.77, Gewicht: 135 g und 150 g, Rückenpanzerlänge beider Tiere: 9,5 cm.

Im Frühjahr 1979 bezogen die drei Tiere gemeinsam mit einer seit Mai 1976 gepflegten Echten Karettschildkröte (Eretmochelys imbricata) ein Schauaquarium mit 8000 l Wasserinhalt. Das Futter wurde möglichst abwechslungsreich gehalten und bestand aus Garnelen, Krill, Krabben, Kalmar und Sepia, See- und Süßwasserfischen, Rinderherz, Salat, Spinat und Algen. Bereits Anfang der 80er Jahre war das Becken für die inzwischen großen Tiere zu eng. 1984 wurde ein Erweiterungsbau mit zwei Großaquarien fertiggestellt. Das 50 000 Liter-Aquarium wurde mit Fischen tropischer Meere besetzt, in das 30 000 Liter-Aquarium konnten am 20.6.84 drei unserer vier Meeresschildkröten einziehen.

Bei den neuen Aquarien handelt es sich um Betonbecken mit einer Innenauskleidung aus dreilagigem Polyesterlaminat. Auf dieses Laminat wurde aus Travertingestein und Portlandzement die Dekoration aufgemauert. Die Verwendung von Epoxid- und Polyesterharzen in Verbindung mit Glasseidematte zur Abdichtung der Aquarien oder zum Bau von Aquariendekorationen wird im Meeresmuseum bereits seit 20 Jahren praktiziert. Nach beendeter Polyesterbehandlung stand das Becken zur Aushärtung des Kunstharzes etwa 4 Wochen leer. Mehrere Tage wurde die Lufttemperatur im Aquarium auf etwa +50 °C erhöht. Danach erfolgten sechs Spülungen mit Süßwasser, dabei wurde der gesamte Kreislauf in Betrieb genommen, das Wasser auf +20 °C bis +30 °C erwärmt und jeweils nach einigen Tagen gewechselt.

Die Schildkröten wurden in Nordseewasser gehalten. Durch Süßwasserzugabe lag der Salzgehalt zwischen 2 % und 3 %. Der pH-Wert betrug anfangs 8, er sank bis Ende August auf etwa pH 7 ab. Die Filterung erfolgte über einen großen Kiesfilter und über Eiweißabschäumer. Zwei Pumpen aus Rasothermglas der Jenaer Glaswerke sorgten mit einer Stundenleistung von insgesamt 30 000 l

für die notwendige Wasserumwälzung. Die Wassertemperatur während der Sommermonate betrug +25 °C bis +28 °C, auch der Luftraum wies diese Wärmegrade auf. Durch ein zwei Meter breites Glasdach wurde das Aquarium während des Sommers fast ausschließlich durch Tageslicht beleuchtet.
Die drei am 20.6.84 in das neue Aquarium eingesetzten Schildkröten nahmen gut Futter auf und fühlten sich unter den gegebenen Bedingungen sichtlich wohl. Am 30. August mußte der Filter gereinigt werden. Zu diesem Zweck wurde für etwa drei Stunden der Wasserkreislauf unterbrochen. Es fehlten folglich der starke Einstrom des gefilterten Wassers und der Zulauf des eiweißabgeschäumten Wassers. Durch beide Zuläufe entstand zweifelsohne eine Luftbewegung über der Wasseroberfläche, die während der Filterreinigung fehlte. Nach abgeschlossenen Arbeiten wurden die Pumpen wieder zugeschaltet und damit der Wasserkreislauf in Betrieb genommen. Weder am 30.8. noch am 31.8. wurden Veränderungen im Verhalten oder bei der Nahrungsaufnahme der Tiere beobachtet.

Klinischer Verlauf

Am Morgen des 1.9.84 wird die Unechte Karettschildkröte auf dem Rückenpanzer am Boden des Aquariums liegend vorgefunden und sofort dem Becken entnommen. Sie zeigt außer Schwäche, die sich in stark verminderter Abwehrreaktion äußert, keine feststellbaren klinischen Symptome. Eine Diagnose ist nicht möglich. Um den Kreislauf zu aktivieren, werden 240 mg Aminophyllin i.m. verabreicht. Eine Kontrolle der zwei im Aquarium verbliebenen Schildkröten und des mit der Echten Karettschildkröte besetzten Beckens ergibt keine Anhaltspunkte für weitere Erkrankungen. Der Tod der Unechten Karettschildkröte wird um 19 Uhr festgestellt. Zu dieser Zeit werden bei der Suppenschildkröte schaukelnde Kopfbewegungen beobachtet, die als physiologisch gedeutet werden.

Einen Tag später liegt die Suppenschildkröte auf dem Grund des Aquariums. Sie zeigt kaum Reaktionen. Aus dem Becken entnommen, wird Schwäche und eine reduzierte Atemtätigkeit festgestellt. Dem Maul entfließt ca. 0,5 l Wasser. Das Tier wird in einen wannenartigen Plastbehälter, der flach mit Wasser gefüllt ist, eingesetzt. Der Kopf muß abgestützt werden. Der Schildkröte wird per Schlauch, der direkt auf den Kopf des Tieres gerichtet ist, Sauerstoff in Intervallen zugeführt. Die im Aquarium verbliebene zweite Unechte Karettschildkröte zeigt bei der Adspektion, wie die im anderen Becken befindliche Echte Karettschildkröte, keine klinisch feststellbaren Symptome einer Erkrankung. Da in so kurzer Frist zwei Tiere in dem neu eingerichteten Aquarium erkrankt sind, muß angenommen werden, daß eine Noxe auf die Tiere wirkt, die wahrscheinlich nur in diesem Milieu zu suchen ist. Aus diesem Grund wird die noch klinisch unauffällige zweite Unechte Karettschildkröte ebenfalls dem Becken entnommen. Sie ist aktiv und zeigt normales Abwehrverhalten. Vorsorglich wird sie ebenfalls, wie oben beschrieben, mit Sauerstoff versorgt. Nach ca. 4 Stunden stellen wir eine Aktivitätszunahme bei der Suppenschildkröte fest, die aber zwei Stunden später wieder erlischt. Um 19 Uhr verendet das Tier. Aus der reduzierten Atemtätigkeit und der vorübergehenden Besserung nach Sauerstoffzufuhr schließen wir, daß eine Störung dieses Funktionsmechanismus vorliegt, deren Ursache uns unbekannt ist. Die bisher gesund erscheinende zweite Unechte Karettschildkröte zeigt am 3.9.84 ebenfalls Schwäche. Die Aktivitäten sind reduziert und der Kopf muß in dem flach mit Wasser gefüllten Behälter abgestützt werden, da das Tier nicht in der Lage ist, ihn oberhalb des Wasserspiegels zu halten. Die Applikation von Sauerstoff in Intervallen wird fortgesetzt. In den nächsten Stunden tritt eine weitere Reduzierung der Atmung ein und das Tier verendet am darauffolgenden Tag. Eine kausale Diagnose kann nicht gestellt werden. Es wird eine Intoxikation vermutet. Nachforschungen bezüglich Fütterung, Luftverunreinigung und Kontamination des Wassers geben keine Anhaltspunkte. Bemerkenswert ist, daß die im anderen Becken befindliche Echte Karettschildkröte bei gleicher Fütterung auch in der Folgezeit keine Krankheitssymptome zeigte.

Unmittelbar nach diesen Ereignissen werden zwei Schildkröten zur pathologischen und mikrobiologischen Untersuchung übergeben. Darüber hinaus wird eine toxikologische Untersuchung eingeleitet.

Pathologische Befunde

Zum Zeitpunkt der Sektion waren beide Schildkröten 6 Jahre alt. Die weibliche Unechte Karettschildkröte wog 106 kg (Rückenpanzerlänge 89 cm) und die männliche Suppenschildkröte 27 kg (Rückenpanzerlänge 59 cm). Beide Tiere waren gut genährt und in relativ frischem Zustand. Bei der äußeren Adspektion wurden keine Veränderungen von Haut und Panzer festgestellt. Die natürlichen Körperöffnungen waren unauffällig.
Während bei der Karettschildkröte am Herzen keine pathologischen Befunde erhoben werden konnten, zeigte sich bei der Suppenschildkröte eine erhebliche Hyperämie des Myokards.

Die makroskopisch leuchtend roten und feuchten Lungen wiesen histologisch neben Hyperämie und Ödem, fast völligen Verlust des respiratorischen Epithels auf. Besonders in den tiefen Abschnitten der Wandung war der Epithelverlust deutlich. An den noch abschnittsweise vorhandenen Epithelbelägen zeigte sich im Zytoplasma der Zellen degenerative Verfettung. Im Interstitium ließen sich lympholeukozytäre Infiltrate mit einem hohen Anteil an pseudoeosinophilen Granulozyten nachweisen.
Die Milzen beider Schildkröten waren hochgradig blutgestaut und wiesen reichlich Hämosiderin und viel Pseudoeosinophile auf. In der Milz der Unechten Karettschildkröte wurden histologisch Nekroseherde mit zentralen Riesenzellbildungen festgestellt.

Makroskopisch hatten die Lebern der Schildkröten abgerundete Ränder, hellocker bis -beige Farbe und deutliche Gefäßzeichnung. Histologisch zeigte sich bei der Karettschildkröte eine mittel- und grobtropfige degenerative Verfettung mit nur wenigen intakten Kernen der Hepatozyten. An den verfetteten Leberzellen war die Mischung sehr differierender Tropfengrößen besonders auffällig. In der Leber der Suppenschildkröte wurden unterschiedliche Areale mit degenerativen Verfettungen sichtbar. So fanden sich Bezirke mit feintropfiger Verfettung, in denen die Hepatozyten ein schaumig wirkendes Zytoplasma und degenerative Kernveränderungen aufwiesen. Daneben ließen sich mittel- und grobtropfige Verfettungsbereiche mit unterschiedlicher Größe der Tröpfchen und kaum noch sichtbaren Zellkernen erkennen. Beide Schildkrötenlebern imponierten mit zentrolobulären Siderosen der Sternzellen und vereinzelt lympholeukozytären Infiltraten.
Die makroskopisch tief dunkelrot aussehenden Nieren erwiesen sich histologisch als hyperämisch und hochgradig verändert. Die Tubulusepithelien waren von hydropischer über fettige Degeneration bis hin zur Nekrose geschädigt. Die Glomerula zeigten ebenfalls degenerative Verfettungsprozesse der Endothelzellen. Bei der Suppenschildkröte wurden zusätzlich rundzellige Infiltrate und eine Zubildung von Bindegewebe im Bereich der ableitenden Harnwege sichtbar.

Beide Schildkröten hatten mit Sepienstücken mittelgradig gefüllte Mägen, die pathologisch unverändert waren. An der streifig geröteten Dünndarmschleimhaut fiel bei mikroskopischer Untersuchung neben Epitheldesquamation eine Hyperämie besonders der Zottenspitzen und entzündliche Infiltration der Mukosa mit vermehrtem Anteil pseudoeosinophiler Granulozyten auf. Der Dickdarm war ohne besonderen Befund.

Hochgradige Veränderungen konnten an den tief dunkelroten Schilddrüsen beider Tiere ermittelt werden. Neben ausgeprägter Hyperämie, auffälligen Hämorrhagien und interstitiellen Ödembildungen ließen sich einzelne prallgefüllte, sekretorisch inaktivierte Follikel erkennen. Die Mehrzahl der Follikel enthielt kaum Kolloid, ihre Thyreozyten waren mittel- und grobtropfig verfettet. In einigen Follikeln konnte außerdem Proliferation der Thyreozyten zu kleinen Zellballen festgestellt werden.
Die bakteriologische Untersuchung beider Tiere ergab bei Anzüchtungsversuchen aus dem Material der inneren Organe ein negatives Ergebnis. Lediglich aus dem Darm konnte E. coli isoliert werden.

Toxikologisch-analytische Untersuchungen

Es sollte eine allgemeine toxikologische Untersuchung im Sinne eines Screenings durchgeführt werden. Ein Vergiftungsgeschehen war nicht ausgeschlossen, jedoch lagen keine konkreten Hinweise hierfür vor.

Material

Am 4.9.84 wurden mehrere Wasserproben in 0,5 l Klarglasflaschen übergeben:

1. neues Schildkrötenbecken
2. Tankreserve von 1.
3. ehemaliges Schildkrötenbecken sowie Kontroll- und Vergleichsproben.

Die Behältnisse waren anforderungsgemäß zu jeweils etwa 4/5 gefüllt und mit durchstechbaren Gummistopfen von Infusionsflaschen verschlossen.
Am 6.9.84 wurden Obduktionsmaterial (Mageninhalt, Darm mit Inhalt, Blut, Leber, Niere, Lunge) beider zuerst verstorbenen Schildkröten sowie Futtermittel (Sepia), weitere Wasserproben aus dem suspekten Becken und zum Verschluß der Proben vom 4.9. verwendete Gummistopfen überbracht.
Alle Wasserproben und das Biomaterial waren in Kühltaschen transportiert worden. Das Blut befand sich in Glasröhrchen mit Gummiverschluß, das übrige Organmaterial jeweils gesondert in Plastetüten eingeschweißt.

In den nachfolgenden Tagen und Wochen wurden aus dem suspekten Becken vor, während und nach Beckenbehandlungen zahlreiche Wasserproben aus unterschiedlichen Bereichen und Tiefen sowie Laminatproben, Gesteinsproben, Bodenkörperproben, auch Bodengelcoat, Bodenwasser und Bodenluft entnommen. Zur Kontrolle wurden außerdem weitere Proben aus Vergleichsbecken, Tankreserven und abgeschäumtem Rücklaufwasser asserviert. Alle Asservierungsbehältnisse und Verschlußmaterialien für die nachträglichen Entnahmen wurden zuvor analytisch überprüft.

Methoden und Befunde

Umfang und Vielfalt der durchgeführten Untersuchungen sowie die Unterschiedlichkeit der zahlreichen Detailbefunde lassen an dieser Stelle nur eine auszugsweise Darstellung der Verfahrensweisen und Befunde in knapper Form zu (vgl. THIESS et al., 1986). Die Ablauffolge der Untersuchungen ist aus nachstehender Unterteilung ersichtlich.

Gasförmige und leicht-flüchtige Organika

Die überstehenden, raumtemperierten Gasphasen aller gasdicht verschlossenen Proben wurden unmittelbar nach Eingang einer ersten orientierenden gaschromatographischen (gc) head space-Analyse an einer 3 m-Carbowax-Säule bei Standardbedingungen unterzogen (THIESS, 1983, 1986). Hierdurch werden nahezu alle gasförmigen und leicht- bis mittelflüchtigen organischen Substanzen erfaßt.
Bei Proben mit suspekten Signalen erfolgten Mehrfachuntersuchungen ohne und mit zugemischten head space-Standards an unterschiedlichen GC-Systemen (Hallcomid, Porapak, Carbopack, Polypropylen, SE-30) bei jeweils angemessenen Bedingungen, um eine sichere Identifizierung und eine Quantifizierung der signalgebenden Substanzen zu ermöglichen.
Die aufgegebenen Dampfphasenmengen (0,05 bis 5 ml) richteten sich nach Art des Material und der Asservierung, den GC-Systemen und den Signalstärken. Bei Nachuntersuchungen der Proben wurden zur Empfindlichkeitssteigerung auch Direkteinspritzungen der Wasserproben und der biologischen Flüssigkeiten vorgenommen (0,1 bis 5 μl).

Neben Spuren gasförmiger und sehr leichtflüchtiger Kohlenwasserstoffe wurde im Wasser und anderen Proben aus dem neuen Schildkrötenbecken Dichlormethan (DCM, Methylenchlorid) in unterschiedlichen Konzentrationen nachgewiesen. Die Konzentrationen an DCM schwankten in Abhängigkeit von Wasserumwälzung, Belüftung, Schichttiefe, makroskopischen Verunreinigungen, Temperatur und anderen präanalytischen Faktoren zwischen etwa 0,1 und 1 μg/g. Die höchsten Konzentrationen fanden sich bei fehlender Wasserumwälzung. Alle Konzentrationsangaben sind nur als Mindestwerte auf die Zeit der Probennahme übertragbar. Auf die Wiedergabe quantitativer DCM-Detailbefunde an einzelnen Wasserproben wird verzichtet, da im vorliegenden Fall jede Hochrechnung zu Fehlschlüssen führen würde.
Wesentlich höhere Konzentrationen an DCM/g Material ergaben sich besonders an Laminat-, Bodengelcoat- und weiteren Proben des Beckenbodens bei nahezu leergepumptem Becken.

Frei von DCM in nachweisbaren Konzentrationen (hier ab etwa 10 ng/g Wasser) und anderen flüchtigen organischen Fremdstoffen waren unter anderem Leitungswasser, Meereswasserreserve, Futtermittel (Sepia) und Proben aus älteren Wasserbecken.
Nachuntersuchungen an den 14 Monate bei Zimmertemperatur (10 bis 25 °C) aufbewahrten Wasser-,

Gelcoat- und Laminatproben erbrachten an den ursprünglich stärker kontaminierten Wasserproben sowie an den übrigen genannten Proben noch eindeutige DCM-Nachweise. So fanden sich in einer 150 ml fassenden Infusionsflasche, die seit Mitte September 1984 einen trockenen Streifen Laminat enthielt (3,5 g, 70 x 20 x 2 mm), zum Jahresende 1985 in der Gasphase des Gefäßes noch etwa 120 µg DCM. Dieses Laminatstück war während der Beckenverkleidung hergestellt und seitdem bis zur Asservierung (etwa 5 Monate) offen in der Werkstatt aufbewahrt worden.

Wenigflüchtige organische Arznei- und Giftstoffe
Teile der suspekten Wasserproben und Flüssiganteile der Mageninhalte wurden bei verschiedenen pH-Bereichen mit Chloroform, Diethylether und /oder Essigsäureethylester extrahiert, die Abdampfrückstände der abgetrennten organischen Phasen orientierend chemisch, dünnschicht-chromatographisch, UV-spektrometrisch und gaschromatographisch untersucht. Von Wasser- und Mageninhaltsproben wurden auch im chemisch unbearbeiteten Zustand (Originalproben und Abdampfrückstände bei 20°/Exsikkator/ und 105 °C) die UV-VIS-Spektren aufgezeichnet und temperaturprogrammierte GC-Analysen vorgenommen.
Die Untersuchungen ergaben keine konkreten Anhaltspunkte für das Vorliegen verbreitet genutzter organischer Arznei- und Giftstoffe üblicher Art.

Blutfarbstoffe
Die Blutproben und die blutigen Flüssigkeiten von Leber und Niere beider Schildkröten wurden teils unmittelbar nach Eingang, teils wiederholt nach 14monatiger Tieffrostlagerung (Organe) spektralphotometrisch nach üblichen Verfahrensweisen für menschliche und andere Warmblüterblute (AB-2(D.L.), 1975, AHREND und TIESS, 1975, KATSUMATA et al., 1980; NAGEL und SCHMECHTA, 1980, 1981) auf normale und pathologische Blutfarbstoffe untersucht. Hierbei ergaben sich für alle bluthaltigen Proben leicht bis deutlich erhöhte CO-Hb-Spiegel. Die Sättigungsgrade liegen bei der Unechten Karettschildkröte zwischen 10 und 20 %, bei der Suppenschildkröte bei 5 bis 10 %. Alle Farbstoffabsorptionskurven (O_2-Hb/CO-Hb, Red.-Hb, Hämochromogen und 100 % CO-Hb) wurden dokumentiert (500 bis 620 nm). Ob und inwieweit es sich um echt erhöhte Sättigungsgrade oder tatsächlich um Normalwerte handelt, kann derzeit mangels ausreichender Vergleichs- oder Literaturdaten unsererseits nicht entschieden werden. Die Blutprobe einer (in der Lebenskraft beeinträchtigten) Schmuckschildkröte zeigte bei gleichartiger Untersuchung einen CO-Hb-Sättigungsgrad von 14 %. Zusätzlich wurden die Soret-Banden stark verdünnter wäßriger und leicht amoniakalischer Lösungen mit Dithionit (Red.-Hb) sowie anschließend mit Natronlauge (Hämochromogenbildung) behandelter Lösungen aufgezeichnet (330 bis 500 nm).

Cholinesterase-Aktivität
Die Cholinesterase-Aktivitäten der frischen Blutproben beider Meeresschildkröten, bestimmt in geübter Weise mittels kinetischem "Merckotest Cholinesterase", lagen unterhalb 0,1 U/ml (1,7 µkat/l). Die Normalwerte für menschliche Blute (Serum/Plasma) bei gleicher Verfahrensweise betrager 3 bis 8 U/ml (50 bis 130 µkat/l). Aus der Literatur konnten von uns keine Vergleichswerte für Schildkröten ermittelt werden. Das unsererseits zum Vergleich herangezogene Frischblut einer nicht schadstoffkontaminierten Schmuckschildkröte zeigte ebenfalls nur eine kaum meßbare Cholinesterase-Aktivität, so daß die anfängliche Annahme der Einwirkung von cholinesterasehemmenden Substanzen (z.B. Organophosphate) nicht aufrecht erhalten werden konnte.

Organoleptische und weitere Untersuchungsbefunde
Alle übergebenen Biomaterialien, die Magen-Darm-Inhalte wie die Organproben, wiesen einen deutlichen bis intensiven Geruch nach Art von Salzheringslake auf (Methylamine). Ein entsprechender Geruch war an keiner Umwelt- oder Nahrungsprobe der Tiere festgestellt worden.

Die Wasserproben aus dem neuen Becken und Kontrollproben sowie die Flüssiganteile der Mageninhalte wurden kurze Zeit nach Eingang (6./7.9.84) mittels Combi-Merckognost und anderen Teststreifen geprüft. Auffällig war bei der ersten Wasserprobe des neuen Beckens ein vergleichsweise niedriger pH-Bereich (um pH 5) und ein schwach positiver Nitrit-Nitrat-Befund. Ein höherer Nitrit-/Nitrat-Gehalt wurde in einer stärker verunreinigten Bodenwasserprobe festgestellt.

Die Mageninhaltsproben zeigten am Combi-Merckognost-Streifen einen deutlich positiven Ketonkörperbefund (um 50 mg/dl), einen pH-Wert von 5 und eine sehr schwach positive Nitrit-/Nitrat-Reaktion.

Befundbewertung

Das isolierte Geschehen und der rasante Krankheitsverlauf, der schließlich zum Tod aller Tiere des neuen Schildkrötenbeckens führte, ließen eine Intoxikation vermuten. Das negative Ergebnis der bakteriologischen Untersuchungen stützte diese Annahme. Die pathomorphologischen Befunde beider obduzierten Schildkröten lassen den Schluß zu, daß toxische Substanzen infolge einer relativ langen Einwirkungszeit besonders auf das Epithel der Atemwege gewirkt haben. Durch ständige Reizung des respiratorischen Epithels kam es zu Degeneration und Verlust dieses atmungsaktiven Teils der Lungen. Weitere Schädigungen, die durch eine Intoxikation hervorgerufen sein können, wurden an den Follikelepithelien der Schilddrüsen festgestellt.
Obwohl die Beurteilung verfetteter Leberzellen bei Schildkröten nicht unproblematisch ist, da es reversible Fettablagerungen physiologischer Art gibt (MEISTER, 1984), lassen sich die von uns geschilderten Veränderungen eindeutig den toxischen Hepatosen zuordnen. Dafür sprechen sowohl die erheblichen Kernschädigungen der Hepatozyten, als auch die Mischung unterschiedlicher Tropfengrößen. Letzteres wird als typisch für eine toxische Komponente angesehen (KLINGE, 1969). Darüber hinaus paßt die Sternzellsiderose in das Bild einer toxischen Hepatose.
Die hochgradigen nephrotischen Veränderungen an den Tubulusepithelien und an den Glomerula könnten als Folgen der Elimination des Giftes bzw. seiner Metaboliten angesehen werden.

Die erhobenen chemisch-analytischen Befunde in der Umwelt der Tiere weisen eindeutig auf Dichlormethan (DCM) als wahrscheinliche Hauptnoxe hin. DCM ist als giftige Substanz für den Menschen (u.a. SCHLIPKÖTER et al., 1970; MÜLLER-ESCH et al., 1982; TESCHKE, 1984) und für Versuchstiere (u.a. PANKOW et al., 1979) bekannt. Nach MURMANN und SCHOON (1985) sind bisher keine Vergiftungen von Zootieren durch diesen Stoff beschrieben, so daß hier nur einige als gesichert geltende Erkenntnisse zur Toxikologie des DCM beim Menschen und anderen Warmblütern dargelegt werden können. Ob und inwieweit die bisherigen Erkenntnisse zur Toxikologie des DCM bei Warmblütern auf wechselwarme Tiere, speziell auf Meeresschildkröten übertragbar sind, muß späteren Untersuchungen vorbehalten bleiben. DCM ist eine farblose Flüssigkeit mit süßlichem, chloroformähnlichem Geschmack. Die Verbindung wird vielfältig in Industrie und Haushalt verwendet, da sie ein gutes Lösungsmittel für viele organische Verbindungen ist. Früher wurde sie unter dem Namen "Solaesthin" als Kurznarkotikum für Rauschnarkosen benutzt. Der Siedepunkt liegt bei +40 °C und die Dichte beträgt 1,33 g/cm^3. DCM gilt als gut fettlöslich und als wenig bis mäßig wasserlöslich. Im gasförmigen Zustand ist es schwerer als Luft. Die Verbindung zählt nach gültiger Giftklassifikation zu den mäßig giftigen Substanzen. Die besondere Gefährlichkeit des DCM liegt in der hohen Flüchtigkeit, dem hiermit verbundenen starken Penetriervermögen und der Akkumulation besonders im fetthaltigen Gewebe begründet.
Trotz relativ breiter Verwendung von DCM sind bis heute keine gesicherten quantitativen toxikologischen Daten über therapeutische, toxische und letale Blut- und Organkonzentrationen beim Menschen bekannt (STEAD und MOFFAT, 1983)$^+$.

Bei entsprechender Kontamination mit DCM soll die Resorption sehr schnell über den Respirationstrakt, etwas langsamer über Schleimhaut und Haut erfolgen. Die ersten deutlichen Erscheinungen einer Einwirkung werden stets als narkotisch beschrieben, bei länger währender Einwirkung werden insbesondere Leber- und Nierenschädigungen hervorgehoben, unabhängig davon, ob die Wirkkonzentrationen überwiegend auf inhalativem, oralem oder perkutanem Wege erreicht wurden. Das aufgenommene DCM wird innerhalb kurzer Zeit weitgehend zellulär fixiert.

D.VINCENZO und HAMILTON (1975) untersuchten nach i.p.-Gabe von (^{14}C)-DCM bei Ratten die Verteilung, die Biotransformation und die Elimination und fanden nach anfänglicher Anreicherung im Fettgewebe (2 Std.) 8 und 24 Std. nach Applikation in der Leber die höchsten DCM-Konzentrationen. Über 75 % des applizierten DCM waren bereits nach 2 Std., 91,5 % nach 24 Std. unverändert als DCM abgeatmet. Etwa 1 % wurde über die Nieren ausgeschieden. Weniger als 7 % des DCM werden metabolisiert, davon etwa 2 % zu CO, 3 % zu CO_2 und 1 % zu unbekannten Substanzen. Es wurden in Atem, Blut und Organen keine weiteren Metaboliten identifiziert.

+) Für den erwachsenen Menschen gelten 20 - 25 g DCM als tödliche orale Dosis (LUDEWIG und LOHS, 1981).

Seit der Mitteilung von STEWART et al. (1972) ist bekannt, daß nach Aufnahme von DCM die CO-Konzentrationen im Blut und in der exhalierten Luft ansteigen und auch nach Beendigung der DCM-Exposition noch eine verzögerte CO-Elimination vorliegt, da eine Nachbildung von CO durch gespeichertes DCM gegeben ist (s. DIVINCENZO und HAMILTON, 1975; PANKOW et al., 1980; PANKOW, 1981; FELSCHER, 1984). Als Ausscheidungsprodukt im Harn wird außerdem Ameisensäure in Erwägung gezogen (s. FELSCHER, 1984).
Nach PANKOW et al. (1980) nehmen bei Einwirkung von DCM auch die Atem-CO-Werte zu und die CO-Hb-Werte erreichen Maximalwerte um 9 % etwa 4 Std. nach der DCM-Applikation. Sie berichten außerdem über eine DCM-dosisabhängige Minderung der motorischen Nervenleitgeschwindigkeit.
FILSER und BOLT (1983) sowie FILSER et al. (1982, 1983) fanden nach inhalativer Aufnahme von DCM zudem eine verstärkte Abatmung von Aceton (Propan-2-on) sowie Ethan und n-Pentan.

Toxische Alveolitis bzw. toxisches Lungenödem wurden bei Menschen nach inhalativer Aufnahme von DCM-haltigen Sprays (32 % DCM) beobachtet (MÜLLER-ESCH et al., 1982; SCHICHT et al., 1982). Der schlüssige analytische Beweis, der Nachweis einer toxischen DCM-Konzentration in den Organen der Tiere, war erwartungsgemäß nicht zu führen, da die Tiere nach der mutmaßlich entscheidenden massiven Schadstoffeinwirkung am 30.8.84 noch mindestens 30 Stunden im schadstoffarmen Wasser und weitere 12 Stunden in schadstoffreier Atmosphäre unter Behandlung überlebten. In dieser Zeit muß auch bei wechselwarmen Tieren mit einer quasi 100 %igen Elimination toxischer DCM-Konzentrationen gerechnet werden. Ähnliche Verhältnisse sind aus der Human-Toxikologie bei längeren Überlebenszeiten nach akuten Intoxikationen durch leichtflüchtige aliphatische Halogenkohlenwasserstoffe bekannt (TIESS und RUMMEL, 1983). Eine hinreichend sichere Interpretation der übrigen erhobenen toxikologischen Untersuchungsbefunde (z.B. Blutfarbstoffe, Cholinesteraseaktivität) ist nicht möglich, da uns entsprechende Vergleichswerte nicht bekannt sind.
Es sei jedoch darauf hingewiesen, daß die Affinität des CO zum Hb bei Schildkröten wahrscheinlich geringer ist als beim menschlichen Blut; hierauf deuten experimentelle Untersuchungen an stärker CO-Hb-gesättigten Blutproben hin.

Mehrere Hundert verbreitet verwendeter organischer Schadstoffe wurden durch Screening-Untersuchungen an Umweltproben und biologischem Material als Verursacher unwahrscheinlich gemacht oder praktisch ausgeschlossen. Untersuchungen auf Anorganika wurden nicht vorgenommen.

Trotz begründeten Fehlens von sicher toxikologisch-relevanten DCM-Konzentrationen am Biomaterial zur Todeszeit und in Unkenntnis der (nicht reproduzierbaren) Vorfallszeitkonzentration an DCM im Wasser und in der eingeatmeten Luft erfolgte die vorläufige Enddiagnose "Multifaktorelles Vergiftungsgeschehen unter besonderer Berücksichtigung von DCM" nicht 'per exclusionem'. Aus dem DCM-Untersuchungsbefund der 14 cm^2-großen Laminatprobe läßt sich bei Berücksichtigung der physikalisch-chemischen Eigenschaften des DCM ermessen, welche Mengen an DCM und Zersetzungsprodukten des DCM (u.a. Salzsäure, unter Umständen auch Phosgen, s. Merkblätter WTZ 1981) aus der rund 37 m^2 umfassenden Beckenverkleidung mit durchschnittlich doppelter Schichtdicke des Laminats in der Zeit von der Fertigstellung bis zum Vorfall freigesetzt wurden.

Nach Vorliegen der chemisch-analytischen Befunde, insbesondere des DCM-Gehaltes im Laminat des Beckens und außerhalb des Beckens gelagerter, gleichzeitig hergestellter Laminatproben, ergab sich durch gezielte Befragung des bei den Laminierungsarbeiten und Nachbesserungen beteiligten Personals, daß neben der üblichen Verwendung von DCM als Entfettungs-, Lösungs- und Reinigungsmittel in zwei Fällen versehentlich größere Mengen DCM in das bereits rundum laminierte Becken gelangten, bevor der Boden mit dem Gelcoat beschichtet wurde.
Obwohl der größte Teil jeweils unmittelbar danach beseitigt worden sein soll, sind bei diesen Vorfällen mit Sicherheit erhebliche Mengen des DCM in das Laminat und darunter befindliche Schichten penetriert, diffundiert und zum Teil okkludiert.
Das in das Laminat gelangte DCM wird unter Normalbedingungen bei Zimmertemperatur nur stark verzögert freigesetzt. Die Abgabe steigt mit der Temperatur. Während der Filterreinigung am 30.8.84 fehlte die Wasserumwälzung und damit auch die Belüftung des Beckens. Die Wassertemperaturen waren relativ hoch und die Sonneneinstrahlung intensiv. Demzufolge wird es zu einer verhältnismäßig hohen Belastung des Wassers und der überstehenden Luftschicht mit DCM und seinen Zersetzungsprodukten gekommen sein. Eine massive Aufnahme der Schadstoffe durch die Schildkröten über einige Stunden ist anzunehmen. Es ist durchaus wahrscheinlich, daß in dieser Zeit die

Toleranzschwelle im Organismus, die bei der wochenlang zuvor währenden Aufnahme subtoxischer Dosen nicht erreicht worden war, überschritten wurde.
Auch toxische Störungen der Sauerstoffversorgung wären in diesem Zusammenhang zu diskutieren, da einerseits die Anreicherung von DCM oberhalb des Wasserspiegels logischerweise den Luftsauerstoff verdrängt und andererseits die erhöhten CO-Hb-Sättigungsgrade den Sauerstofftransport im Körper einschränken. Aus den Mageninhaltsbefunden (unverdaute Sepiastücke bis 40 x 50 mm, Sepiafarbstoff, Bildung von Methylaminen) kann möglicherweise abgeleitet werden, daß wesentliche Vitalfunktionen bereits unmittelbar nach der akuten Belastung stärker geschädigt wurden.

Schlußfolgerungen

Aus den vorliegenden Untersuchungsbefunden lassen sich für Hersteller und Nutzer neuer Anlagen dieser Art folgende Empfehlungen ableiten:

- Installateure und Betreiber der Anlagen sollten nicht nur über mögliche Gefahren beim Umgang mit potentiell toxischen Substanzen nach dem jeweiligen Stand der Erkenntnisse, sondern auch über die wichtigsten physikalisch-chemischen Eigenschaften dieser Substanzen informiert sein.
- Havarien mit solchen Substanzen, auch mit scheinbar unbedenklichen Mengen, sind aktenkundig zu machen.
- Bei Verwendung oder Bildung toxikologisch bedeutsamer Substanzen sind zumindest vor der Übergabe und Besetzung der Anlage toxikologische Prüfungen vorzunehmen (z.B. Prüfröhrchen-Teste vor Ort. LEICHNITZ, 1982).
- Bei Vorliegen bedenklicher Schadstoffkonzentrationen sind angemessene Maßnahmen durchzuführen, bis die Konzentrationen in einem sicher unbedenklichen Bereich liegen.
- Bei Havarien oder Auftreten extrem ungünstiger Bedingungen während des Anlagenbetriebs (z.B. Stillstand der Wasserumwälzung, Defekt der Filter, Temperaturerhöhung) sollten vorsorglich toxikologische Vor-Ort-Überprüfungen und Probennahmen vorgenommen werden. Die Proben sind bis zur gesicherten Normalisierung der Verhältnisse sachgerecht aufzubewahren, um erforderlichenfalls analytische Befunde zu erhalten, die weitgehend auf die Zeit des Geschehens übertragbar sind. Entsprechendes gilt für die Sicherung geeigneten biologischen Materials (z.B. Blut, Exkrete, Futtermittel).
- Die im vorliegenden Fall erfolgte Asservierung für Wasser-, Luft- und Laminatproben kann zur Nutzung auch bei Vorliegen sehr leicht flüchtiger Organika empfohlen werden. Wegen der Löslichkeit und des Diffusionsvermögens von leichtflüchtigen Halogenkohlenwasserstoffen sollten derartig suspekte Proben nicht in Plastikbehälter asserviert werden.

Für sachdienliche Hinweise und Beratung sind die Autoren Frau Prof. K r e u t z m a n n (Rostock) sowie den Herren Dr. D i e c k e (Leipzig), Dipl.-Biol. D u t y (Rostock), Dr. E c k h a r d t (Leipzig), Dr. J ü r ß (Rostock), Dr. M e l d e (Cottbus), Dr. S. S c h u l z (Rostock-Warnemünde), Dr. S t a m m , und Doz. Dr. W e g e n e r (Rostock) zu Dank verpflichtet.
Ebenfalls zu Dank verpflichtet sind wir dem Zoo Rostock und dem Bezirksinstitut für Veterinärwesen, Rostock.

Zusammenfassung

Plötzlicher Tod großer Meeresschildkröten im Aquarium

Es werden die Haltung, der Verlauf der Erkrankungen, die pathologischen Befunde und das Ergebnis der toxikologischen Untersuchungen beschrieben. Ohne quantifizierbare Aussagen treffen zu können, kann angenommen werden, daß Dichlormethan und seine exogenen und endogenen Metaboliten zum Tod der Tiere geführt haben.

Summary

Sudden Deaths of Great Sea Turtles in Aquarium

An account is given of keeping conditions, caurses of diseases, pathological findings, and results obtained from toxicological tests. While no quantifiable information can be reported, the assumption appears to be somewhat supported that death of the animals had been caused by dichloromethane as well as its exogenic and endogenic metabolites.

Résumé

A propos de la mort subite de grandes tortues de la mer dans l'aquarium

L'auteur explique les détails de la détention, de l'évolution des maladies, les résultats pathologiques et ceux des analyses toxicologiques. On peut soupçonner, sans vouloir faire une déclaration quantifiable, que le dichlorométhane et ses métabolites exogènes et endogènes ont provoqué la mort des animaux.

Резюме

Неожиданная смерть морской черепахи в аквариуме.

Описаны содержание, течение заболевания , патологические и токсикологические результаты исследований.Предполагается,что причиной смерти животного является наличие дихлорметана и его экзогенных и эндогенных метаболитов.

Literaturverzeichnis

AHREND, K.-F., und D. TIESS (1975): Kommentar zur Standardvorschrift des DAB 7 (D.L.)-DDR. Bestimmung des Kohlenoxid-Hämoglobins im Blut. Zbl. Pharm. 114, 1077 - 1084.

AUTORENKOLLEKTIV (1981 - 1985): Merkblätter für den Umgang mit gefährlichen Stoffen. WTZ für Arbeits- und Produktionssicherheit der chemischen Industrie. Berlin; Verl. Tribüne.

De RUITER, N., OTTENWÄLDER, H., MULIAWAN, H., and H. KAPPUS (1982): Lipid peroxidation in isolated rat hepatocytes measured by ethan and n-pentene formation. Arch. Toxicol. 49, 265 - 273.

DIVINCENZO, G.D.,and M.L. HAMILTON (1975): Fate and disposition of (^{14}C) methylene chloride in the rat. Toxicol. appl. Pharmacol. 32, 385 - 393.

FELSCHER, D. (1984): Biotransformation und gaschromatographischer Nachweis von aliphatischen Chlorkohlenwasserstoffen. Beitr. Gerichtl. Med. (Wien) XLII, 403 - 413.

FILSER, J.G., JUNG, P., and H.M. BOLT (1982): Increased acetone exhalation induced by metabolites of halogenated C_1 and C_2 compounds. Arch. Toxicol. 49, 107 - 116.

FILSER, J.G., and H.M. BOLT (1983): Inhalation pharmacokinetics based on gas uptake studies. IV. The endogenous production of volatile compounds. Arch. Toxicol. 52, 123 - 133.

FILSER, J.G., BOLT, H.M., MULIAWAN, H., and H. KAPPUS (1983): Quantitative evoluation of ethane and n-pentane as indicators of lipid peroxidation in vivo. Arch. Toxicol. 52, 135 - 147.

KATSUMATA, Y., AOKI, M., OYA, M., SUZUKI, O., and S. YADA (1980): Simultanous determination of carboxyhemoglobin and methemoglobin in victims of carbon monoxide poisoning. J. Forensic Sci. 25, 546 - 549.

KLINGE, O. (1969): Formen und Kennzeichen toxischer Hepatosen. Verh. Dtsch. Ges. Path. 53, 298 - 303.

LEICHNITZ, K. (1982): Prüfröhrchen-Taschenbuch. Drägerwerk AG, Drucksache 4340.

LUDEWIG, R., und K. LOHS (1981): Akute Vergiftungen, Ratgeber für toxikologische Notfälle. Jena: Fischer.

MEISTER, R. (1984): Beitrag zu den Erkrankungen der Riesenschildkröten. Verh.ber. Erkrg. Zootiere 26, 305 - 311.

MÜLLER-ESCH, G., BRUNK, E., DJONLAGIC, H., HOFFMANN, J., und K.-J. WIESSMANN (1982): Inhalationsintoxikation durch Lederimprägnationsmittel. Dt. Med. Wschr. 107, 692 - 695.

MURMANN, W. und H.-A. SCHOON (1985): Vergiftungen und Schadstoffanalysen bei Zootieren. Verh.ber. Erkrg. Zootiere 27, 199 - 210.

NAGEL, S., und H. SCHMECHTA (1980): Spektralphotometrische Methode zur zuverlässigen Kohlenmonoxid-Hämoglobin-Bestimmung in Gegenwart von Hämiglobin. Z. med. Labor.-Diagn. 21, 297 - 301.

PANKOW, D. (1981): Toxikologie des Kohlenmonoxids. S. 33 - 34, 139. Berlin: VEB Verlag Volk und Gesundheit.

PANKOW, D., GUTEWORT, R., GLATZEL, W., und K. TIETZE (1980): Karboxyhämoglobin und motorische Nervenleitgeschwindigkeit infolge Dichlormethaneinwirkung bei Ratten. In: Toxikologische und analytische Probleme bei Lösungsmittelexpositionen (Hrsg. R.K. MÜLLER), S. 60 - 67, Leipzig.

SCHICHT, R., HARTJEN, A., und V. SILL (1982): Alveolitis nach Lederspray-Inhalation. Dt. Med. Wschr. 107, 688 - 691.

SCHLIPKÖTER, H.-W., FODOR, G.G., und G. WINNECKE (1970): Gefährdung durch organische Lösungsmittel am Arbeitsplatz, dargestellt am Beispiel des Dichlormethans. Arb.med. Sozialmed., Arb. hyg. (Sonderdruck) 5, 253 - 256.

STEAD, A.H., and A.C. MOFFAT (1983): A collection of therapeutic, toxic and fatal blood drug concentrations in man. Human Toxicol. 3, 437 - 464.

STEWART, R.D., FISHER, T.N., HOSKO, M.J., PETERSEN, J.E., BARETTA, E.D., and H.C. DODD (1972): Carboxyhemoglobin evaluation after exposure to dichloromethane. Science 176, 295-296.

TSCHKE, R. (1984): Vergiftungen durch halogenierte aliphatische Kohlenwasserstoffe: selten, aber schwierig zu behandeln. Notfallmed. 10, 522 - 539.

TIESS, D. (1983): Zur systematischen Analyse leicht bis wenig flüchtiger Organika von toxikologischer Relevanz mittels Gaschromatographie. In: Instrumentelle Analytik in der Toxikologie, S. 58 - 70 (Hrsg. R.K. Müller), Leipzig.

TIESS, D. (1986): Zur toxikologischen Analytik und Befundinterpretation flüchtiger Organika an formaldehyd-fixierten Histologie-Asservaten. Krimin. forens. Wiss. 61/62 (i.Druck).

TIESS, D. (1986): Ein schnelles Screening-Verfahren für leicht- bis mittelflüchtige Organik mittels head space-Gaschromatographie. Krimin. forens. Wiss. 61/62 (i.Druck).

TIESS, D. SCHLÜTER, H.-J., TSCHIESCHKE, K.-H., und Jutta WISSER: Toxikologische Untersuchungen, Befunde und Bewertungen zum plötzlichen Tod von großen Meeresschildkröten. (In Vorbereitung).

TIESS, D., und J. RUMMEL (1983): Beitrag zur gaschromatographischen Bestimmung und toxikologischen Interpretation geringer Mengen 1,2-Dichlorethan am frischen, stark fauligen und formaldehydfixierten biologischen Material (PVC-Kleber-Intoxikation). Krimin. forens. Wiss. 51/52, 144 - 149.

Anschrift der Verfasser: Dr. med. vet. H.-J. Schlüter
DDR-2300 Stralsund
Knieperdamm 76 (DDR)

National Aquarium in Baltimore and Division of Comparative Medicine, Johns Hopkins School of Medicine, Baltimore

PRELIMINARY NOTES ON THE IMMOBILIZATION AND ANESTHESIA OF CAPTIVE SHARKS

By M. K. Stoskopf

Introduction

The maintenance of healthy sharks in captive environments presents a number of technical difficulties to zoo and aquaria personnal. The majority of these arise from the habits and needs of marine predators. Numerous anatomical and physiological parameters must also be integrated into the approach to the simplest procedures, and like other large carnivores, theoretical considerations are often far outweighed by the practical necessity of safely approaching the animal for hands on diagnosis and therapy.

The advantages, both to the shark and to the clinician, of anesthetizing sharks during routine procedures, have long been recognized. In the late 1950's, GILBERT and his colleagues developed successful techniques for the use of tricaine methsulphonate (MS-222) which supplanted earlier less satisfactory emersion anesthetics such as urethane (GILBERT and WOOD, 1957). While emersion techniques remain popular and are practical in limited applications in smaller sharks, they are not practical for the immobilization of large specimens. Modifications of emersion techniques using sprayers to apply drugs to the gills can be used in these animals (GILBERT and KRITZLER, 1960), but require prior restraint of the animal for application and are not suitable in closed systems where contamination of the water system must be avoided at all costs. Recently, halothane and nitrous oxide, anesthetics, classically considered inhalation agents in mammals, have been used successfully to maintain surgical planes of anesthesia in sharks (DUNN and KOESTER, in press), but these methods also require prior restraint and are impractical with large free swimming specimens. The need for immobilizing agents which can be safely administered to free swimming animals, remains a prime consideration in the management of shark health. This paper is a preliminary report of investigations on the immobilization of sharks, which concentrates on the use of injectable agents in large sharks commonly kept for display; the nurse shark (Ginglymostoma cirratum), the sand tiger shark (Odontaspis taurus), the lemon shark (Negaprion brevirostris), and the brown shark (Carcharhinus plumbeus).

Materials and methods

The majority of trials have utilized four species of sharks held commonly in captivity; the nurse shark (Ginglymostoma cirratum), the sand tiger (Odontaspis taurus), the lemon shark (Negaprion brevirostris), and the brown shark (Carcharhinus plumbeus). The sharks involved have been primarily longterm captive animals in varying states of health. Many of the immobilizations have been to facilitate treatment or diagnosis of disease conditions which have ranged from thyroid hyperplasias to acute trauma. The traisl are roughly equally divided between animals held in open water systems and closed recirculating artificial seawater systems.

Intramuscular agents were delivered easily and efficiently using remote delivery syringe poles (Zoolu Arms, Omaha, Nebraska). Injections were made from the surface using 16 gauge needles to penetrate the tough, placoid scale covered skin. Drugs were injected into the dorsal musculature surrounding the anterior dorsal fin in an imaginary saddle region extending dorsally from each lateral line, anterior to a point halfway between the dorsal fin and the eye, and an equal distance posteriorly.

Intravenous administration was used in animals restrained manually or sedated through the use of intramuscular agents. The ventral caudal vein which is encased in the cartilage of the ventral vertebral column was utilized by insertin a 3 to 4 cm long needle on the ventral midline of the tail just posterior to the base of the anal fin. The needle was directed dorsally approximately 30 degrees anterior to vertical, into the cartilage. This vein is safe for administration of a variety of drugs so long as careful barbitage is followed (STOSKOPF et al, 1984).

Comparative emersion inductions were performed in closed containers separate from the main life support systems. Animals were netted or removed by stretcher and placed in an induction tank while the drug was applied. The induction water was oxygenated by airstones bubbling air or oxygen to maintain approximately 8 ppm dissolved oxygen concentration. Animals immobilized with injectable anesthetics were maintained in similar systems in most cases, although some animals were examined and worked up in their living enclosure and others were placed on artificial irrigation of the gills. Depth of anesthesia was monitored in all cases by the criteria listed in Table I.

TABLE I

STAGES OF ANESTHESIA IN SHARKS

STAGE	PLANE	CATEGORY	RESPONSE OF SHARK
0		Normal	Swimming Actively Reactive to External Stimuli Equilibrium and Muscle Tone Normal
I	1	Light Sedation	Voluntary Swimming Continues. Slight loss of reactivity to visual and tactile stimuli. Respiration, Equilibrium, and Muscle Tone Normal
I	2	Deep Sedation	Voluntary Swimming Stopped. Loss of visual and tactile reactivity Respiration and Muscle Tone slightly decreased. Equilibrium normal. Responds to positional changes.
II	1	Light Narcosis	Preceeded by Excitement Phase Respiration Increased, Equilibrium Loss, Decreased Muscle Tone Weak Response to Positional Changes
II	2	Deep Narcosis	No Response to Positional Changes Respiration Decreased, Reactivity to strong tactile and Vibrational stimuli.
III	1	Light Anesthesia	Total Loss of Muscle Tone Responds to deep pressure Further Decrease in Respiration Minor Surgical Plane
III	2	Surg. Anest.	Loss of deep pain Very Slow Respiratory Rate Decreased Heart Rate
IV		Medullary Collapse	Loss of Gill Movement followed in several minutes by Cardiac Arrest.

The following drugs were used in combinations or alone; ketamine HCl (100 mg/ml, Bristol Laboratories), xylazine HCl (100 mg/ml, Haverlockhart Miles Lab), tilazol (CI 744), carfentanil (10 mg/ml, Wildlife Laboratories), yohimbine (Sigma), etomidate (Jansen), metomidate (Wildlife Laboratories), tricaine methsulfonate (Crescent Research).

Results

Emersion Agents: A stock solution of 1 gm/l (0.1 %) of tricaine methsulfonate serves suitably for administration to all species of sharks we have examined, including small brown sharks, small lemon sharks, nurse sharks, bonnethead sharks, smooth dogfish, sawfish, cow-nosed rays, diamond rays, and a single spotted eagle ray. The stock solution can be applied directly to gills without noticeable deleterious effect to gill membranes. Initial induction in smaller sharks is best achieved by bringing the water concentration of drug to 100 mg/l (0.001 %) by adding 10 ml stock solution for every liter of water. Induction varies by water mixing, and condition of the shark but generally requires 10 to 15 minutes or more. Induction can be hastened by direct application of stock solution to the gills. This method has a higher risk of overdosing the animal and achieving planes deeper than required for minor procedures but can be used with caution starting with 2 to 4 mls stock solution per kg body weight. Recovery depends upton depth of anesthesia achieved. Stage II plane 2 generally requires from 30 minutes to 1 hour for recovery after removal from exposure to the drug. Deeper planes take several hours, and recovery is heavily dependent upton cardiac output (RANDAL, 1962). Species differences have been difficult to appreciate in the emersion techniques but it is possible that the spotted eagle ray is more susceptible to tricaine methsulfonate than other rays and sharks. Other authors have reported an increased sensitivity in guitarfish as well (DUNN and KOSTER, in press). Distinct species differences in susceptability to tricaine methsulfonate are documented in teleosts (MARKING, 1967; SCHOETTGER, 1967).
Etomidate and metomidate provide considerably more rapid induction and recovery times than tricaine methsulfonate. I have only used these drugs in a series of brown sharks, and have not evaluated species differences. In the brown shark, a starting concentration of 10 ppm (mg/l) provides stage II induction in approcimately 2 to 4 minutes. Doubling the concentration to 20 ppm can be used to reduce the induction time to less than 1 minute but depth is much more difficult to control. Etomidate is considerably more potent than metomidate in freshwater teleost applications, but no noticeable differences were observed in brown sharks, although the rapid induction may have obscured these differences. Recovery from these drugs is as rapid as the induction. Recovery from Stage II plane 2 is approximately 3 to 5 minutes for metomidate. Recovery from deeper planes can be considerably prolonged (greater than 1 hour) presumably due to effects on cardiac output.

Intramuscular Agents: No trials with intramuscular injection of tricaine methsulfonate have been attempted. Attempts to anesthetize a series of six brown sharks with metomidate and/or etomidate were totally unsuccessful, with no effect observed after assured delivery by hand injection of doses as high as 100 mg/kg. These trials were followed by trials with intraperitoneal and then intravenous delivery of metomidate with similar lack of success.

Combinations of ketamine HCl and xylazine HCl have proven the most successful sedation and immobilizing agent for large sharks in my hands. A ketamine to xylazine ratio of 2 : 1 has been the most effective starting ratio, with supplementation of ketamine occasionally bringing the ratio as high as 5 : 1. Marked species differences in dose response occur. Faster moving active sharks such as the brown and lemon sharks generally require higher induction doses. In our observations using a 2 : 1 ketamine to xylazine ratio, species susceptability in order of decreasing dose is as follows: brown shark > lemon shark > sand tiger shark > nurse shark. Individual variations within a species exist. This seems to be particularly true if the animal has a compromised circulatory system. Initial dose is generally based on an estimated weight and I generally start with a dose of 15 to 20 mg/kg ketamine and 6 to 12 mg/kg xylazine in an attempt to achieve Stage I plane 2 sedation or Stage II plane 1 narcosis. Maximum effect should generally be expected in 8 to 10 minutes at 25° C. Summaries of selected cases are given in Table 2.

Intramuscular administration is generally applied to achieve Stage I plane 1 or 2 and then the sedated animal is handled and intravenous or inhalation routes are used for continued induction of balanced anesthesia. Stage II plane 2 can be safely achieved with ketamine and xylazine alone, however. Recovery is related to depth of anesthesia but is more rapid than generally experienced in terrestrial mammals immobilized by similar combinations. In two

TABLE II

SUMMARY OF SELECTED KETAMINE AND XYLAZINE SHARK IMMOBILIZATIONS

WEIGHT Kg	KETAMINE Mg/Kg	XYLAZINE Mg/Kg	INDUCTION Min	LEVEL	PROCEDURE
Brown Sharks					
23	13.2	6.6	10	I/2	Ultrasound
18	11	5.5	10	II/1	Ultrasound
24	12.5	6.25	8	II/1	Ultrasound
17	20.3	10.1	8	II/2	Thyroid Biopsy
20.5	14.7	8.8	3	II/2	Ultrasound
13.6	22	14.7	7	III/1	Thyroid Biopsy
21.4	28	11.7	8	III/1	Thyroid Biopsy
7	29.2	14.0	18	II/2	Transport
19	15.7	7.8	7	I/2	Transport
Lemon Sharks					
41	15.8	14.5	10	III/1	Laproscopy
39.5	12.6	25.3	15	III/2	Laproscopy
18	30.3	12.4	15	II/2	Thyroid Biopsy
19.3	31.0	20.0	15	II/1	Ultrasound
Nurse Sharks					
42	19	9.5	17	II/1	Ultrasound
42	26	12	18	III/1	Thyroid Biopsy
20.5	22	11	12	I/2	IV catheter
40.6	0	15	10	II/2	IV catheter
40.6	7	15	10	III/2	Laproscopy
Sand Tiger Sharks					
182	25	12	18	III/2	Ultrasound +
151	25	12	15	III/2	Hook removal
115	18	9	22	II/2	Hook removal
180	9	4	5	III/2	Gastrotomy

trials in a lemon and a nurse shark, yohimbine given intravenously seemed effective in at least partial reversal of the effects of these drugs. To date ketamine and xylazine (2 : 1) in combination are my preferred immobilization and sedationagents in large sharks.

The excellent success with ketamine and xylazine prompted a trial with tilazol (CI 744), an experimental combination of tiletamine, a potent derivative of ketamine, and zolazepam, a relative of diazepam. A single 41 kg juvenile male lemon shark was injected with 500 mg tilazol intramuscularly. It became very excited in one minute and swam rapidly about the tank biting wildly at any object. Fifteen minutes into the immobilization he was given 350 mg xylazine followed by 400 mg ketamine and this calmed the animal almost immediately. An additional 250 mg of both ketamine and xylazine achieved Stage II plane 2. Due to the untoward excitement and increased aggression as well as the lack of general availability of the tilazol, no further trials were run.

The recent availability of carfentanil for use in the United States prompted a single trial on 39 kg male nurse shark. This animal was given 2.5 mg carfentanil intramuscularly followed in 10 minutes by and additional 5 mg and again in 10 more minutes by 2.5 mg. No noticeable effect was ever seen. The expense of this drug precluded further trials as it was deemed economically unrealistic to attempt immobilization with it.

Discussion

Waterborn inhalation anesthetics can easily be administered to small animals which have been netted and removed to induction tanks with minimum water volumes. This would reasonably be the method of choice in many circumstances. The animal should be placed in the induction tank and the concentration of drug gradually increased while observing for signs of induction (Table 1). The induction water should be oxygenated by air or oxygen bubbling and it is advantageous to monitor dissolved oxygen levels continuously as hypoxic and hypercarbic responses can often be misconstrued as anesthetic effects of the drug being used (ROBIN et al, 1966). Shark hemoglobin has a low oxygen carrying capacity (GRUBER and KEYES, 1981; HUGHES, 1965) which contributes to the need to maintain good perfusion of the sharks gills with adequately oxygenated water. This technique is suitable for anesthesia with tricaine methsulfonate, metomidate, etomidate, or halothane.
Larger animals would require prohibitive amounts of drug administered in a simple emersion system. In these animals it is advantageous to deliver the drug directly to the vicinity of the gills by pumping a concentrated stock solution directly into the gill slits or into the mouth (GILBERT and KRITZLER, 1960). The risk of overdosing is considerably increased by this technique and the lag time for absorption through the gill epithelium, circulation and finally central effects must be considered in dosing. Squeeze bags attached to probangs or pressurized garden sprayers have been successfully used to deliver tricaine methsulfonate, metomidate and etomidate. The rapid induction and recovery times of etomidate and metomidate are significant advantages over tricaine methsulfonate. Both metomidate and etomidate have deleterious impact upon the synthesis of cortisol and this must be considered if either drug is to be used for extensive procedures (STOSKOPF and ARNOLD, 1985). Supplementation with prednisolone may be advisable when using these two drugs. On the other hand, tricaine methsulfonate has significant impact on the electric activity of the heart and EKG monitoring during anesthesia with this drug is advisable (CAMPBELL and DAVIES, 1963; GILBERT and WOOD, 1963; STOSKOPF, 1985).

Generally, injectable agents are preferable to emersion drugs on larger animals.

Intramuscular agents essentially eliminate the contamination of closed systems with drugs. They can be delivered easily from the surface to free swimming animals and provide induction times in the same order as emersion agents. Of the intramuscular agents available, ketamine HCl is an analgesic and cataleptic cyclohexamine which has enjoyed widespread application in veterinary medicine, particularly in the immobilization of carnivores. It is closely related to phencylidine and tiletamine and is classed as a dissociative anesthetic because of its ability to disrupt cerebral association pathways by stimulating the reticular activating and limbic systems. Ketamine provides good peripheral analgesia through suppression of dorsal horn cell activity in the spinal cord in mammals, but provides little or no visceral analgesia (WHITE et al, 1982). It is reasonable to assume that its mechanism of action and effects are similar in the shark. It would not be appropriate as the sole agent in visceral surgery. In addition, seizure-like muscle spasms due to spinal reflex firing which are frequently noted in terrestrial mammals led to the selection of a mixed induction with xylazine, rather than use of ketamine alone. Xylazine is a thiazine derivative distantly related to the phenothiazine tranquilizers, also considered a dissociative anesthetic. It has been investigated as a general anesthetic for teleosts but as a sole agent produced some convulsant activity and major changes in the electrocardiographic parameters (OSWALD, 1978). I have not observed this effect of the drug when used in combination with ketamine. Ketamine and xylazine used together appear to have a wide margin of safety in sharks and can even be used to achieve surgical planes at the cost of prolonged recovery. As is the case in terrestrial mammals they seem to ameliorate each others deleterious effects when used in combination.

The trial with tiletamine and zolazepam was a failure. Tiletamine is a more potent analog of ketamine which shares the synergistic relationship with diazepam and the diazepam analog zolazepam. The primary effect was increased irritability, rapid swimming and unrestrained biting. Although only a single trial was run, it is reasonable to postulate the possibility of an untoward reaction to the zolazepam. Similarly the lack of any effect by massive dosage with carfentanil may point to unusual metabolic handling of that drug and its relatives. Currently, intramuscular delivery of xylazine HCl and ketamine HCl has proven most suitable in my hands for the immobilization of large sharks for clinical manipulation.

Summary

Preliminary Comments on Immobilisation and Anaesthesia of Shark

Intramuscular application of anaesthetics has worked well in immobilisation of sharks. Mixed injections of ketamine and xylacine were applied to four shark species in 22 cases. The doses were between 15 mg/kg and 25 mg/kg body weight of ketamine and between 6 mg/kg and 12 mg/kg of xylacine. Metomidate was applicable with some limitations, while Carfentanil and Tilazol proved to be useless.

Zusammenfassung

Vorläufige Bemerkungen zur Immobilisation und Anästhesie von Haifischen

Bei der Immobilisation von Haifischen hat sich die intramuskuläre Applikation der Medikamente bewährt. In 22 Fällen wurden Ketamin und Xylazin in einer Mischspritze bei vier Haifischarten angewandt. Die Dosierungen lagen bei 15 - 25 mg/kg KM bei Ketamin und bei 6 - 12 mg/kg KM für Xylazin. Während Metomidat nur mit Einschränkungen verwendbar war, haben sich Carfentanil und Tilazol als unbrauchbar erwiesen.

Résumé

Quelques observations préliminaires à propos de l'immobilisation et de l'anesthésie des requins

L'application intramusculaire des médicaments a permis une immobilisation des requins. En 22 cas une injection mixte de Cétamine et Xylacine a été appliquée chez quatre espèces de requins. Les dosages ont été de 15 à 25 mg/kg poids corporel pour la Xylacine. Pendant que l'utilisation du Métomidat n'a été possible qu'avec certaines restrictions, le Carfentanile et le Tilazole se sont révélés inutilisables.

Резюме

Предварительное сообщение об иммунизации и анастезии акул.

При иммунизации акул положительно показала себя внутримышечная аппликация медикаментов. В 22 случаях четырем видам акул вводилась смесь кетамина и ксилацина. Доза для кетамина была ровна I5 - 25 мг/кг живого веса, а для ксилацина - 6 - I2 мг/кг . В то время как Metomidat применялся с ограничениями, Carfentanil и / Tilazol были не применимы.

References

CAMPBELL, G. D., and D. H. DAVIES (1963): Effect of ethyl m-aminobenzoate (MS 222) on the elasmobranch electrocardiograph. Nature 198; 302.

DUNN, R. F., and D. M. KOESTER (in press): A short review on the use of anesthetics in elasmobranchs with particular emphasis on the use of halothane-oxygen-nitrous oxide. Recent Advances in Captive Biology of Sharks. Baltimore: Johns Hopkins Press.

GILBERT, P. W., and S. D. DOUGLAS (1963): Electrocardiographic studies of free swimming sharks. Science 140; 1396.

GILBERT, P. W., and H. KRITZLER (1960): Experimental shark pens at the Lerner Marine Laboratory. Science 132; 424.

GILBERT, P. W., and F. G. WOOD (1957): Method of anesthetizing large sharks and rays safely and rapidly. Science 126; 212 - 213.

GRUBER, S. H., and R. S. KEYES (1981): Keeping sharks for research. Aquarium Systems. (AD Hawkins ed.) New York: Academic Press, 373 - 402.

HUGHES, G. M. (1965): Vertebrate Respiration. Cambridge, MA: Harvard University Press.

MARKING, L. L. (1967): Toxicity of MS-222 to selected fishes. Investigations in Fish Control, U. S. Dept. Interior, Bureau of Sport fisheries and Wildlife. 1 - 10.

OSWALD, R. L. (1978): Injection anaesthesia for experimental studies in fish. Comp. Biochem. Physiol. 60 C; 19 - 26.

RANDALL, D. J. (1962): Effect of an anesthetic on the heart and respiration of teleost fish. Nature 198; 506.

ROBIN, E. D., MURDAUGH, H. V., and J. E. MILLEN (1966): Acid-base, fluid and electrolyte metabolism in the elasmobranch. III. Oxygen, CO_2, bicarbonate and lactate exchange across the gill. J. Cell. Physiol. 67; 93 - 100.

SCHOETTGER, R. A. (1967): MS-222 as an anesthetic for channel catfish: its toxicity, efficacy, and muscle residues. Investigations in Fish Control, U. S. Dept. Interior, Bureau of Sport fisheries and Wildlife. 1 - 14.

STOSKOPF, M. K., SMITH, B., and G. KLAY (1984): Clinical Note: Blood Sampling of Captive Sharks. J. Zoo. An. Med. 15; 116 - 117.

STOSKOPF, M. K., and J. ARNOLD (1985): Metomidate anesthesia of freshwater ornamental fish. IAAAM Proceedings. In press.

WHITE, P. F., WAY, W. L., and A. J. TREVOR (1982): Ketamine - Its pharmacology and therapeutic uses. Anesthesiol. 56; 119 - 136.

Address of author: Prof. Dr. M. K. S t o s k o p f
National Aquarium in Baltimore
Pier 3
501 East Pratt Street
Baltimore, Maryland 21202 (USA)

Aus dem Zoologischen Garten Berlin (Direktor: Prof. Dr. H.-G. KLÖS)

SEDATION VON FISCHEN MIT HYPNODIL^R IM BERLINER ZOO-AQUARIUM +)

Von D. J a r o f k e und H.-G. K l ö s

Im Jahre 1977 berichtete BONATH ausführlich über die Narkose von Fischen. In übersichtlichen Tabellen zählt er die Vielzahl der Präparate auf. Zu diesem Zeitpunkt war Tricaine (MS 222-Sandoz^R) das Mittel der Wahl und wurde über viele Jahre erfolgreich eingesetzt. So löste man Tricaine mit dem Aufenthaltswasser der zu narkotisierenden Fische auf und fügte langsam diese Lösung dem Beckenwasser hinzu. Unter Sichtkontrolle konnte man diese steuerbare Tauchbadnarkose einsetzen und die gewünschten Narkosestadien erreichen. Zum Aufwachen wurden die Tiere in Nebenbecken verbracht, die mit dem ursprünglichen Aufenthaltswasser aufgefüllt worden waren. Unterblieben nach 30 - 45 Sekunden die Kiemendeckelbewegungen, mußte den Tieren bei geöffnetem Maul durch entsprechende Bewegungen das Wasser durch das Maul und die Kiemen gespült werden.

BONATH (1977) beschreibt vier Stadien der Narkose bei Fischen.

Stadium I oberflächliche Sedierung: frühe Einleitungs- bzw. späte Aufwachphase.
Aufregung durch heftige, ruckartige Schwimmbewegungen; allmählich schwächer werdende Fluchtreaktion, kaum merkliches schwankendes Schwimmen, Frequenzzunahme der Kiemendeckelbewegungen.

Stadium II tiefe Sedierung: späte Einleitungs- bzw. frühe Aufwachphase.
Unkoordinierte Flossenbewegungen, Gleichgewichtsverlust (Seiten oder Rückenlage), weitere Zunahme der Kiemendeckelfrequenz.

Stadium III Toleranzstadium: chirurgisches Stadium.
Atmung ist flach, kaum noch erkennbar; Flossenbewegungen sind eingestellt; auf schmerzhafte Reize deutlich sichtbare Atemreaktion.

Stadium IV irreversibles Narkosestadium.
Herz- und Atemstillstand; häufig extreme Weitstellung der Kiemendeckel.

Die Narkose eignet sich einmal für Untersuchungen oder Eingriffe. Auch kann auf diese Weise ein Tier unbeschädigt aus einem Becken herausgefangen werden. Da Fische durch die Anästhesie den Sauerstoffverbrauch reduzieren, eignet sich die Sedierung auch für den Transport von Fischen.

In neuerer Zeit wurde in zunehmendem Maße das Präparat Hypnodil^R (Metomidate-R 7315) der Firma Janssen GmbH eingesetzt. Auf der Tagung der EUAC (European Union of Aquarium Curators) 1980 in Antwerpen berichtete THIENPONT ausführlich über seine Erfahrungen mit diesem Wirkstoff.

Dosierungsangaben für Hypnodil^R nach THIENPONT

Konzentration / Einleitungsphase	10 ppm	4 ppm	2 ppm	1 ppm	0,5 ppm
Phase 1	sofort	sofort	1 Minute	15 Minuten	60 Minuten
Phase 2	2 Minuten	2 Minuten	15 Minuten	30 Minuten	ohne Wirkung
Phase 3	5 Minuten	4 Minuten	40 Minuten	ohne Wirkung	ohne Wirkung
Phase 4	13 Minuten	15 Minuten	ohne Wirkung	ohne Wirkung	ohne Wirkung
Aufwachphase vollständige Erholung nach	40 Minuten	20 Minuten	5 Minuten	2 Minuten	2 Minuten

Nach BONATH (1977) wurden beim Einsatz von Tricaine für die einzelnen Individuen zwar erhebliche Schwankungen bei den unter gleichen Bedingungen ermittelten Narkosereaktionen festgestellt, doch ließen sich speziesbedingte Reaktionen aufgrund unterschiedlicher phylogenetischer Stellung nicht erkennen.

+) Herrn Ernst-August P i s t o r, dem stellvertretenden Aufsichtsratsvorsitzenden, zur Vollendung seines 65. Lebensjahres gewidmet.

Für das Präparat Hypnodil^{R} scheint es eine Abhängigkeit von der evolutiven Stellung zu geben (THIENPONT, 1980). So reagieren Selachier besonders empfindlich auf Hypnodil^{R}, wie grundsätzlich auf alle Medikamente. Für die steuerbare Tauchbadnarkose gibt THIENPONT folgende Phasen an.

1. Kurze Phase mit schnellen Bewegungen.
2. Atmungsfrequenz langsamer; gesteuerte Bewegungen.
3. Das Tier wird sehr ruhig.
4. Bei höherer Dosierung und längerer Behandlungsdauer keine Kiemenatmung mehr. Fisch kann außerhalb des Beckens gehalten werden, beispielsweise für eine Operation.

Empfohlen werden folgende Dosierungen für die Ruhigstellung von Fischen mit Hypnodil^{R}: 0,5 - 2,0 ppm für den Transport; 5 ppm für die vollständige Immobilisation.

Eigene Beobachtungen

Um einen 21 kg schweren Zackenbarsch (Promicrops lanceolatus) unbeschädigt in ein größeres Becken umzusetzen, entschlossen wir uns, dieses Tier mit Hypnodil^{R} ruhigzustellen. Zunächst senkten wir den Wasserspiegel des Beckens auf einen Rest von etwa 740 l. Dann wurden 500 mg Hypnodil in 1 l Aufenthaltswasser gelöst und langsam in das Beckenwasser gegeben. Da der Filter dieses Beckens aufgrund des niedrigen Wasserstandes zu dieser Zeit außer Betrieb war, konnte durch reichliche Luftzufuhr und damit verbundener Wasserdurchmischung für eine gute Verteilung des Hypnodil^{R} gesorgt werden. Nach etwa 8 Minuten ließ sich der Fisch im Becken bereits dirigieren. Nach weiteren 2 Minuten gaben wir, wie bereits am Anfang nochmals 500 mg Hypnodil^{R} in das Becken. Nach etwa 13 Minuten stellte sich die Rückenflosse aufrecht, die Brustflossen sorgten für Balance und Fortbewegung. Nach 20 Minuten ließ sich der Kopf des Tieres zwar anheben, doch reagierte es noch; die Schwimmbewegungen waren verlangsamt. Eine Nachdosierung erfolgte nach 25 Minuten; nach 27 Minuten legte das Tier die Rückenflosse an und konnte ohne Gegensteuerung bewegt und der Kopf aus dem Wasser gehalten werden. Das Umsetzen des Zackenbarsches erfolgte in einem Jutesack. Unmittelbar nach Eintauchen des Tieres in Frischwasser zeigte es Reaktionen durch Schwanzschlagen. Zunächst schwamm es noch unkoordiniert, doch nach 35 Minuten waren die Bewegungen wieder normal. Es fand sich gut im neuen Becken zurecht.

Ähnlich gingen wir in einem zweiten Fall vor. Es wurden Korallenfische einschließlich des Zackenbarsches umgesetzt. Kleinere Fische reagierten empfindlicher auf das Präparat und wurden aus dem Becken genommen, sobald sie sich in Seitenlage befanden. In frisches Wasser verbracht, wachten auch diese Tiere sehr schnell wieder auf. Nachteilig wirkte sich bei dieser Aktion das zu schnelle Verbringen des Präparates in das Becken aus. Alle Fische zeigten eine heftige Schreckreaktion.

Im dritten und letzten Fall wurden Süßwasserfische immobilisiert, da ein Herausfangen aus dem riesigen Becken sonst nicht möglich gewesen wäre. Bei den Malawi Cichliden wurde zunächst der Wasserspiegel des Beckens herabgesenkt und das gelöste Hypnodil^{R} in mehreren Fraktionen in das Wasser gegeben. Sobald die Fische in Seitenlage kamen, wurden sie eingesammelt und in Frischwasser verbracht. Ein Bestimmen vieler Fische war zu diesem Zeitpunkt leider nicht möglich, da die Mehrzahl sich während der Aktion verfärbt hatte.

Da in dem Becken noch einige Fische blieben, wurde durch Frischwasserzulauf und später über Kohlenfilterung für eine Verdünnung bzw. für den Abbau des Hypnodil^{R} gesorgt, das bei entsprechender Belastung zu Leberschäden führen kann.

Zusammenfassung

Sedation von Fischen mit Hypnodil^{R} im Berliner Zoo-Aquarium

Die Autoren berichten über den erfolgreichen Einsatz von Hypnodil^{R} bei Fischen des Berliner Zoo-Aquariums. Die einzelnen Phasen der Ruhigstellung werden beschrieben.

Summary

Use of Hypnodil^(R) for Sedation of Fish in Zoo Aquarium of Berlin

Hypnodil^(R) has been used with good success for sedation of fish in the Zoo Aquarium of Berlin. This is described in some detail together with the phases of immobilisation

Résumé

Sédation de poissons au moyen d'Hypnodil^(R) à l'aquarium du Zoo de Berlin

Les auteurs évoquent le succès qu'a eu l'application d'Hypnodil^(R) chez des poissons de l'aquarium du Zoo de Berlin en décrivant les différentes phases de la tranquilisation.

Резюме

Седативное действие Hypnodil^(R) в Берлинском зоо-аквариуме.

Авторы сообщают о положительном действии Hypnodil^(R) на рыб в Берлинском зоо-аквариуме,Описаны некоторые фазы упокоения.

Literaturverzeichnis

BONATH, K. (1977): Narkose der Reptilien, Amphibien und Fische. Berlin und Hamburg: Paul Parey. 4, 99 - 144.

THIENPONT, D. (1980): Vortrag auf der Tagung der EUAC, Antwerpen.

Anschrift der Verfasser: Dr. D. J a r o f k e und Prof. Dr. H.-G. K l ö s
Zoologischer Garten Berlin
Hardenbergplatz 8
1000 Berlin 30 (Berlin-West)

Aus dem Wissenschaftsbereich Fortpflanzung landwirtschaftlicher Nutztiere (Leiter: Ob.-Vet.-Rat Prof. Dr. sc. J. SCHULZ) der Sektion Tierproduktion und Veterinärmedizin der Karl-Marx-Universität Leipzig und dem Zoologischen Garten Leipzig (Direktor: Prof. Dr. S. SEIFERT)

ERSTE ERFAHRUNGEN MIT URSOTAMIN(R) UND URSONARKON(R) (BERNBURG)

Von K. Eulenberger

Seit etwa zwei Jahren finden die vom VEB Serumwerk Bernburg (DDR) hergestellten Präparate Ursotamin(R) und Ursonarkon(R), letzteres bislang allerdings nur in begrenztem Maße, bei Tieren des Zoo Leipzig Anwendung. Während es sich im Falle des "dissoziativen Anästhetikums" Ursotamin(R), einer Lösung von Ketaminhydrochlorid mit 10 % Ketamin, chemisch um denselben Wirkstoff handelt wie in den bislang verwendeten Präparaten Vetalar(R) (Janssen) oder Ketavet (Parke-Davis), handelt es sich im Ursonarkon(R) um eine 10 %ige Lösung von 2-(2,6-Dichlorphenylimino)-oxazolidin, und sie ist chemisch nicht mit dem in der Wirkung vergleichbaren Xylazin-Präparat Rompun(R) (Bayer) identisch.

Einleitend ist ferner zu bemerken, daß vorangegangene Untersuchungen an Hausrindern für die Anwendung des Ursonarkon bei Zootieren folgende Einschränkungen ergaben:

- Das Präparat erwies sich als nicht mischbar mit Ursotamin(R), es kam zur Ausbildung eines weißen, käsigen Niederschlags.
  Die für Zootiere so bedeutsame Applikation beider Präparate in der Mischspritze war somit ausgeschlossen.
- Bei intramuskulärer (i.m.) Applikation wurden bis zu 10fach höhere Dosen benötigt als nach intravenöser (i.v.), so daß sich für die Mehrzahl der Zootiere indiskutable Injektionsvolumina ergeben hätten.

Trotz der von vornherein bestehenden Nachteile des Ursonarkon(R) für die Zootierpraxis wurde versucht, die Bedingungen zu ermitteln, bei denen beide Präparate Anwendung finden könnten. Ansonsten wurde anstelle des Ursonarkon(R) auf das bewährte Xylazin zurückgegriffen und durch Auflösen von Rompun(R)-Trockensubstanz mittels Ursotamin(R) die gewünschte Xylazinkonzentration hergestellt und meist als 10 %ige Lösung appliziert.

Für die Applikation an kleinere Vögel wurde folgendermaßen verfahren:
500 mg Rompun-Trockensubstanz wurden in 4 ml Ursotamin gelöst und mit Aqua dest. 1:100 weiter verdünnt. Ein Vogel von 100 g Körpermasse (KM) erhielt davon 1,0 ml i.m.

Ergebnisse und Diskussion

Vögel (Aves)

Die bei insgesamt 30 Vögeln mit unterschiedlichen Präparatekombinationen erzielten Wirkungen (Tab. 1) lassen erkennen, daß eine der reflexlosen Narkose vergleichbare Wirkung entweder mit sehr hohen Ketamindosen oder in Kombination mit Rompun erzielbar ist. Dabei erwies sich die Kombination 25 - 30 mg/kg KM Ketamin plus 12 - 15 mg/kg KM Xylazin in der Mischspritze als die günstigste. Es wird damit sowohl bei den Entenvögeln als auch bei Psittaziden ein der klassischen Narkose vergleichbares Toleranzstadium (Planum 2 - 3) erreicht. Für größere Vogelarten kann darüber hinaus die bei einem Mäusebussard erprobte Kombination mit Ursonarkon(R) in ortsgetrennter Applikation empfohlen werden. Versuche an weiteren Vogelarten mit dieser Form der Kombinationsnarkose sind jedoch erforderlich.

Die alleinige Anwendung von Ursotamin(R) in den in Tab. 1 angegebenen Dosen von 25 - 30 mg bewirkte zwar eine vollständige Analgesie, die während der Exzitation beobachteten Symptome, wie Halsverdrehungen bei Entenvögeln, Tremor des Kopfes beim Turmfalken, ständiges Flügelschlagen bei den Sittichen, lassen im Gegensatz zu Erfahrungen aus der Literatur mit anderen Ketaminpräparten die alleinige Anwendung von Ursotamin(R) für bestimmte Zwecke, z.B. die Endoskopie, jedoch als ungünstig und eine Kombination mit einem stärker sedativ und relaxierend wirkenden Präparat als wesentlich besser geeignet erscheinen.

Tabelle 1: Ursotamin- und Ursonarkon (Rompun)-Narkosen bei Vögeln

Arten	Dosis (mg Wirkstoff/kg KM i.m.) Ursotamin	Ursonarkon	Rompun	Wirkung
Gänseartige (Anseriformes)	25 - 30	-	-	Exzitationen, keine volle Analgesie
	25 - 30	15	-	keine weitere Narkosevertiefung
	25 - 30	-	15	exzitationslos, volle Analgesie
Turmfalke (Falco tinnunculus)	100	-	-	45 min Toleranz leichter Tremor
Mäusebussard (Buteo buteo)	40	50	-	reflex- und exzitationslose Narkose
+) Papageienartige (Psittacides)	30 - 40	-	-	gute Analgesie, ständige Unruhe
	25	-	12,5	reflex- und exzitationslose Narkose

+) erprobt an verschiedenen australischen Plattschweifsittichen (Platycercini)

Narkoseverlauf

Je nach Dosishöhe verhalten sich die in der Hand gehaltenen oder nach der Applikation in einen Käfig gesetzten Vögel nach 1 - 5 min ruhiger, bald lassen sie den Kopf sinken, unmittelbar danach auch die Flügel. Vögel, die nur Ursotamin erhalten haben, flattern unkoordiniert umher oder lassen zumindest leichten Tremor erkennen. Bei zusätzlicher Ursonarkon- und Rompungabe schlafen die Vögel ruhig ein, auf der Stange sitzende Vögel fallen unmittelbar nach dem Absinken des Kopfes herunter. In dieser Phase ist die Atmung beschleunigt und verstärkt abdominal, mit Erreichen der Toleranz wird sie langsamer und flacher. Nach 30 - 45 min beginnt die Aufwachphase, in der die Exzitationen bei Vögeln mit alleiniger Ursotamingabe stärker als in der Anflutung sind. Bei gleichzeitiger Rompun- oder genügend hoher Ursonarkongabe erfolgt auch das Aufwachen exzitationslos.

Affen (Primates)

Die bei bislang nur wenigen Affen durchgeführten Narkosen (Tab. 2) zeigen einerseits, daß mit relativ niedrigen Ketamindosen auszukommen und daß eine Verbesserung der Wirkung mit einer zusätzlichen, relativ niedrigen Rompundosis zu erzielen ist. Die bei dem Rhesusaffen angewandte Dosierung für die Durchführung eines Kaiserschnitts muß nach dem von uns nunmehr erreichten Kenntnisstand als unnötig hoch und für ein unter Streß stehendes Tier, wie es die pathologische Geburt ohne Zweifel darstellt, als z u h o c h eingeschätzt werden. Am Beispiel der Eulenkopfmeerkatze wird deutlich, daß für die Indikation des Kaiserschnitts eine wesentlich geringere Dosis ausreichend ist. Die alleinige Ketaminwirkung erwies sich jedoch als ungenügend, erst die 10 min später vorgenommene zusätzliche Rompungabe bewirkte die für die Durchführung der Operation erforderliche Relaxierung des Tieres. Zur Unterstützung der Aufwachphase erhielt das 3 kg schwere Tier 6 ml einer Glukose-$NaHCO_3$-Lösung (3 ml $NaHCO_3$ 1000 plus 3 ml Glukose 5 %ig) i.v., welche nach den Erfahrungen des Autors die postnarkotische Phase günstig beeinflußt hat.

Für kleinere chirurgische Operationen, z.B. das Setzen von Wundnähten, genügt, wie im Falle der Dianameerkatze, ohne Zweifel eine Dosis von 5 mg/kg KM Ketamin. Um die Naht im Bereich der Hand zu Ende zu führen, war ca. 20 min. nach der ersten Injektion eine weitere in derselben Dosis (0,1 ml Ursotamin(R)) nötig, auch sie wurde von dem Tier gut toleriert.

Die bei 2 Gorillas mit Ursotamin(R) und Rompun(R) vorgenommenen Narkosen fielen unterschiedlich aus. Während der 183 kg schwere, sitzend nach vorn zusammengesunkene Mann bei niedrigeren Dosen ca. 5 min post applicationem (p.a.) kurzzeitigen Atemstillstand aufwies, der durch Verbringen in stabile Seitenlage und 5 schnelle Pressionen des Thorax behoben werden konnte, stellten sich bei dem an einer schweren Strongyloidose leidenden Weibchen bei höherer Ketamindosis auch nach 3 die Narkose verlängernden Nachdosierungen keinerlei Nebenwirkungen ein. Die kurze Toleranz von nur etwa 15 min schließt eine Überdosis bei dem männlichen Gorilla aus; vielmehr ist anzunehmen, daß die durch das Xylazin bewirkte Relaxation auch der für die Aufrechterhaltung der Atmung benötigten Muskulatur durch die ungünstige Haltung des schweren Tieres noch zusätzlich mechanisch beeinträchtigt bzw. völlig unwirksam wurde. Folglich ist es empfehlenswert, in solchen Fällen ein schnelles Einnehmen der stabilen Seitenlage zu erwirken. Den Zwischenfall begünstigt haben neben einer vermutlich z.T. i.v. erfolgten Applikation möglicherweise ferner die dem Narkosegemisch zugesetzten 1500 IE Hylase (Dessau), die eine sehr schnelle, fast apoplektische Anflutung der Narkose bewirkt haben könnten.

Tabelle 2: Ursotamin- und Ursonarkon(Rompun)-Narkosen bei Primaten und Karnivoren

Arten	Dosis (mg Wirkstoff/kg KM i.m.) Ursotamin	Ursonarkon	Rompun	Wirkung
Rhesusaffe (Macacca mulatta)	12	-	1,4	Sectio caesarea gut möglich
Eulenkopfmeerkatze (Cercopithecus hamlyni)	3	-	0,3	Sectio caesarea gut möglich
Dianameerkatze (C. d. diana)	5	-	-	20 min Toleranz
Flachlandgorilla ♂ (Gorilla g. gorilla)	5	-	0,5	15 min Toleranz
♀	8	-	0,5	40 min Toleranz, Nachdosierungen
Katzenartige (Felidae),	10	-	1,0	ca. 60 min operationstüchtige Narkose
	(4 - 18)	-	(1,8-0,7)	
Baribal (Ursus americanus)	12	3 - 4	-	20 - 30 min Toleranz

Narkoseverlauf

Im Gegensatz zu anderen Tierarten verlief in allen Fällen die Anflutung ohne merkliche Exzitationen. Nach vorübergehender Beschleunigung der Atmung stellte sich ca. 5 min p.a. eine weniger frequente, tief abdominale Atmung ein. Auch der Nachschlaf verläuft ohne Exzitationen, er hält nur maximal 30 min an.

Fleischfresser (Carnivora)

Die bei 18 Großkatzen, 1 Nebelparder und 1 Baribal durchgeführten Ursotamin-Rompun-Narkosen bzw. bei 2 jungen Jaguaren (Panthera onca) und 3 jungen Pumas (Puma concolor) vorgenommenen insgesamt 10 Narkoseversuche ergaben für Feliden und Ursiden die in Tab. 2 dargestellten Narkoseempfehlungen. Bei Hyänen und Caniden kann dasselbe Vorgehen empfohlen werden. Allerdings reagieren insbesondere Hyänen sehr unterschiedlich, z.T. kam es zu beängstigenden Atemdepressionen, z.T. zu übermäßigen Exzitationen mit starkem Drang zu Vomitus. Todesfälle waren jedoch nicht zu beklagen, dennoch ist zu bemerken, daß die in Tab. 2 empfohlene Dosierung besonders für Hyänen noch nicht als optimal einzuschätzen ist. Bei Caniden basieren unsere Erfahrungen nur auf einer Vetalar(R)-Rompun(R)-Narkose beim Mähnenwolf (Chrysocyon brachyurus) und Ursotamin-Rompun (Ursonarkon)-Narkosen bei Haushunden.

Die angegebenen durchschnittlichen Dosen von 10 mg/kg KM Ketamin und 1,0 mg/kg KM Xylazin können als optimale Dosierung angesehen werden, die für ca. 60 min eine operationstüchtige Narkose garantieren, vergleichbar mit dem Stadium III, Planum 2 der klassischen Narkose. Bei Tieren von mehr als 100 kg KM ist die obere Grenze der Xylazindosis und die untere der des Ketamins zu wählen, um die Injektionsvolumina in für Schußwaffen applizierbarer Höhe zu halten. Ein längerer Nachschlaf ist dann jedoch in Kauf zu nehmen, außerdem erhöht sich die Gefahr des Erbrechens. Durch 24stündiges Fastenlassen der zur Narkose vorgesehenen Karnivoren kann dem jedoch wirksam begegnet werden.

Narkoseverlauf

Der nachfolgend dargestellte Verlauf bezieht sich auf die angegebene Optimaldosierung ohne Applikationsfehler, die bei Anwendung von Schußwaffen nicht gänzlich vermieden werden können. Als erstes Anzeichen der Wirkung ist nach 5 - 7 min Lecken als Zeichen verstärkter Salivation zu beobachten. Gleichzeitig stellt sich Mydriasis ein. Danach legen sich die Tiere entweder ruhig ab, bei umherlaufenden Tieren wird deutliche Ataxie erkennbar. Die zunächst frequentere und stärker abdominale Atmung wird tiefer, und die Atempausen werden deutlich länger. Die Augen bleiben geöffnet, Lid- und Ohrreflex gehen nur bei relativ hohen Dosen ganz verloren.

Bei in der Relation zum Rompun höherem Ketaminanteil ist während der Exzitationsphase eine oberflächliche Hyperästhesie, in extremen Fällen auch Tremor und gelegentlich Würgen oder Erbrechen festzustellen. Vollständige Immobilisation und Analgesie sind nach spätestens 20 - 30 min erreicht und halten ca. 60 min an. Die Nachschlafphase dauert 2 - 5 Stunden, sie kann jedoch bis zu 24 Stunden anhalten (Überdosis!).

Bei Anwendung von Ursonarkon(R) anstelle von Rompun(R), auf Grund der einleitend geschilderten Nachteile nur für jüngere und kleinere Tiere bzw. Tierarten denkbar, ist ein relaxierender und die Ketaminwirkung potenzierender Effekt ebenfalls zu erzielen. Die Wirkung läßt jedoch wesentlich früher nach, so daß bei Dosen von 3 - 4 mg/kg KM des Wirkstoffs lediglich eine 20 - 30minütige Toleranz zu erreichen ist. Der Anwendung des Ursonarkon(R) bei Carnivora sind somit enge Grenzen gesetzt.

Wiederkäuer (Ruminantia)

Bei Wildwiederkäuern fanden beide neu einzuführende Präparate bislang nur bei verschiedenen Cerviden Anwendung (Tab. 3). Während wir beim Rothirsch (Cervus elaphus) nach wie vor Rompun(R) in alleiniger Dosis von 3 - 4 mg/kg KM i.m. verwenden, nutzen wir bei den übrigen Arten die potenzierende Wirkung der Ketaminpräparate und im Falle der Rentiere außerdem die Möglichkeit der i.v. Applikation von Ursonarkon(R). Auf Grund der vergleichsweise kurzen Wirkung ohne längeren Nachschlaf ist die letztgenannte Möglichkeit sogar als vorteilhafter einzuschätzen als die i.m. Applikation von Rompun(R). Die Wirkung tritt sofort ein. Bei einem jungen Renhirsch konnte auf diese Weise eine schmerzhafte Pododermatitis purulenta erfolgreich behandelt werden.
Im Falle des Leierhirschs, bei dem eine Sectio caesarea erforderliche wurde, gestattete die in Tab. 3 angegebene Dosierung eine etwa 45minütige Toleranz mit vollständiger allgemeiner Analgesie.
Bei Damhirschen bleibt die Kombination von Xylazin und Ketamin u.E. gegenwärtig das Mittel der Wahl. Die bei 2 Elchen des Wildparks Connewitz durchgeführten Narkosen sprechen für die auch bei anderen Hirschen beobachtete unterschiedliche Reaktion der Geschlechter. Bei der Elchkuh mußte nachdosiert werden, um eine Klauenkorrektur ordnungsgemäß durchführen zu können, so daß die angegebene Dosis als Initialdosis nicht endgültig ist.
Die ebenfalls in Tab. 3 angegebenen Dosierungen für Antilopen und Mähnenspringer bestätigten die vorher mit Vetalar(R) erzielten Wirkungen. Für die Buntböcke wird diese Form der Narkose jedoch als wenig geeignet angesehen, da es während der Aufwachphase häufig zu starken Exzitationen kommt. Bei den Mähnenspringern ist zu beachten, daß unbedingt eine 30minütige Einschlafphase zu gewähren ist und auch der Nachschlaf ungestört verlaufen muß.

Tabelle 3: Ursotamin- und Ursonarkon(Rompun)-Narkosen bei Wiederkäuern

Arten	Dosis (mg Wirkstoff/kg KM i.m.)			Wirkung
	Ursotamin	Ursonarkon	Rompun	
Elch ♂	0,5	-	1,0	20 min Toleranz s.Text
(Alces alces) ♀	1,5	-	1,5	
Rentier	-	-	2 - 4 +)	30 - 45 min Toleranz
(Rangifer tarandus)	-	1,5 i.v.	-	30 min Toleranz
Damhirsch (Dama dama)	-	-	5 - 6	30 - 40 min Toleranz
	4	-	4	
Burma-Leierhirsch (Cervus eldithamin)	3	3,0 i.v.	-	Sectio caesarea gut möglich
Buntbock (Damaliscus d. dorcas)	5	-	3	2 Std. Toleranz (starke Exzitationen)
Damagazelle (Gazella d. dama)	2,5	-	3	1 Std. Toleranz
Mähnenspringer (Ammotragus lervia)	2	-	0,5	30 min Anflutung 1 Std. Toleranz

+) 0,2 zur Sedierung, zusätzlich Lokalanästhesie zwecks Sectio caesarea

Narkoseverlauf

5 - 10 min nach der i.m. Applikation werden die Tiere ruhiger, sie sondern sich vom Rudel ab und bleiben stehen. Dabei fällt der Kopf langsam nach unten, und Speichel tropft ab. Gleich-

zeitig erhöht sich die Atemfrequenz, die Atmung wird verstärkt abdominal. Wenn die Tiere - nach durchschnittlich 20 min - zum Liegen kommen, ist die Atemfrequenz stark reduziert, weiterhin vorwiegend abdominal, und häufig ist ein deutliches Schnarchen zu vernehmen. Die Augen bleiben bei meist erhaltenem Lidreflex offen. Der Wirkungshöhepunkt ist ebenfalls mit dem Toleranzstadium der klassischen Narkose vergleichbar, meist wird das Planum 2 (noch erhaltene Reflexe) erreicht. Dieses Stadium dauert durchschnittlich 60 (30 bis 90) min. Meist hält die analgetische Wirkung länger an als die immobilisierende, werden die Tiere unberührt gelassen, geht das Toleranzstadium jedoch unmerklich in das sedative über. Je nach Dosishöhe ist mit 3- bis 24stündigem Nachschlaf zu rechnen.

Haustiere

Wie aus Tab. 4 und den vorangegangenen Ausführungen bei den Karnivoren hervorgeht, ist es bei der Mehrzahl der in Zoos gehaltenen Haustiere (Versuche an Schweinen wurden nicht vorgenommen) möglich, vorwiegend mit Ursonarkon(R), z.T. ergänzt durch das Ketaminpräparat, der jeweiligen Indikation entsprechende immobilisierende und analgetische Wirkungen zu erzielen. Für Shetlandponys, z.B. zum Zwecke der Kastration, sollte das Ursonarkon(R) i.v. sogar bevorzugt Anwendung finden. Es ist einfach in der Handhabung, die Tiere legen sich ca. 5 min p.a. bei leichtem Vorwärtsdrang ab oder können mühelos durch Abwinkeln des Kopfes in Seitenlage gebracht werden. Das Fesseln und Ausbinden sollte erst zu diesem Zeitpunkt erfolgen. Da der Schweifreflex erhalten bleibt, ist bei Kastrationen auch auf das Fixieren des Schwanzes zu achten. Bereits 20 min p.a. können die Tiere wieder zum Stehen gebracht werden; häufig besteht ein offenbar reflektorisch bedingter Drang zur Futteraufnahme, dem auch ohne Bedenken stattgegeben werden kann.

Nachdosierungen im Abstand von 30 min werden gut toleriert; einer Warmblutstute wurden im Verlaufe einer 2stündigen Dammrißoperation am stehenden Tier insgesamt 75 ml Ursonarkon(R) verabreicht und von ihr gut vertragen. In solchen Fällen empfiehlt sich jedoch generell eine postoperative Schocktherapie mittels einer Glukose-$NaHCO_3$-Elektrolytlösung als i.v. Infusion. Die Notwendigkeit einer pränarkotischen Atropinmedikation, die besonders für das Pferd vor Rompunverabreichung empfohlen wird, ist auf Grund unserer Erfahrungen nicht zwingend; die vagolytische Wirkung des Atropins am Herzen muß theoretisch sogar nachteilig eingeschätzt werden. Während beim Hausrind bei entsprechend abgestufter Dosierung, und i.v. Applikation u.U. auch unter zusätzlicher Verwendung von Ursotamin(R) sogar operationstüchtige Narkosen erzielt werden können, war der gewünschte Effekt beim Yak mit i.m. Applikation und begrenztem Injektionsvolumen nur mit Rompun(R) zu erreichen.

Bei den kleinen Wiederkäuern ist auf die unterschiedliche Sensibilität von Schaf und Ziege hinzuweisen. Letztere erweist sich gegenüber beiden Wirkstoffen deutlich empfindlicher. Das zeigt sich sowohl an der beim Schaf notwendigen höheren Dosis, um das Toleranzstadium zu erreichen, als auch z.T. extrem langen Nachschlaf der Ziegen. Bei dem Tier mit den in Tab. 4 in Klammern gesetzten Dosen blieb auch die eingeleitete Schocktherapie erfolglos; 72 Stunden p.a. verendete das festliegende Tier.

Tabelle 4: Ursotamin- und Ursonarkon-Narkosen bei Haustieren

Arten	Dosis (mg Wirkstoff/kg KM i.m.) Ursotamin	Ursonarkon	Wirkung
Shetlandpony (Equus caballus)	-	6 - 7 i.v.	10-30 min Immobilisation und volle Analgesie
	-	2 - 3	"Stehendnarkose", gute Analgesie (ggf. Lokalanästhesie)
Hausrind (Bos taurus)	2	4 i.m. + 1 i.v.	operationstüchtige Narkose
	-	1 - 1,5 i.v.	30 min Toleranz, Tier liegt
	-	0,2 - 0,3 i.v.	"Stehendnarkose"
Yak (Bos grunniens)	2	2	leichte Sedierung (+ 1,0 Rompun 1 Std. Toleranz)
Kamerunschaf (Ovis ammon f. aries)	2	8	30 min Toleranz
	-	3 i.v.	15 - 30 min Toleranz

Fortsetzung Tabelle 4

Arten	Ursotamin	Ursonarkon	Wirkung
Thüringer Landziege (Capra aegagrus f. hircus)	2	5	3 Std. Toleranz
	-	2 i.v.	1 Std. Toleranz
	4	10	48 Std. festliegend
	(3)	(8)	nach 72 Std. Schocktod

Schlußbemerkungen

Ursotamin(R) hat die aus der Literatur zur Wirkung des Ketaminhydrochlorid bestehenden Kenntnisse bestätigt und sich als ein Mittel erwiesen, das sowohl die Wirkung des Ursonarkon(R) als auch des Rompun(R) ergänzt. Es ist dadurch möglich, bei niedrigerer Ursonarkon- oder Rompundosis vollständige Analgesie und Immobilisierung, letztere infolge einer schlaffen Lähmung, zu erreichen. Ursotamin(R) kann die bisher bekannten Ketaminpräparate (Vetalar(R), Ketanest(R) u.a.) somit voll ersetzen. Für die Mehrzahl der Zootiere ist jedoch eine Kombination mit Rompun-Trockensubstanz notwendig, um die erforderlichen Wirkungen zu erzielen. Auf die Gründe dafür wurde bereits in den Vorbemerkungen eingegangen. Besteht die Möglichkeit der i.v. Applikation, z.B. bei Haustieren oder anderen leicht zu ergreifenden Individuen, besitzt das Ursonarkon(R) als relativ gefahrloses Kurzzeitnarkotikum mit fehlendem oder nur kurzem Nachschlaf sogar beachtliche Vorteile, die unbedingt genutzt werden sollten.

Bei Karnivoren wird ein 24stündiges Fasten vor der geplanten Narkose angeraten. Bei Wiederkäuern dagegen sollte lediglich am Morgen des betreffenden Tages nicht gefüttert werden; ansonsten ist mit übermäßiger Verflüssigung des Panseninhalts zu rechnen, bei der sich die Gefahr der Futteraspiration erhöht. Seitenlage der Wiederkäuer sollte möglichst vermieden werden; ist sie unumgänglich, empfiehlt sich das Ablegen auf die linke Körperseite, um dadurch einen mechanischen Verschluß des Panseneingangs zu erwirken.

Der Anästhesist sollte neben den tierartlichen Besonderheiten auch die jeweilige individuelle Ausgangssituation beachten. Tiere im Schock oder anderen spezifischen neuroendokrinen Bedingungen, z.B. denen sub partu, tolerieren nur vergleichsweise niedrige Dosen; eine Schocktherapie ist in solchen Fällen unbedingter Bestandteil der Narkoseführung. Andererseits kann das manuelle Greifen der Tiere und das dadurch mögliche exakte Dosieren der Narkotika u.U. vorteilhafter sein als eine Applikation per Schußwaffe und die Anwendung weniger gut geeigneter, i.m. zu applizierender Narkotika. Der damit verbundene kurzzeitige Streß ist nach unseren Erfahrungen unvergleichlich weniger gefahrvoll als vorangegangener Dauerstreß oder Wundschock bzw. eine zu lang anhaltende Narkosewirkung. In keinem solcher Fälle hatten wir bisher ungenügende Narkosewirkungen oder Todesfälle zu beklagen. Lediglich bei Hauspferden gilt die dringliche Empfehlung, unnötige Erregung der Tiere vor der Narkose zu vermeiden, weil sonst nicht immer die gewünschte Narkosetiefe erreicht wird.

Zusammenfassung

Erste Erfahrungen mit Ursotamin(R) und Ursonarkon(R) (Bernburg)

Das neu entwickelte Ketaminpräparat Ursotamin(R), Bernburg, genügt den an ein solches Präparat für die Zootierpraxis zu stellenden Anforderungen, während das als Rompun-Analog zu betrachtende Ursonarkon(R), Bernburg, nur in begrenztem Maße diesen Anforderungen gerecht wird und die Kombination eines Ketaminpräparates mit Rompun-Trockensubstanz für zahlreiche Vögel, Primaten, Karnivoren und auch Wiederkäuer die derzeit günstigste Möglichkeit zur Immobilisation und Allgemeinanästhesie darstellt. Ursonarkon(R) i.v. bei Hauspferden ist allen anderen vergleichbaren Kurzzeitnarkosen vorzuziehen.

Summary

Preliminary Experience from Use of Ursotamin(R) and Ursonarkon(R) (Bernburg)

Ursotamin(R), Bernburg, a new ketamine preparation has proved to meet the demands made on a medicament of this kind in zoo animal practice, whereas Ursonarkon(R), Bernburg, a Rompun analogue, was found to satisfy those requirements only to a limited extent. A combination of a ketamine preparation with Rompun dry matter is considered, at present, the most favourable approach to immobilisation and general anaesthesia of numerous birds, primates, carnivores, and ruminants. For domestic horses, intravenous injection of Ursonarkon(R) should be preferred to all other comparable variants of short-time anaesthesia.

Résumé

A propos des expériences préliminaires avec l'UrsotamineR et l'UrsonakonR (Bernburg)

UrsotamineR, une préparation nouvelle à Cétamine, satisfait les demandes posées à une préparation pareille pour le traitement des animaux zoologiques, pendant que l'UrsonarkonR (Bernburg) qui peut être considéré comme analogue au Rompun, ne répond à ces exigences que dans une mesure limitée. Ainsi, à l'heure actuelle, une combinaison d'une préparation à Cétamine avec de la substance sèche de Rompun constitue la possibilité la plus favorable de l'immobilisation et anesthésie générale d'un grand nombre d'oiseaux, de primates, de carnivores et aussi de mammifères. Chez le cheval l'application intra-veineuse d'UrsonarkonR doit être préférée à toutes les autres narcoses comparables de durée réduite.

Резюме

Первые опыты по применению Ursotamin(R), Ursonarkon(R) (Bernburg)

Новый кетаминовый препарат Ursotamin(R),Bernburg отвечает требованиям зоотехники, в то время как рампун-аналогичный препарат Ursonarkon(R),Bernburg этим требованиям отвечает только частично, однако он может быть применен в комбинации с кетаминовым препаратом для многочисленных птиц,приматов, скота и жвачных во время иммобилизации и общей анестезии. Ursonarkon(R) при внутривеенном введение лошадям имеет по сравнению с другими препаратами для короткого наркоза ряд преимуществ.

Anschrift des Verfassers: Dr. sc. med. vet. K. Eulenberger
DDR-7010 Leipzig
Marg.-Blank-Str. 8 (DDR)

Aus der Poliklinik für kleine Haus- und Zootiere Magdeburg (Leiter: Dr. K. KUTSCHMANN) und dem Zoologischen Garten Magdeburg (Direktor: Dipl.-Biol. W. PUSCHMANN)

ERFAHRUNGEN BEIM EINSATZ VON XYLAZIN BEIM ASIATISCHEN (ELEPHAS MAXIMUS) UND AFRIKANISCHEN ELEFANTEN (LOXODONTA AFRICANA)

Von K. Kutschmann und Margarethe Neumann

Die medikamentelle Ruhigstellung von Elefanten zur Durchführung tierärztlicher Manipulationen ist auch heute noch problematisch. Die Anwendung von Immobilon kann sowohl für den Anwender (WUNDERSEE und WERNER, 1978; GÖLTENBOTH und KLÖS, 1982) als auch für den Elefanten nicht ungefährlich sein (MILL und KUNTZE, 1983). Die Tabelle 1 gibt einen Überblick über einige in der Literatur beschriebene Methoden der Anästhesie und Immobilisation beim Elefanten. Die Vielzahl der aufgeführten Arzneimittelkombinationen kann als Hinweis gedeutet werden, daß ein ideales Mittel, welches allen Ansprüchen genügt oder eine entsprechende Arzneimittelkombination noch nicht gefunden worden sind. Wir haben deshalb die von SCHMIDT (1975) eingeführte und von ROBINSON und MEIER (1977) sowie KUNTZE (1980) erprobte Anwendung von Xylazin unter unseren Bedingungen zur Durchführung kleiner chirurgischer Eingriffe bei Elefanten überprüft.

Der Vorteil dieser Methode der medikamentellen Ruhigstellung mit Xylazin liegt darin, daß die "betäubten" Tiere stehenbleiben. Die Tabelle 2 gibt einen Überblick über die Anwendung von Xylazin beim Elefanten im Zoo Magdeburg.

Danach decken sich unsere Erfahrungen bei der Anwendung von Xylazin bei Elefanten mit den positiven Ergebnissen von SCHMIDT (1975) und KUNTZE (1980). Die Dosis von 500 mg Xylazin i.m. appliziert bewirkte beim Asiatischen Elefanten eine sehr gute Sedation und Analgesie. Bei Afrikanischen Elefanten ist dagegen eine wesentlich höhere Dosierung erforderlich. Erst mit 1000 mg Xylazin erreichten wir beim erwachsenen Tier eine ausreichende Sedation und Analgesie. Diese Medikation reichte zur Durchführung kleiner chirurgischer Eingriffe am stehenden Tier ohne zusätzliche örtliche Betäubung oder andere Zwangsmaßnahmen aus. Für größere Operationen sind unter Einschränkung sowohl für den zu behandelnden Elefanten, als auch für den Tierarzt aus Gründen des Arbeitsschutzes weitergehende Maßnahmen der Immobilisierung bzw. der Analgesie erforderlich.

Unter der alleinigen Wirkung von Xylazin beobachteten wir ein sehr unsicheres Stehen und wiederholtes kurzzeitiges Einknicken der Extremitäten nach der i.m. Applikation von 500 mg Xylazin beim Asiatischen Elefanten und Abwehrreaktionen auf heftige Bewegungen des Behandlungspersonals nach der Gabe von 1000 mg Xylazin beim Afrikanischen Elefanten. Durch eine Dosiserhöhung des Xylazins kann zwar eine Vertiefung der Sedation, der Analgesie und der Muskelrelaxion erreicht werden, jedoch besteht die Gefahr, daß der Elefant zum Abliegen kommt (SCHMIDT, 1975).

Trotz dieser Einschränkung erscheint die Anwendung von Xylazin beim Elefanten - Loxodonta africana und Elephas maximus - für die "Stehendnarkose" zur Durchführung kleiner chirurgischer Eingriffe sehr geeignet. Für Afrikanische Elefanten ist im Vergleich zum Asiatischen Elefanten etwa die doppelte Wirkstoffmenge Xylazin zur Erzielung einer ausreichenden Wirkung erforderlich.

Tabelle 1: Sedierung und Immobilisation beim Elefanten (Literaturübersicht)

Autor	Art	Alter	Geschl.	KM kg	Medikation	Wirkung	Bemerkungen
HUBER u. PERIC, 1969	Asiat. Elefant	15 J	w	-	1400 mg Parkesernyl u. 150 mg Scopolamin i.m. u. Chloralhydrat (i.v.)	-	Exitus letalis Speiseröhrenobturation durch Stein
TAYLER, 1969	"	17 J	w	-	0,4 mg/kg KM Phencyclin	-	Exitus letalis Dentalabszeß
WEILENMANN, 1971	"	juv.	w	1500	12,0 ml Parkesernyl i.m.	gut	Tumor am Gaumendach
UNGER, 1971	"	10 J	w	-	15,0 ml Acepromacin 1%ig i.m. u. 3,4 mg M 99 gelöst in 5,0 ml Acepromacin	gut, legt sich	Zahnextraktion
KUNTZE, 1972	"	10 J	w	-	Combelen u. Phencyclidin i.m. u. Chloralhydrat 10%ig i.v. bis zum Umfallen	gut, legt sich	Nageltritt
FRANZ et al., 1974	Afrik. Elefant	5 J	w	1250	1) 10,0 ml Combelen i.m. 30 Min. später 6,0 ml Combelen	keine	Stoßzahnbeschädigung
					2) 20,0 ml Combelen u. 40,0 ml Parkesernyl i.m. 10 Min. später 5,0 ml Combelen und 1,0 ml Parkesernyl	gut, legt sich	
	Asiat-Elefant	13-14 J	w	2750	30,0 ml Combelen u. 5,0 ml Parkesernyl u. 1200 ml Chloralhydrat 10%ig i.v.	gut, legt sich	Zahnbehandlung Abszeßexstirpation
ALTMANN et al., 1976	Afrik. Elefant	4,5 J		790	750 mg Vetalar = 1,0 mg/kg u. 7,5 ml Combelen i.m. 30 Min. später 14,0 ml Combelen u.nochmals 40 Min. später 3000 mg Vetalar Summe: 37,5 ml Vetalar = 4,74 mg/kg 21,5 ml Combelen = 0,027 ml/kg	gut, legt sich	Stoßzahnfraktur
RÖKEN, 1975	Afrik. Elefant 3 x	juv.		300-600	1,0-1,5 mg Etorphine u. 4-6 mg Acepromacin	gut	für 10-40 Min.
v.RICHTER et al., 1978	Afrik. Elefant 58 x	adult u. subadult	w	-	6,0 Etorphine u. 40-50 mg Acepromacin	-	-
			m	-	7,0-8,0 mg Etorphine u. 40-50 mg Acepromacin		
MILL u. KUNTZE, 1983	Asiat. Elefant 11 x	5-34 J	w	-	500 mg Xylazin bei adulten Tieren, 200 mg Xylazin bei 12jährigem Tier	-	-
	Asiat. Elefant	juv.	w	-	1,2 mg Immobilon	legt sich	Exstirpation einer Neubildung
TREMBATH, 1985	Afrik. Elefant	1,5 J 2,5 J 3,0 J	w und m	180 300 450	20-40 mg Xylazin 80-120 mg Xylazin 120-160 mg Xylazin	gut	Fang- u.Verladeaktion
BAUDITZ, 1972	Asiat. Elefant	25 J	w	-	0,9 mg/kg Xylazin	gut, legt sich 1 h post applik. für 2 h	Verladeaktion
KUNTZE, 1981	" 6 x	12-45 J	w2	-	150-500 mg Xylazin je nach Indikation, Temperament u. Verhalten	gute Sedierg. gute Analgesie	
JAROFKE et al., 1981	" 3 x	4-5 J	w	890-1000	1,3 mg Immobilon u. Intubation mit O_2-Beatmung und Fluothane	operationstüchtige Narkose	Osteosynthese Knochenpunktion

Autor	Art	Alter	Geschl.	KM kg	Medikation	Wirkung	Bemerkungen
ALTMANN u. KREBS, 1981	Asiat. Elefant	11-12 J	w	2250	45,0 Combelen u. 3 Min. später 80 ml Vetalar i.m. = 3,5 mg/kg Vetalar u. 0,02 ml Combelen	starke Sedierg. Immobilisation	Entfernung eines Fremdkörpers aus dem Auge
GÖLTENBOTH u. KLÖS, 1982	-	-	-	-	0,1 mg/kg Xylazin i.m. u. 3,0-6,0 Immobilon	starke Sedierung	Sturzgefahr
KLÖPPEL, 1982	Asiat. Elefant	-	-	2500-3000	10,0 ml Combelen u. 10,0 ml Xylazin als Mischspritze	gute Sedierung	Sakralanästhesie zur Durchführung der Schwanzamputation nötig
SCHMIDT, 1975	"	-	-	-	0,08-0,14 mg/kg Xylazin	gute Sedierung Wirkung dosisabhängig	bei höherer Dosierung Gefahr des Niederlegens ohne bessere Sedierung
BONGSO, 1979	"	10-40 J	w u. m	-	100-300 mg/Tier Xylazin	gute Sedierung u. Analgesie	
ROBINSON u. MEIER, 1977	"	40 J	w	3500	400 mg Xylazin	-	Vulvatumor mit örtl. Lidocainanästhesie (30,0 ml 2%ig)
TAMAS u. GEISER, 1983	Afrik. Elefant	25 J	-	3000	Etorphin-HCl 1 mg/450 kg + Halothan-O_2	"Vollnarkose"	wechselnde Halothankonzentration nach Wirkung 0,5 - 2,5 %

J = Jahre; w = weiblich; m = männlich

Tabelle 2: Einsatz von Xylazin bei Elefanten des Zoologischen Gartens

Datum	Art	Alter	Geschl.	KM kg	Indikation	Medikation	Wirkung
21.6.83	Asiat. Elefant	16 J	w	ca. 3000	Stoßzahnfraktur	500 mg Xylazin i.m.	sehr gute Sedierung, steht gerade noch, sehr gute Analgesie, nicht kooperativ
21.3.84	Afrik. Elefant	17 J	w	ca. 3000	Abszeßbehandlung am Unterkiefer	700 mg Xylazin i.m.	leichte Sedierung, HORNER-Syndrom mit relativer Rüssellähme, Schmerzempfinden ausgeprägt erhalten
22.3.84	"	17 J	w	ca. 3000	dto.	1000 mg Xylazin i.m.	Nach 30 Min. Wirkungseintritt mit Rüssellähme u. HORNER-Syndrom. Nach 50 Min. scheint der Elefant nichts mehr zu sehen, nimmt aber Kommandos wahr. Bei Wundbehandlung keine Schmerzreaktion, legt sich auf Kommando ab, gute Analgesie
4.4.85	"	1,5 J	w	ca. 200	Probeexzision	100 mg Xylazin i.m. u. örtl. 20,0 ml Xylocitin 2 %ig	Nach 20 Min. Schläfrigkeit, nach 30 Min. starke Sedierung mit teilweiser Analgesie. Bei Umspritzung der Neubildung geringe Reaktion
6.6.85	"	17 J	w	ca. 3000	Wundbehandlung	1000 mg Xylazin i.m.	Nach 30 Min. gute Sedierung und fast völlige Analgesie, reagiert auf Kommandos zwar sehr verzögert, aber willig Nach 6-8 Std. wieder fast normales Verhalten

Jahre = J; weiblich = w; männlich = m

Zusammenfassung

Erfahrungen beim Einsatz von Xylazin beim Asiatischen (Elephas maximus) und Afrikanischen Elefanten (Loxodonta africana)

Es werden Anwendung und Wirkungsweise von Xylazin beim Elefanten beschrieben. In tabellarischer Übersicht werden Erfahrungen anderer Autoren bei der medikamentellen Ruhigstellung von Elefanten mitgeteilt.

Summary

Experience from Application of Xylacine to Asian and African Elephants (Elaphas maximus and Loxodonta africana)

Application to and mode of action in elephant are described for xylacine. A tabulated account is given of experience obtained by other authors from medicamentous immobilisation of elephants.

Résumé

Quelques expériences avec l'utilisation de Xylazine chez les éléphants asiatiques (Elephas maximus) et africains (Loxodonta africana)

L'auteur explique l'application et l'efficacité de Xylazine chez l'éléphant. Dans les tableaux il donne un aperçu sur les expériences d'autres chercheurs avec l' immobilisation médicamenteuse des éléphants.

Резюме

Опыты по применению ксилацина у азиатского (Elephas maximus) и африканского слона (Loxodonta africana)

Описаны методы применения ксилацина на слонах. В таблицах дан обзор некоторых авторов по методам медикаментозных успокоительных средств, применяемых на слонах.

Literaturverzeichnis

ALTMANN, D., HEIMANN, D., und R.-J. TUNGER (1976): Stoßzahnfraktur und Narkose einer afrikanischen Elefantin. Verh.ber. Erkrg. Zootiere 18, 307.

BAUDITZ, R. (1972): Sedation, Immobilisation und Anästhesie von Zoo- und Wildtieren mit Rompun. Vet.-med. Nachrichten, Heft 3, 204.

BONGSO, T.A. (1979): Sedation of the Asian elephant (Elephas maximus) with Xylazine. Vet. Rec., 442.

FRANZ, W., HEYMANN, H., und K.G. WITTSTRUCK (1974): Narkoseerfahrungen bei afrikanischen und indischen Elefanten (Loxodonta africana u. Elephas maximus). Verh.ber. Erkrg. Zootiere 16, 271.

GÖLTENBOTH, R., und H.-G. KLÖS (1982): Die Immobilisation und Narkose von Zootieren im Zoo Berlin. Verh.ber. Erkrg. Zootiere 24, 125.

HUBER, I., und J. PERIC (1969): Speiseröhrenobturation bei einem Elefanten. Verh.ber. Erkrg. Zootiere 11, 105.

JAROFKE, D., KELLER, H., KLÖS, H.-G., und H.J. WINTZER (1981): Der Einsatz der Halothan-Sauerstoffnarkose beim Elefanten (Elephas maximus). Verh.ber. Erkrg. Zootiere 23, 273.

KUNTZE, A. (1972): Nageltritt (Pododermatitis traumatica profunda purulenta) beim Trampeltier (Camelus bacterianus) und Elefant (Elephas maximus). Verh.ber. Erkrg. Zootiere 14, 291.

KUNTZE, A. (1981): Sedierung und Stehendnarkose mit Xylazin beim Elefanten (E. maximus). Verh.ber. Erkrg. Zootiere 23, 267.

MILL, J., und A. KUNTZE (1983): Elektrokardiographische Untersuchungen am liegenden und stehenden Elefanten (Elephas maximus) unter besonderer Berücksichtigung des Xylazineinsatzes. Verh.ber. Erkrg. Zootiere 25, 349.

v. RICHTER, W., DRÄGER, N., PATTERSON, L., and M. SOMMERLATTE (1978): Observations on the immobilisation and marking of African Elephants (Loxodonta africana) in Botswana. Verh.ber. Erkrg. Zootiere 20, 185.

ROBINSON, P.T., and J.E. MEIER (1977): Surgical removel of a tumor from an Asian elephant. Vet. Med. Small Animal Clin., 1638.

RÖKEN, B.O. (1975): Chemical restraint and anaesthesia in african herbivores. Verh.ber. Erkrg. Zootiere 17, 135.

SCHMIDT, H.J. (1975): The Use of Xylazine in Captive Asien Elephants. Proc. Amer. Assoc. Zoo Vet., p. 1.

TAYLOR, D.C. (1969): Some Experiences in the Use of Phencyclidine and Etorphine in Zoo Veterinary Practice. Verh.ber. Erkrg. Zootiere 11, 139.

TREMBATH, P.R. (1985): Bändigung junger Elefanten mit Rompun. Vet.-Med.-Nachr. 2, 169.

UNGER, K.H. (1971): Zahnextraktion mit Komplikationen bei einem Elefanten. Verh.ber. Erkrg. Zootiere 13, 235.

WEILENMANN, P. (1971): Einige Angaben über die im Zoologischen Garten Zürich und im Wildpark Langenberg verwendeten Sedativa, Tranquilizer und Narkotika. Verh.ber. Erkrg. Zootiere 13, 207.

Anschrift der Verfasser: Dr. K. K u t s c h m a n n und
DVM Margarethe N e u m a n n
Poliklinik für kleine Haus- und Zootiere Magdeburg
DDR-3080 Magdeburg
Ebendorferstr. 39 (DDR)

Aus der Allgemeinen und Experimentellen Veterinärchirurgie der Justus-Liebig-Universität Gießen, dem Institut für Experimentelle Chirurgie der Technischen Universität München, dem Chemotherapy of Trypanosomiasis Research Project, Veterinary Services Department, Kabete, Kenya und der Ol Maisor Farm, Rumuruti, Kenya

KURZZEITNARKOSE MIT AZAPERON/ALFENTANIL-ETOMIDAT BEIM KAMEL (CAMELUS DROMEDARIUS)+

Von K. Bonath, W. Erhardt, D. Röttcher, J. Evans, D. Amelang und O. Petrovics

Das Kamel ist in der Sahelzone des Nahen und Fernen Ostens als Haustier von erheblicher wirtschaftlicher Bedeutung. In vielen Fällen sind Kamele der einzige Besitz der nomadisierenden Bevölkerung. Allein in Kenia leben 600 000 Kamele der Spezies Camelus dromedarius, die sich auf wenige Farmen, vor allem aber auf die Stämme im Norden Kenias, insbesondere die Turkana, die Gabra, die Rendille, die Boran und die Somali verteilen. Ihre traditionelle Abhängigkeit vom Dromedar hat dazu geführt, daß eine Familie nur gründen kann, wer solche Tiere besitzt. So dient das Dromedar sehr vielseitig als Milch-, Fleisch- und Lederproduzent, ist Lasttier, Währung, Brautpreis und liefert mit seinem Dung wertvolles Brennmaterial.

Die vorliegenden Untersuchungen wurden vom Trypanosomiasis Research Project der GTZ (Gesellschaft für Technische Zusammenarbeit) in Kabete, Kenia initiiert. Sie hatten das Ziel, eine Narkoseform mit kurzer chirurgischer Toleranzphase zu erarbeiten, die den tierärztlichen Bedürfnissen und den klimatischen Bedingungen der Sahelzone gerecht wird. Anlaß war das Auftreten von Kreislaufdepressionen unter Xylazin-Narkose, die besonders in Verbindung mit der Xylazin-Langzeitwirkung und den klimatischen Belastungen der ariden Zonen manifest wurden und gelegentlich auch zu Todesfällen führten.

Unter den Indikationen steht die Verbesserung der veterinär-medizinischen Betreuung, insbesondere die Bekämpfung der Trypanosomiasis unter den Dromedaren im Norden Kenias im Vordergrund. Eine Kurzzeitnarkose ermöglicht die Liquorpunktion zur Untersuchung der Pharmakokinetik von Chemotherapeutika und der Trypanosomen-Invasion der Cerebrospinal-Flüssigkeit. An kurativen tierärztlichen Eingriffen sind in diesen Gebieten vor allem Kastrationen, Zahnfisteln und Zahnextraktionen, Tumorchirurgie, Wund- und Abszeßbehandlungen zu nennen.

Für die Narkose beim Kamel (Dromedar und Trampeltier) wird heute in der Tat vorrangig Xylazin eingesetzt, das Sedation, Analgesie und Muskelrelaxation gleichermaßen hervorruft und nach Angaben einiger Autoren eine große narkotische Breite besitzt (BOLBOL et al., 1980; CUSTER et al., 1977; DENNIG, 1972; KHAMIS et al., 1973; PESHIN et al., 1980; ROSBOROUGH et al., 1974; THOMAS, in Vorbereitung). Gelegentlich wird es in Verbindung mit Etorphin (WIESNER et al., 1982) oder Ketamin verabreicht (GÖLTENBOTH und KLÖS, 1976; JAROFKE und KLÖS, 1976). Auch die zu 'Immobilon für large animals'[R] vereinte Kombination aus Etorphin und Azepromazin (SCHEIS und NOWROUZIAN, 1977), die Thiopental-Chloralhydrat-Narkose nach Chlorpromazin-Sedation (SAID, 1963) und die Chloralhydratnarkose nach Chlorpromazin- oder Propionylpromazin-Prämedikation werden empfohlen (KUNTZE, 1982).

Als reine Sedativa für das Kamel sind Chlorpromazin und Propionyl-Promazin zu nennen (BOLZ, 1962; FOUAD und MARCOS, 1965; KHAMIS et al., 1973; KUNTZE, 1967; SAYED, 1972). Dagegen muß wegen ihrer atemdepressiven und konvulsiven Wirkung von der ausschließlichen Applikation des Phencyclidinhydrochlorid (GREEN, 1979; KUNTZE, 1967) und des Ketamin (BECK, 1973; GREEN, 1979) abgeraten werden. Ähnliches gilt für das Muskelrelaxans Succinylcholin, das bei Dromedar und Trampeltier und darüber hinaus auch bei anderen Widerkäuern zu Todesfällen führte (KUNTZE, 1967).

+) Herrn Dr. H. NEU, Medizinische und Gerichtliche Veterinärklinik I der Justus-Liebig-Universität Gießen danken wir für wertvolle fachliche Hinweise.
Herrn Jan W. BONATH, Hochschule für Gestaltung, Offenbach, danken wir für die Kamelzeichnungen.

Für die vorliegenden Untersuchungen am Dromedar wurde die Kombination des ultrakurzwirkenden Analgetikums Alfentanil mit dem Ultrakurz-Hypnotikum Etomidat gewählt. Sie hat sich bereits bei Hund (ERHARDT et al., 1985; OBERWALLNER und ERHARDT, 1985; SEILER, 1982), Katze (ITTNER et al., 1985) und Kaninchen (BAUER, 1984; ERHARDT, 1984) bewährt und auch für die Ratte liegen befriedigende Ergebnisse vor (KANDLBINDER, 1986).

Auch bei Rind (LIMMER, 1984; ERHARDT et al., 1985), Schaf (TONZER, 1984; ERHARDT et al., 1985) und Ziege (TONZER, 1984) wurde Alfentanil-Etomidat eingesetzt, führte jedoch zu Atemdepressionen mit erheblichem Absinken des arteriellen Sauerstoffpartialdruckes, ein Phänomen, für das die Tendenz des Wiederkäuers zur Bildung pulmonaler Shunts während der Allgemeinnarkose verantwortlich gemacht wird (DE MOORE und DESMET, 1971; SCHATZMANN et al., 1980; RINGS und MUIR, 1982; ERHARDT et al., 1985). - Zur Vermeidung von Exzitationen, wie sie bei Hund, Katze und Kaninchen beobachtet wurden, wird die Prämedikation mit Azaperon (Stresnil^R) empfohlen (ERHARDT et al., 1983; OBERWALLNER und ERHARDT, 1985).

Eine derart breit gefächerte Anwendungsmöglichkeit ließ auch für das Dromedar den erfolgreichen Einsatz vermuten. Dazu wurden die narkotisierenden Eigenschaften der Azaperon/Alfentanil-Etomidat-Narkose und ihr Einfluß auf Atem- und Kreislaufparameter bei Camelus dromedarius untersucht. Die Möglichkeiten der Antagonisierung der Morphinkomponente Alfentanil durch Naloxon am Alfentanil-Etomidat-narkotisierten Dromedar wurden ermittelt.

Methoden

An 47 Dromedaren (Camelus dromedarius), Geschlecht: 19 männliche, 28 weibliche; Alter 5,7 ± 4,9 Jahre, Grenzwerte von 2 Monate bis 18 Jahre; Körpergewicht: 340 ± 193 kg, Grenzwerte von 55 bis 671 kg, wurde der Einfluß der Alfentanil- (Rapiphen^R, Janssen, Beerse, Belgien) Etomidat-Narkose nach Azaperon (Stresnil^R, Janssen, Beerse, Belgien; Etomidat-HCl, R 16660, conz. in klin. Prüfung) -Prämedikation auf arteriellen Blutdruck, Pulsfrequenz, EKG, Atemfrequenz, Körpertemperatur, Reflexerregbarkeit und Muskelrelaxation untersucht. Insgesamt wurden 49 Azaperon-Alfentanil-Etomidat-Narkosen durchgeführt.

Die Dromedare wurden zum größten Teil nach ihrer tierärztlichen Behandlungsbedürftigkeit aus Herdenverbänden ausgewählt, die auf der Ol Maisor Farm nördlich Rumuruti, Kenia, Ostafrika im Trockenbusch nomadisierend gehalten wurden. So wurden an 30 der 47 verfügbaren Tiere tierärztliche Eingriffe durchgeführt. Indikationen waren inguinaler Kryptorchismus, Kastrationen männlicher Tiere, Zahnfistelrevisionen, Zahnextraktionen, Abszeß-, Phlegmone-, Nekrose-, Mastitis- und Wundbehandlungen sowie Behandlungen von Hauterkrankungen. 17 weitere Tiere bedurften keiner tierärztlichen Behandlung. Die Untersuchungen wurden unter Freilandbedingungen in den Monaten Juli bis August, im allgemeinen zwischen 7.00 und 14.00 Uhr durchgeführt. Die Umgebungstemperaturen betrugen 22 ± 7 °C. Vor der Narkose wurden die Tiere für wenigstens 12 Stunden nüchtern gehalten.

10 Minuten vor Alfentanil-Etomidat-Applikation wurden die Tiere mit 0,2 mg/kg KM Azaperon i.m. prämediziert. An einem schattigen Ort wurden sie dann derart sitzend ausgebunden, daß Abwehr- und Aufstehversuche weitgehend verhindert werden konnten. 0,015 mg/kg KM Alfentanil und 1,0 mg/kg KM Etomidat wurden gemeinsam im oberen Halsdrittel zügig aber nicht schnell in die Vena jugularis injiziert. Bei 4 Tieren wurde die Narkose wegen chirurgischer Indikationen mit einem Drittel der Alfentanil-Etomidat-Ausgangsdosis zwischen der 16. und 19. Minute nach Erstinjektion verlängert. Bei Jungtieren bis zu einem Körpergewicht von 275 kg wurde die lfentanil-Etomidat-Dosis um 20 % erhöht. Bei 18 von 49 insgesamt durchgeführten Narkosen wurde Alfentanil als Morphinkomponente des Narkosegemisches 15 Minuten nach Alfentanil-Etomidat-Injektion durch 0,16 mg Naloxon-hydrochlorid/kg KM (Narcanti, Du Pont, Genz, Schweiz) antagonisiert.

Zur Ermittlung der narkotisierenden Eigenschaften von Azaperon/Alfentanil-Etomidat wurden die folgenden Reaktionen in zeitlichem Verlauf nach intravenöser Injektion von Alfentanil-Etomidat beurteilt und daraus die Dauer von der Injektion bis zum Ausfall der Reflexe sowie die Dauer der Muskelrelaxation, die Analgesiedauer und schließlich die Zeiten bis zur ersten Spontanbewegung und zum ersten Aufstehversuch in der Aufwachphase und die Gesamtnarkosedauer bis zum Wiedererlangen des Stehvermögens ermittelt:

Abb. 1: Geringgradiger Opisthotonus beim Dromedar in Alfentanil-Etomidat-Narkose, der trotz Azaperon-Prämedikation erhalten bleibt.

Abb. 2: Tieflagern des Kopfes am narkotisierten Dromedar zur Vermeidung der Aspiration von Speichel und regurgitiertem Panseninhalt

Abb. 3: Typische Kopfhaltung des sedierten Dromedars. Man beachte die herabhängende Unterlippe.

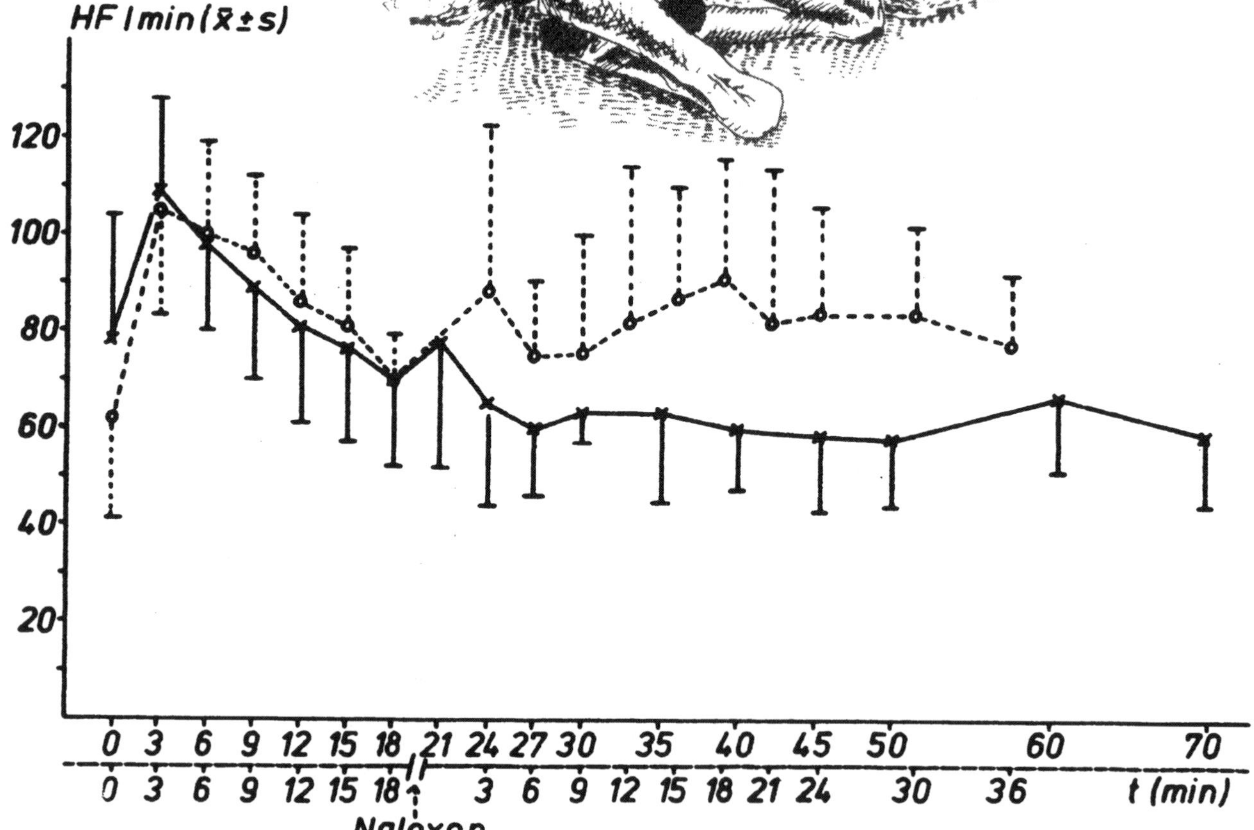

Abb. 4: Einfluß der Azaperon /Alfentanil-Etomidat-Kurzzeitnarkose beim Kamel (n siehe Tab. 3, 4) auf die Herzminutenfrequenz (HF; $\bar{x} \pm s$ = Mittelwerte ± Standardabweichungen) im zeitlichen Narkoseablauf (t/min)

o- - - - -o Alfentanil durch Naloxon antogonisiert

o———o Alfentanil nicht antagonisiert

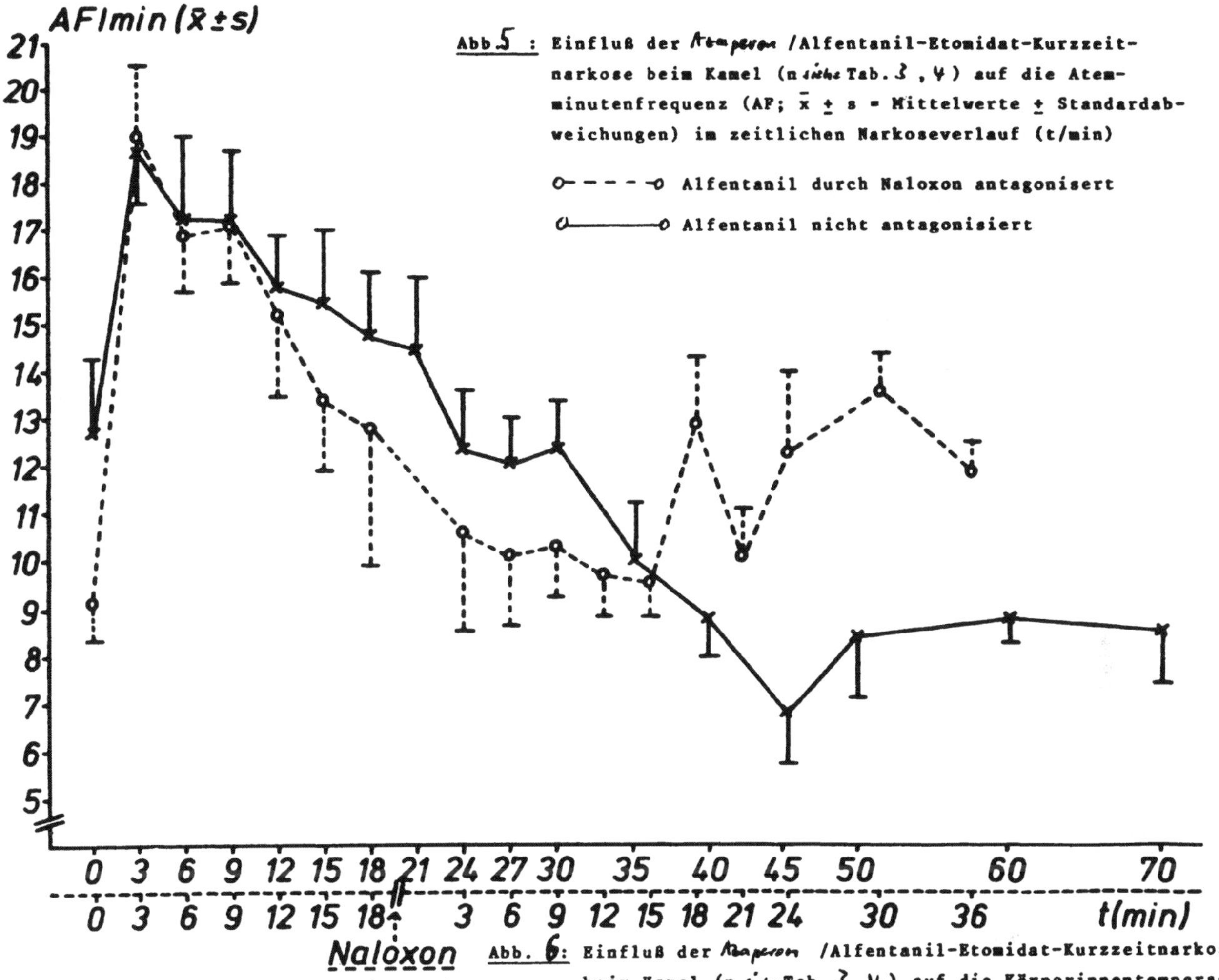

Abb. 5 : Einfluß der Azaperon /Alfentanil-Etomidat-Kurzzeitnarkose beim Kamel (n siehe Tab. 3 , 4) auf die Atemminutenfrequenz (AF; $\bar{x} \pm s$ = Mittelwerte ± Standardabweichungen) im zeitlichen Narkoseverlauf (t/min)

o- - - -o Alfentanil durch Naloxon antagonisert

o———o Alfentanil nicht antagonisiert

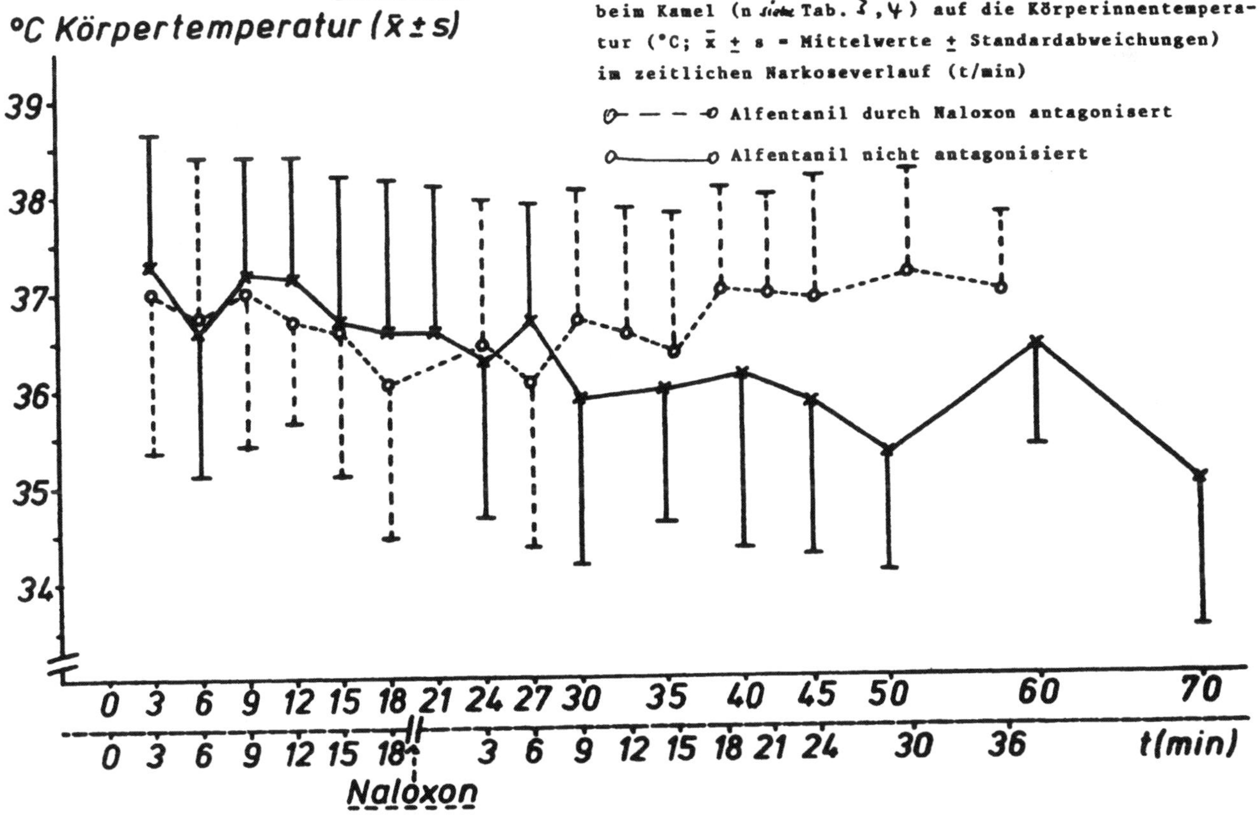

Abb. 6: Einfluß der Azaperon /Alfentanil-Etomidat-Kurzzeitnarkose beim Kamel (n siehe Tab. 3 , 4) auf die Körperinnentemperatur (°C; $\bar{x} \pm s$ = Mittelwerte ± Standardabweichungen) im zeitlichen Narkoseverlauf (t/min)

o- - - -o Alfentanil durch Naloxon antagonisert

o———o Alfentanil nicht antagonisiert

- Schmerzreflexe verschiedener Hautbereiche, Lippen, Nüstern, Kronsaum, Anus, Vulva, Schwanzspitze, durch Nadelprobe (mittels Kanüle) und Kneifproben (mittels gezähnter Arterienklemme)
- Lidreflex durch Berühren des Lidrandes
- Ohrreflex durch Berühren des äußeren Gehörganges
- Zungenreflex durch Hervorziehen der Zunge
- Zwischenzehenreflex durch Kneifen des Zwischenzehenbereiches
- Analreflex durch leichtes Kneifen des Sphinkter-anibereiches
- Relaxation der Gliedmaßen und Halsmuskulatur durch passives Bewegen von Extremitäten und Kopf-Halsbereich.

Außerdem wurden folgende Parameter gemessen:

- Arterielle Blutdrucke in der Arteria carotis, handbreit proximal des Sternum, als systolische, diastolische und mittlere Blutdrucke mittels Statham Element und Druckverstärker. (Infolge eines unter Feldbedingungen irreparablen Defektes am Meßgerät wurden die Blutdrucke lediglich an 4 Tieren gemessen).
- Elektrokardiogramme bei 11 Tieren mit dem Cardiopan 531, Philipps. Einstichelektroden subkutan im Bereich beider Oberarme und Oberschenkel.
- Herzminutenfrequenz bei 22 Kamelen, mittels Eikemeyer Herzmonitor.
- Atemminutenfrequenz bei 22 Kamelen, visuell.
- Körperinnentemperatur bei 22 Kamelen, rektal, elektronisch.

An 12 weiteren Tieren wurden Herz-, Atemfrequenz und Körpertemperatur vor und nach Naloxon-Antagonisierung gemessen.
Die zeitlichen Meßintervalle für die genannten Parameter können den Tabellen entnommen werden.

Ergebnisse

Anästhesieverlauf: Die narkotisierende Wirkung setzte noch während oder unmittelbar nach intravenöser Alfentanil-Etomidat-Injektion ein. Der Kopf-Halsbereich nahm spontan opisthotonusähnliche Haltung ein, die bis in die Aufwachphase hinein bestehen blieb. Während der gesamten Wirkungsdauer war die Extremitätenmuskulatur relaxiert, dagegen blieb die Halsmuskulatur eher hart und verspannt.

Schon während der ersten beiden zur Vororientierung durchgeführten Narkosen kam es nach Regurgitieren zur Aspiration von Panseninhalt und noch am gleichen Tage zum Exitus. In beiden Fällen gelang es infolge des Opisthotonus nicht, den Kopf der sitzend ausgebundenen Tiere tief zu lagern und damit für den Abfluß des Panseninhaltes aus dem Kehlkopfbereich zu sorgen. Für alle nachfolgenden Untersuchungen wurden die Tiere deshalb mit Azaperon prämediziert und kurz nach Wirkungseintritt der Narkose auf die rechte Körperseite gelegt. Der Opisthotonus blieb zwar geringfügig erhalten (Abb. 1), der Kopf-Halsbereich lag nun aber so tief, daß weitere Zwischenfälle dieser Art vermieden wurden. Erst in der späten Aufwachphase löste sich der Opisthotonus, so daß die Tiere wieder aufgesetzt und der Kopf gemäß der in Abb. 2 gezeigten Position tief gelagert werden konnte. - Hängende Unterlippe (Abb. 3) und gesenkte obere Augenlider blieben als Anzeichen der Sedation bis in die postnarkotische Phase hinein erhalten und konnten auch beim bereits stehenden Tier noch einige Zeit beobachtet werden.

Beurteilung der anästhesierenden Eigenschaften: Die anästhesierende Wirkung setzte 20 bis 60 Sekunden nach Beginn der Alfentanil-Etomidat-Injektion ein (Tab. 1). Die sitzend ausgebundenen Tiere legten sich spontan oder wurden von Helfern in rechte Seitenlage gebracht. 4,5 $\pm$ 1 Minuten nach Injektion waren die Reflexe erloschen, mit Ausnahme des Lidreflexes, der nur gedämpft war und nie völlig ausfiel. Nach dieser Einleitungsphase dauerte die Analgesie (chirurgisches Stadium) 16,4 $\pm$ 4,4, die Muskelrelaxation 15 $\pm$ 6 Minuten. Die Aufwachphase begann mit den ersten Spontanbewegungen, die sich 21 $\pm$ 8,5 Minuten post injectionem zeigten. Erste Aufstehversuche wurden 43,4 $\pm$ 13,5 Minuten nach Injektion beobachtet. Die Tiere standen 52,1 $\pm$ 18,4 Minuten nach Alfentanil-Etomidat-Applikation, einer Zeit, die als Gesamtnarkosedauer gilt.

Schlafzustand (Zeiten nach Injektion in Minuten)	Alfentanil-Etomidat			Alfentanil-Etomidat/Naloxon			
	$\bar{x} \pm s$	range	n	$\bar{x} \pm s$	range	n	t-Test
Niederlegen nach		0,3- 1	18		0,3- 1	12	
Reflexe erloschen nach	4,5± 1	3 - 6	18				
Dauer der Muskelrelaxation	15 ± 6	7 -22	18				
Dauer der Analgesie	16,4± 4,4	8 -24	18	15,9± 3,9	9-23	12	n.s.
1. Spontanbewegungen nach	21,1± 8,5	6 -34	17	14,3± 1,1	9-22	12	$p < 0,05$
1. Aufstehversuche nach	43,4±13,5	19 -66	17	35,3±12,3	19-62	12	n.s.
Tier steht auf nach	52,1±18,4	33 -88	17	58,3±10	37-74	12	n.s.

Tab. 1: Anhand der Narkosezeiten (Minuten nach Injektion) ermittelte anästhesierende und analgesierende Eigenschaften der Azaperon/Alfentanil-Etomidat-Kurzzeitnarkose beim Kamel mit und ohne Antagonisierung des Alfentanil durch Naloxon. ($\bar{x} \pm s$ = Mittelwerte ± Standardabweichungen, n = Anzahl der Narkosen, n.s. = Unterschied nach dem t-Test statistisch nicht signifikant.)

Nach Naloxongabe war die Zeit bis zum Auftreten erster Spontanbewegungen mit 14,3 ± 1,1 Minuten signifikant verkürzt und die Zeit bis zum ersten Aufstehversuch mit 35,3 ± 12,3 Minuten zwar nicht signifikant, dennoch in der Tendenz aber kürzer als bei den nicht mit Naloxon antagonisierten Tieren. Dagegen dauerte die Narkose mit insgesamt 58,3 ± 10 Minuten in ihrer Tendenz etwas länger.

Einfluß der Narkose auf Kreislauf, Atmung und Körpertemperatur: Die auswertbaren arteriellen Blutdrucke, wegen eines technischen Defektes nur bei 4 Tieren gemessen und als systolische : diastolische (mittlere) Drucke registriert, betrugen:

In der 4. - 5. Minute post injectionem 85 - 108: 70 - 79 (80) mmHg,
in der 7.- 10. Minute 89 - 90: 60 - 81 (70 - 83) mmHg,
in der 14. Minute 78: 69 (72) mmHg,
in der 19. Minute 72: 70 (99) mmHg und
in der 37. Minute (späte Aufwachphase, in der die Tiere erste Aufstehversuche machten) 95: 85 (95) mmHg.

Im Elektrokardiogramm (Tab. 2) ist zwischen der 5. und 40. Minute nach Injektion von Alfentanil-Etomidat eine Verlängerung der Überleitungszeit (PQ/PR-Dauer) um durchschnittlich 22 %, der Erregungsausbreitung im Kammermyokard (QRS-Dauer) um 32,7 % und der Dauer der Kammererregung (QT-Dauer) um 50 % zu verzeichnen. Diese Veränderungen verlaufen synchron zum Rückgang der Herzfrequenz, der durchschnittlich im gleichen Zeitraum 23 % beträgt.

Zeit nach Injektion [min]	PQ/RP-Dauer $\bar{x} \pm s$ [ms]	PQ/RP-Dauer Änderung (%)	QRS-Dauer $\bar{x} \pm s$ [ms]	QRS-Dauer Änderung (%)	QT-Dauer $\bar{x} \pm s$ [ms]	QT-Dauer Änderung (%)	rel. QT-Dauer $\bar{x} \pm s$ (%)	Herzfrequenz $\bar{x} \pm s$ [1/min]	n
5-10	164±27		52± 8		331±66		52.31	98±14	9
20-30	186±26	+13.4	69±22	+32.7	408±72	23.3	53.07	79±20	8
30-40	200±33	+22.0	63±16	+21.2	497±47	50.2	44.30	62±11	7

Tab. 2: Zeitlicher Verlauf der gemittelten EKG-Parameter PQ/PR-Dauer (Überleitungszeit), QRS-Dauer (Erregungsausbreitung im Kammermyokard), QT-Dauer ("elektrische Systole" = Dauer der Kammererregung) in Millisekunden [ms] und als prozentuale Abweichung vom Ausgangswert und Darstellung der relativen QT-Dauer (Kammererregung in % des Schlag-

intervalls) und der Herzfrequenz beim mit Alfentanil-Etomidat narkotisierten Dromedar. n = Anzahl der auswertbaren EKG-Abschnitte aus insgesamt 10 EKG-Aufzeichnungen.

Die Herzfrequenz (Tab. 3, Abb. 4) steigt zunächst von 79 ± 27 Schlägen/min in den ersten 3 Minuten nach intravenöser Alfentanil-Etomidat-Injektion signifikant auf 109 ± 19 an. Im weiteren Verlauf fällt sie kontinuierlich ab und erreicht zwischen der 25. und 27. Minute nach Injektion mit 62 ± 14 und zwischen der 41. und 45. Minute mit 59 ± 15 Schlägen/min Werte, die signifikant unter den Ausgangswerten liegen.

ZEIT (min. post inj.)	HERZFREQUENZ (1/min) $\bar{X}$	S	$S\bar{X}$	n	ATEMFREQUENZ (1/min) $\bar{X}$	S	$S\bar{X}$	n	KÖRPERINNENTEMPERATUR (°C) $\bar{X}$	S	$S\bar{X}$	n	T-TEST HF gegen 0	AF gegen 0	Temp. gegen 1-3 min.
0	78.6	26.9	5.9	21	12.7	6.9	1.6	18							
1-3	109.4	19.2	3.3	33	18.7	5.9	1.1	32	37.3	1.3	0.3	26	***	**	
4-6	98.9	18.7	5.0	14	17.3	6.2	1.8	12	36.6	1.6	0.4	13	*		
7-9	89.2	19.0	4.9	15	17.3	5.9	1.5	15	37.2	1.2	0.3	15			
10-12	81.3	20.7	5.2	16	15.9	4.2	1.1	14	37.1	1.3	0.3	14			
13-15	77.2	19.3	4.7	17	15.5	6.4	1.5	18	36.7	1.5	0.4	17			
16-18	70.5	17.7	4.3	17	14.8	5.8	1.3	19	36.6	1.5	0.4	17			
19-21	78.5	25.7	6.4	16	14.5	5.9	1.5	15	36.6	1.5	0.4	16			
22-24	65.7	20.7	5.0	17	12.4	4.8	1.3	13	36.3	1.7	0.5	12			
25-27	61.5	13.7	3.8	13	12.1	3.3	0.9	12	36.7	1.2	0.4	12	*		
28-30	64.3	6.4	1.9	11	12.4	3.1	1.0	10	35.9	1.7	0.5	10			*
31-35	64.5	18.8	4.7	16	10.0	4.6	1.2	15	36.0	1.4	0.4	15			**
36-40	60.6	12.3	2.7	21	8.8	3.5	0.8	17	36.2	1.9	0.4	19		*	*
41-45	59.1	15.4	3.6	18	6.9	4.4	1.1	15	35.9	1.6	0.4	17	**	**	**
46-50	58.9	14.2	3.9	13	8.4	4.5	1.3	12	35.3	1.2	0.4	11			***
51-60	67.6	15.3	4.2	13	8.8	1.7	0.5	10	36.4	1.1	0.3	10			
61-70	59.5	14.6	5.2	8	8.6	2.4	1.1	5	35.0	1.6	0.6	8			***

Tab. 3: Einfluß der Azaperon/Alfentanil-Etomidat-Kurzzeitnarkose beim Kamel ($n = 22$) auf Herz-, Atemfrequenz und Körperinnentemperatur, Irrtumswahrscheinlichkeiten nach dem t-Test: * = $p < 0{,}05$, ** = $p < 0{,}01$, *** = $p < 0{,}001$.

Die Atemfrequenz (Tab. 3, Abb. 5) steigt von 13 ± 7 Atemzügen/min in den ersten 3 Minuten nach Injektion signifikant auf 19 ± 6 Atemzüge/min an und geht bis zur 41. - 45. Minute kontinuierlich signifikant auf 7 ± 4 Atemzüge/min zurück, um sich dann in der 61. - 70. Minute bei 9 ± 2 Atemzügen/min zu stabilisieren. In 5 aus 47 Fällen fiel die Atemfrequenz auf 3 - 5/min und damit erheblich unter die Ausgangswerte (13 ± 7/min) ab. Intravenöse Naloxongaben konnten einen weiteren Rückgang verhindern; 4 - 9 Minuten nach Naloxon-Injektion kehrte die Atmung wieder zur normalen Frequenz zurück.

Die Körperinnentemperatur (Tab. 3, Abb. 6) ging von 37,3 ± 1,3 °C nach Injektion kontinuierlich auf 35,0 ± 1,6 °C zurück. Signifikant waren diese Veränderungen ab der 28. - 30. Minute nach Injektion.

In vier Fällen wurden Alfentanil und Etomidat aus therapeutischen Gründen um ein Drittel der Ausgangsmenge nachdosiert. Nach kurzzeitigem Herzfrequenzanstieg innerhalb der ersten 3 - 6 Minuten nach Wiederholungsinjektion um 60 - 85 % ging die Herzfrequenz wieder zur Norm zurück. Die Atemfrequenz blieb unverändert. Komplikationen traten nicht auf.

An 12 mit Azaperon/Alfentanil-Etomidat narkotisierten Dromedaren wurde die Alfentanil-Wirkung durch den Morphin-Antagonisten Naloxon-hydrochlorid aufgehoben und dabei Herz-, Atemfrequenz und Körpertemperatur überwacht. Die folgenden Ergebnisse wurden registriert:

Herzfrequenz (Tab. 4, Abb. 4): Bis zur Naloxon-Injektion, 15 Minuten nach Alfentanil-Etomidat-Applikation war der Abfall der Herzfrequenz dem nicht mit Naloxon behandelter Tiere vergleichbar. Nach Naloxon-Injektion blieben die Herzfrequenzen dagegen mit 75 ± 16 bis 91 ± 25/min über den Ausgangswerten.

ZEIT (min. post inj.)	HERZFREQUENZ /1/min)				ATEMFREQUENZ (1/min)				KÖRPERINNENTEMPERATUR (°C)				t-TEST HF	t-TEST AF	t-TEST Temp.
	$\bar{x}$	s	$s\bar{x}$	n	$\bar{x}$	s	$s\bar{x}$	n	$\bar{x}$	s	$s\bar{x}$	n	gegen 0	gegen 0	gegen 1-3
0	62.7	21.4	5.7	14	9.1	2.8	0.8	13		./.					
1- 3	105.0	22.7	6.3	14	19.0	5.4	1.5	13	37.0	1.6	0.5	11	***	***	
4- 6	101.6	18.3	5.8	10	16.9	3.8	1.2	10	36.8	1.7	0.5	10	***	***	
7- 9	96.5	16.3	4.7	12	17.1	4.1	1.2	12	37.0	1.6	0.5	12	***	***	
10-12	85.9	17.9	5.2	12	15.2	5.8	1.7	12	36.7	1.5	0.4	12	**	**	n.s.
13-15	81.3	16.6	4.8	12	13.4	5.1	1.5	12	36.6	1.5	0.4	12	*	*	
16-18	69.6	9.8	4.4	5	12.8	5.8	2.9	5	36.2	1.6	0.7	5			
	NALOXON												NALOXON gegen 1-3	gegen 1-3	gegen 1-3
1- 3	89.6	33.8	10.7	10	10.6	5.8	2.1	8	36.5	1.5	0.4	12			
4- 6	75.2	15.8	5.6	8	10.1	4.4	1.5	8	36.2	1.8	0.6	9			
7- 9	76.0	24.1	8.1	9	10.3	3.7	1.1	11	36.7	1.4	0.4	10			
10-12	82.0	32.2	10.2	10	9.7	3.0	0.9	11	36.6	1.3	0.4	11			
13-15	87.3	23.5	7.8	9	9.6	2.0	0.7	9	36.3	1.5	0.7	7			
16-18	91.0	25.1	11.2	5	12.9	3.8	1.4	7	37.0	1.1	0.4	6			
19-21	82.3	31.9	13.0	6	10.1	2.9	1.0	9	37.0	1.0	0.4	7	n.s.	n.s.	n.s.
22-24	84.0	21.8	8.9	6	12.4	4.6	1.7	7	36.9	1.2	0.5	6			
25-30	83.7	17.7	5.6	10	13.6	3.1	0.8	14	37.3	1.0	0.3	9			
31-36	77.6	10.5	3.0	12	11.9	2.1	0.6	11	36.9	0.8	0.2	11			

Tab. 4: Einfluß der Azaperon/Alfentanil-Etomidat-Kurzzeitnarkose beim Kamel (n = 12) vor und nach Antagonisieren der Morphinkomponente durch Naloxon auf Herz-, Atemfrequenz und Körperinnentemperatur. Irrtumswahrscheinlichkeit nach dem t-Test; * = $p < 0,05$, ** = $p < 0,01$, *** = $p < 0,001$.

Atemfrequenz (Tab. 4, Abb. 5): Wie der Rückgang der Herzfrequenz, so konnte auch das Absinken der Atemfrequenz unter die Ausgangswerte durch Naloxon-Injektion verhindert werden. Die im weiteren Verlaufe gemessenen Atemfrequenzen lagen mit 10 ± 2 bis 14 ± 3/min in Bereichen über den an nicht behandelten Tieren ermittelten Ausgangswerten.

Körpertemperatur (Tab. 4, Abb. 6): Während die Körpertemperatur nicht mit Naloxon behandelter Tiere signifikant unter die Ausgangswerte abfiel, verhinderte die Morphinantago isation durch Naloxon einen Rückgang in subnormale Bereiche.

Diskussion

Opisthotonus und geblähter Pansen führten im Rahmen vororientierender Untersuchungen in zwei Fällen zur Aspirationspneumonie und als deren Folge zum Exitus. Durch Prämedikation mit Azaperon konnten in Verbindung mit der Einhaltung prophylaktischer Maßnahmen weitere Zwischenfälle dieser Art vermieden werden. Diese ergaben sich aus 49 Azaperon/Alfentanil-Etomidat-Narkosen beim Dromedar und betrafen im wesentlichen Narkosevorbereitung und Lagerung der Tiere wie folgt: Die Tiere werden durch Futterentzug von wenigstens 12 Stunden Dauer auf die Narkose vorbereitet. Zur Prämedikation wird Azaperon in einer äußerst geringen Dosis verabreicht; 0,2 mg/KM erhöhen die Exzitationsreizschwelle bei klinisch nahezu unauffälligen sedativen Erscheinungen (ERHARDT et al., 1983). Azaperon reduziert den Grad des Opisthotonus, vermag ihn jedoch nicht völlig zu verhindern. Zur Vermeidung von Exzitationen auch in der Aufwachphase wird empfohlen, die Azaperon-Injektion nach Beendigung des Toleranzstadiums zu wiederholen. Neben Azaperon sollten die Tiere zur Verminderung des unter Alfentanil-Etomidat vermehrten Speichelflusses mit Atropin vorbehandelt werden.

Lagerung der Tiere: Nach Prämedikation werden die Tiere im Schatten niedergesetzt und in sitzender Stellung derart ausgefesselt, daß ein Aufstehen nicht mehr möglich ist. Da nach intravenöser Injektion die Alfentanil-Etomidat-Wirkung rasch einsetzt, wird der Kopf durch eine Hilfsperson gut fixiert (Halfter), um Verletzungen durch unkontrollierte Bewegungen zu vermeiden. Zur Entlastung des Pansen verbleibt das Tier nach Wirkungseintritt in sitzender Stellung oder wird auf die rechte Körperseite gelegt. Der Kopf wird möglichst tief gelagert, um die Aspiration regurgitierten Mageninhaltes zu verhindern. Wegen der Aspirationsgefahr empfiehlt es sich auch, ähnlich wie bei anderen Wiederkäuern, die Tiere zu intubieren.

Mit 8 - 24 Minuten dauert das chirurgische Stadium beim Dromedar unter Alfentanil-Etomidat-Narkose länger als bei Schaf, Ziege (TONZER, 1984) und Hund (SEILER, 1982), bei denen mit gleicher Dosierung Toleranzphasen von nur 4,5 - 6 Minuten Dauer erzielt wurden. Auch die Gesamtwirkung hält mit 33 - 88 Minuten gegenüber 14 - 16 Minuten länger an. Die bei den oben genannten Spezies und auch bei Katze (ITTNER et al., 1985), Rind (LIMMER, 1984) und Kaninchen (BAUER, 1984; ERHARDT, 1984) ultrakurz-wirkende Hypnoanalgesie (ERHARDT et al., 1985) hat also beim Dromedar mittellange Wirkung. Gegenüber der Xylazin-Narkose, unter der die Sedierung beim Dromedar dosisabhängig erst nach 2 - 6 Stunden abklingt (THOMAS, in Vorbereitung), hat sie dennoch den Vorteil wesentlich kürzerer Wirkungszeiten und ist auch für mittellange chirurgische Eingriffe geeignet. Dauer und Tiefe des chirurgischen Stadiums, Reflexdämpfung und Muskelrelaxation reichen völlig aus, um Hengste zu kastrieren, inguinalkryptorche Hoden zu entfernen oder Zähne zu extrahieren, also schmerzhafte operative Eingriffe durchzuführen. Bei vorzeitiger Rückkehr von Sensibilität und Reflextätigkeit wurde Alfentanil-Etomidat in wenigen Fällen um ein Drittel der Ausgangsdosis nachinjiziert; pathologische Reaktionen wurden nicht beobachtet. Der Morphinantagonist Naloxon, verabreicht nach Beendigung der Toleranzphase, verkürzt im Trend die Gesamtnarkosedauer.

In der Aufwachphase werden in Seitenlage befindliche Tiere wieder aufgesetzt; der Kopf wird solange tief gelagert, bis er aus eigener Kraft gehalten werden kann. In dieser Phase wird besondere Sorgfalt auf das Fixieren des Kopfes gelegt. Auch danach können unkontrollierte Kopf-Hals-Pendelbewegungen noch eine Gefahr für Tier und Personal darstellen. - Die Fesseln werden erst entfernt, wenn der Kopf frei und ohne Unterstützung gehalten werden kann und die Tiere aufstehbereit sind. Im Stehen noch schwankende Tiere werden am Halfter gehalten und am Schwanz gestützt. - Bei besonders wehrhaften und agressiven, tretenden oder beißenden Kamelen ist die Sedation aus der Distanz mit Hilfe von Narkoseprojektilen zu erwägen.

Diese Vorsichtsmaßnahmen gelten mehr oder weniger modifiziert generell für alle Narkoseformen beim Kamel. Narkosezwischenfälle werden auf diese Weise verhindert, die Verletzungsgefahr für Patient und Personal wird gemindert, der Umgang mit den Tieren erleichtert.

Die in Alfentanil-Etomidat-Narkose ermittelten klinischen Befunde sind, wie auch die Narkosezeiten, angesichts des sehr heterogenen Tierkollektivs und der feldmäßigen Arbeitsbedingungen mit Vorsicht zu interpretieren. Die Höhe der Standardabweichungen und die Unterschiede zwischen den Grenzwerten lassen erkennen, daß sich endogene und exogene Faktoren, wie Unterschiede in Alter, Geschlecht, Gesundheit und Ernährung der Tiere sowie klimatische Bedingungen und circadiane Rhythmik auf das Bemühen um statistische Befundsicherungen ausgewirkt haben. Die Untersuchungsbedingungen entsprechen damit den Voraussetzungen der Praxis, die Befunde sind deshalb als Orientierungshilfen zu werten.

Der kurz nach Injektion hochsignifikante Anstieg der Herzfrequenz (Tab. 3, Abb. 4) ist auf eine vorübergehend dominierende Sympathikusfunktion zurückzuführen, die von DE CASTRO (1977) unter Alfentanil beschrieben wird und auch beim Kalb (LIMMER, 1984), nicht aber beim Schaf (TONZER, 1984) beobachtet wurde. Der sich anschließende signifikante Herzfrequenzrückgang ist nur z.T. der Immobilisation zuzuschreiben. In Verbindung mit dem Blutdruckabfall muß er als Folge vagotonisierender Einflüsse der hypnoanalgetischen Narkosemittelkombination z.T. auch als Kreislaufdepression gewertet werden. Dennoch bleibt das EKG während des gesamten Narkoseverlaufs unauffällig. Verlängerungen der PQ/PR-, der QRS- und der QT-Dauer verlaufen synchron zum Herzfrequenzrückgang, sind also klinisch ohne Bedeutung. AV-Blocks traten nicht auf (Tab. 2).

Initialer Anstieg und nachfolgender Rückgang der Herzfrequenz verlaufen synchron mit der Atemfrequenz, was auch bei Schaf, Ziege (TONZER, 1984) und Rind (LIMMER, 1984) beobachtet wurde (Tab. 3, Abb. 5). Nachfolgend kommt es dann zu einem signifikanten Atemfrequenzrückgang unter die Ausgangswerte und in Einzelfällen bis zur Atemdepression. Ursächlich wird die Morphinwirkung des Alfentanil für diesen Vorgang verantwortlich gemacht. Auch müssen Seitenlage des Tieres und Aufblähen des Pansens diskutiert werden, die die Mechanik der Atmung beeinträchtigen. DE CASTRO (1977) beschreibt in diesem Zusammenhange eine gewisse Starre der thorakalen Atembewegungen und damit eine Einschränkung der Atmung, die für die Alfentanil-Wirkung typisch sein soll.

Herz- und Atemfrequenzrückgang in subnormale Bereiche können durch die Applikation des Morphin-antagonisierenden Naloxon verhindert werden. Naloxon (Narcanti, Du Pont, Genf, Schweiz) führt Herz- wie Atemfrequenzen wieder zur Norm zurück (Tab. 4, Abb. 4, 5) und sollte etwa 15 Minuten nach Einleiten der Narkose, bei Auftreten von Atem- und Kreislaufdepressionen auch früher in einer Dosis von 0,16 mg/kg KM i.v. verabreicht werden. Der signifikante bis hochsignifikante Rückgang der Körpertemperatur unter die Ausgangswerte entspricht der bekannten Narkosereaktion der Säugetiere. Auch er kann durch Naloxon gestoppt werden (Tab. 4, Abb. 6).

Schlußfolgerung: Der Bedarf einer dem kurzzeitigen, schmerzhaften Eingriff angepaßten Anästhesieform ist Basis der vorliegenden Untersuchung. Die klimatischen Verhältnisse der Tropen und die postanästhetischen Überwachungsmöglichkeiten unter Feldbedingungen machen die Verwendung länger dauernder, nicht antagonisierbarer Anästhesien problematisch. Die daraus resultierenden Forderungen an eine Kurzzeitanästhesie für das Dromedar können anhand der vorliegenden Untersuchungen zum großen Teil erfüllt werden. Nachteil dieser Hypnoanalgesiemethode ist die Krampfbereitschaft der Halsmuskulatur. Allerdings ist diese Opisthotonusneigung beim Kamel auch eine Begleiterscheinung anderer Anästhesieverfahren (WIESNER, pers. Mitt.). Sie kann, wie in der vorliegenden Arbeit gezeigt, bis zu einem gewissen Grade durch die Prämedikation geringer Azaperon-Mengen eingeschränkt werden.

Die Aspirationsgefahr beim Wiederkäuer ist unter jeder Allgemeinanästhesie gegeben. Man kann dieser gefährlichen Komplikation, die weniger auf einem aktiven Wiederkauvorgang, als vielmehr auf einem Reflux von Panseninhalt über den relaxierten Ösophagus beruht, durch Nüchternhaltung vor der Anästhesie eindämmen. Ist - wie im Falle einer akuten Indikation zur Anästhesie - ein längerer Futterentzug vor der Narkose nicht möglich, so ist die Intubation mit einem die Trachea blockierenden Endotrachealtubus angezeigt (was unter Feldbedingungen im allgemeinen unüblich ist). Eine Aspiration von Panseninhalt läßt sich damit zuverlässig vermeiden.

Die unbedingte i.v.-Applikation der Anästhetikumkombination mag als Nachteil empfunden werden. Sie ist aber eine wesentliche Voraussetzung für eine Kurzzeitanästhesie, die ja gerade durch eine schnelle Anflutung des Anästhetikums chrakterisiert ist. Bei einer i.m.-Injektionsanästhesie muß dagegen bei vergleichsweise höherer Dosierung mit längeren Resorptions- (Anflutung) und Eliminationszeiten (Abflutung) gerechnet werden.

Dem Opelzoo Kronberg und Herrn Dr. Fritz JANSCHKE danken wir für die hilfreiche Unterstützung.

Zusammenfassung

Kurzzeitnarkose mit Azaperon/Alfentanil-Etomidat beim Kamel (Camelus dromedarius)

An 47 Dromedaren (Camelus dromedarius) wurden in Kenia unter Feldbedingungen nach Azaperon-Prämedikation 49 Kurzzeitnarkosen mit Alfentanil-Etomidat durchgeführt. Bei 18 Tieren wurde Alfentanil durch Naloxon-hydrochlorid antagonisiert. Neben dem Einfluß auf Herz, Kreislauf und Atmung wurden die Narkosezeiten und die analgesierenden Eigenschaften der Narkosemittel-Kombination untersucht. - Die Eignung dieser Kurzzeitnarkoseform für die Belange der tierärztlichen Praxis in den Tropen wird diskutiert. Auf besondere Vorsichtsmaßnahmen vor und während der Narkose wird hingewiesen.

Summary

Azaperone/Alphentanil-Etomidate for Short-Time Anaesthesia of Camel (Camelus dromedarius)

Forty-nine short-time narcoses, using alphentanil-etomidate, were applied in Kenia under field conditions to 47 dromedaries (Camelus dromedarius) which had been premedicated with azaperone. Alphentanil was antagonised by naloxonic hydrochloride in 18 animals. Tests were conducted to establish effects on heart, circulation, and respiration as well as the lengths of anaesthesia and the analgetic properties of the above combination of anaesthetics. The suitability of this form of short-time anaesthesia for veterinary practice in tropical regions is discussed in some detail. Specific precautions prior to and during anaesthesia are suggested.

Résumé

Narcose de durée réduite à l'Azapérone/Alfentanile -Etomidat chez le chameau (Camelus dromedarius)

Par la suite d'une prémédication à l'aide d'Azapérone 47 dromadaires (Camelus dromedarius) ont été soumis aux conditions de champ à 49 narcoses de durée réduite à l'Alfentanile-Etomidat. Chez 18 animaux l'Alfentanile a été antagonisé par le chlorhydrate de Naxalone. Les durées de narcotisation et les caractéristiques analgétiques de la combinaison des narcotiques ont été étudiées parallèlement à leurs effets cardiaques, circulatoires et respiratoires. L'aptitude de cette forme de narcose à durée réduite pour les objectifs vétérinaires dans les régions tropicales est discutée en soulignant des précautions spéciales avant et pendant la narcose.

Резюме

Короткий наркоз с помощью Azaperon/Alfentanil-Etomid у верблюдов (Camelus dromedarius)

В Кении 47 верблюдам в полевых условиях дан после азапероновой премедикаментации 49 раз короткий наркоз с Camelus dromedarius . У I8 животных алфентанил антагонизировался налоксон-гидрохлоридом.Кроме влияния наркоза на сердце, кровообращение и дыхание, изучалось время действия и анальгизирующие свойства комбинированных наркозных средств. Обсуждается пригодность кратковременных наркозных форм для применения их в ветеринарной практике в тропиках. Подчеркиваются особые меры предосторожности проводимые перед и после наркоза.

Literaturverzeichnis

AOUAD, J.I., WRIGHT, E.M., and T.W. SHANER (1981): Anesthesia evaluation of ketamine and xylazine in calves. Bovine pract. 2, 22 - 31.

BAUER, M. (1984): Untersuchungen zur Kurzzeit-Kombinationsnarkose mit Alfentanil und Etomidat beim Kaninchen. Vet. med. Diss. München.

BECK, C.C. (1973): Ketamine anesthesia. J. Zoo Anim. Med. 4, 6.

BOLBOL, A.E., HASSANEIN, A., und H. IBRAHIM (1980): Einige Untersuchungen beim Kamel nach Sedierung mit Rompun. Vet. med. Nachr. (Bayer) 1, 55 - 61.

BOLZ, W. (1962): Neuroleptika und potenzierte Narkose speziell bei Zootieren. Nord. Vet. 14.

CUSTER, R., KRAMER, L., KENNEDY, S., and M. BUSH (1977): Hematologic effects of xylazine when used for restraint of Bactrian Camels. J. Amer. Vet. Med. Ass. 171, 899 - 901.

DE CASTRO, J. (1977): Analgesic anaesthesia with R 39 209, a new short-acting morphinomimetic (First Clinical Trial). Unpublished report, Janssen Pharm.

DE CASTRO, J. (1977): The clinical utilization of R 39 209 in analgesic anaesthesia, a new morphinic with a short duration of action. Unpublished report, Janssen Pharm.

DE CASTRO, J., van de WATER, A., WOUTERS, L., XHONNEUX, R., RENEMANN, R., and B. KAY (1979): Comparative study of cardiovascular, neurological and metabolic side effects of light narcotics in dogs. Acta Anaesth. Belg. 30, 5 - 99.

DE MOORE, A., and P. DESMET (1971): Effects of Rompun on acid-base-equilibrium and arterial O_2 pressure in cattle. Vet. med. Rev. 43, 163 - 169.

DENNIG, H.K. (1972): Die Anwendung von Rompun beim Dromedar zur diagnostischen Milzexstirpation (Trypanosomaevansi-Infection/Surra). Vet. Med. Nachr. (Bayer) 3, 243 - 246.

ERHARDT, W., OBERWALLNER, H., RIEDL, V., TIELEBIER-LANGENSCHEIDT, B., HAARMANN, M., und G. BLÜMEL (1983): Eine prophylaktische Maßnahme zur Ausschaltung von Erregungszuständen vor, während und nach Narkose durch Gabe subklinischer Dosen von Azaperon. 29. Jahrestagung der D.V.G., Kleintierkrankheiten, Referateband, 86.

ERHARDT, W. (1984): Anaesthesieverfahren beim Kaninchen. Tierärztl. Prax. 12, 391 - 402.

ERHARDT, W., KÖSTLIN, R., SEILER, R., TONZER, G., TIELEBIER-LANGENSCHEIDT, B., LIMMER, R., PFEIFFER, U., und G. BLÜMEL (1985): Die respiratorisch-funktionelle Hypoxie beim Wiederkäuer unter Allgemeinanaesthesie. Tierärztl. Prax. 1, 45 - 49.

ERHARDT, W., SEILER, R., RIEDL, V., ASCHENBRENNER, G., und G. BLÜMEL (1985): Die Ultrakurz-Hypnoanalgesie mit Alfentanil-Etomidat beim Hund - Untersuchungen zu Kreislauf und Atmung. Berlin, München: Tierärztl. Wschr. 98, 413 - 417.

FOUAD, K.A., und M.B. MORCOS (1965): Combelen[R] als Prämedikation vor der Epiduralanaesthesie beim Kamel. Berlin, München: Tierärztl. Wschr. 78, 44 - 45.

GÖLTENBOTH, R., und H.-G. KLÖS (1976): Zur Immobilisation von Zootieren mit Vetalar[R] und Rompun[R]. Verh.ber. Erkrg. Zootiere 18, 287 - 293.

GREEN, C.J. (1979): Animal Anaesthesia. London: Laboratory Animal Handbooks.

HALL, L.W., and K.W. CLARKE (1983): Veterinary Anaesthesia.

ITTNER, J., KRAMER, A., und W. ERHARDT (1985): Vergleichsuntersuchungen zur Kurzzeitanaesthesie mit Alfentanil-Etomidat und Alphaxalon-Alphadolan bei der Katze. Tierärztl. Prax. 1, 132 - 138.

JAROFKE, D., und H.-G. KLÖS (1976): Zu einigen chirurgischen Eingriffen bei Zootieren. Verh.ber. Erkrg. Zootiere, 18, 333 - 335.

KANDLBINDER, W. (1986): Die Kurzzeit-Hypnoanalgesie bei der Ratte mit Alfentanil-Etomidat. Vet. Med. Diss., München.

KHAMIS, Y., FOUAD, K., und A. SAYED (1973): Vergleichende Untersuchungen von Tranquilizern/ Sedativa beim Dromedar (Camelus dromedarius). Vet. Med. Nachr. (Bayer) 4, 335 - 345.

KUNTZE, A. (1967): Indikation und Grenzen der medikamentellen Immobilisation (Narkose, Neuroplegie, Myorelaxation) bei Zootieren. Verh.ber. Erkrg. Zootiere 9, 101 - 116.

KUNTZE, A. (1982): Zur Kastrationstechnik bei Ursiden und kryptorchiden Trampeltieren (Camelus bactrianus). Verh.ber. Erkrg. Zootiere 24, 183.

LIMMER, R. (1984): Die Kurzzeit- und Einleitungsnarkose beim Kalb mit Alfentanil und Etomidat. Vet. Med. Diss. München.

OBERWALLNER, H., und W. ERHARDT (1985): Klinische Erfahrungen mit der Ultrakurz-Hypnoanalgesie Alfentanil-Etomidat beim Hund. Berlin, München: Tierärztl. Wschr. 98, 417 - 420.

PESHIN, P.K., NIGAM, J.M., SINGH, S.C., and B.A. ROBINSON (1980): Evaluation of xylazine in camels. J. Am. Vet. Med. Ass. 177, 875 - 878.

RINGS, D.M., and W.W. MUIR (1982): Cardiopulmonary effects of intramuscular xylazin-ketamine in calves. Can. J. comp. Med. 46, 386 - 389.

ROSBORAUGH, J.B., BAILEY, E.M., GEDDIES, L.A., and W.A. TACKER (1974): Experimental anaesthetization of a Dromedary Camel. Zbl. Vet. Med. A 21, 149 - 156.

SAID, A.H. (1963): General anaesthesia in the camel. 4th Arab. Ann. Vet. Congr. Egypt. Vet. Med. Ass. 11 - 19.

SAYED, A.H. (1972): Clinical Comparative Studies of Different Tranquilizers in Camel. The degree of M. Sc. (Vet.), Cairo.

SCHATZMANN, U., ROHR, W., und J. MARTIC (1980): Xylazin-Chloralhydrat beim Kalb. Tierärztl. Prax. 8, 283 - 289.

SCHELS, H.F., and I. NOWROUZIAN (1977): The Effects of reversible narcotic immobilisation in the Iranian camel. Vet. Rec. 101, 358.

SEILER, R. (1982): Die Kurznarkose beim Hund mit Alfentanil und Etomidat. Vet. Med. Diss., München.

TONZER, G. (1984): Die Kurz- und Einleitungsnarkose mit Alfentanil und Etomidat bei Schaf und Ziege. Vet. Met. Diss., München.

THOMAS, H. (in Vorbereitung): Immobilisation und Krankheiten der Altwelt-Kamele - eine Literaturstudie. Vet. Med. Diss. Gießen, Berlin.

WIESNER, H., RIETSCHEL, W., und T. GATESMAN (1982): Erfahrungen mit der Kombination von Immobilon[R] und Rompun[R] beim Zootier. Z. Kölner Zoo 25, 47 - 55.

Anschrift der Verfasser: Prof. Dr. K. Bonath
Allgemeine und Experimentelle Veterinärchirurgie
der Justus-Liebig-Universität Gießen
Frankfurter Str. 108
D-6300 Gießen (BRD)

Aus der Poliklinik für kleine Haus- und Zootiere Magdeburg (Leiter: Dr. K. KUTSCHMANN), dem Bezirksinstitut für Veterinärwesen Schwerin (Direktor: OVR Dr. G. FUCHS), dem Zoologischen Garten Magdeburg (Direktor: Dipl.-Biol. W. PUSCHMANN) und dem Zoologischen Garten Schwerin (Direktor: Dipl.-Biol. D. ZSCHEILE)

ZUR ANWENDUNG VON DIAZEPAM BEIM ZOOTIER

Von K. Kutschmann, G. Albrecht und Margarethe Neumann

Für die Immobilisation von Equiden wird heute allgemein die Anwendung von Etorphin allein oder in Kombination mit anderen Medikamenten empfohlen (RÖKEN, 1975; JAROFKE, 1970). Trotz der unbestrittenen Vorteile, die sich durch die Anwendung von Etorphin ergeben, haften dieser morphinartigen Substanz Nachteile an, die ihren Einsatz limitieren. Das bezieht sich insbesondere auf eine mögliche Gefährdung des Menschen durch Etorphin, woraus sich die Absicht ergibt, diese Substanz nicht zu verwenden. Es wird deshalb immer wieder versucht, andere, für den Menschen weniger gefährliche Medikamente bei Zootieren einzusetzen oder durch besondere Behandlungsmethoden den Einsatz dieses morphinhaltigen Stoffes zu umgehen (MASU et al., 1975; FRANZ, 1978; JANECEK, 1978). Erstmals wiesen MASUI et al. (1975) auf die Möglichkeit der Anwendung von Diazepam und Xylazin bei Wildequiden hin. Sie verabreichten 5 mg/kg KM Diazepam mit etwas Futter und applizierten 2 Stunden später 1,5 - 3 mg/kg KM Rompun per capchurgun. Mit dieser Medikation waren Hufkorrekturen beim Zebra möglich.

Tab. 1. Anwendung von Diazepam und Xylazin beim Grévy - Zebra (Equus grévyi)

Individ.	geschätz. Gewicht	Indikation	Diazepam Dosis	Diazepam mg/kg KM	Minuten danach	Rompun Dosis	Rompun mg/kg KM	Sedierung	Immobilisation
1,0	250 kg	Hufkorrekt.	2,5 g	10	90	500mg	2	gut	gut bleibt stehen
0,1	230 kg	Hufkorrekt.	1,5 g	6,5	40	500mg	2,2	gering	gut bleibt stehen
1,0	250 kg	Hufkorrekt.	2,5 g	10	45	500mg	2	gut	gut bleibt stehen
0,1	230 kg	Hufkorrekt.	2,5 g	10,9	40	500mg	2,2	gut	ungenügend
0,1	230 kg	Hufkorrekt.	3,0 g	13	40	450mg	1,9	gut	sehr gut legt sich ab
1,0	260 kg	Hufkorrekt.	3,0 g	11,5	ungenügende Futteraufnahme, geringe Sedierung				
0,1	250 kg	Hufkorrekt.	5,0 g	20	50	200mg	0,8	gut	sehr gut legt sich ab
1,0	320 kg	Hufkorrekt.	6,0 g	18,8	40	300mg	0,9	gut	ungenügend steigt noch
0,1	250 kg	Hufkorrekt.	4,0 g	16	35	300mg	1,2	gut	sehr gut
0,1	250 kg	Hufkorrekt.	5,0 g	20	30	150mg v.Hand	0,6	sehr gut	sehr gut legt sich ab

Auch KRAFT (1971) wendet zur psychischen Ruhigstellung beim Transport von Zootieren Diazepam an. Er verabreicht 0,1 - 0,3 mg pro kg KM oral, betont aber dabei die individuelle Dosierung. Die erwähnte "psychische Ruhigstellung" soll in den meisten Fällen von außen nicht erkennbar sein und die vegetative Ausgeglichenheit bleibt 1 bis 2 Tage auch ohne weitere Verabreichung des Medikamentes bestehen.

Auch MOJZIS und SVAB (1985) wenden Diazepam zur Beruhigung und Streßvorbeuge an: "Diazepam beruhigt das Tier, nimmt die Angst und die angstbedingte Aggressivität und die Überreaktion auf Schmerz". Sie wenden eine 1 %ige Diazepam-Suspension an, die sie dem Futter beimischen. Die Erfolge der Behandlung waren unterschiedlich. Von einem geringen Effekt bis zur guten Sedierung wurden unterschiedliche Stadien der Sedation erreicht.

Diazepam gehört als Psychopharmakum zur Gruppe der Benzodiazepine. Den Hauptangriffspunkt dieser Pharmaka stellt das limbische System dar. Das limbische System hat vor allem Steuerfunktion für affektives und psychomotorisches Verhalten. Das bezieht sich vor allem auf primitive Affekte, wie Lebensangst, Wut, Furcht, Aggressivität, Zutrauen, Lust und Unlust.

In der klinischen Anwendung wirken die Benzodiazepine beruhigend, dämpfend, Angst und Spannung lösend. Es wird ein Zustand des Gleichmutes, der Leidenschaftslosigkeit erzeugt, ohne jedoch Müdigkeit oder Schlafbedürfnis zu produzieren. Beim Diazepam ist die transquilisierende, muskelrelaxierende und antikonvulsive Wirkung besonders ausgeprägt (BENTZ et al., 1982). Da Diazepam geruchlos ist und nur einen schwach bitteren Geschmack hat, ist es zur oralen Anwendung beim Zootier gut geeignet.

Ausgehend von den Erfahrungen von MASUI et al. (1975) wendeten wir beim Zebra eine Kombination von Diazepam - gewissermaßen als Prämedikation - und Rompun an. Wir benutzten auf Grund der benötigten relativ großen Wirkstoffmenge Diazepamreinsubstanz (Hersteller: VEB Arzneimittelwerk Dresden). Die reine Wirkstoffmenge Diazepam vermischten wir mit Puderzucker und verfütterten diese Mischung zusammen mit einem "Lieblingsfutter" an die zu behandelnden Tiere, die 1 bis 2 Tage vorher gefastet hatten. Wir dosierten Diazepam relativ hoch, denn es wurden bis 20 mg/kg KM gegeben. Es erwies sich als sehr wichtig, daß die Tiere vor der oralen Verabreichung des Medikamentes nüchtern waren.

Das so zubereitete Futter wurde von den Tieren mit einer Ausnahme schnell und vollständig aufgenommen. Nach ca. 1,5 bis 2 Std. war meist eine deutliche Beruhigung der Tiere festzustellen, so daß dann Xylazin i.m. mittels Blasrohr appliziert werden konnte. In einem Fall war durch die alleinige Diazepamanwendung das Zebra so stark sediert, daß es "aus der Hand" ohne weitere Zwangs- und Vorsichtsmaßnahmen gespritzt werden konnte.

Die angestrebte Immobilisation war jeweils 20 - 30 Minuten nach der Xylazinverabreichung erreicht. Die vorgesehene Hufbehandlung der Zebras konnte dann durchgeführt werden. Die Tiere wurden mit einem Halfter versehen und vom Pflegepersonal mit der Hand entsprechend fixiert. In einigen Fällen legten sich die Tiere hin. Die Hufpflege wurde dann am liegenden Tier beendet. Nach Abschluß der Behandlung wurden die Tiere in der gut gepolsterten Box zurückgelassen und hatten sich bis zum nächsten Tag so weit erholt, daß sie ein anscheinend normales Verhalten zeigten.

Tab. 2: Anwendung von Diazepam bei anderen Zootieren

Spezies	Geschlecht	Indikation	geschätz. Gewicht	Diazepam Dosis	mg/kg KM	Sedierung	Bemerkungen
Flachlandtapire (Tapirus terestres)	1,1	klin.Untersuch.	150 kg	je 800mg	5	keine	
Flachlandtapir (Tapirus terestres)	0,1	klin.Untersuch.	140 kg	1,5 g	10,7	keine	Tier nicht nüchtern
Flachlandtapir (Tapirus terestres)	0,1	klin.Untersuch.	140 kg	1,5 g	10,7	sehr gut. Ataxie u. Seitenlage	Tier vor Verabreich. nüchtern
Chapmann-Zebra (Equus quagga chapmani)	-	Transport	150 kg	900mg	6	keine	
Warzenschwein (Phacochoerus aethiopicus)	0,1	starkes Nasenbluten	50 kg	15mg	0,3	gut	

Ausgehend von diesen Erfahrungen erscheint uns die Anwendung von Diazepam zur oralen Prämedikation für die Immobilisation mit Xylazin gut geeignet. Durch die Wirkung des Diazepams wird die Fluchtdistanz der Tiere verkürzt, so daß schon unter alleiniger Diazepamwirkung das Einfangen der Tiere bzw. die Injektion anderer Medikamente "aus der Hand" möglich sein kann. Weiterhin wird eine Reduzierung der Menge anderer Medikamente, die zur Immobilisierung verwendet werden, möglich. In anderen Fällen können durch die Kombination verschiedener Pharmaka Wirkungen erzielt werden, die durch Mononarkotika, wie z.B. mit Xylazin allein, nur mit sehr hohen Dosen oder beim Zebra gar nicht erreicht wurden (BAUDITZ, 1972).

Zusammenfassung

Zur Anwendung von Diazepam beim Zootier

Es werden Erfahrungen über die orale Anwendung von Diazepam zur psychischen Ruhigstellung von Zebras (Equus grevyi und Equus quagga chapmani), Flachlandtapiren (Tapirus terestres) und einem Warzenschwein (Phacochoerus aethiopicus) mitgeteilt.

Summary

Application of Diazepam to Zoo Animals

Reported in this paper is experience obtained from oral application of diazepam for sedation to zebras (Equus grevyi and Equus quagga chapmani), lowland tapirs (Tapirus terestres), and one wart hog (Phacochoerus aethiopicus).

Résumé

A propos de l'application de Diazépame chez l'animal zoologique

Les auteurs communiquent leurs expériences relatives à l'application orale de Diazépame pour l'immobilisation psychique de zèbres (Equus grevyi et Equus quagga chapmani), tapirs terrestres (Tapirus terrestres) et d'un phacochère (Phacochoerus aethiopicus).

Резюме

Применение диацерама у животных зоопарка

Дается сообщение об оральном применении диацерама для успокоения зебр (Equus grevyi, Equus quagga chapm.), тапира плоскогорья (Tapirus terestres) и бородавчетого кабана (Phacochoerus aethiopicus).

Literaturverzeichnis

BAUDITZ, R. (1972): Sedation, Immobilisation und Anästhesie von Zoo- und Wildtieren mit Rompun. Vet.-med. Nachr., Heft 3, 204.

BENTZ, H. (1982): Veterinärmedizinische Pharmakologie. Jena; Gustav Fischer, 113 - 114.

FRANZ, W. (1978): Narkoseerfahrungen bei Zebra und Kulan. Verh.ber. Erkrg.Zootiere 20, 179.

GÖLTENBOTH, R., und H.G. KLÖS (1982): Immobilisation und Narkose vom Zootieren im Zoo Berlin. Verh.ber. Erkrg. Zootiere 24, 125.

JANECEK, J. (1978): Fixation der Zebras zur Hufkorrektur. Verh.ber. Erkrg. Zootiere 20, 65.

JAROFKE, D. (1970): in KLÖS/LANG: Zootierkrankheiten. Berlin u. Hamburg: Paul Parey.

KRAFT, H. (1971): Sedierung und Immobilisation von Zoo- und Wildtieren zum Transport. Verh.ber. Erkrg. Zootiere 13, 231

MASUI, M., SAITO, M., and E. NARUSHIMA (1975): Treatment of Overgrown Hooves in a Chapman - Zebra (Equus burchelli chapmani): Verh.ber. Erkrg. Zootiere 17, 85.

MOJZIS, J., und I. SVAB (1985): Zur Anwendung von Arpalit, Helmisan und Diazepam bei Zootieren. Verh.ber. Erkrg. Zootiere 27, 497.

RÖKEN, B.O. (1975): Chemical Restraint and Anaesthesia in African Herbivores. Verh.ber. Erkrg. Zootiere 17, 135.

WUNDERSEE, W.J., und E. WERNER (1978): Die Anwendung von Etorphin-Hydrochlorid bei Elefanten und Wildequiden im Tierpark Berlin unter Berücksichtigung der suchtmittelrechtlichen Bestimmungen der DDR. Verh.ber. Erkrg. Zootiere 20, 193.

Anschrift der Verfasser: Dr. K. K u t s c h m a n n
Poliklinik für kleine Haus- und Zootiere Magdeburg
DDR-3080 Magdeburg
Ebendorferstr. 39 (DDR)

Aus dem Zoologischen Garten Gottwaldov-Lešná (Direktor: Dipl. Ing. J. ROŠTÍNSKÁ)

ERKRANKUNGEN BEIM IM ZOO GEHALTENEN SCHABRACKENTAPIR (TAPIRUS INDICUS) UND FLACHLANDTAPIR (TAPIRUS TERRESTRIS)

Von J. Frolka

Die Zucht und Aufzucht von Tapiren in Menschenhand ist mit zahlreichen Schwierigkeiten verbunden und wird daher in zoologischen Gärten relativ selten praktiziert. Entsprechend dem International Zoo Yearbook 1983 wurden im Jahre 1982 in 52 tiergärtnerischen Einrichtungen Schabrackentapire gehalten, und es konnten 14 Jungtiere mit Erfolg aufgezogen werden. Bei Flachlandtapiren waren es im Jahre 1981 18 Jungtiere, die aufgezogen werden konnten - ein Zeichen dafür, daß auch diese Art in den Tiergärten seltener wird.

Eine Folge dieser Situation ist es, daß in der Fachliteratur nur vereinzelte Angaben über Gesundheitsprobleme von Tapiren zu finden sind. Eine ausführlichere Zusammenfassung über Erkrankungen dieser Tiere brachten KLÖS und LANG (1976). Weitere Autoren berichteten über Einzelfälle von Tapirverlusten (STARZYNSKI, 1965; BONNEY and CROTTY, 1979; SELBITZ et al., 1982).

Eigene Beobachtungen

Das erste Paar von Schabrackentapiren wurde in den Zoo Gottwaldov-Lešna im Jahre 1978 importiert. Das Weibchen wog lediglich 21 kg und das Männchen war 18 Monate alt. Zwei Jahre später wurde noch ein älteres Zuchtmännchen erworben, von dem das in dieser Zeit zweieinhalb Jahre alte Weibchen tragend wurde und im November 1981 ein gesundes Jungtier gebar. Flachlandtapire wurden zwei Jahre später erworben. Auch bei ihnen gelang es, ein Zuchtpaar zusammenzustellen, von dem mit Erfolg zwei Jungtiere aufgezogen wurden. Alle Tapire leben in Behausungen mit Becken von 1,5 x 1 x 0,2 m. Der Boden ist zum Teil betoniert, das Schlaflager ist aus Holz. In den Ausläufen ist Rasen und ein großes Becken zum Baden. Die Temperatur in den Unterbringungen wird zwischen 20 und 25° C gehalten.

Im Verlauf von 7 Jahren hatten wir Gelegenheit, die Erkrankungen von 4 Schabrackentapiren und 6 Flachlandtapiren zu verfolgen. Es muß gesagt werden, daß jedes einzelne Tier intensive veterinärmedizinische Betreuung erforderte. Am häufigsten traten Erkrankungen der Atemwege auf, ferner Krankheiten des Bewegungsapparates, der Haut und des Verdauungssystems.

Unter den Krankheiten der Atemwege war es die akute sowie chronische Rhinitis, die wir bei erwachsenen Tieren zu jeder Jahreszeit beobachten konnten. Typisch war ein seröser, seromuzinöser bzw. mukopurulenter Schleimausfluß aus Nasenlöchern und Augen, Husten, Niesen und Schnauben. In schweren Fällen war Nasenbluten, Anorexie und Apathie zu verzeichnen. Die Nasenschleimhaut war beiderseitig gerötet. Die Tiere scheuerten die Nasenregion an den verschiedensten Gegenständen, was zu Abschürfungen führte.
Aus den Rhinitiden entwickelten sich sehr häufig Bronchitiden und katarrhalische Bronchopneumonien. Die Grenzen zwischen diesen Krankheitsformen waren in einigen Fällen nicht genau zu ermitteln.
Akuten Bronchopneumonien begegneten wir bei allen Jungtieren. Seröser Ausfluß und Husten traten bereits am 20. Lebenstag auf. Klinische Symptome von akuter Bronchopneumonie wurden im Alter von 2 - 4 Monaten festgestellt: im Schleim zeigten sich Fibrinflocken, die Atemfrequenz stieg an (auf 60 - 68 beim liegenden, auf 45 - 55/min. beim stehenden Tier). Die Auskultation ergab vesikuläre Atmung, Rasselgeräusche, später Stöhnen und Pfeifen. Die Tiere waren apathisch, appetitlos, lagen viel, und falls sie die Möglichkeit hatten, tranken sie übermäßig viel kaltes Wasser und nahmen kühle Bäder.
Bei erwachsenen Tieren handelte es sich um rezidivierende akute und chronische Bronchopneumonien. Die klinischen Anzeichen waren ähnlich wie bei Jungtieren, erreichten jedoch nicht die gleiche Intensität. Die Körpertemperatur stieg über 38° C, die Atemfrequenz erhöhte sich auf 30 - 40/min., wobei der Auskultationsbefund undeutlicher blieb.

Zur Behandlung wurden langfristig Antibiotika und Sulfonamide eingesetzt (Penstrepten[R], Pharmasin 200[R], Chronicin[R], Duon[R], Plisulfan[R]), daneben oral Oxymykoin plv[R]. Außerdem wurden Analeptika und Vitamine appliziert und eine symptomatische Therapie vorgenommen.
Bei 2 Flachlandtapiren nahm eine perakute katarrhalische Bronchopneumonie innerhalb von 36 Stunden einen tödlichen Verlauf. Die klinischen Symptome der Bronchopneumonie traten schlagartig auf. Typisch waren Atemnot, Hypoxie, Lähmung und im komatösen Stadium tonisch-klonische Krämpfe und Asphyxie. Die Zerlegung ergab unter anderem ausgedehnte atelektatische Herde im Lungengewebe und Verwachsungen der Lungen- und Rippenpleura, die älteren Datums waren. Pathologische Erscheinungen gab es auch am Myokard und der Leber.

Die Erkrankung des Bewegungsapparates, die sich klinisch durch Hinken bemerkbar machte, konnte verhältnismäßig häufig beobachtet werden. Betroffen waren in den meisten Fällen eine, selten zwei Extremitäten. Lediglich bei zwei männlichen Schabrackentapiren war der ganze Bewegungsapparat in Mitleidenschaft gezogen, wahrscheinlich in Folge rheumatoider Arthritis. Meistens handelte es sich um Subluxation, Pododermatitis sowie Rhagaden auf den Sohlen und zwischen den Zehen. Ursachen zu ihrer Entstehung mußten zweifellos Unebenheiten des Geländes, Steinchen und andere Fremdkörper in den Ausläufen und plötzlicher Übergang von einer Bodenbeschaffenheit zur anderen gewesen sein.
Die Behandlung bestand in erster Linie in der Beseitigung der Entzündungsursache und in der Anwendung von Antiphlogistika, epithelisierenden Salben oder Teerpräparaten. In ernsteren Fällen wurde auch parentaral behandelt (Dexa-Tomanol[R]).
Bei einem 10 Tage alten Flachlandtapir mußte ein hühnereigroßer Abszeß in der Nähe des linken Fersengelenkes eröffnet und lokal behandelt werden. Im Alter von 2 Monaten mußte bei dem selben Tier durch parenterale und lokale Verabreichung von Antibiotika eine eitrige Entzündung der Klauenhaut am linken Vorderfuß behandelt werden. Aseptische wie purulente Pododermatitis wurde auch bei erwachsenen Tieren behandelt.
Zu den beobachteten Hauterkrankungen gehörten verschiedene Dermatosen, denen mechanische, zoohygienische, diätätische und auch parasitäre Ursachen zu Grunde lagen. Begleiterscheinungen waren Exkoriationen und mangelhafte Behaarung. Ein auslösender Faktor war oft eine ungenügende Hautpflege. Durch regelmäßiges Duschen mit lauwarmem Wasser, Bürsten, verlängertem Aufenthalt in der Sonne, gesteigerte Zufuhr von Vitaminen und in zwei Fällen auch durch parenterale und lokale Verabfolgung von Antibiotika und Kortikosteroiden gelang es, alle Hauterkrankungen zu meistern.
Bei 4 Flachlandtapiren wurde Räude festgestellt, verursacht durch Sarcoptes scabiei. Die charakteristischen Hautveränderungen befanden sich an den Seiten, am Rücken, am Schwanzansatz und an den Extremitäten. Die Räude konnte durch parenterale Applizierung des Präparates Eqvalan[R] beseitigt werden.
Erkrankungen des Verdauungsapparates manifestierten sich bei Tapiren als Durchfall, Verstopfung, Stomatitis und Anorexie. Der akute Durchfall wurde mit Erfolg durch eine nachfolgend wiedergegebene Diät behandelt: russischer Tee, Kamille, Reisbrühe, Karotten, gutes Wiesenheu, Carbo adsorbens. Eine chronische Enteritis unbekannter Ätiologie mußte bei einem männlichen Flachlandtapir nahezu ein ganzes Jahr behandelt werden. Sie manifestierte sich in einem profusen Durchfall sowie in Appetitlosigkeit und Abmagerung. Durch Einsatz von Antibiotika, Sulfonamiden, Adsorbentien, spezifischen chemotherapeutischen Mitteln, Vitaminen und Mineralien gelang es kaum, den Verlauf der Erkrankung wesentlich zu beeinflussen. Während der Sommermonate kam es dann zu spontaner Genesung.
In einigen Fällen beobachteten wir auch kurz- oder langandauernde Obstipationen. Ihr erstes Symptom, der sistierende Kotabsatz, beeinträchtigte in den ersten zwei Tagen das Allgemeinbefinden in keiner Weise. Am dritten Tag traten Anorexie, kolikartige Schmerzen und damit zusammenhängende Exkoriationen auf. Am 5. Tag stieg die Körpertemperatur auf 38,1 bis 38,9° C an. Die Defäkation setzte bei leichteren Fällen am 2. - 4. Tag, im schwersten Fall erst am 10. Tag wieder ein. Zur Behandlung wurden sowohl ölige als auch salinische Abführmittel, Stomachika und Klysmen angewendet (Ol. paraffini, Glaubersalz, Istizin[R], Detoxan[R]). Je nach dem klinischen Zustand wurden parenteral Analgetika, Spasmolytika, zentrale Analeptika, Antibiotika und Sulfonamide verabfolgt. Eine Diät war ein Bestandteil der Behandlung (Kamille, Leinsamen, Äpfel).

Im Herbst konnten bei erwachsenen Tapiren leichte Stomatitiden beobachtet werden, bei denen sich Aphten und Erosionen bildeten. Nach Applikation von Vitaminen A, C und der B-Gruppe heilten die Veränderungen in 2 - 3 Wochen ab.
Zur schwersten Erkrankung der Schabrackentapire im Zoo Lešná kam es im Mai 1984, als innerhalb von 9 Tagen zwei männliche und ein weibliches Tier starben. Der Tod stellte sich 21 - 70 Stunden nach ersten Anzeichen einer Erkrankung ein. Zu beobachten waren bei allen erkrankten Tieren: mukopurulenter Schleimausfluß mit Blutbeimischung, Hyperämie der Schleim- und Bindehäute, Stagnieren des Kotabsatzes und der Peristaltik, Erbrechen, kolikartige Schmerzen, Dyspnoe und in der letzten Phase tonisch-klonische Krämpfe, Parese und Asphyxie. Die Körpertemeratur war nicht erhöht. Es mißlang, den Verlauf der Erkrankung durch Medikamente zu beeinflussen.
Die Tierkörper wurden in der Tierärztlichen Hochschule Brno untersucht. In allen Fällen konnten chronische katarrhalische Bronchopneumonie, kollaterales Lungenemphysem, Herzdilatation, Dystrophie des Myokards, Hyperämie und Venostasis in der Leber, Milz und den Nieren festgestellt werden, in einem Fall zeigte sich eine Leberdystrophie. In den Därmen wurde Gasbildung beobachtet, ferner traten abschnittsweise Hyperämien und in zwei Fällen katarrhalische Entzündungen einiger Dünndarmabschnitte auf.
Toxikologische Untersuchungen des Inhalts einzelner Abschnitte des Verdauungsapparats, der Gallen- und der Harnblase sowie der Leber- und Nierenproben brachten kein positives Ergebnis. Auch die bakteriologische Untersuchung blieb negativ. Durch virologische Untersuchung konnte selbst nach Blindpassagen in Gewebekulturen kein Erreger nachgewiesen werden. Histologisch wurden die makroskopischen Veränderungen bestätigt.

Diskussion

Die Ernährung der in Menschenhand gehaltenen Tapire scheint zwar ein gelöstes Problem zu sein (SEITZ, 1970; WILSON und WILSON, 1973; DITTRICH, 1976), jedoch gelingt es nicht immer, diesen Tieren entsprechende zoohygienische und klimatische Bedingungen zu schaffen. Mit Sicherheit kann man nicht der Ansicht von BREHM (1928) und GRZIMEK et al. (1977) zustimmen, daß Tapire zu den am wenigsten empfindlichen Insassen von Tiergärten gehören. Richtig dagegen ist ihre Beobachtung, daß der Schabrackentapir empfindlicher ist als der Flachlandtapir. Die verhältnismäßig hohen Verluste bei Tapiren in Gefangenschaft sind ein Zeichen, daß auf diesem Gebiet noch einiges zu klären bleibt.
KLÖS und LANG (1976) führten Tuberkulose als die häufigste Krankheit von Tapiren an. Unsere Beobachtungen jedoch zeigen, daß andere Erkrankungen der Atemwege häufiger vorkommen und auch größere Verluste verursachen. Eine Bestätigung dafür finden wir in der Mitteilung von SCHRÖDER (1978), der bei 5 von 7 sezierten Tapiren starke Veränderungen am Respirationsapparat vorfand, wobei in zwei Fällen Tuberkulose durch Mycobacterium bovis ermittelt wurde. Als Todesursache beim Bergtapir (T. pinchague) diagnostizierten BONNEY und CROTTY (1979) Perikarditis und Pneumonie.

Die Hauptursache der großen Anfälligkeit der Tapire gegenüber Erkrankungen der Atemwege sehen wir in der zu hohen relativen Luftfeuchtigkeit im Inneren ihrer Unterkünfte. Sie sollte unserer Meinung nach 65 % nicht übersteigen. Als prädisponierende Faktoren sind große Temperaturschwankungen, ständiger Zugang zu Becken mit kaltem Wasser, Zugluft und kalter Fußboden anzusehen. Es ist nicht leicht, diese Umweltbedingungen so zu gestalten, daß sie den biologischen Erfordernissen der Tapire gerecht werden.

Im Zoo Lešná war es die rezidivierende katarrhalische Bronchopneumonie, die die größten Verluste bei Tapiren verursachte. Ihr fataler Ausgang ist wahrscheinlich auf wiederholte Schädigungen im kardiovaskulären und respiratorischen Bereich zurückzuführen, wie es klinische, pathologisch-anatomische und histologische Untersuchungen verdeutlichten.

Laut Sektionsprotokoll verendeten die 3 Schabracktentapire letztlich an Herzversagen, das durch chronische Veränderungen in der Lunge bedingt war. Mit dazu beitragen könnten klimatische Faktoren in Form von zu hoher Temperatur bei Tag wie bei Nacht, die sowohl das respiratorische als auch das kardiovaskuläre System übermäßig beanspruchen. Ungünstig könnte sich außerdem auch ausgewirkt haben, daß versehentlich gekochte Petersilie der Futterration beigemischt wurde; sie ruft in größerer Menge eine Hyperämie der Schleimhaut hervor, und im Übermaß wirkt sie sogar toxisch (KORBELÁŘ et al., 1970).

Der Verlauf und die Behandlung der Sarcoptesräude im Zoo Lešná wurde bereits an anderer Stelle beschrieben (FROLKA und ROŠTÍNSKÁ, 1984).
Die Futterration für Tapire im Zoo Lesna besteht aus gekochtem Reis, Milch, Brot, Obst, Gemüse und Rüben, Heu und Grünfutter werden nur in geringen Mengen (1 - 2 kg) angeboten.
Die häufigste Ursache von Magen-Darmstörungen wurden durch mangelhafte Qualität von Futtermitteln und unzureichende Hygiene bedingt, die von der Gewissenhaftigkeit des Pflegers abhängen.
Der chronische Durchfall bei einem männlichen Flachlandtapir dürfte auf eine Störung der sekretorischen, motorischen und resorptiven Funktion sowie Beeinträchtigung der Darmmikroflora infolge langfristiger Behandlung zurückzuführen sein.
Bei einem einjährigen weiblichen Schabrackentapir wurde eine schwere Obstipation im Zusammenhang mit dem Wachstum der Zähne beobachtet. Ein Zeugnis dafür war außergewöhnliche Schmerzempfindlichkeit in der Gegend der Prämolaren und das schlecht zerkaute Heu, das das Tier ausspuckte.

Zusammenfassung

Erkrankungen beim im Zoo gehaltenen Schabrackentapir (Tapirus indicus) und Flachlandtapir (Tapirus terrestris)

Erkrankungen der Atemwege waren die am häufigsten im Zoo Gottwaldov-Lešná bei Schabracken- und Flachlandtapiren festgestellten Befunde. Die größten Verluste waren auf rezidivierende katarrhalische Bronchopneumonien zurückzuführen. Es folgten Erkrankungen des Bewegungsapparates, des Verdauungssystems und der Haut, deren Klinik und Behandlung erörtert werden.

Summary

Diseases in Zoo-Kept Malayan Tapir (Tapirus indicus) and Lowland Tapir (Tapirus terrestris)

Diseases of the airways were the most common findings obtained from Malayan and lowland tapirs in the Zoo of Gottwaldov-Lesná. Most of the losses were attributable to recurrent catarrhal bronchopneumonia. This was followed by diseases of the locomotor system, the digestive tract, and dermatoses. Clinical manifestations and therapy are discussed.

Résumé

Affections constatées chez des tapirs indiens (Tapirus indicus) et chez des tapirs terrestres (Tapirus terrestris)

Les manifestations les plus fréquentes constatées au jardin zoologique de Gottwaldow-Lesná chez des tapirs indiens et chez des tapirs terrestres ont été des affections aux voies respiratoires. Les plus grandes pertes étaient causées par des broncho-pneumonies catarrheuses récidivantes, suivent ensuite des maladies squellettiques, celles du système digestif et de la peau dont sont décrits les aspects cliniques et le traitement.

Резюме

Заболевания содержащихся в зоопарке шабракен тапиров (Tapirus indicus)и тапиров плоскогорья (Tapirus terrestris)

В Готтвальдов-Лесна у шабракен тапиров и тапиров плоскогорья обнаружены в основном заболевания дыхательных путей.Наибольшие патери животных наблюдались рецидивирующей катарральной бронхиальной пневмонии. Дальше следуют заболевания двигательного аппарата, органов пищеварения и кожи. Описана диагностика и методы лечения.

Literaturverzeichnis

BONNEY, S., and M. J. CROTTY (1979): Breeding the mountain tapir (Tapirus pinchague) at the Los Angeles Zoo. Internat. Zoo Yearb., 19, 198 - 199.

BREHM, A. (1928): Brehmův život zvířat. Díl. IV, Ssavci, Praha: J. Otto.

DITTRICH, L. (1976): Food presentation in relation to behaviour in ungulates. Internat. Zoo Yearb., 16, 48 - 54.

FROLKA, J., und J. ROŠTÍNSKÁ (1984): Über die Wirksamkeit von Ivermectin MSD (Ivomec[R], Eqvalan[R]) gegen Sarcoptesräude und Nematodenbefall bei Zootieren. Verh.ber. Erkrg. Zootiere 26, 455 - 462.

GRZIMEK, B. (1977): Grzimeks Tierleben, Säugetiere IV, Darmstadt: Kindler.

KLÖS, H.-G., und E. M. LANG (1976): Zootierkrankheiten, Berlin-Hamburg: Paul Parey.

KORBELÁŘ, J., ENDRIS, Z., und J. KREJČA (1970): Naše rostliny v lékařství. Praha: Aviceum.

SEITZ, A. (1970): Beitrag zur Haltung des Schabrackentapirs (Tapirus indicus). Zoolog. Garten N. F. 46, 271 - 283.

SELBITZ, H.-J., ELZE, K., und K.-F. SCHÜPPEL (1982): Kasuistischer Beitrag zu den Jungtiererkrankungen beim Flachlandtapir (Tapirus terrestris). Verh.ber. Erkrg. Zootiere 24, 65 - 68.

SCHRÖDER, H.-D. (1978): Beitrag zu den Erkrankungen der Unpaarhufer. Verh.ber. Erkrg. Zootiere 20, 37 - 40.

STARZYNSKI, W. (1965): Cholelithiasis in an american tapir (Tapirus terrestris). Internat. Zoo. Yearb., 5, 195, 196.

WILSON, R. A., and S. WILSON (1973): Diet of captive tapirs (Tapirus spp.). Internat. Zoo. Yearb., 13, 213 - 217.

Anschrift des Verfassers: MVDr. Jan F r o l k a , CSc.
Zoologischer Garten Lešná
CS - 763 14 Gottwaldov (ČSSR)

Aus der Chirurgischen Tierklinik (Direktor: OVR Prof. Dr. sc. med. vet. H. SCHLEITER) der Sektion Tierproduktion und Veterinärmedizin der Karl-Marx-Universität Leipzig, der Tierklinik (Leiter: VR. Dr. sc. med. vet. W. FRANZ) der Sektion Pflanzenproduktion der Martin-Luther-Universität Halle-Wittenberg und dem Zoologischen Garten Halle (Direktor: Dr. rer. nat. K.-G. WITSTRUK)

ZUR OPERATIVEN BEHANDLUNG EINER MANDIBULAFRAKTUR DURCH OSTEOSYNTHESE BEI EINEM FLACHLANDTAPIR (TAPIRUS TERRESTRIS)

Von H.-J. Schneider, W. Franz, F. Audorf und A. Jacob

Einleitung

Unterkieferfrakturen kommen bei allen Tierarten nicht selten vor. Es ist zweckmäßig, nicht schlechthin von Unterkieferfrakturen zu sprechen (HURTIENNE und WISSDORF, 1972), sondern diese nach ihrer Lokalisation näher zu bezeichnen. Im Hinblick auf die Therapiemöglichkeiten ist es angezeigt, Frakturen des Ramus mandibulae von solchen des Corpus mandibulae zu unterscheiden. Nach BOLZ (1968) ist die Prognose bei Unterkieferfrakturen nicht günstig. In der Zwischenzeit sind zahlreiche Publikationen über die Behandlung von Unterkieferfrakturen erschienen, die diese Feststellung nicht mehr als gerechtfertigt erscheinen lassen.

Zur Fixation der Frakturenden wurden die unterschiedlichsten Methoden angewendet. FROST (1944), BARRAIRON und LEBAILLY (1957), PICKERING (1962), HAHLWEG (1968) u.a. verwendeten zur Fixation Drahtcerclagen. Auch BÜSCHER (1973) benutzte zur Fixation diese Methode. SIEGERT und GRUNER (1958) sowie AMMANN (1970) verwendeten zur Fixation von Unterkieferfrakturen im Bereich des Corpus mandibulae die von BECKER entwickelte Technik. Bei dieser werden Schrauben in der Kompakta der Frakturenden angebracht, die außen mit einer Kunststoffschiene miteinander verbunden werden. Zur Adaption der Bruchenden werden die Schrauben durch Drähte miteinander verbunden und verspannt. GARNER und THURMON (1968) und GABEL (1969) benutzten zur Fixation der Bruchenden bei Unterkieferfrakturen von Pferden Kirchner-Nägel und die externe Fixation mit einer U-förmig angelegten Aluminium-Schiene. Dadurch soll eine Verkürzung des frakturierten Unterkiefers, wie sie nach der Fixation mit Cerclagen beobachtet wurde, verhindert werden. Von anderen Autoren wurden Küntscher-Nägel (MÜLLER, 1970), Steinmann-Nägel (WALLACE, 1971), Knochenschrauben (SMITH und MICHOLLS, 1957) angewendet. Nach HURTIENNE und WISSDORF (1972) sind alle diese Methoden brauchbar, aber die Auswahl der Fixationsmethode wird zuerst von der Form und der Lokalisation des Bruches bestimmt. Alle Publikationen bestätigen die Notwendigkeit einer stabilen Fixation der Frakturenden, weil nur auf diese Weise eine Futteraufnahme gesichert werden kann.

Kasuistik

Der im folgenden Fall beschriebene männliche Flachlandtapir (Tapirus terrestris) stammt aus der Zucht des Zoologischen Gartens Posznan und wurde dort am 24.12.1976 geboren. Vierjährig kam er Ende 1980 von dort in den Zoologischen Garten Halle, wo er zunächst zwei Jahre ohne Partner gehalten wurde. Das Tier war von Beginn der Haltung in Halle handzahm, der Umgang problemlos. Die Unterbringung erfolgt nachts in einer gefliesten Unterkunft, die Sichtscheibe wird durch Abweiser aus Rohr gesichert. Tagsüber hält sich das Tier im Außengehege mit Sandboden auf. Die Umgrenzung des Außengeheges besteht aus Granitblöcken und einem Holzpalisadenzaun. Das Badebecken wird zu den benachbarten Zwergflußpferden durch eine Gittertür abgegrenzt.

Im Frühjahr 1981 überwand der Tapir die ca. 1,40 m hohe Zwischenwand zu den Zwergflußpferden, Hautabschürfungen und starke Blutungen aus dem Maul waren die Folge. Das Tier zeigte 14 Tage später Kaubeschwerden, speichelte stark, und es bildete sich eine Blase auf der Nase. Eine etwa nußgroße Beule am Unterkiefer konnte ertastet werden. Die Zusammengewöhnung mit einem wesentlich älteren weiblichen Tier verlief problemlos. Deckakte konnten jedoch nicht beobachtet werden.

Mitte 1983 (nach dem Tod des weiblichen Tieres) wurde bemerkt, daß das Tier in größeren Abständen nachts starke, panikartige Errungszustände zeigte. Wundgelaufene Füße und gelegentliche geringe Lahmheiten wurden darauf zurückgeführt. Am 11.7.1983 übersprang der Tapir abermals die

Absperrung zu den Zwergflußpferden. Das Nachbargehege war zu diesem Zeitpunkt mit Zwergflußpferden besetzt. Durch schnelles Eingreifen konnten die Verletzungen auf einige Bißwunden begrenzt werden.
Auch 1984 traten über Nacht gelegentlich Schürfwunden und geringe Lahmheiten auf, obwohl im Innenstall ausschließlich glatte Wände vorhanden sind. Am 21.6.84 wurden starke Blutungen an den Zehen festgestellt. Am 26.7.84 verweigerte das Tier die Nahrung. Am 11.8.84 wurde festgestellt, daß der Tapir Schwierigkeiten bei der Nahrungsaufnahme hat. Die Beule am Unterkiefer hatte doppelte Walnußgröße erreicht.

Am 14.8.84 wird die Universitäts-Tierklinik Halle wegen eines seit 10./11.8.84 bestehenden Kauunvermögens zu Rate gezogen. Zu diesem Zeitpunkt ergibt sich folgender Befund: Körperinnentemperatur mit 36,3 normal, Allgemeinbefinden nicht gestört. Es besteht anhaltender seröser Speichelfluß. Der Unterkiefer hängt etwas herab, damit ist die Maulspalte besonders im oralen Bereich ständig geöffnet. Die Zunge ist offensichtlich beweglich; das Tier kann lecken. Es zeigt sich dem Untersucher gegenüber vertraut, fast zahm und ist berührbar. Eine nähere Untersuchung und Palpation im Maulhöhlenbereich wird jedoch nicht toleriert. Der Unterkiefer erscheint einschließlich des Kehlgangs besonders in der oralen Hälfte geschwollen. Vermehrte Wärme und Schmerzhaftigkeit sind bei zunächst gebotener Vorsicht nicht zu ermitteln. Ventral besteht in Höhe des Lippenwinkels eine kleinapfelgroße, von der Umgebung etwas abgesetzte, feste, nicht schmerzhafte Umfangsvermehrung.

Zwecks näherer, u.a. auch röntgenologischer Untersuchung wird das zu diesem Zeitpunkt 147 kg schwere Tier am 15.8.84, 11.00 Uhr, in unverändertem Zustand in geschlossener Transportkiste in die Universitäts-Tierklinik Halle überführt und dort zwecks besserer Handhabungsmöglichkeit unter Berücksichtigung seines bisher ruhigen Verhaltens in eine halboffene, seitlich per Hand zugängige Gitterbretterkiste umgesetzt. Es besteht die Absicht, Röntgenaufnahmen am lediglich sedierten Tier zu gewinnen.

Sedations- und Behandlungsprotokoll:

11.20 Uhr 6,0 ml Propionyl-Promazin (Combelen-Bayer) i.m. hinten links. Das Tier weicht nicht einmal aus.

11.25 Uhr 5,0 ml Methadon (Polamivet-Höchst)

11.35 Uhr Abliegen, Benommenheit, Penisvorfall. Trotz Müdigkeit steht das Tier beim Hervorziehen aus der Kiste nach vorn noch auf.

12.00 Uhr Röntgenaufnahme Unterkiefer seitlich, Größe 30 x 40 cm.

12.30 Uhr Ablegen des Tieres in Seitenlage ohne Gegenwehr. Röntgenaufnahme des Unterkiefers in p.-a.-Position (Röntgenkassette in Maulspalte geschoben). Die Röntgenaufnahmen ergeben eine rechtsseitige Fraktur im Bereich der Pars incisica. Die jetzt mögliche behutsame Untersuchung der Maulhöhle ergibt im genannten Bereich einen kreisrunden, hanfkorngroßen Schleimhautdefekt, in den eine dünne Sonde mühelos mehrere Zentimeter nach aboral eingeführt werden kann.

13.00 Uhr 20,0 ml Strepdipen wäßrig (Bernburg) s.c. hinter das Ohr.

Zwecks Durchführung einer geeigneten Osteosynthese wird das Tier daraufhin sofort absprachegemäß in die Chirurgische Tierklinik der Karl-Marx-Universität Leipzig überführt.
Beim Eintreffen des Tieres in Leipzig bestand noch eine leichte Sedierung, die aber für eine klinische und röntgenologische Untersuchung nicht mehr ausreichend war. Diese erfolgte unter 6,0 ml Propionyl-Promazin (Combelen-Bayer) und 5,0 ml Methadon (Polamivet-Höchst) i.m.

Zur Durchführung der Operation erfolgte die Narkoseeinleitung mit 6,0 ml Xylazin (Rompun-Bayer), 6,0 ml Ketamin (Ursotamin-Bernburg) und 5,0 ml Methadon (Polamivet-Höchst). Die Applikation erfolgte i.m. Nach etwa 10 Minuten wurde das Tier schläfrig und legte sich auf die Seite. Nicht schmerzhafte Manipulationen, wie die Vorbereitung des Operationsfeldes, waren möglich. Die erzielte Analgesie war jedoch für die Operation nicht ausreichend. Deshalb wurde 20 Minuten nach der Narkoseeinleitung eine endotracheale Intubation versucht. Es gelang nicht, den Endotracheal-Katheter auf oralem und nasalem Weg in die Trachea einzuführen. Aus diesem Grunde wurde ein Nasalkatheter in beide Nasengänge plaziert. Die anschließende Halothannarkose (Halan-Dresden) erfolgte im halbgeschlossenen System. Der Halanverbrauch betrug für die zweistündige Operation 6,0 ml. Während der Narkose kam es häufig zur Entleerung von zähflüssigem, bräunlich-grünem Mageninhalt. Durch Tieflagern des Kopfes konnte eine Aspiration verhindert werden. Die Analgesie war zufriedenstellend. Zeitweise Atemdepressionen konnten durch Reduzierung der Halankonzentration aufgehoben werden.

Die Wahl der Methode zur Fixation der Frakturenden erfolgte erst während der Operation. Die zunächst beabsichtigte Osteosynthese durch eine selbstspannende Platte erwies sich als nicht durchführbar, weil die Wurzeln der Backenzähne bis dicht an den unteren Rand der Mandibula reichten und die zur Fixation erforderlichen Knochenschrauben dadurch nicht fest verankert werden konnten. Deshalb entschlossen wir uns, die Fixation mit Cerclagen durchzuführen. Nach dem Bohren von je zwei Öffnungen durch beide Frakturenden wurden die 1,5 mm dicken Cerclagedrähte eingefädelt und mit einem Drahtspanner gespannt (Abb. 1). Die Schleimhaut wurde durch einige Catgutnähte adaptiert. Wegen der erheblichen Gefahr einer Osteomyelitis erfolgte eine allgemeine Antibiotikabehandlung mit Sulfastrepdipen (Bernburg) über 12 Tage. Die i.m. Injektionen waren ohne Sedierung des Patienten möglich.

Bis zu drei Wochen post operationem wurde dem Tier nur flüssiges Futter verabreicht. Nach dieser Zeit wurde auch weiches Obst angeboten. Bis auf die ersten vier Tage nach der Operation war die Futteraufnahme stets gut. Sieben Wochen post operationem erfolgte eine Röntgenkontrolle. Die Frakturenden waren zu diesem Zeitpunkt unter starker Kallusbildung stabil vereinigt, so daß die beiden Drähte entfernt werden konnten (Abb. 2).

Bei der Untersuchung der Maulhöhle fiel auf, daß bei beiden Hakenzähnen im Unterkiefer die Pulpahöhlen eröffnet waren. In diese waren feste, übelriechende Futterteile eingekeilt. Wir entschlossen uns deshalb, eine Resektion der Wurzelspitzen durchzuführen. Anschließend wurden die Pulpahöhlen mit Zahnzement verschlossen. 1) Auch diese Operationswunden heilten komplikationslos ab, so daß das Tier nach neunwöchiger Klinikbehandlung geheilt entlassen werden konnte. Die Futteraufnahme war zu diesem Zeitpunkt ungestört. Auch festes Futter, wie Äpfel, konnte ohne Schwierigkeit aufgenommen werden.

Eine Nachkontrolle im Zoologischen Garten Halle am 6.3.85 ergab folgenden Befund; Umfangsvermehrung im Unterkieferbereich zurückgegangen bis auf kleine, feste Beule ventral in Höhe des Lippenwinkels. Maulschluß zufriedenstellend. Nur ganz vorn bleibt das Maul stets etwas offen. Im Zusammenhang damit ständiger Speichelfluß. Das Tier frißt jedoch mühelos während des Kontrollbesuches in größeren Stücken angebotene Rüben.

---

1) Diese Operation wurde von OA Dr. V o g e l , Poliklinik für Prothetische und Orthopädische Stomatologie, durchgeführt.

Zusammenfassung

Zur operativen Behandlung einer Mandibulafraktur durch Osteosynthese bei einem Flachlandtapir (Tapirus terrestris)

Es wird über eine erfolgreich durchgeführte Osteosynthese bei einer offenen, rechtsseitigen Unterkieferfraktur bei einem Flachlandtapir berichtet. Die Verdachtsdiagnose wurde durch Röntgenuntersuchung am sedierten Tier erhärtet. Narkose- und Operationstechnik, einschließlich einer zusätzlich durchgeführten Wurzelresektion an beiden Hakenzähnen, werden im einzelnen beschrieben. Die zur Osteosynthese verwandten Drähte wurden sieben Wochen nach der Operation entfernt. Die Frakturenden waren zu diesem Zeitpunkt unter starker Kallusbildung fest vereinigt. Nach neunwöchiger Klinikbehandlung konnte das Tier geheilt entlassen werden.

Summary

Surgical Treatment of Lowland Tapir (Tapirus terrestris) for Mandibular Fracture, using Osteosynthesis

Reported in this paper is a case of successful osteosynthesis on a lowland tapir for open mandibular fracture on the right. Suspicious diagnosis had been confirmed by X-ray on the sedated animal. Anaesthesia and surgical technique, including additional root amputation of both canines, are described in detail. The osteosynthesis wires were removed seven weeks after surgery. The ends of the fracture were firmly reunited by that time, accompanied by massive callus formation. The animal was discharged in cured condition, following nine weeks of clinical treatment.

Résumé

A propos du traitement opératoire par l'ostéosynthèse d'une fracture mandibulaire chez un tapir terrestre

L'auteur décrit l'ostéosynthèse positive lors d'une fracture mandibulaire ouverte du côté droit chez un tapir terrestre. La diagnose soupçonnée a été confirmé par la radio de l'animal sédaté. L'auteur explique les détails techniques de la narcotisation et de l'opération qui a compris une résection supplémentaire de la racine des deux crocs. Les fils utilisés pour l'ostéosynthèse ont été retiré sept semaines après l'opération. A cette date les deux bouts de la fracture ont été fermement relié et en même temps on a pu observér une formation de callus importante. Après un traitement clinique pendant neuf semaines l'animal guéri a pu sortir.

Резюме

Оперативное исцеление фрактуры мандибулы с помощью остеосинтеза у тапира плоскогорья (Tapirus terrestris).

Сообщется об успешно проведенном остеосинтезе при открытой правосторонней фрактуре челюсти у тапира.Предполагаемый диагноз был получен с помощью ренгеновского анализа на успокоенном животном. Описан наркоз , оперативная техника, дополнительно проведенная резекция двух зубов.При остеосинтезе применяемая проволока удалялась через семь недель. Концы облома к этому времени окончательно срастались, образовав каллус.После девятинедельного пробывания в клинике животное было выписано.

Literaturverzeichnis

AMMANN, K. (1970): Eignung der Beckerschen Kunststoffbrücke zur Fixation von Unterkieferfrakturen bei den großen Haustieren. Schweiz. Arch. Tierheilk. 112, 109 - 112.

BARRAIRON, P.-E., und J. LEBAILLY (1957): Zit. nach HURTIENNE, H., und H. WISSDORF (1972): Beitrag zur Behandlung von Frakturen am Kopf des Pferdes. Dt. tierärztl. Wschr. 79, 597 - 606.

BOLZ, W. (1968): Krankheiten des Kopfes, Teil I In: Lehrbuch der Speziellen Veterinärchirurgie von BOLZ, W., DIETZ, O., SCHLEITER, H., und R. TEUSCHER. Jena: Gustav Fischer.

BÜSCHER, D. (1973): Operative Behandlung einer Unterkieferfraktur bei einem Warmblutfohlen. Der praktische Tierarzt 54, 607 - 608.

FROST, H.H. (1944): Zit. nach HURTIENNE, H., und H. WISSDORF (1972): Beitrag zur Behandlung von Frakturen am Kopf des Pferdes. Dt. tierärztl. Wschr. 79, 597 - 606.

GABEL, A.A. (1969): A Method of Surgical Repair of the Fractured Mandible in the Horse. J. Am. Vet. Med. Assoc. 155, 1831 - 1834.

GARNER, H.E., and J.C. THURMON (1968): Repair of Bilateral Fractures of the Maxilla, Premaxilla, and Mandible in a Horse. J. Am. Vet. Med. Assoc. 152, 1402 - 1406.

HAHLWEG, B. (1968): Frakturen der großen Röhrenknochen und des Unterkiefers bei großen Haustieren. Diss. Berlin, Humboldt-Univ.

HURTIENNE, H., und H. WISSDORF (1972): Beitrag zur Behandlung von Frakturen am Kopf des Pferdes. Dt. tierärztl. Wschr. 79, 597 - 606.

MÜLLER, H. (1970): Knochenbrüche, Frakturen der Knochen. In: Handlexikon der tierärztl. Praxis, Bd. 2, von K. BAMBERG. Kopenhagen: Medical Book Comp.

PICKERING, J.P. (1962): Repair of a Fractured Mandible of Horse by Bone Pinning. Vet. Rec. 74, 1545 - 1546.

SIEGERT, H., und J. GRUNER (1958): Ein Beitrag zur perkutanen Osteosynthese am Unterkiefer bei Pferd und Hund. Berl. Münch. tierärztl. Wschr. 71, 206 - 208.

SMITH, W.B., and M.D. MICHOLLS (1957): External Fixation of a Compound Fracture of the Equine Mandible. Western Vet. 4, 18 - 19.

WALLACE, Ch.E. (1971): Repair by open reduction of fractured mandible in a stallion. Aust. Vet. J. 47, 57 - 60.

Anschrift der Verfasser: VR Doz. Dr. sc. med. vet. H.-J. Schneider
DDR-7010 Leipzig
Zwickauer Str. 59 (DDR)

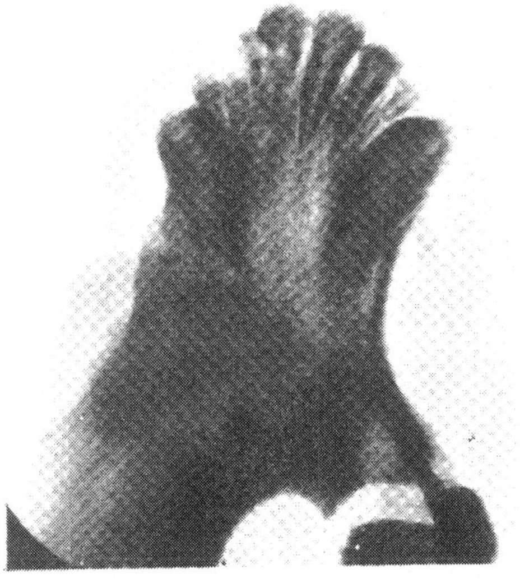

Abb. 1: Röntgenbefund vor der Behandlung. Fraktur des Ramus mandibulae sin. unmittelbar oral des ersten Praemolaren. Bruchenden wenig verlagert, breit auseinanderstehend.

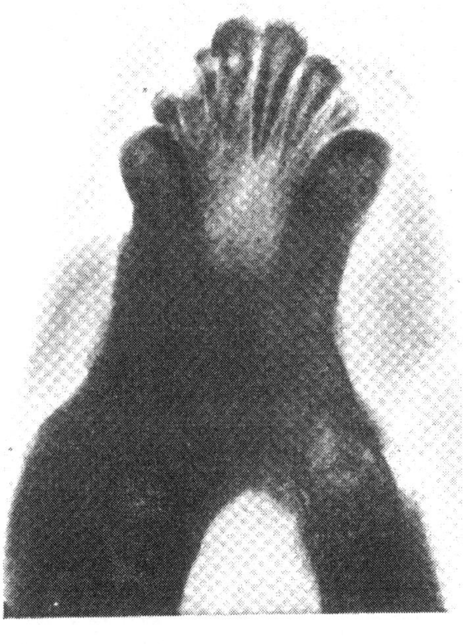

Abb. 2: Lage der beiden Cerclagedrähte unmittelbar post operationem. Die Frakturenden sind gut adaptiert.

Aus dem Bezirksinstitut für Veterinärwesen Schwerin (Direktor: VR Dr. G. FUCHS) und dem Zoologischen Garten Schwerin (Direktor: Dipl.-Biol. D. ZSCHEILE)

FUNKTIONELLE HEILUNG EINES EXTREMITÄTENSCHADENS BEI EINER SITATUNGAANTILOPE (TRAGELAPHUS SPEKEI)

Von G. Albrecht und Karin Zscheile

Am 29.3.1984 erwarb der Zoologische Garten Schwerin vom Zoologischen Garten Prag 1,1 Sitatungaantilopen (1,0 am 17.5.82 und 0,1 am 24.10.82 geboren). Beide Tiere wurden bei Einzelaufstallung in einem Haus mit Chapmanzebras und Elenantilopen untergebracht. Die Sitatungas waren von Anfang an sehr ruhig, das Weibchen ausgesprochen zahm. Bei der Rekonstruktion der Tierunterkunft muß es bei den Sitatungaantilopen, die sich zu diesem Zeitpunkt in einer der Außenanlagen befanden, zu einer Beunruhigung gekommen sein, wobei sich das männliche Tier mehrere leichte Hautläsionen am Kopf und in den Beinbereichen zuzog und hinten rechts schonte. Dies wurde am 18.7.1984 festgestellt. Am 1.8.1984 war eine Schwellung am linken Unterkiefer und am 5.8.1984 eine leichte Schwellung am linken Vorderlauf am Karpalgelenk zu beobachten. Am 10.8.1984 wurde das Tier auf der turnusmäßigen Tierarztrunde dem zuständigen Tierarzt mit inzwischen erheblicher Lahmheit des linken Vorderlaufs vorgestellt. Bei der Besichtigung aus der Distanz war auffällig, daß das Tier weder im Stand noch in der Bewegung den Lauf zu belasten vermochte und am linken Karpalgelenk sowie im linken Unterkieferbereich eine deutliche Umfangsvermehrung vorlag. Außerdem fußte das Tier auf dem betroffenen Lauf vermehrt auf dem Ballen. Die Futteraufnahme und der Ernährungszustand entsprachen den physiologischen Normen.

Als erste Maßnahme wurde eine ca. 30 cm tiefe Torfeinstreu angelegt, um eine Druckdämmung des erkrankten Laufes zu erreichen. Da sich die Situation des Patienten in den nachfolgenden Tagen weiter verschlechterte, entschlossen wir uns am 17.8.1984 zur Narkose und gründlichen Untersuchung des Tieres. Wir schätzten das Gewicht des Patienten auf 80 kg und verabreichten per Dist-Injekt-Pistole 3 mg Rompun und 3 mg Vetalar pro kg KM in Mischspritze. In der Narkose wurde eine ausreichende Toleranz für die vorgesehene Untersuchung und Behandlung erreicht. Die klinische Kontrolle ergab geringgradig erhöhte Temperatur des derb geschwollenen Karpalgelenkes, ohne daß eine Fluktuation oder Krepitation festzustellen war. Die Röntgenaufnahme wies auf destruktive Veränderungen im betroffenen Gelenk hin. Eine ursächliche traumatische Schädigung des linken Karpalgelenkes und des linken Unterkieferastes konnte nicht ausgeschlossen werden. Punktat war nicht gewinnbar. Intraartikulär verabreichten wir 50 mg Prednisolon und 1,2 Mill. IE Retacillin^{R} compositum (1 OP enthält: 150 000 IE Benzylpenicillin-Natrium, 150 000 IE Benzylpenicillin-Procain, 300 000 IE Benzylpenicillin-Benzathin) in Mischspritze. Außerdem erhielt das Tier 5 ml des Multivitamingemisches Ursovit AD_3EC (50 000 IE Vitamin A, 5000 IE Vitamin D_3, 30 mg Vitamin E und 100 mg Vitamin C pro ml) und 7 ml eines gut resorbierbaren Kalziumpräparates (Edetamin) sowie 7 ml Strepdipen-Suspension wäßrig (1 ml enthält 400 000 IE Benzylpenicillin-Benzathin und 400 000 IE Dihydrostreptomyzinsulfat) per inj. Das erkrankte Gelenk versorgten wir mit einem Schutzverband. Auch im linken Unterkieferast konnten palpatorisch und röntgenologisch die Symptome länger zurückliegender Frakturen diagnostiziert werden. Mehrere Kontrollen des narkotisierten Tieres am gleichen Tage verliefen zufriedenstellend. Am darauffolgenden Tag (18.8.1984) lag das Tier fast ausschließlich. Die Futteraufnahme war als gut zu bezeichnen. Am 24.8.1984 entschlossen wir uns, zwecks Entfernung des Verbandes und Behandlung, zu einer erneuten Narkose. In den folgenden Tagen war eine kurzzeitige Besserung der Belastung zu verzeichnen, wobei allerdings im Gegensatz zum anfänglichen Zustand das Tier vorwiegend versuchte, auf den Klauenspitzen zu fußen und im Stand die Extremität anwinkelte. Bis Anfang November 1984 kam es in zunehmendem Maße zur weiteren Beugung des distalen Abschnittes der Extremität, was sicherlich durch eine Verkürzung der Beugesehnen ursächlich bedingt war. Die dadurch hervorgerufene größere Belastung des Tieres führte zu einem deutlichen Abfall in der Konstitution und Kondition. Damit sank der Schau- und Zuchtwert des dreiläufig belastenden Tieres beträchtlich. Deshalb entschlossen wir uns am 7.11.1984 zur chirurgischen Streckung des Beines.

Das Ziel der Operation bestand darin, daß durch eine chirurgisch herbeigeführte Ankylose das Fesselgelenk (Articulatio metacarpophalangea), Krongelenk (Articulatio interphalangea proximalis) und das Klauengelenk (Articulatio interphalangea distalis) der linken vorderen Extremität in gestreckter Stellung erreicht werden sollte. Die Beugung im Karpalgelenk bereitete dem Tier offensichtlich keine Schwierigkeiten, so daß eine Belastung nach gelungener Operation anzunehmen und zu erhoffen war.

Nach der Narkose in o.g. Dosierung erfolgte die Eröffnung von Haut, Unterhautbindegewebe, Knochenhaut und der genannten Gelenke zwecks Entfernung von Schleimhäuten und Knorpelflächen. Die Kürettage erfolgte teils instrumentell, teils mit einem in das Handstück einer Dental-Technikmaschine eingespannten Knochenfräßer von der lateralen Seite her. Die Gelenke wurden mit jeweils 600 000 IE Retacillin[R] compositum antibiotisch versorgt. Ohne weiteren Verschluß setzten wir nun nach entsprechender Präparation nach den Arbeitshinweisen der A-O-Technik eine 12-Loch-Osteosyntheseplatte von lateral auf folgende in gestreckter Stellung befindlichen distalen Extremitätenknochen; Mittelfußknochen, Fesselbein und Kronbein. Das Klauenbein wurde zur Schonung des Kronsaumes und des Klauenhornes nicht einbezogen. Nach der Verschraubung der Osteosyntheseplatte und folgender Knopfnaht der Haut mit Polyester Stärke 4, versorgten wir die Operationsstelle mit einem Druckverband. Anschließende Röntgenkontrollen überzeugten uns vom gelungenen Verlauf der Operation.

8 Tage nach dem chirurgischen Eingriff erfolgte die Entfernung der Polyesterfäden. Am 16.11.1984 entfernten wir unter Vollnarkose die Metallplatte. Die Hefte der notwendigen Hautnaht nach diesem Eingriff entfernten wir nicht. Am 18.1.1985 hatte sich der letzte Polyesterfaden von selbst gelöst. Ab 1.2.1985 fußte der Patient unter voller Belastung der stillgelegten o.g. distalen Gelenke. Die Schwellung am Unterkiefer ist ebenfalls ausgeheilt. Der Gesamtzustand des Sitatungabockes hat sich deutlich verbessert und ist als gut zu bezeichnen. Im Spätsommer 1985 zeigte der Bock dem inzwischen geschlechtsreifen Weibchen gegenüber sexuelle Aktivitäten.

Zusammenfassung

Funktionelle Heilung eines Extremitätenschadens bei einer Sitatungaantilope (Tragelaphus spekei)

In der Arbeit wird über einen Extremitätenschaden und dessen funktionelle Heilung bei einem Sitatungabock nach chirurgischer Stillegung der distalen Gelenke berichtet.

Summary

Functional Healing of Damage to Extremity of Sitatunga (Tragelaphus spekei)

Damage to an extremity of a sitatunga buck and functional healing by surgical immobilisation of the distal joints are reported in this paper.

Résumé

La guérison fonctionnelle d'une lésion aux extrémités d'une antilope de Sitatung (Tragelaphus spekai)

Il s'agit d'une lésion aux extrémités et de la guérison fonctionnelle de celle-ci après l'immobilisation chirurgicale des articulations distales d'une antilope mâle de Sitatung.

Резюме

Функциональное исцеление конечностей у ситатунга антилопы (Tragelaphus spekei)

В работе сообщается о повреждение конечностей у антилопы и их исцелении методом хирургической фиксации дистального сустава.

Anschrift der Verfasser: Dr. med. vet. G. Albrecht
Bezirksinstitut für Veterinärwesen Schwerin
DDR 2766 Schwerin
Neumühler Str. 6/12 (DDR)

Aus dem Zoologischen Garten Leipzig (Direktor: Prof. Dr. S. SEIFERT), dem Wissenschaftsbereich Fortpflanzung landwirtschaftlicher Nutztiere der Sektion Tierproduktion und Veterinärmedizin (Direktor: Prof. Dr. sc. Dr. h.c. H.-J. SCHWARK) und der Klinik für Gynäkologie und Geburtshilfe (Direktor: OMR Prof. Dr. sc. BILEK) der Karl-Marx-Universität Leipzig

GRAVIDITÄTSÜBERWACHUNG MITTELS ÖSTRIOLBESTIMMUNG UND ULTRASCHALLUNTERSUCHUNG BEI EINEM SUMATRA-ORANG-UTAN (PONGO PYGMAEUS ABELI)

Von J. Adler, K. Eulenberger, W. Winkler und S. Seifert

Die Kontrolle des Graviditätsverlaufes bei Zootieren ist trotz der Einschränkung in der Auswahl im Zoo anwendbarer Verfahren aus der tiergärtnerischen Arbeit nicht mehr wegzudenken. Hierbei stellen die Hormonbestimmungen im Urin die einzige zuverlässige Basis für Langzeitstudien dar, da es sich um eine praktische, zuverlässige und dem Tier gegenüber schonende Methode der Probenentnahme handelt. Als eine weitere, relativ sichere Methode hat sich in den letzten Jahren auch im Zoo die Ultraschalldiagnostik erwiesen. Diese kann jedoch nur an Tieren durchgeführt werden, die entsprechende Manipulationen ohne wesentliche Aufregung bzw. Probleme für Mensch und Tier gestatten. Nachdem an gleicher Stelle bereits über Östrogenbestimmungen während eines Schwangerschaftsverlaufes beim Orang-Utan berichtet wurde (ELZE et al., 1971), soll im folgenden ein weiterer Fall der Graviditätsüberwachung beim Orang-Utan mittels Östriolbestimmung und Ultraschalldiagnostik beschrieben werden.

Klinischer Verlauf

Das Orang-Weibchen "Dunja", geb. am 19.4.1973 im Tierpark Berlin, wird zusammen mit einem 1969 geborenen männlichen Orang-Utan in einer Anlage gehalten. Paarungsversuche zwischen beiden Tieren wurden seit 1980 beobachtet. Am 5./6.10.83 kam es zu mehreren Paarungen, die auf eine Konzeption hoffen ließen, zumal es sich bei dem Orang-Mann um ein zuchterprobtes Tier handelte. Am 17. und 18.10.83 wurde bei dem Weibchen eine Menstrualblutung beobachtet, die sich in ihrer Intensität nicht auffällig von den bisherigen Blutungen unterschied, so daß Zweifel an der erhofften Konzeption nach der Kopulation am 5./6.10.83 aufkamen. Nach der am 5.12.83 bemerkten Schwellung der Vulva ließ sich - bezogen auf Angaben von FOX (1929) - jedoch eine Gravidität im 3. Monat als wahrscheinlich annehmen. Der am 9.12.83 durchgeführte immunologische Schwangerschaftstest (Hämagglutinations-Hemmreaktion nach WILDE und GEMZELL, 1960) mittels "Gravimun 2 - Schwangerschaftstest in vitro" (VEB Sächsisches Serumwerk Dresden) fiel positiv aus.

Bei der schwangeren Frau erfolgt eine positive Reaktion etwa ab dem 36. Tag post menstruationem, da zu diesem Zeitpunkt im Normalfall der für die Reaktion erforderliche HCG-Wert von 2500 IE/l Harn erreicht wird. Für den Orang-Utan wird der früheste Zeitpunkt der positiven Reaktion eines "Sub-Human-Pregnancy-Testes" (ebenfalls Hämagglutinations-Hemmtest) zwischen dem 22. und 31. Tag (bei 270 Tagen Graviditätsdauer) angegeben (DAVIS, 1977). Nach klinisch unauffälligem Graviditätsverlauf gebar "Dunja" am 237. Tag nach der Konzeption völlig überraschend ein normal entwickeltes, männliches Jungtier von 1800 bis 2000 g Körpermasse.

Harnöstriolbestimmungen

Methodik: Da nach CEKALA et al. (1983) beim Orang-Utan ebenso wie bei der Frau das Östriol von den verschiedenen Östrogenfraktionen in der höchsten Konzentration mit dem Harn ausgeschieden wird (es folgen in der genannten Reihenfolge das 16-Hydroxyöstron, das Östron und das Östradiol), entschieden wir uns für die Bestimmung des Östriols. Die Östriolbestimmung erfolgte in der Frauenklinik der Karl-Marx-Universität Leipzig nach der Schollberg-Methode unter Ermittlung der Östriolmenge im 24-h-Harn (BLÜMEL, 1969).

Das Orang-Utan-Weibchen "Dunja" wurde am Morgen des jeweiligen Untersuchungstages bis zum beobachteten Harnabsetzen in ihrer Schlafkiste belassen, so daß die Entnahme der erforderlichen Harnmenge sofort aus der Ablaufrinne an der Schlafbox erfolgen konnte. Da das exakte Auffangen eines 24-h-Harnes nicht möglich war, wurden die Proben auf 3 Liter/24 h umgerechnet. Die Harnmenge von 3 l erwies sich als der Mittelwert aus mehreren Messungen, die wir während

Abb. 1: Östriolwerte während der Gravidität eines Orang-Utans

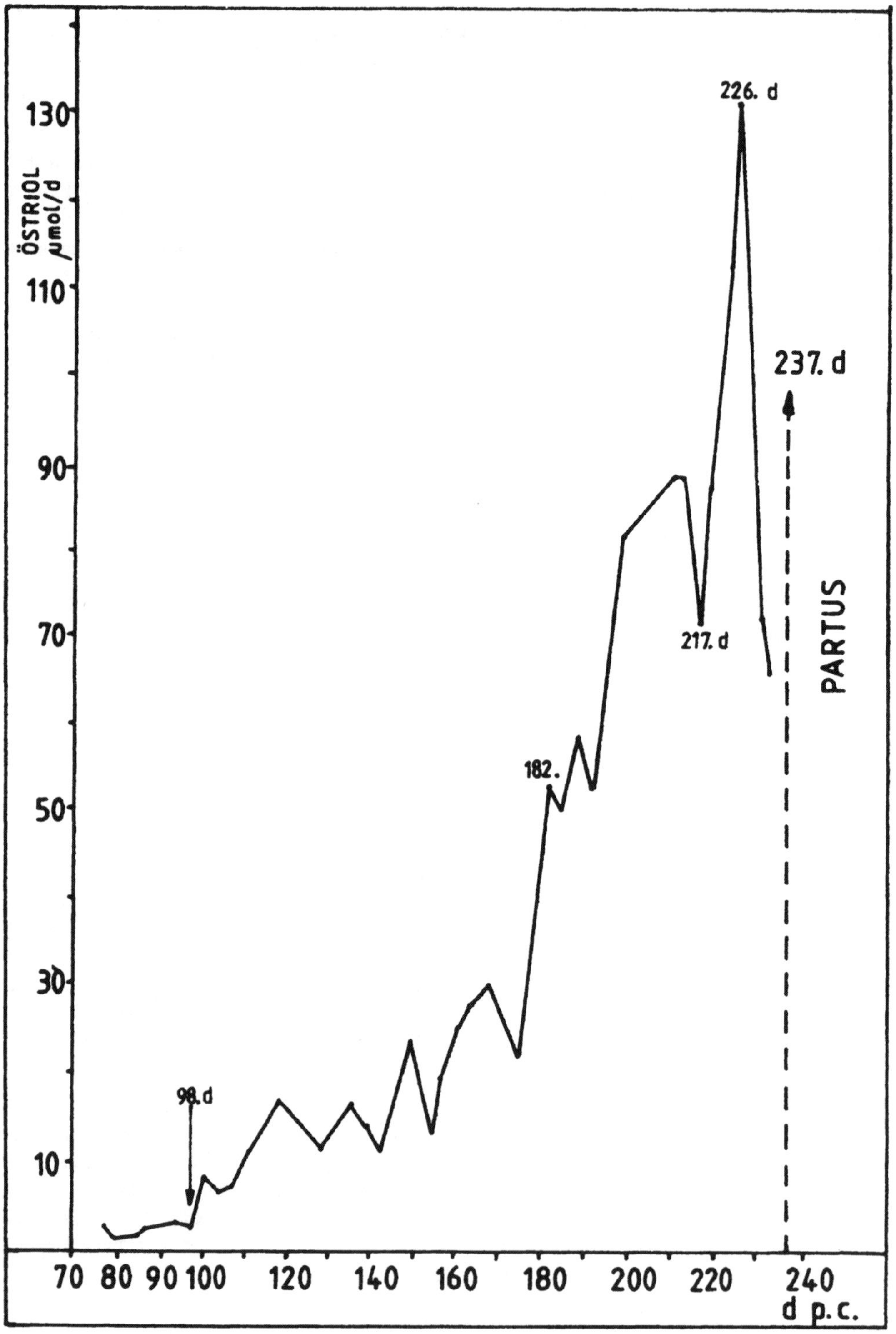

mehrmaliger jeweils 24stündiger Aufenthalte des Tieres in der Schlafkiste durchführten.

Die für den Graviditätsverlauf des Orang-Utan "Dunja" erstellte Östriolkurve (Abb. 1) kann auf Grund des klinischen Verlaufs und der aus der Literatur bekannten Angaben (ELZE et al., 1971) als typisch gewertet werden, wobei die ermittelten Werte auf Grund der methodischen Variabilität von 10 bis 15 % und der Mängel bei der exakten Messung des 24-h-Harnes keine endgültige Aussage über den absoluten Östrogengehalt gestatten. Der am 98. Tag post conceptionem (p.c.) auffallend deutliche Anstieg der Harnöstriolkonzentration spricht für die nun vollwertige Plazentafunktion des graviden Primaten. Ein nochmaliger erheblicher Anstieg der Östriolausscheidungskurve war zum 182. Tag p.c. zu erkennen. Er kann im Zusammenhang mit der Entwicklung der fetalen Gonaden in dieser Zeit und der durch sie vermehrt bereitgestellten C_{19}-Steroide gesehen werden.

Das rapide Absinken der Harnöstriolkonzentration ab 226. Tag p.c. von 131 auf 72 µmol/d am 231. bzw. 66 µmol/d am 233. Tag p.c. kündigte die bevorstehende Geburt an und wurde auch von ELZE et al. (1971) in gleicher Weise beobachtet. Unbeantwortet bleibt die Frage nach den Ursachen und der Bedeutung des starken Abfalls der Harnöstriolkonzentration etwa 10 Tage ante partum. Im Zusammenhang mit dem Zeitpunkt - 42 Tage vor einer Term-Geburt bei angenommenen 275 Tage physiologische Graviditätsdauer (PUSCHMANN, 1975; JONES, 1982) - könnte auf Plazentainsuffizienz mit nachfolgender Frühgeburt geschlossen werden. Dagegen spricht jedoch das gut entwickelte, mit Sicherheit eutrophe Jungtier. Der Abfall des Östriolgehaltes im Harn wenige Tage ante partum könnte auch Ausdruck einer physiologischen Verschiebung innerhalb der Östrogenfraktionen, z.B. einer verstärkten Synthese des biologisch wirksameren 17ß-Östradiols sein, um den Erfordernissen der bevorstehenden Geburt besser zu genügen.

Ultraschalldiagnostik

Da es bei einem anderen Orang-Utan im Zoo Leipzig in früheren Jahren zu mehreren Geburtskomplikationen durch zu große Feten gekommen war und das Orang-Weibchen "Dunja" selbst sowie dessen Geschwister ein hohes Geburtsgewicht aufwiesen, entschlossen wir uns nach Feststellen der Gravidität zur Kontrolle der Entwicklung des Feten mittels Ultraschalldiagnostik. Zu diesem Zweck wurde "Dunja" am jeweiligen Untersuchungstag in die oben genannte Frauenklinik gebracht. Die Möglichkeit der US-Untersuchung verdanken wir nicht nur dem großzügigen Entgegenkommen der Klinikleitung, sondern auch der Umgänglichkeit dieses Menschenaffen.

Die Untersuchungen wurden mit einem Real-Time Gerät (Firma Siemens) (SONODIACNOST) durchgeführt. Das Real-Time Verfahren gestattet eine sofortige bildliche Darstellung des zu untersuchenden Objektes. Fehlerquoten beziehen sich auf eine vom Hersteller gelieferte Tabelle, die die Größen des Feten in jeder Schwangerschaftswoche angibt. Sie betragen in der Frühschwangerschaft ca. ± 14 Tage. In dem hier zu berichtenden Fall, in dem keinerlei Vergleichswerte vorlagen, sind verständlicherweise höhere Fehlerquoten anzunehmen.

Die erste Untersuchung mittels Ultraschall am 10.2.84 ergab einen Befund, der (im Vergleich zum Menschen) auf die 17. - 18. Schwangerschaftswoche hinwies (alle Ergebnisse siehe Tab. 1). Dieser Befund konnte somit als eine Bestätigung des vermuteten Konzeptionstermins nach dem 5./6.10.83 angesehen werden.
Die zweite Ultraschall-Untersuchung erfolgte am 23.3.84, also nach unserer Annahme in der 25. Schwangerschaftswoche. Das Bild zeigte allerdings eine Frucht, die (im Vergleich zum Menschen) der 27. Schwangerschaftswoche entsprochen hätte. Dieses Ergebnis wird jedoch als ungenau bzw. fehlerhaft eingeschätzt.
Der dritte Ultraschall am 26.4.84 deutete auf die 30. Schwangerschaftswoche hin, das Gewicht des Feten wurden mit 1550 g ermittelt. Dieser Befund entsprach somit wieder dem ursprünglich angenommenen Konzeptionstermin.

Tabelle 1: Ergebnisse der Ultraschalluntersuchungen während der Gravidität bei Orang-Utan "Dunja"

	10.2.1984	23.3.1984	26.4.1984
Lage des Fetus	Schädellage	Schädellage	Schädellage
Lage der Placenta	Vorderwandplacenta	Fundusplacenta	
Scheitel-Steiß-Länge (mm)	108		
Thorax-Querdurchmesser (mm)	4,6	63 x)	74
ermitteltes Gewicht des Fetus (g)			1550
Herzaktion	+	+	+
daraus resultierende Schwangerschaftswoche	17./18.	27.x)	30.
aus dem Konzeptionstermin resultierende Schwangerschaftswoche	18.	24.x)	29.

x) = Diese Messungen sind als fehlerhaft zu bewerten

Tabelle 2: Vergleich von klinischem Verlauf, Östriolbestimmung und Ultraschalluntersuchungen beim graviden Orang-Utan "Dunja"

Schwangerschaftsmonate	klinischer Verlauf	Gravimun-Test und Östriolbestimmung	Ultraschall	Tage bzw. Wochen post Konzeption
	5./6.10. Kopulationen			
1.	17./18.10. Blutung	17.10. negativ		13.Tag = 2. Woche
2.				
3.	5.12. Vulvaschwellung	9.12. positiv		62.Tag = 9. Woche 66.Tag = 10. Woche
4.		nach dem 10.1. deutlicher Anstieg des Östriolwertes		nach 98.Tag = 14. Woche
5.			10.2. 17./18.Woche	129.Tag = 19. Woche
6.			23.3. 27. Woche	171.Tag = 25. Woche
7.	8.4. seit ca. 10 Tagen Mamma-Schwellung		26.4. 30. Woche	205.Tag = 30. Woche
8.	10.5. Praekolostrum abgesetzt 28.5. Partus			237.Tag = 34. Woche

Schlußfolgerungen

Klinische Beobachtungen am Tier, die Östriolbestimmung im Harn und die Ultraschalluntersuchung ergeben ein aussagefähiges und relativ zuverlässiges Bild über den Verlauf der Gravidität bei einem Orang-Utan. Neben den typischen klinischen Anzeichen einer Schwangerschaft, besonders der Vulvaschwellung im 3. Monat, der Mammaschwellung im letzten Drittel der Gravidität (JONES, 1982) sowie eventueller Veränderungen des Leibesumfanges und im Verhalten des Tieres eignen sich zur Graviditätskontrolle die Bestimmung der Harnöstrogene und, mit den durch die Umgänglichkeit des jeweiligen Tieres bedingten Einschränkungen, die Ultraschalluntersuchung.

Besondere Bedeutung kommt der Bestimmung des Östriols zu, da die Ergebnisse im Vergleich zu den teils subjektiven Einschätzungen bei der Beobachtung des Tieres bzw. bei der Ultraschalluntersuchung ein relativ objektives Bild über den Verlauf der Gravidität ermöglichen und nach den bisherigen Erfahrungen einen vom Tiergärtner nicht hoch genug zu schätzenden Hinweis auf die bevorstehende Geburt geben könnten. Die Kontrolle der Östriolwerte kann auch ein wertvoller Indikator einer möglichen Plazentainsuffizienz sein (KYANK, 1966; ELZE et al., 1971).

Die Ultraschalluntersuchung ist eine sinnvolle, aber in der Anwendung kompliziertere Methode zur Vermittlung von Informationen über Lage und Größenentwicklung des Feten und damit eine Ergänzung zur Schwangerschaftsüberwachung beim Menschenaffen.

Zusammenfassung

Graviditätsüberwachung mittels Östriolbestimmung und Ultraschalluntersuchung bei einem Sumatra-Orang-Utan (Pongo pygmaeus abeli)

Die Kontrolle des Graviditätsverlaufes bei einem Orang-Utan ergab folgende für die tiergärtnerische Praxis wichtige Daten: Schwellung des äußeren Genitale um den 60. Tag p.c., positiver Gravimuntest am 66. Tag p.c., graviditätsspezifischer Anstieg der Östriolkonzentration im Harn am 98. Tag, ein weiterer drastischer Anstieg zum 182. Tag p.c., positive Ultraschalldiagnosen am 129., 171. und 205. Trächtigkeitstag, starker Abfall der Harnöstriolkonzentration zum 231. Tag p.c., Geburt eines eutrophen Jungtieres von 1800 - 2000 g KM am 237. Tag p.c.

Summary

Determination of Oestriol and Ultrasonography to Follow Up Gravidity of Sumatran Orang-Utan (Pongo pygmaeus)

The following data of relevance to keeping of zoo animals were recorded from follow-up checks of gravidity of an orang-utan: swelling of external genital around the 60th day from conception, positive immunological gravidity test on the 66th day of pregnancy, gravidity-specific rise of oestriol concentration in urine on 98th day, another drastic rise on 182nd day, positive ultrasound findings on 129th, 171st, and 205th days, strong decline of oestriol concentration in urine on 231st day, delivery of a eutrophic young, between 1,800 g and 2,000 g in birth weight, on the 237th day.

Résumé

Contrôle de la gravidité par moyen de la détermination d'oestriol et l'examen à ultrasons chez un ourang-outan de Soumatra (Pongo pygmaeus abeli)

Les données suivantes qui sont importantes pour les vétérinaires dans les zoos ont été dérivésd'une surveillance de l'évolution de la gravidité chez un ourang-outan: gonflement des organes génitaux extérieurs vers le 60e jour p.c., test positif gravimune le 66e jour p.c., augmentation spécifique due à la gravidité de la concentration dans l'urine d'oestriol le 98e jour, une autre augmentation rigoureuse le 182e jour p.c., diagnoses positives à ultrasons le 129e, 171e et 205e jour de la gravidité, diminution forte de la concentration dans l'urine d'oestriol le 231e jour p.c., naissance d'un jeune eutrophe de 1800 à2000 g de poids corporel le 237e jour p.c.

Резюме

Контроль беременности методом определения остриоля и ультроволновыми исследованиями у суматровского орангутана.(Pongo pygmaeus abeli).

При контроле беременности орангутана учитывались определенные показания : как набухание внешних половых органов на 60 день, положительный тест беременности на 66 день, специфичное для беременности повышение остриоля в моче на 98 день, далнейшее характерное повышение на I82 день, положительная диагностика ультроволнами на I29, I7I и 205 день.Значительное снижение концентрации остриоля в моче на 23I день, рождение выношенного детеныша весом I800-2000 г. на 237 день.

Literaturverzeichnis

BLÜMEL, Ch. (1969): Östriol im Harn und Harnsäurebestimmung im Serum bei pathologischen Schwangerschaften. Diss. Med. Akad. Dresden.

CZEKALA, N.M., BENIRSCHKE, K., CLURE, MC, and B.L. LASLEY (1983): Urinary Estrogen Excretion During Pregnancy in the Gorilla (Gorilla gorilla), Orangutan (Pongo pygmaeus) and the Human (Homo sapiens). Biology of Reproduction 28, 189 - 294.

DAVIS, R.R. (1977): Pregnancy diagnosis in an orangutan using two prepared test kits. J. Med. Primatol. 6, 315 - 318. Zit. nach WERFF ten BOSCH, I. van der (1982) The physiology of reproduction of the orang utan. In: The orang utan. Its biology and conservation, ed. by L.E.M. de BOER (1982). The Hague: Dr. W. Junk Publishers.

ELZE, K., ZSCHINTZSCH, A., und S. SEIFERT (1977): Zum Schwangerschaftsnachweis beim Orang-Utan (Pongo pygmaeus) durch quantitativ-chemische Östrogenbestimmung im Urin. Verh.ber. Erkrg. Zootiere 13, 103 - 110.

JONES, D.M. (1982): Veterinary of the maintenance of orang utans in captivity. In: The orang utan. Its biology and conservation, ed. by L.E.M. de BOER (1982), The Hague: Dr. W. Junk Publishers.

KYANK, H. (1966): Die normale Schwangerschaft und Geburt - Das normale Wochenbett - Diagnose der Schwangerschaft und Untersuchung der Schwangeren. In: STÖCKELS Lehrb. Geburtshilfe, T. I, 14. Aufl. Jena: Fischer.

PUSCHMANN, W. (1975): Wildtiere in Menschenhand. Berlin: VEB Deutscher Landwirtschaftsverlag.

SCHULTZ, A.H. (1938): Genital swelling in the female orang-utan. J. Mammal. 19, 363 - 366.

Anschrift der Verfasser: Dipl.agr. H.J. A d l e r
Zoologischer Garten Leipzig
DDR-7010 Leipzig
Dr.-Kurt-Fischer-Str. 29 (DDR)

Aus dem Institut für Zuchthygiene (Direktor: Prof. Dr. ZEROBIN), Abteilung für Zoo- und Heimtiere (Leiter: Dr. E. ISENBÜGEL) der Universität Zürich

DIARRHOE BEI EINEM GIBBON (HYLOBATES AGILIS)

Von Ruth Baumgartner, A. Rübel und E. Isenbügel

Einleitung

Immer wieder wird der Zootierarzt mit Fällen konfrontiert, die für ihn, aus Unkenntnis der physiologischen und pathophysiologischen Abläufe bei einer Tierart, trotz intensiver Suche nach der Ursache von Krankheitssymptomen nicht endgültig lösbar sind. Erst die Zusammenarbeit unter verschiedenen Institutionen, insbesondere hier unter Zootierärzten, kann die Krankheitsursache zu Tage fördern. Dieser Fallbericht soll dazu ein Beitrag sein.

Bei Hylobates agilis handelt es sich um einen echten Gibbon. Er ist ähnlich gefärbt wie der Weißhandgibbon, aber Hände und Füße sind immer fellfarbig. Seine Verbreitungsgebiete sind die malaiische Halbinsel und Sumatra. Die Gibbons leben in Paaren als Tagtiere in den Bäumen der tropischen Regenwälder, der Monsun- und Bergwälder bis 2000 m.ü.M. Sie ernähren sich von Früchten, Blättern, Knospen, Insekten, kleinen Wirbeltieren, Eiern und Jungvögeln (PUSCHMANN, 1983).

Anhand des artspezifischen Gesangsmusters können Gibbonarten unterschieden werden. Aufgrund des Gesangmusters (Abb. 1) wurde der beschriebene Gibbon als weiblicher Hylobates bestimmt (GEISSMANN, 1985).

Abb. 1:

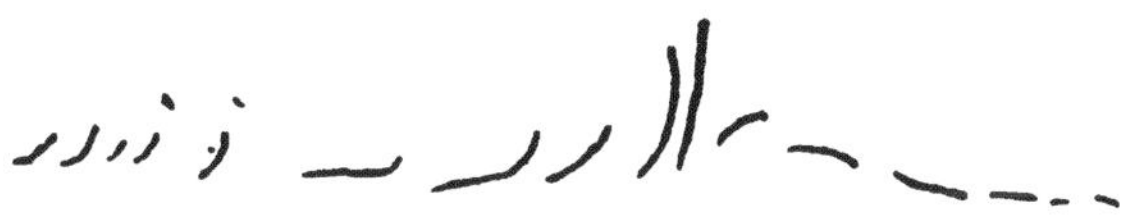

Fallbeschreibung

Im August 1985 wurde uns das gut 6jährige Gibbonweibchen "Blacky" aus einem Hobbyzoo im schweizerischen Mittelland überwiesen. Anamnestisch ergab sich, daß der Gibbon seit 2 Monaten an Durchfall litt, wobei der Kot zwischenzeitlich wieder für 1 - 2 Tage geformt war. Der Kot war schmierig, gelblich, manchmal mit unverdautem Futter durchsetzt. Die privattierärztlichen Untersuchungen und Therapien blieben erfolglos. Das Tier wurde seit Jahren unverändert ernährt und zwar mit verschiedenen Früchten, Zwiebeln und Salat. Der Gibbon wurde seit 3 Jahren allein in einem großen Käfig gehalten. Bis vor 2 Jahren war das Tier ganz zahm, heute kann die Besitzerin das Tier aber nur noch durch das Gitter streicheln.

Zum Zeitpunkt unserer ersten Untersuchung schien der Gibbon äußerlich unverdächtig, er war munter, turnte umher und setzte auffallend gelblichen, schmierigen Kot ab. Blut oder auch Schleim konnten wir nicht finden. Das Gewicht des Gibbon betrug 4,1 kg. Wir machten unter Narkose mit 10 mg/kg KM Ketamin-HCl (Ketalar^R) eine Röntgenaufnahme und nahmen Blut ab. Auf dem Röntgenbild konnten wir außer der etwas dichteren Darstellung des Magen-Darmtraktes nichts besonderes feststellen. Die Blutuntersuchung ergab folgende Werte:

Rotes Blutbild		1)	
Erythrozyten	6,67	(Ø 6,5)	10^6/µl
Hämoglobin	12,4	(Ø 15)	g/dl
Hämatokrit	44	(Ø 46)	%
MCH	19	(Ø 23)	pg
MCV	66	(Ø 68)	fl
MCHC	28	(Ø 33)	g/dl
Plasmaprotein	74		g/l
Fibrinogen	3		g/l

Weißes Blutbild		1)	
Leukozyten	9000	(8 - 11'000)	/µl
Neutrophile	82	(55)	%
Eosinophile	2	(0)	%
Basophile	1	(5)	%
Monozyten	2	(5)	%
Lymphozyten	13	(35)	%

Klinische Chemie

AP	161 U/l
Glukose	5,1 mmol/l
Amylase	98 U/l
GLDH	4 U/l
GOT	19 U/l
GPT	15 U/l
-GT	7 U/l
Kreatin Kinase	245 U/l

1) Normalwerte nach WALLACH, BOEVER (1983) und KEELING, MC CLURE (1972)

Die parasitologische und bakteriologische Kotuntersuchung verlief negativ.
Der Urin ergab folgende Werte: Farbe: rötlich-braun, trüb, spez. Gewicht: 1015 g/l, pH: 9,0 und Urobilinogen: normal.
Nitrit, Protein, Bilirubin, Ketonkörper und Glukose waren nicht nachweisbar, Sediment: o.B.

Am nächsten Tag war der Kot braun gefärbt und von normaler Konsistenz, bereits am übernächsten aber hatte der Gibbon wieder gelblich-schmierigen Kot und er fraß wenig.
Bei der Untersuchung der Verdauungsfermente fanden wir kein Trypsin. Mikroskopisch sahen wir Fettropfen und pflanzliche Bestandteile in normalem Umfang.
Das Gewicht des Gibbons blieb in der Zeit unserer Untersuchungen bei 4.1 kg KM. Nach einer Woche begannen wir mit einer Diät. Brei, Yoghurt und Hüttenkäse mit Bananen, Zwieback, Orangensaft, Traubenzucker, Honig und Pancrotanon^R. Trotz dieses Futterregimes war kein Rückgang der Diarrhoe zu beobachten. Eine Woche später gaben wir dann zudem geriebene Äpfel, was einen leichten Rückgang des Durchfalls bewirkte. Wiederum eine Woche später wog er 4,3 kg und wir entschlossen uns zu einer diagnostischen Probelaparotomie, da wir aus den bisherigen Untersuchungen keine Schlüsse auf eine Ursache der Erkrankung ziehen konnten.
Nach einer Prämedikation mit 8 mg Ketamin-HCl/kg KM, intubierten wir und setzten die Narkose mit einem Halothan-Lachgas-Sauerstoffgemisch fort. Daneben gaben wir 0,5 ml einer 1 %igen Atropinsulfatlösung.

In der eröffneten Bauchhöhle fielen die vergrößerten Lymphknoten auf. An den übrigen Organen, auch am Pankreas, konnten keine Veränderungen gefunden werden. Für eine Spülung des Darmes, um Giardia sp. nachzuweisen, verwendeten wir physiologische Kochsalzlösung, konnten jedoch keine Parasiten finden.

Die Laboruntersuchungen der Darm- und Lymphknotenbiopsien führten zu folgenden Befunden:
Mesenteriallymphknoten:
- Zellkultur: Lymphozyten 82
  Blasten 18
  mäßig Erythrozyten
  mäßig Retikulumzellen
- Histologie: mittelgradige subakute bis chronische Lymphadenitis unbekannter Ätiologie.

Darm: Histologie: mäßig chronische plasmazelluläre Enteritis.

Die Blutwerte vor der Operation sahen dabei folgendermaßen aus:

Bilirubin gesamt	5,0 µmol/l
Harnstoff	7,1 mmol/l
AP	179 U/l
Amylase	11 U/l
Lipase	110 U/l
Na	144 mmol/l
K	4,8 mmol/l
Cholesterin	1,9 mmol/l

Für die folgende Nacht legten wir einen Schutzverband an, der am nächsten Tag entfernt wurde. Das Gewicht des Tieres betrug 4,2 kg. Gleichzeitig verabreichten wir 2 mg eines Depot-Dexamethasonesters (Voren^R) i.m., worauf der Kot schon am nächsten Tag eine normale Konsistenz und eine gelblich-braune Färbung zeigte. Täglich bekam der Gibbon seinen Diätbrei, jetzt ohne

Pancrotanon[R]. Der Kot blieb eine Weile von normaler Konsistenz, wenn wir dem Gibbon täglich Prednisolon-P[R] oral verabreichten.

Diskussion

Aufgrund der Symptomatik zogen wir folgende mögliche Ursachen für die Diarrhoe in Betracht:
- bakteriell (z.B. Salmonellen)
- parasitär (insbesondere Giardia)
- mechanisch (Striktur oder Stenose, Gallendefizit nach Obstruktion)
- unspezifische Entzündung (Infiltration der Darmwände mit Eosinophilen, Lymphozyten und Plasmazellen)
- diätetisch (Futterunverträglichkeit)
- metabolisch (Lebererkrankung)
- Neoplasien (z.B. Lymphosarkom)
- andere (chronisch rezidivierende Pankreatitis, Pankreasatrophie, evt. psychisch).

Die möglichen bakteriellen und parasitären Ursachen wurden durch mehrmalige Kotuntersuchungen, Giardia durch eine zusätzliche intraoperative Darmspülung ausgeschlossen. Eine Futterunverträglichkeit versuchten wir durch Futterumstellung zu diagnostizieren. Wir konnten dabei nie eine Veränderung des Zustandes bewirken. Eine Entzündung konnte histologisch nachgewiesen werden. Wir fanden eine mäßige, chronische plasmazelluläre Enteritis, zusammen mit einer mittelgradigen subakut bis chronischen Lymphadenitis unbekannter Ätiologie. Neoplasien und metabolische Erkrankungen gehen unter anderem meist mit einer Abmagerung einher. Da das Tier aber seit Jahren nicht gewogen wurde, bei uns das Gewicht trotz Diät nicht oder leicht verbesserte, stellten wir diese Ursachen zurück. In der Literatur (WALLACH und BOEVER, 1983; FOWLER, 1978; KLÖS und LANG, 1976) wird eine Diarrhoe meist im Zusammenhang mit anderen Symptomen beschrieben und kann so im allgemeinen dem jeweiligen Krankheitskomplex zugeordnet werden. "Blacky" aber zeigte neben dem gelblich schmierigen Durchfall bei der Untersuchung keine für eine Krankheit typischen Veränderungen. Er sprach nur auf die Cortisontherapie an, wobei auch hier die Kotkonsistenz nur zeitweise verbessert werden konnte.

Laut KOCH-ISENBURG (1970) und den mündlichen Angaben von GEISSMANN (1985) beobachtete man bei Gibbons öfters Durchfälle, die man auf psychische Ursachen, wie Transport, Käfigart, Haltung, Futter und Pfleger zurückführte. Die Besitzerin des Gibbons pflegte diesen seit 6 Jahren. Sie hatte eine enge Beziehung zu ihm. Seit längerer Zeit ist sie nun anderweitig großen psychischen Belastungen ausgesetzt, denen sie nach eigenen Angaben nicht gewachsen ist. Die Frage bleibt offen, ob dieses Verhalten den Gibbon so beeinflussen kann, daß er mit chronischem unspezifischem Durchfall reagiert.

MOLTEN et al. (1980) beschreiben einen Fall bei einem Gorilla, der nach drei Jahren mit chronischem unspezifischem Durchfall einen tödlichen Ausgang nahm. Diagnostisch und therapeutisch konnten auch dort keine Erfolge erzielt werden. Bei der Sektion fanden sie eine Zellatrophie im Jejunum und eine Verflachung des Epithels in anderen Darmabschnitten, dort zum Teil mit eingelagerten Bakterien und Eisenablagerungen in den Lymphknoten. Die eigentliche Ursache für den chronischen Durchfall konnte nicht ermittelt werden. FIENNES (1972) beschrieb Fälle, bei denen durch Streß chronischer Durchfall und Ulzera im Magen auftraten.

Zusammenfassung

Diarrhoe bei einem Gibbon (Hylobates agilis)

Ein weiblicher Gibbon wurde wegen einer unspezifischen Diarrhoe vorgestellt und klinisch untersucht. Die histologische Untersuchung der Biopsien, die bei einer diagnostischen Laparotomie entnommen wurden, zeigten eine chronische Lymphadenitis und eine chronische plasmazelluläre Enteritis. Außer einer möglichen psychischen Ursache wurde kein weiterer Hinweis gefunden. Die verordnete Diät und eine Steroidbehandlung zeigten keinen Erfolg.

Summary

Diarrhoea in Gibbon (Hylobates agilis)

A female gibbon was admitted and clinically examined for unspecific diarrhoea. Chronic lymphadenitis and chronic plasmacellular enteritis were recorded from histological examination of bioptates which had been taken by diagnostic laparotomy. A psychic cause was found to be possible, but no other clues were found. Special diet and steroid therapy were prescribed but failed to produce any success.

Résumé

La diarrhée chez un gibbon (Hylobates agilis)

Un gibbon femelle a été présenté et cliniquement examiné à cause d'une diarrhée aspécifique. L'étude histologique des biopsies d'une laparotomie diagnostique a manifesté une lymphadénite chronique et une entérite plasmacellulaire chronique. A part de la possibilité d'une cause psychique on n'a trouvé aucune autre indication. Le régime alimentaire et un traitement aux stéroïdes ont été sans succès.

Резюме

Понос у гиббона (Hylobates agilis)

Матка гиббона обследовалась по поводу не специфичного поноса. Гистологические срезы биопсии , взятые при диагностетической лапароскопии показали хронический лимфаденит и хронический плазмацеллюлярный энтерит. Кроме возможной психической причины, других причин не обнаружено. Диета и гормональное лечение положительных результатов не дали.

Literaturverzeichnis

FIENNES, R.N.T.-W. (1972): Pathology of Simian Primates. Part I, S. Karger, Basel, 334 - 335.

FOWLER, M. (1978): Zoo and wild animal medicine. Philadelphia, London, Toronto: Saunders Company.

GEISSMANN, T. (1985): Persönliche Mitteilung.

KEELING, M.E., and H.M. MC CLURE (1972): In RUMBAUGH, D.M.: Evolution, Ecology, Behavior, and Captive Maintenance. Basel: S. Karger.

KLÖS, H.-G., und E.M. LANG (1976): Zootierkrankheiten. Berlin: Parey.

KOCH-ISENBURG, L. (1970): Affen als Heimtiere. Stuttgart: Ulmer.

MOLTENI, A., REDDY, J.R., SCARPELLI, D.G., SPARBERG, M., and E.R. MASCHGAN (1980): Chronic idiopathic diarrhea with enterocolitis and malabsorption in a captive lowland gorilla - a case report. In: MONTALI, R. and MIGAKI, G.: The comparative pathology of zoo animals. Washington D.C.: Smithsonian Institution.

WALLACH, J.D., and W.J. BOEVER (1983): Diseases of exotic animals. Saunders Company.

Anschrift der Verfasser: Ruth B a u m g a r t n e r
Zootierklinik
Institut für Zuchthygiene
der Universität Zürich
Winterthurerstr. 260
CH-8057 Zürich (Schweiz)

From Agricultural College of Kaposvár, Institute of Pig and Small-Animal Breeding, Institute of Animal Physiology and Nutrition, and Zoo Park of Pécs

MILK SAMPLING AND ANALYSIS OF ZOO-KEPT RED, FALLOW, AND ROE DEER

By L. Sugár, J. Csapó, Zsuzsa Csapó, A. Horn Jr. and Z. Lemle

Introduction

The best way to get an experimental deer herd is artificial rearing of newborn animals. For rearing it is necessary to know the composition of dam's milk. Though we have known much from the literatur (ARMAN et al., 1974; BRÜGGEMANN et al., 1972; KRZYWIŃSKI et al., 1980; SCHUBERT and GIESECKE, 1972), our knowledge is insufficient about the amino-acid composition and vitamin content of red deer milk, not to speak of fallow and roe deer milk. That is why we decided to make these investigations.

Materials and methods

The milk samples were taken from lactating red deer hinds as well as from fallow deer and roe deer does kept in the Zoo Park at Pécs (South Hungary). These deer herds were kept in small enclosures (400 - 600 m^2 for each species herd), and since there was no possibility for grazing and browsing they were feeding on different sorts of solid food.

Samples were taken from five red hinds (a week after calving: 11 June, then one and two months later), three fallow does (two weeks after fawning: 11 July, then a month later), two roe does (similar to fallow does). This way we obtained milk samples of 15 heads of red deer, six heads of fallow deer and four heads of roe deer.

Before sampling, all animals were immobilised. Fentanyl (Janssen-Pharmaceutica), proposed by FABIAN (1978), or a combination of Fentanyl and Xylazine (Rompun, Bayer) was used to achieve this neuroleptanalgetic status. - This, later, was based on our own idea, since we had no Azaperone (Stresnil, Janssen). - Injections of 0.6 - 1.5 ccm were applied to the gluteal musculature, using Telinject dart syringes with Telinject air gun or blowpipe. Milk ejection was induced by injection of oxytocin (G. Richter) into the jugular vein or gluteal musculature. After sampling, Nalorphin (Chinoin) was intramuscularly applied to dissolve the action of Fentanyl (see Table 1).

Table 1: Doses of drugs used in milk sampling from deer females

Species	No	Estim. live wt. (kg)	Fentanyl mg	Xylazine mg	Oxytocin I. U.	Nalorphin mg
Red	5	100 - 140	50 - 60	50 - 75	20 - 30	15 - 25
Fallow	3	45 - 60	50 - 60	50 - 70	15 - 20	15 - 25
Roe	2	18 - 22	15 - 20	25 - 30	10	10

Quantities of samples taken were 150 - 175 ccm from red deer, 50 - 80 ccm from fallow does, and 30 - 60 ccm from roe does taken from two or more udder quarters.
Samples were transported in cooled condition, then stored frozen at -25° C until analysis. The re-frozen and homogenised samples were analysed for their major constituents (except lactose), fractions and amino acid composition of protein, fatty acid composition of fat, major elements of ash as well as A, D_3, E, and C vitamin levels (without detailing the methods used here (CSAPÓ-CSAPÓ, 1982; CSAPÓ-CSAPÓ, 1983; CSAPÓ et al., 1984; CSAPÓ et al., 1986).

Results and discussion

1. Neuroleptic analgesia produced by Fentanyl-Xylazine combination

Having taken courage in a successful trial on 11. July, 1985, this combination was used for milk sampling from red deer in 18 cases, three cases of fallow deer, and two cases of roe deer. (It was also used with good success another 20 cases for transport and translocation of tame red deer.) Hence, we can safely recommend this method for use in cases of shortage of Azaperone; Neuroleptic analgesia was fully developed in 80 to 100 seconds and continued up to 70 to 100 minutes, using on red deer doses of 0.4 - 0.7 mg/kg b. w. of Fentanyl and 0.4 - 0.6 mg/kg b. w. Xylazine.
No side-effects resulting in bloat developed in the wake of such a low dose of Xylazine.

The effect of Fentanyl can be easily dissolved by intramuscular administration of Nalorphin (0.15 - 0.2 mg/kg b. w.).

2. Milk compositon of red, fallow, and roe deer

Data of cow milk examined by the same methods (CSAPÓ-CSAPÓ, 1982; CSAPÓ-CSAPÓ, 1983; CSAPÓ et al., 1984) are also given for comparison of data in the last column.

The concentrations of major constituents (total solids, total protein, fat, ash) in the milk of the three deer species are summarised in Table 2.

Table 2: Major constituents in milk of three deer species and cow (g/100 g milk)

Components	Species			
	Red	Fallow	Roe	Cow
Total solids	19.56 (± 0.39)	19.62	23.96	12.01 (± 0.24)
Protein	7.05 (± 0.26)	6.9	7.01	3.54 (± 0.18)
Fat	7.71 (± 0.51)	8.36	11.9	3.3 - 6.5
Ash	1.14 (± 0.04)	0.96	1.4	0.736(± 0.02)

Roe deer milk is striking by its high concentrations of total solids and ash and even more by its fat content.

The composition of red deer milk obtained in this study was similar to values recorded by others (ARMAN et al., 1974; BRÜGGEMANN et al., 1973; KRZYWIŃSKI et al., 1980).

The relative quantities of different protein fractions are given in Table 3. Here, only the low level of whey-protein and high level of NPN in roe does milk must be stressed.

Table 3: Relative quantities of different protein fractions (in percent of total Nx6.38) in milk of the three deer species and cow

Fraction	Species			
	Red	Fallow	Roe	Cow
True protein	94.89	93.91	91.58	95.86
Casein	79.86	80.0	79.6	79.04
Whey Nx6.38	20.14	20.0	20.4	20.96
Whey protein	15.04	13.91	11.98	16.75
NPN	5.11	6.09	8.42	4.21

There are negligible differences in amino acid composition between the three deer species and cow milk (Table 4). On the other hand, the result of fatty acid analysis is of greater interesting (Table 5). Though the four predominant fatty acids were the same (C-14:0, C-16:0, C-18:0, and C-18:1) in each species' milk, there were significant differences. Red hind's milk and fallow doe's milk, too, were more similar to cow milk than to roe doe's milk in respect of fatty acid composition. The ratio of C-4:0 to C-16:1 fatty acids was 71.4 % in cow milk, 64 % in red deer milk, and 57.4 % in fallow deer milk but was only 40.3 % in roe deer milk. This difference was very high stearic acid (C-18:0) and oil acid (C-18:1) primarily attributable to levels in roe deer milk, with the latter being similar in fallow deer milk. In spite of it, the miristic acid (C-14:0) level was relatively low in roe milk. The palmitic acid (C-16:0) content was equally high in the milk of all four species. The fatty acid composition in red deer milk found by SCHUBERT and GIESECKE (1972) and KRZYWIŇSKI et al. (1980) was similar to our own findings.

In relation to some ash components (K, Na, Ca, P, Mg) ARMAN et al. (1974) and KRZYWIŇSKI et al. (1980) found similar concentrations, but they did not examine the Zn, Fe, Cu, and Mn concentrations. Particular reference should be made to the relatively high sodium, iron, and manganese concentrations in roe deer milk (Table 6).

Roe deer milk was conspicuous also for its vitamin content. However, concentrations of each of the analysed vitamins were higher than those in the other three species' milk, the most striking level being recordable from vitamin A. We have not found until now any data for comparison in the literature (Table 7).

Table 4: Amino acid composition of red, roe, fallow deer, and cow milk (g amino acid/100 g milk)

Amino acid	Species			
	Red	Roe	Fallow	Cow
Asp	0.47 ± 0.023	0.47	0.37	0.25 ± 0.011
Thr	0.29 ± 0.021	0.30	0.26	0.13 ± 0.007
Ser	0.40 ± 0.015	0.37	0.35	0.19 ± 0.007
Glu	1.55 ± 0.068	1.51	1.33	0.71 ± 0.029
Pro	0.69 ± 0.046	0.68	0.77	0.33 ± 0.017
Gly	0.16 ± 0.014	0.17	0.12	0.06 ± 0.006
Ala	0.21 ± 0.013	0.20	0.20	0.11 ± 0.006
Cys	0.051 ± 0.006	0.059	0.054	0.026 ± 0.003
Val	0.37 ± 0.023	0.40	0.32	0.22 ± 0.010
Met	0.23 ± 0.013	0.23	0.20	0.09 ± 0.005
Ile	0.29 ± 0.009	0.29	0.27	0.18 ± 0.005
Leu	0.64 ± 0.044	0.64	0.58	0.33 ± 0.014
Tyr	0.37 ± 0.009	0.39	0.34	0.16 ± 0.004
Phe	0.31 ± 0.011	0.29	0.26	0.16 ± 0.006
Lys	0.57 ± 0.035	0.55	0.49	0.27 ± 0.014
His	0.20 ± 0.028	0.21	0.16	0.09 ± 0.008
Arg	0.21 ± 0.010	0.17	0.18	0.12 ± 0.004
Trp	0.11 ± 0.012	0.11	0.10	0.045 ± 0.004
NH_3	0.11 ± 0.022	0.09	0.13	0.06 ± 0.009
Total	7.231	7.129	6.484	3.531

Table 5: Fatty acid composition of three deer species and cow milk

Fatty acid (no of C atoms:no of =)	Species Red			Roe	Fallow	Cow		
				Relative volume, %				
C- 4:0	0.31	±	0.107	0.15	0.72	0.52	±	0.111
C- 6:0	0.29	±	0.072	0.19	0.30	0.56	±	0.094
C- 8:0	0.86	±	0.079	0.31	0.59	0.27	±	0.022
C-10:0	2.51	±	0.216	1.02	1.08	2.61	±	0.219
C-12:0	3.90	±	0.356	1.43	1.47	4.35	±	0.362
C-14:0	16.45	±	1.050	9.11	16.40	14.00	±	0.998
C-14:1	0.72	±	0.231	0.08	0.71	1.41	±	0.329
C-15:0	0.99	±	0.295	0.66	1.46	1.32	±	0.194
C-15:1	0.33	±	0.072	0.25	1.81	0.23	±	0.050
C-16:0	34.88	±	1.879	26.01	30.65	44.06	±	2.100
C-16:1	2.78	±	1.580	0.83	2.23	2.08	±	1.009
C-17:0	0.63	±	0.271	1.03	1.33	0.60	±	0.228
C-17:1	0.24	±	0.049	0.40	0.75	0.46	±	0.063
C-18:0	11.81	±	1.442	22.93	11.43	7.94	±	1.001
C-18:1	19.77	±	1.773	27.25	25.58	17.25	±	1.533
C-19:0	0.035	±	0.013	0.05	0.05	0.032	±	0.009
C-18:2	1.71	±	0.262	2.65	2.56	1.72	±	0.198
C-20:0	0.36	±	0.059	0.57	0.34	0.19	±	0.019
C-18:3	0.71	±	0.052	2.02	0.10	0.09	±	0.002
C-22:0	0.11	±	0.021	0.19	0.10	0.15	±	0.019
C-20:3 } C-22:1 }	0.272	±	0.042	2.40	0.31	0.20	±	0.031

Table 6: Macro-element and trace element levels in red, fallow, and roe deer and cow milk (mg/1000 g milk)

Component	Species Red			Roe	Fallow	Cow		
K	1546	±	88	1606	1499	1263	±	88
Na	454	±	9.5	903	432	490	±	38
Ca	2617	±	115	3513	1918	1193	±	76
P	1774	±	120	2188	1151	947	±	70
Mg	155.5	±	18.6	220.8	167.9	133.7	±	7.2
Zn	12.9	±	1.48	15.7	10.6	4.89	±	0.76
Fe	1.78	±	0.27	4.62	4.32	0.92	±	0.12
Cu	0.338	±	0.037	0.482	0.499	0.311	±	0.046
Mn	0.169	±	0.041	0.301	0.168	0.091	±	0.015

Table 7: Vitamin content of red, fallow, and roe deer and cow milk (mg/1000 ml milk)

Component	Species			
	Red	Roe	Fallow	Cow
Vitamin A	0.588 ± 0.051	2.084	0.531	0.352 ± 0.044
Vitamin D_3	0.0139 ± 0.0014	0.0354	0.0122	0.0029 ± 0.0005
Vitamin E	1.383 ± 0.285	2.182	1.271	1.135 ± 0.242
Vitamin K_3	0.057 ± 0.009	0.084	0.058	0.032 ± 0.006
Vitamin C	22.4 ± 0.89	31.8	24.8	15.32 ± 0.29

3. Milk replacer for red deer calves

On the basis of data found in the literature cited above and following our own investigations we prepared a milk replacer powder containing components concentrations similar to those found in the total solids of red deer milk.
This powder can be stored for two to three weeks, and it is easy to homogenise it in water to produce an emulsion with 22 % solid content.

This emulsion was heated up to 38°. It was the only feed of our red deer calves (eleven wild-caught newborns) during their first months of life. Later on, they started to eat in increasing quantity solid feed beside the milk replacer (twigs of poplar and willow, cut alfalfa, etc.). After two months of age, the milk replacer was diluted to two-thirds with low-germ cow milk. Its use was of higher economy after the critical early nursing period. Last summer, eleven calves were reared successfully up to weaning at four months of age.

Knowing the similar composition of fallow deer milk, this red deer milk replacer was, undoubtedly, useful to rear fallow deer calves.

Yet, to use this replacer to rear roe deer fawns, the fat content should be increased (up to 11 - 12 %), and vitamin A, D_2 and C should be supplemented.

Acknowledgments

We should like to thank all those who helped us in sampling from deer, especially T. Gyarmati and others for having made some of the analyses.

Summary

Milk Sampling and Analysis of Zoo-Kept Red, Fallow, and Roe Deer

Three milk samples were taken from each of the above three deer species under neuroleptic anaesthesia. High values were analytically recorded for dry matter, fat, vitamins, and trace elements. The protein fractions of red deer were similar to those recorded from fallow deer. Protein levels should be doubled and fat levels tripled for artificial rearing, using cow milk. Addition of vitamins A, D_2, and C is recommended for rearing of roe fawns.

Zusammenfassung

Entnahme und Untersuchung von Milchproben von im Zoo gehaltenen Rothirschen, Damwild und Rehen

Von den genannten Hirscharten wurden dreimal Milchproben unter Neuroleptanalgesie entnommen. Die Analyse ergab hohe Werte an Trockensubstanz, Fett, Vitaminen und Spurenelementen. Die Eiweißfraktionen ähnelten sich bei Rot- und Damwild. Bei Verwendung von Kuhmilch zur künstlichen Aufzucht muß der Eiweißgehalt verdoppelt und der Fettgehalt verdreifacht werden. Für die Aufzucht von Rehkitzen wird eine Zuführung der Vitamine A, D_2 und C empfohlen.

Résumé

Prélèvement et examen des échantillons de lait des bêtes fauves, daims et chevreuils

Chez les cerfs mentionnés on a prélevé trois fois des échantillons de lait, les animaux étant sous neuroleptanalgésie. L'analyse a donné des valeurs élevées de substance sèche, des matières grasses, vitamines et oligo-éléments. Les fractions d'albumen des bêtes fauves et daims ont été similaires. Quand on offre du lait de vache pour l'élevage artificiel il est nécessaire de doubler la teneur en albumen et de tripler celle en matières grasses. Pour l'élevage des chevrillards on recommande un supplément des vitamines A, D_2 et C.

Резюме

Изучение молочных проб у проживающих в зоопарке благородного оленя, лани и серны.

У выше названных животных после нейролептоаналгезии взято по 3 пробы молока. Анализ молока показал высокое содержание сухого вещества, жиров , витаминов и микроэлементов Фракция белка у благородного оленя и лани подобна. При применении для искусственого вскармливания молодняка выше названных животных коровьем молоком требуется увеличение дозы белка в два раза, а количество жиров должно быть увеличено в три раза. Для вскармливания серн рекомендуется добавление витаминов А,$Д_2$ и С.

References

ARMAN, P., KAY, R. N. B., GOODALL, E. D., and G. A. M. SHARMAN (1974): The composition and yield of milk from captive red deer (Cervus elaphus L.). J. Reprod. Fert. 37, 67 - 84.

BRÜGGEMANN, J., DRESCHER-KADEN, U., und K. WALSER-KÄRST (1973): Die Zusammensetzung der Rotwildmilch. Z. Tierphysiol. Tierernährg. Futtermittelkde., 5, 227 - 238.

CSAPO, J., and J.-né CSAPO (1982): A magyartarka, a holstein-friz és a magyartarka x holstein-friz tehenek teje ásványi-anyag-tartalmának vizsgálata a laktáció folyamán. Tejipar 31, 55 - 60.

CSAPO, J., and J.-né CSAPO (1983): A magyartarka, a holstein-friz és a magyartarka x holstein-friz tehenek teje fehérje-tartalmának vizsgálata a laktáció folyamán. Tejipar 32, 39 - 46.

CSAPO, J., CSAPO, J.-né, and J. SEREGI (1984): A szarvasmarha és a kecske tejének C-vitamin tartalma. Tejipar 33, 37 - 42.

CSAPO, J., TOTH-POSFAI, J., and Zsuzsanna CSAPO (1986): Optimisation of hydrolysis for determination of amino acid content in food and feed products. Acta Alimentaria. 15, 3 - 21.

FABIAN, Gy. (1978): Hazai nagyvadjaink immobilizációja neuroleptanalgeziás állapotot elöidézö szerek keverékével. Allattani Közlemények 65, 51 - 61.

KRZYWINSKI, A., KRZYWINSKA, Krystina, KISZA, J., ROSKOSZ, A., and A. KRUK (1980): Milk Composition, Lactation and Artificial Rearing of Red Deer. Acta Theriol. 25, 341 - 347.

SCHUBERT, Renate, und D. GIESECKE (1972): Biologisch-chemische Untersuchungen über die ontogene Modifikation von Fettgeweben beim Rothirsch. Z. Tierphysiol., Tierernährg. u. Futtermittelkde. 29, 321 - 325.

Address of authors: Dr. L. S u g á r
Agricultural College
H - 7401 Kaposvár
Dénesmajor 2 (Hungaria)

Aus dem Thüringer Zoopark Erfurt (Direktor: VR Doz. Dr. D. ALTMANN)

ZUR THERAPIE DER DURCH BAKTERIELLE MISCHINFEKTIONEN BEDINGTEN ERKRANKUNGEN IM WANGEN-KIEFER-BEREICH BEI KÄNGURUHS

Von D. Altmann

Die Erkrankungen der Känguruhs im Bereich der Wangen und der Kiefer stellen wohl den Erkrankungskomplex dieser Tiergruppe in den Tiergärten dar, der wegen geringer Aussicht auf therapeutische Erfolge und hoher Mortalitätsrate am meisten gefürchtet ist (ANONYM, MISAKI PARK ZOO, 1965; BARKER et al., 1963; BARKER, 1971; CHIBA et al., 1960; CRANDALL, 1968; ELZE et al., 1976; ERIKSEN, 1964; FINNIE, 1975; GOSS, 1942; GRAHAM-JONES, 1964; GRANT, 1974; HAMMERTON, 1953; HUBER et al., 1976; JORDAN, 1964; KLÖPPEL, 1964; KORDA, 1962; KRONBERGER und SCHÜPPEL, 1976; LANG, 1975; LINDAU, 1964; MASUI et al., 1977; MAYER et al., 1975; NOUVEL, 1964; PIEKARZ, 1966; POELMA, 1964; SCHMIDT, 1975; SCHNEIDER et al., 1976; SCHRÖDER und IPPEN, 1976; SEIDEL, 1973; STEGER, 1976; WATANABE et al., 1965; WIESNER, 1976; ZWIETAJEWA, 1941). Diese Erkrankung beginnt oft mit einem vermehrten Lecken der Lippen und einem häufiger als normalen Putzen des Gesichts durch eine gesteigerte Salivation und/oder anfangs serösen Nasenausfluß bedingt. Diese Anfangssymptome werden häufig, das gilt besonders für die Haltung von Känguruhs in größeren Gruppen, übersehen. Oft wird erst die in der Regel einseitige Schwellung der Wangenregion festgestellt (CALABY and POOLE, 1971; ERIKSEN, 1964; IRWAN und CAMERON, 1962; LINDAU, 1963; WIESNER, 1976). Von den Weichteilen der Mundhöhle ausgehend, greift die purulent-nekrotisierende Entzündung auf das Knochengewebe des Splanchokraniums über und führt über eine eitrige Alveolitis zum Ausfall der Zähne sowie zu fistulösen Osteomyelitiden des Ober- und Unterkiefers (WIESNER, 1976). In gleicher Weise charakterisiert KORDA (1962) das Erkrankungsbild. ERIKSEN, der 1964 eine sehr ausführliche Aufzählung aller Symptome bei dieser Erkrankung vornimmt, weist unter anderem darauf hin, daß die teilweise weichen, teilweise harten Veränderungen tiefe Kanäle und andere Verzweigungen aufweisen, aus denen putrides bzw. nekrotisches Material entweder nach innen in die Mundhöhle oder nach außen durch die Wangenhaut, ja teilweise sogar über die Augenumgebung, sicher besonders durch den Tränen-Nasen-Kanal, sofern keine pathogen bedingten Durchbrüche vorliegen, abgegeben wird. Dem gleichen Autor folgend, werden auch die Zunge und die Zungenwurzel in Mitleidenschaft gezogen. Er beschreibt auch Schwellungen bis in die Nackenregion sowie eine Schwellung der Regionallymphknoten. Diese Befunde werden später von weiteren Autoren bestätigt. Es sei in diesem Zusammenhang besonders auf die Arbeit von ELZE et al. (1976) hingewiesen.

Schließlich weisen ELZE et al. (1976), ERIKSEN (1964), MASUI et al. (1977), SCHMIDT (1975), SCHRÖDER und IPPEN (1976), SEIDEL (1973) und andere darauf hin, daß auch Organkomplexe parallel zu der Erkrankung am Kopf betroffen sein können, und zwar die Lungen, dann treten oft, nicht zuletzt durch Verlegung der Luftwege durch purulente Massen, erhebliche Atemschwierigkeiten auf, das Gehirn und/oder der Magen, der dann eine generelle Gastritis ulcerativa zeigt, bei der zum Teil Perforationen die Folge sind, die ihrerseits wieder zu einer Peritonitis führen. ERIKSEN (1964) weist dabei darauf hin, daß die Erkrankungsfälle, bei denen der Atmungsapparat, das Gehirn und/oder der Magen in Mitleidenschaft gezogen waren, schneller zum allgemeinen Kräfteverfall und schließlich zum Tode führten, als es bei den nur in den Weichteilregionen des Kopfes und den Kieferregionen erkrankten Tieren der Fall war. In einer Reihe von Fällen, solche Beobachtungen konnten wir in der Vergangenheit bei mehreren Känguruhs (Rotes Riesenkänguruh, Graues Riesenkänguruh, Bennettkänguruh) machen, beginnen die krankhaften Veränderungen in der Mundhöhle, das heißt im Bereich der Gingiva bzw. der Zahnalveolen und breiten sich später einerseits auf die Wangenschleimhaut und -muskulatur und die Zunge sowie andererseits auf den oder die Kieferknochen aus. Die gleichen Feststellungen machten unter anderem HUBER et al.(1976), SCHMIDT (1975) und SEIDEL (1973). Hier sind ernährungsbedingte spitze kleine Fremdkörper oder andere in der Regel nur kleine Traumen hervorrufende Faktoren wie Getreidespelzen, Getreidegrannen und anderes genau wie bei den Verletzungen der Mundschleimhaut oder vielleicht auch der Haut in der Wangenregion bzw. benachbarten Regionen möglicherweise die auslösenden Faktoren. Diese Meinung vertreten u.a. CRANDALL (1968), ERIKSEN (1964), GRZIMEK (1977), HUBER et al. (1964), KLÖPPEL (1964), NOUVEL (1964) und WIESNER (1976). Demzufolge erhalten in vielen Zoos Känguruhs keine stachligen, kleine spitze Fremdkörper wie Spelzen enthaltende Futtermittel wie Stroh, Quetschhafer, Apfelgehäuse und ähnliches, sondern nur weiches Heu, Haferflocken etc. Auf die übrigen Futtermittel soll hier im Einzelnen nicht eingegangen werden.

Diese Ansicht stellen CRANDALL (1964), ELZE et al. (1976), FINNIE (1975), GRZIMEK (1977), KRONBERGER und SCHÜPPEL (1976), SCHNEIDER et al. (1976), SCHRÖDER und IPPEN (1976), STEGER (1977) und andere deshalb in Frage, weil in Australien und Nachbarregionen zahlreiche Känguruharten, darunter auch in den Zoos oft erkrankende Arten, wie das Rote und Graue Riesenkänguruh, in erheblichem, teilweise sogar in den letzten Jahren in zunehmendem Maße harte, stachelige Pflanzen, es sei hierbei besonders auf die Spinifexgräser (Triodia spinifex) hingewiesen, zu sich nehmen. Dabei wird festgestellt, daß die Schafe die weicheren "etwas mehr Eiweiß" enthaltenden Gräser abweiden. Dadurch und durch die Tatsache, daß die Farmer diese Gräser, wenn sie am Halm getrocknet und damit Samenträger geworden sind, oft abbrennen, kommt es zur Reduzierung beziehungsweise Vernichtung dieser Gräser und zur Förderung der Vermehrung des Spinifexgrases. Dieses wird von Känguruhs, besonders von Riesenkänguruhs, viel besser vertragen und verwertet als von Schafen, so daß man in diesem Vorgang eine Ursache für die Verschlechterung der Lebensbedingungen für die Schafe und für die Vermehrung der Känguruhs, besonders der Riesenkänguruhs, sieht (GRZIMEK, 1977).

Als den Ausbruch der Erkrankung fördernd gelten Streßsituationen, zu denen auch Fangaktionen zählen (GRAHAM-JONES, 1964; SCHNEIDER et al., 1976; SCHRÖDER und IPPEN, 1976). Weiterhin wird auf Vitaminmangel, besonders den Mangel an Vitamin A (Epithelschutzvitamin) und Vitamin C (Infektionsprophylaxe) sowie Mangel an Mineralien und Mikronährelementen (BARKER, 1971; ELZE et al., 1976; KLÖPPEL, 1964; NOUVEL, 1964; SCHNEIDER et al., 1976; SCHRÖDER und IPPEN, 1976; WIESNER, 1976) sowie das Fehlen von ausreichend Eiweiß (BARKER, 1971; LANG, 1964; WIESNER, 1976) hingewiesen. Was den Eiweißgehalt bei der Ernährung anbetrifft, so sei hier auch auf GRZIMEK (1977) verwiesen; "Um dem Geheimnis der Känguruhvermehrung auf die Spur zu kommen, kaufte die Regierung von Westaustralien in dieser Gegend zwei große Farmen. Auf ihnen hat der Biologe E.H.M. EALEY seit 1955 fünf Jahre lang Untersuchungen angestellt. In diesem Bezirk steigt die Hitze auf über fünfzig Grad im Schatten, und es fallen nur fünfundzwanzig bis dreißig Zentimenter Regen im ganzen Jahr. So gedeiht hier vor allem das stachlige Gras Triodia spinifex, das nur sehr wenig Nährwert hat. Um die wenigen anderen Gräser dazwischen, die etwas mehr Eiweiß enthalten, geht der verzweifelte Wettkampf der Känguruhs und Schafe. Denn ein Schaf braucht wenigstens 6,5 vom Hundert Eiweiß im Trockenfutter, um überhaupt am Leben zu bleiben, und noch mehr, um Jungtiere und Wolle zu erzeugen. Gerade weil das Känguruh sehr wenig oder gar nicht trinkt, kann es dieses Eiweiß besser verwerten".

Die Ausführungen von ELZE et al. (1976) sind in diesem Zusammenhang ebenfalls von großem Interesse; "Besonders abzuklären ist daher das Vorliegen einer lokalen Resistenzminderung der Schleimhaut infolge einer metabolischen Azidose bei zu energiereicher und zu zellulosearmer Ernährung, die gleichzeitig die Ursache einer Dysbakterie im Magen-Darm-Kanal und eine Prädisposition für eine Vermehrung der Nekrosebakterien im Darmtrakt sowie die Ursache für nahezu ebenso häufig auftretende Magen-Darm-Erkrankungen sein könnte".

Zweifelsohne ist die langgezogene Kieferregion der Känguruhs mit der verhältnismäßig kleinen Mundöffnung für das Haften besonders von anaeroben bzw. fakultativ anaeroben Keimen prädisponierend. Hinzu kommt, daß die Känguruhs als Vertreter der Marsupialia noch keine optimalen Beziehungen zwischen Kieferknochen, Zahnalveolen, Zähnen und Gingiva aufweisen, das heißt, die Gingiva schließt sich nicht überall fest an die Zahnalveolen und die Kieferknochen an (CRANDALL, 1968; ERIKSEN, 1964; FOX, 1923; SCHNEIDER et al., 1976). Das fördert einerseits das Haften von Spelzen und anderen Futterteilchen in den vorhandenen Nischen. Andererseits kann zu weiches, durch Kauen dann besonders breiig gewordenes Futter ebenfalls bei längerem Verbleiben in solchen Nischen Probleme bereiten, zumal dann anaerobe Bedingungen begünstigt werden (CRANDALL, 1968; SCHNEIDER et al., 1976). Hinzu kommt, daß sich unter solchen Ernährungsbedingungen Zahnspitzen kaum abnutzen und das Fortschreiten von Zahnsteinbildung und Caries begünstigt wird. Besonders die Zahnspitzen können ihrerseits wieder Läsionen, die Infektionspforten darstellen, hervorrufen (FINNIE, 1975; SCHRÖDER und IPPEN, 1976).

Allerdings kann dem bei Känguruhs für die in dieser Arbeit behandelte Erkrankung oft als bedeutungsvoll bezeichneten Problem des Zahnwechsels nicht mehr die Rolle beigemessen werden, wenn man den Hinweis von SCHRÖDER und IPPEN (1976) beachtet; "Die Bedeutung des Zahnwechsels für die Entstehung nekrotisierender Prozesse im Bereich der Mundhöhle wird unseres Erachtens überschätzt, da es bei Beuteltieren mit Ausnahme des letzten Prämolaren keinen Wechsel vom Milch- zum Altersgebiß gibt".

Während man die Veränderungen an den Weichteilen des Kopfes und den Kieferknochen der Känguruhs lange Zeit als eine ausschließliche Erscheinung der Haltung in Tiergärten betrachtete, wurde inzwischen bekannt, daß sie auch bei Känguruhs in freier Wildbahn auftreten (BARKER et al., 1963; CALABY und POOLE, 1971; FINNIE, 1975). Dabei wird von einigen Autoren darauf hingewiesen, daß die Erkrankung in freier Wildbahn in erster Linie nach dem Einwirken von Streßsituationen in Erscheinung tritt (BARKER et al., 1963; FINNIE, 1975). Interessant sind ähnliche Feststellungen von GRAHAM-JONES (1964), daß in Whipsnade die Bennettkänguruhs völlig frei leben und sich, abgesehen von Phasen mit sehr ungünstiger Witterung, ausschließlich selbst ernähren müssen. Dort treten solche Erkrankungsfälle jeweils nur einige Wochen nach der jährlichen Aktion des Zusammentreibens der Tiere zum Zwecke des Zählens auf. Er betrachtet die Haltung von Känguruhs auf engem Raum in Tiergärten als einen mehr oder weniger ständig wirkenden die Krankheit prädisponierenden Streßfaktor. Auch ELZE et al. (1976), LANG (1964), SCHNEIDER et al. (1976), SCHRÖDER und IPPEN (1976) und andere sind der Meinung, daß eine relativ große Individuenzahl auf verhältnismäßig engem Raum gehalten den Ausbruch bzw. seine Häufigkeit fördert. Neben dem Streß ist in solchen Situationen auch die Häufung verschiedenster pathogener, fakultativ pathogener oder nur im Zusammenwirken mit anderen Krankheitserregern pathogen wirkender Keime nicht zu unterschätzen.
Nach der Charakterisierung der Symptome und der wahrscheinlich auslösenden Faktoren der meist durch bakterielle Mischinfektionen bedingten Erkrankungen im Wangen-Kiefer-Bereich bei Känguruhs muß die Frage nach der Art der Erreger betrachtet werden. Bewußt wurde im Titel dieser Arbeit eine sehr allgemeine Formulierung getroffen, da sich eine Reihe von Autoren bei entsprechenden Bezeichnungen für diese Erkrankung auch bezüglich der Erreger festlegen bzw. zum Teil eine Reihe von ebenfalls beteiligten oder diese Erkrankung auch hervorrufenden Bakterien unberücksichtigt bleibt. Die Bezeichnung im Englischen "lumpy jaw" verhält sich in dieser Sicht, wie auch im Titel dieser Arbeit versucht, neutral (BEOVER und LEATHERS, 1973; CALABY und POOLE, 1971; CRANDALL, 1964; FRITH und CALABY, 1969; MAYER et al., 1975; TOMLISON und GOODING, 1954; WINDECKER, 1971). Ähnliches gilt für unter anderem SCHMIDT (1975): "eitrig nekrotisierende Entzündung im Kopf- und Halsbereich", HEYMANN und ZSCHEILE (1972): "Oberkieferabszeß mit Zahnfachvereiterung", SCHNEIDER et al. (1976): "bakterielle Entzündungen der Knochen und Weichteile im Bereich des Kopfes", HUBER et al. (1976): "Kopf- und Halsphlegmonen", KORDA (1962): "lokale eitrig-nekrotisierende Entzündung des weichen Gewebes des Splanchnokraniums, verbunden mit einer Entzündung der Knochenhaut (Periostitis)" und LINDAU (1964): "Erkrankungen im Bereich der Kiefer- und der Backenmuskulatur" sowie MAYER et al. (1975): "gewebezerstörende Prozesse mit vornehmlicher Lokalisation im Kopfbereich". Da diese Erkrankung, wie eingangs erwähnt, eine für die Känguruhhaltung und -zucht in den Tiergärten problematische und folgenschwere Krankheit ist, sprechen einige Autoren sogar von der Känguruhkrankheit. SCHRÖDER und IPPEN (1976) formulieren deshalb, "daß, da die eitrig-nekrotisierenden Entzündungen im Kopfbereich nach wie vor im Vordergrund der Todesursachen bei Känguruhs stehen, fast von der "Känguruhkrankheit" schlechthin gesprochen werden kann".
Eine Reihe von Autoren gibt der Erkrankung ihren Namen nach dem allerdings nicht in allen Fällen mikrobiologisch gesicherten Nachweis des Erregers, wobei zum Teil darauf hingewiesen wird, daß im Untersuchungsmaterial weitere Bakterien gefunden oder vermutet wurden. So spricht WIESNER (1976) von der Nekrobazillose oder Nokardiose und führt dazu aus, daß "diese bakterielle Mischinfektion, bei der u.a. Nocardia spp., Fusobakterien, Corynebakterien, E. coli und Staphylokokken nachgewiesen werden konnten, in der Literatur nicht immer von der eigentlichen Aktinomykose abgegrenzt wird, bei der sich neben einer Mischflora regelmäßig Actinobazillen und Actinomyceten nachweisen lassen". Er bezieht sich dabei auf BARKER (1971), CALABY und POOLE (1971), KORDA (1962) und LINDAU (1963). Dabei müssen die Aktinomykose (FUCHS, 1980) und die Aktinobazillose (KÖHLER, 1980) eindeutig und grundsätzlich unterschieden werden. Hervorzuheben ist in diesem Zusammenhang, daß sich Actinomyces und Nocardia im bakteriologischen System viel näher stehen als Actinomyces und Actinobacillus (SCHULZ, 1980). Das machen PIER und FICHTNER (1980) im Kapitel "Actinomyces, Dermatophilus and Necordia" im Handbuch der bakteriellen Infektionen bei Tieren (Bd. V) deutlich: "Elements of Actinomyces are recognizable within the lesions, usually as microcolonies, when appropriate stains are used. Gram-staining proce-

dures (Gram-Weigert or McCallum Goodpasture) show the presence of gram-positive branching filaments and diphtheroid forms. The periphery of the microcolony often has mineralization and club forms that show encasement of the gram-positive filaments in a gram-negative sheath. Acid fast staining of tissue preparations (new Fuchsin or Fite Faraco methods) show the filaments to be non acidfast. However, because of the inconsistency of these acidfast procedures on Nocardia, the differentiation of actinomycosis from nocardiosis is not accurately possible without cultural or fluorescent antibody tests".

MAYER et al. (1975) stellen eine Analyse der meisten bis 1974 aufgetretenen "gewebezerstörenden Prozesse mit vornehmlicher Lokalisation im Kopfbereich von Känguruhs" bezüglich ihrer bakteriellen Ursachen auf. Dabei sprechen BLAIR (1916) von Aktinomykose, SCOTT (1929) zitiert nach KORDA (1962) von Streptotrichose, ZWIETAJEWA (1941) wiederum zitiert nach KORDA (1962) von Nekrobazillose, HAMMERTON (1953) von Nokardiose (Streptotrichose), BAUMANN (1958) von Nokardiose, TUCKER und MILLAR (1958) von Nokardiose und Aktinomykose, POELMA (1964) von Aktinomykose, WILLIAMSON et al. (1965) von Aktinomykose, ERIKSEN (1964) von Nokardiose, BARKER et al. (1965) von Nokardiose, HEYMANN und ZSCHEILE (1972) von Nekrobazillose und SEIDEL (1973) von Nekrobazillose. Dabei liegt nicht in allen Fällen ein mikrobiologischer Erregernachweis vor, und die Streptotrichose dürfte der Nocardiose gleichzusetzen sein (SCHULZ, 1980). In der Vergangenheit wurde dieser Begriff wohl auch manchmal für Aktinomykose verwendet (SCHULZ, 1980). Dabei sei besonders darauf hingewiesen, daß eine Reihe der aufgezählten Autoren bereits deutlich darauf verwies, daß den jeweils den Namen der Erkrankung gebenden Erreger eine Reihe weiterer Bakterien begleiten. So weist KORDA (1962) mehrmals auf Mischinfektionen hin. Dabei werden Bacterium necrophorus und Fusobakterien besonders erwähnt. LINDAU (1964) nennt "Aerobe Erreger, plasmakoagulasepositive Staphylokokken, Bact. pyocyaneum, Bact. coli, Anaerobe Erreger, Bacteriodes melanino genicus, Leptotricha und Fusobakterien". Unter Bezug auf PULVERER und HEINRICHS (1959) weist der Autor darauf hin, "daß Bacteroides melaninogenicus nur selten als Krankheitserreger sui generis auftritt, aber im Zusammenwirken des "Anaeroben Kollektivs", insbesondere Leptotricha und Fusobakterien". POELMA (1964) nennt Streptokokken. Er vermutet außerdem Corynebacterium pyogenes und Kokken. KORDA (1962) nennt "haemolytic micrococci, Proteus und E. coli".

Um diese Reihe weitgehend zu vervollständigen, sei darauf hingewiesen, wie nachfolgende Autoren die Erregersituation sehen. GRAHAM-JONES spricht 1964 in seinem Diskussionsbeitrag von Nokardiose, ohne auf Begleitkeime einzugehen. MAYER et al. (1975) spricht von Aktinomykose (wahrscheinlich handelt es sich dabei um eine bislang nicht beschriebene Actinomycesform, für die Actinomyces wallabia vorgeschlagen wird). Auf das in diesem Zusammenhang erfolgte Auftreten von Fusobakterien, das von den Autoren wahrscheinlich in seiner Bedeutung für diese Erkrankung unterschatzt wird, sei dabei besonders hingewiesen.

SCHMIDT (1975) betont, daß bei acht Känguruhs die bereits geschilderten Symptome im Kopfbereich auftraten, ohne daß histologisch Hinweise auf eine Aktinomykose, eine Aktinobazillose oder eine Streptotrichose (Nekardiose) gefunden wurden. "Soweit eine bakteriologische Untersuchung durchgeführt wurde, konnte in dem betroffenen Gewebe oder im Eiter eine Mischflora, überwiegend aus Staphylokokken und weiterhin aus Streptokokken, coliformen Keimen, Sporenbildnern und Proteus nachgewiesen werden".

SCHNEIDER et al. (1976) weisen bei zwei Roten Riesenkänguruhs darauf hin, daß sie vorrangig Nekrobazillose beobachteten, aber "P. pseudotuberculosis" (Yersinia pseudotuberculosis (KÖHLER, 1980; SPRÖSSIG und ANGER, 1976)) aus den "Abszeßbildungen im Kopf- und Halsbereich" isoliert wurden und bei zwei Flinken Känguruhs neben einer Nekrobazillose der Kiefer ein starker Sarkosporidienbefall der Zunge festgestellt wurde.

HUBER et al. (1976) weisen darauf hin, daß sie in keinem Fall "spezifische Keime, insbesondere Aktinomyzeten" nachweisen konnten. "Durch die bakteriologische Untersuchung wurden aus den veränderten Gewebspartien nur bedingt pathogene und saprophytäre Mikroorganismen isoliert".

SCHRÖDER und IPPEN (1976) konnten nicht nur die Diagnose Nekrobazillose in allen untersuchten Fällen mikroskopisch sichern, sondern Sphaerophorus necrophorus (Fusobacterius necrophorum (BATHKE, 1980) bei einem Roten Riesenkänguruh nachweisen. Die Autoren weisen darauf hin, daß in ihrem "Material neben den beschriebenen Nekrobazillosen auch Erkrankungen im

Kopfbereich der Känguruhs im Verlauf einer Aktinomykose auftraten", die histologisch gesichert wurden und in einem Fall auch den bakteriologischen Nachweis von nicht näher differenzierten Aktinomyzeten erbrachten. Dabei wurden teilweise Metastasen in den Lungen, im Bereich der Herzohren und in der Magen-Darmschleimhaut festgestellt. Besonders hervorzuheben ist, daß die Autoren bei einem Bennettkänguruh in dem veränderten Material histologisch eine Aktinomykose und gleichzeitig mikroskopisch in der Mundhöhle Nekrobazillen nachweisen konnten.

KRONBERGER und SCHÜPPEL (1976) veröffentlichten eine Studie über Todesursachen von Känguruhs aus der Zeit von 1853 bzw. 1884 (erstes Jahr, aus dem ein Sektionsprotokoll von einem Känguruh existiert) bis 1975 und bezeichnen die von ihnen gefundenen oder später von ihnen persönlich untersuchten Fälle der Veränderungen im Kopfbereich von Känguruhs, zum Teil mit Metastasenbildung in verschiedenen Organen, als Nekrobazillose. Drei Fälle, die unter Pyogenesabszessen ausgewiesen werden, könnten ebenfalls hierher gehören, zumal ELZE et al. (1976) in ihren diesbezüglichen Ausführungen einen solchen Fall ebenfalls erwähnen.

ELZE et al. (1976) sprechen von Stomatitis diphteroidea mit sekundärer Bronchopneumonie und diagnostizieren diese Erkrankung als "Nekrobazillose", beruhend "auf dem klinischen Bild, dem Sektionsbefund "Nekrobazillose" bei vier von sechs verendeten Tieren (in einem Fall lautet der pathologische Befund "Pneumonie" und in einem weiteren "Pyogenesabszeß") sowie dem bakteriologischen Nachweis von Sphaerophorus necrophorus (Fusobacterium necrophorum (BATHKE, 1980)) im Maulhöhlenbereich eines unter dem typischen Krankheitsbild erkrankten Tieres". Besonders wichtig ist der Hinweis von ELZE et al. (1976): "Es handelt sich bei diesem Krankheitsbild in unseren 15 Fällen überwiegend um eine bei Behandlungsbeginn akut, unter Behandlung protrahiert verlaufende Nekrobazillose mit Beteiligung von Sekundärerregern wie Corynebacterium pyogenes, alphahämolisierenden Streptokokken, Mikrokokken, Pseudomonaden, Kolikeimen, Proteus vulgaris, wobei in zwei Fällen mit ausgesprochener Abszeßbildung Corynebacterium pyogenes nahezu in Reinkultur nachgewiesen wurde und als Primärerreger anzusehen ist. Der Keim spielt im Rahmen dieser Mischinfektion bei den Känguruhs die gleiche ungünstige Rolle wie bei der puerperalen Nekrobazillose des Rindes". Die Autoren weisen außerdem darauf hin, daß sie "in keinem von Maulhöhlenabstrichen gesunder Tiere" "bei Kultivierung der Proben unter aeroben, mikroaerophilen und anaeroben Bedingungen Nekrosebakterien, Aktinomyzeten oder Aktinobazillen nachweisen" konnten. Bei der mikrobiologischen Untersuchung von Mundhöhlenabstrichen von fünf gesunden Roten Riesenkänguruhs fanden sich: ein starker Gehalt an Kolikeimen und aeroben Sporenbildnern, anhämolysierende Streptokokken, Proteus vulgaris, Candida albicans und bei einem Tier außerdem Pseudomonaden. Dabei wird darauf hingewiesen, daß der Erreger der Nekrobazillose, Fusobacterium necrophorum (Sphaerophorus necrophorus), ein gramnegatives, unbewegliches, sporenloses Stäbchen, das zu langen Fäden auswachsen kann, ist. Es fordert anaerobe Bedingungen. Dieser Erreger ist "unweit von Säugetieren weit verbreitet, da er einerseits von erkrankten Tieren in großen Mengen ausgeschieden wird und andererseits als fakultativ pathogener Keim ein ständiger Bewohner des Magen-Darm-Kanals klinisch gesund erscheinender Tiere ist, was gleichfalls eine Keimstreuung zur Folge hat" (BATHKE, 1980). BATHKE (1980) weist auch darauf hin, daß die Nekrobazillose des Kalbes, die Ähnlichkeiten mit der Erkrankung der Känguruhs aufweist, medikamentell schlecht beeinflußbar ist. Dabei weist er darauf hin, daß in der Regel "gleichzeitig zahlreiche andere Bakterienspezies (Korynebakterien, Staphylokokken und sonstige Eitererreger) vorliegen". Es wird der lokale und parenterale Einsatz von "Sulfonamidpräparaten und Antibiotika" empfohlen. Gleiches gilt für die oft die Klauen befallende Nekrobazillose des Rindes, die wie das Kälberdiphtheroid oder die Nekrobazillose des Kalbes Metastasen an inneren Organen hervorrufen kann. Der Känguruhproblematik sehr ähnlich sind nachfolgende Feststellungen BATHKES (1980): "Im allgemeinen soll sich F. necrophorum nur auf solchen Geweben primär dauerhaft ansiedeln können, die bereits durch anderweitige Ursachen (mechanische Verletzungen, lokale Entzündungen u.ä.) mehr oder weniger stark geschädigt sind. Allgemeine Resistenzschwächung sowie die unzureichende Versorgung traumatisch geschädigter Gewebe sind nach Ansicht zahlreicher Autoren wichtigste Voraussetzungen für das Haften einer Infektion. Anaerobe Bedingungen sind für eine Erregervermehrung besonders günstig, wenn sie mit der Anreicherung toxischer Substanzen einhergehen". Bei erwachsenen Rindern werden dann auch nekrotische Veränderungen an Leber, Lunge, Pansen-, Scheiden- und Gebärmutterschleimhaut beobachtet. Von besonderem

Interesse in diesem Zusammenhang ist auch die Moderhinke des Schafes (Bacteroides-nodosus-Infektion), deren Erreger Bacteroides nodosus (gramnegativ und anaerob) gemeinsam mit dem Fusobacterium necrophorum zur Familie der Bacteridacese gehört (BATHKE, 1980). Dabei gibt es auch heute noch Ansichten, daß bestimmte Fusobacterien-Species bei der Moderhinke der Schafe eine Rolle spielen. Weiterhin werden Treponema-Spezies und Viren als mögliche Erreger zur Diskussion gestellt (BATHKE, 1980). Der bzw. die gleichen Erreger bedingen bei Lämmern Veränderungen der Maulhöhle, die als Lämmerdiphtheroid bezeichnet werden und Metastasen in Lunge, Leber und Nieren sowie in den Geschlechtsorganen hervorrufen. Bei erwachsenen Muttertieren wurden in diesem Zusammenhang auch Aborte beobachtet.

Der Hinweis, daß Antibiotika und Sulfonamide zur Therapie neben altbewährten lokal einzusetzenden Desinfektionsmitteln wie Formalin 10 %, Kupfersulfat 10-20 % und anderes angewandt werden sollen, ist sehr allgemein und wenig aussagekräftig. Die gleichen Therapieempfehlungen finden wir bei HIEPE (1975), der als Erreger der Moderhinke Fusiformis nodosus (Bacteroides nodosus (BATHKE, 1980)) und Sphaerophorus necrophorus (Fusobacterium necropherum (BATHKE, 1980)) im "Zusammenwirken" nennt. Er weist darauf hin; "außerdem können Spirochaeta penortha und Corynebacterium pyogenes sowie Ecthyma contagiosum" beteiligt sein.

Neben lokal anzuwendenden adstringierenden Mitteln, wie sie bereits bei BATHKE (1980) erwähnt wurden, empfiehlt HIEPE (1975) Breitbandantibiotika, besonders lokal an der Klaue gut anzuwendend Chloramphenikol in Sprayform.

Die Problematik des Lämmerdiphtheroids und der Moderhinke sind besonders aus der Sicht interessant, daß ja die meisten Känguruhs in Australien seit der Einführung der Schafe oft ständigen Kontakt mit diesen Tieren haben, die sicherlich auch, oft ohne selbst zu erkranken, zumindest Fusobacterium necrophorum nicht nur im Verdauungstrakt wie bereits geschildert tragen, sondern natürlich auch ausscheiden. Einer Beziehung zwischen der Moderhinke und der Nekrobazillose der Känguruhs in Australien widerspricht in gewissem Umfang die in diesem Zusammenhang besonders interessante Feststellung HIEPES (1975), daß die Moderhinke "eine am längsten bekannte und in allen Schafzuchtländern wirtschaftlich bedeutsame Schafkrankheit" ist, 1791 in Frankreich, 1808 in Italien, 1818 in Deutschland, 1837 in England, 1904 in den USA, aber erst 1933 in Australien beschrieben.

Betrachten wir den nächsten von einer Reihe von Autoren als Ursache für Erkrankungen im Kopfbereich der Känguruhs verantwortlich gemachten Bakterienkomplex, die Nokardiose. "Norkardien sind grampositive, unbewegliche, unseptierte, verzweigte, fadenförmige, aerob wachsende Mikroorganismen"(SCHULZE, 1980). Der gleiche Autor führt weiter aus: "Nokardiosen sind akut und chronisch verlaufende Infektionskrankheiten bei Mensch und Tier, die vorwiegend durch abszeßähnliche Granulome in der Haut, auf den serösen Häuten und in den inneren Organen gekennzeichnet sind". Nokardien kommen im Erdboden vor und werden unter anderem durch Staub verbreitet. Infektionen des Atmungsapparates sind so besonders einleuchtend. Pathogen ist Nocardia asteroides, die in Europa die Hauptbedeutung besitzt. An ihre Stelle tritt auch in Nordamerika Nocardia brasiliensis. Außerdem ist Nocardia caviae (N. otitidis caviarum) zu nennen. Die Autoren, die Nokardien als Ursache der Erkrankung beim Känguruh anführen, nennen keine spezielle Nokardienart. Demzufolge ist anzunehmen, daß die Diagnose nicht nach exakter mikrobiologischer Differenzierung gestellt wurde (BARKER, 1971; CALABY und POOLE, 1971; KORDA, 1962; LINDAU, 1964; PIER und FICHTNER, 1985; TOMLISON und GOODING, 1954; WALLACH, 1971; WIESNER, 1976). Die Unterscheidung zwischen Aktinomykese und Nokardiose ist oft schwierig und nur durch Spezialisten unter besonderer Berücksichtigung speziell der biochemischen Besonderheiten beider Keimarten möglich (PIER und FICHTNER, 1985).

Interessant ist, daß die Nokardien-Mastitis nicht nur bei Milchkühen in Belgien, der DDR, der Schweiz, Kanadas und den USA, sondern auch in Australien beschrieben ist (SCHULZ, 1980). Der gleiche Autor weist darauf hin, daß parenterale und lokale Antibiotika- und Sulfonamidapplikationen bei der akuten Nokardien-Mastitis zwar zur Milderung der schweren Allgemeinstörungen, jedoch nicht zur Ausheilung der Mastitis führten und die Tiere weiterhin mit der Milch Nokardien ausschieden. Medikamentelle Behandlungen der Hautnokardiose des Rindes, die bevorzugt in tropischen Ländern auftritt (früher Nocardia farcinica, nach heutiger Ansicht identisch mit Nocardia asteroides), gelten nach SCHULZ (1980) als erfolglos. Der gleiche Autor führt aus, daß bei Erkennen der Nokardiose des Hundes und der Katze Kombinationsbehandlungen mit Penizillin und Streptomyzin über 10 Tage in mehreren Intervallen erfolgreich seien. SPRÖSSIG und ANGER (1976) weisen bei der Nokardiose des Menschen (Nocardia asteorides) darauf hin, daß "als Therapie für die völlig antibiotikaressistenten Nokardien" "Mittellangzeitsulfonamide vom Typ des Sulfadiazin in Betracht" kommen. PIER und FICHTNER (1985) empfehlen Sulfonamide über drei oder mehr Wochen, beziehungsweise bis zwei Wochen nach Abklingen des Fiebers. Neuerdings werden Kombinationen zwischen Sulfonamiden und Trimethoprim vorgenommen.

"Die Aktinomykose ist eine durch anaerobe Actinomyces-Arten verursachte, chronische, mit granulomatös-eitrigen Entzündungsprozessen einhergehende Erkrankung der Rinder, Schweine und anderer Tiere sowie des Menschen", die weltweit verbreitet ist (FUCHS, 1980). Die tierpathogenen Species sind nach dem gleichen Autor Actinomyces bovis, A. israeli, A. suis und A. viscosus. Nach PIER und FICHTNER (1985) sind es Actinomyces bovis, A. israeli, A. naeslundi, A. odontolyticus und A. viscosus. Es handelt sich um unbewegliche, nicht sporenbildende, grampositive, nicht säurefeste, pleomorphe Stäbchen oder verzweigte Fäden. Die Actinomyces-Arten besiedeln in hoher Konstanz die oberen Verdauungswege der Säugetiere und sind außerhalb des Wirtsorganismus nicht lebensfähig. Die Erkrankung entsteht also durch endogene Infektion oder durch direkte Erregerübertragung wie beispielsweise durch Biß der saugenden Ferkel ins Gesäuge der Sauen bei der Gesäugeaktinomykose des Schweines (FUCHS, 1980). Der gleiche Autor weist darauf hin, daß "die Entstehung aktinomykotischer Entzündungsprozesse" "neben anaeroben Bedingungen im Gewebe offenbar die Anwesenheit einer bakteriellen Begleitflora (Staphylococcus aureus, Corynebacterium pyogenes, Streptococcus pyogenes u.a.) voraussetzt". FUCHS (1980) weist auch darauf hin, daß die Heilungsaussichten bei Tieren zweifelhaft bis ungünstig sind, Neben chirurgischen Maßnahmen und lokaler Jodmedikation wird besonders der Einsatz von Penizillin und Streptomyzin empfohlen. Dabei findet aber sicherlich die Bekämpfung der so problemreichen Begleitflora nicht ausreichend Berücksichtigung. Die Aktinomykose ist besonders beim Rind vorwiegend am Unter- bzw. Oberkieferknochen manifestiert, und nach mehrwöchiger Inkubationszeit entwickeln sich im Bereich der Molaren meist schmerzlose, harte Auftreibungen. Gleiches wird von SPRÖSSIG und ANGER (1976) für den Menschen festgestellt: "Leitsymptome sind brettharte, nur wenig schmerzhafte Infiltrationen mit blauroter Verfärbung der Haut, multiple Fistelbildung und knotige Abszedierungen. Die zervikofaziale Aktinomykose zeigt dabei Ausdehnungsmöglichkeiten auf Pharynx, Orbita, Tränen- und Speicheldrüsen". Die Autoren weisen darauf hin, daß für den Menschen der nur bedingt pathogene Actinomyces israeli verantwortlich ist, der "bei einem größeren Teil der Erwachsenen die Mund- sowie Rachenschleimhaut besiedelt und sogar in die Lungen, den Darmkanal und die weiblichen Genitalorgane gelangen kann. Die sporadisch auftretenden und meist achronisch verlaufenden Infektionen erfolgen immer endogen. Voraussetzungen für die Entstehung einer Aktinomykose sind anaerobe Gewebeverhältnisse (Quetschungen, Fremdkörpereinwirkungen, chronische Entzündungsherde der Zähne und Tonsillen) und fermentative gewebeaufschließende Unterstützung meist durch mehrere Vertreter" der nachfolgend aufgeführten Begleitkeime, die allein eine Aktinomykose weiter unterhalten, aber nicht verursachen können; Staphylococcus aureus, Streptokokken, Actinobacillus actinomycetem comitans, Bacteroides, Fusobakterien, Leptotrichia. Zur Therapie empfehlen SPRÖSSIG und ANGER (1976): "Das Mittel der Wahl ist Penizillin G in hohen Dosen. Dosierung 10-20 Mill. IE im i.v.-Dauertropf. Therapiedauer mindestens 4-, 6-, 12 Wochen. Wegen der in den Drusen schwer erfaßbaren Erreger sind hohe Dosen über einen langen Zeitraum erforderlich. Bei Versagen der Behandlung Begleitflora austesten. Abhängig vom Ausfall des Antibiogramms kommen vor allem zur Bekämpfung einer vorliegenden bakteriellen Mischinfektion Tetrazykline und Ampizillin in Betracht. Der Wert einer Kombinationstherapie mit Penizillin und Sulfonamiden ist als überholt anzusehen".

PIER und FICHTNER (1985) weisen darauf hin, daß Aktinomykose gemeinsam mit Nokardien und Staphylokokken vorkommen können, ihr Auftreten dabei aber für Aktinomykose nicht pathognomonisch ist. Die Autoren weisen ebenfalls darauf hin, daß neben gegebenen Falles notwendigen chirurgischen Maßnahmen Penizillin das Mittel der Wahl ist, und zwar bei einer Anwendung über mehrere Monate. Sulfonamide, die bei Nokardiose das Mittel der Wahl sind, besitzen einigen Effekt, aber der ist geringer als der von Penizillin. Auf die Behandlung der Begleitkeime wird nicht eingegangen.

"Die Aktinobazillose ist eine chronisch verlaufende Infektionskrankheit, die besonders beim Rind und Schaf" vorkommt und durch Actinobacillus lignieresii verursacht wird. Zum Unterschied von der Aktinomykose treten bei der chronischen Aktinobazillose die von Bindegewebswucherungen umgebenen Granulome und Drusen vorwiegend in weichen Geweben, hauptsächlich in der Haut und in den inneren Organen auf (KÖHLER, 1980). Der Actinobacillus lignieresii gehört zur Gattung Actinobacillus der Familie der Brucellaceae, und ist ein unbewegliches, gramnegatives, zylindrisches bis ovoides Stäbchen, das keine Sporen und Kapseln bildet und aerobe und mikroaerophile Bedingungen bevorzugt (KÖHLER, 1980). Actinobacillus lignieresii ist zwar bislang auf gesunden Schleimhäuten nicht nachgewiesen, sondern nur in befallenen Geweben erkrankter Tiere. Trotzdem wird auf Grund der geringen Widerstandsfähigkeit dieses Bakteriums in der Umwelt und der Epizootiologie dieser Erkrankung angenommen, daß der Keim auf der Schleimhaut des Mund- und Rachenraumes gesunder Tiere vorkommt. Schleimhautverletzungen spielen für den Ausbruch der Erkrankung eine auslösende Rolle. Dabei sind auch Fälle bekannt, wo der Ausbruch der Erkrankung durch Einstellung kranker Tiere in gesunde Bestände ausgelöst wurde (KÖHLER, 1980). Die größte Empfindlichkeit unter den Haustieren zeigen Rind und Schaf. Dabei trägt das Verhältnis zwischen Aktinobazillose und Aktinomykose beim Rind ca. 5-20:1 (KÖHLER, 1980). Die Tatsache, daß die Erkrankung bei extensiv gehaltenen Tieren häufiger als bei intensiv gehaltenen auftritt und bei Schafen speziell auch für Australien beschrieben wird, ist für die Infektion von Känguruhs von besonderem Interesse (HAYDTON, 1968).

"Aktinobacillus lignieresii kommt mitunter zusammen mit Actinomyces bovis auch bei der Knochenaktinomykose des Rindes und zusammen mit Actinomyces suis und anderen Erregern bei der Gesäugeaktinomykose des Schweines vor" (KÖHLER, 1980). So sind auch Mischinfektionen zwischen Aktinobazillen und Aktinomyzeten bei Känguruhs vorstellbar.

Neben der, wenn es möglich ist, operativen Entfernung der Weichteilgranulome wird der Einsatz von Neomyzin, Streptomyzin, Chloramphenikol, Terramyzin und Aureomyzin empfohlen. Bei Mischinfektionen bzw. bei Vorliegen pathomorphologisch für Aktinomykose oder Aktinobazillose sprechender Veränderungen, bei denen der Erreger unbekannt ist, ist eine Therapie mit Jodpräparaten (Götzesche Stammlösung) und eine Kombination von Penizillin (gegen Mikrokokken und Actinomyces bovis) und Streptomyzin (gegen Actinobacillus lignieresii) angezeigt (KÖHLER, 1980). Geht man davon aus, daß Fusobakterien (gramnegativ, Nekrobazillose) die Haupterreger der Erkrankung an Weichteilen und Knochen des Kopfes der Känguruhs sind, von denen einer oder auch mehrere gemeinsam wirksam werden und die geschilderten Erkrankungssymptome in der Regel dadurch hervorrufen, daß weitere, allein nicht oder allenfalls fakultativ pathogene, manchmal auch pathogene Keime, vorrangig Bakterien, mitwirken, so kann eine Therapie nur dann Aussicht auf Erfolg versprechen, wenn es gelingt, nach Möglichkeit alle bakteriellen Komponenten des krankmachenden Geschehens erfolgreich anzugehen. Das heißt, es müssen Medikamente kombiniert werden, die gegenüber allen beteiligten Bakterien bakteriostatisch bzw. möglichst sogar bakterizid wirken. Das heißt in erster Linie, Antibiotika zu finden, die gegen gramnegative bzw. grampositive Bakterien voll wirksam sind. Hinzu kommt, daß die Nokardien praktisch antibiotikaresistent sind und nur mit Mittellangzeitsulfonamiden (vom Typ des Sulfadiazin) sowie Trimethoprim angegangen werden können (ELZE et al., 1976; PIER und FICHTNER, 1985; SPRÖSSIG und ANGER, 1976).

Es sei hier noch auf Feststellungen von BREDE (1959) sowie MAYR und KÖHLER (1980) hingewiesen, die feststellen, daß die Aktinomykose des Menschen nur in den seltensten Fällen ohne Begleitflora angetroffen und daß angenommen wird, daß sie ohne Mischflora nicht zustande kommt. "Dabei treten häufig mehrere Keime gemeinsam neben Actinomyces israeli auf" (MAYR und KÖHLER, 1980). BREDE (1976) stellte dabei bei 76 bakteriologisch gesicherten Aktinomykosen nur 34mal noch eine einzelne Spezies als Begleitflora "nämlich Actinobacillus actinomycetem-comitans (17mal), anaerobe Streptokokken (8mal), Bacteroides melaninogenicus (4mal), Staph. aureus (3mal) und Fusobakterien (2mal) fest. In den übrigen Fällen wurden 2 Arten gemeinsam isoliert, neben den schon genannten auch noch vergrünende, aerob wachsende Streptokokken und Leptotrichen". BREDE (1959) sowie MAYR und KÖHLER (1980) stellen weiterhin fest, daß die "Begleitflora von Actinomyces israeli" sowohl zur Verminderung des Redoxpotentials im gesunden Gewebe als auch zu dessen fermentativer Aufschließung führt. Dabei fand BREDE (1959) in der untersuchten Begleitflora in Form von Actinobacillus actinomycetem-comitans und Bacteroides melaninogenes immer patholytische Enzyme und/oder Hyaluronidase.

Gewebeschäden, die durch einen Partner gesetzt werden, erlauben dem Zweitkeim das Eindringen in Gewebe und Organe (MAYR und KÖHLER, 1980).

Im folgenden wird eine Zusammenstellung der für die Erkrankungen am Kopf der Känguruhs wesentlichen bakteriellen Begleiterreger und ihrer Empfindlichkeit gegen Antibiotika und Chemotherapeutika gegeben:

	BEER (1980)	SPRÖSSIG und ANGER (1980)
1. Staphylokokken (grampositiv) keine Sporen bildend, hohe Toleranz gegenüber Polymyxin B	SCHULZ (1980) Penicillin, Streptomycin, Tetracycline, Chloramphenikol, beim Schwein Tylosin = Blanco M.	Methizillin, Isoxazolyl-Penizillin (Oxazillin, Cloxazillin, Dicloxazillin), Penizillin G
2. Mikrokokken	SCHULZ (1980) vergleiche Staphylokokken	— WILDFÜHR (1980): unterscheiden sich kulturell biochemisch von der Gattung Staphylococcus, obligater Aerobier
3. Streptokokken (grampositiv)	MÜLLER (1980) Penizillin, Streptomyzin, Sulfonamide, Terramyzin, Chloramphenikol	Penizillin, halbsynthetische Penizilline, Cephalosporine, Tetrazykline, Chloramphenikol, Erythromyzin
4. Korynebakterien (grampositiv, zum Teil gramlabil)	KIELSTEIN (1980) schwierig, von Gewebesituation abhängig, Penizillin/Streptomyzin, Chloramphenikol, Unterstützung durch Prednisolon bzw. Hydrokortison	Penizillin, Erythromyzin, Kombination Penizillin/Streptomyzin, Tetrazykline, Chloramphenikol
5. Escherichia coli (gramnegativ, nicht sporenbildend)	WITTIG (1980) Antibiotika und Chemotherapeutika nach Resistenztest (Furazolidon, Chloramphenikol, Neomyzinsulfat)	Colistin, Polymyxin B, da zunehmende Resistenz erst Resistenztest
6. Pseudomonas aeruginosa (gramnegativ, polar begeißelt, aerob)	Colimyzin, Gentamyzin, Polymyxin B	Colistin, Polymyxin B, Carbenizillin
7. Proteus vulgaris (gramnegativ, peritrich begeißelt (PLASCHKE und PLASCHKE, 1978) (fakultativ anaerob, sporenlos (WILDFÜHR, 1980)	—	Resistenztest notwendig, Ampizillin, Cephalosporine, Carbenizillin, Gentamyzin, Chloramphenikol, Streptomyzin, Tetrazykline, bei septischer Erkrankung wenig therapeutische Aussichten
8. Yersinia pseudotuberculosis (gramnegativ, sporenlos, aerob)	KÖHLER (1980) Chloramphenikol, Neomyzin, Ampizillin, Oxytetrazyklin	Tetrazykline, Streptomyzin, Chloramphenikol (einzeln oder kombiniert) bei der septisch-typösen Verlaufsform über mehrere Wochen, nach therapeutischer Erfahrung anderer Autoren, besonders McCLURE und KING (1984) und eigener Erfahrung sehr therapieresistent, deshalb mit gutem Erfolg Polymyxin B
9. Sporenbildner	—	Aerobier bilden die Gattung Bacillus, Anaerobier die Gattung Clostridium, Gattung Clostridium, Penizilline, Chloramphenikol, Tetrazykline

Die bislang geführten Betrachtungen legten wir bei der Erkrankung eines älteren weiblichen Bennettkänguruhs im Wangen-Kiefer-Bereich zu Grunde.
Am 7.6.1984 erhielt der Thüringer Zoopark Erfurt von einem Tierhändler 2,3 Bennettkänguruhs, davon war ein weibliches Tier wahrscheinlich ziemlich alt und ließ im Ernährungszustand zu wünschen übrig.
Ab 15.7.1984 zeigten zu unterschiedlichem Zeitpunkt einzelne der sich in gutem Zustand befindenden jüngeren Känguruhs vermehrten Nasenausfluß, ein männliches Tier sogar eine Schwellung am linken Auge. Die Symptome klangen jedoch jeweils bald wieder ab. Aus heutiger Sicht könnte man diese Problematik unter Umständen so interpretieren, daß sich die Tiere durch den vorangegangenen Transportstreß mit den Erregern der beschriebenen Erkrankung auseinandersetzten, und die Erkrankung konnte durch ausreichende Abwehrkräfte nicht zur Entfaltung kommen. Anders bei dem älteren Tier in unbefriedigendem Ernährungszustand. Am 2.7.1984 zeigte dieses ältere weibliche Känguruh verstärkten Nasenausfluß und sein linkes Auge war durch eine weiche Umfangsvermehrung im Kieferbereich dieser Seite fast zugeschwollen. Die Nahrungsaufnahme hatte sich gleichfalls verschlechtert.

Ausgehend davon, daß schon auf den ersten Internationalen Symposien über die Erkrankungen der Zootiere von verschiedenen Autoren gewisse therapeutische Erfolge bei der Verwendung von Tetrazyklinen einschließlich Aureomyzin etc. veröffentlicht worden waren (ERIKSEN, 1964: 10 - 20 mg/kg, längste Zeit bis zu Rezidiven 16 Monate; LINDAU, 1964 und POELMA, 1964 (letzterer empfiehlt gleichzeitig den Einsatz von Sulfonamiden); später GÖLTENBOTH nach WIESNER, 1976, hatte unter Verwendung von Reverin[R] bei einer Kombinationstherapie gewisse Erfolge; und andere), und eine Reihe der oben aufgeführten Erreger eine volle bzw. zumindest bedingte Empfindlichkeit für dieses Antibiotikum zeigen, setzten wir Otesolut[R]-Depot (Oxytetrazyklinbase, VEB Jenapharm) ein. Tetrazykline zeigen außerdem in der Regel weit weniger lokale Reizerscheinungen als Chloramphenikol und andere Breitspektrumantibiotika. Die möglichen Schäden bei Trächtigkeit besonders in der Sicht ossärer Schäden, nicht zuletzt Zahnschäden beim Embryo konnten hier völlig außer acht gelassen werden, da keine Trächtigkeit vorlag (PATSCH, 1975; SPRÖSSIG und ANGER, 1976; TROLLDENIER, 1977).

Da besonders die Nokardien nur auf Sulfonamide ansprechen (ELZE et al., 1976; GÖLTENBOTH nach WIESNER, 1976; PIER und FICHTNER, 1985; SPRÖSSIG und ANGER, 1975) wurde zur Kombinationstherapie weiterhin Sulfadimidin (2-(4'-Aminobenzolsulfonamido)-4,6-dimethylpyrimidin-Natrium, VEB Serumwerk Bernburg), daß nach unseren Erfahrungen sehr gut verträglich ist, vorgesehen. Schließlich gilt es, eine Reihe gramnegativer Bakterien zu erfassen, von denen einige, wie Escherichia coli, oft so resistent geworden sind, daß nur noch Präparate wie Polymyxin B (Polymyxin-B-Sulfat, Pfizer GmbH, Karlsruhe) eine gute Wirkung erzielen (ALTMANN, 1982; SPRÖSSIG und ANGER, 1976). Außerdem zeigen die Erfahrungen von McCLURE und KING (1984) sowie auch eigene, daß Yersinia pseudotuberculosis oft außerordentlich therapieresistent ist, aber Polymyxin B (ein besonders gegen gramnegative Erreger gerichtetes Antibiotikum) hier sehr gut wirksam ist. Schließlich gilt Polymyxin B gegen Pseudomonas aeroginusa als Mittel der Wahl. Mögliche Störungen der Nierenfunktion bei vorhandenen Nierenschäden, klinisch bestehen keine solchen Hinweise, nahmen wir aus den oben genannten Gründen in Kauf.

Da wir das erkrankte Tier, um es nicht neuen bzw. zusätzlichen Streßsituationen auszusetzen, nicht aus seiner gerade gewohnt gewordenen Umgebung und der Gesellschaft der übrigen Bennettkänguruhs nehmen wollten, entschlossen wir uns, das Tier in seiner Anlage bei den übrigen Bennettkänguruhs zu belassen. Dieser Umstand und die Frage, daß man bei parenteralen Applikationen exakter dosieren kann, bewogen uns, das uns nur in oraler Verabreichungsform zugängliche Trimethoprim in Reinform oder in Sulfonamidkombination (ELZE et al., 1976, GÖLTENBOTH nach WIESNER, 1976, PIER und FICHTNER, 1985) nicht einzusetzen.

Ab 2.7.1984 bis 11.7.1984 erhielt das Tier täglich, es besaß eine Körpermasse von 10,3 kg:

Otesolut (250 mg in 3 ml)	1,5 ml = 125 mg,
Polymyxin B	1/2 Ampulle = 250 000 I.E.
Sulfadimidin	2 ml i.m.
(100 ml enthalten 20,0 g Sulfadimidin, VEB Serumwerk Bernburg)	3 ml s.c.

Diese Behandlung wurde durch ebenfalls tägliche Gaben von

Prednisolon	1 ml = 10 mg i.m.
(VEB Serumwerk Bernburg)	

Dicophedrin[R] 0,8 ml s.c.
(100 ml enthalten: 0,003 g Digitoxin, 35,0 g Coff.-Natrium-saic., 1,0 g Ephedrinhydrochl., 4,0 g Ethanol, 0,45 g Phenol, VEB Serumwerk Bernburg)

ergänzt.

Es wurde wiederholt auf eine ausreichende Vitaminversorgung besonders mit den Vitaminen A und C hingewiesen. Neben einer Versorgung mit reichlich Grünfutter neben den anderen für Känguruhs wichtigen Futtermitteln, wir vermeiden bislang noch immer spelzenreiches oder stachliges Futter und verwenden deshalb kein Stroh als Einstreu, an Stelle von Quetschhafer Haferflocken etc., setzten wir alle erforderlichen Vitamine (Vitamin A, D_3, E, C, B-Komplex) sowie Selen in Kombination mit Vitamin E dem Futter zusätzlich zu. Außerdem erhielt die Patientin alle 3 - 4 Tage einen Vitamincoctail, bestehend aus

Vitamin A	1,0 ml	(Ursovit A, wäßrig, VEB Jenapharm, Serumwerk Bernburg)
Vitamin AD_3EC	0,5 ml	(Ursovit AD_3EC, wäßrig, VEB Jenapharm, Serumwerk Bernburg)
Vitamin B-Komplex	1,5 ml	(VEB Jenapharm, Serumwerk Bernburg)
Ursoselivit	0,5 ml	(VEB Jenapharm, Serumwerk Bernburg)

intramuskulär (ALTMANN, 1982).

Um ausreichend Vitamin C zu verabreichen, wurde an gesonderter Stelle 1 ml Ascorvit (1 ml = 100 mg Askorbinsäure, VEB Jenapharm) i.m. verabreicht. Um die lokalen Reizerscheinungen von Askorbinsäure zu mildern, wurde die Dosis jeweils mit 2 ml Aqua bidest. verdünnt und mit 1 Ampulle Hylase[R]-"Dessau" (Hyaluronidase, Institut für Impfstoffe Dessau) 1500 I.E. versehen. Ein- bis zweimal wöchentlich wurden außerdem 2 - 3 ml Calcium gluconat (100 ml enthalten 24,0 g Calciumgluconat, VEB Serumwerk Bernburg) s.c. verabreicht.
Drei Tage nach Abklingen der Symptome wurde die Behandlung eingestellt.

Trotz der warmen Jahreszeit erhielten die Känguruhs in ihr aus Holz bestehendes Haus, das sie in der Regel Tag und Nacht nach Belieben im Wechsel mit der Außenanlage aufsuchen konnten, zwei Infrarotstrahler von je 250 Watt.

Leider traten die geschilderten Veränderungen an der linken Kopfseite dieses Känguruhs wiederum auf, so daß wir ab 25.7.1984 über insgesamt 31 Tage die Therapie in der beschriebenen Weise fortsetzten, und zwar ca. 20 Tage über das vollständige Abklingen der Symptome hinaus. Seit dieser Zeit traten bis zum gegenwärtigen Zeitpunkt in unserer Bennettkänguruhgruppe keine Erkrankungen im Wangen-Kiefer-Bereich mehr auf. Die Patientin hat jetzt eine Körpermasse von 12 kg. Die beiden jungen Weibchen brachten in der Zwischenzeit je ein Jungtier (1,1) zur Welt und haben jetzt beide wieder ein Jungtier im Beutel.

Die geschilderte Therapie, es sei besonders auf die Notwendigkeit einer langanhaltenden ununterbrochenen Behandlung hingewiesen, dürfte neben den Erfahrungen von ELZE und Mitarbeitern (1976) sowie GÖLTENBOTH zitiert nach WIESNER (1976) ein Hinweis dafür sein, daß doch berechtigte Hoffnungen bestehen, die Erkrankungen im Bereich der Wangen und Kiefer bei Känguruhs therapeutisch in den Griff zu bekommen.

Frau Kerstin B l o m b e r g, der Reviertierpflegerin des "Känguruhreviers", und ihren Mitarbeiterinnen möchte ich an dieser Stelle für gründliche Beobachtung und sorgsame Pflege der Patientin und der übrigen Tiere dieser Bennettkänguruhgruppe herzlichen Dank sagen.

Zusammenfassung

Zur Therapie der durch bakterielle Mischinfektionen bedingten Erkrankungen im Wangen-Kiefer-Bereich bei Känguruhs

Nach einer umfassenden vergleichenden Betrachtung der Literatur dieses Krankheitskomplexes wird ein Behandlungserfolg bei lang anhaltender ununterbrochener parenteraler Verabreichung von Oxytetrazyklin, Polymyxin B und eines Sulfonamids bei gleichzeitiger Verabreichung von Prednisolon, einer Kreislaufstütze sowie allen erforderlichen Vitaminen, besonders Vitamin A und C, geschildert.

Summary

Treatment of Kangaroo for Maxillobuccal Diseases, usually caused by Bacterial Poly-infections

Publications are compared on maxillobuccal diseases of kangaroo caused by bacterial poly-infections. A disease of that category has been successfully treated by long-time uninterrupted parenteral administration of oxytetracycline, polymyxin B, and a sulphonamide. This was accompanied by parallel application of prednisolone, a circulation-supporting medicament, and all necessary vitamins, first of all A and C.

Résumé

A propos de la thérapie des maladies causées dans la plupart des cas par des infestations bactérielles mixtes dans la région des joues et maxillaires du kangourou

L'auteur compare la littérature relative au sujet des infestations bactérielles mixtes qui ont provoqué des maladies dans la région des joues et maxillaires du kangourou. Il explique un traitement réussi de cette maladie par l'application parèntérale de longue durée et sans interruption d'Oxytétracycline, de Polymycine B et d'un sulfonamide, en offrant en même temps Prédnisolone, un fortifiant circulatoire et tous les vitamines nécessaires, avant tout les vitamines A et C.

Резюме

О терапии вызванных смешанной бактериальной инфекцией заболеваний щеко-челюстной области у кенгуру.

При сравнение литературных данных по заболеваниям щеко-челюстной области у кенгуру,опины методы лечения с длительным применением преднизолона, окситетрациклина, полимиксина В сульфонамида, а также витаминов, особенно витамина А и С.

Literaturverzeichnis

AEHNELT, E., und H. MERKT (1958): Zur Bekämpfung der puerperalen Nekrobazillose beim Rind. Berl. Münch. tierärztl. Wschr. 71, 181 - 185.

ALTMANN, D. (1982): Über erweiterte prophylaktische und therapeutische Maßnahmen bei der Aufzucht von Huf- und Klauentieren im Thüringer Zoopark Erfurt. Verh.ber. Erkrg. Zootiere 24, 9 - 17.

ANONYM (MISAKI PARK ZOO) (1965): Observation of Kangaroo in Captivity in Japan. Survey by Japanese Association of Zoological Gardens and Aquariums (Japanese). J.J.A.Z.A. 7, 39 - 46, zit. nach MASUI, PH.M. (1977).

BARKER, S. CALABY, I.J., and G.B. SHARMAN (1963): Diseases of Australien Laboratory Marsupials. Commonwealth Scientific and Industrial Research Organisation. Vet. Bull. 33, 539-544.

BARKERS, S. (1971): The Dama wallaby in captivity. Internat. Zoo Yearb. 11, 17 - 20.

BATHKE, W. (1980): Bacteroidaceae-Infektionen. In: BEER, J.: Infektionskrankheiten der Haustiere. 2. Aufl. Jena: VEB Gustav Fischer.

BAUMANN, R. (1958): Die Neocardiose (Streptothrichose). Wiener Tierärztl. Mschr. 45, 378.

BEER, J. (1980): Infektionskrankheiten der Haustiere. 2. Aufl. Jena: VEB Gustav Fischer.

BLAIR, W. (1916): Actinomycosis of jaw. Ann. Rep. New York: Zoolog. Soc. 77.

BLOBEL, H., und J. BRÜCKLER (1980): Staphylokokken. In: BLOBEL, H. und T. SCHLIESSER: Handbuch der bakteriellen Infektionen bei Tieren. Bd. II. Jena: VEB Gustav Fischer.

BOEVER, W.J., and CH. LEATHERS (1973): Pulmonary and Encephalic Infection to Lumpy Jaw in Kangaroos. J. Zoo Anim. Med. 4, 13 - 16.

BREDE, H.D. (1959): Zur Ätiologie und Mikrobiologie der Actinomykose. I. In-vitro-Versuche zur fermentativen Unterstützung des Actinomyces israeli durch Begleitbakterien. Zbl. Bakt. Hyg. I Orig. 174, 110 - 122.

CALABY, J.H., and W.E. POOLE (1971): Keeping kangaroos in captivity. Internat. Zoo Yearb. 11, 5 - 12.

CHIBA, T., SATO, H., and K. ASAI (1960): On the so-called "Kangaroo Disease". J.J.A.Z.A. 2, 8 - 10. (Japanese), zit. nach MASUI, PH.M. (1977).

CRANDALL, L.S. (1964): The Management of Wild Mammals in Captivity. Chicago, London: University of Chicago Press.

EALEY, E.H.M. (1964): Wieso besiegt das Känguruh das Schaf? Das Tier 11, 32 - 36.

ELZE, K., MEYER, H., und G. STEINBACH (1973): Jungtierkrankheiten. Jena: VEB Gustav Fischer.

ELZE, K. (1975): Puerperale Nekrobazillose. In: SCHULZ, J.A., und N. ROSSOW: Lehrbuch der Rinderkrankheiten. Bd. II. Leipzig: S. Hirzel.

ELZE, K., SEIFERT, S., EULENBERGER, K., und U. SCHNURRBUSCH (1976): Erkrankungsfälle der Känguruhs im Leipziger Zoo von 1957 bis 1975. Verh.ber. Erkrg. Zootiere 18, 39-45.

ERIKSEN, E. (1964): Observations on Diseases in Kangaroos in the Copenhagen Zoo. Tijdschr. Diergeneeskd. 89, Suppl. 1, 126 - 137.

FINNIE, E.P. (1975): Necrobacillosis in Kangaroos. III. Internat. Konferenz Wildtierkrankh. 26. - 29. August, Referate.

FOX, H. (1923): Disease in captive wild mammals and birds. Philadelphia: J.B. Lippincott Co.

FRITH, H.J., and J.H. Calaby (1969): Kangaroos. London: C. Hurst & Co., New York: Humanities Press.

FUCHS, H.-W. (1980): Aktinomykose. In: BEER, J.: Infektionskrankheiten der Haustiere. 2. Aufl. Jena: VEB Gustav Fischer.

GÖLTENBOTH, R.: unveröffentlichte Mitteilung. Zit. nach KLÖS, H.-G., und E.M. LANG (1976).

GOSS, L.J. (1942): Cornell Vet. 32, 155. Zit. nach ERIKSEN (1964).

GRAHAM-JONES, O. (1964): Diskussionsbeitrag in Tijdschr. Diergeneeskd. 89, Suppl. I, 155.

GRANT, T.R. (1974): Observations of enclosed and free-ranging grey kangaroos (Macropus giganteus). Z. Säugetierk. 39, 2, 65 - 78.

GRZIMEK, B. (1977): Känguruhs. In: GRZIMEK, B.: Grzimeks Tierleben. Zürich: Kindler AG.

HAHN, G. (1980): Streptokokken. In: BLOBEL, H., und T. SCHLIESSER: Handbuch der bakteriellen Infektion bei Tieren. Bd. II. Jena: VEB Gustav Fischer.

HARTWIGK, H. (1980): Corynebakterien. In: BLOBEL, H., und T. SCHLIESSER: Handbuch der bakteriellen Infektionen bei Tieren. Bd. II. Jena: VEB Gustav Fischer.

HAYSTON, J.T. (1968): Actinobacillus in sheep. Aust. Vet. J. 24, 64.

HEYMANN, H., und D. ZSCHEILE (1972): Erfolgreiche Behandlung eines Oberkieferabszesses mit Zahnfachvereiterung bei einem Roten Riesenkänguruh (Macropus rufus). Verh.ber. Erkrg. Zootiere 14, 359 - 361.

HIEPE, TH. (1975): Schafkrankheiten. 2. Aufl. Jena: VEB Gustav Fischer.

HUBER, I., HERZEG, M., und B. MARAN (1976): Zu den Erkrankungen der australischen Tiere im Zoologischen Garten der Stadt Zagreb. Verh.ber. Erkrg. Zootiere 18, 13 - 16.

IPPEN, R. (1960): Nekrobazillose als Folge hochgradiger Konstitutionsschwächung bei Saiga-Antilopen. Verh.ber. Erkrg. Zootiere 2, 87 - 103.

IRWAN, D.H.G., and C. CAMERON (1962): A note of an oral infection in the Kangaroo and Wallaby. J.S. Afr. Vet. Med. Assoc. 33, 231 - 232.

JORDAN, W.J. (1964): Diskussionsbeitrag in Tijdschr. Diergenesskd. 89, Suppl. I, 154.

KIELSTEIN, P. (1980): Korynebakterien-Infektionen. In: BEER, J.: Infektionskrankheiten der Haustiere. 2. Aufl. Jena: VEB Gustav Fischer.

KLÖPPEL, G. (1964): Diskussionsbeitrag in Tijdschr. Diergeneeskd. 89, Suppl. I, 155.

KLÖS, H.-G., und E.M. LANG (1976): Zootierkrankheiten. Berlin, Hamburg: Paul Parey.

KORDA, P. (1962): Die häufigsten Erkrankungen bei Känguruhs in zoologischen Gärten. Nord. Vet. Med. 14, Suppl. 1, 244 - 248.

KRONBERGER, H., und K.-F. SCHÜPPEL (1976): Todesursachen von Känguruhs - Durchsicht der Sektionsprotokolle von 1853 - 1975. Verh.ber. Erkrg. Zootiere 18, 27 - 30.

LANG, E.M. (1964): Diskussionsbeitrag in Tijdschr. Diergeneeskd. 89, Suppl. I, 154.

LANG, E.M. (1975): Diskussionsbeitrag. XVII. Int. Symp. Erkrg. Zootiere.

LINDAU, K.H. (1964): Über Todesfälle von Känguruhs im Zoologischen Garten Köln. Tijdschr. Diergeneeskd. 89, Suppl. 0, 143 - 148.

MASUI, PH.M., SAITO, M., NARUSHIMA, E., and H. HIRAMATSU (1977): Diseases of Marsupiala in Tama Zoological Park. Verh.ber. Erkrg. Zootiere 19, 295 - 300.

MAYER, H., REICHEL, K., und A. SCHEPKY (1975): Aktinomykose (Actinomyces n. sp.) bei einem Derby-Känguruh. Verh.ber. Erkrg. Zootiere 17, 327 - 334.

MAYR, A., und W. KÖHLER (1980): Mischinfektionen. Jena: VEB Gustav Fischer.

McCLURE, H.M., and F.A.KING (1984): Yersiniosis: A Review and Report of an Epizootic in Nonhuman Primates. In: RYDER, A., and M.L. BYRD: One Medicine. Berlin, Heidelberg, New York, Tokyo: Springer.

MÜLLER, G. (1980): Streptokokken-Infektionen. In: BEER, J.: Infektionskrankheiten der Haustiere. 2. Aufl. Jena: VEB Gustav Fischer.

NAGATA, S., and A. MATSUMOTO (1970): Notes on Keeping of Kangaroos at Misaki Park Zoo. J.J.A.Z.A. 12, 56 - 58 (Japanese). Zit. nach MASUI, PH.M. (1977).

NOUVEL, J. (1964): Diskussionsbeitrag in Tijdschr. Diergeneeskd. 89, Suppl. I, 154.

PATSCH, R. (1975): Antibiotika-Ratgeber. 3. Aufl. Jena: VEB Gustav Fischer.

PIEKARZ, R. (1966): Einige Beobachtungen der mikroklimatischen Verhältnisse in einer Känguruh-Anlage und ihre möglichen Einflüsse auf die Gesundheit der Tiere. Verh.ber. Erkrg. Zootiere 8, 87 - 92.

PIER, A.C., and R.E. FICHTNER (1985): Actinomyces, Dermatophilus and Nocardia. In: BLOBEL, H., und T. SCHLIESSER: Handbuch der bakteriellen Infektionen bei Tieren. Bd. V. Jena: VEB Gustav Fischer.

PLASCHKE, W., und I. PLASCHKE (1978): Proteus. In: Wörterbuch der Veterinärmedizin, L - Z. Jena: VEB Gustav Fischer.

POELMA, F.G. (1964): Diseases in Marsupials in Captivity. Tijdschr. Diergeneeskd. 89, Suppl.I, 149 - 153.

PULVERER, G., und S. HEINRICHS (1959): Die in vitro-Empfindlichkeit des Bacteroides melaninogenicus gegen die gebräuchlichen Antibiotica und Sulfonamide. Zschr. Hyg. 146, 1.

SCHMIDT, V. (1975): Todesursachen bei Känguruhs. Verh.ber. Erkrg. Zootiere 17, 321 - 325.

SCHNEIDER, H.-E., BERGER, G., DATHE, F., und W. GENSCH (1976): Erkrankungen australischer Tiere im Zoologischen Garten Dresden. Verh.ber. Erkrg. Zootiere 18, 5 - 12.

SCHRÖDER, H.-D., und R. IPPEN: Beitrag zu den Erkrankungen der Känguruhs. Verh.ber. Erkrg. Zootiere 18, 21 - 26.

SCHULZ, W. (1980): Staphylokokken-Infektionen. In: BEER, J.: Infektionskrankheiten der Haustiere. 2. Aufl. Jena: VEB Gustav Fischer.

SCOTT, H. (1929): Proc. zool. Soc. London. 19, 3, 799. Zit. nach KORDA (1962).

SEIDEL, B. (1973): Über eine Nekrobazillose-Enzootie bei Känguruhs (Macropus rufus und Macropus robustus). Verh.ber. Erkrg. Zootiere 15, 299 - 303.

SPRÖSSIG, M., und G. ANGER (1976): Mikrobiologisches Vademekum. 3. Aufl. Jena: VEB Gustav Fischer.

STEGER, G. (1976): Untersuchungen des Nürnberger Instituts bei Australischen Beuteltieren (1940 bis 1975). Verh.ber. Erkrg. Zootiere 18, 17 - 19.

TOMLISON, A.R., and C.D. GOODING (1954): A Kangaroo Disease-Investigation into "lumpy jaw" on the Murchison 1954. J. Agr. W. Austral. 3, 715 - 718.

TROLLDENIER, H. (1977): Antibiotika in der Veterinärmedizin. Jena: VEB Gustav Fischer.

TUCKER, R., and R. MILLAR (1953): Outbreak of Nocardiosis in Marsupials in the Brisbane Botanical Gardens. J. Comp. Path. Therap. 63, 143.

UNTERMANN, F. (1980): Staphylokokken-Enterotoxine. In: BLOBEL, H., und T. SCHLIESSER: Handbuch der bakteriellen Infektionen bei Tieren. Bd. II. Jena: VEB Gustav Fischer.

WALLACH, J.D. (1971): Lumpy jaw in captive kangaroos. Internat. Zoo Yearb. 11, 13.

WATANABE, T., KUMEKAWA, S., and J. KOBARA (1965): The Treatment of Mycosis in Kangaroo. J.J.A.Z.A. 7, 16 - 18 (Japanese). Zit. nach MASUI (1977).

WERNER, H. (1974): Gaschromatographische Untersuchungen einer Actinomyces-Species vom Derby-Känguruh. Briefliche Mitteilung. Zit. nach MAYER, H., REICHEL, K., und A. SCHEPKY (1975).

WIESNER, H. (1976): Beuteltiere. In: KLÖS, H.-G., und E.M. LANG: Zootierkrankheiten. Berlin, Hamburg: Paul Parey.

WIETHÖLTER, R. (1964): Krankheiten der Zoo- und Menagerietiere (Affen, Landraubtiere, Beuteltiere und Kaltblüter). Literaturstudie (1900 - 1961). Leipzig: Vet. Med. Diss.

WILDFÜHR, G., und W. WILDFÜHR (1980): Leptotrichia. In: ZETKIN-SCHALLDACH: Wörterbuch der Medizin. Berlin: Volk und Gesundheit.

WINDECKER, W. (1971): Jahresbericht des Zoologischen Gartens Köln 1970. Z. Kölner Zoo 14, 9.

WITTIG, W. (1980): Escherichia-coli-Infektionen. In: BEER, J.: Infektionskrankheiten der Haustiere. 2. Aufl. Jena: VEB Gustav Fischer.

ZWIETAJEWA (1941): Trudy. Mosk. Zooparka. Zit. nach LINDAU, K.H. (1964).

Anschrift des Verfassers: VR Doz. Dr. Dietrich Altmann
DDR-5063 Erfurt
Zum Zoopark 8 - 10 (DDR)

Aus dem Zoologischen Garten Dresden (Direktor: Dr. H.-D. HOHMANN)

VERGIFTUNGEN DURCH RHODODENDRONBLÄTTER BEI LAMAS UND ZIEGEN

Von H.-E. Schneider und V. Pohle

BRAHM et al. (1973) veröffentlichten eine Abhandlung über ausschließlich tödlich verlaufende Vergiftungen von wiederkäuenden Paarhufern durch Erikazeen im Dortmunder Tierpark.

Obwohl im Zoologischen Garten Dresden seit vielen Jahrzehnten ein üppiger Rhododendronhain um das Rosarium gepflanzt ist, konnten wir in der Zeit von 1956 - 1982, die für uns exakt überschaubar ist, nur einmal eine tödliche Vergiftung mit Rhododendronblättern bei einem Roten Riesenkänguruh feststellen.
Seit 1982 kam es wiederholt zu Vergiftungen mit Rhododendronblättern bei Lamas und Ziegen. Dabei müssen wir feststellen, daß die ersten beiden Erkrankungsfälle bei zwei Lamas letal endeten und von uns weder klinisch noch pathologisch-anatomisch als Folgen der Aufnahme von Rhododendron diagnostiziert werden konnten. Lediglich auf Grund der nahezu identischen klinischen Erscheinungen, wie wir sie später bei nachweislich mit Rhododendron vergifteten Lamas sehen konnten, möchten wir behaupten, daß auch die ersten beiden Lamas dem gleichen Toxin erlegen sind.
Nach FRÖHNER (1950) enthalten Rhododendronarten Andromedotoxin ($C_{19}H_{32}O_6$), eine stickstofffreie, nicht glykosidische Substanz in Blättern, Stengeln und Blüten. Daneben auch Arbutin, Erikolin, Urson, Tannin, Gallussäure, Harz und ätherische Öle, wie viele Erikazeen. Andromedotoxin beinhalten auch verschiedene Andromedaarten, ferner Acalea indica, Kassandra-, Kalmia-, Monotopa- und Pierisarten. Die Wirkung des Andromedotoxins, wenn auch nicht der Stoff selbst, ist schon lange bekannt. Darf man XENOPHON (430 - 354 v. u. Z.) glauben, so beschreibt er in seiner "Anabasis" Vergiftungserscheinungen, die bei seinen Soldaten nach dem Genuß von Honig auftraten und der Vergiftung mit Andromedotoxin sehr ähneln. XENOPHON (1968) berichtet: "Sonst fanden sie nichts in den Dörfern, was auch nur ihre Bewunderung erregt hätte, nur gab es da eine Menge Bienenstöcke und alle Soldaten, die von den Honigwaben aßen, verloren den Verstand, bekamen Erbrechen und Durchfall und keiner konnte mehr aufrecht stehen. Die nur wenig Honig gegessen hatten, glichen stark Betrunkenen, die aber viel gegessen hatten, Wahnsinnigen, ja einige starben sogar. Es lagen so viele da, als hätte eine Niederlage stattgefunden und die Mutlosigkeit war groß. Am folgenden Tag aber war keiner weiter gestorben und fast um dieselbe Stunde bekamen sie ihren Verstand allmählich wieder, nach zwei oder auch drei Tagen aber standen sie auf, wie von einer Vergiftung genesen." In den Anmerkungen dazu kann man lesen, daß es sich möglicherweise um den pontischen- oder auch "Tollhonig" gehandelt habe, der von der Acalea pontica stammt und, so die Anmerkung, nur gekocht genossen werden kann. Leider war es uns bisher nicht möglich, exakt zu erfahren, ob Andromedotoxin durch einfaches Kochen zerstört werden kann. Jedoch scheint das ohne Zusätze nach PLUGGE (1883) nicht möglich zu sein.

Intoxikationen mit andromedotoxinhaltigem Pflanzenmaterial spielen beim Menschen und bei unseren Haustieren nach Aussage des Zentralen Toxikologischen Auskunftsdienstes der DDR in Berlin keine Rolle. Über Vergiftungen wird nur aus Zoologischen Gärten und, bedingt durch das immergrüne Blatt, meist zur Winterszeit berichtet.
OKEN (1841) berichtet über die in Kleinasien und im Kaukasus vorkommende Acalea pontica, "daß der Honig, welchen die Bienen davon sammeln, giftig sein soll und der ganze Strauch ein Gift enthält, welches die Geißen tötet, wenn sie davon fressen." An gleicher Stelle schreibt er, daß der Honig der nordamerikanischen Kalmia latifolia Schwindel, Erbrechen und Krämpfe erregt, die Aufnahme der Pflanze dem Hausvieh, nicht aber dem Wild, schade.

PLUGGE (1883) stellte fest, daß ein Auszug, den er aus 50 g Holz und Blättern von Andromeda japonica durch zweimaliges Extrahieren mit heißem Wasser herstellte und auf ein Volumen von 10,0 ml eindampfte, volle Toxizität besaß. Er war es auch, der den Einsatz von Atropin zur Therapie der Andromedotoxinvergiftung in Erwägung zog. BRAHM et al. (1973) haben offensichtlich erst nach den Vergiftungen im Dortmunder Tierbestand diesen Hinweis zur Kenntnis erhalten, denn sie haben Atropin therapeutisch nicht eingesetzt.

In den Lehrbüchern der Toxikologie FRÖHNER (1950), GARNER (1968), BENTZ (1969) wird lediglich eine symptomatische Therapie (zentralerregende Mittel und Warmhalten der Tiere) empfohlen. Außerdem entzündungswidrige Präparate und Schleime zur lokalen Einhüllung der Magen-Darmschleimhäute. Nach FRÖHNER (1950) hat Andromedotoxin vier wesentliche Angriffspunkte:

1. Eine curareähnliche Wirkung auf die motorischen Endplatten der Skelettmuskulatur.
2. Eine direkt erregende Wirkung auf die glatte Muskulatur.
3. Eine Herabsetzung der Reizbildung im Herzen.
4. Eine Lähmung des Zentralnervensystems nach vorangehender Erregung. Der Tod tritt durch Atemlähmung ein.

Klinisches Erscheinungsbild

Der Grad der klinischen Erscheinungen und damit auch die Möglichkeit des therapeutischen Eingreifens sind weitestgehend dosisabhängig.
Dementsprechend waren die klinischen Bilder bei den von BRAHM et al. (1973) beobachteten Fällen sehr drastisch, da die Tiere (Lamas und Alpakas) aus den Gehegen ausgebrochen waren und die andromedotoxinhaltigen Pflanzen regelrecht abgeweidet hatten. Aber auch die von Kindern mit Pflanzenmaterial gefütterten Zwergziegen zeigten starke Vergiftungserscheinungen. Bei den Ziegen standen vor allem Erregungszustände, Brechreiz, Schreien und hochgradige Hinfälligkeit, bei Lamas und Alpakas starke Salivation, Kolikerscheinungen, Kotverhaltung, Bradykardien bis zu 30 Herzschlägen/Minute, Erregungszustände und Lähmungen im Vordergrund der Krankheitserscheinungen.
Wir hatten die ersten Verluste bei Lamas im August 1982, als innerhalb von 2 Tagen 2 Lamastuten nach 3 - 4 Tage dauernder Erkrankung starben. Beide Tiere standen häufig beisammen auf unserer Freianlage und bettelten die Besucher um Futter an. Bei diesen Tieren beobachteten wir neben Speichelfluß Bewegungsstörungen in Form eines trippelnden Ganges, Abstellen des Schwanzes und Bradykardie, bei zunächst noch vorhandener, aber sehr geringer Futteraufnahme. Im weiteren Verlauf kam es zum Festliegen der Tiere und nach drei bzw. vier Tagen zum Exitus.
Therapeutisch setzten wir ein: Kalzium- und Elektrolytinfusionen, Antibiotika, krampf- und schmerzlindernde Präparate, Herzkreislaufmittel, Vitamin-B-Komplex und Prednisolon.

Eine Beeinflussung des Krankheitsbildes erfolgte in keinem Fall. Die Erhebung exakter Sektionsergebnisse war bei einem Tier wegen fortgeschrittener Autolyse nicht möglich. Bei dem zweiten Tier fanden sich außer einer starken fettigen Degeneration des Herzmuskels und einer mittelgradigen fettigen Leberdegeneration keine weiteren Veränderungen. Rhododendronblätter wurden im Panseninhalt nicht nachgewiesen. Der fehlende Nachweis dieser Pflanzenteile bedeutet für uns nicht, daß damit eine Rhododendronvergiftung ausgeschlossen ist, zumal nach einer viertägigen Krankheitsdauer. Wir konnten auch in dem massenhaft erbrochenen Panseninhalt von nachweislich durch Besucher mit Rhododendronknospen und -blättern gefütterten Hausziegen eindeutig als Rhododendron zu identifizierende Bestandteile nicht nachweisen.
Im Januar 1984 erkrankte bei uns wiederum eine Lamastute akut an Speichelfluß, Würgebewegungen, kolikartigen Schmerzen und zunehmender Anorexie, bei vorhandener Bradykardie. Wir vermuteten eine Andromedotoxinintoxikation, behandelten aber zunächst mit den oben angegebenen Präparaten.
Als nach 2 Stunden keinerlei Besserung des Zustandes eingetreten war, gaben wir erstmalig 5 mg Atropin. Innerhalb einer Stunde kam es zur deutlichen Besserung des Allgemeinbefindens, die Salivation hörte auf, das inzwischen festliegende Tier erhob sich, die Kolikerscheinungen klangen ab. Durch Zufall gelang uns der exakte Nachweis der Aufnahme von Rhododendronblättern. Beim Herausziehen der Schlundsonde, die wir zur Sicherung einer freien Ösophaguspassage eingeführt hatten, klemmte in der seitlichen Sondenöffnung ein nur grob angekautes Rhododendronblatt. Wir injizierten drei Tage lang bis zu viermal täglich, etwa alle sechs Stunden 5 - 10 mg Atropin, teilweise in Kombination mit Metapyrin (Analgetikum mit spasmolytischer Wirkung).

Bei längeren Pausen zwischen den einzelnen Atropininjektionen traten immer wieder leichte Salivation und Würgebewegungen auf. Nach einer letzten Injektion am Morgen des vierten Krankheitstages war das aufgenommene Andromedotoxin offensichtlich soweit verstoffwechselt, daß keine Würgebewegungen und kein Speichelfluß mehr auftraten. Während der gesamten Zeit der Erkrankung, das heißt nach Einsatz des Atropins, stand und lief das Tier normal und legte sich auch in physiologischer Stellung ab, nahm Heu, Möhren, Äpfel und auch Wasser auf. Am fünften Tag nach Auftreten der ersten Krankheitserscheinungen schien das Tier wieder völlig gesund. Allerdings kam es nach 15 Tagen zum Abstoßen eines noch unreifen Foeten, der alle Anzeichen eines sicher mehrere Tage zurückliegenden Todes aufwies.

Bei unseren Hausziegen kam es insgesamt in elf Fällen zu Vergiftungserscheinungen nach Aufnahme von Rhododendronblättern. Leider sammeln diese Tiere keine Erfahrungen, so daß einzelne Individuen drei- bis viermal innerhalb eines Jahres erkrankten. Die Anlage, auf der wir unsere Hausziegen zeigen, liegt gegenüber unseres Rhododendronhaines, und es kam unabhängig von den Jahreszeiten zu Vergiftungen durch Verfüttern von Rhododendron, vor allem durch unbeaufsichtigte Kinder.

Im Vordergrund der klinischen Erscheinungen bei unseren Hausziegen steht das Erbrechen von Panseninhalt. Die Tiere erbrechen solche Mengen, daß der Eindruck entsteht, der Pansen entleert sich bis auf einen relativ kleinen Restinhalt.

Zusätzlich besteht eine leichte Salivation und die Ziegen liegen sehr häufig, meist in einer relativ unphysiologischen Seitenlage mit extrem abgestreckten Extremitäten. Auch in diesen Fällen behandeln wir jetzt mit Atropingaben (2 - 5 mg/Tier und Dosis), teilweise in Kombination mit Metapyrin und Antibiotikagaben und haben seit dem noch kein erkranktes Tier eingebüßt. Wenn nötig, infundieren wir Elektrolytlösungen. Der Krankheitsverlauf bei den Hausziegen erstreckte sich meist über 36 - 48 Stunden, möglicherweise, weil durch Erbrechen des Panseninhaltes auch toxinhaltige Pflanzenteile mit ausgebrochen werden.

Der Zeitraum von der Aufnahme der giftigen Pflanzenteile bis zum Auftreten der ersten klinischen Erscheinungen kann von uns nicht exakt bestimmt werden, dürfte aber, dosisabhängig, nach unseren Beobachtungen bei Hausziegen zwischen 6 und 10 Stunden betragen.

Die Wirkung des Atropins ist die eines direkt wirkenden Parasympathikolytikums:

- Am Herzen führt es zur Frequenzerhöhung und zur Förderung der Erregungsleitung;
- der Tonus und die Motilität der glatten Muskulatur wird gemindert;
- die Drüsensekretion wird gemindert;
- der Tonus der Bronchialmuskulatur wird gemindert, die Bronchialsekretion eingeschränkt.

Zumindest vom klinischen Bild her ähnelt die Vergiftung mit andromedotoxinhaltigen Pflanzenteilen der Intoxikation mit Phosphorsäureestern. Auch hier wird Atropinsulfat als Therapeutikum eingesetzt. Die Atropinmengen bei Vergiftungen mit Phosphorsäureestern liegen nach EIKMEIER (1970) mit 10 - 100 mg pro Dosis bei Pferd und Rind und 10 - 50 mg pro Dosis bei kleinen Wiederkäuern wesentlich höher als die von uns bei Andromedotoxinvergiftungen gewählten Dosierungen.

Aus Diskussionen mit Kollegen pharmakologisch arbeitender Einrichtungen ging hervor, daß man Atropin bei Andromedotoxinvergiftungen nicht kritiklos, in nicht zu hohen Dosen und in Kombination mit einer symptomatischen Therapie einsetzen sollte. Aus Sicht unserer klinischen Erfahrungen kann man allerdings sagen, daß die angewendete Atropindosierung bei Aufnahme nicht zu großer Mengen andromedotoxinhaltiger Pflanzenteile durch Lamas und Ziegen, gegenüber der bisher geübten Therapie ohne Atropingaben eindeutige Vorteile auswies und tödliche Verläufe verhinderte.

Zusammenfassung

Vergiftungen durch Rhododendronblätter bei Lamas und Ziegen

Die Autoren berichten über Rhododendronvergiftungen bei Lamas (Lama guanicoe f. glama) und Hausziegen (Capra aegagrus f. hircus). Krankheitserscheinungen und Behandlungsmaßnahmen unter Einsatz von Atropinum sulfuricum werden beschrieben.

Summary

Intoxication of Lamas and Goats from Rhododendron Leaves

Reported in this paper are cases of rhododendron poisening of lamas (Lama guanicoe f. glama) and domestic goats (Capra aegagrus f. hircus). Pathological manifestations and treatment, using Atropinum sulfuricum, are described in some detail.

Résumé

Empoisonnements des lamas et chêvres qui ont mangé des feuilles de rhododendron

Les auteurs parlent des empoisonnements des lamas (Lamä guanicos f. glama) et chêvres domestiques (Capra aegagrus f. hircus) qui ont mangé des feuilles de rhododendron. Les manifestations de la maladie et les mesures du traitement à l'Atropinum sulfuricum sont expliquées.

Резюме

Отравление листьями рододендрона ламы и козы

Авторы сообщают об отравлении листьями роделендрона ламы и домашней козы. Описаны симптомы заболевания и методы лечения с применением атропина.

Literaturverzeichnis

BENTZ, H. (1969): Nutztiervergiftungen, Jena: VEB Gustav Fischer.

BRAHM, E., BUNTEN-KÖTTLER, S., und W. SIMANOWKI (1973): Vergiftungen von wiederkäuenden Paarhufern durch Erikazeen im Dortmunder Tierpark. Verh.ber. Erkrg. Zootiere 15, 125 - 130.

EIKMEIER, H. (1970): Therapie innerer Krankheiten der Haustiere, Stuttgart: Ferdinand Enke.

FRÖHNER, E. (1950): Lehrbuch der Toxikologie für Tierärzte. Stuttgart: Ferdinand Enke.

GARNER, R. J. (1968): Veterinärmedizinische Toxikologie, Jena: VEB Gustav Fischer.

OKEN (1841): Allgemeine Naturgeschichte Botanik. 2. Bd., 2. Abteilung, Stuttgart: Hoffmannsche Verlags-Buchhandlung.

PLUGGE, C. P. (1883): Archiv der Pharmacie, 10. Jahrgang Bd. 221, Heft 1, 1 - 17.

PLUGGE, E. P. (1885): Archiv der Pharmacie, 23. Bd, Heft 23, 105 - 117.

XENOPHON (1968): Anabasis, Leipzig: Reclam Verlag. IV. Buch, 8. Kapitel (20) 144.

Anschrift des Verfassers: VR Dr. H.-E. S c h n e i d e r
Zoologischer Garten Dresden
DDR - 8020 Dresden
Tiergartenstr. 1 (DDR)

Aus dem Institut für Pathologie (Prof. Dr. h.c. mult. L.-Cl. SCHULZ) der Tierärztlichen Hochschule Hannover

ZUM VORKOMMEN VON NEUROPIGMENTEN, KALZIUM- UND EISENHALTIGEN ABLAGERUNGEN SOWIE AMYLOID IM GEHIRN VON AFFEN

Von H.-A. Schoon und E. Schinkel

Einleitung

Das Vorkommen von Lipofuszin, Melanin, Pseudokalk- und Kalkablagerungen, Eisen und Amyloid unter physiologischen und pathologischen Bedingungen ist im menschlichen Gehirn seit langem Gegenstand zahlreicher Untersuchungen. Wegen der besonderen Bedeutung nichtmenschlicher Primaten als dem Menschen phylogenetisch am nächsten stehende Versuchstiere wurde besonders von Neuropathologen, die sich mit gerontologischen Veränderungen des Gehirns befassen, das Vorkommen dieser Substanzen bei Affen unter dem Gesichtspunkt der vergleichenden Pathologie untersucht. Dabei stammte das Untersuchungsmaterial der meisten Autoren aus Versuchstierhaltungen und bestand nur aus Individuen einer Tierart. Zudem befaßte sich die Mehrzahl der Untersucher mit ausgewählten Regionen des Gehirns, zum Beispiel einzelnen Kerngebieten, in denen beim Menschen die untersuchten Pigmente regelmäßig und reichlich gefunden worden sind.

Das Ziel der vorliegenden Arbeit war daher, mit histochemischen Methoden einen Überblick über das qualitative und - soweit möglich - semiquantitative, alters- und speziesabhängige Vorkommen von Lipofuszin, Melanin, Pseudokalk- und Kalkablagerungen, Eisen und Amyloid in routinemäßig fixierten und eingebetteten Standardlokalisationen des Gehirns von spontan anfallendem Sektionsmaterial zahlreicher Affenarten zu geben, um hierdurch Anhaltspunkte zur Differenzierung gegenüber pathologischen Veränderungen zu erhalten. Hinsichtlich einer detaillierten, alle Teilaspekte dieser Thematik berücksichtigenden Literaturübersicht sei auf die Arbeit von SCHINKEL (1985) verwiesen.

Material und Methoden

Für die Untersuchungen stand aus dem histopathologischen Archiv des Instituts für Pathologie das Material von 56 nicht menschlichen Primaten zur Verfügung, deren genaues Alter vom Einsender angegeben worden war (Tab. 1). Es handelte sich in der Regel um die zur histopathologischen Untersuchung routinemäßig entnommenen fünf Lokalisationen, nämlich je eine Leptomeninx, graue und weiße Substanz enthaltende Gewebeprobe vom frontalen Drittel der einen und vom okzipitalen Drittel der anderen Seite der Großhirnhemisphäre, von der Kleinhirnhemisphäre sowie vom Gehirnstamm im Bereich Pons und Medulla oblongata. Von den etwa 24 Stunden in 10 %igem neutralen Formalin fixierten und in Paraplast eingebetteten Proben wurden mehrere Gewebeschnitte angefertigt und an ihnen folgende histochemische Reaktionen bzw. Spezialfärbungen durchgeführt:

- PAS-Reaktion nach MCMANUS (1946)
- Methode nach ZIEHL-NEELSEN mod. nach PEARSE (1960)
- Eisenmethode nach LILLIE (1957)
- Methode nach VON KOSSA in der Anleitung von BANCROFT und STEVENS (1975)
- TURNBULL-Reaktion in der Anleitung von BANCROFT und STEVENS (1975)
- alkalische Kongorotmethode nach PUCHTLER et al. (1962)

Als Übersichtsmethode dient eine Hämatoxylin-Eosin-Färbung. Die gefärbten Präparate wurden licht-, polarisations- und ungefärbte Schnitte fluoreszenzmikroskopisch (zum Nachweis autofluoreszierender Lipofuszingranula) untersucht und qualitativ sowie gegebenenfalls semiquantitativ ausgewertet.

Zytologische Lokalisation und Morphologie von Melaninablagerungen

Neuromelanin konnte in den Nervenzellen durch seinen Pigmentcharakter und seine histochemischen Eigenschaften identifiziert werden (dunkelgrüne Pigmentgranula bei Färbung nach LILLIE (1957) (Abb. 1).
Bei geringer Pigmentmenge pro Zelle waren die einzelnen Granula deutlich voneinander abgegrenzt und mehr oder weniger diffus über das Zytoplasma verstreut. Bei den stärker pigmentierten Nervenzellen traten größere Pigmentaggregationen auf, die aus einer dichten Aneinanderlagerung einzelner kleiner Granula entstanden. In einem pigmenthaltigen Kerngebiet war die Pigmentmenge pro Zelle bei allen Nervenzellen etwa gleich groß.

Während bei Anthropoiden (Hominoidea) die pigmenthaltigen Nervenzellen einen mittleren bis hohen Pigmentierungsgrad aufweisen, konnten bei Hundsaffen (Cercopithecoidea) und Neuweltaffen (Platyrrhina) nur gering- bis mittelgradig pigmentierte Nervenzellen festgestellt werden.
Leptomeningeales Melanin wurde in den Melanozyten der weichen Gehirnhäute schon im H.-E.-Präparat leicht durch seine schwarzbraune Farbe identifiziert (Abb. 5/6). In den nach LILLIE (1957) gefärbten Schnitten verhielt es sich nahezu indifferent. Infolge einer ausgeprägten Tendenz zur Granulaaggregation kam es bei massiver Pigmentierung zur Bildung zusammenhängender, homogener Pigmentmassen. In einzelnen Fällen konnte leptomeningeales Melanin auch in den die intrazerebralen Gefäße umgebenden Piascheiden sowie in der Arachnoidea nachgewiesen werden.

Topographische Lokalisation von Neuromelaninablagerungen

Neuromelaninhaltige Nervenzellen wurden im Hirnstamm von zwölf Affen nachgewiesen, wobei eine genauere topographische Bestimmung der pigmentierten Nervenzellen nicht möglich war. Von den zehn untersuchten Anthropoiden (Hominoidea) wiesen drei Tiere neuromelaninhaltige Nervenzellen auf, wobei es sich stets um größere Kerngebiete handelt, in den nahezu alle Nervenzellen pigmenthaltig waren. Unter den 23 Hundsaffen (Cercopithecoidea) befanden sich acht Tiere, in deren Hirnstamm pigmentierte Nervenzellen festgestellt wurden. Während bei drei Tieren - ähnlich wie bei den Anthropoiden - größere Kerngebiete mit einem hohen Prozentsatz pigmentierter Zellen vorkamen, konnten bei den übrigen fünf Tieren nur wenige pigmentierte Nervenzellen nachgewiesen werden. Bei den 21 untersuchten Neuweltaffen (Platyrrhina) konnte nur bei einem Tier Neuromelanin in wenigen Nervenzellen dargestellt werden. Im Hirnstamm von zwei untersuchten Halbaffen (Prosimiae) war kein Neuromelanin nachweisbar. Bemerkenswert war, daß unter den zwölf Tieren mit neuromelaninhaltigen Nervenzellen drei Spezies mit zusammen sieben Tieren relativ stark repräsentiert waren, nämlich drei von vier Bartaffen (Macacus silenus) sowie jeweils zwei von drei Mandrills (Macacus sphinx) und Orang-Utans (Pongo sp.).

Melanin war in der Leptomeninx von 27 der 56 untersuchten nichtmenschlichen Primaten vorhanden. Dabei wurde es 24mal in der Leptomeninx des Hirnstammes und 14mal im Bereich des Kleinhirns gesehen. In beiden Lokalisationen konnten gering- bis hochgradige Pigmentierungen festgestellt werden. Bei sechs Tieren kam Melanin in der Leptomeninx der Großhirnhemisphären vor. In dieser Lokalisation war die Pigmentmenge stets geringgradig. Eine phylogenetische Beziehung konnte bezüglich der Pigmentmenge nicht festgestellt werden. Unter den zwölf Affen mit neuromelaninhaltigen Nervenzellen waren fünf Tiere mit und sieben Tiere ohne leptomeningeales Melanin.

Altersabhängigkeit

Der jüngste Affe mit pigmentierten Nervenzellen im Hirnstamm war ein zwei Jahre alter Hulman (Presbytis entellus). Während bei den insgesamt 48 unter zehn Jahren alten Affen nur bei sieben Tieren Neuromelanin gefunden wurde, konnten bei fünf der acht über zehn Jahre alten Affen neuromelaninhaltige Nervenzellen nachgewiesen werden. Bei den über zehn Jahre alten Tieren waren auch besonders viele und mehrheitlich stark pigmentierte Nervenzellen vorhanden.

Bereits bei den 17 unter einem Jahr alten Affen wurden bei sechs Tieren leptomeningeales Melanin nachgewiesen. Zwei sechs Monate alte Tiere wiesen eine hochgradige Pigmentierung der Leptomeninx im Bereich des Hirnstammes auf. Somit läßt sich zwischen dem Vorkommen sowie der Menge des Pigments und dem Lebensalter keine direkte Beziehung aufstellen, zumal sogar bei

Ergebnisse

Lipofuszin

Zytologische Lokalisation und Morphologie von Lipofuszinablagerungen

In den Ganglienzellen lagen unterschiedliche intrazelluläre Verteilungsmuster der Pigmentgranula (Abb. 1) vor: Am häufigsten wurden einzelne, verstreute Granula in wechselnder Anzahl nachgewiesen. Durch die alterskorrelierte Zunahme der Pigmentmenge pro Zelle entstand eine Aggregationstendenz bis hin zur Bildung von Pigmentklumpen bei alten Individuen. Diese Entwicklung wurde am Beispiel der Purkinjezellen der Kleinhirnrinde in Abb. 2 dargestellt. Der prozentuale Anteil der Nervenzellen mit Granulaaggregationen zeigte eine altersabhängige Verringerung, während der Anteil der Nervenzellen mit Granulaaggregationen eine kontinuierliche Zunahme aufwies. Im Gegensatz zu diesem linearen Entwicklungsverlauf wurde bei den Nervenzellen mit diffus verstreuten, einzelnen Granula, nach einer anfänglichen Zunahme in der Altersgruppe I und einem Maximum in Gruppe II eine anschließende Abnahme des prozentualen Anteils dieses Verteilungsmusters festgestellt.

Neben Nervenzellen mit regulärer Granulaanordnung traten auch solche auf, bei denen die Granula, einzeln oder in Aggregationen, bestimmte Lokalisationen im Zytoplasma bevorzugten (Abb. 3, 4): Häufig kam es zur perinukleären Pigmentbildung, so daß die Granula dem Kern kappenförmig aufsaßen bzw. teilweise oder vollständig umfaßten. Während auch eine polare Anordnung der Granula im Axonhügel öfter nachgewiesen wurde, kamen Granula in den Anfangsabschnitten der Neuriten selten vor. In den Pyramidenzellen der Großhirnrinde herrschte eine basale Pigmentierung vor. Nur bei wenigen Zellen wurde eine bipolare Lipofuszinablagerung festgestellt. Die unterschiedlichen intrazellulären Verteilungsmuster traten in allen untersuchten Regionen des zentralen Nervensystems scheinbar zufällig, zumindest jedoch ohne erkennbare Bevorzugung bestimmter Lokalisationen auf. Hinsichtlich der Größe der Granula lag eine Tendenz zur Größenzunahme in Abhängigkeit vom Lebensalter vor.

Topographische Lokalisation

Unter Berücksichtigung des prozentualen Anteils pigmentierter Nervenzellen einer Region und der Pigmentmenge pro Zelle war die Pigmentierungsintensität im Hirnstamm am größten. Von den Purkinjezellen des Kleinhirns ausgewachsener Tiere enthielt zwar ein relativ großer Anteil Lipofuszin, doch blieb die Pigmentmenge pro Zelle im Vergleich zu den bereits genannten Arealen insgesamt nur mittelgradig. Einen noch geringeren Pigmentierungsgrad wiesen die Pyramidenzellen der Großhirnrinde auf.

Die prozentualen Anteile lipofuszinhaltiger Nervenzellen an der Gesamtmenge der Nervenzellen von Hirnstamm, Kleinhirnrinde (Purkinjezellen) und Großhirnrinde werden in Tabelle 2 dargestellt.

Altersabhängigkeit

Bei Tieren mit einem Alter von weniger als einem Jahr wurde in keiner der untersuchten Regionen des Gehirns eine Lipofuszinspeicherung festgestellt. Im Alter von ein bis vier Jahren ließen sich in mehr und mehr Nervenzellen spärliche Lipofuszingranula nachweisen, während bei den über fünf Jahre alten Primaten in allen Lokalisationen 1 – 25 % aller Nervenzellen Lipofuszin enthielt.

Der prozentuale Anteil pigmentierter Nervenzellen zeigte eine alterskorrelierte Zunahme, so daß bei allen über zehn Jahre alten Tieren mehr als die Hälfte der Nervenzellen pigmentiert war, mit deutlicher Variabilität selbst bei gleichalten Tieren.

Die altersabhängige Zunahme der Lipofuszinmenge pro Zelle wurde am Beispiel der Purkinjezellen zahlenmäßig erfaßt. In Abb. 2 konnte dargestellt werden, daß der Anstieg der Pigmentierungsintensität sowohl durch die Zunahme der Anzahl pigmentierter Zellen als auch der Pigmentmenge pro Zelle, d.h. aus der Addition von zwei kontinuierlich akkumulierenden Teilprozessen resultierte. Bei älteren Individuen wurde schließlich ein erheblicher Anteil der Schnittfläche beziehungsweise des Volumens des Zytoplasmas von Lipofuszingranula eingenommen. Allerdings traten auch bei hochgradig pigmentierten Nervenzellen in keinem Fall atrophische Veränderungen im Sinne einer Pigmentatrophie auf.

zwei über zehn Jahre alten Tieren kein und bei mehreren älteren Tieren nur wenig leptomeningeales Melanin festgestellt werden konnte.

Pseudokalk- und Kalkablagerungen

Primäre oder sekundäre Pseudokalk- und/oder Kalkablagerungen waren mit der Methode nach VON KOSSA in keiner der untersuchten Lokalisationen färberisch darstellbar.

Eisen

Sogenanntes "Gewebseisen" oder eisenhaltige Ablagerungen in den Gefäßwänden wurden nach Ausführung der TURNBULL-Reaktion in keiner der untersuchten Lokalisationen festgestellt.

Amyloid

Cerebrovaskuläre Amyloidablagerungen konnten in den Kongorot gefärbten Schnitten lediglich bei dem ältesten untersuchten Affen, einem 18 Jahre alten Mandrill (Mandrillus sphinx) gefunden werden. Die Ablagerungen waren im Bereich der Großhirnrinde in der Media einer kleinen leptomeningealen Arterie zu sehen und ergaben bei Betrachtung im Polarisationsmikroskop die typische hellgrüne Doppelbrechung. Senile Plaques wurden weder bei diesem Tier noch bei allen anderen untersuchten nichtmenschlichen Primaten gesehen.

Diskussion

Bei dem für die Untersuchung zur Verfügung stehenden Material handelte es sich um formalinfixierte, paraplasteingebettete Gewebsproben aus dem Gehirn von spontan verendeten Tieren. Es stellte sich im Rahmen der eigenen Untersuchungen heraus, daß innerhalb der grob standardisierten Gehirnregionen die jeweilige Entnahmestelle der Gewebsproben, bezogen auf die angegebenen Gehirnlokalisationen, mehr oder weniger variierte. Entsprechend dem bereits in der Einleitung dargestellten Ziel der Arbeit, einen orientierenden Überblick des Vorkommens bestimmter Pigmente und Ablagerungen zu geben, wurde die Auswertung der Ergebnisse nicht über ein aufgrund des verfügbaren Materials vertretbares und entsprechend dem Ziel der Arbeit erforderliches Maß hinaus anatomisch detailliert.

Bei der Auswahl der histochemischen Methoden wurde besonderer Wert darauf gelegt, daß sie einerseits im Rahmen eines für die Routinediagnostik eingerichteten histopathologischen Labors ohne großen materiellen und zeitlichen Aufwand durchführbar waren und andererseits geeignet erschienen, die gesuchten Pigmente und Ablagerungen möglichst sensibel und hinreichend spezifisch nachzuweisen. Angaben über das Verhalten der nachzuweisenden Substrate in ungefärbten Schnitten sowie nach Ausführung der bei den eigenen Untersuchungen angewendeten Methoden sind Tabelle 3 zu entnehmen.

Der Pigmentcharakter des Lipofuszins ermöglichte es, in Übereinstimmung mit entsprechenden Untersuchungen von GRAHAM (1970), nur in Fällen mit ausgeprägter Pigmentierung, die gelbbraunen Granula bereits in ungefärbten Schnitten oder Hämatoxylin-Eosin-Präparaten zu erkennen. Eine sichere Unterscheidung gegenüber anderen intrazellulären Pigmenten (z.B. Neuromelanin, Hämosiderin) war im ungefärbten Schnitt und im Hämatoxylin-Eosin-Präparat nicht möglich, sondern erforderte die Anwendung histochemischer Methoden, wie der PAS-Reaktion nach MCMANUS (1946) und der Methode nach ZIEHL-NEELSEN modifiziert nach PEARSE (1960).

Bei der PAS-Reaktion verhält sich Lipofuszin nach THOMPSON (1966) zwar generell positiv, jedoch mit variabler Farbintensität entsprechend einer sich im Verlauf der Pigmentbildung verändernden Zusammensetzung. Unabhängig von dieser Einschränkung ermöglichte die PAS-Reaktion eine sehr klare Darstellung der Lipofuszingranula (BRIZZEE und ORDY, 1981) und eine Abgrenzung gegenüber negativ reagierenden Melanin- und Hämosiderinablagerungen.

Einen sehr spezifischen Nachweis für Lipofuszin ergab die Methode nach ZIEHL-NEELSEN. Während TCHENG (1964), GRAHAM (1970) und LILLIE und FULMER (1976) die Säurefestigkeit des neuronalen Lipofuszins als inkonstant bezeichneten, hielt ELLEDER (1981) diese Methode für gut anwendbar.

Die Fluoreszenzmikroskopie stellte die spezifischste und empfindlichste Nachweismethode dar, doch sollte dieses Verfahren wegen der sehr variablen Autofluoreszenzfarbe nur in Verbindung mit histochemischen Methoden durchgeführt werden (ELLEDER, 1981). BRIZZEE et al. (1974) betonten, daß in frühen, mit histochemischen Methoden noch nicht feststellbaren Pigmentbildungsphasen fluoreszenzmikroskopisch positive Resultate zu erzielen waren, so daß der Zeitpunkt des ersten Auftretens von Lipofuszin exakter bestimmt werden konnte.

Lipofuszingranula wurden in Übereinstimmung mit den Ergebnissen früherer Untersuchungen innerhalb der Ganglienzellen in verschiedenen intrazellulären Verteilungsmustern gesehen, ohne erkennbare Bevorzugung irgendeiner Lokalisation. Die Mehrzahl der Zellen wies einzelne oder diffus über das Zytoplasma verteilte Granula auf, was sich mit dem überwiegend aus jüngeren Individuen bestehenden Tiermaterial erklären ließ, da bei diesen nach WHITEFORD und GETTY (1966) sowie BRIZZEE et al. (1974) besonders häufig eine derartige Pigmentverteilung angetroffen wurde.

Das Beispiel der Purkinjezellen aus den Befunden aller untersuchten Affen in Abb. 2 zahlenmäßig veranschaulichte Verhalten der Pigmentmenge und der intrazellulären Pigmentverteilung in Abhängigkeit vom Lebensalter zeigt - obwohl eine Vielzahl von Spezies berücksichtigt wurde - ziemlich genau den Verlauf, den TCHENG (1964) an Rhesusaffen ermittelte. Die altersabhängige Lipofuszinakkumulation scheint also bei den Primaten nach übereinstimmenden Gesetzmäßigkeiten zu verlaufen.

Lipofuszinhaltige Nervenzellen wurden in allen untersuchten Regionen gefunden. Diese nahezu ubiquitäre Verteilung in den Ganglienzellen des Zentralnervensystems wurde beim Menschen unter anderem von WOLF und PAPPENHEIMER (1945) und bei Affen insbesondere durch GRAHAM (1970), DAYAN (1971) und BRIZZEE et al. (1974) festgestellt. In Übereinstimmung mit letzterer Arbeit wurde in den eigenen Untersuchungen die größte Pigmentmenge in den Kerngebieten des Hirnstammes gesehen. An zweiter Stelle standen bei BRIZZEE et al. (1974) die Pyramidenzellen der Großhirnrinde, deren Pigmentierungsintensität bei dem für die eigene Untersuchung verwendeten Tiermaterial nur als vergleichsweise geringgradig bezeichnet werden konnte.

Von den Purkinjezellen der Kleinhirnrinde wurden bezüglich der Anzahl pigmenthaltiger Zellen relativ hohe Prozentsätze ermittelt, während die Pigmentmenge pro Zelle gering blieb. Auch TCHENG (1964) konnte in den bisher als lipophob geltenden Purkinjezellen relativ häufig Lipofuszin nachweisen.

Die als eine der fundamentalen Gesetze des Zellalterns angesehene progressive Lipofuszinakkumulation wurde auch in der vorliegenden Untersuchung bestätigt. Vermutlich wegen des Fehlens sehr alter Individuen im untersuchten Material wurden nur sehr selten Nervenzellen mit einer die gesamte Zytoplasmafläche ausfüllenden Pigmentierung gesehen. Wahrscheinlich aus demselben Grunde konnten in keinem Falle Nervenzellen festgestellt werden, die einen als pathologisch zu bezeichnenden Pigmentierungsgrad - den SCHEIDEGGER (1960) als Pigmentatrophie bezeichnete - erreicht hatten.

Lipofuszinhaltige Nervenzellen konnten bei unter einem Jahr alten Affen nicht gefunden werden. Entsprechende Angaben aus der Literatur differieren hinsichtlich der Angabe des frühesten Auftretens entsprechender Befunde erheblich, wobei ein Grund in der unterschiedlichen Sensibilität der angewandten Methode begründet sein dürfte. So konnten BRIZZEE et al. (1974) erste Lipofuszingranula bei Rhesusaffen mittels Fluoreszenzmikroskopie schon mit sechs Monaten nachweisen, während dies mit der PAS-Reaktion erst bei zehn Monate alten Tieren möglich war.

Wegen ihres Pigmentcharakters waren die <u>Melanine</u> bereits in ungefärbten Schnitten oder in Hämatoxylin-Eosin-Präparaten zu erkennen. Während das schwarzbraune, leptomeningeale Melanin bereits bei gering- bis mittelgradiger Pigmentierung leicht im Bindegewebe der Pia mater entdeckt werden konnte, waren die gelb- bis dunkelbraunen Neuromelaningranula nur in Fällen mit ausgeprägter Pigmentierung so auffällig, daß sie im Zytoplasma nicht übersehen wurden. Als sehr sensible und hochempfindliche histochemische Methode zum Nachweis der Melanine wurde die Eisenmethode nach LILLIE (1957) erwähnt (THOMPSON, 1966). LILLIE und FULMER (1976) betonten, daß sich diese Methode besonders zur Unterscheidung des sich dunkelgrün anfärbenden Neuromelanins und der sich unverändert in ihrer Eigenfarbe darbietenden übrigen intrazellulären Pigmente eignete.

Die Beobachtung, daß sich die intrazelluläre Pigmentverteilung mit zunehmender Pigmentmenge änderte, machten auch SCHERER (1939) und MOSES et al. (1966), die feststellten, daß bei ausgewachsenen Individuen nur wenige Nervenzellen mit diffus verstreuten Granula, aber viele Nervenzellen mit exzentrisch gelegenen Granulaaggregationen bei fast vollständiger Pigmentfreiheit des restlichen Zytoplasmas vorhanden waren. Dagegen bemerkten andere Untersucher, daß die Neuromelaningranula stets ziemlich gleichmäßig im Zytoplasma verteilt sind (ADLER, 1952; MARSDEN, 1961, 1969; SCHWYN et al., 1970; MANN und MATES 1974).

Wie bereits MARSDEN (1961) berichtete, ist die Pigmentmenge pro Zelle bei allen Nervenzellen eines Kerngebietes etwa gleich groß. Die von ihm gefundene Beziehung zwischen Pigmentmenge pro Zelle und der phylogenetischen Reihenfolge innerhalb der Ordnung Primates wurde auch bei dem untersuchten Tiermaterial beobachtet.

Bereits SCHERER (1939, 1944), INNES und SAUNDERS (1962) sowie ULE et al. (1979) beobachteten bei ausgeprägter Pigmentierung zusammenhängende, homogene Pigmentmassen von leptomeningealen Melanin im Bindegewebe der Pia mater und Arachnoidea, die auch auf die Piascheiden intracerebraler Gefäße übergriffen.

Das von zahlreichen Untersuchern bei Menschen und Affen festgestellte, auf einige Kerngebiete des Hirnstammes begrenzte Vorkommen des Neuromelanins wurde in der eigenen Untersuchung bestätigt. Eine exakte topographische Bestimmung der pigmenthaltigen Kerngebiete war wegen der bereits erwähnten Besonderheiten bei der Entnahme der Gewebeproben nicht möglich. Dieser Umstand mag auch dazu beigetragen haben, daß nur bei zwölf ausgewachsenen Affen Neuromelanin nachgewiesen werden konnte. Bei gezielter Entnahme und Untersuchung der Substantia nigra und des Locus coeruleus fanden SCHERER (1939) und MARSDEN (1961) bei allen untersuchten erwachsenen Primaten Neuromelanin in den Nervenzellen dieser Kerngebiete. Unter Berücksichtigung dieser Ergebnisse wurde angenommen, daß in den Fällen mit positivem Neuromelaninnachweis zufällig diese oder eines der übrigen pigmenthaltigen Kerngebiete des Hirnstamms angeschnitten worden waren, während dies bei den Proben mit negativem Neuromelaninnachweis zufällig nicht geschehen war. Daher mußte bei der geschilderten Art der Probenentnahme der Nachweis neuromelaninhaltiger Nervenzellen als Zufallsbefund bewertet werden.

Leptomeningeales Melanin war bei knapp der Hälfte der untersuchten 56 Primaten vorhanden. SCHERER (1939, 1944) stellte lichtmikroskopisch bei allen ausgewachsenen Affen und Halbaffen Piamelanophoren fest. Bei fast allen Tieren mit leptomeningealem Melanin wurde dieses im Bereich des Hirnstamms gesehen, während nur bei der Hälfte die Leptomeninx der Kleinhirnhemisphären eine Melaninpigmentierung aufwies. Lediglich bei sechs Tieren war im Bereich des Großhirns eine Pigmentierung der Leptomeninx vorhanden. Auch INNES und SAUNERS (1962) fanden bei Primaten das leptomeningeale Melanin besonders im Hirnstamm- und Kleinhirnbereich.

Die Pigmentmenge zeigte unabhängig von der Tierart und der topographischen Lokalisation eine große individuelle Variabilität, so daß diesbezüglich keine phylogenetische Beziehung festzustellen war. Zu diesem Ergebnis kamen bereits SCHERER (1939) und DAYAN (1971).

Nach SCHERER (1944) waren in den bei ausgewachsenen Affen pigmenthaltigen Kerngebieten bei jungen Tieren keine neuromelaninhaltigen Nervenzellen nachweisbar. In dem für die eigenen Untersuchungen zur Verfügung stehenden Tiermaterial konnte bei einem zwei Jahre alten und damit, in Anbetracht einer bekannten Lebenserwartung von mindestens 20 Jahren, noch relativ jungen Hulman (Presbytis entellus) Neuromelanin festgestellt werden.

Neuromelaninhaltige Nervenzellen waren bei mehr als der Hälfte der über zehn Jahre alten Affen, aber nur bei jedem siebenten der unter zehn Jahre alten Affen im Hirnstamm vorhanden. Dieses Ergebnis bestätigte jedoch nicht unbedingt die von SCHERER (1939) und BARDEN (1975) in der Substantia nigra verschiedener Affen festgestellte altersabhängige Zunahme des Neuromelaningehaltes, da die zur Verfügung stehenden Gewebeproben des untersuchten Tiermaterials von verschiedenen und daher nicht vergleichbaren Lokalisationen des Hirnstamms entnommen worden waren. Somit konnte nicht ausgeschlossen werden, daß auch dieses Ergebnis zufällig entstanden war.

Entgegen den Angaben von SCHERER (1944), der bei jungen Affen kein leptomeningeales Melanin fand, konnte bei einem Drittel der unter einem Jahr alten Tiere Melanin in der Leptomeninx festgestellt werden. Das Vorkommen sowie die Menge des leptomeningealen Melanins zeigte in

Übereinstimmung mit den Beobachtungen von DAYAN (1971) und SCHERER (1939) unabhängig vom Lebensalter und der Tierart eine große individuelle Variabilität, so daß kein konstanter Trend zu erkennen war.

Die in ungefärbten Schnitten farblos und unauffällig erscheinenden Pseudokalk- und Kalkablagerungen erkannte HURST (1926, 1934) wegen ihrer ausgeprägten Affinität zu basischen Farbstoffen in mit Hämatoxylin-Eosin gefärbten Schnitten durch ihre tiefblaue Farbe (Tab. 3). Mit der Methode nach VON KOSSA werden zwar nicht Kalzium-Kationen, sondern deren Carbonat- und Phosphat-Anionen nachgewiesen, aber da andere Metallkationen nur selten als Partner dieser Anionen aufgetreten sind, wurde dieses sehr einfach durchzuführende Verfahren für den Nachweis von Kalkablagerungen in der diagnostischen Praxis als gut geeignet befunden (BANCROFT und STEVENS, 1975; THOMPSON, 1966). In seltenen Fällen beobachteten LILLIE und FULLMER (1976), daß auch Melaninpigmente nach Anwendung dieser histochemischen Methode eine schwarzbraune Farbe annahmen, so daß zu deren Abgrenzung von Kalkablagerungen ein Hämatoxylin-Eosin-Präparat auf das Vorhandensein von Pigmenten hin untersucht werden mußte. In Pseudokalkablagerungen wurden häufig sekundär abgelagerte Salze gefunden, die neben Kalzium auch Eisen enthielten, so daß sie bei der Methode nach VON KOSSA und der Turnbullblaureaktion positiv reagierten (HURST, 1926; 1934; STRASSMANN, 1949; LILLIE und FULLMER, 1976).

In den Gehirnen der untersuchten Tiere waren in keinem der nach VON KOSSA gefärbten Schnitte primäre oder sekundäre Pseudokalk- und/oder Kalkablagerungen zu finden. Dagegen konnten KULCZYCKI et al. (1981) mit der gleichen Methode bei einem 18 Jahre alten Pavian (Papio sp.) sowie HURST (1926, 1934) und FAIRBROTHER und HURST (1932) mit anderen Methoden bei etwa der Hälfte aller untersuchten, noch nicht ausgewachsenen Rhesusaffen (Macaca mulatta) primäre Kalzifizierungen der Gefäße in den Basalganglien feststellen. LÜCKE (1923) sah sekundäre Kalzifizierungen arteriosklerotisch veränderter Gehirngefäße bei zwei Affen. Eines der Tiere war weniger als ein Jahr alt. Das negative Ergebnis der eigenen Untersuchung konnte also nicht mit der Altersstruktur des zur Verfügung stehenden Tiermaterials erklärt werden. Vermutlich waren in den untersuchten Hirnstammlokalisationen die als Prädilektionsstellen für die sogenannte Kalzifizierung der Gefäße geltenden Basalganglien und insbesondere der Nuclei lentiformes nur selten vorhanden, so daß der Nachweis dieser Veränderungen im Routinematerial als Zufallsbefund gewertet werden kann. Einen negativen Einfluß mag auch die mindestens 24-stündige Formalinfixierung der Gewebeproben gehabt haben, da BANCROFT und STEVENS (1975) und LILLIE und FULLMER (1976) auf eine möglichst kurze Fixierungszeit Wert legten, um einen Verlust dieser Ablagerungen zu vermeiden. THOMPSON (1966) bevorzugte aus diesem Grunde insbesondere bei geringgradigen Ablagerungen die Alkoholfixierung.

Eisen ließ sich nach SPATZ (1922) und HALLGREN und SOURANDER (1958) im Zentralnervensystem mit der Turnbullblaureaktion zuverlässiger und sensibler nachweisen als mit der Berlinerblaureaktion. GRAHAM (1970) erhielt im Gehirn von Affen eine positive Turnbullblaureaktion allerdings nur im Hypothalamus. Andere Untersucher stellten mit der Berlinerblaumethode fest, daß das Eisen im Gehirn bei Affen im Vergleich zum Menschen in geringerer Intensität, aber gleicher Verteilung vorlag (SCHERER, 1944; BARDEN, 1971; FRANCOIS et al., 1981). Danach waren nur in den eisenreichsten Gebieten, das heißt in den Kerngebieten des extrapyramidalen Systems, konstante und hinreichend starke Eisennachweise zu erzielen, während die Reaktion in der Groß- und Kleinhirnrinde nur inkonstant und schwach ausfiel. BRONSON und SCHOENE (1980) fanden Eisen nur im extrapyramidalen System von Altweltaffen (Catarrhina).

In den eigenen Untersuchungen konnte in keiner untersuchten Lokalisation eine positive Turnbullblaureaktion festgestellt werden. Vermutlich hatte sich auch hier die nicht direkt auf den Nachweis der untersuchten Pigmente und Ablagerungen ausgerichtete Entnahme der Gewebeproben in der Weise ausgewirkt, daß die eisenreichsten Kerngebiete zufällig nicht oder nur selten in den untersuchten Lokalisationen vorhanden waren. Ein positiver Eisennachweis im Routinematerial muß somit als Zufallsbefund gewertet werden. In den wenigen eisenreichen Gebieten könnte die Turnbullblaureaktion unter anderem deshalb negativ ausgefallen sein, weil nach ROMEIS (1968) das zum Eisennachweis vorgesehene Material möglichst lebensfrisch fixiert werden sollte, um ein Verlagern oder Verschwinden eisenhaltiger Strukturen durch autolytische Vorgänge zu verhindern. Wie bereits erwähnt, wurden bei einem Teil der Tiere autolytische Veränderungen im Gehirn festgestellt.

Zum Nachweis von Amyloid eignete sich nach FRANCIS (1972) am besten die Anfärbung mit Kongorot und die anschließende Betrachtung im Licht- und Polarisationsmikroskop, da die starke weißgrünliche Doppelbrechung leicht zu erkennen war und mit dieser Methode eine größtmögliche Spezifität und Sensibilität erreicht wurde. Während BANCROFT und STEVENS (1975) sowie LILLIE und FULLMER (1976) das Färbeverhalten von Paramyloid gegenüber Kongorot als inkonstant bezeichneten, fand TRAUTWEIN (1965), daß Amyloid und Paramyloid Kongorot-positiv reagierten und im polarisierten Licht eine Doppelbrechung ergaben. Die Dauer der Formalinfixierung sollte nach BANCROFT und STEVENS (1975) möglichst kurz sein, und zur Erzielung optimaler Ergebnisse ist die Anfertigung von Gefrierschnitten dem Routineverfahren vorzuziehen.

Der Nachweis Kongorot-positiver Veränderungen im Gehirn von älteren Affen gelang WISNIEWSKI et al. (1973) in Form von amyloidhaltigen senilen Plaques und cerebrovaskulären Amyloidablagerungen. Bei dem in der vorliegenden Arbeit untersuchten Tiermaterial waren nur bei dem ältesten Tier, einem 18 Jahre alten Mandrill (Mandrillus sphinx), amyloidhaltige Ablagerungen in einer kleinen leptomeningealen Arterie zu finden, während senile Plaques bei keinem Tier nachzuweisen waren. Eine Erklärung für dieses Ergebnis wurde in der Diskrepanz zwischen dem Lebensalter, in dem amyloidhaltige Veränderungen im Gehirn auftraten, und dem Altersaufbau des untersuchten Tiermaterials gesehen. Nach übereinstimmender Meinung vieler Autoren traten bei allen Primaten vereinzelte senile Plaques und cerebrovaskuläre Amyloidablagerungen erst ab der Lebensmitte auf und nur im letzten Lebensdrittel waren diese Veränderungen regelmäßiger zu finden. Wie bereits SCHERER (1944) feststellte, so zeigte auch der Altersaufbau des hier untersuchten Tiermaterials, daß nichtmenschliche Primaten für systematische Untersuchungen in diesem Lebensalter nur in sehr geringer Zahl verfügbar waren.

Zusammenfassung

Zum Vorkommen von Neuropigmenten, kalzium- und eisenhaltigen Ablagerungen sowie Amyloid im Gehirn von Affen

In der vorliegenden Arbeit wurde mit histochemischen Methoden ein Überblick über das qualitative und gegebenenfalls semiquantitative, alters- und speziesabhängige, physiologische Vorkommen von Lipofuszin, Melanin, Pseudokalk- und Kalkablagerungen, Eisen und Amyloid in routinemäßig fixierten und eingebetteten Standardlokalisationen des Gehirns zahlreicher Affenarten aus dem Sektionsmaterial des Instituts für Pathologie gegeben. Die Auswertung erfolgte licht-, polarisations- und fluoreszenzmikroskopisch. Die eigenen Ergebnisse werden anhand der Angaben im Schrifttum besprochen.

Summary

Occurrence in Monkey Brain of Calcium-Containing and Iron-Containing Deposits and of Amyloid

Histochemical methods were used to obtain information on age-dependent, species-dependent, and physiological qualitative and to some extent semiquantitative occurrence of lipofuscin, melanin, pseudocalcium and calcium deposits, iron, and amyloid in brain of numerous monkey species. Standard localisations, fixed by routine procedures and embedded, were used for that purpose from histological material of the Institute of Pathology. Findings were evaluated by optical light, polarisation, and fluorescence microscopy. The author's own results are discussed, with reference being made to literature data.

Résumé

A propos de la présence de neuropigments, de dépots calcaires et ferrugineux et de l'amyloïde dans le cerveau des singes

L'auteur présente un aperçu, par des méthodes histochimiques, sur la présence physiologique qualitative et, le cas échéant, semi-quantitative et dépendant de l'âge et de l'espèce, de lipofuscine, mélanine, des dépôts pseudo-calcaires et calcaires, du fer et de l'amyloïde dans les sites normaux fixés et enrobés du cerveau d'un grand nombre d'espèces de singes disséqués dans l'Institut de Pathologie. L'évaluation a été faite à l'aide de la microscopie optique, polarisante et à fluorescence. Les résultats trouvés par l'auteur sont discutés sur la base des données dans la littérature.

Резюме

Образование нейропигментов, кальций и железосодержащих отложений и амилоида в мозгу у обезьян

В предложенной работе с помощью гистохимических методов определяется качественно и семиколичественно зависимые от возроста и специй физиологичекие образование липофузцина, меланина, псевдокалька и калькивых отложений, железа и амилоида в стационарно локализованных срезах мозга многочисленных видов обезьян. Обработка результатов проводилась на световом, поляризационном и флуорисценц-микроскопе. Результаты обсуждаются.

Literaturverzeichnis

ADLER, A. (1939): Melanin pigment in the brain of the gorilla. J. comp. Neurol. 76, 501 - 507.

BANCROFT, J.D., and A. STEVENS (1975): Histopathological stains and their diagnostic uses. Edingburgh, London: Churchill-Livingstone, p. 50, 54, 77, 80, 83. 88.

BARDEN, H. (1971): The histochemical distribution and localization of copper, iron, neuromelanin and lysosomal enzyme activity in the brain of aging rhesus monkey and the dog. J. Neuropathol. exp. Neurol. 30, 650 - 667.

BARDEN, H. (1975): The histochemical relationships and the nature of neuromelanin. Aging. (Ny) 1, 79 - 117.

BRIZZEE, K.R., and J.M. ORDY (1981): Cellular features, regional accumulation and prospects of modification of age pigments in mammals, in: R.S. SOHAL (Edit.): Age pigments. Amsterdam: Elsevier/North-Holland Biomedical Press, 102 - 155.

BRIZZEE, K.R., ORDY, J.M., and B. KAACK (1974): Early appearance and regional differences in intraneuronal and extraneuronal lipofuscin accumulation with age in the brain of a nonhuman primate (Macaca mulatta). J. Gernotol 29, 366 - 381.

BRONSON, R.T., and W.C. SCHOENE (1980): Spontaneous pallido-nigral accumulation of iron-pigment and spheroid-like structures in macaque monkeys. J. Neuropathol. exp. Neurol. 39, 181 - 196.

DAYAN, A.D. (1971): Comparative neuropathology of aging. Studies on the brains of 47 species of vertebrates. Brain. 94, 31 - 42.

ELLEDER, M. (1981): Chemical charakterization of age pigments, in: R.S. SOHAL (Hrsg.): Age pigments. Amsterdam: Elsevier/North-Holland Biomedical Press, 203 - 241.

FAIRBROTHER, R.W., and E.W. HURST (1932): Spontaneous diseases observed in 600 monkeys. J. Pathol. Bacteriol. 35, 867 - 873.

FRANCOIS, D., NGUYEN-LEGROS, J., and G. PERCHERON (1981): Topographical and cytological localisation of iron in rat and monkey brains. Brain Res. 215, 317 - 322.

GRAHAM. C.E. (1970): Distribution of lipofuscin in the squirrel monkey (Saimiri sciureus). Histochem. J. 2, 521 - 525.

HALLGREN, B., and P. SOURANDER (1958): The effect of age on the non-haemin iron in the human brain. J. Neurochem. 3, 41 - 51.

HURST, E.W. (1926): On the so called calcification in the basal ganglia of the brain. J. Pathol. Bacteriol. 29, 65 - 85.

HURST, E.W. (1934): Calcification in the brains of equidae and of bovidae. Am. J. Pathol. 10, 795 - 798.

INNES, J.R.M., and L.Z. SAUNDERS (1962): Comparative neuropathology. New York, London: Academic Press: p. 130, 660, 661, 663.

KULCZYCKI, J., KOZIK, M., and M. MOSSAKOWSKI (1981): Unusual calcifications in an monkey's brain. Acta neuropathol. Suppl. 7, 59 - 60.

LILLIE, R.D. (1957): Ferrous ion uptake. Arch. Pathol. 64, 100 - 103.

LILLIE, R.D., and H.M. FULLMER (1976): Histopathological technic and practical histochemistry. 4. Aufl. New York, St. Louis: McGraw-Hill, p. 515, 526, 539, 540, 667.

LÜCKE, B. (1923): Spontaneous cerebral lesions in monkeys. Arch. Neurol. Psychiatr. 10, 212 - 225.

MANN, D.M.A., and P.O. YATES (1974): Lipoprotein pigments - their relationship to aging in the human nervous system. 2. The melanin content of pigmental nerve cells. Brain. 97, 489 - 498.

MARSDEN, C.D. (1961): Pigmentation in the nucleus substantiae nigrae of mammals. J. Anat. 95, 256 - 261.

MARSDEN, C.D. (1969): Brain melanin, in: M. WOLMAN (Edit.): Pigments in pathology. New York, London: Academic Press, p. 395 - 420.

McMANUS, J.F.A. (1946): Histological demonstration of mucin after periodic acid. Nature. 158, 202 - 208.

MOSES, H.L., GANOTE, C.E., BEAVER, D.L., and S.S. SCHUFFMAN (1966): Light and electron microscopic studies of pigments in human and rhesus monkeys substantia nigra and locus coeruleus. Anat. Rec. 155, 167 - 184.

PEARSE, A.G.E. (1960): Histochemistry. London: Churchill, p. 926.

PUCHTLER, H., SWEAT, F., and M. LEVINE (1962): On the binding of congo red by amyloid. J. Histochem. Cytochem. 10, 335 - 362.

ROMEIS, B. (1968): Mikroskopische Technik. 16. Aufl. München, Wien: Oldenbourg, S. 311.

SCHEIDEGGER, S. (1960): Alterungsprozesse des Zentralnervensystems beim Menschen und bei Tieren. Gerontologia. (Basel) 4, 228 - 244.

SCHERER, H.J. (1939): Melanin pigmentation of the substantia nigra in primates. J. comp. Neurol. 71, 91 - 95.

SCHERER, H.J. (1944): Vergleichende Pathologie des Nervensystems der Säugetiere. Leipzig: Thieme, S. 16, 18 - 20, 191, 192.

SCHINKEL, E. (1985): Zum Vorkommen von Neuropigmenten, kalzium- und eisenhaltigen Ablagerungen sowie Amyloid im Gehirn von Affen. Vet. med. Diss., Hannover.

SCHWYN, R.C., KING, J.S., and C.A. FOX (1970): Pigments in the red nucleus and substantia nigra in man and in representative old and new world monkeys. Bol. Estud. Med. Biol. 26, 139 - 160.

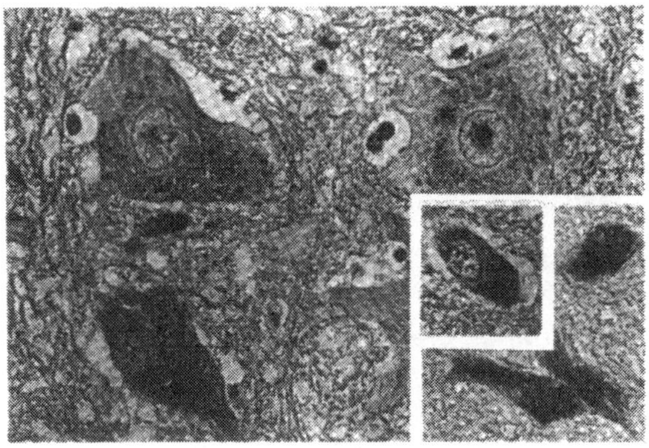

Abb. 1: Klammeraffe (Atales sp.), 13 Jahre (Großhirn, HE, Vergr. 480 x)

Große Pyramidenzellen mit zahlreichen Lipofuszingranula

Inset: Weißhandgibbon (Hylobates lar), 5 Jahre. (Stamm, Lillie, Vergr. 480 x)

Deutliche Neuromelaningranulierung

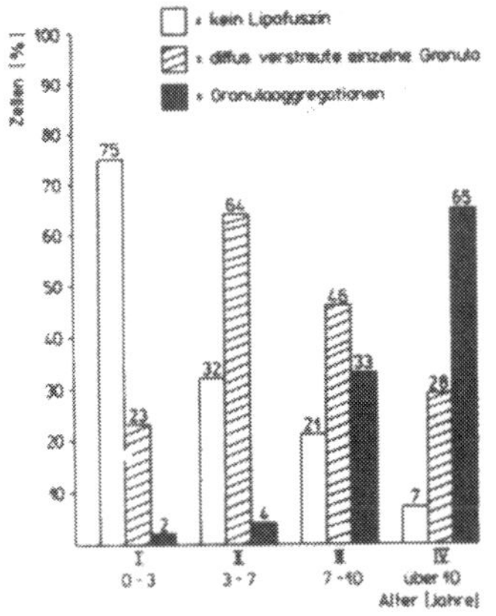

Abb. 2: Prozentualer Anteil der lipofuszinhaltigen Purkinjezellen unter Berücksichtigung des intrazellulären Verteilungsmusters

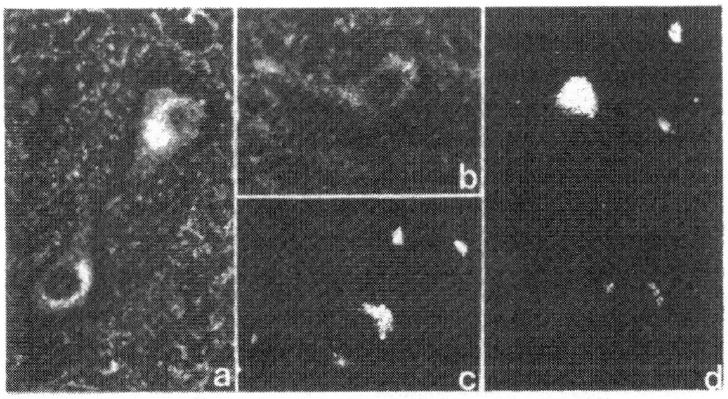

Abb. 3: Motorische Vorderhornzellen im Rückenmark (Vergr. 480 x)

a) Meerkatze (Cercopithecus sp.), 4 Jahre
In den mittel- bis hochgradig pigmentierten Zellen "sitzen" die Lipofuszingranula in perinukleärer Lage dem Kern kappenförmig auf.

b) Kapuziner (Cebus capucinus), 2 Jahre
Einzelne Pigmentgranula in bipolarer Anordnung.

c) Maki (Lemur sp.), 3 bis 4 Jahre
Die einzeln und in Form von Aggregationen auftretenden Lipofuszingranula umgeben den Zellkern dieser relativ stark pigmentierten Zelle nahezu vollständig.

c) Maki (Lemur sp.), 3 bis 4 Jahre
Während in der oberen Zelle ein polar im Axonhügel lokalisierter Pigmentklumpen zu sehen ist, zeigt die untere Zelle einzelne Granula, die sich etwa der Hälfte des Zellkernumfanges perinukleär anlagern.

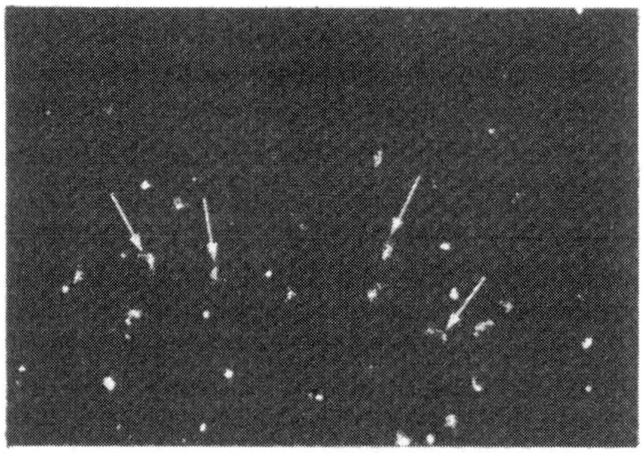

Abb. 4: Nervenzellen in einem Kerngebiet des Hirnstammes (Vergr. 120 x)
Schwarzer Klammeraffe (Ateles paniscus), 15 Jahre
Die Mehrzahl der Zellen dieses Kerngebietes zeigt eine hochgradige Pigmentierung, so daß ein relativ großer, halbmondförmiger Anteil des Zytoplasmas zwischen Kern und Zellwand von Lipofuszin eingenommen wird (Pfeile).

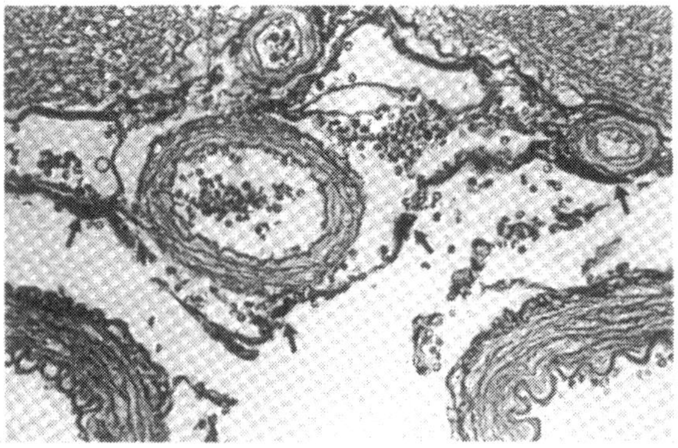

Abb. 5: Leptomeningeales Melanin im Bereich des Hirnstamms (HE, 300 x)
Pinselöffchen (Callithrix sp.), einige Monate
Vereinzelte Melaningranula in Pia mater und Arachnoidea (Pfeile)

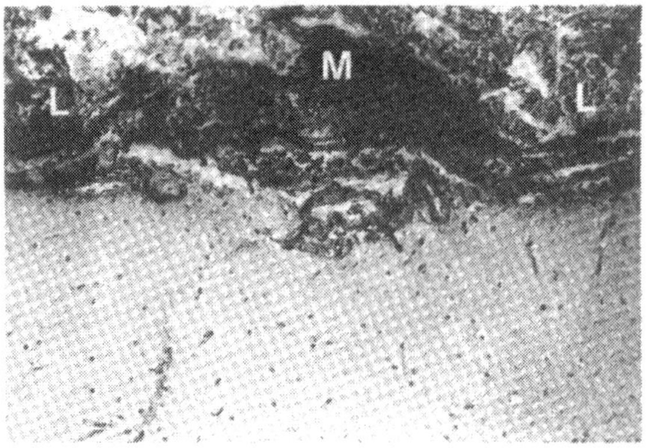

Abb. 6: Leptomeningeales Melanin im Bereich des Hirnstamms (HE, 120 x)
Pavian (Papio sp.), 6 Monate
Hochgradige Melaninablagerung (M) in der Leptomeninx (L), Pia mater, mit Bildung zusammenhängender, homogener Pigmentmassen; geringgradige perivaskuläre Pigmentierung (Pfeile)

Untersuchungsmaterial

Laufende Nummer		Geschlecht	Alter
	Ordnung Herrentiere (Primates) **Unterordnung Halbaffen (Prosimiae)**		
1	Maki (Lemur sp.)	weiblich	3 bis 4 Jahre
2	Senegalgalago (Galoga senegalensis)	weiblich	4 bis 6 Jahre
	Unterordnung Affen (Simiae) **Teilordnung Neuweltaffen (Platyrrhina)**		
3	Totenkopfäffchen (Saimiri sciureus)	männlich	totgeboren
4	Totenkopfäffchen (Saimiri sciureus)	männlich	8 Wochen
5	Totenkopfäffchen (Saimiri sciureus)	männlich	1 Jahr
6	Totenkopfäffchen (Saimiri sciureus)	weiblich	2 Jahre
7	Kapuziner (Cebus capucinus)	weiblich	2 Jahre
8	Wollaffe (Lagothrix lagothricha)	männlich	2 Jahre
9	Klammeraffe (Ateles sp.)	männlich	6 Monate
10	Klammeraffe (Ateles sp.)	weiblich	13 Jahre
11	Schwarzer Klammeraffe (Ateles paniscus)	männlich	15 Jahre
12	Pinseläffchen (Callithrix sp.)	weiblich	einige Monate
13	Pinseläffchen (Callithrix sp.)	weiblich	einige Monate
14	Pinseläffchen (Callithrix sp.)	männlich	einige Monate
15	Pinseläffchen (Callithrix sp.)	weiblich	5 Monate
16	Pinseläffchen (Callithrix sp.)	männlich	6 Monate
17	Pinseläffchen (Callithrix sp.)	männlich	11 Monate
18	Pinseläffchen (Callithrix sp.)	männlich	1 Jahr
19	Pinseläffchen (Callithrix sp.)	weiblich	ca. 4 Jahre
20	Pinseläffchen (Callithrix sp.)	männlich	ca. 5 Jahre
21	Pinseläffchen (Callithrix sp.)	männlich	ca. 7 Jahre
22	Pinseläffchen (Callithrix sp.)	weiblich	8 Jahre
23	Lisztäffchen (Oedipomidas oedipus)	weiblich	4 Tage
	Teilordnung Altweltaffen (Catarrnina) **Oberfamilie Hundsaffen (Cercopithecoidea)**		
24	Bartaffe (Macacus silenus)	weiblich	3 Jahre
25	Bartaffe (Macacus silenus)	männlich	3 Jahre
26	Bartaffe (Macacus silenus)	männlich	4 Jahre
27	Bartaffe (Macacus silenus)	männlich	5 Jahre
28	Schweinsaffe (Macacus nemestrina)	weiblich	3 Jahre
29	Schweinsaffe (Macacus nemestrina)	weiblich	über 8 Jahre
30	Javaneraffe (Macacus irus)	männlich	4 bis 5 Jahre
31	Grauarmmakak (Macacus maura ochreata)	männlich	5 Tage
32	Grauarmmakak (Macacus maura ochreata)	weiblich	8 Jahre
33	Pavian (Papio sp.)	männlich	6 Monate
34	Pavian (Papio sp.)	männlich	1 Jahr
35	Pavian (Papio sp.)	männlich	1 Jahr
36	Pavian (Papio sp.)	weiblich	1 Jahr
37	Mandrill (Mandrillus sphinx)	männlich	einige Monate
38	Mandrill (Mandrillus sphinx)	weiblich	12 Jahre
39	Mandrill (Mandrillus sphinx)	weiblich	18 Jahre
40	Dschelada (Theropithecus gelada)	männlich	5 Jahre
41	Mohrenmangabe (Cercocebus fuliginosus)	männlich	7 Jahre
42	Meerkatze (Cercopithecus sp.)	weiblich	4 Jahre
43	Blaumaulmeerkatze (Cercopithecus cephus)	männlich	10 Jahre
44	Hulman (Presbytis entellus)	männlich	4 Tage
45	Hulman (Presbytis entellus)	weiblich	8 Monate
46	Hulman (Presbytis entellus)	weiblich	2 Jahre
	Oberfamilie Menschenartige (Hominoidea)		
47	Gibbon (Hylobates sp.)	männlich	ca. 1 Jahr
48	Weißhandgibbon (Hylobates lar)	männlich	5 Jahre
49	Schopfgibbon (Hylobates concolor)	männlich	15 Jahre
50	Orang-Utan (Pongo sp.)	männlich	3 Jahre
51	Orang-Utan (Pongo sp.)	männlich	12 Jahre
52	Orang-Utan (Pongo sp.)	männlich	13 Jahre
53	Gorilla (Gorilla gorilla)	männlich	2 Jahre
54	Schimpanse (Pan troglodytes)	männlich	1 Woche
55	Schimpanse (Pan troglodytes)	männlich	8 Monate
56	Schimpanse (Pan troglodytes)	weiblich	14 Jahre

Angaben im Schrifttum über das Verhalten der untersuchten Pigmente und Ablagerungen in ungefärbten Schnitten (Licht- und Fluoreszenzmikroskop) und nach Ausführung der bei der eigenen Untersuchung angewendeten histochemischen Reaktionen (Lichtmikroskop)

	Lipofuszin	Melanin	Pseudokalk- und Kalkablagerungen	Eisen	Amyloid
ungefärbt (Lichtmikroskop)	Eigenfarbe: goldgelb bis braun	Eigenfarbe gelbbraun bis dunkelbraun bis schwarz	farblos unauffällig	farblos unauffällig	farblos unauffällig
ungefärbt (Fluoreszenzmikroskop)	weiß- bis orangegelbe Autofluoreszenz	keine Autofluoreszenz	weißgelbliche Autofluoreszenz	keine Autofluoreszenz	weißbläuliche Autofluoreszenz
Hämatoxylin-Eosin	Eigenfarbe (siehe oben)	Eigenfarbe (siehe oben)	tiefblau, seltener blaß	farblos unauffällig	Hyalin rosarot
PAS-Reaktion	positiv (rosarot)	negativ (Eigenfarbe)	positiv (rosarot)	negativ (farblos)	positiv (rosarot)
Ziehl-Neelsen	positiv (dunkelrot)	negativ (Eigenfarbe)	negativ (farblos)	negativ (farblos)	negativ (farblos)
Eisenmethode nach LILLIE	negativ (Eigenfarbe)	positiv (dunkelgrün)	negativ (farblos)	negativ (farblos)	negativ (farblos)
von Kossa	negativ (Eigenfarbe)	negativ (Eigenfarbe) (selten positiv)	positiv (schwarzbraun)	negativ (farblos)	negativ (farblos)
Turnbull	negativ (Eigenfarbe)	negativ (Eigenfarbe)	meist positiv (ganz oder teilweise blau)	positiv (blau)	negativ (farblos)
Kongorot	negativ (Eigenfarbe)	negativ (Eigenfarbe)	negativ (farblos)	negativ (farblos)	positiv (orangerosa)

Prozentualer Anteil lipofuszinhaltiger Nervenzellen an der Gesamtmenge der Nervenzellen von Hirnstamm, Kleinhirnrinde (Purkinjezellen) und Großhirnrinde (Pyramidenzellen)

Laufende Nummer aus Tabelle 3	Alter	Hirnstamm	Kleinhirn	Großhirn
Ordnung Herrentiere (Primates)				
Unterordnung Halbaffen (Prosimiae)				
1	3 bis 4 Jahre	++	/	+
2	4 bis 6 Jahre	+++	++	+
Unterordnung Affen (Simiae)				
Teilordnung Neuweltaffen (Platyrrhina)				
3	totgeboren	-	-	-
23	4 Tage	-	/	-
4	8 Wochen	-	/	-
12	einige Monate	-	-	-
13	einige Monate	-	-	-
14	einige Monate	-	-	-
15	5 Monate	/	-	-
9	6 Monate	-	-	-
16	6 Monate	-	-	-
17	11 Monate	-	-	-
5	1 Jahr	-	-	-
18	1 Jahr	-	/	-
6	2 Jahre	+	+	-
7	2 Jahre	+	+	+
8	2 Jahre	+	++	-
19	ca. 4 Jahre	/	++	+
20	ca. 5 Jahre	+	/	/
21	ca. 7 Jahre	+++	+++	+
22	8 Jahre	++	+++	
10	13 Jahre	++++	++++	++
11	15 Jahre	++++	++++	++
Teilordnung Altweltaffen (Catarrhina)				
Oberfamilie Hundsaffen (Cercopithecoidea)				
44	4 Tage	-	-	-
31	5 Tage	-	-	-
37	einige Monate	-	-	-
33	6 Monate	-	-	-
45	8 Monate	-	-	-
34	1 Jahr	+	-	-
35	1 Jahr	+	/	-
36	1 Jahr			
46	2 Jahre	+	-	-
24	3 Jahre			
25	3 Jahre	+	+	-
28	3 Jahre	+	-	-
26	4 Jahre	++	+	+
42	4 Jahre	++	++	+
30	4 bis 5 Jahre	+	-	-
27	5 Jahre	+	++	+
40	5 Jahre	++	++	+
41	7 Jahre	/	/	++
32	8 Jahre	++	++	++
29	über 8 Jahre	++	+++	+
43	10 Jahre	+++	++++	++
38	12 Jahre	+++	++++	++
39	18 Jahre	++++	++++	++
Oberfamilie Menschenartige (Hominoidea)				
54	1 Woche	-	-	-
55	8 Monate	/	-	-
47	ca. 1 Jahr	-	-	-
53	2 Jahre	-	-	-
50	3 Jahre	/	+	-
48	5 Jahre	++	+	+
51	12 Jahre	+++	++	++
52	13 Jahre	+++	+++	++
56	14 Jahre	++++		++
49	15 Jahre	++++	+++	++

Zeichenerklärung:

- \- = keine lipofuszinhaltigen Nervenzellen
- \+ = 1 bis 25% der Nervenzellen enthielten Lipofuszin
- ++ = 26 bis 50% " " " "
- +++ = 51 bis 75% " " " "
- ++++ = 76 bis 100% " " " "

/ = Lokalisation stand für die Untersuchung nicht zur Verfügung

Falls wegen hochgradiger Artefakte eine Auswertung unmöglich war, wurden die Spalten frei gelassen.

SPATZ, H. (1922): Über den Eisennachweis im Gehirn, besonders in Zentren des extrapyramidalmotorischen Systems. Z. gesamte Neurol. Psychiatr. 77, 261 - 390.

STRASSMANN, G. (1949): Iron and calcium deposits in the brain; their pathologic significance. J. Neuropathol. exp. Neurol. 8, 428 - 435.

TCHENG, K.T. (1964): Some observations on the lipofuscin pigments in the pyramidal and Purkinje cells of the monkey. J. Hirnforsch. 6, 321 - 326.

THOMPSON, S.W. (1966): Selected histochemical and histopathological methods. Springfield; Thomas, p. 583, 584, 1233, 1287.

TRAUTWEIN, G. (1965): Vergleichende Untersuchungen über das Amyloid und Paramyloid verschiedener Tierarten. Teil 1, 2. Pathol. vet. 2, 297 - 327; 493 - 513.

ULE, G., BERLET, H., RIEDL, H., FRANKHAUSEN, R., und B. VOLK (1979): Über Melanin und Melanosomen im ZNS im Vergleich zu extracerebralen Erscheinungsformen und synthetischem Melanin aus Dopamin und Serotonin. Acta neuropathol. 48, 177 - 188.

WHITEFORD, R., and R. GHETTY (1966): Distribution of lipofuscin in canine and porcine brain as related to aging. J. Gerontol. 21, 31 - 44, zt. nach H. BRODY and N. VIJASHANKAR (1977): Anatomical changes in the nervous system, in: C.E. FINCH and L. HAYFLICK (Edit.): Handbook of the biology of aging. New York, Cincinnati; Van Nostrand-Reinhold, p. 241 - 261.

WISNIEWSKI, H.M., GHETTI, B., and R.D. TERRY (1973): Neuritis (senile) plaques and filamentous changes in aged rhesus monkeys. J. Neuropathol. exp. Neurol. 32, 566 - 584.

WOLF, A., and A.M. PAPPENHEIMER (1945): Occurrence and distribution of acid-fast pigment in the central nervous system. J. Neuropathol. exp. Neurol. 4, 402 - 406.

Anschrift der Verfasser: Dr. H.-A. S c h o o n und Dr. E. S c h i n k e l
Institut für Pathologie
Tierärztliche Hochschule Hannover
Bischofsholer Damm 15
D-3000 Hannover 1 (BRD)

Aus der Forschungsstelle für Wirbeltierforschung (im Tierpark Berlin) (Direktor: Prof. Dr. sc. Dr. h.c. H. DATHE) der Akademie der Wissenschaften der DDR

HÄUFIGES VORKOMMEN VON KALZINOSEN BEI NORDLUCHSEN (LYNX LYNX)

Von Jutta Wisser

Mitteilungen über extraossäre metastatische Gewebsverkalkungen bei Zoo- und Wildtieren liegen in der Literatur überwiegend als Fallbeschreibungen vor. Beispielsweise berichten über Kalzinosen VOLF (1963) bei zwei jungen Eisbären (Thalarctos maritimus), MARTIN (1966) bei einem Jungbären (ohne Artbezeichnung), DJAKOV (1967) bei einem jungen Brillenbären (Tremartos ornatus), MALICKA und LANDOWSKA-PLAZEWSKA (1967) bei einem juvenilen Löwen, IPPEN (1975) bei zwei europäischen Luchsen (Lynx lynx) und einer Riesenschlange (Python molurus) sowie SCHÜPPEL und KRISCHE (1978) bei zwei jungen Leierhirschen (Cervus eldi). Die Autoren konnten nachweisen bzw. schlußfolgern, daß es sich ursächlich um D-Hypervitaminosen handelte.

Da D-Hypervitaminosen vorwiegend iatrogen bedingt sind (DÄMMRICH, 1979), läßt sich der Gedanke an eine überflüssige Vitamin D-Substitution mitunter nicht ausschließen. Insbesondere dann, wenn dem Pathologen keine konkreten vorberichtlichen Angaben übermittelt wurden.

Im Rahmen einer Auswertung über die Nephrokalzinoserate der Zoosäugetiere (WISSER, 1986) fielen generalisierte Kalzinosen vermehrt bei Nordluchsen auf. Das gab den Anlaß zu einer Sichtung unserer Obduktionsbefunde von dieser Tierart mit dem Ziel, Aussagen über die relative Häufigkeit und über mögliche pathogenetische Faktoren zu machen.

Eigene Untersuchungen

Ausgewertet wurden die im Zeitraum von 1960 bis Ende 1985 durchgeführten Sektionen von Nordluchsen. Insgesamt konnten 49 Nordluchse erfaßt werden. Die Tiere stammten ausschließlich aus Zoologischen Gärten bzw. tiergärtnerischen Einrichtungen der DDR. Es handelt sich um 14 (7,7) juvenile (d.h. Saugperiode), 25 (16,9) subadulte und 10 (4,6) adulte Luchse. Routinemäßig wurden von den meisten Tieren Proben vom Herz, von den großen Parenchymen, den einzelnen Abschnitten des Magen-Darm-Traktes und bei alten Tieren von der Aorta für die histologischen Untersuchungen entnommen. Über Gehirn sowie endokrine Organe, hauptsächlich Schilddrüse und Nebenniere, liegen nur von einigen Luchsen mikroskopische Befunde vor. Feingewebliche Knochenuntersuchungen wurden nicht durchgeführt. Generell erfolgten die histologischen Untersuchungen an 5 µm Paraffinschnitten, die mit Hämatoxylin-Eosin und in Einzelfällen nach KOSSA und KRUTSAY gefärbt wurden. Bakteriologische Untersuchungen wurden in die Sektionsbefundung mit einbezogen.
Die Todesursachen der 49 Nordluchse sind der Übersicht halber zum Teil in Gruppen zusammengefaßt und nach ihrer Häufigkeit geordnet in der Tabelle 1 aufgeführt.

Tabelle 1: Todesursachen bei Nordluchsen

Todesursachen	juvenil	subadult	adult	insgesamt	
				abs.	%
Kalzinosen	2	7	2	11	22,4
Rachitis	-	7	-	7	14,3
Bakt. Infektionen	1	3	2	6	12,2
Parasitosen	4	2	-	6	12,2
Traumen	1	2	1	4	8,2
Panleukopenie	-	3	-	3	6,2
Pneumonien	2	-	1	3	6,2
Nephritiden	-	-	3	3	6,2
Leberabszeß/-zirrhose	-	1	1	2	4,1
Nabelbruch	1	-	-	1	2,0
Hydrocephalus	1	-	-	1	2,0
Inanition	1	-	-	1	2,0
Totgeburt	1	-	-	1	2,0

Die entsprechend der Zielstellung interessierenden 11 Fälle von Kalzinosen hatten im einzelnen folgende Vorberichte und pathomorphologischen Befunde:

1. Zwei weibliche, vier Wochen alte Sibirische Luchse waren problemlos in der natürlichen Aufzucht, bis einen Tag vor dem Tod der Tiere bei der Mutter Störungen im Allgemeinbefinden beobachtet wurden. Die Saugtiere verließen die Wurfbox und wurden morgens moribund auf der Freianlage gefunden. Versuche von Kreislaufstützung, künstlicher Ernährung, Flüssigkeitssubstitution, Antibiotika- und Multivitamingaben blieben erfolglos. Bei der makroskopischen Untersuchung wurden beide Tiere in gutem Ernährungszustand befunden und zeigten pneumonische Lungenveränderungen. Die histologischen Untersuchungen führten zum Nachweis massiver Kalzifikationen in den Lungen, insbesondere in den Alveolarsepten. Außerdem lagen Gefäßwandverkalkungen in arteriellen Milzgefäßen sowie Verkalkungen von Basalmembranen der Tubuli contorti und der Bowman'schen Kapseln der Nieren vor.

2. Die Luchsmutter mußte 1 Woche später zur Entfernung von Fremdkörpern laparotomiert werden. Trotz lokaler und allgemeiner Antibiose, Kreislaufstützung und künstlicher Ernährung starb das Tier 3 Tage post operationem. Es war in schlechtem Ernährungszustand. Die Operationswunde zeigte keinen besonderen Befund. Es bestand eine Rechtsherzdilatation, die Lunge war hyperämisch, ödematös und in den Spitzenlappen pneumonisch. Die hellbraunen Nieren wiesen in der Rinde helle Stippchen auf. Mikroskopisch ließen sich ausgeprägte Gefäßwandverkalkungen am Herzen sowie herdförmige Myokarddegenerationen erkennen. Massiv schollige und plattförmige Verkalkungsprozesse der Lunge waren sogar in der Submukosa der Bronchien sichtbar. In den Nieren fielen Kalkabscheidungen an den Glomerulakapseln und Tubuligrundhäutchen auf. Desweiteren konnten flächenförmige Verkalkungen der Magenschleimhaut, das heißt der Basalmembranen der Drüsen, festgestellt werden. Vom Pflegepersonal und vom behandelnden Tierarzt konnte versichert werden, daß diesen Luchsen kein Vitamin D verabfolgt worden war.

3. Ein erwachsenes Luchsweibchen, das für eine Untersuchung narkotisiert wurde, erwachte nicht mehr aus der Narkose. Das Tier war gut genährt und schon makroskopisch ließen sich stippchenförmige Aufhellungen in der Lunge erkennen. Histologisch wurden typische Bilder der Bimsteinlunge, Gefäßwandverkalkungen in Herz, Lunge, Milz und Nieren sowie massive Verkalkungen der Bowman'schen Kapseln und der Tubulibasalmembranen in den Nieren deutlich.

4. Von den sieben subadulten Jungtieren mit Kalzinosen waren zwei männliche Geschwister kurze Zeit nach dem Absetzen von der Mutter moribund und nahmen nur wenig Nahrung auf. Sie wurden eine Woche mit Antibiotika, Sulfonamiden und Kreislaufmitteln behandelt. Der Allgemeinzustand verschlechterte sich kontinuierlich und die Tiere starben. Makroskopisch zeigten die Luchse grauweiße stark schwartig aussehende Herzbeutel, subkapsulär helle Stippchen in den Nierenrinden und ein Tier hatte plaqueförmige Intimaerhebungen in der Aorta. Histologisch wurden ausgedehnte metastatische Verkalkungen in den Lungen, im Herzbeutel, in den Nieren, in der Milz, bei einem Tier in der Aortenwand und bei dem anderen in den Nebennieren nachgewiesen.

5. Zwei weitere, fast erwachsene Luchsgeschwister (1,1) wurden im Abstand von zehn Tagen seziert. Ein ausführlicher klinischer Bericht wurde uns später nachgereicht. Daraus geht hervor, daß beide Tiere in annähernd gleichen Intervallen von 4 Monaten, die sich auf 2 Monate und zum Schluß auf 3 Wochen verkürzten, Inappetenzphasen zeigten. Außerdem wurde zunehmend schwankender Gang, vornehmlich in der Hinterhand, Kachexie und Husten festgestellt. Die Fütterung der Luchse erfolgte hauptsächlich mit schierem Rindfleisch, das die Tiere gegenüber zeitweise angebotener lebender Beute bevorzugten. Durch verschiedenartige Diät, in der Ei, Leber, Rinderherz, Fleischbrühe, lebende Beute und Trinkwasser mit Traubenzucker verabreicht wurden, sowie durch Behandlung mit Antibiotika, Kardiaka, Diuretika, Hepatika und Vitamin B-Komplex konnten diese Inappetenzphasen nach durchschnittlich 14 Tagen beendet werden. Parallel durchgeführte umfangreiche differentialdiagnostische Maßnahmen blieben ergebnislos. Während einer Inappetenzphase ungefähr 8 Monate vor dem Tode erhielt nur der Luchskater einen Vitaminstoß von 25 000 IE D_3 und 250 000 IE A. Die Obduktion des Luchskaters ergab makroskopisch kleinere pneumonische Herde in der Lunge sowie allgemeine Anämie. Beide Tiere waren zum Zeitpunkt der Sektion kachektisch und ließen auffallend hellbraun bis graugelbliche Nieren erkennen. Die histologische Untersuchung erbrachte eine Vielzahl massiver Kalkablagerungen in den elastischen Membranen der arteriellen Gefäßwände des Herzens,

der Milz, der Nieren, der Magenwand, der Dünndarmwand und der Schilddrüse. Desweiteren lagen staubig bis grobschollige Kalkabscheidungen an den Basalmembranen und ihren umliegenden Geweben der Bronchien und Alveolarsepten der Lunge, der Magendrüsen, der Nierentubuli und an der Bowman'schen Kapsel der Glomerula vor. Die Luchskatze wies generell umfangreiche Verkalkungen auf und hatte außerdem noch Kalkmetastasen in der Uterusmukosa.

6. Eine Luchskatze wurde uns ohne vorberichtliche Angaben von einem kleinen Tiergarten zur Sektion übersandt. Das subadulte Tier befand sich in schlechtem Ernährungszustand, war leicht anämisch und hatte in geringem Maße bernsteinfarbene Flüssigkeit in der Bauchhöhle. Die Leber war hellgelblich bis braun und die graubraunen Nieren hatten auf der Schnittfläche feine weißgraue fädige von der Rinde zum Mark durchgehende Streifen. Mikroskopisch konnten wiederum ausgedehnte Verkalkungsprozesse in der Lunge, in der Magenmukosa und in den Nieren nachgewiesen werden.

7. Mit dem Hinweis "plötzlich verendet - zuvor keine Krankheitssymptome" bekamen wir aus einem anderen Tierpark einen jungen Luchskater zur Sektion. Das mäßig genährte Tier wies makroskopisch Anzeichen einer beidseitigen Pneumonie auf. Die feingeweblichen Untersuchungen ergaben analog den vorher geschilderten Fällen Gefäßwandverkalkungen am Herzen. Umfangreiche Kalkmetastasen in der Lunge, der Magenmukosa und in den Nieren vervollständigten das typische Kalzinosebild.

8. Bei dem in der Tabelle erfaßten siebenten subadulten Tier handelt es sich um einen ca. ein Jahr alten Luchskater, der wegen Kieferdeformationen, Gebißanomalien und schlechtem Allgemeinzustand euthanasiert wurde. Fünf Monate zuvor war eine rechtsseitige Tibiafraktur des Luchses mittels Osteosynthese behandelt worden. Die Sektion konnte nur unvollständig durchgeführt werden, da der Einsender den Tierkörper und Organproben für wissenschaftliche Untersuchungen benötigte. An den Organen ließen sich keine besonderen Befunde bei der makroskopischen Untersuchung erheben. Palpatorisch erwiesen sich die Maxillen als unförmig aufgetrieben In den histologischen Proben konnten ausgedehnte schollige Verkalkungen in den Lungen, den Nieren sowie in den Gefäßwänden der Organarterien erkannt werden.

Aus den Organproben von Milz, Leber, Lunge und Nieren ließen sich bei den bakteriologischen Untersuchungen aller elf Luchse keine Keime isolieren. Regelmäßig wurde aus den Enddarmproben Escherichia coli angezüchtet.

Diskussion

Mit 22 % nehmen die aufgeführten elf Fälle von metastatischen Kalzinosen bei Nordluchsen eine dominierende Stelle als Todesursache dieser Tierart unseres Sektionsgutes ein. Vergleiche mit Literaturangaben sind nicht möglich, da so spezielle Auswertungen über Nordluchse bisher nicht vorliegen. Die Analysen der Sektionsergebnisse von DOLLINGER (1974), IPPEN und SCHRÖDER (1974) und MÜNICH und STEGER (1974) beziehen sich stets auf alle Vertreter der Familie Felidae.

Es fällt auf, daß die makroskopischen Untersuchungen der 11 Nordluchse keine besonderen Hinweise auf das Vorliegen von Kalzinosen erbrachten. Die Sekanten hatten somit keinen Anlaß, endokrine Organe, insbesondere Epithelkörperchen, Schilddrüse und Nebennieren sowie die Knochen in die Untersuchungen einzubeziehen.

Die histologischen Befunde unterscheiden sich nur im Grad ihrer Ausprägung. Einerseits konzentrieren sich die Verkalkungsprozesse auf das kardiovaskuläre System, vorrangig auf die elastischen Membranen und zum anderen auf die Basalmembranen von Lunge, Magen und Niere. Die progressive Ausbreitung ins umliegende Gewebe steht in direktem Zusammenhang mit der Intensität der Kalkablagerungen. Diese als typisch kalzinophil bezeichneten Gewebe (LINDT, 1968) werden auch bei den spontanen Kalzinosefällen, die durch Vitamin D hervorgerufen waren, genannt (SUTER, 1957; BLAZEK, 1960; DJAKOV, 1967; SCHÜPPEL und KRISCHE, 1978). In allen von uns diagnostizierten Fällen waren die Verkalkungsprozesse metastatischer Art. Primäre Dystrophien oder Degenerationen konnten nicht nachgewiesen werden. Eine genaue Differenzierung ausgeprägter Kalkablagerungen in degenerative oder metastatische ist nicht immer sicher möglich. Sie könnte aber als Kriterium zur Unterscheidung von Vitamin-D bedingten und anderen durch Hyperkalzämie hervorgerufenen Kalzinosen gelten. Neuere experimentelle Untersuchungen weisen nämlich darauf hin, daß es bei der D-Hypervitaminose primär zur Degeneration und erst sekundär zur Mineralisation der extraossären Gewebe kommt (HARRINGTON und PAGE, 1983; LONG, 1984).

Bezüglich der kausalen Pathogenese dieser relativ häufigen Kalzinosefälle bei Nordluchsen ist ganz allgemein an Hyperkalzämien zu denken, da es in ihrem Verlauf zu Kalzifikationen von Weichteilgeweben kommen kann (FOWLER, 1978). Somit sind eine Reihe von Ursachen in Betracht zu ziehen.

Zunächst ist unter diesem Aspekt die D-Hypervitaminose zu nennen. Eindeutige Angaben über appliziertes Vitamin D liegen nur einmal in dem unter 5. genannten Fällen vor. Jedoch kann durch die gleiche Symptomatik des Geschwistertieres, das keinen Vitamin-D-Stoß erhielt und pathomorphologisch noch ausgeprägtere Kalzinoseveränderungen aufwies als der Luchskater, eine ursächliche Vitamin-D-Intoxikation wohl ausgeschlossen werden. Ein nutritives Überangebot an Vitamin D kommt nach Angaben des Einsenders für die unter 2. genannte säugende Luchskatze und das Jungtier, das unter Punkt 8. aufgeführt wurde, nicht in Frage.

Verschiedene Tumoren wie Lymphome und einige Adenokarzinome produzieren parathormonähnliche Polypeptide, die ebenfalls Hyperkalzämien bewirken können. Da bei den Luchsen mit Kalzinose solche tumorösen Veränderungen nicht festgestellt wurden, ist der als Pseudohyperparathyreoidismus bezeichnete Ursachenkomplex kaum von Bedeutung.

Der primäre Hyperparathyreoidismus, ausgelöst durch Adenome, Hyperplasien oder Adenokarzinome der Nebenschilddrüse, ist mit einer exzessiven Parathormonausschüttung verbunden. Diese Ursache ist nicht auszuschließen, da die Nebenschilddrüsen der Luchse nicht untersucht wurden. Es ist jedoch darauf hinzuweisen, daß diese Erkrankung bei Hauskatzen sehr selten auftritt (DRAZNER, 1981) und bei Zookatzen noch nie beschrieben wurde (DÄMMRICH und HILDEBRAND, 1970).

Für den sekundären Hyperparathyreoidismus, der durch jede Abweichung ausgelöst werden kann, die zu einer Senkung der Serumkalziumkonzentration führt und somit die Nebenschilddrüsen stimuliert, kommen hauptsächlich zwei Ursachen in Frage. Zuerst muß an Niereninsuffizienz, hervorgerufen durch chronische Nephritiden, gedacht werden. Die histologischen Nierenbefunde der untersuchten Luchse schließen das aber aus.
Zum anderen ist der sekundäre alimentäre Hyperparathyreoidismus in Erwägung zu ziehen. Er wird durch exogene alimentäre Ursachen in Form von phosphorüberschüssiger Nahrung induziert und führt zu krankhaft vermehrter Parathormoninkretion. Durch osteoklastischen Knochengewebsabbau kommt es zu den bekannten Bildern der Osteodystrophia fibrosa generalisata, die überwiegend Jungtiere betrifft. Das aus dem Skelett freigesetzte Kalziumphosphat kann als metastatische Kalkablagerung in den inneren Organen, bevorzugt in den Nieren erscheinen (KROOK, 1957, DÄMMRICH und HILDEBRAND, 1970). Solche Stoffwechselstörungen treten bei Zoo- und Hausfeliden relativ häufig auf, sobald das Kalzium-Phosphorverhältnis bei der Fütterung der Feliden nicht eingehalten wird (DÄMMRICH, 1974 und 1979; BRAHM et al., 1979; KUTSCHMANN, 1982).

Obwohl die mit diesem Krankheitsbild einhergehenden Hyperfunktionszustände der Nebenschilddrüsen histologisch bei den Nordluchsen nicht zu belegen sind, sprechen viele Faktoren für solch einen sekundären alimentären Hyperparathyreoidismus der meisten Luchse. Dazu sind als wichtige Aspekte das vermehrte Vorkommen der Erkrankung bei den Jungtieren, sowie die unter 5. beschriebene Fütterung von reinem Rindfleisch mit einem durchschnittlichen Ca - P - Quotienten von 1:22 zu nennen. Der nutritive Ca - P - Quotient für Feliden sollte 1,2:1 betragen (BRAHM et al., 1979). Weiterhin untermauert das erwähnte Schwanken in der Hinterhand bei den beiden Luchsen die These einer hochgradigen osteodystrophischen Skelettveränderung. Nur durch die jeweilige Diät während der Inappetenzphasen konnte das Krankheitsbild der Osteodystrophia fibrosa generalisata vorübergehend gebessert werden. Der schlechte bis kachektische Ernährungszustand von sechs Nordluchsen, spricht ebenfalls für das Vorliegen dieser Erkrankung.

Für die Entstehung der Kalzinose des nicht vollständig obduzierten, unter Punkt 8., beschriebenen Luchskaters sind zwei Ursachen zu diskutieren. Auf Grund des schlechten Allgemeinzustandes und der früheren Tibiafraktur ist wiederum an einen sekundären alimentären Hyperparathyreoidismus zu denken. Im Verlaufe der dystrophischen Skelettveränderungen kann es besonders an den langen Röhrenknochen der Katzen häufig zu Frakturen kommen. Die Kieferdeformationen sind nach DÄMMRICH (1979) bei Katzen nicht typisch für die Osteodystrophia fibrosa generalisata. Er stellte ähnliche symmetrisch wulstförmige Verdickungen der Kieferknochen häufiger bei jungen Pflanzenfressern als bei Raubkatzen fest.

Als zweite Ursache kommt ein primärer Knochentumor in Frage. Infolge osteolytischer Prozesse kann dann die Hyperkalzämie des Luchses zustande gekommen sein.

Schwer zu deuten sind die Kalzinosen der beiden noch mit Muttermilch ernährten Luchse (Punkt 1.). Ob die Hyperkalzämie der Mutter zu einem veränderten Kalzium-Phosphor-Verhältnis in der Milch führte und damit eine direkte Kalzinosewirkung auf die juvenilen Luchse hatte, muß offen bleiben.

Absicht dieser Arbeit ist es nicht, Sektionsbefunde, die teilweise über 20 Jahre zurückliegen mit dem heutigen Erkenntnisstand retrospektiv pathogenetisch aufklären zu wollen. Vielmehr liegt uns daran, darauf hinzuweisen, daß Nordluchse hinsichtlich eines unausgewogenen Kalzium-Phosphor-Verhältnisses des Futters vielleicht besonders empfindlich reagieren. Außerdem möchten wir durch die ausführliche Schilderung dieser Kalzinosen generell auf die Problematik aufmerksam machen. Es soll verdeutlicht werden, welche diagnostischen Schwierigkeiten für diese Stoffwechselerkrankungen bei Luchsen sowohl von klinischer als auch vom pathomorphologischer Seite bestehen können. Für die pathologische Diagnostik empfiehlt es sich, bei ähnlichen makroskopischen Sektionsbefunden vom Nordluchsen die Nebenschilddrüsen und Knochen in die Untersuchung einzubeziehen.

Den Einsendern der Nordluchse, insbesondere den betreuenden Tierärzten, sei hiermit für die vorberichtlichen Angaben herzlich gedankt.

<u>Zusammenfassung</u>

<u>Häufiges Vorkommen von Kalzinosen bei Nordluchsen (Lynx lynx)</u>

Es wird über Befunde von 11 Fällen (22 %) mit metastatischen Kalzinosen, die bei obduzierten Nordluchsen ermittelt wurden, berichtet. Mögliche kausal pathogenetische Gesichtspunkte werden diskutiert.

<u>Summary</u>

<u>High Incidence of Calcinoses in European Lynx (Lynx lynx)</u>

Reported are findings of eleven metastatic calcinoses recorded from 49 post-mortem examinations of European lynx (22 per cent). Possible causatively effective aspects of pathogenesis are discussed.

<u>Résumé</u>

<u>Occurrence fréquente de calcinoses chez le lynx du nord (Lynx lynx)</u>

Rapport sur la constatation de 11 calcinoses métastatiques chez 49 lynx du nord qui ont été autopsié (22 %). Discussion des facteurs causalement pathogénétiques qui peuvent jouer un rôle.

<u>Резюме</u>

<u>Часто наблюдаемый кальциноз у северных люксов (Lynx lynx)</u>

Сообщается об II метастазирущих кальцинозах, выявленных при секционных исследованиях 49 северных люксов (22 %). Обсуждается каузальная патогенетическая точка зрения.

Literaturverzeichnis

BLAZEK, K. (1960): Beitrag zur Morphologie der medikamentösen D-Hypervitaminose bei Fleischfressern. Arch. exp. Veterinärmed. 19, 336 - 348.

BRAHM, R., BRAHM, E., und W. BARTMANN (1979): Osteodystrophia fibrosa bei Feliden. Verh.ber. Erkrg. Zootiere 21, 73 - 75.

DÄMMRICH, K. (1974): Skeletterkrankungen bei jungen Raubkatzen. Verh.ber. Erkrg. Zootiere 16, 137 - 139.

DÄMMRICH, K. (1979): Zur Pathogenese der Skeletterkrankungen bei Zootieren. Verh.ber. Erkrg. Zootiere 21, 65 - 71.

DÄMMRICH, K., und B. HILDEBRAND (1970): Hyperparathyreoidismus bei Zootieren. Verh.ber. Erkrg. Zootiere 12, 109 - 111.

DJAKOV, L. (1967): Calcinosis universalis bei einem jungen Brillenbären (Tremarctos ornatus). D. Zool. Garten (NF) 34, 270 - 275.

DOLLINGER, P. (1974): Analyse der Verluste im Raubtierbestand des Zoologischen Gartens Zürich von 1954 bis 1973. Verh.ber. Erkrg. Zootiere 16, 39 - 43.

DRAZNER, F.H. (1981): Hypercalcaemia in the Dog and Cat. J. Am. Vet. Med. Assoc. 178, 1252-1256.

FOWLER, M.E. (1978): Zoo and Wild Animal Medicine. Philadelphia, London, Toronto: W.B. Saunders Company.

HARRINGTON, D.D., and E.H. PAGE (1983): Acute vitamin D_3 toxicosis in horses: Case reports and experimental studies of the comparative toxicity of vitamin D_2 and D_3. J. Am. Vet. Med. Assoc. 182, 1358 - 1369.

IPPEN, R. (1975): Ein Beitrag zu einigen stoffwechselbedingten Veränderungen bei Zoo- und Wildtieren. Verh.ber. Erkrg. Zootiere 17, 187 - 196.

IPPEN, R., und H.-D. SCHRÖDER (1974): Auswertung der postmortalen Untersuchungsergebnisse bei in Gefangenschaft gehaltenen Landraubtieren. Verh.ber. Erkrg. Zootiere 16, 29 - 37.

KROOK, L. (1957): Spontaneous hyperparathyroidism in the dog. Acta path. et microbiol. Skand. 122, 41 - 44.

KUTSCHMANN, K. (1982): Zum klinischen Bild der Osteodystrophia fibrosa generalisata bei der Katze. Mh. Vet.-Med., 37, 302 - 305.

LINDT, S. (1968): D-hypervitaminotische Calcinose bei verschiedenen Tieren. Wien. tierärztl. Mschr. 55, 148 - 164.

LONG, G.G. (1984): Acute toxicosis in swine associated with excessive dietary intake of vitamin D. J. Am. Vet. Med. Assoc. 184, 164 - 170.

MALICKA, E., und E. LANDOWSKA-PLAZEWSKA (1967): Kalkgicht bei einem Löwenjungen. Verh.ber. Erkrg. Zootiere 9, 275 - 277.

MARTIN, J. (1966): Vitamin D-Intoxikation bei zwei Hundewelpen und einem Jungbären. Dt. Tierärztl. Wschr. 73, 314 - 317.

MÜNICH, U., und G. STEGER (1974): Diagnostische Befunde der Veterinäruntersuchungsanstalt Nürnberg bei Raubtieren (1939 - 1973). Verh.ber. Erkrg. Zootiere 16, 19 - 27.

SCHÜPPEL, K.F., und G. KRISCHE (1978): Kalzinose bei zwei jungen Leierhirschen (Cervus eldi). Verh.ber. Erkrg. Zootiere 20, 131 - 135.

SUTER, P. (1957): Zur Gefahr der Überdosis von Vitamin-D-Präparaten. Schweiz. Arch. Tierhk. 99, 421 - 423.

VOLF, J. (1963): Einige Bemerkungen zur Aufzucht von Eisbären (Thalarctos maritimus) in Gefangenschaft. D. Zool. Garten (NF) 28, 97 - 108.

WISSER, J. (1986): Zu den Nephrokalzinosen der Zoosäugetiere. (in Vorbereitung).

Anschrift des Verfassers: Dr. med. vet. Jutta W i s s e r
DDR-1136 Berlin
Am Tierpark 125 (DDR)

Aus dem Wissenschaftsbereich Veterinär-Pathologie (Leiter: VR Prof. Dr. H. PILZ) der Sektion Tierproduktion und Veterinärmedizin der Humboldt-Universität zu Berlin

HISTOPATHOLOGISCHE MYOKARDVERÄNDERUNGEN BEI ERLEGTEN WILDSCHWEINEN

Von V. Bergmann, Anita Gräfe, J. Reetz und Monika Schweigel

Im Rahmen ausgedehnter pathomorphologischer Studien zur Pathogenese der Belastungsempfindlichkeit und Insuffizienz des Herz-Kreislauf-Systems moderner Schweinerassen erschien es auch von Interesse, vergleichende Untersuchungen an Herzen von Wildschweinen vorzunehmen, um festzustellen, ob und in welchem Ausmaß auch bei diesen Tieren Myokard- und Koronargefäßveränderungen nachweisbar sind. Durch die Gegenüberstellung der Befunde bei Wild- und Hausschweinen sollte geprüft werden, inwieweit der Domestikations- und Züchtungsprozeß sowie die unterschiedlichen Haltungsformen und epizootiologischen Bedingungen sich im Reaktionsmuster des Herzgewebes widerspiegeln. Zugleich stellen die Untersuchungen eine Studie zur Herzpathologie des klinisch gesunden Wildschweins in freier Wildbahn dar.

Material und Methodik

Untersucht wurden die Herzen von 50 Wildschweinen im Alter von 6 bis 12 Monaten, die in freier Wildbahn ohne Anzeichen einer Erkrankung geschossen worden waren. Es wurden Proben aus 5 verschiedenen Regionen des Herzmuskels entnommen, in 10 %iger Formalinlösung fixiert sowie einer HE-Färbung bzw. Hornowsky-Färbung (am Paraffinschnitt) und einer Sudan III-Färbung (am Gefrierschnitt) unterzogen.
Das Myokard wurde auf 12 pathomorphologische Kriterien untersucht. Am aussagekräftigsten erwiesen sich: entzündliche Infiltration, Faserzerfall und -nekrose, degenerative Fettinfiltration, feinkörnige Faserverkalkung, Sarkosporidienbefall und reparative Fibrose (Narbenbildung). Die Veränderungen wurden pro Probe (Schnitt) semiquantitativ erfaßt. Die Summierung der Proben nach einheitlichem Schlüssel ergab die Gesamtbewertung des Herzens.
An den intramuralen Koronargefäßen wurden erfaßt: Art der Intimaveränderungen, Intimafläche, Beschaffenheit der Elastika, Mediafläche, Lumenfläche des Gefäßquerschnittes u.a. Die Gefäßveränderungen wurden planimetrisch objektiviert.
Die Veränderungen an den Wildschweinherzen wurden verglichen mit den Befunden bei 200 klinisch gesunden Schlachtschweinen im Alter von 8 - 9 Monaten, die mit gleicher Methode bearbeitet worden waren.

Ergebnisse

1. Häufigkeit und Schweregrad der Myokardveränderungen

Von den 250 untersuchten Myokardproben erwiesen sich 51,6 % als unverändert, das entspricht 26,0 % der 50 Wildschweinherzen. 49,4 % der Proben bzw. 74,0 % der Herzen zeigten mehr oder weniger ausgeprägte histopathologische Veränderungen, die in den Tabellen 1 und 2 zusammengefaßt sind.

Tabelle 1: Häufigkeit und Grad pathologischer Myokardveränderungen in untersuchten Gewebeproben (Schnitten) in Prozent (n = 250)

Veränderung	+	++	+++	++++	gesamt (+ - ++++)
Entzündliche Infiltration	14,8	5,2	3,6	3,2	26,8
Zerfall / Nekrose	12,4	4,4	3,2	-	20,0
Fett / Kalk	-	-	-	-	-
Sarkozysten	20,0	15,2	1,6	-	36,8
Narbenbildung	2,0	1,6	-	-	3,6

Tabelle 2: Häufigkeit und Grad pathologischer Myokardveränderungen pro untersuchte Herzen in Prozent (n = 50)

Veränderung	+	++	+++	++++	gesamt (+ - ++++)
Entzündliche Infiltration	24,0	12,0	8,0	4,0	48,0
Zerfall / Nekrose	24,0	6,0	4,0	-	34,0
Fett / Kalk	-	-	-	-	-
Sarkozysten	34,0	18,0	4,0	-	56,0
Narbenbildung	2,0	8,0	-	-	10,0

E n t z ü n d l i c h e   I n f i l t r a t i o n e n traten in 26,8 % der Proben bzw. in 48,0 % der Herzen auf. Meist handelte es sich dabei um geringfügige Zellansammlungen (+ = 15 - 50 Zellen pro Präparat). Entzündliche Infiltrate repräsentierten sich als herdförmige, resorptive Myokarditis (Abb. 1) bzw. als lymphohistiozytäre interstitielle Infiltration. Zwei Präparate zeigten granulomartige Entzündungsherde; in zwei weiteren Fällen konnte eine diffuse, das gesamte Präparat durchsetzende Entzündung festgestellt werden. 13,4 % der Proben wiesen vermehrt eosinophile Granulozyten im Zellbild auf.

Z e r f a l l oder N e k r o s e von Muskelfasern wurde bei 20,0 % der Proben bzw. bei 34,0 % der Herzen beobachtet. Geringgradige Veränderungen (+ = 1 - 5 Fasern verändert) überwogen (Abb. 2). Faserzerfall trat als körnige oder hyalin-schollige Degeneration in Erscheinung. Insgesamt handelte es sich weitgehend um disseminierte oder fokal multiple Unterlänge einzelner Myokardfasern. Degenerativer Zerfall und Nekrose wurden immer im Zusammenhang mit Entzündungsvorgängen beobachtet. Isolierte, d.h. akute degenerative Faserschädigungen fehlten.

Feinstaubige Verfettung von Myokardfasern (F e t t) bzw. feinkörnige Kalkinkrustationen (K a l k) konnten in keiner der untersuchten Muskelproben nachgewiesen werden.

S a r k o s p o r i d i e n waren der häufigste pathologische Myokardbefund. Sie wurden in 36,8 % der Proben bzw. 56,0 % der Herzen nachgewiesen. Es überwogen gering- bis mittelgradige Befallsintensitäten. Die Anzahl an Sarkozysten pro Gewebeschnitt schwankte von 1 - 11. In der Regel handelte es sich um lebende Sarkozysten, die scheinbar reaktionslos in den Wirts-Muskelfasern eingebettet lagen. Nur in 3 Fällen wurden Entzündungsherde beobachtet, in deren Zentrum abgestorbene, zellig überwanderte Zysten lagen. In einem dieser Fälle lag eine massive Infiltration mit überwiegender Beteiligung von eosinophilen Granulozyten vor. Verkalkte Zysten wurden nicht beobachtet.

N a r b e n b i l d u n g e n , d.h. fibroplastische Reaktionen, wurden nur bei 3,6 % der Proben (10,0 % der Herzen) beobachtet. In 4 Fällen traten sie im Zusammenhang mit Infiltrations- und Degenerationsvorgängen, bei einem Herz als reine Bindegewebszubildung auf.

2. Lokalisation der Myokardveränderungen

In Tab. 3 ist die prozentuale Verteilung der wichtigsten pathologischen Kriterien auf die untersuchten Herzmuskelproben dargestellt.

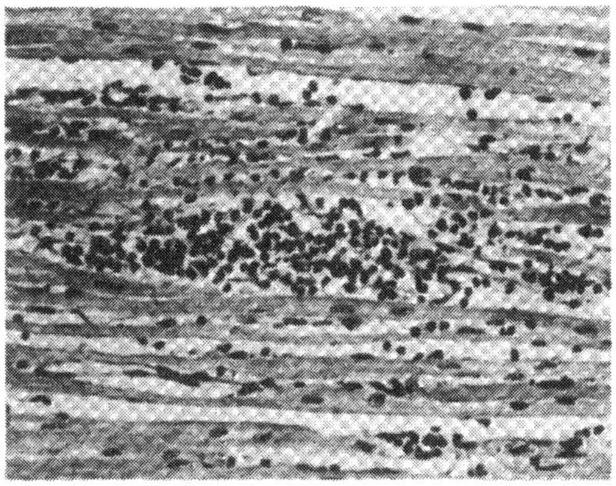

Abb. 1: Herdförmiges entzündliches Infiltrat in linker Herzkammerwand. HE_Färbung

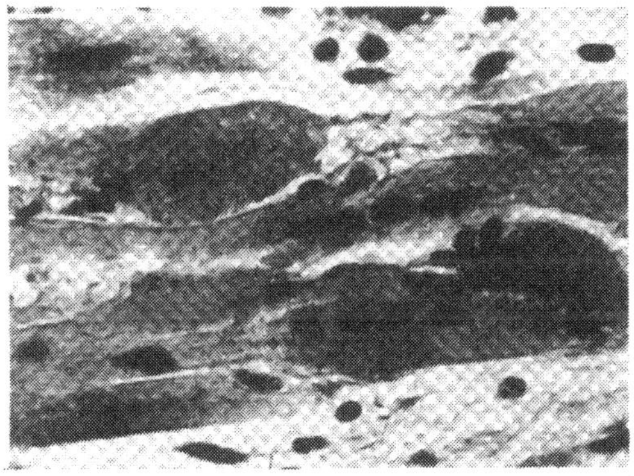

Abb. 2: Partielle Nekrose einzelner Herzmuskelfasern. HE-Färbung

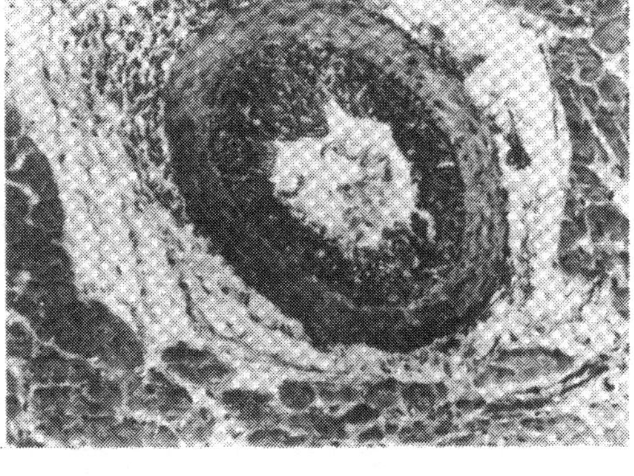

Abb. 4: Muskulös-elastische Intimaproliferation eines intramuralen Koronargefäßes mit Lumeneinengung. Hornowsky-Färbung

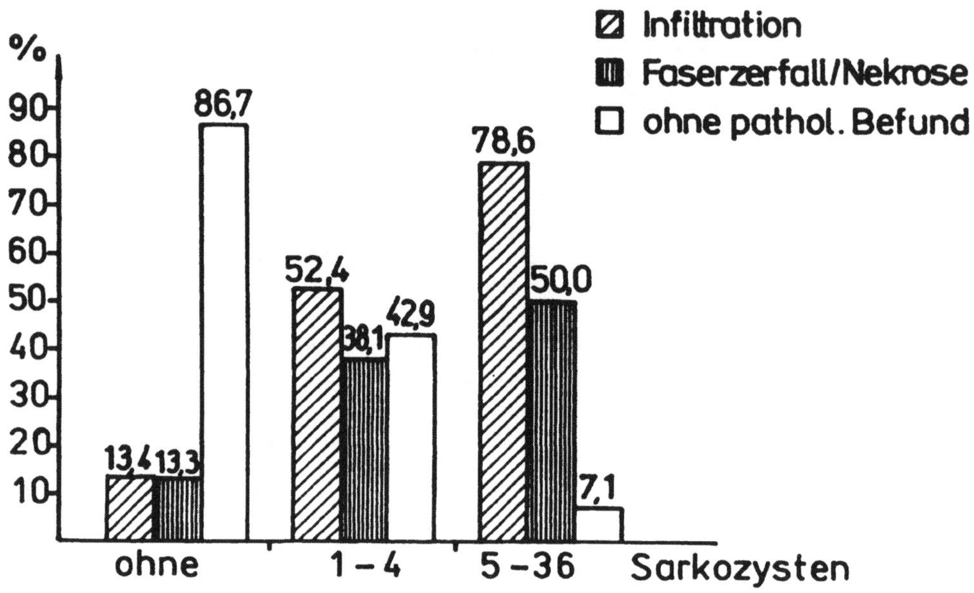

Abb. 3: Anteil der Myokardveränderungen bei steigender Anzahl von Sarkozysten (in Prozent der untersuchten Herzen)

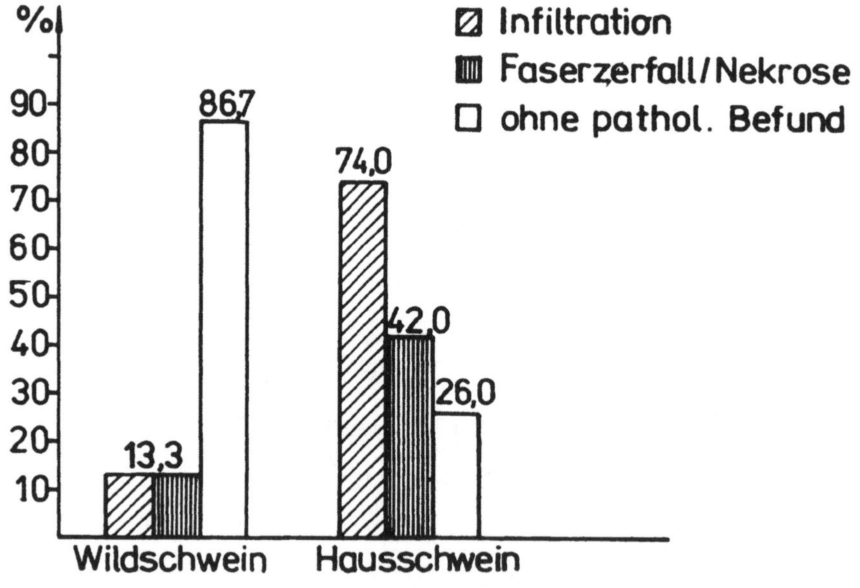

Abb. 5: Vergleich der Rate von Myokardveränderungen bei Wild- und Hausschweinen ohne Sarkosporidienbefall (in Prozent der untersuchten Herzen)

Tabelle 3: Verteilung pathologischer Veränderungen auf die verschiedenen Herzmuskelproben in Prozent

Gewebeprobe	entzündliche Infiltration	Zerfall/ Nekrose	Sarkozysten
inn. Papillarmuskel } li. Herzk.	30,0	28,0	38,0
äuß. Papillarmuskel } li. Herzk.	30,0	22,0	30,0
rechte Herzkammerwand	42,0	32,0	46,0
rechte Vorkammerwand	26,0	16,0	40,0
linke Vorkammerwand	6,0	2,0	30,0

Veränderungen traten am häufigsten in der Wand der rechten Herzkammer auf. Das traf besonders für Entzündungen zu. Die geringste Frequenz an Schäden wurde im Myokard der linken Vorkammer beobachtet. Auch Sarkozysten wurden am zahlreichsten in der rechten Kammerwand nachgewiesen, die Verteilung in den übrigen Proben war dagegen relativ gleichmäßig.

3. Beziehungen zwischen Sarkosporidienbefall und entzündlichen sowie degenerativ-nekrotischen Myokardveränderungen

Sarkosporidien bieten sich histologisch im Myokard meist als intakte, lebende Zysten ohne perizystäre Entzündungen dar. Durch die Prüfung der Korrelation von Sarkozystenfrequenz und der Häufigkeit diffuser entzündlicher bzw. degenerativer Veränderungen sollte geprüft werden, ob eine Beziehung zwischen diesen Schadereignissen besteht und damit den Sarkosporidien eine ursächliche Bedeutung für die gefundenen Myokardveränderungen zukommt.
Die Herzen wurden daher in drei Gruppen mit unterschiedlichem Sarkozystenbefall eingeteilt. Die Ergebnisse sind aus Tabelle 4 ersichtlich.

Tabelle 4: Vorkommen von entzündlichen Infiltrationen und degenerativ-nekrotischen Faserveränderungen im Myokard bei Wildschweinen mit unterschiedlichem Sarkosporidienbefall

Zysten pro Schnitt	ohne Veränd. %	Infiltration %					Zerfall / Nekrose %			
		+	++	+++	++++	ges.	+	++	+++	ges.
0	86,7	-	6,7	6,7	-	13,4	13,3	-	-	13,3
1 - 4	42,9	42,9	-	-	9,5	52,4	28,6	-	9,5	38,1
5 - 36	7,1	28,6	14,3	14,3	21,4	78,6	28,6	7,1	14,3	50,8

Die Tabelle weist aus, daß Häufigkeit und Grad pathologischer Herzveränderungen mit der Anzahl der Sarkosporidienzysten ansteigen. Die signifikanten Unterschiede zwischen allen drei Untersuchungsgruppen lassen die engen Korrelationen von Zystenfrequenz und Schädigungsextensität sowie -intensität eindeutig erkennen (Abb. 3).

4. Veränderungen an den intramuralen Koronargefäßen

Bei der histologischen Untersuchung der intramuralen Koronararterien wurden bei 24,5 % aller Arterienquerschnitte der Papillarmuskeln Wandveränderungen nachgewiesen, die zum Teil lumeneinengenden Charakter hatten. Es handelte sich dabei im wesentlichen um 2 Typen von Strukturstörungen. Zum einen traten häufig muskulös-elastische Intimaproliferationen auf (22,3 % der Arterienquerschnitte), die mit ex- oder konzentrischen Lumeneinengungen (Abb. 4), Aufsplitterung der Elastica interna und Atrophie der Media einhergingen. Zum anderen wurden Intima-Media-Verquellungen beobachtet, die weitaus seltener nachweisbar waren (2,2 %) und auf einer Gefäßwandödematisierung bzw. Anreicherung von Glukosaminoglykanen beruhten. Die letztgenannten Veränderungen wurden als Frühformen arteriosklerotischer Prozesse angesehen. Die betroffenen Gefäße wiesen eine durchschnittliche Lumeneinengung von 45,6 %, im Extremfall bis zu 60,7 % auf.

5. Vergleich der Myokard- und Gefäßveränderungen bei Wild- und Hausschweinen

Die Gegenüberstellung der mit gleicher Untersuchungsmethodik bei 200 klinisch gesunden Schlachtschweinen gefundenen Myokardveränderungen mit den Befunden beim Wildschwein erbrachte folgende Ergebnisse (Tab. 5):

Tabelle 5: Myokardveränderungen in Prozent der untersuchten Proben bzw. Herzen sowie Koronargefäßstörungen bei Wild- und Hausschweinen

Veränderung	Wildschwein		Hausschwein	
	Proben	Herzen	Proben	Herzen
Entzündliche Infiltration	26,8	48,0	36,1	58,0
Zerfall / Nekrose	20,0	34,0	19,7	36,0
Fett / Kalk	0,0	0,0	0,4	1,5
Sarkozysten	36,8	56,0	0,8	2,5
Narbenbildung	3,6	10,0	0,2	1,0
Intimaproliferation	23,3		52,9	
Intima-Media-Verquellung	2,2		4,7	
Extreme Lumeneinengung	60,7		85,0	
Gesamtlumenverlust	11,7		23,7	

Der Vergleich zeigt eine hohe Sarkosporidienrate beim Wildschwein gegenüber einem unwesentlichen Befall beim Hausschwein. Die Rate der Entzündungen ist beim Hausschwein höher als beim Wildschwein, die Frequenz degenerativer Prozesse annähernd gleich hoch, sie wird jedoch durch das Auftreten von Faserverfettungen und -verkalkungen erhöht. Die Koronargefäßveränderungen sind beim Hausschwein durchweg bedeutend häufiger und ausgeprägter als beim Wildschwein.

Um die unterschiedlichen Ursachen der nur unwesentlich verschiedenen Entzündungs- und Degenerationsraten im Myokard beider Tiergruppen zu demonstrieren, wurden sarkosporidienfreie Herzen verglichen (Abb. 5). Dem drastischen Rückgang der Schäden beim Wildschwein steht ein nahezu unverändertes Ergebnis beim Hausschwein gegenüber.

Diskussion

Durch die histopathologische Untersuchung des Myokards von Wildschweinen wurde der Nachweis erbracht, daß die überwiegende Mehrheit dieser ohne Anzeichen einer Erkrankung in freier Wildbahn geschossenen Tiere entzündliche Infiltrationen und degenerativ-nekrotisierende Veränderungen im Herzmuskel aufweist. Es handelt sich dabei vor allem um herdförmige lympho-histiozytäre Zellansammlungen bzw. disseminierten degenerativen Zerfall einzelner Herzmuskelfasern, die meist nur gering bis mittelgradig ausgeprägt waren. Derartige Prozesse sind bei der histologischen Untersuchung von Herzen in freier Wildbahn bzw. in Gefangenschaft gestorbener Wildtiere zu beachten und müssen von lebensgefährdenden Myokarderkrankungen differenziert werden. Ähnliche Veränderungen wurden von uns auch bei anderen klinisch gesunden Tierspezies (Hausschweinen, Jungrindern; GRÄFE und BERGMANN, 1984) sowie von PEIRONE et al. (1985) bei Rothirschen gefunden. Ihr gesundheitsgefährdender Charakter ist schwer zu beurteilen, zumindest stellen sie bei höhergradigem Vorkommen einen Schadfaktor dar, der die Leistungsfähigkeit des Herz-Kreislauf-Systems beeinträchtigt.
Disseminierte entzündliche und degenerativ-nekrotisierende Veränderungen im Herzmuskel können auf verschiedenen Ursachen beruhen. Infrage kommen infektiöse und infektiös-toxische Einwirkungen, aber auch nutritive und toxische Faktoren sowie streßbedingte Überforderungsreaktionen oder lokale Ischämien und Hypoxydosen. Nach SCHULZ (1982) sind auch erregerinduzierte Autoimmunvorgänge beteiligt.

Unsere Untersuchungen haben durch den Vergleich von Herzgruppen mit unterschiedlich hohem Sarkosporidienbefall gezeigt, daß beim Wildschwein der größte Teil der Myokardveränderungen auf die Einwirkung von Sarkosporidien zurückgeht. Die Befallsextensität der Herzen lag mit 56,0 % deutlich über dem von ERBER und BOCH (1976) bei Wildschweinen ermittelten Wert von 24 %. Die Intensität des Sarkosporidienbefalls wies starke Schwankungen auf (1 bis 35 Zysten pro Herz). Unterschiede in der Zystenwand zeigten das Vorkommen verschiedener Sarkosporidien-Spezies an. Bei den im Gefolge des Sarkosporidienbefalls sich entwickelnden Entzündungen und Faserdegenerationen handelte es sich vorzugsweise um heterotopische Reaktionen, d.h., die Veränderungen betrafen nicht direkt den Ort der Sarkozysteneinlagerung. Nur in 4 Fällen waren die unmittelbare Umgebung bzw. die Sarkozysten selbst geschädigt. Besonders betroffen war die rechte Herzkammerwand, in der auch die meisten Sarkosporidien zu finden waren. Ähnliche Beobachtungen wurden von HOFMANN (1971) an Hausschweinen gemacht. Die Ursache für die Entstehung dieser heterotopischen Gewebereaktionen ist noch unklar. Möglicherweise sind sie durch die Freisetzung von Stoffwechselprodukten (Sarkozystin) der Parasiten bedingt oder beruhen auf immunologischen (allergischen) Vorgängen.

Die Untersuchung der intramuralen Arterien führte zum Nachweis von Intima-Media-Veränderungen bei etwa 24 % der überprüften Gefäßquerschnitte. Es handelte sich vorwiegend um muskulös-elastische Intimaproliferationen, seltener um Intima-Media-Verquellungen, die zu ex- oder konzentrischen Lumeneinengungen führten. Das Vollbild der Arteriosklerose, wie es von KRIEG (1968) oder DAHME (1969) bei Wildschweinen beschrieben wurde, konnte nicht beobachtet werden. Die Ursache mag in dem niedrigen Alter der von uns untersuchten Tiere begründet liegen. Den Gefäßveränderungen wird keine bedeutende Rolle bei der Entstehung der Myokardveränderungen des Wildschweins zugeschrieben.

Der Vergleich histopathologischer Befunde am Herz von Wildschweinen und geschlachteten Hausschweinen zeigte, daß bei Wildschweinen mehr Sarkosporidien, beim Hausschwein aber mehr Entzündungsherde und akute Faserdegenerationen in höheren Graden und verschiedener Qualität vorlagen. Die Veränderungen sind beim Hausschwein vorwiegend in den Papillarmuskeln der linken Herzkammer lokalisiert. Bei den Gefäßveränderungen übertreffen die Hausschweine die Wildschweine um mehr als das Doppelte. Die extremen Lumeneinengungen sind graduell schwerer, der Gesamtlumenverlust drastisch höher. In den Untersuchungen konnte nachgewiesen werden, daß die entzündlichen und degenerativen Prozesse in der Herzmuskulatur beim Wildschwein vorwiegend auf die Wirkung der Sarkosporidien zurückzuführen waren. Für das Hausschwein trafen diese Beziehungen nicht zu, da der Befallsgrad an Sarkozysten nur gering war (2,5 %). Demnach liegen beim Hausschwein andere Ursachen für das Auftreten von Herzmuskelläsionen vor. Infrage kommen neben bakteriellen oder bakteriell-toxischen Einwirkungen (überstandene Pneumonien und andere Infekte) vor allem wiederholte streßbedingte degenerative Faserveränderungen (belastungsbedingte Kardiomyopathie; BERGMANN, 1979) mit nachfolgender entzündlicher Reparation sowie ischämische Einwirkungen bzw. relative Hypoxydose, die aus den beträchtlichen stenosierenden Prozessen an den intramuralen Koronargefäßen resultieren können.

Zusammenfassung

Histopathologische Myokardveränderungen bei erlegten Wildschweinen

Durch histopathologische Untersuchung verschiedener Regionen von 50 Herzen geschossener, klinisch gesunder Wildschweine (Alter um 1 Jahr) wurden im Myokard Sarkozysten (56 % der Herzen), entzündliche Infiltrate (48 %), degenerativer Zerfall und Nekrose von Muskelfasern (34 %), kleine Fibroseherde (10 %) sowie teilweise lumeneinengende Intima-Media-Veränderungen (24 %) an den intramuralen Koronararterien nachgewiesen. Die enge Korrelation von Entzündungen und Faserdegenerationen mit dem Grad des Sarkozystenbefalls beweist die ätiologische Bedeutung dieser Protozoen für Myokardveränderungen beim Wildschwein. Vergleichende Untersuchungen an Hausschweinen erbrachten höhere Schädigungsraten an Myokard und Koronargefäßen, die jedoch auf andere Ursachen zurückgehen.

Summary

Histopathological Changes to Myocardium of Killed Wild Boars

Different regions of 50 hearts of wild boars killed by hunters in clinically intact condition at an age of about one year were histopathologically examined. Sarcocysts were recorded from the myocardium of 56 per cent of these hearts, inflammatory infiltrates from 48 per cent, degenerative decomposition and necrosis of muscle fibres from 34 per cent, small fibrotic foci from ten per cent, and lumen-narrowing intima-media changes in intramural coronary arteries from 24 per cent. The aetiological importance of these protozoa to myocardial changes in wild boar may be seen from close correlations that were found to exist between inflammation and fibre degeneration, on the one hand, and intensity of sarcocyst infestation, on the other. Comparative tests of domestic pigs revealed higher rates of damage to the myocardium and coronary vessels, which, however, was attributable to other causes.

Résumé

Altérations histopathologiques du myocarde chez les sangliers tués

Des régions différentes de 50 coeurs de sangliers tués mais cliniquement sains (âge: 1 an environ) ont été passés à un examen histopathologique. Dans le myocarde on a démontré des sarcocystes (56 % des coeurs), des infiltrations inflammatoires (48 %), une désintégration dégénérative et nécrose de fibres musculaires (34 %), de petits foyers de fibrose et en partie des altérations intima-média rétrécissant la lumière des vaisseaux (24 %) aux artères coronaires intramurales. La corrélation étroite entre inflammations et dégénérations des fibres au degré de l'envahissement des sarcocystes témoigne de l'importance étiologique de ces protozoaires pour les altérations du myocarde chez le sanglier. Des études comparatives du porc domestique ont démontré des degrés plus élevés de lésions du moycarde et des vaisseaux coronaires dont la cause, cependant, a été différente.

Резюме

Гистологические изменения в миокарде у убитых диких кабанов.

У клинически здоровых 50 диких свиней различных районов при исследовании сердец гистологическими методами обнаружены в миокарде саркоцисты (56% сердец), восполительные инфильтраты (48%) дегенеративный распад и некроз мышечных волокн (34%), небольшие фиброзные очаги (10%) а также частичные интима медия изменения (24%) на интрамуральных коронарных артериях.Наблюдается корреляция между восполениями и дегенерацией и степенью заражения саркоцистами,что указывает на этиологическое значение данных протоцое при нарушениях миокарда у диких свиней. Сравнительные исследования домашних свиней показали более высшую степень поражений миокарда и коронарных сосудов, но причина изменений была другой.

Literaturverzeichnis

BERGMANN, V. (1979): Belastungsmyopathien beim Schwein - Erscheinungsformen und Pathogenese. Mh. Vet. med. 34, 21.

DAHME, E. (1969): Die Arteriosklerose beim europäischen Wildschwein (Sus scrofa L.) Acta Zool. Pathol. Antverp. 48, 187 - 195.

ERBER, M., und J. BOCH (1976): Untersuchungen über Sarkosporidien des Schwarzwildes. Berlin, München: Tierärztl. Wschr. 89, 449 - 450.

GRÄFE, Anita, und V. BERGMANN (1984): Zu Vorkommen und Bedeutung pathologischer Veränderungen in der Herzmuskulatur beim Schwein. Mh. Vet. med. 40, 853 - 855.

HOFMANN, W. (1971): Entzündliche Erkrankungen des Myokard der Tiere. Stuttgart: Ferdinand Enke.

KRIEG, K. (1968): Vorkommen und Morphologie der spontanen Arteriosklerose bei Haus- und Wildschweinen. Zbl. Vet. Med. A 15, 386 - 400.

PEIRONE, B., GUARDA, F., and G. MENEGUZ (1985): Cardiac Pathology of Deer from "La Mandria". Verh.ber. Erkrg. Zootiere 27, 63 - 65.

SCHULZ, L.-Cl. (1982): Kreislaufstörungen. In: SCHULZ, L.-Cl. (Hrsg.): Lehrbuch der Allgemeinen Pathologie für Tierärzte und Studierende der Tiermedizin. 9. Aufl. Stuttgart: Ferdinand Enke.

Anschrift der Verfasser: VR Doz. Dr. sc. V. Bergmann
DDR-1040 Berlin
Reinhardstr. 4 (DDR)

Aus dem Institut für pathologische Anatomie des Bereiches Medizin der Friedrich-Schiller-Universität Jena (Direktor: Prof. Dr. habil G. WALDMANN) und den Bezirksinstituten für Veterinärwesen Halle (Kom. Direktor: OVR Dr. WOHLFARTH) und Bad Langensalza (Direktor: OVR Dr. SCHACHT)

MALIGNE FIBRÖSE HISTIOZYTOME BEI TIGER UND MÄHNENWOLF SOWIE SCHILDDRÜSENKARZINOM BEIM WASCHBÄREN

Von H. Prange, K. Katenkamp, M. Kirste und V. Zepezauer

In diesem Beitrag werden 3 Geschwülste verschiedener Landraubtiere beschrieben, die Anlaß zur Diskussion aus der Sicht des Morphologen und zum Vergleich mit entsprechenden Tumoren des Menschen geben.

Fall 1: Bei einem etwa 22jährigen, männlichen Bengaltiger (Panthera tigris tigris) aus dem Zoo Erfurt hatte sich im Perinealbereich eine kindskopfgroße, feste, graugelbe Geschwulst entwickelt. Metastasen wurden nicht festgestellt, jedoch bestanden zystische Leberveränderungen. Das histologische Bild ergab einen malignen Weichgewebstumor, der in inniger Verbindung zur Lamina muscularis propria des Dickdarms stand, diese herdweise umwuchs und zu stärkerer Ulzerierung, Granulation und Fibrosierung im entsprechenden Colonbereich führte. Feingeweblich imponierte ein zelldichtes, polymorphes und mitosenreiches Geschwulstgewebe, das gleichermaßen aus ovalen, runden, polygonalen und langgestreckten Zellen, aus Zellriesen und bizarren Riesenzellen bestand. Fibroblastenähnliche Zellen hatten nur einen geringen Differenzierungsgrad, Gewebsbündel waren seltener und storiforme Muster nur angedeutet. Obwohl differentialdiagnostisch ein pleomorphes Rhabdomyosarkom zu bedenken war, wurde auf Grund des Fehlens intrazytoplasmatischer Glykogenablagerungen die Diagnose eines Malignen Fibrösen Histiozytoms gestellt. Diese Tumorinterpretation wurde auch durch die mit Spezialfärbungen sichtbare Mastzellenanreicherung unterstützt (PARWARESCH et al., 1985).

Dieser bei Tieren bisher nur wenige Male beschriebene Tumor ist hiermit auch für Großkatzen nachgewiesen. Maligne Fibröse Histiozytome gehören allerdings in der Humanpathologie zu den vierthäufigsten Weichgewebssarkomen des Erwachsenen (ENZINGER und WEISS, 1983). Die mikroskopische Untersuchung der Leber bestätigte den Befund einer Leberzirrhose. Die Zysten waren von Endothel bzw. kubischem Epithel ausgekleidet und wurden als ektatische Lymphgefäße bzw. Fehlbildungen der Gallengänge interpretiert.

Die vorstehend beschriebene Geschwulst ergänzt eine Liste von 14 Tumoren beim Tiger, die aus den vorangegangenen Tagungsberichten zusammengestellt worden ist (Tab. 1).

Tabelle 1: Tumoren bei Tigern nach Literaturangaben

Rasse	Alter	Geschl.	Organ	Diagnose	bes. Befunde	Autor
Königstiger	16 Jahre	männl.	Lunge	prim. Plattenepithel-Karzinom	Lungen-Distomatose Metast. in Lunge, Bronch.-, Portal-Lkn.	COHRS (1928)
Bengaltiger	adult	männl.	Muskeln	Leiomyosarkom	Skapula, re.Hinterextr., Metast. in Körperhöhlen und fast allen Organen	SAUNDERS (1984)
Bengaltiger	adult	?	re.Hoden	Sertolizell-Tumor, diffus	klinische Symptome	MICHALSKA et a. (1977)
Tiger	adult	?	Oesophagus	Plattenepithel-Ca	-	MARAN et al. (1974)
Bengaltiger	adult	?	"	" "	4 Wochen Symptome	HUBER und MARAN (1967)
Tiger	adult	?	Unterkiefer	Spindelzell-Sa	Metast.in Lu,Nie	MISDORP und ZWART (1967)
Tiger	10	weib.	Gesäuge	Karzinom	" in Leber, Lkn.	
Tiger	24	"	li. Ovar	Karzinom	" in Abdom.-Lkn.	
Bengaltiger	?	?	Leber	Sarkom	" in Lunge	SCHRÖDER (1968)
Bengaltiger	9	männl.	li.Tarsalber.	Leiomyo-Sa.	5mal Rezidive	KOLLIAS (1979)

Rasse	Alter	Geschl.	Organ	Diagnose	bes. Befunde	Autor
Tiger	?	?	Schilddrüse	Adeno-Ca	Metast.in Lunge	CURSON und THOMAS (1930)
Sibir.Tiger	sehr alt	männl.	Schilddrüse	Karzinosarkom	Metast.in Lunge	IPPEN und WILDNER (1984)
Bengaltiger	4 Tage	männl.	Schilddrüse	Foll. Adenom	-	
Bengaltiger	1 Tag	weibl.	Schilddrüse	Struma hyperpl. diff. und follik. Adenom	-	

Fall 2: Zur Untersuchung kam die Geschwulst eines 15jährigen, männlichen Mähnenwolfes (Chrysocyon brachyuris) aus dem Bergzoo Halle, bei dem ein faustgroßer Tumor aus dem subkutanen Bindegewebe des oberen linken Kniekehlbereiches exstirpiert worden war. Die relativ gut begrenzte, im Anschnitt homogene, helle und elastische Geschwulst hatte sich innerhalb mehrerer Monate entwickelt und eine leichte Lahmheit verursacht.

Die histologische Untersuchung ergab ein polymorphes Zell- und Gewebsbild, das durch zelldichte, ineinander verflochtene Strukturen nach Art eines storiformen Wuchsmusters charakterisiert war. Die runden, ovalen bis langgestreckten Zellen waren hier mehr fibroblasten- und dort mehr histiozytenähnlich. Die oft großen, chromatinreichen Kerne wiesen 1 bis 2 prominente Nukleoli auf. Das Zytoplasma war leicht eosinophil tingiert und herdweise vakuolisiert. Randständig fielen myxoide Partien auf. Regelmäßig waren bizarre Zellriesen und mehrkernige Riesenzellen, Rundzellen, Mastzellen und großkernige, undifferenzierte Zellen anzutreffen. Stärkere Bindegewebsstränge und großflächige Blutungen bewirkten eine leichte Pseudolobulierung. Häufige Mitosen waren Zeichen einer deutlichen Wachstumstendenz. Das feingewebliche Bild führte auch hier zur Diagnose eines Malignen Fibrösen Histiozytoms (MFH).
In der uns zugängigen Literatur sind nur 9 Fälle bei Katzen (2 - 12 Jahre, keine Geschlechtsunterschiede; ALEXANDER et al., 1975, FORD et al., 1975, GLEISER et al., 1979, SEILER and WILKINSON, 1980, CONFER et al., 1981, RENLUND und PRITZKER, 1984), 3 Fälle bei Hunden (GLEISER et al., 1979), 1 Fall beim Pferd (FORD et al., 1975) sowie 1 spontaner und 3 experimentelle Tumoren bei Ratten bekannt geworden (GREAVES et al., 1982).

Das Maligne Fibröse Histiozytom ist ein neuer Begriff und im WHO-Register für Tiere als Maligner Riesenzelltumor der Weichgewebe ausgewiesen (MISDORP und VAN DER HEUL, 1976), was nach dem Ordnungsprinzip der entsprechenden menschlichen Geschwülste allerdings nur einer Variante des MFH entspricht (ENZINGER und WEISS, 1983).

Der Tumor neigt zu ausgeprägter Rezidivierung. Die lymphogene Fortleitung ist schon seltener, Fernmetastasen sind unseres Wissens bisher nur von Mensch und Ratte bekannt (WEISS, 1982, GREAVES et al., 1982). Beim Menschen besteht hinsichtlich des biologischen Verhaltens dahingehend eine Beziehung zur Lage, als die seltenen MFHe der oberflächlichen Schichten eher rezidivieren, während die des tieferen Weichgewebes häufiger besonders in die Lymphknoten und Lungen metastasieren (GUCCION und ENZINGER, 1972).

Die verschiedenen Zellvarianten dieses Tumors gehen wahrscheinlich von einer einzigen mesenchymalen Mutterzelle aus, die sich in Abhängigkeit von den gegebenen Bedingungen in die eine oder andere Richtung entwickelt (FU et al., 1975, GLEISER et al., 1979). In jedem Fall imponieren bei großer Zell- und Kernpolymorphie Mischungen aus fibroblastenähnlichen Spindelzellen und histiozytenartigen Zellen, die verschiedenartige, häufig storiforme Gewebsstrukturen bilden, in die bizarre und mehrkernige Riesenzellen m.o.w. regelmäßig eingestreut sind (Übersicht bei KATENKAMP, 1983).

Differentialdiagnostisch müssen pleomorphe Formen des Rhabdomyosarkoms, des Lipo-, Chondro- und Osteosarkoms abgegrenzt werden (HAJDU, 1979, SEILER und WILKINSON, 1980, ENZINGER und WEISS, 1983).

Fall 3: Zu berichten ist schließlich über die Geschwulst eines 3jährigen, weiblichen Waschbären (Procyon lotor) aus dem Inselzoo Altenburg, der mit stark vergrößerter Schilddrüse plötzlich verendete.
Die histologische Untersuchung ergab links bei leichter Hyperplasie einen bindegewebig abgegrenzten, normofollikulären Adenomknoten. Die rechte, hühnereigroße Schilddrüse zeigte ein buntes Gewebsbild, bestehend aus normo- und mikrofollikulären, auch soliden und zystischen

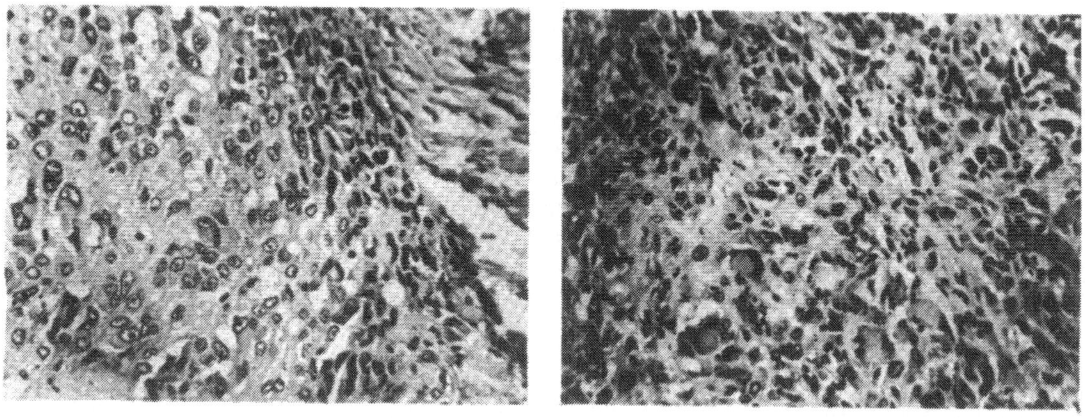

1. Malignes Fibröses Histiozytom eines Tigers.

a. Zell- und Kernpolymorphie mit prominenten Nukleoli, vakuolisiertem Zytoplasma und fibroblastenähnlichen Zellen, die einen Zellstrang bilden und die Lamina muscularis propria umwachsen.

b. Fibroblasten- und histiozytenähnliche Zellen sowie bizarre Zellriesen und mehrkernige Riesenzellen.

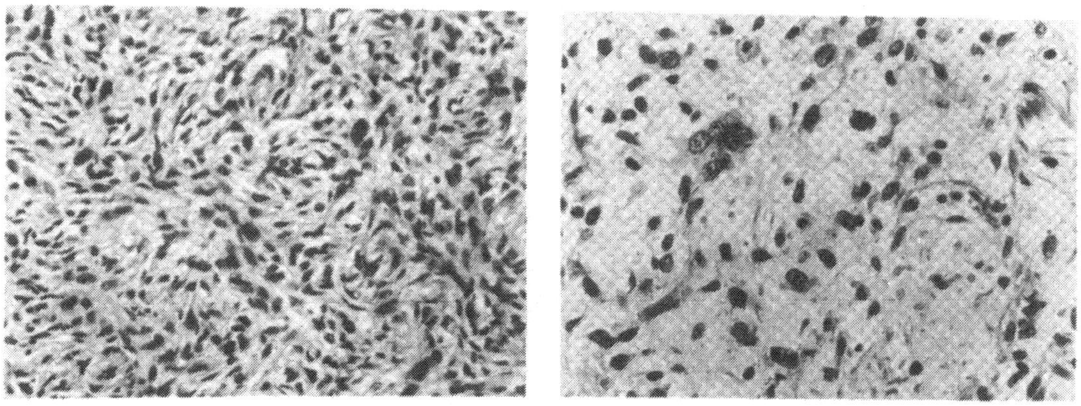

2. Malignes Fibröses Histiozytom eines Mähnenwolfes.

a. Storiformes Wuchsmuster, in dem bei mäßiger Zellpolymorphie fibroblastenähnliche Zellen dominieren.

b. Myxoide Partie mit größerer Polymorphie, die durch histiozyten- und fibroblastenähnliche Zellen, durch Rundzellen und eine mehrkernige Riesenzelle charakterisiert ist.

Tumorbereichen, die von Blutungen, geringen Nekrosen und herdweise stärkeren Bindegewebssepten durchsetzt waren. Die geringe Polymorphie und nur vereinzelte Mitosen deuten auf eine langsame Entstehung. Somit handelte es sich um ein überwiegend gut differenziertes Follikuläres Adenokarzinom, das randständig infiltrierte, Gefäßeinbrüche aufwies und kleine knotige Metastasen in der gesamten Lunge vom gleichen histologischen Typ verursacht hatte.

Diese Geschwulst eines Waschbären ist hinsichtlich des geringen Alters von 3 Jahren bemerkenswert. In einer großen Stichprobe von 105 Schilddrüsenkarzinomen bei Haushunden waren die jüngsten Tiere 5 Jahre alt (PRANGE et al., 1984). Während beim Menschen das weibliche Geschlecht deutlich stärker disponiert ist (männlich zu weiblich wie 1 zu 2 - 4), fallen beim Hund keine Geschlechtsdifferenzen auf. Dieser bemerkenswerte Unterschied kann als Resultat eines verschiedenen Sexualzyklus aufgefaßt werden, dessen unterschiedlicher Östrogenmetabolismus ihre Wirkung auf die Schilddrüsenhormonbildung haben dürfte. Leider ist uns nur von 5 Karzinomen des Waschbären das Geschlecht bekannt, das allerdings in allen Fällen weiblich war!

Von 25 Schilddrüsengeschwülsten des Waschbären wurden in der Literatur 60 % als bösartig angegeben. Diese Dominanz der malignen Formen entspricht - ganz im Gegensatz zum Menschen - in auffälliger Weise dem Überwiegen bösartiger Tumoren auch beim Hund (70,8 % bei PRANGE et a., 1984). Beim Hund und Waschbären steht das Follikuläre Karzinom bei weitem im Vordergrund der malignen Formen, während beim Menschen das Papilläre Adenokarzinom häufig vorkommt und im Nichtendemiegebiet sogar dominieren kann (CHRISTENSEN et al., 1984).

Der hier beschriebene Einzelfall ordnet sich somit in das häufige Vorkommen proliferativer Schilddrüsenveränderungen bei der Ordnung der Carnivora ein, die allein etwa zwei Drittel der im Tierpark Berlin ermittelten Geschwülste dieses Organs stellten (IPPEN und WILDNER, 1984). Innerhalb dieser Ordnung weist wiederum die Familie der Canoidea eine besonders ausgeprägte Disposition auf, die gleichermaßen Hunde, Wölfe, Füchse und Waschbären betrifft. Als Ursachen werden neben genetischen Faktoren vor allem ein Jodmangel in der Nahrung bzw. ein besonders hoher Jodbedarf und die Bedeutung anhaltender Streßsituationen diskutiert (GRÜNBERG und STAVROU, 1973, IPPEN und WILDNER, 1984).

Danksagung: Für die Überlassung des Untersuchungsgutes wird den Herren VR Dr. A l t m a n n, Erfurt, OVR Dr. G r u n e r, Wittenberg, und Dr. V a e r s t, Altenburg, vielmals gedankt.

Zusammenfassung

Maligne Fibröse Histiozytome bei Tiger und Mähnenwolf sowie Schilddrüsenkarzinom beim Waschbären

Das histologische Bild von 2 Malignen Fibrösen Histiozytomen eines Bengaltigers und eines Mähnenwolfes wird beschrieben und bei Berücksichtigung zugänglicher Literatur diskutiert. Es handelt sich um die ersten Nachweise für Wildtiere.

Der Fall eines überwiegend gut differenzierten Follikulären Karzinoms der Schilddrüse eines Waschbären gibt Anlaß zur vergleichenden Diskussion dieser bei den Canoidea häufigen tumorösen Veränderungen.

Summary

Malignant Fibrous Histiocytoma in Tiger and Maned Wolf and Thyroid Carcinoma in Raccoon

The histological patterns of two cases of malignant fibrous histiocytoma in a Bengal tiger and a maned wolf are described and are discussed with reference to some of the relevant literature. These were the first positive findings recorded from wild animals.

The case of a predominantly well differentiated follicular carcinoma of the thyroid gland in a raccoon has given rise to a comparative discussion of these tumorous changes which have been quite common in canoidea.

Résumé

Les histiocytomes fibreux malignes chez le tigre et le loup à crinière et le carcinome de la glande thyroïde chez le raton laveur

L'auteur décrit l'état histologique de deux histiocytomes fibreux malignes chez un tigre de l'Inde et un loup à crinière compte tenu de la littérature accessible. Il s'agit des premiers décèlements de ce type chez les animaux sauvages. Le cas d'un carcinome folliculaire pour la plupart bien différencié de la glande thyroïde d' un raton laveur donne l'occasion à une discussion comparative de ces modifications tumureuses très fréquentes chez les canoidés.

Резюме

Злокачественные фиброзные гистоцитомы у тигра и гривастого волка, а также карцинома щитовидной железы у енота

При учете литературы обсуждаются два случая образования злокачественных фиброзных гистоцитом у бенгальского тигра и гривастого волка. Это первый случай поражений, обнаруженный у диких зверей. Пример , в основном хорошо дифференцируемой фолликулярной карциномы щитовидной железы у енота дает повод к сравнительным обсуждениям этих, даволько часто встречающихся у Canoidea злокачественных изменений.

Literaturverzeichnis

ALEXANDER, J.W., RIIS, R.C.,and R. DUELAND (1975): Extraskeletal giant cell tumor in a cat. Vet.Med.Small Anim. Clin. 70, 1161 - 1166.

CHRISTENSEN, S.B., LJUNDBERG, O., and S. TIBBLIN (1984): Thyroid carcinoma in Malmö 1960 - 1977: Epidemiologic, clinical, and prognostic findings in a defined urban population. Cancer 53, 1625 - 1633.

COHRS, P. (1928): Paragonimus Westermani und primäres Plattenepithel-Karzinom in der Lunge, sowie parasitäre, durch Galoncus pernitiosus verursachte Knoten im Dünndarm eines Königstigers. Beiträge path. Anat. 81, 101 - 120.

CONFER, A.W., ENRIGHT, F.M., and G.B. BEARD (1981): Ultrastructure of a Feline Extraskeletal Giant Cell Tumor (Malignant Fibrous Histiocytoma). Vet. Pathol. 18, 738 - 744.

ENZINGER, F.M., and S.W. WEISS (1983): Soft Tissue Tumors. St.Louis, Toronto, London: C.V. Mosby Company.

FORD, G.H., EMPSON, R.N., PLOPPER, C.G., and P.H. BROWN (1975): Giant cell tumor of soft parts. A report of an equine and a feline case. Vet. Pathol. 12, 428 - 433.

FU, Y.S., GABBIANI, G., KAYE, G.I., and R. LATTES (1975): Malignant soft tissue tumors of probable histiocytic origin (Malignant Fibrous Histiocytomas): General considerations and electron microscopic and tissue culture studies. Cancer 35, 176 - 198.

GLEISER, C.A., RAULSTON, G.L., JARDINE, J.H., and K.N. GRAY (1979): Malignant Fibrous Histiocytomas in Dogs and Cats. Vet. Pathol. 16, 199 - 208.

GREAVES, P., MARTIN, J.-M., and M.-T. MASSON (1982): Spontaneous Rat Malignant Tumors of Fibrohistiocytic Origin: An Ultrastructural Study. Vet. Pathol. 19, 497 - 505.

GRÜNBERG, W., und D. STAVROU (1973): Das "metastasierende Schilddrüsenadenom" (Wegelin) bei Ursiden. Zbl. Vet. Med. A 20, 244 - 255.

GUCCION, J.G., and F.M. ENZINGER (1972): Malignant giant cell tumor of soft parts. Cancer 29, 1518 - 1529.

HAJDU, S.J. (1979): Pathology of Soft Tissue Tumors. Philadelphia: Lea a. Febiger.

HUBER, J., und B. MARAN (1967): Über einige Fälle von Tumoren bei wilden Tieren. Verh.ber. Erkrg. Zootiere 9, 225 - 227.

IPPEN, R., und H.-D. SCHRÖDER (1974): Auswertung der postmortalen Untersuchungsergebnisse bei in Gefangenschaft gehaltenen Landraubtieren. Verh.ber. Erkrg. Zootiere 16, 29-37.

IPPEN, R., and G.P. WILDNER (1984): Comparative Pathological Investigations of Thyroid Tumors of Animals in Zoos and in the Wild. In "One Medicine", Ed. by O.A. Ryder a. M.L. Byrd, S. 280 - 295. Berlin - Heidelberg: Springer.

KATENKAMP, D. (1983): Das Maligne Fibröse Histiozytom des Weichgewebes. Dtsch. Ges. Wesen 38, 1633 - 1640.

MARAN, B., HERCEG, M., HUBER, J., TADIC, M., und S. Cuturic (1974): Zur Statistik der Sektionsbefunde bei Raubtieren des Zoologischen Gartens der Stadt Zagreb. Verh.ber. Erkrg. Zootiere 16, 45 - 53.

MICHALSKA, Z., GUCWINSKI, A., und A. KOCULA (1977): Sertolizelltumor bei einem Bengaltiger (Panthera tigris tigris). Verh.ber. Erkrg. Zootiere 19, 305 - 307.

MISDORP, W., and R.O. van der HEUL (1976): Tumors of Bones and Joints. In "International Classification of Tumours of Domestic Animals" Bull. WHO 53, 265 - 282.

MISDORP, W., und P. ZWART (1967): Geschwülste und geschwulstähnliche Neubildungen bei Zootieren. Verh.ber. Erkrg. Zootiere 9, 229 - 233.

MOULTON, J. (1978): Tumors in Domestic Animals. Berkeley, Los Angeles, London: Univ. of California Press.

PARWARESCH, M.R., HORNY, H.-P., and K. LENNERT (1985): Tissue Mast Cells in Health and Disease. Path. Res. Pract. 179, 439 - 461.

PRANGE, H., KATENKAMP, D., und E. SCHULZE (1984): Schilddrüsenhyperplasien und -tumoren. Vergleichende morphologische und epidemiologische Untersuchungen bei Mensch und Hund im mitteldeutschen Raum. 4. Onkologie-Sympos. Jena (im Druck).

RENLUND, R.C., and K.P. PRITZKER (1984): Malignant Fibrous Histiocytoma Involving the Digit in a Cat. Vet. Pathol. 21, 442 - 444.

SAUNDERS, G. (1984): Disseminated leiomyosarcoma in a Bengal tiger. J. Am. Vet. Med. Assoc. 185, 1387 - 1388.

SCHRÖDER, H.-D. (1968): Erkrankungen der Respirationsorgane der Landraubtiere. Ver.ber. Erkrg. Zootiere 10, 17 - 21.

SEILER, R.J., and G.T. WILKINSON (1980): Malignant Fibrous Histiocytoma Involving the Ileum in a Cat. Vet. Pathol. 17, 513 - 517.

WEISS, S.W. (1982): Malignant Fibrous Histiocytoma - a Reaffirmation. Amer. J. Surg. Pathol. 6, 773 - 784.

Anschrift der Verfasser: Dr.sc.med.vet. H. P r a n g e
Ziegelmühlenweg 1
69 Jena (DDR)

Aus dem Zoologischen Garten Rostock (Direktor: Dr. rer. nat. D. SCHWARZ), der Klinik für Kinderheilkunde (Direktor: OMR Prof. Dr. sc. med. J. KÜLZ), dem Institut für pathologische Anatomie (Direktor: OMR Prof. Dr. sc. med. H. SCHILL), der Klinik für Hautkrankheiten (Direktor: Prof. Dr. sc. med. H. FLEGEL) des Bereiches Medizin der Wilhelm-Pieck-Universität und dem Bezirksinstitut für Veterinärwesen Rostock (Direktor: OVR Dr. med. vet. W. EHRENTRAUT)

CHRONISCHE ENTEROPATHIE BEI EINEM WEIBLICHEN GORILLA MIT LETALEM AUSGANG

Von H.-J. Stolpe, G. Stropahl, D. Ritscher, H. Hartleib, D. Hobusch, K. Linke und H.J. Westphal

Die Schwierigkeiten der Primatenhaltung liegen in dem hohen Anspruch dieser hochevolutionierten Tiergattung (ENCKE et al., 1980). Diese Feststellung schließt atypische Verhaltensweisen, schwerste Krankheitsbilder sowie Probleme der Diagnostik und Therapie mit ein. Bei der Durchsicht großer Sektionsstatistiken (SCHOON et al., 1980; STEGER, 1980; SNYDER et al., 1980), klinischer Beiträge (GÖLTENBOTH et al., 1971) und Veröffentlichungen über Haltungsfragen (GUCWINSKI et al., 1975) bei Primaten zeigen sich für die einzelnen Spezies auffallende Parallelitäten in der Morbidität, aber auch beachtliche Therapieergebnisse mit aufwendigen Maßnahmen (KIENE et al., 1971). Trotz zunehmender diagnostischer Möglichkeiten (RAMSAY et al., 1985) sowie breiterer medikamentös-therapeutischer Maßnahmen ergeben sich im Einzelfall weiterhin erhebliche Probleme bei Diagnostik, Interpretation von Laborparametern sowie klinischem Befund und Therapie systemischer Krankheitsbilder bei Menschenaffen. Die vorliegende Kasuistik soll Möglichkeiten und Grenzen der Diagnostik und Therapie im Verlaufe einer chronischen enteralen Erkrankung bei einem weiblichen Gorilla darstellen.

Bei dem weiblichen Gorilla "Copina" handelt es sich um einen Wildfang mit dem vermuteten Geburtsdatum Dezember 1960. Von 1963 bis 1977 lebte "Copina" in Gemeinschaft mit einem gleichaltrigen männlichen Gorilla "Copo" im Zoo Zürich. Zwischenzeitlich wurde die Gorillafrau 1973 für 2 Monate mit einem zuchtfähigen Gorillamann im Zoologischen Garten Basel gehalten, ohne tragend zu werden. Seit dem 24.10.1977 ist "Copina" mit dem Gorilla "Copo" im Besitz des Zoologischen Gartens Rostock.
Bei der Übernahme aus Zürich hatte das 17jährige, relativ kleine Tier ein Gewicht von 77 kg. "Copina" erschien klinisch und auch von seiten der anamnestischen Daten bis auf die nicht zustande gekommene Gravidität völlig unauffällig.
Von der Übernahme bis Oktober 1979 war die Gorillafrau gesund und fiel lediglich durch eine beachtliche Gewichtszunahme von 26 kg bei stets gutem Appetit auf. Alle parasitologischen Untersuchungen waren ohne pathologisches Befundergebnis.

Ab Oktober 1979 wurde eine zunehmende Inappetenz bei Problemen im Zusammenhang mit der Darmentleerung, zunächst im Sinne einer Obstipation beobachtet. Da die eingeleiteten symptomatischen Maßnahmen zu keiner Besserung führten und zwischenzeitlich im Wechsel Obstipation und schleimig-blutiger Kot beobachtet wurde, erfolgten Vorbereitungen auf eine intensive interdisziplinäre Untersuchung in Narkose.

Am 14.4.1980 wurde der Gorilla mit einem Gewicht von 102 kg mittels Blasrohr mit 450 mg Vetalar (Ketaminhydrochlorid) und durch Nachinjektion von 300 mg Vetalar in eine zweistündige Narkose mit totaler Analgesie versetzt. Während dieser Zeit erfolgten:

1. eine internistische Untersuchung
2. eine gynäkologische Untersuchung
3. eine proktologisch-endoskopische Untersuchung
4. eine darstellende Röntgenuntersuchung des Kolon
5. Blut-, Stuhl-, Harn- und Sekretentnahmen für Laboruntersuchungen.

Zusammenfassendes Ergebnis der Untersuchung:
Es fand sich eine katharrhalische, leicht zu Blutungen führende, nicht ulzeröse Gingivitis. Die Auskultationsbefunde von Herz und Lunge waren unauffällig. Das Abdomen war groß und deutlich meteoristisch. Leber und Milz soweit beurteilbar nicht auffällig vergrößert. Keine vergrößerten Lymphknoten nachweisbar. Die digitale rektale Untersuchung ergab keine pathologischen Befunde.

Der Gynäkologe konnte bei ungewöhnlicher Materie keinen pathologischen inneren Genitalbefund erheben.
Bei der endoskopischen Untersuchung des Enddarmes und des unteren Kolons mit einem starren Rektoskop von 40 cm Länge stellte sich eine Schleimhaut dar, wie sie bei einer Colitis ulcerosa des Menschen zu beobachten ist. Neben der sehr stark mit Schleim bedeckten Mukosa kam es bei geringster Alteration zu Blutungen. Es stellen sich zahlreiche hirsekorn- bis erbsgroße Schleimhautulzerationen, namentlich in den höheren Darmabschnitten (Colon descendens) dar. Auf eine Biopsie mußte aus technischen Gründen verzichtet werden.
Es erfolgte anschließend der Kontrastmitteleinlauf zur röntgenologischen Darstellung des End- und Dickdarmes. Dabei gelang aus technischen Gründen nicht die Ulzeradarstellung, jedoch fiel das großlumige, ofenrohrähnliche Colon descendens auf.
Blut- und Harngewinnung gelingen komplikationslos.

Auszugsweise werden einige Laborbefunde mitgeteilt:
Blutbild: Erythrozyten: 3,06 Tpt/l; Hämoglobin: 5,15 mmol/l, Hämatokrit: 0,32
Leukozyten: 11,6 Gpt/l; Differentialblutbild: -,-/-,-,17,76/7,-
BKS: 43/85; Kreatinin 120 µmol/l; Harnstoff: 6,8 mmol/l; Blutzucker: 7,5 mmol/l; Eisen: 10,3 µmol/l; Serumelektrolyte im Normbereich.
Harnstatus: pH 6,6; rel. Dichte 1,001; Prot.: +; Gluk.: ∅; Bilirubin: ∅; Leuko: (+); Ery: (+); Oxalate +.

Von den bakteriologischen Untersuchungen sind lediglich die Befunde der Stuhlproben mit dem Ergebnis Staphylokokken und atypische Corynebakterien erwähnenswert.
Im Gesamtergebnis aller Untersuchungsbefunde wird die Diagnose "Colitis ulcerosa" gestellt und neben einer Diät eine entsprechende medikamentöse Behandlung eingeleitet. Sie hatte folgendes Konzept:
Begonnen wurde mit 3 x 5 Tabletten Mycerin (3 x 1 Mill. IE Neomycin) und 3 x 1 Tablette Cerucal (Metoclopramidhydrochlorid). Später wurde auf 4 x 3 Tabletten Sulfasalizin (Salazosulfapyridin) umgesetzt und nachfolgend mit Prednisolon in einer Dosierung zwischen 50 und 5 mg pro Tag in fallender Dosierung komplettiert.

Unter dieser Medikation, wie sie auch in der Humanmedizin zur Kolitis-Therapie praktiziert wird, kam es zur Besserung der Stuhlbefunde und des Allgemeinbefindens mit normalem Appetit sowie zur Symptomfreiheit ab Ende Juli 1980.

Von September 1980 bis Dezember 1984 kam es bei "Copina" zu keinen außergewöhnlichen gesundheitlichen Problemen. Die Gewichtsabnahme von 102 kg auf 92 kg wurde als positiv bewertet und mit zunehmender Aktivität im Zusammenhang mit anderen Haltungsbedingungen gesehen. Jedoch ist bei retrospektiver Betrachtung festzustellen, daß sowohl Durchfall als auch Obstipationen bei immer wieder auftretenden entzündlichen Veränderungen der Mundschleimhäute in größeren Zeitintervallen registriert werden mußten.

Die zweite Etappe der chronischen Erkrankung bei dem Gorilla begann am 13.1.1985. Sie war gekennzeichnet durch enterale Symptome mit Durchfall und Hautsymptomen zunächst in Form von Exkoriationen und nachfolgenden Pyodermien an den oberen und unteren Extremitäten. Die erneut in Erscheinung tretenden Mundschleimhautveränderungen müssen gleichfalls Erwähnung finden.
Die im Vordergrund stehenden Hautaffektionen wurden bis zum Vorliegen der mikrobiellen Untersuchungsbefunde lokal mit Kaliumpermanganat-Lösung, Prontactin-Salbe, Kalloderm-Salbe, Panthenol-Spray und allgemein mit Vitamin A, Vitamin B-Komplex und Summavit behandelt.
Da sich weder die Lokalbefunde und die enteralen Symptome, noch der Allgemeinzustand besserten, wurde die Entscheidung zu einer weiteren Untersuchung in Narkose getroffen.

Am 24.1.1985 wurde der Gorilla mit insgesamt 1100 mg Ketamin i.m. in eine Narkose mit vollständiger Analgesie versetzt. Es wurden folgende Maßnahmen während der Narkose getroffen:
1. stomatologische Untersuchung
2. internistische Untersuchung
3. dermatologische Untersuchung
4. Röntgenaufnahme vom Thorax
5. Blut-, Harn-, Sekret- und Materialentnahme aus den verschiedenen Bereichen für mikrobiologische Untersuchungen

6. therapeutische Maßnahmen:
   Retacillin (2,4 Mill. IE Benzylpenicillin)
   Ursovit A (500 000 IE Vitamin A)
   Ascorvit (500 mg Vitamin C)
   Vitamin B_{12} (500 mg)
   Kenalog (80 mg Trimazinolon) alles intramuskulär,
   Polcortolone-Spray lokal.

Die Untersuchungen durch die verschiedenen Fachspezialisten erbrachten keine neuen diagnostischen Erkenntnisse und somit auch keine therapeutischen Ansatzpunkte. Das betraf auch die angefertigte Röntgenaufnahme.

Die Laboruntersuchungen ergaben folgende Daten:
Blutbild: Erythrozyten: 3,07 Tpt/l; Hämoglobin: 4,73 mmol/l; Hämatokrit: 0,35; Leukozyten: 5,9 Gpt/l
Differentialblutbild: -,7/20,30/38,5
Gesamteiweiß: 74,5 g/l; Papierelektrophorese im Serum: Albumin: 0,27; Globulinfraktionen: Alpha 1: 0,06; Alpha 2: 0,15; Beta: 0,24; Gamma-Globulin: 0,28
Immunglobuline im Serum: IgG 31,9 g/l; IgA 5,9 g/l; IgM 1,24 g/l
Serum-Eisen: 13,8 µmol.
Kreatinin, Harnstoff, Harnsäure, Elektrolyte, Glukose, Lipidstatus, ALAT, ASAT, Gamma-GT, alkalische Phosphatase, Kreatininkinase, Amylase sowie Schilddrüsenhormone im Normbereich.
Die Untersuchungsparameter ergaben somit eine mäßige Anämie bei einer deutlichen Linksverschiebung im Differentialblutbild. Die Papierelektrophorese und die Werte der Immunglobuline waren im Sinne einer entzündlichen Erkrankung verändert.

Bevor diese Laborbefunde vorlagen, erfolgte innerhalb der weiteren 6 Tage - das Tier befand sich noch im Zwangskäfig - noch dreimal die Applikation von Penicillin, Prednisolon und Vitaminen parenteral. Unter dieser Therapie konnte eine sichtliche Besserung des Allgemeinbefindens und der dermatologischen Veränderungen beobachtet werden.
Obwohl weder bei "Copina" noch bei den anderen Gorillas die parasitologischen Untersuchungen (einschließlich der Untersuchungen auf Amöben) positive Ergebnisse brachten, wurde auf Grund von Erfahrungen über Morbidität und Mortalität in anderen Tiergärten mit Strongyloides stercoralis eine 6tägige Therapie mit Mebenvet (2 x 22,5 g/d Mebendazol) vom 18. bis 24.2.85 durchgeführt.
Entscheidend für das weitere therapeutische Vorgehen waren die nun vorliegenden mykologischen Untersuchungsergebnisse.+) Sie ergaben Candida albicans aus Mundhöhle, Hautaffektionen, Vagina und Kot bei einem Agglutinationstiter im Serum von 1:64 gegen Candida albicans Vollantigen. Sie sprachen bis auf den Titer für eine generalisierte Candida albicans-Mykose.

Die antimykotische Therapie erfolgte vom 4. - 24.3.1985 mit täglich 10 Dragees Fungizidin (5,0 Mill. IE Nystatin).

Ab 31.3.1985 Blut im durchfälligen Stuhl und Zunahme der Hautaffektionen. Vom 1.4.1985 täglich Gaben von 50 mg Prednisolon per os ohne zusätzliche Applikation eines Antibiotikums bzw. Antimykotikums.
An den folgenden Tagen verschlechterte sich der Allgemeinzustand von "Copina" durch fehlende Nahrungs- und schließlich auch Flüssigkeitsaufnahme bei täglichen, teils blutigen Durchfällen zusehends weiter. Es ergaben sich jedoch keine neuen diagnostischen und somit auch keine therapeutischen Ansätze. Bei völliger Nahrungs- und Flüssigkeitsverweigerung am 10.4. mit zunehmender Apathie wurde für den 11.4.85 eine erneute Narkose zur Anlage einer Dauertropfinfusion mit einer parenteralen antimikrobiellen Therapie geplant. Diese Therapie kam nicht mehr zum Einsatz, da in den Vormittagsstunden des 11.4.1985 der Exitus letalis eintrat.

+) Frau Dr. sc. med. U. K a b e n, Mykologisches Labor der Klinik für Hautkrankheiten des Bereiches Medizin der Wilhelm-Pieck-Universität Rostock, danken wir für die Durchführung der mykologischen Untersuchungen.

Bei der am 12.4.85 durchgeführten Sektion wurden folgende Befunde erhoben:
Es fanden sich multiple, vorwiegend frischere und fortschreitende, zum Teil bereits chronische bis ins mittlere Korium reichende unspezifische Hautulzera an den oberen und unteren Extremitäten, insbesondere an Hand- und Fußflächen, aber auch perianal. Das histologische Bild ist in Abb. 1 wiedergegeben. Am Enteron zeigte sich eine herdförmige, unspezifische, chronische Kolitis mit partieller Atrophie und mäßiger Fibrose der Schleimhaut. Im Colon descendens et sigmoideum fanden sich zahlreiche bis mandelgroße Eisensplitter (Rost). Keine Ulzerationen. Der histologische Befund der Kolitis ist in Abb. 2 dargestellt.

Am inneren Genitale war eine chronisch-rezidivierende Adnexitis beidseits mit Ausbildung eines jeweils kastaniengroßen, doppelseitigen chronischen Tuboovarialabszesses sowie einer herdförmigen frischeren eitrigen Thrombophlebitis im Bereich der Mesosalpinx nachweisbar. Außerdem fanden sich flächenhafte fibröse Adhäsionen im kleinen Becken sowie strangförmige Adhäsionen zum Colon sigmoideum hin als Restzustand nach abgelaufener Unterbauchperitonitis. Das histologische Bild des Tuboovarialabszesses zeigt Abb. 3.

Im Bereich der Lungen waren eine paravertebrale Dystelektase und Hypostase sowie ein mittelgradiges Ödem nachweisbar. Als wesentlicher Befund bestanden frischere und frische septische Thromboembolien sowie septische Infarkte mit bis walnußgroßen hämorrhagischen Nekrosen bei konfluierender eitriger und abszedierender Pneumonie in allen Lungenlappen. Die Histologie der septischen Lungenembolie zeigt Abb. 4.

Epikritische Wertung der pathomorphologischen Befunde unter Berücksichtigung des klinischen Verlaufes:
Der 24jährige, nunmehr nur noch 76 kg schwere, weibliche Gorilla fiel äußerlich durch Schleimhautblutungen und zahlreiche Ulzera an den Extremitäten auf. Die beobachteten Hautulzerationen könnten als mehrzeitige, sekundär veränderte, milde, septiko-pyämische Streuherde an exponierten Körperstellen bei einem chronisch-rezidivierenden infektiösen Grundleiden interpretiert werden. Dabei darf jedoch nicht unerwähnt bleiben, daß derartige "Pyodermien" auch von anderen Autoren bei Gorillas beschrieben wurden (GÖLTENBOTH et al., 1971; GUCWINSKI et al., 1975; OSTENRATH, 1978).
Die unspezifische chronische Kolitis mit herdförmiger Schleimhautatrophie, die bereits 5 Jahre vor dem Exitus zu den klinischen Erscheinungen mit Obstipation und blutigen Durchfällen führte, endoskopisch sowie röntgenologisch bestätigt und mit einer spezifischen Therapie zwischenzeitlich klinisch beherrscht werden konnte, subklinisch jedoch wie aus der Humanmedizin bekannt weiterbestand, muß als gravierendes Grundleiden betrachtet werden. Im Schrifttum sind Kolitiden bei Menschenaffen erwähnt bzw. beschrieben (GANDRAS et al., 1978; SNYDER et al., 1980).

Die chronisch-rezidivierende Adnexitis mit doppelseitigem chronischen Tuboovarialabszeß könnte als eigenständige Entzündung, aber auch fortgeleitet von der Kolitis entstanden sein. Für Zusammenhänge dieser beiden Organmanifestationen sprechen auch die Befunde einer abgelaufenen Peritonitis im kleinen Becken mit den entsprechenden Veränderungen (STEGER, 1980).

Zum Tode führte eine chronisch-infektiöse Allgemeinschädigung mit frischen septischen Lungeninfarkten, als deren Ursache letztlich die Tuboovarialabszesse mit septischer Thrombose in der Mesosalpinx angesehen werden müssen.
Da histologisch keine Anhaltspunkte für eine Mykose, Tuberkulose sowie Parasitose nachweisbar waren, muß festgestellt werden, daß die zuletzt auf Grund entsprechender Untersuchungsbefunde angenommene generalisierte Mykose wahrscheinlich keinen Krankheitswert besaß und somit die eingeleiteten therapeutischen Maßnahmen am ursächlichen Geschehen nichts zu beeinflussen vermochten. Inwieweit eine konsequente hochdosierte, spezifische antibakterielle Therapie zu diesem Zeitpunkt die Septikämie hätte verhindern können, muß offen bleiben. An dieser Stelle muß erwähnt werden, daß Diagnostik und Therapie der Kolitis auch in der Humanmedizin zahlreiche Probleme bereiten. Der chronisch-rezidivierende Verlauf über Jahre mit Übergreifen auf benachbarte Bauchorgane macht dieses Krankheitsgeschehen zu einer therapeutischen und prognostischen Crux. Vergleicht man den Sektionsbefund des Gorillas mit Sektionsstatistiken von Primaten, dann sind sowohl Pyodermie, akute und chronische Enteropathie sowie Erkrankungen der inneren Genitale keine Seltenheit. Der chronische Verlauf einer Enteropathie im Sinne einer Kolitis mit seinen Komplikationen und Problemen der Diagnostik und Therapie, wie von der Humanmedizin her bekannt, sollte auch bei entsprechenden Symptomen in der tiergärtnerischen Menschenaffenhaltung Beachtung finden.

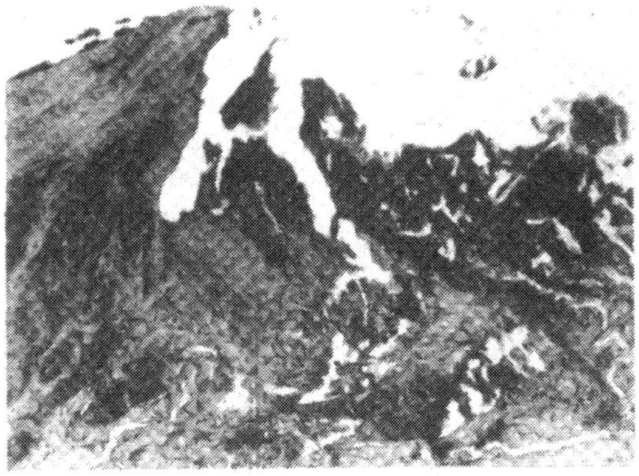

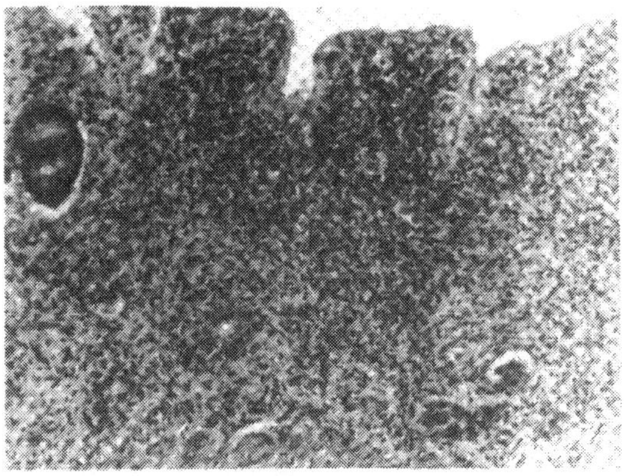

Abb. 1: Chronisches, bis ins mittlere Korium reichendes, unspezifisches Hautulkus mit sekundären Verunreinigungen und Bakterienkolonien. HE-Färbung, 116fach.

Abb. 2: Unspezifische chronische Kolitis mit herdförmig akzentuierter Rundzellinfiltration und mäßiger Fibrose der Mukosa und Submukosa sowie stellenweise stärkerer Schleimhautatrophie im Colon sigmoideum. HE-Färbung, 112fach.

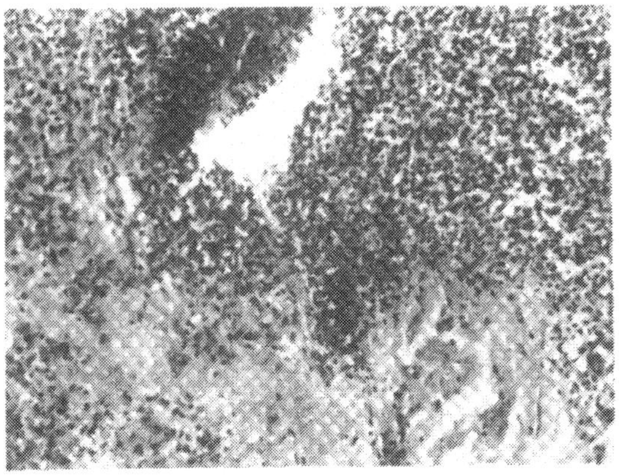

Abb. 3: Chronisch-rezidivierende Adnexitis mit chronischem Tuboovarialabszeß. HE-Färbung, 175fach.

Abb 4.: Septische Thromboembolie der Lungen mit frischen septischen Infarkten und eitrig-abszedierender Pneumonie. HE-Färbung, 36fach.

Zusammenfassung

Chronische Enteropathie bei einem weiblichen Gorilla mit letalem Ausgang

Ausgehend von Sektionsbefunden bei Primaten werden Krankheitsverlauf, diagnostische und therapeutische Maßnahmen bei einer chronischen Enteropathie im Sinne einer Kolitis mit schwerwiegenden Komplikationen über einen Zeitraum von 5 Jahren bei einem etwa 24 Jahre alten, weiblichen Gorilla dargestellt. Auf die Schwierigkeiten einer notwendigen subtilen Diagnostik - Voraussetzung für eine hochspezifische und gezielte Therapie - wird eingegangen. Der letale Ausgang infolge bakterieller Septikämie war durch die gewählten therapeutischen Maßnahmen nicht abzuwenden.
Es wird eine epikritische Wertung der im Verlaufe des Beobachtungszeitraumes und der durch die Sektion erhobenen Befunde vorgenommen. Die abschließenden diagnostischen Ergebnisse werden mit histologischen Befunden belegt.

Summary

Chronic Enteropathy of Female Gorilla with Lethal Result

An account is given of post-mortem findings obtained from primates. Particular reference is made to a case of chronic enteropathy in terms of colitis with severe complications over a period of five years in a female gorilla aged 24 years. The course of the disease, diagnostic measures, and therapeutic action are described in some detail. Problems were found to be implied in more subtle diagnosis which, however, was considered to be essential to highly specific and target-oriented therapy. The animal died of bacterial septicaemia, which could not be averted by any of the therapeutic decisions made.
An epicrisis is presented, with reference being made to all findings recorded by observation and from post-mortem tests. The diagnostic conclusions drawn were histologically confirmed.

Résumé

Enterophathie chronique chez une femelle de gorille avec issue létale

Sur la base des résultats de dissections chez des primates, l'auteur présente le cours de la maladie, les mesures diagnostiques et thérapeutiques en cas d'enterophatie chronique dans le sens d'une colite manifestant de graves complications - sur une période de 5 ans - chez une femelle de gorille âgée de 24 ans. Il évoque les difficultés de l'indispensable diagnostic subtil, condition d'une thérapie hautement spécifique et systématique. Les mesures thérapeutiques adoptées n'ont pas permis d'éviter l'issue létale, conséquence d'une septicémie bactérienne.
L'auteur procède à une évaluation épicritique des résultats obtenus au cours de la période d'observation et de ceux obtenus au moyen de la dissection. Il présente enfin les résultats diagnostiques concluants en montrant les résultats histologiques.

Резюме

Хроническая энтеропатия у самки гориллы с летальным исходом.

Исходя из литературных данных, полученных на приматах, сообщаются симптомы заболевания, диагностика и терапевтические мероприятия, проводимые при хронической энтеропатии,выраженной колитом с тяжелыми комплИкациями. Заболевание продолжалось 5 лет у 24-летней самки гориллы. Описаны трудности субтильной диагностики, являющейся предпосылкой к высокоспецифичной терапии. Летальный исход, возникший в результате вызванного болезнетворными микробами сепсиса предотвратить различными средствами не удалось.На основе эпикризы и секционных результатов дается обширный обзор. Данные подтверждены гистологическими методами.

Literaturverzeichnis

ENCKE, W., und R. GANDRAS (1980): Die Problematik der Primatenhaltung in Zoologischen Gärten. Verh.ber. Erkrg. Zootiere 22, 191 - 193.

GÖLTENBOTH, R., und H.-G. KLÖS (1971): Klinische Beiträge zu den Erkrankungen der Menschenaffen. Verh.ber. Erkrg. Zootiere 13, 59 - 63.

GUCWINSKI, A., GUCWINSKA, H., IPPEN, R., und A. WOJTON (1975): Über Haltungsfragen und Erkrankungen bei jungen Flachlandgorillas im Zoo Wrocław. Verh.ber. Erkrg. Zootiere 17, 35 - 41.

KIENE, S., LINKE, K., FRICKE, G., STOLPE, H.-J., und D. SCHWARZ (1971): Akute Harnverhaltung durch Fremdkörper und nachfolgende Harnröhrenperforation beim Schimpansen. Verh.ber. Erkrg. Zootiere 13, 65 - 71.

OSTENRATH, F. (1978): Therapeutische Maßnahmen gegen eine Pyodermie bei jungen Flachlandgorillas (Gorilla G. Gorilla). Verh.ber. Erkrg. Zootiere 20, 285 - 287.

RAMSAY, E.C., TYTLE, T., and J.C. CAREY (1985): Hysterosalpingography in Gorilla. J. Zoo. An. Med. 16, 85 - 89.

SCHOON, H.-A., und L.-Cl. SCHULZ (1980): Sektionsbefunde bei Affen (Statistische Auswertung des Untersuchungszeitraumes 1974 - 1979). Verh.ber. Erkrg. Zootiere 22, 9 - 19.

SNYDER, R.L., and W.B. AMAND (1980): Disease of gorillas and orang-utans in the philadelphia zoological garden between 1918 - 1979. Verh.ber. Erkrg. Zootiere 22, 69 - 72.

STEGER, G. (1980): Primaten im Nürnberger Obduktionsmaterial. Verh.ber. Erkrg. Zootiere 22, 31 - 33.

Anschrift der Verfasser: OA Dr. sc. med. H.J. S t o l p e
Klinik für Kinderheilkunde des Bereiches Medizin
der Wilhelm-Pieck-Universität
DDR-2500 Rostock
Rembrandtstr. 16/17 (DDR)

Aus dem Tierpark Berlin (Direktor: Prof. Dr. sc. Dr. h.c. H. DATHE)

MÖGLICHE COLITIS ULCEROSA BEIM ORANG-UTAN

Von G. Strauß, W.R. Cario und B. Seidel

Auf die Schwierigkeiten bei der Behandlung von Menschenaffen ist oft hingewiesen worden. Stets gilt es, den ärztlichen Grundsatz nihil nocere zu wahren und sorgsam abzuwägen, ob eine Immobilisation schon angezeigt oder noch zu vertreten ist, bzw. ob der Erkenntniszuwachs durch eine Narkose das Risiko rechtfertigt, denn trotz der heute zur Verfügung stehenden Medikamente mit breiter Toleranz ist man vor Nebenreaktionen nicht geschützt.

Wir wollen an dieser Stelle von dem Krankheitsbild bei einem Orang-Utan berichten, das unseres Wissens bei dieser Tierart bisher noch nicht beschrieben worden ist. Aus der Humanmedizin ist eine Dickdarmerkrankung bekannt, die unter der Bezeichnung "Colitis ulcerosa" oder "unspezifische hämorrhagische Proktokolitis" beschrieben wurde. Es handelt sich dabei nach RETTBERG (1977) um eine akute bis chronische, entzündliche nichtinfektiöse Erkrankung des Kolon. Sie befällt überwiegend die distalen Abschnitte des Dickdarms, kann sich aber auch auf das gesamte Kolon ausbreiten. Es wechselt Exazerbation mit Remission. Das Leitsymptom sind blutig-eitrig-schleimige Durchfälle. Das Krankheitsbild ist sehr wechselnd mit leichtem Verlauf bis zum schweren fulminanten lebensbedrohlichen Zustand dem toxischen Megakolon. Gefürchtete Komplikationen sind die Perforation, die massive Blutung und die Karzinomentwicklung. Die Genese der Colitis ulcerosa ist unbekannt; genetische, milieubedingte, infektiöse, allergische und immunologische Faktoren werden diskutiert. Die Colitis ulcerosa beginnt meist schleichend und kommt häufig nach Infekten, Streßsituationen und psychischen Belastungen zum Ausbruch (BEYREISS et al., 1983). Die klinischen Symptome bestehen in der Hauptsache aus: Blutabgang, abdominellen Schmerzen, Diarrhoen, Gewichtsverlust und Tenesmen. Nur bei ca. einem Drittel der Patienten kommt es zur Erhöhung der Körpertemperatur oder zur Obstipation. Die Blutuntersuchungen zeigen eine Anämie, Hypalbuminämie, erhöhte Blutsenkungsgeschwindigkeit in schweren Fällen eine Leukozytose sowie teilweise erhöhte Transaminasenwerte. Zu den extrakolischen Komplikationen zählen u.a. die Arthritiden, die beim Menschen mit einer Häufigkeit von 1 bis 7,4 bis 22 % beschrieben werden.

Eine spezifische Therapie ist nicht bekannt. Die Behandlung ist symptomatisch gegen die Entzündung und die Komplikationen gerichtet. Bewährt haben sich Salizylazosulfapyridin und Kortikosteroide (30 bis 40 mg/die initial in 4 bis 6 Wochen ausschleichend). In schweren Fällen sind andere therapeutische Maßnahmen gegen die Begleitsymptome gerichtet. Eine spezifische Colitis-ulcerosa-Diät gibt es nicht; es wird eine schlackearme, kalorienreiche und eiweißreiche Schonkost empfohlen.

Fallbeschreibung

Die 10jährige Orang-Utan-Frau "Biggy" hatte im Oktober 1982 ein Jungtier geboren, das sie bis zum Oktober des Folgejahres problemlos aufzog. Zu diesem Zeitpunkt zeigte sie dann erstmalig schleimig-blutige Auflagen auf arttypisch geformtem Kot. Der Allgemeinzustand war leicht gedämpft. Die Körpertemperatur lag bei 37,2 °C. Die verabfolgte Berlocombin-Oralsuspension[R] führte zur Besserung des Befindens, blutig-schleimige Beimengungen konnten jedoch an den Folgetagen weiter beobachtet werden.

Die parasitologische Untersuchung ergab das Auftreten von Chilomastix mesnili. Aus diesem Grund wurden dem Tier zweimal täglich eine Tablette Vagimid[R] über sechs Tage verabreicht. Danach waren keine Blutbeimengungen mehr sichtbar, der Kot hatte jedoch eine pastöse Konsistenz, die durch Diätfütterung und Endiaron[R] erfolgreich kuriert werden konnte. Im Januar 1984 hatte sich der Allgemeinzustand des Tieres erneut verschlechtert. Es war zu einem Gewichtsverlust gekommen und der Einsatz der Beine erschien steif und unsicher. Der Kot war erneut dünnbreiig und durch die parasitologische Untersuchung konnten jetzt Entamöba (E.) histolytica, E. coli sowie E. hartmanni nachgewiesen werden. Blutig-schleimige Auflagerungen traten erneut auf. Nach einer zehntägigen Endiaron[R]-/Chlorochin[R]-Kur waren keine Amöbenstadien mehr zu finden. Die Konsistenz des Kotes war normal, Blutbeimengungen waren ebenfalls nicht mehr sichtbar. Im Februar verschlechterte sich der Zustand des Affen zusehends. Dabei konnte ein deutlicher Gewichtsverlust trotz guter Futteraufnahme, schleppend schwerfällige Bewegungen und erneut blutige Beimengungen in den Fäzes gesehen werden. Parasitologisch und bakteriologisch waren zu diesem Zeitpunkt keine Erreger mehr nachweisbar.

Das klinische Bild ließ jetzt die Verdachtsdiagnose Colitis ulcerosa aufkommen. Wir entzogen der Nahrung alle aus Milch stammenden Eiweiße, um eine allergische Entzündung auszuschließen und verordneten 3 x 3 bis 3 x 4 Kapseln Sulfasalazine "EN" täglich. Leider nahm "Biggy" nur eine einzige derartige Kapsel auf und verweigerte trotz aller angebotenen Leckerbissen jede weitere.

Der rapide körperliche Verfall des Tieres zwang uns, das Tier in eine Zwangsbox zu verbringen, um es parenteral behandeln zu können. Eine Immobilisation zur Durchführung einer Endoskopie erschien uns zu diesem Zeitpunkt nicht mehr vertretbar, so daß wir darauf verzichteten und entsprechend der Verdachtsdiagnose vorgingen. Dem Tier wurden anfangs 2 x täglich je 40 mg Gentamyzin, 50 mg Prednisolon und 300 ml Ursolyt 153 S[R] i.m. bzw. s.c. appliziert. Eine am Einstellungstag entnommene Blutprobe ließ außer einer erhöhten Leukozytenzahl und einem erhöhten Bilirubinwert keine gravierenden Abweichungen erkennen. Nach 5tägiger derartiger Behandlung konnte eine erste Besserung des Zustandes festgestellt werden. "Biggy" interessierte sich wieder für ihre Umwelt, nahm mehr Nahrung auf, und die Kotkonsistenz war deutlich fester, Blutbeimengungen wurden nicht mehr beobachtet. Die Therapie erstreckte sich nach o.g. Muster über insgesamt 12 Tage. Danach wurde das Gentamyzin abgesetzt und eine ausschleichende Prednisolondosierung eingeleitet. Dabei wurde anhand hämatologischer und biochemischer Untersuchungen der Heilungsverlauf überwacht (Ergebnisse s. Tab. 1). Nach ca. 2 Monaten erhielt "Biggy" keine Medikamente mehr. Parasitologische waren während des gesamten Zeitraumes keine Amöbenstadien im Kot nachweisbar, und auch pathogene Bakterien konnten nicht gefunden werden. Der Affe zeigte während des Klinikaufenthaltes einen zunehmend guten Appetit, und der Allgemeinzustand hatte sich nach ca. 3 Monaten so weit normalisiert, daß er ins Revier entlassen werden konnte.

Erwähnt werden muß, daß die Beeinträchtigungen der Bewegungen in Form eines schleppend, schwerfälligen Laufens noch bestand und sich über einen sehr langen Zeitraum weiter erstreckte. Sie sind bis zum heutigen Tage nicht in gewohntem Maße wiederhergestellt.

Tabelle 1: Hämatologische und biochemische Parameter

		27.2.84	5.3.84	4.4.84	3.5.84	25.5.84	nach WALLACH und BOEVER (1983)
Erythroz.	10^6/ml	2,62	4,86	6,67	5,27	5,24	4,42
Hb	mg %	14,1	11,0	15,2	13,0	15,2	13,4 - 15,2
HTK	%	51	40	48	49	50	41 - 46
Leukozyten	10^3/ml	14,26	14,16	9,10	8,22	7,74	10,9 - 14,6
Basoph.	%	-	-	-	-	-	0 - 1
Eosinoph.	%	2	-	-	4	2	0 - 4
Stabkern.	%	7	2	-	-	-	-
Segmentk.	%	54	48	42	43	39	68 - 83
Lymphozyten	%	34	42	55	52	57	10 - 22
Monozyten	%	3	8	3	1	2	3 - 8
Na	m mol/l	146	140	171	146	147	138 - 143
K	m mol/l	5,74	6,54	6,14	3,80	5,15	3,7 - 4,0
Ca	m mol/l	3,00	-	2,53	3,00	2,83	4,7 - 4,9
P	m mol/l	1,71	-	1,68	-	-	1,0 - 2,1
Gluc.	m mol/l	6,36	4,60	4,25	3,67	4,82	4,0 - 5,4
ASAT	µ mol/l	0,298	1,25	0,8	0,8	0,8	0,188 - 0,300
ALAT	µmol/l	0,216	1,50	0,8	0,8	0,8	0,148
AP	µmol/l	1718	1244	876	2533	1413	306 - 800
AMYL. AE/l		5,8	10,2	8,4	6,6	7,1	
CREA	µmol/l	99	90	64	70	60	110
BILI	µmol/l	60,0	44,02	17,75	17,75	21,30	4,8 - 8,5
CK	µmol/l	8,26	-	0,698	-	0,959	
PROT	g/l	91,7	87,9	86,9	79,5	72,6	75 - 86

		27.2.84	5.3.84	4.4.84	3.5.84	25.5.84	nach WALLACH und BOEVER (1983)
Alb.	%	0,57	0,55	0,57	0,59	0,58	31 - 44
Glob. F_1	%	0,08	0,05	0,10	0,05	0,06)	
F_2	%	0,07	0,07	0,14	0,06	0,07)	30,6
F_3	%	0,09	0,14	0,19	0,11	0,11)	
γ	%	0,19	0,19	-	0,19	0,18)	
LPTT	TE	11,7	-	13,1	7,39	9,58	
CHOL	mmol/l	9,0	-	-	-	6,04	4,7 - 8,8
TG	mmol/l	1,12	-	-	-	1,22	

<u>Diskussion</u>

Durchfallerkrankungen bei Menschenaffen sind nicht selten zu beobachten, in der Mehrzahl der Fälle jedoch zu heilen. Eine parasitologische und bakteriologische Abklärung darf dabei jedoch nicht außer acht gelassen werden. Protozoäre Erreger konnten oft als Ursache einer derartigen Erkrankung nachgewiesen werden (vgl. MATERN und KLÖPPEL, 1980; SCHNEIDER, 1985). Zur Zeit stehen verschiedene antiprotozoäre Medikamente zur Verfügung, die jedoch oral verabreicht werden müssen und dadurch Schwierigkeiten gerade bei der Menschenaffenbehandlung heraufbeschwören. Auch in unserem Fall konnte eine Amöbiasis als Initialerkrankung nachgewiesen werden. Durch die angegebenen Medikamente gelang es, das Tier soweit zu behandeln, daß keine Amöbenstadien mehr im Kot nachweisbar waren, eine Entzündung des Dickdarms jedoch weiter bestand, die zum Abgang von Blut mit dem Kot führte. Auffallend auch die weitere Verschlechterung des Tieres mit Gewichtsverlust und schleppendem Bewegungsablauf. Die Symptomatik läßt in Analogie zu gleichen klinischen Bildern in der Humanmedizin den Schluß zu, daß es sich bei unserem Orang Utan "Biggy" um eine Colitis ulcerosa handelte. Gestützt wird unser Verdacht durch die Wirkung der eingeleiteten Therapie. Wir hatten uns entschlossen, Gentamyzin einzusetzen, da es ein breites Spektrum gegen gramnegative Keime aufweist und dadurch sekundäre Komplikationen abgefangen werden konnten. Dem Prednisolon schreiben wir die Hauptwirkung zu. Unserer Ansicht nach ist durch die Amöbiasis eine lokale Immunreaktion in Gang gesetzt worden und daraus resultierend eine chronische Darmerkrankung entstanden. Die genaue Ätiologie der Colitis ulcerosa ist wie oben erwähnt nicht bekannt. Den hämatologischen und biochemischen Ergebnissen (s. Tab. 1) ist zu entnehmen, daß sich der Prozeß lokal abgespielt haben muß; die nach einem Monat geringgradig erhöhten Transaminasenwerte erklären sich aus der medikamentellen Belastung der Leber. Bei der Interpretation der Ätiologie sind neben den o.g. Arbeiten auch die von FAHRLÄNDER (1980), CHALIFOUX et al. (1982) sowie KNIGHT (1982) zu berücksichtigen, die ebenfalls mehrere Faktoren bei der Entstehung einer Colitis ulcerosa angeben und einen lokalen Immundefekt für wahrscheinlich halten. Zu einem weitreichenden Problem hat sich die Beeinträchtigung der Beweglichkeit entwickelt. Anfangs als Schwäche gedeutet, muß retrospektiv eine Arthritis/Arthrose angenommen werden, wie sie als Nebenreaktion in der Literatur beim Menschen in bis zu 22 % der Fälle erwähnt wird.

Schlußfolgernd läßt sich zusammenfassen, daß das klinische Bild den Verdacht einer Colitis ulcerosa bei unserem Orang Utan aufkommen ließ. Die Vorgeschichte und die erfolgreiche Therapie mittels Prednisolon bestätigen die Hypothese. Eine Endoskopie bzw. Röntgenuntersuchung zur Bestätigung wurde nicht durchgeführt, da das Narkoserisiko in unserem Fall zu groß war. Weiteren Untersuchungen wird es zu überlassen sein, eine endgültige Abklärung dieses Krankheitsbildes bei Menschenaffen vorzunehmen.

<u>Zusammenfassung</u>

<u>Mögliche Colitis ulcerosa beim Orang-Utan</u>

Anhand der klinischen Symptomatik wird der Verlauf einer Darmerkrankung bei einem Orang Utan beschrieben, der dem Bild der Colitis ulcerosa des Menschen gleicht. Begleitende hämatologische Untersuchungen und die erfolgreiche Therapie mittels Gentamyzin und Prednisolon bestätigen die Diagnose.

Summary

Possible Development of Colitis ulcerosa in Orang-Utan

The course of an intestinal disease in an orang-utan, very close to the pattern of ulcerous colitis in man, is described on the basis of clinical symptoms. The original diagnosis was confirmed by haematological tests and by the good success of therapy, using gentamicin and prednisolone.

Résumé

Apparition possible de Colitis ulcerosa chez l'orang-outang

L' auteur explique l'évolution chez un orang-outang d'une maladie intestinale au moyen des signes symptomatiques qui ressemblent à ceux de Colitis ulcerosa chez l'homme. Des examens hématologiques et une thérapie réussie à Gentamycine et Prédnisolone confirment la diagnose.

Резюме.

Возможный Colitis ulcerosa у орангутана.

На основе клинических симптомов описано заболевание кишечника у орангутана, похожего на Colitis ulcerosa человека. Гематологические исследования и положительная терапия с помощью сентамицина и предизолона подтвердили диагноз.

Literaturverzeichnis

BEYREISS, K., BANNERT, N., CARIO, W.R., FIEHRING, Ch., GRÄVINGHOFF, J., JUNG, G., SCHMUTZLER, S., SCHOLZ, H., und U. TAMBOR (1983): Diagnostik und Therapie chronisch entzündlicher Darmerkrankungen, Teil 1: Colitis ulcerosa. Kinderärztliche Praxis, H. 4, 169 - 176.

MATERN, B., und G. KLÖPPEL (1980): Versuche zur medikamentellen Bekämpfung der Amöbiasis bei Affen. Verh.ber. Erkrg. Zootiere 22, 135 - 137.

RETTBERG, H. (1977): Klinisches Bild der Colitis ulcerosa. Therapiewoche 27, 6653 - 6660.

SCHNEIDER, H.E. (1985): Über weitere Erkrankungen bei Orang Utans im Zoologischen Garten Dresden. Verh.ber. Erkrg. Zootiere 27, 373 - 377.

WALLACH, J.D., and W.J. BOEVER (1983): Diseases of Exotic Animals. Philadelphia, London, Toronto, Mexico City, Rio de Janeiro, Sydney, Tokyo: W.B. Saunders Company.

Anschrift der Verfasser: Dr. med. vet. G. S t r a u ß
Tierpark Berlin
DDR-1136 Berlin
Am Tierpark 125 (DDR)

Ménagerie du Jardin des Plantes
(Directeur: Professeur F. DOUMENGE, Titulaire de la Chaire d'Ethologie et Conservation des Espèces Animales du Museum National d'Histoire Naturelle de Paris)

POLYKYSTOSE HEPATIQUE CHEZ L'ORANG OUTAN (PONGO PYGMAEUS PYGMAEUS)

Par Marie-Claude Demontoy-Bomsel et J. L. Berthier

Dans le cadre de cet article, nous décrirons une spectaculaire lésion polykystique du foie, observée chez un orang outan mâle âgé de 16 ans, vivant à la Ménagerie du Jardin des Plantes depuis 13 ans. Nous discuterons ensuite de l'origine possible des troubles et de son faible retentissement sur l'état de bonne santé apparente de cet animal.

Historique

En 1972, un jeune couple d'orangs outan de Bornéo Pongo pygmaeus pygmaeus (3 et 4 ans environ) fut importé à la Ménagerie du Jardin des Plantes. Leur origine géographique était mal définie; il est probable qu'ils venaient tous deux de leur pays natal, leur passage en Hollande n'étant que transitoire. Les deux animaux n'étaient pas en très bon état, particulièrement le mâle (Toto) qui souffrait de malnutrition. Ils furent l'objet de soins constants: nourriture variée et très protéique, fruits, verdure, fromage, viande ou oeufs une fois par semaine, croquettes pour chien ...). Un traitement reconstituant fut adjoint (ATP, Calcium, Vitamines).

Le mâle toujours plus faible fut traité à l'aide d'anabolisants per os.

Du fait de leur jeune âge, ils s'adaptèrent facilement et rapidement, leur constitution anatomique redevint tout à fait normale. Cependant le pelage de la femelle restait toujours plus luisant et son appétit moins capricieux. Les deux animaux vécurent sans problème majeur pendant 10 ans.

Toto se développait bien mais du être soigné 4 fois pour des épisodes fébriles accompagnés d'inappétence et de troubles digestifs.

Nenette, la femelle, n'eut aucune perturbation importante.

En 1979, un jeune mâle, Doudou, naquit, Il fut élevé parfaitement par la mère. Notre seule intervention réside en soins au jeune atteint, par avitaminose D, d'une ostéodystrophie prononcée de la face. La mère les tolèra facilement et on put ainsi le traiter (vit. D, calcium, magnésium) en laissant l'allaitement naturel se poursuivre. Le résultat fut spectaculaire et nous vîmes très vite le crâne se remodeler. Le mâle ayant manifesté une certaine brutalité à l'encontre du petit avait dû être isolé. Il était dans une cage contigüe, séparé par un grillage, et restait en contact avec la femelle et son fils vis-à-vis duquel il n'eut plus la moindre agressivité. En août 1980, il fut sujet à un nouvel épisode fébrile et traité avec succès par un antibiotique à large spectre.

Après la séparation du premier jeune, le couple fut réuni à nouveau. On constata un parasitisme par Physaloptera caucasica rapidement jugulé par un traitement de mébendazole (3 fois 7 jours, à intervalle d'une semaine, à la dose de 15 mg/kg).

En 1982, un autre mâle naquit. Toto en fut à nouveau écarté. Par ailleurs, depuis deux ans il était atteint de constipation chronique, combattue par un apport d'aliments riches en lest et de laxatifs légers (huile de paraffine, mucilage...). Tous les 6 mois, on lui administrait un traitement hépatoprotecteur (extrait fluide de boldo, d'artichaut, chlorure de choline, sorbitol, chlorure de magnésium hexahydrate). L'appétit était irrégulier mais suffisant. L'animal ne manifestait cliniquement aucune douleur. Il se déplaçait normalement. Aucun amaigrissement n'était constaté: bien au contraire une certaine tendance à l'obésité devait être contrôlée. En février 1984, alors que son état de santé clinique apparent était très bon, son appétit correct, il fut trouvé mort dans sa cage en fin d'après midi, après s'être promené sans troubles visibles toute la journée.

Autopsie

Dès l'ouverture de la cavité abdominale, les intestins apparaissent comprimés par une masse tumorale envahissante, localisée au niveau du foie, de plus de 15 kilogrammes (cf photo ci-jointe). Celle-ci occupe pratiquement tout l'abdomen, écrasant tous les autres organes.

Son extraction se révèle difficile, car elle est englobée dans du tissu adipeux et en partie adhérente aux intestins. Cette masse une fois détachée montre une structure polykystique contenant plusieurs litres de sérosité fluide et blanchâtre. Le parenchyme hépatique n'est pratiquement plus visible.
Au niveau des autres organes on ne constate aucun signe d'ictère. Les intestins sont emplis de selles bien moulées et dures. L'estomac contient les restes d'un repas en partie digéré. La rate et les reins sont de taille et d'aspect normaux. L'ouverture de la cacité thoracique permet de constater une congestion pulmonaire passive. Le coeur est normal.
La mort est survenue à la suite de sévères compressions vasculaires.

Histologie

On a prélevé des fragments de foie, rein, rate et coeur.
Les prélèvements hépatiques comportent un fragment de parenchyme de morphologie subnormale, sous une capsule de Glisson épaisse.
Si les lobules et les travées de Remak sont intacts, on distingue déjà au niveau des espaces-portes, des dilatations micro-kystiques très importantes et des canalicules biliaires accompagnés d'un discret infiltrat inflammatoire.
Dans les fragments hépatiques macroscopiquement détruits, se retrouvent des cavités kystiques cystadénomateuses parfois très volumineuses, tapissées d'un épithélium cylindrique secrétant de type biliaire et remplies d'une bile plus ou moins liquide piquetée d'éléments inflammatoires.
Autour de ces ectasies biliaires, se développe une fibrose réactionnelle, dense, toujours infiltrée de lymphocytes et qui détruit le parenchyme hépatique en périphérie où ne subsistent de celui-ci que des néocanalicules biliaires.
La lésion reste toujours cytologiquement bénigne, seule la destruction massive du parenchyme hépatique a entraîné l'issue fatale.
Les autres tissus examinés ne montrent, au niveau du rein, aucune modification architecturale ou cyto-nucléaire notable, en dehors d'une congestion vasculaire diffuse. Au niveau du myocarde, aucune lésion musculaire nécrotique ou inflammatoire n'est visible. Au niveau splénique, la rate est assez fibreuse et ne montre aucune infiltration cellulaire suspecte.
En conclusion, sur tous les fragments examinés, on trouve, au niveau hépatique, les images d'un cystadénome biliaire intra-hépatique, très étendu, entraînant une fibrose destructive du parenchyme périphérique et qui jamais ne présente de caractère suspect de malignité.
Tous les autres tissus sont de morphologie subnormale.

Discussion

Du fait du bon état d'embonpoint de l'animal, nous n'avons jamais suspecté cette lésion: la distension de l'abdomen a été masquée par la morphologie très "ventrue" des orangs outan de Bornéo et par une adiposité excessive.
L'étiologie de cette lésion offre deux probabilités:

1. - l'échinococcose larvaire

Nous n'avons pas trouvé de scolex d'échinococcus. Les cas d'échinococcose restent rares chez les anthropoïdes. Ils peuvent être dus au voisinage de carnivores infestés de toenias. Dans le cas présent, nous pensons pouvoir raisonnablement éliminer cette hypothèse: l'accès des chiens est interdit dans notre parc zoologique; le bâtiment de la singerie situé au coeur de la Ménagerie constitue une entité très fermée. Conçue en 1934, trop vétuste, il n'offre, comme avantage, que d'assurer pour les singes un total isolement du reste du zoo. Les soigneurs de primates n'approchent jamais les services de petits carnivores situés à l'extrême opposé du jardin.
Aucun autre cas d'échinococcose n'a été trouvé dans les années avoisinantes et nous n'avons pas observé de toenias chez nos carnivores. Il faudrait donc supposer que cet orang outan était déjà porteur à son arrivée. Les épisodes fébriles (signe d'allergie) et le retard de croissance constatés seraient dus au développement de cette extraordinaire lésion, latente pendant plus de 13 ans.

Le diagnostic clinique d'échinococcose reste difficile en médecine vétérinaire: pas de symptôme pathognomonique, peu de références. Nous n'avons pas recherché l'éosinophilie, ni pratiqué de recherche immunologique, d'ailleurs peu fiable. Cependant, dans le cadre de cette hypothèse et par prophylaxie, nous escomptons surveiller par échographie la femelle qui pourrait s'être contaminée conjointement, bien que nous ignorions si le mâle s'est infesté dans la nature ou pendant les étapes du voyage. Les deux jeunes se portent bien et n'encourent aucun risque, compte-tenu de la non contagiosité de cette forme larvaire.

2. - Polykystose hépatique

Cette seconde hypothèse est plus étayée par l'analyse anatomopathologique: en effet, l'histologie n'a pas permis de mettre en évidence ni de scolex, ni de membrane helminthique caractéristique du kyste hydatique.
Elle semble plutôt confirmer une malformation évolutive du système canaliculaire biliaire. Cliniquement les symptômes sont identiques. Cette pathologie hépatique est parfois constatée en médecine humaine. Son étiologie est méconnue.

Conclusion

Cette extraordinaire lésion, probablement congénitale, du système biliaire aboutit à un aspect polykystique fortement évocateur d'échinococcose larvaire ancienne. Le praticien ne doit donc en aucun cas poser un diagnostic macroscopique rapide mais toujours le confirmer par histologie.

Résumé

Polykystose hépatique chez l'orang outan (Pongo pygmaeus pygmaeus)

Les auteurs décrivent une spectaculaire lésion polykystique hépatique constatée chez un orang outan de 16 ans. Une discussion s'instaure sur l'origine de l'infestation.

Zusammenfassung

Über zystöse Leberveränderungen bei einem Orang Utan (Pongo pygmeus pygmeus)

Die Autoren beschreiben einen interessanten Fall von Zystenbildungen in der Leber eines 16 Jahre alten Orang Utan. Die mögliche Ursache der Veränderung wird diskutiert.

Summary

Cystic Liver Changes in Orang-Utan (Pongo pygmeus pygmeus)

An interesting case of liver cysts in an orang-utan aged 16 years is described in this paper, with possible causes being discussed.

Резюме

О цистозном поражении в печени у орангутана (Pongo pygmeus pygmaeus)

Авторы описывают интересный случай образования цист в печени 16-летнего орангутана. Обсуждаются возможные причины изменений, вызванные цистами.

Bibliographie

CHERMETTE, R., et L. MUSNIER (1982): L'hydatidose, fléau des pays d'élevage. La Semaine Vétérinaire n° 240, p. 18.

CULJAK, K., I. HUBER, und J. PERIC (1977): Echinokokkose bei einem Makaken (Cynopithecus niger). Verh. ber. Erbrg. Zootiere 19, 267 - 269.

EUZEBY, J. (1966): Les Maladies Vermineuses des Animaux Domestiques et leur Incidence en Pathologie Humaine. Fasc. I. Paris: Vigot Frères, 663 p.

HOWARD, E. B., and A. P. GENDRON (1980): Echinococcosus Vogeli Infection in Higher Primates at the Los Angeles Zoo. In MONTALI and MIGAKI The Comparative Pathology of Zoo Animals. Washington: Smithsonian Institution Press, 379 - 382.

PICONE, J., WILLIAMS, J. F., WESLEYDEID, R. and L. D. FAY (1981): Polycystic liver in four white tailed deer. J. Wildl. Dis. 17, 395 - 400.

L'adresse d'auteur: Marie-Claude D e m o n t o y - B o m s e l
Muséum National d'Histoire Naturelle
MENAGERIE
57, rue Cuvier
F-75005 Paris (Frankreich)

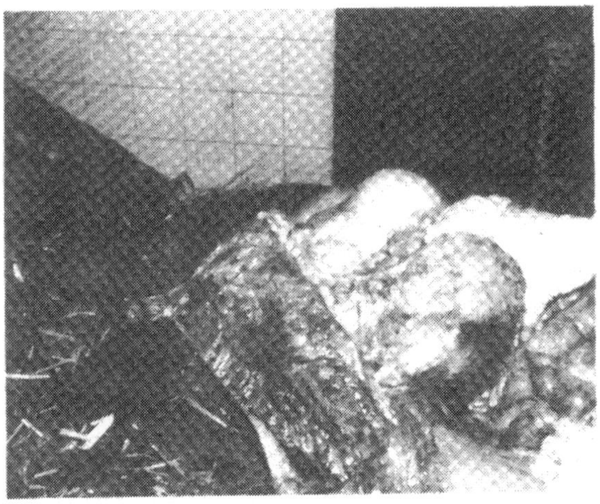

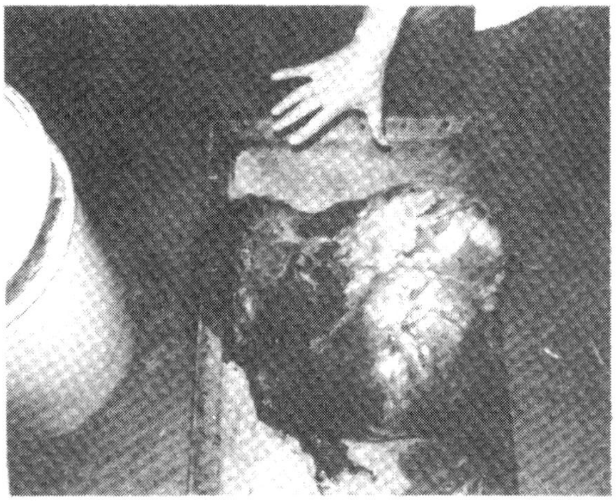

Aus dem Zoologischen Garten Dvur Králové nad Labem

DEGENERATION DER HERZ- UND SKELETTMUSKULATUR UND MYOKARDRUPTUREN BEIM AUERWILD (TETRAO UROGALLUS)

Von V. Mikulica und P. Spála

Die relativ umfangreichen Versuche, eine Auerwildzucht in der Obhut des Menschen aufzubauen, bringen viele veterinärmedizinische Probleme mit sich, deren Ursachen nicht immer ganz klar sind. Eines von diesen Problemen stellt die Herzmuskelruptur dar, worüber WILHEM und TSCHIRCH (1984) bei 14 Auerhühnern berichteten. Die Verfasser halten als wahrscheinliche Ursache der beobachteten Myokardrupturen die degenerative Veränderung der Herzmuskulatur im Rupturbereich für möglich, wozu nachfolgend eine streßbedingte extreme Belastung des Herzmuskels kommt. Eine genaue Feststellung der Ursachen der pathologischen Veränderungen war jedoch in ihren Fällen nicht möglich.

In den Jahren 1981 - 1985 untersuchten wir in unserer Einrichtung 24 gestorbene adulte und subadulte Auerhühner. In diesem Material wurde bei 11 Auerhühnern eine Myokardruptur gefunden, also fast bei der Hälfte der sezierten Vögel. Unter diesen 11 Auerhühnern waren 9 Hennen und 2 Hähne (Tab. 1). Alle Vögel mit einer Myokardruptur wurden jeweils im Monat November (1981, 1982, 1983, 1985) zur Untersuchung überbracht.

Tabelle 1

Sezierte Auerhühner	insgesamt	weiblich	männlich	jünger als 1 Jahr	älter als 1 Jahr
Myokardrupturen	11	9	2	9	2
Andere Hauptbefunde	13	6	7	9	4

In allen Fällen fanden sich die Myokardrupturen im Bereich der Herzspitze, wobei die linke Herzkammer betroffen war. Die Herzmuskulatur besonders im Herzspitzenbereich war auffällig hell. Der Herzbeutel war in allen Fällen mit Blutkoagula gefüllt. Weiterhin wurden bei allen Tieren Hyperämie der parenchymatösen Organe, bei 6 Tieren eine fettige Leberdegeneration, in einem Fall eine parenchymatöse Leberdegeneration und in 2 Fällen eine ausgeprägte katarrhalische Enteritis festgestellt.

Histologisch zeigte sich im Myokard eine hyaline, wachsartige Degeneration (ZENKERsche Degeneration). In einigen Fällen ließen sich auch die Anzeichen einer nachfolgenden Myolyse feststellen, wobei das zerfallende Sarkoplasma deutlich aufgelöst war. In diesem Bereich wurden nur leere Sarkolemmschläuche und reaktiv-entzündliches Zellinfiltrat mit vielen Histiozyten beobachtet. In anderen Bereichen des Myokards ließen sich körnige Degerationen, vakuoläre Degenerationen, und Querstreifungsverlust nachweisen.
Auch in der Skelettmuskulatur zeigten sich bei der histologischen Untersuchung degenerative Veränderungen. Besonders in der tiefen Brustmuskulatur wurde ein grobscholliger Zerfall der einzelnen Muskelfasern beobachtet. Eine granuläre (körnige) Degeneration und ein Querstreifungsverlust der Muskelfaser wurden auch in der Skelettmuskulatur aus anderen Körperbereichen gefunden.

Um eine alimentär bedingte Muskeldystrophie ätiologisch ausschließen zu können, wurden von 5 Vögeln mit einer Herzmuskelruptur die Selen-Werte der Leber untersucht. Der Se-Spiegel bewegte sich zwischen 0,36 - 0,50 ppm im nativen Lebergewebe (Frischsubstanz) und 1,29 - 1,79 ppm in Lebertrockensubstanz (vgl. Tab. 2). Die Saturation der gestorbenen Vögel mit Vitamin E wurde nicht untersucht. Wo die Anamnese bekannt war, wurde in allen Fällen über die Applikation der Vitamine A, D und E kurz vor dem Tod berichtet.
Bekannterweise ist auch ein Vitamin E-Mangel zum Ende der Sommersaison nicht zu erwarten, denn gerade in dieser Zeit werden überwiegend Naturprodukte gefüttert.

Die bakteriologische, parasitologische und mykotoxikologische Untersuchung der Auerhühner mit Herzmuskelruptur brachte keine aussagekräftigen Resultate.

Tabelle 2: Selenkonzentration der Leber in ppm

	Frischsubstanz	Trockensubstanz
Myokardrupturen	0,50	1,79
	0,48	1,71
	0,43	1,54
	0,36	1,29
	0,46	1,64
Andere Hauptbefunde	0,43	1,54
	0,43+)	1,59+)

+) andere Zuchtstelle

Charakteristisch war der Vorbericht von 9 der 11 gestorbenen Vögel.

1981 - 4 Vögel: Fang in einem großen Gehege, Umsetzung der Vögel in kleine Käfige. Am nachfolgenden Tag Transport in Transportbehältern, Transportdauer 1,45 Std. Nach dem Transport wurde in der neuen Unterbringung strenge Ruhe bewahrt. Tod der Vögel 3 Tage nach dem Fang.

1982 - 2 Vögel: ohne Anamnese, nähere Angaben auch retrospektiv nicht feststellbar.

1983 - 1 Vogel: Fang der Vögel und Umsetzung aus großen Gehegen in die Wintervolieren. Tod 2 Tage nach dem Fang.

1985 - 4 Vögel: Fang der Vögel und Umsetzung aus großen Gehegen in Wintervolieren. Am zweiten Tag nach dem Fang wurden im Raum die Netze aus den großen Gehegen herabgezogen. Bei den Vögeln, die an die Bewegungen der Pfleger in dem Zuchtstallungsraum nicht gewöhnt waren, machte sich eine große Erregung bemerkbar. Am dritten Tag nach dem Fang trat der Tod bei 3 Vögeln ein. Der vierte Vogel starb am fünften Tag nach dem Fang.

In keinem Fall, in dem ein ausführlicher Vorbericht gegeben wurde, wurde auf vorausgegangene Krankheitssymptome verwiesen.

Auch wenn die unmittelbare Todesursache in diesen Fällen die Herztamponade war, bleibt es erforderlich, eine Klärung der Ätiologie der dystrophischen Veränderungen in Skelett- und Herzmuskulatur zu finden. KRUSCHINSKI und IPPEN (1984) nehmen für die Entstehung der Muskeldegenerationen bei Zoo- und Wildtieren drei Ursachenkomplexe an:

- Infektions- und Intoxikationskrankheiten
- Hypo- und Avitaminosen, meist verbunden mit einem Mangel an Spurenelementen (Vitamin E/Selen-Mangel)
- besondere Belastungen.

Der Zusammenhang zwischen der beschriebenen Erkrankung bei Auerhühnern und dem ersten Ursachenkomplex läßt sich ausschließen. Einen Zusammenhang mit einem Selen-Mangel kann man nicht grundsätzlich ablehnen. Die in der Leber der betroffenen Auerhühner festgestellte Selenkonzentration entspricht den Werten, die JENKINS und HIDIROGLOU (1972) für das gesunde Hausgeflügel angeben (1,79 ppm in Lebertrockensubstanz bei den mit Selen saturierten Vögeln, 0,74 ppm in Lebertrockensubstanz als Werte für Se-Mangel). Für einen Vergleich wurde die Se-Konzentration der Leber bei zwei Auerhühnern, die an anderen Ursachen starben, untersucht, und diese Ergebnisse unterschieden sich nicht von den Werten, die bei den Auerhühnern mit Herzmuskeldegeneration und -ruptur festgestellt wurden (Tab. 2). Die festgestellte und aus der Literatur zitierte Selenkonzentration der Leber bei Vögeln ist aber meistens niedriger als die angegebenen Normen für die Haussäuger. Zum Beispiel gibt UNDERWOOD (1977) als annähernde Norm für die Selenkonzentration der Leber bei Schafen, Rindern und Schweinen 0,7 ppm in der Frischsubstanz an und für Se-Mangel spricht eine Konzentration von 0,1 ppm. Für Schafe und Lämmer ist aber nach HENNIG (1972) eine mittlere Selenkonzentration der Leber bei normal mit Se versorgten Tieren von 1,00 - 1,48 ppm in der Trockensubstanz und von 0,44 ppm für die Frischsubstanz anzusehen. Für Schafe, bei deren Lämmern in 55 % die Weißfleischkrankheit auftrat, wurde die mittlere Selenkonzentration der Leber mit 0,29 - 0,31 ppm der Frischsubstanz angegeben. HARTHOORN et al. (1974) machen aber auch darauf aufmerksam, daß die "normale" Selenkonzentration der Leber jahreszeitlich schwankt.

Die Frage nach der "normalen" Selenkonzentration der Leber beim Auerwild kann also noch nicht beantwortet werden. Eine kategorische Aussage über die Beziehung der Selenkonzentration zu der beobachteten Erkrankung auf Grund der gewonnenen Angaben ist nicht möglich. Es läßt sich aber die Vermutung aussprechen, daß die von uns festgestellten degenerativen Veränderungen in Herz- und Skelettmuskulatur höchstwahrscheinlich nicht durch Se-Mangel bedingt wurden.

Dank den anamnestischen Angaben bietet sich ein direkter Zusammenhang zwischen der Erkrankung und der emotionellen Belastung der gefangenen Auerhühner an. Es gibt eine ganze Reihe von Arbeiten, in denen degenerative Veränderungen der Skelett- und Herzmuskulatur bei Haus- und Wildsäugern infolge einer emotionellen Belastung, manchmal auch ohne physische Erschöpfung, beschrieben worden sind (z.B. JOHANNSEN, 1979; JEDLICKA et al., 1978; HARTHOORN, 1980; MIKULICA, 1983). Viel weniger Angaben gibt es über "capture myodystrophy" bei Vögeln (YOUNG, 1967; van HEERDEN, 1977" WINDIGSTAD et al., 1983).
Die Myokardschädigung infolge eines akuten Stresses bei Angstzuständen der Menschen und Tiere, nach Verletzungen, Transporten und Fangaktionen sind nach Angaben vieler Verfasser vor allem mit übermäßiger Freisetzung von endogenen Katecholaminen und ihrer gewebsnektrotisierenden Wirkung verbunden (REICHENBACH und BENDITT, 1970; NEWSHOLME, 1982 u.a.). Andere Verfasser weisen aber darauf hin, daß auch eine Überaktivität des Parasympathikus eine Rolle in der Entwicklung dieser Vorgänge spielt (GROOVER und STOUT, 1965; KING et al., 1982). Man sollte auch den Einfluß von Störungen des azidobasischen Gleichgewichtes mit erwähnen. Die pathophysiologischen Prozesse bei diesen Zuständen sind unbestreitbar vielseitig und noch nicht ganz genau bekannt. Von den direkten Einflüssen, die auf die Herzmuskulatur wirken, ist auch auf die generalisierte Kreislaufschädigung mit durch Strömungsverlangsamung bedingten hypoxämischen bzw. hypoxischen Folgen auf den Myokardstoffwechsel hinzuweisen (JOHANNSEN, 1979 u.a.).

Unsere Fälle von Degeneration der Herz- und Skelettmuskulatur mit der nachfolgenden Myokardruptur bei Auerhühnern weisen einen Zusammenhang mit der emotionellen Belastung der gefangenen Vögel auf und sind mit den Fällen "capture myodystrophy" vergleichbar. Trotzdem halten wir die Problematik der Myokardrupturen beim Auerwild mit dieser Mitteilung nicht für völlig geklärt und erwarten weitere Diskussion.

Zusammenfassung

Degeneration der Herz- und Skelettmuskulatur und Myokardrupturen beim Auerwild (Tetrao urogallus)

Es wird über Degeneration der Herz- und Skelettmuskulatur und nachfolgende Herzmuskelruptur beim Auerwild berichtet. Die festgestellte Selenkonzentration der Leber bei Auerhühnern erlaubte es nicht, diese Erkrankung mit den nutritiv bedingten Muskeldegenerationen in Zusammenhang zu bringen. In den meisten Fällen wird aber ein Zusammenhang mit einem emotionellen Streß beim Fang und anderen Manipulationen festgestellt.

Summary

Degeneration of Myocardium and Skeletal Muscles and Myocardial Rupture in Capercaillie (Tetrao urogallus)

Reported in this paper are cases of degeneration of myocardium and skeletal muscles followed by myocardial rupture in capercaillie. The selenium concentration recorded from the liver of capercaillie ruled out the possibility to attribute the disease to nutritional muscular degeneration. However, in most cases, a relationship can be established between the disease and emotional stress in the context of capture and other manipulations.

Résumé

Dégénération de la musculatûre du coeur et du squelette ainsi que ruptûre du myocarde chez les tétraonidés (Tetrao urogallus)

Dégénération de la musculature du coeur et squelette et rupture subséquente du muscle cardiaque chez les tétraonidés. La concentration de sélénium dans le foie des têtras ne permettait pas d'attacher cette maladie à une dégénération des muscles par cause nutritive. Dans la plupart des cas, cependant, on constate une connexion avec le stress émotional lors de la capture et d'autres manipulations.

Резюме

Дегенерация сердечной и скелетной мускулатуры, руптура миокарда у глухарей (Tetrao urogalles)

Сообщается о дегенерации сердечной и скелетной мускулатуры и последующим руптуром миокарда у глухорей. Обнаруженная в печени высокая концентрация селена не позволяет эти поражения отнести к нутритивно вызванным мышечным дегенерациям. В большенстве случаев найдена зависимость между эмоциональном стрессом, проявляемом при поимке птиц и другими манипуляциями.

Literaturverzeichnis

GROOVER, M.E., and C. STOUT (1965): Neurogenic myocardial necrosis. Angiology 16, 180 - 186.

HARTHOORN, A.M. (1980): Exertional myoglobinaemia in black wildebeest and ~~the~~ influence of graduated exercise. J. S. Afr. Vet. Ass. 51, 265 - 270.

HARTHOORN, A.M., JENKINS, W., TURKSTRA, J., and D. MASON (1974): Seasonal changes in liver selenium content as a possible factor in transit myopathy: a preliminary report. Ann. Proc. Am. Ass. Zoo Vet., Atlanta, 1 - 5.

HEERDEN, J. van (1977): Leg paralysis in birds. Ostrich 48, 118.

HENNIG, A. (1972): Mineralstoffe, Vitamine, Ergotropika. Berlin: Deutscher Landwirtschaftsverlag.

JEDLIČKA, J., HOJOVCOVÁ, M., und K. TILČ (1978): Streßmyopathie bei Zebras. Ver.ber. Erkrg. Zootiere 20, 117 - 121.

JENKINS, K.J., and M. HIDIROGLOU (1972): Review of selenium/vitamin E responsive problems in livestock: case for selenium as feed additive in Canada. Can. J. Amin. Sc. 52, 591-620.

JOHANNSEN, U. (1979): Untersuchungen zur Pathomorphologie des Herzens bei Schweinen mit Transporttod. Arch. exper. Vet. Med. 33, 374 - 391.

KING, J.M., ROTH, L., and W.M. HASCHEK (1982): Myocardial necrosis secondary to neural lesions in domestic animals. J. Am. Vet. Med. Ass. 180, 144 - 148.

KRUSCHINSKI, M. und R. IPPEN (1984): Ein Beitrag zu den Muskeldegenerationen bei Zoo- und Wildtieren. Verh.ber. Erkrg. Zootiere 26, 285 - 292.

MIKULICA, V. (1983): Pathomorphologische Veränderungen beim psychogenen Tod der Zootiere. Verh. ber. Erkrg. Zootiere 25, 221 - 230.

NEWSHOLME, S.J. (1982): Reaction patterns in myocardium in response to injury. J. S. Afr. Vet. Ass. 53, 52 - 59.

REICHENBACH, D.D., and E.P. BENDITT (1970): Catecholamines and cardiomyopathy: the pathogenesis and potential importance of myofibrillar degeneration. Hum. Pathol. 1, 125 - 150.

UNDERWOOD, E.J. (1977): Trace elements in human and animal nutrition. London: AP.

WILHELM, A., und W. TSCHIRCH (1984): Zur Herzmuskelruptur bei Auerwild (Tetrao urogalles L.) in Volierenhaltung. Verh.ber. Erkrg. Zootiere 26, 297 - 300.

WINDINGSTAD, R.M., HURLEY, S.S., and L. SILEO (1983): Capture myopathy in a free-flying Greater sandhill crane (Grus canadensis tabida) from Wisconsin. J. Wildl. Dis. 19, 289 - 290.

YOUNG, E. (1967): Leg paralysis in the Greater flamingo and Lesser flamingo, Phoenicopterus ruber roseus and Phoeniconaias minor, following capture and transportation. Int. Zoo Yearb. 7, 226 - 227.

Anschrift der Verfasser: MVDr. Vladimir M i k u l i c a
PPKO - Lesopark
CS-430 01 Chomutov (ČSSR)

Aus dem Institut für Geflügelkrankheiten der Ludwig-Maximilians-Universität München
(Leiter: Prof. Dr. J. KÖSTERS)

DIE UNTERSCHIEDLICHE AUSWIRKUNG VON BLEI- UND STAHLSCHROT AUF DEN VOGELKNOCHEN UND DAS UMLIEGENDE GEWEBE

Von F. Grimm, R. Repper und J. Kösters

Wassergeflügel wird weltweit bejagt. Der Grund dafür liegt einmal in den oft großen Stückzahlen beim Auftreten von Enten und Gänsen, aber auch in deren Eigenschaft, nach einer Störung aufzufliegen, den ursprünglichen Ruhe- bzw. Freßplatz wiederholt zu überfliegen, um oft in unmittelbarer Nähe wieder einzufallen.
Darüber hinaus konzentriert sich Wassergeflügel jährlich mehrmals zu großen Gruppen und Schwärmen und rastet als Teilzieher oder als Zugvogel entlang vorgegebener Flugrouten. Markante Punkte sind dabei Flußmündungen in Seen oder ins Meer, wo die vorhandenen Schlickbänke mit weit verzweigten Wasserarmen ideale Futter- und Rastplätze für diese Vögel abgeben. Dies gilt für kleine wie für große Flüsse, die entsprechend der Biotopgröße unterschiedlich große Vogelzahlen aufweisen. Bekannt sind u.a. die Mündung der Tiroler Ache im Chiemsee, die Rheinmündung im Bodensee oder die großen Flußdeltas wie die Donau-, Rhône-, Evrosmündung etc., jedoch auch die Watte der Nordsee und andere Meeresküsten. All diese Orte sind Anziehungspunkte für Wassergeflügel, Ornithologen und Jäger. Überall dort haben sich Jagdarten entwickelt, die einander sehr ähneln. Aus versteckten oder getarnten Unterständen wird mit Bleischrot auf das vorbeifliegende bzw. einfallende Wassergeflügel geschossen.
Wie Experiment und Jagdpraxis gezeigt haben, trifft nicht jeder Schrotschuß. Darüber hinaus werden z.B. bei der Wattenjagd an der Nordsee bis zu 40 % der getroffenen Vögel nicht gefunden.
Ähnliche oder noch ungünstigere Zahlen werden auch für andere Regionen genannt, besonders wenn auf zu weit entfernt fliegende Vögel geschossen wird. Dabei wird oftmals nicht nur das aufs Korn genommene, sondern auch das davor, dahinter oder daneben fliegende Tier getroffen. Sind lebenswichtige Organe verletzt, verludern die Tiere innerhalb weniger Tage. Nur eine oder wenige Schrotkugeln subkutan oder intramuskulär gelegen, bewirken eine permanente Bleibelastung (MODER, 1983; REPPER, 1985). Aus der scheinbar "abgekapselten" Bleikugel wird laufend Blei freigesetzt. Die Bleibelastung kann direkt durch Organschädigung, häufiger jedoch infolge Immunsuppression durch Sekundärinfektionen zum Tod des Tieres führen. Dagegen werden subkutan gelegene Stahlkugeln großteils innerhalb weniger Tage abgestoßen (REPPER, 1985).

Neben dem häufigen Anschießen spielt gleichfalls die orale Aufnahme der verschossenen Bleikugeln aus dem Schlamm der Gewässer eine nicht zu unterschätzende Rolle.
In der BR Deutschland werden jährlich ca. 50 Mill. Schrotpatronen mit einem durchschnittlichen Bleischrotgewicht von 32 g verschossen (AHLBORN, 1985). Dies entspricht ca. 1500 t Bleischrot/Jahr. Davon werden 1/3 zur Jagd (500 t) und 2/3 zum Schießsport (1000 t) verbraucht.
Nach unseren Untersuchungen genügen 3 - 5 oral aufgenommene Schrote 3,25 mm (entsprechend 1 g Blei/kg KM), um Stockenten (Anas platyrrhynchos) innerhalb von 2 Wochen ad exitum zu bringen.
Durch jagdliches Schießen werden jährlich umgerechnet über 2 Milliarden Schrotkugeln in der Größe zwischen 2,5 und 4 mm verstreut. Diese Menge würde ausreichen, um bei oraler Aufnahme den gesamten Wildbestand der BR Deutschland an Wassergeflügel durch Bleiintoxikation mehrfach zu töten.
In Ländern mit weniger restriktiver Jagd- bzw. Waffengesetzgebung als der Bundesrepublik Deutschland ist die Situation noch ungünstiger.

Der erste Schritt zur Verbesserung dieser Situation wurde in den USA gegangen. Für bestimmte Gebiete wurde der Gebrauch von Stahlschrot vorgeschrieben, der die dort jährlich bei der Jagd auf Wassergeflügel in der Landschaft verstreuten ca. 3000 t Bleischrot (FEIERABEND, 1984) ersetzen soll.
BELLROSE (1976) fand Bleischrote in 6,7 % aller Entenmägen (bei 36 000 untersuchten Tieren). Weiter behauptet er, daß in den USA von der Herbstpopulation des Wassergeflügels, das sind

81 - 126 Millionen Enten und Gänse, 2 - 3 %, also 1,55 - 3,78 Millionen Vögel jährlich durch die orale Aufnahme von Bleischroten sterben.
Eine ähnliche Problematik ergibt sich aus der Verfütterung bzw. Aufnahme von angeschossenen Beutetieren durch wildlebende oder in Gefangenschaft gehaltene Greifvögel (KÖSTERS et al., 1979).

Dem lebensmittelhygienischen Aspekt der Bleibelastung bei geschossenem Federwild wird gleichwohl bis jetzt wenig Beachtung geschenkt. Werden die Röntgen-Bilder einer Beschußserie auf tote Hühner unter diesem Aspekt ausgewertet, so ist man erstaunt über die Menge des Bleiabriebs, der am Knochen und im Schußkanal gefunden werden kann (GRIMM und KÖSTERS, 1982). Diese Aussage wird durch Probebeschußserien auf Gelatineplatten bestätigt. Längs einer Strecke von 2 cm aus 22 Schrotkugeln wird 0,062 mg Pb abgerieben. Auf Muskelfleisch bezogen entspricht dies einer Bleikontamination von 0,62 mg/kg (HAMM, 1984). Der von der Zentralen Erfassungs- und Bewertungsstelle für Umweltchemikalien des Bundesgesundheitsamtes (ZEBS) vorgeschlagene Richtwert für den Bleigehalt in Rindfleisch liegt bei 0,3 mg Pb/kg.

In einer weiteren von uns durchgeführten Beschußserie auf frischtote Hühner wurde in einer Röntgenstudie die unterschiedliche Auswirkung von Bleischrot und von Stahlschrot auf den Vogelknochen sowie die Verteilung von Bleiabrieb und Knochensplittern im umliegenden Weichgewebe untersucht. 16 Hühner (weiße Leghorn HNL) aus institutseigenen Beständen mußten zu anderen Zwecken getötet werden. Sie waren weiblich, 18 Monate alt, in Produktion. Beim Beschuß waren die Tiere fast lebenswarm. Der Beschuß erfolgte am waagerecht hängenden Tier von der rechten Flanke, Abstand 25 m. Geschossen wurde mit einer handelsüblichen Flinte Marke Sauer 1/2 Choke-Bohrung. Verwendete Munition:

- Bleischrotpatronen Rottweil-Stern Kal. 12/67,5 Schrot Nr. 4, 3,25 mm und
- Stahlschrotpatronen Remington Kal. 12/70 Schrot Nr. 4, 3,25 mm.

Ergebnisse

Bleischrote zeigen beim Auftreffen auf den Knochen eine teilweise massive Deformierung im Sinne einer Abplattung bzw. einer Zerlegung der Kugel. Bleiabrieb bzw. unterschiedlich große Kugelbruchstücke liegen besonders im Bereich der Fraktur bzw. am getroffenen unzerstörten Knochen. Jedoch sind Bleiabrieb und Bleikugelteile auch im Schußkanal massiv vorhanden. Bleiabrieb wird selbst beim Treffen eines Federschaftes beobachtet (Abb. 1 und 2).

Stahlschrote verursachen im Gegensatz zu Bleischrot eine weniger starke Knochenzertrümmerung. Die Knochenbruchstücke sind größer und weniger. Teilweise ist ein Durchschlagen durch den sonst fast intakten Knochen zu erkennen.
Stahlkugelabrieb ist weder im Bruchbereich noch im Schußkanal vorhanden. Die vereinzelten Stahlsplitter rühren wahrscheinlich vom Zusammenprall zweier Stahlschrote her (Abb. 3 und 4).

Zusammenfassung

Die unterschiedliche Auswirkung von Blei- und Stahlschrot auf den Vogelknochen und das umliegende Gewebe

In experimentellen Untersuchungen wurde die unterschiedliche Auswirkung von Blei- und Stahlschrot auf den Vogelknochen und das umliegende Gewebe überprüft. Daher hat sich gezeigt, daß Bleischrot den Knochen stärker zertrümmert als Stahlschrot. Des weiteren wird ein massiver Bleiabrieb am Knochen und dem umgebenden Weichgewebe gesehen. Stahlschrote zeigen weder Abrieb am Vogelknochen noch im umgebenden Gewebe. Die Verwendung von Stahlschroten würde eine Reduzierung der Bleibelastung der Umwelt bedeuten.

Summary

Different Effects of Lead and Steel Shot on Bird Bone and Surrounding Tissue

The differentiated effects of lead and steel shot on bird bones and surrounding tissue were examined in experimental studies. Lead shot was found to cause destruction of bone more severe than that resulting from steel shot. Massive lead abrasion on bone and surrounding soft tissue was recorded, as well. When steel shot had been used, abrasion was recordable neither from bird bone nor from surrounding tissue. The use of steel shot would reduce lead-borne pollution of the environment.

Résumé

Les effets différents du menu plomb ou menu acier à l'os et au tissu entourant chez l' oiseau

Les effets différents du menu plomb ou menu acier à l'os de l'oiseau et au tissu entourant ont été examiné par des études expérimentales. Il a été démontré que le menu plomb fracasse l'os beaucoup plus que le menu acier. En outre on observe une usure massive causée par le plomb à l'os et au tissu mou. Le menu acier, cependant, ne provoque pas d'usure, ni à l'os, ni dans le tissu entourant. Ainsi, l'utilisation du menu acier signifiera une réduction de la charge en plomb de l'environnement.

Резюме

Различное действие свинца и стального шрота на кости и прилегающие ткани птиц.

В экспериментальных исследованиях изучалось различное действие свинца и стального шрота на кости и прилегающие ткани у птиц. Обнаружено, что свинцовый шрот сильнее разрушает кости чем стальной. Кроме того наблюдается отложение свинца на костях и тканях. Стальной шрот отложений не производит. Применение стального шрота приведет к снижению свинцовой нагрузке в окружающей среде.

Literaturverzeichnis

AHLBORN, H. (1985): Dynamit Nobel AG., mündl. Mitteilung.

BELLROSE, F.C. (1976): Mortality and Disease, in Bellrose F.C.: Ducks, Geese, and Swans of North America. Pennsylvania: Stackpole Books Harrisburg.

FEIERABEND, J.S. (1983): Steel Shot and Lead Poisoning in Waterfowl. Scientific and Technical Series 3, Washington D.C.: National Wildlife Federation.

GRIMM, F., und J. KÖSTERS (1982): Schußverletzungen bei Greifvögeln - Experimentelle Untersuchungen zur Beurteilung der verwendeten Munition. D. prakt. Tierarzt 5, 429 - 435.

HAMM, R. (1984): Untersuchung der Kontamination des Wildbrets an Blei und anderen Spurenelementen durch Schrot und absplitternde und dadurch weit im Tierkörper streuende Blei- bzw. Metallpartikel der modernen Hochleistungsgeschosse. Aufklärung des Verhaltens dieser Blei- bzw. Metallsplitter beim Abhängen, Kochen, Braten, Grillen und Gefrierlagern. Abschlußbericht des Instituts für Chemie und Physik der Bundesanstalt für Fleischforschung, Kulmbach.

KÖSTERS, J., BUSCHE, R., und B. BAUMBACH (1979): Zur Frage der Verfütterung von mit Bleischrot erlegten Tierkadavern an Greifvögel. D. prakt. Tierarzt 11, 988 - 992.

MODERS, S. (1983): Beeinflussung der δ-Aminolävulinsäure-Dehydratase (δ-Ala-D) von Tauben (Columba livia forma urbana) nach Implantation von Bleiprojektilen und Beurteilung der Korrosion der Geschosse. Med. vet. Diss. München.

REPPER, R. (1985): Med. vet. Diss. München, in Vorbereitung.

Anschrift der Verfasser: Dr. F. G r i m m
Institut für Geflügelkrankheiten
Mittenheimerstraße 54
D-8042 Oberschleißheim (BRD)

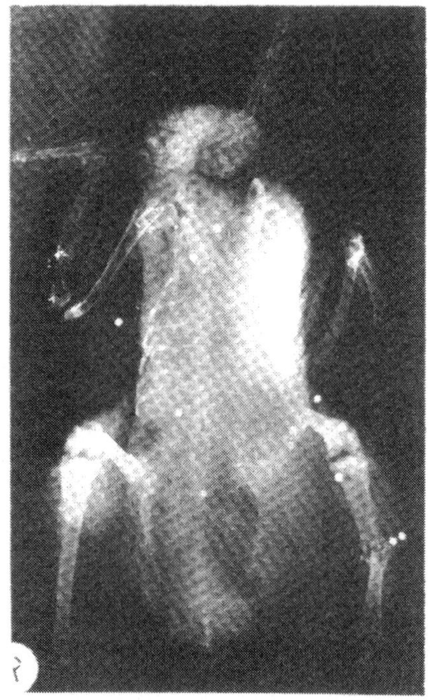

Abb. 1: Ulna- und Tibiotarsustreffer mit feinsplittriger Knochenzertrümmerung und massivem Bleiabrieb
Bleiabrieb im Weichgewebe

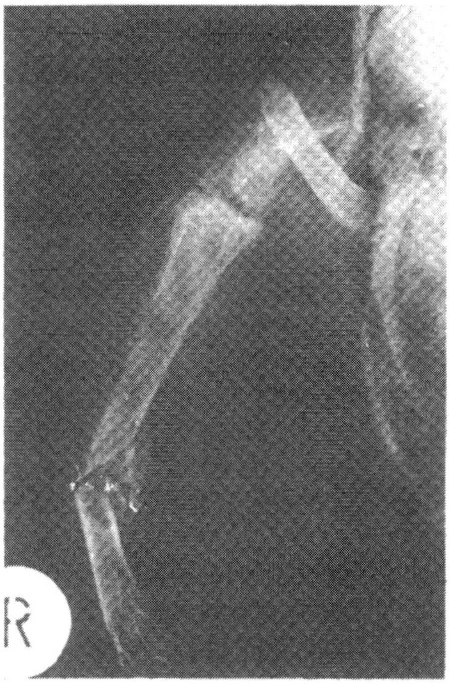

Abb. 2: Tibiotarsusdurchschuß

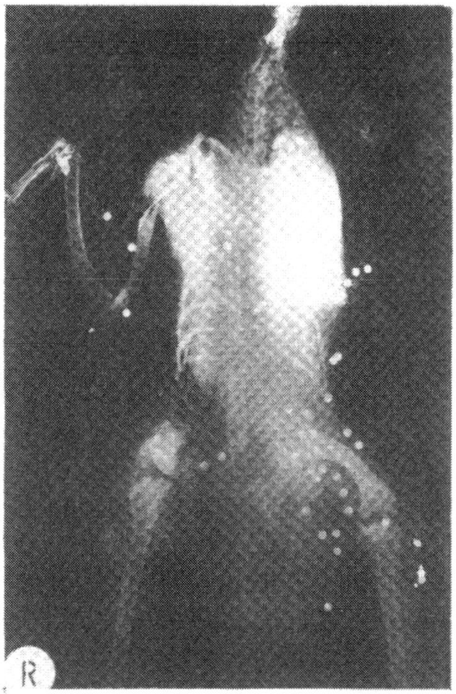

Abb. 3: Stahlschrote mit wenig Abrieb
Knochenzertrümmerung mit wenigen Splittern

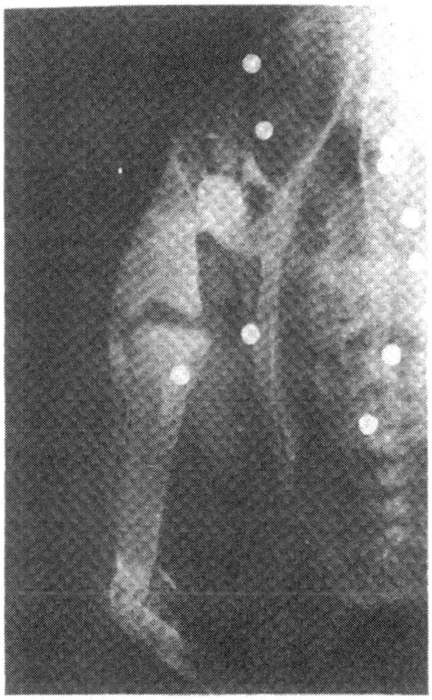

Abb. 4: Stahlschrot
Femur- und Tibiotarsusdurchschuß

Aus der Forschungsstelle für Wirbeltierforschung (im Tierpark Berlin)
(Direktor: Prof. Dr. sc. Dr. h.c. H. DATHE) der Akademie der Wissenschaften der DDR und dem Institut für Immunologie (Direktor: Prof. Dr. G. RIETHMÜLLER) der Universität München

ZUR AMYLOIDOSE DER ZOOVÖGEL UNTER BESONDERER BERÜCKSICHTIGUNG DES WASSERGEFLÜGELS

Von W. Zschiesche und R. P. Linke

Die Arbeiten zur chemischen Natur der humanen Amyloidose haben in den letzten 10 Jahren zu einer Neubetrachtung ihrer Pathogenese und Klassifikation geführt (GLENNER, 1980 a, b) und Ansatzpunkte zu weiterführenden Untersuchungen gegeben. Sie rechtfertigen ferner eine erneute Analyse tierischer Amyloidosen, die hier am Beispiel der aviären Amyloidosen erfolgen soll.

Menschliches und tierisches Amyloid besteht aus Fibrillen und aggregierten pentagonalen Körpern als essentiellen Struktureinheiten. Letztere leiten sich vom Serumamyloid P (SAP)-Protein ab, das lediglich bei der Maus ein akute-Phase-Protein darstellt, bei anderen Spezies in seiner Funktion jedoch unbekannt ist (PEPYS und BALTZ, 1983). Der fibrilläre Anteil ist chemisch different und bildet beim Menschen die Grundlage des derzeitigen Einteilungsprinzips (GLENNER, 1980 b; GOREVIC et al., 1982). Als Precursormoleküle konnten bisher L-Ketten der Immunglobuline (Typ AL), Serumamyloid A (SAA)-Protein, ein akute-Phase-Protein bei den meisten untersuchten Spezies (Typ AA), Präalbumin (Typ AF) und einige Hormone (Insulin, Glukagon, Calcitonin) (Typ AE) identifiziert werden. In vielen Fällen ist die chemische Natur der Fibrillen noch unbekannt.
Trotz der grundsätzlichen Klärung der Herkunft der strukturellen Elemente des Amyloids sind die Bedingungen der Amyloidentstehung und -ablagerung weiterhin ungeklärt. Das gilt für reaktive wie für spontane Amyloidformen. Unklar ist die biologische Signifikanz weiterer, histochemisch nachweisbarer Amyloidbestandteile wie Glukosaminoglukane und Lipide. Die derzeit wahrscheinlichen Theorien der Pathogenese der humanen Amyloidosen gehen von einer partiellen proteolytischen Spaltung von Precursormolekülen durch membranständige Proteasen der Makrophagen aus, deren Fragmente dann auf einem noch unbekannten Weg fibrillär präzipitiert werden (s. GLENNER, 1980 a; FUKS und ZUCKER-FRANKLIN, 1985).

Bei Vögeln wurde bisher lediglich der Nachweis des Vorkommens des Typs AA im Rahmen reaktiver oder idiopathischer systemischer Amyloidosen auf chemischem Wege geführt (GOREVIC et al., 1977).

Material und Methodik

Als Untersuchungsgut wurden alle von 1980 - 1984 im Tierpark Berlin spontan verstorbenen bzw. aus verschiedenen Gründen euthanasierten Vögel (1572 Sektionen) herangezogen. Die Tiere wurden makroskopisch beurteilt und folgende Organe routinemäßig in 10 %igem Formalin fixiert und in Paraffin eingebettet: Leber, Milz, Nieren, Herz, Lunge, Drüsenmagen, Dünndarm, Schilddrüsen. Zur histologischen Untersuchung wurden Paraffinschnitte mittels HE gefärbt, bei Verdacht auf Amyloidablagerungen zusätzlich nach der alkalischen Kongorotmethode (PUCHTLER et al., 1962) und polarisationsoptisch untersucht, wobei Doppelbrechung und anormale grüne Polarisationsfarbe als positiv gewertet wurden (MISSMAHL und HARTWIG, 1953). Zur Differenzierung des Amyloidtyps AA wurde das Verschwinden der Doppelbrechung nach $KMnO_4$-Oxidation herangezogen (VAN RIJSWIGK und VAN HEUSDEN, 1979).
Immunhistochemische Untersuchungen wurden unter Heranziehung verschiedener Anti-Humanamyloid AA-Seren mittels der indirekten Immunperoxidase-Methode durchgeführt. Herstellung und Spezifität der Antiseren und Details der Immunperoxidase-Technik wurden beschrieben (Lit. s. LINKE et al., 1984). In der vorliegenden Arbeit wurde das in Kaninchen präparierte polyklonale Anti-Human-AA-Serum (MED) verwendet. Ergebnisse mit weiteren Antiseren werden anderweitig publiziert.
Die Wahrscheinlichkeit des Auftretens chronischer Erkrankungen (Tumoren, Tuberkulose, Mykosen, Darmparasitosen) ($P(E_1)$) und von Amyloid ($P(E_2)$) im Untersuchungsgut sowie die zu erwartenden und beobachteten Wahrscheinlichkeiten des Zusammentreffens beider Ereignisse ($P(E_1E_2)$) wurden nach WEBER (1961) ermittelt.

Ergebnisse

Die Häufigkeit der systemischen Amyloidose in den verschiedenen Vogelordnungen ist in Tab. 1 dargestellt. Obgleich die Zahlenwerte voneinander stark abweichen, findet sich die jeweils höchste Frequenz in Bestätigung früherer Befunde in den Ordnungen Gruiformes und Galliformes. Im eigenen Material konnte erstmals auch eine hohe relative Amyloidhäufigkeit der Phoenicopteriformes gefunden werden. Alle anderen Ordnungen zeigen nur eine geringe Amyloidfrequenz bzw. keine ausreichende Obduktionszahl zur Beurteilung. Unter den auswertbaren Subfamilien bzw. Gattungsgruppen innerhalb der Ordnung Anseriformes (Tab. 2) weisen lediglich die Dendrocygnini, Oxyurini und Anatini, letztere im Gegensatz zu COWAN (1968 b), eine sehr geringe Amyloidhäufigkeit auf. Bei den Phoenicopteriformes verteilt sich die Amyloidfrequenz gleichmäßig auf alle 4 Spezies, während unter den Gruiformes fast ausschließlich die Familie Gruidae betroffen ist.

Eine detaillierte Analyse hinsichtlich Abhängigkeit des Auftretens der Amyloidose von der Jahreszeit und Koinzidenz mit chronischen Erkrankungen wurde bei den Anseriformes und, teilweise, den Phoenicopteriformes durchgeführt.

Die jahreszeitliche Verteilung der systemischen Amyloidosen innerhalb der Ordnung Anseriformes zeigt Maxima im ersten Halbjahr bzw. Sommerhalbjahr (Abb. 1). Die Schwankung ist 1984 nicht deutlich ausgeprägt.

Aufgrund der bisherigen generellen Annahme, daß die nicht-hereditären systemischen Amyloidosen, sofern ihnen kein multiples Myelom zugrunde liegt, als reaktive systemische Amyloidosen eine Folgeerkrankung chronisch-infektiöser Prozesse sind, wurde die Koinzidenz beider Ergebnisse innerhalb der Ordnungen Anseriformes und Phoenicopteriformes analysiert. Die Wahrscheinlichkeitswerte weisen auf ein mehr als zufälliges Zusammentreffen hin, das dem Doppelten der Erwartungswerte entspricht (Tab. 3). Gleiche Befunde ergeben sich für das Material von BRASSARD (1965), das eine solche Auswertung erlaubte. Allerdings ist bei etwa 30 % der Gänsevögel und 60 % der Flamingos ein solches Zusammentreffen nicht zu beobachten.

Alle beobachteten Amyloidosen wurden polarisationsoptisch durch Kongorotfärbung bestätigt. Doppelbrechung und anomale grüne Polarisationsfarbe erwiesen sich in allen Fällen als sensitiv gegenüber der $KMnO_4$-Oxidation. Die Amyloidosen sind daher der reaktiven systemischen Form vom

Tabelle 1: Amyloidfrequenz bei verschiedenen Vogelordnungen (eingeklammerte Werte = < 50 Tiere)

	1	2	3	4	5	6	7	8
Anseriformes	16.4 %	45.3 %	3.0 %	5.2 %	13.9 %	1.8 %	3.8 %	(36.7 %)
Phoenicopteriformes	28.9 %	(6.7 %)	(0.0 %)	(0.0 %)			(4.0 %)	
Gruiformes	17.0 %	7.7 %	(0.0 %)	7.4 %	5.6 %			
Ciconiiformes	3.3 %	0.0 %	(0.0 %)	1.1 %	3.7 %	(17.8 %)		
Galliformes	6.2 %	8.0 %		0.6 %	1.4 %	1.7 %		
Falconiformes	1.5 %	0.0 %		0.0 %	2.0 %			
Charadriiformes	(11.1 %)	2.0 %		1.1 %	(0.0 %)			
Columbiformes	1.6 %	2.2 %		(0.0 %)	1.6 %			(0.0 %)
Psittaciformes	2.2 %	0.6 %		0.6 %	0.0 %		0.1 %	0.1 %
Passeriformes	4.3 %	0.3 %		0.0 %	0.0 %		0.8 %	4.6 %

1 Material des Tierparks Berlin 1980 - 1984
2 Nach COWAN, 1968a
3 Nach CULJAK et al., 1983
4 Nach FABIAN und VETESI, 1980
5 Nach IPPEN und SCHRÖDER, 1972
6 Nach KRAMER et al., 1980
7 Nach KRONBERGER und SCHÜPPEL, 1972
8 Nach KRONBERGER und SCHÜPPEL, 1976

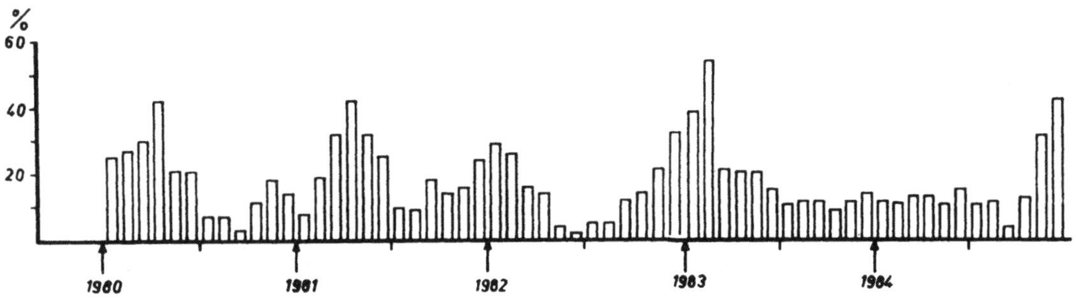

Abb. 1: Jahreszeitliche Abhängigkeit der reaktiven systemischen Amyloidose bei Anseriformes

Tabelle 2: Amyloidhäufigkeit innerhalb der Ordnung Anseriformes

	No. mit Amyloidose/ Gesamtzahl	Prozent
Anhimidae	0/2	
Anatidae		
Anseranatinae	0/0	
Anserinae		
Dendrocygnini	2/36	5.6
Anserini	33/142	23.3
Anatinae		
Tadornini	15/51	21,4
Anatini	4/95	4.2
Somateriini	3/17	19.6
Aythyini	12/98	12.3
Cairinini	11/55	20.0
Mergini	5/21	23.8
Oxyurini	3/70	4.3

Tabelle 3: Wahrscheinlichkeit der Koinzidenz von systemischer Amyloidose und chronischen Erkrankungen

Wahrscheinlichkeiten	Anseriformes gesamt	Anseriformes ausgewählt 1)	Phoenicopteriformes	Anseriformes 2)
$P(E_1)$	0.31	0.35	0.24	0.23
$P(E_2)$	0.15	0.28	0.29	0.24
$P(E_1E_2)$ erwartet	0.046	0.098	0.070	0.056
$P(E_1E_2)$ beobachtet	0.099	0.190	0.111	0.100

1) nur amyloidogene Gattungsgruppen

2) Material von BRASSARD, 1965

Typ AA zuzuordnen. Da die entsprechenden aviaren und humanen Amyloide eine weitgehende Aminosäuresequenzhomologie zeigen (GOREVIC et al., 1977), wurde in 6 unausgewählten Fällen eine immunhistochemische Prüfung mittels der Immunperoxidase-Technik unter Verwendung von Anti-Humanamyloid AA-Antiserum (MED) durchgeführt. Die Zugehörigkeit zum Typ AA wurde damit bestätigt.

Diskussion

Die Untersuchungen haben ergeben, daß die systemische Amyloidose der Vögel unabhängig davon, ob sie mit einer chronischen Erkrankung assoziiert ist oder nicht, dem Typ AA zuzurechnen ist. Der Nachweis eines überzufälligen Zusammentreffens besagt zunächst nicht, ob erstere als reaktive systemische Amyloidose Folge einer chronischen Erkrankung ist, wie aus der Humanpathologie bekannt ist. In Anbetracht der - im Einzelfall allerdings nicht sicher einzuschätzenden - Verlaufsdauer von Amyloidosen, Mykosen, Tuberkulosen u.a. ist es nicht unwahrscheinlich, daß letztere als Folgeerkrankung einer Amyloidose auftreten (s. auch COWAN, 1968 b; IPPEN, 1975).
Damit erhebt sich die Frage nach der Pathogenese der systemischen Amyloidose der Anseriformes und Phoenicopteriformes. Sie ist mit Sicherheit vielfältiger Natur und umfaßt sowohl genetische als auch umweltbedingte Faktoren.

Die vergleichende Auswertung des eigenen Gesamtmaterials und einiger Statistiken der Literatur (s. Tab. 1) zeigt Ordnungen mit jeweils hoher (z.B. Anseriformes, Gruiformes) und durchgehend niedriger Amyloidfrequenz (z.B. Psittaciformes, Falconiformes). Dies weist auf das Vorliegen unabhängig von Umweltfaktoren wirkender genetischer Einflüsse hin.

Aufgrund der Analyse der Amyloidhäufigkeit innerhalb der Ordnung Anseriformes sind jedoch einige Umweltfaktoren, die allerdings schwer quantitativ erfaßbar sind, als amyloidogen oder zumindest begünstigend anzusehen. So weist die erhöhte Frequenz im Winterhalbjahr bzw. in den Monaten Januar-Juni auf soziobiologische (z.B. gesteigerte Populationsdichte im Winterquartier) bzw. physikalische Einflüsse (z.B. verminderte Helligkeitsdauer am Tage für exotische und Zugvögel) hin. Eine zunehmende Amyloidrate bei steigender Besetzungsdichte in Käfigen konnte experimentell bei Pekingenten nachgewiesen werden (COWAN und JOHNSON, 1970). Darüber hinaus scheint die Amyloidfrequenz insbesondere bei den Gattungsgruppen erhöht zu sein, die natürlicherweise einen hohen Anteil tierischer Proteine zu sich nehmen, in der Gefangenschaft jedoch auf pflanzliches Futter angewiesen sind (z.B. Somateriini, Mergini). Andererseits sind als sehr adaptationsfähig geltende Gattungsgruppen wie die Anatini und Oxyurini nahezu amyloidfrei. Es ist anzunehmen, daß der Einfluß derartiger Faktoren im Untersuchungsgut wechselt, da COWAN (1968 b) keine Differenzen innerhalb der Ordnung Anseriformes feststellen konnte.

Alle dargestellten Umwelteinflüsse einschließlich der in Einzelfällen möglicherweise pathogenetisch verantwortlichen chronischen Erkrankungen deuten auf eine Streß-vermittelte Erhöhung der akute-Phase-Proteine, und damit des SAA-Proteins, als einen wesentlichen amyloidogenen Faktoren hin. Die systemische Amyloidose der Vögel vom Typ AA ist demnach grundsätzlich als eine reaktive Form aufzufassen, auch wenn die Ursache im Einzelfall nicht zu eruieren ist.
Die Bedingungen, die zur Amyloidablagerung führen, sind jedoch - wie in der Humanpathologie - noch unklar und bedürfen weiterer Untersuchungen.

Zusammenfassung

Zur Amyloidose der Zoovögel unter besonderer Berücksichtigung des Wassergeflügels

Die Untersuchung von 1572 Zoovögeln ergab eine erhöhte Amyloidfrequenz in den Ordnungen Anseriformes (16,4 %), Phoenicopteriformes (28,9 %) und Gruiformes (17,0 %), dazu auffallende Differenzen bezüglich Unterfamilien und Gattungsgruppen innerhalb der Anseriformes. Ein Maximum an Amyloidtodesfällen wurde im ersten Halbjahr beobachtet, desgleichen ein mehr als zufälliges, jedoch nicht obligates Zusammentreffen der systemischen Amyloidose mit chronischen Erkrankungen. Alle untersuchten Amyloidosen sind immunhistochemisch dem Typ AA zuzurechnen. Die systemische Amyloidose der Vögel ist somit als reaktive Form bei chronischen Erkrankungen und verschiedenen, im Einzelfall schwer erfaßbaren Umweltfaktoren aufzufassen.

Summary

On Amyloidosis of captive birds with special regard to water fowl

Studying 1572 captive birds, a high incidence of amyloidosis was found in the orders Anseriformes (16,4 %), Phoenicopteriformes (28,9 %), and Gruiformes (17,0 %) and, in addition, striking differences among subfamilies and tribes within the order Anseriformes. Maximum incidence occurred from January up to June. The coincidence of systemic amyloidosis and chronic diseases was more than incidental. According to immunhistochemical investigations, all the cases studied have to be reckoned among the type AA. In corollary, the systemic avian amyloidosis has to be considered as a reactive form following chronic diseases and certain environmental factors which, in particular cases, are to evaluate only with difficulty.

Résumé

A propos de l'amyloidose des oiseaux zoologiques en considération particulière des oiseaux aquatiques

L'examen de 1572 oiseaux zoologiques a montré une fréquence plus élevée de l'amyloide chez les ordres des ansériformes (16,4 %), des phoenicoptériformes (28,9 %) et des gruiformes (17,0 %) ainsi que des différences remarquables relatives aux sous-familles et groupes de genres à l'intérieur des ansériformes. Dans le premier semestre un nombre maximum de pertes à cause des amyloides a été observé, ainsi qu'une coincidence accidentelle mais non obligatoire de l'amyloidose systémique avec des maladies chroniques. Immunohistochimiquement toutes les amyloidoses qui ont été examiné font partie du type AA. Ainsi, dans le cas des maladies chroniques et des facteurs de l'environnement qui sont difficilement à saisir l'amyloidose systémique des oiseaux doit être considérée comme une forme réactive.

Резюме

Амилоидоз у птиц зоопарка при особом учете водоплавающих.

Обследование I572 птиц зоопарка показало повышенное содержание амилоида в порядке Anseriformes (16,4 %), Phoenicopteriformes (28,9 %), Gruiformes (17,0 %) кроме того наблюдалась явная дифференцировка между подсемействами и видами в порядке Anseriformes.Максимальное количество смертных случаев наблюдалось в первое полугодие, что указывало на необязательное стечение проявления систематического амилоидоза и хронических заболеваний.Все случаи амилоидоза относятся иммунологически к типу АА.Систематический амилоидоиз птиц можно понимать как реактивную форму при хронических заболеваниях и различных, в некоторых случаях трудно охватываемых, условий среды.

Literaturverzeichnis

BRASSARD, A. (1965): Amyloidosis in captive Anseriformes. Canad. J. Comp. Med. Vet. Sci. 29, 253 - 258.

COWAN, D.F. (1968a): Avian amyloidosis. I. General incidence in Zoo birds. Pathol. vet. 5, 51 - 58.

COWAN, D.F. (1968b): Avian amyloidosis. II. Incidence and contributing factors in the family Anatidae. Pathol. vet. 5, 59 - 66.

COWAN, D.F., and W.C. JOHNSON (1970): Amyloidosis in the white Pekin duck. I. Relation to social environmental stress. Lab. Invest. 23, 551 - 555.

CULJAK, K., KARDUM, P., SABOCANEC, R., KELEMEN, T., RAMLJAK, D., MILAKOVIC-NOVAK, L., und I. HUBER (1983): Weitere Sektionsbefunde bei Vögeln des Zoologischen Gartens der Stadt Zagreb (1971 - 1981). Verh.ber. Erkrg. Zootiere 25, 13 - 17.

FABIAN, L., und F. VETESI (1980): Analyse der Vogelverluste (1971 - 1978) im Zoo Budapest. Verh.ber. Erkrg. Zootiere 22, 215 - 221.

FUKS, A., and D. ZUCKER-FRANKLIN (1985): Impaired Kupffer cell function precedes development of secondary amyloidosis. J. Exp. Med. 161, 1030 - 1028.

GLENNER, G.G. (1980): Amyloid deposits and amyloidosis. The ß-fibrilloses. I. New England J. Med. 302, 1283 - 1292.

GLENNER, G.G. (1980): Amyloid deposits and amyloidosis. The ß-fibrilloses. II. New England J. Med. 302, 1333 - 1343.

GOREVIC, P.D., CLEVELAND, A.B., and E.C. FRANKLIN (1982): The biologic significance of amyloid. Ann. N.Y. Acad. Sci. 389, 380 - 394.

GOREVIC, R.D., GREENWALD, M., FRANGIONE, B., PRAS, M, and E.C. FRANKLIN (1977): The amino acid sequence of duck amyloid A (AA) protein. J. Immunol. 118, 1113 - 1118.

IPPEN, R. (1975): Ein Beitrag zu einigen stoffwechselbedingten Veränderungen bei Zoo- und Wildtieren. Verh.ber. Erkrg. Zootiere 17, 187 - 196.

IPPEN, R., und H.-D. SCHRÖDER (1972): Ein Beitrag zu den Erkrankungen der Zoovögel. Verh.ber. Erkrg. Zootiere 14, 11 - 27.

KRAMER, J.M., MONTALI, R.J., STRANDBERG, J.D., and J.H. FORTNER (1980): Avian amyloidosis. In: The comparative pathology of zoo animals, ed. by R.J. MONTALI, and G. MIGAKI, pp. 317 - 325. Washington, D.C., Smithsonian Institution Press.

KRONBERGER, H., und K.-F. SCHÜPPEL (1972): Ergebnisse der postmortalen Untersuchung von 4000 Vögeln. Verh.ber. Erkrg. Zootiere 14, 29 - 35.

KRONBERGER, H., und K.-F. SCHÜPPEL (1976): Todesursachen australischer Vögel. Verh.ber. Erkrg. Zootiere 17, 63 - 67.

LINKE, R.P., HOL, P.R., GRUYS, E., GEISEL, O., NATHRATH, W.B.J., and G. TRAUTWEIN (1984): Immunohistochemical identification and crossreactions of amyloid-A fibril protein in men and eleven other species. J. Comp. Pathol. 94, 339 - 356.

MISSMAHL, H.P., und M. HARTWIG (1953): Polarisationsoptische Untersuchungen an der Amyloid-Substanz. Virchows Arch. pathol. Anat. 324, 489 - 508.

PEPYS, M.B., and M.L. BALTZ (1983): Acute phase proteins with special reference to C-reactive proteins and related proteins (pentaxins) and serum amyloid A protein. Adv. Immunol. 34, 141 - 212.

PUCHTLER, H., SWEAT, F., and M. LEVINE (1962): On the binding of Congo red by amyloid. J. Histochem. Cytochem. 10, 355 - 364.

RIJSWIJK van, M.H., and C.W.G.J. von HEUSDEN (1979): The potassium permanganate method. A reliable method for differentiating amyloid AA from other forms of amyloid in routine laboratory practice. Am. J. Pathol. 97, 43 - 58.

WEBER, E. (1961): Grundriß der biologischen Statistik, 4. Aufl. Jena: Gustav Fischer.

Anschrift der Verfasser: MR Prof. Dr. habil. W. Z s c h i e s c h e
DDR-1136 Berlin
Am Tierpark 125 (DDR)

Aus dem Institut für Gerichtliche Medizin (Direktor: Prof. Dr. sc. med. D. KRAUSE) der Medizinischen Akademie Magdeburg und der Poliklinik für kleine Haus- und Zootiere Magdeburg (Leiter: Dr. K. KUTSCHMANN)

ÜBER DEN NACHWEIS VON P-LIKE-SUBSTANZ AN ERYTHROZYTEN VON WIRBELTIEREN

Von D. Krause und K. Kutschmann

Einleitung

Der Entdeckung der klassischen Blutgruppen A, B und O durch LANDSTEINER (1901) folgte bald die Beschreibung des Phänotyps AB ohne Isoagglutinine im Serum durch seine Mitarbeiter DESCASTELLO und STURLI (1902). Erst 1927 wurden die nächsten erythrozytären Membranantigene beschrieben. LANDSTEINER und LEVINE absorbierten Kaninchenimmunseren mit humanen Erythrozyten und fanden so das MN-System und den davon unabhängigen Faktor P. Die zur Verfügung stehenden Seren wiesen niedrige Titer auf. 1930 konnte bewiesen werden, daß es sich um ein dominantes MENDEL'sches Erbmerkmal handelt (LANDSTEINER und LEVINE). Man fand schließlich Antikörper gegen P-Substanz in normalen Seren von Oryctolagus cuniculus f. domesticus, Sus scrofa f. domestica, Capra hircus f. domestica, Equus przewalskii f. caballus und Bos taurus f. domesticus sowie bei P-negativen Menschen (Zusammenstellung der Literatur bei PROKOP und UHLENBRUCK, 1966; PROKOP und GÖHLER, 1976; ISSITT und ISSITT, 1981).

Nach der Entdeckung, daß die Hydatidenflüssigkeit von Taenia echinococcus alveolaris große Mengen P-Substanz enthält, gelang es KERDE, FÜNFHAUSEN, BRUNK und BRUNK (1960) hochtitrige Ziegenimmunseren herzustellen. PROKOP et al. fanden P- bzw. P-like-Substanz bei verschiedenen Würmern (Lumbricus terrestris, Ascaris suum, Hirudo medicinalis) und Tenebrio molitor, andere Autoren bei Aurelia aurita, Rana esculenta, Garnelen und Langusten (Literatur bei PROKOP und GÖHLER, 1976). Nachdem Anti-P-Serum auch durch Pflanzenpräparationen (Fl. tiliae, Fol. farfarae, verschiedene Kakteen und Pilze) gehemmt wurden (REIMANN, 1968, 1972), lag der Schluß nahe, daß ähnlich wie die ABO-Gruppensubstanzen auch die P-Substanz ein sehr weit verbreitetes, phylogenetisch altes Membranantigen sein dürfte. Biochemische Untersuchungen (Zusammenfassung bei ANSTEE und PARDOS, 1973) zeigten, daß sich in der P-Substanz aus Echinokokkenzystenflüssigkeiten die gleichen Monosaccharide isolieren lassen wie aus den erythrozytären ABO-Membranantigenen. Immunogen für die Anti-P-Bildung ist endständig α-L-Galaktose. BROKTEUR et al., (1975) beschrieben sehr hohe P-Titer bei Taubenerythrozyten und anhand einiger Stichproben das Fehlen von P-Substanz bei Gallus gallus f. domesticus, Anas platyrhynchos f. domesticus, Anser anser f. domesticus und Meleagris gallopavo f. domesticus. Durch die Herstellung eigener hochtitriger Ziegenimmunseren waren wir in der Lage, Untersuchungen zur Problematik mit einem standardisierten Testsystem durchzuführen.

Material und Methodik

Antiserum

Das Anti-P-Serum wurde nach der Methode von KERDE et al., (1960) hergestellt. Die gleiche Charge fand für alle Testungen Verwendung. Die Spezifität des Serums wurde an 109 forensisch-serologisch typisierten Blutmustern, an einem Test-Erythrozyten-Panal (Panocell der Firma Immucor Inc. Norcross, USA) und mit Testerythrozyten des blutgruppenserologischen Referenzlabors des Transfusionsdienstes der DDR, BIBT Berlin, getestet. Es ergaben sich ausnahmslos übereinstimmende Resultate. Nach wechselseitiger Absorption des Serums mit P_1-positiven humanen Erythrozyten oder P-like-positiven tierischen Erythrozyten wurden keine P_1- bzw. P-like-positive Zellen mehr angezeigt. Auch nach Absorption des Anti-P an humane P_1-Erythrozyten, dreimaligem Waschen in eiskalter Kochsalzlösung und anschließender Elution im Brutschrank wurden tierische P-like-positive Erythrozyten angezeigt. Der Titer des verwendeten Serums betrug gegen frische P_1-Erythrozyten eines ständig zur Verfügung stehenden Spenders 1 : 256.

Blut von Tieren

Die untersuchten Blute von insgesamt etwa 350 Wirbeltieren stammten von Schlachttieren und geschossenem Wild oder wurden lebenden Tieren durch Venenpunktion entnommen. Das bei 4 °C gelagerte Blut wurde innerhalb von 3 bis 5 Tagen untersucht. Ein P-Titerabfall konnte unter diesen Bedingungen bei einer Serie von Stichproben nicht festgestellt werden.

Quantitative Hämagglutinationsreaktion

Auf Porzellantüpfelplatten wurde jeweils eine Verdünnungsreihe des Anti-P-Serums in 12 Titerstufen hergestellt. Nach Zugabe von jeweils einem Tropfen einer etwa 10 %igen Erythrozytenaufschwemmung in jeden Tüpfel wurde das Reaktionsgemisch für 20 Minuten in den Kühlschrank gegeben. Nach vorsichtigem Kippen wurde der Agglutinationstiter abgelesen.

Ergebnisse und Diskussion

Die Phenotypenfrequenz P-negativer Personen bei 109 unausgelesenen menschlichen Bluten betrug 24,8 % und liegt damit im Bereich der in der Literatur angegebenen Werte für Kaukasier (PROKOP und UHLENBRUCK, 1966: zwischen 20 und 35 %; nach HUMMEL et al., 1970: 19,8 %). Die seit langem bekannten relativ großen Unterschiede der Antigenstärke P_1-positiver humaner Erythrozyten ist in Abb. 1 anhand der eigenen Untersuchungen dargestellt. Tabelle 1 zeigt die Antigentiter bei insgesamt 184 Säugetierbluten (23 Spezies). Die bisherigen Vererbungsstudien bei einzelnen Tierfamilien (Felis silvestris f. catus, Equus przewalskii f. caballus, Dama dama und Sus scrofa f. domestica) sprechen ebenfalls für eine dominante Vererbung von P-like-positiv über P-like-negativ ähnlich dem P-System des Menschen. Nach bereits veröffentlichten Untersuchungen (KRAUSE, 1985) und Erweiterung des Materials auf über 250 Säugetierblute aus 27 Spezies zeigte sich, daß bei einigen domestizierten Arten (Bos taurus f. domesticus, Ovis aries f. domestica, Capra hircus f. domestica, Lama pacos, Lama guanicoe und Lama glama) die P-like-Substanz ausnahmslos fehlte. Bei allen anderen Spezies, bei denen mehr als ein Tier untersucht wurde, war P nachweisbar.

Tabelle 1: P-like-Titer bei 184 Säugetierblutproben von 23 Arten unter Verwendung eines hochtitrigen Anti-P_1-Ziegenimmunserums.
Titerstufe 1, 2, 3 ... = Serumverdünnungen von 1:2, 1:4, 1:8 ...

Spezies		Titerstufe 0	1	2	3	4	5	6	7
Braunbrust-Igel	(Erinaceus europaeus)			1					
Feldhase	(Lepus europaeus)	1						2	
Hauskaninchen	(Oryctolagus cuniculus f. domesticus) 3 Rassen	3			3	6	3		1
Eichhörnchen	(Sciurus vulgaris)				1				
Goldhamster	(Mesocricetus auratus f. domesticus)				3				
Wanderratte	(Rattus norwegicus)	1	1	1		1			
Laborratte	(Rattus rattus f. domesticus), Wistar-Stamm	6	4	2	1				
Hausmaus	(Mus musculus)			2	1	1			
Labormaus	(Mus musculus f. domesticus), 3 Stämme		1	3	7	6			
Meerschweinchen	(Cavia apera f. porcellus)		2	2	3	1			
Hermelin	(Mustela erminea)	1							
Steinmarder	(Martes foine)	1	1						
Haushund	(Canis lupus f. domesticus), 7 Rassen	3	5	2	2				
Rotfuchs	(Vulpes vulpes)				1				
Wildkatze	(Felis silvestris)			1	1				
Hauskatze	(Felis silvestris f. catus)		4	6	9				
Sibirischer Tiger	(Panthera tigris altaica)			1					
Hauspferd	(Equus przewalskii f. caballus), 6 Ponys, 4 Haflinger	2			2	4	2		
Wildschwein	(Sus scrofa)	2	1	7	2	5	2		
Hausschwein	(Sus scrofa f. domestica)	1		4	9	4			
Damhirsch	(Dama dama)	2	3	1		2			
Rothirsch	(Cervus elaphus)				3				
Reh	(Capreolus capreolus)	10	3	2	4	2	1		
Summe		33	25	35	48	32	8	2	1

Tabelle 2: P-like-Titer bei 82 Vogelblutproben von 22 Arten unter Verwendung eines hochtitrigen Anti-P_1-Ziegenimmunserums
Titerstufe 1, 2, 3 ... = Serumverdünnung von 1:2, 1:4, 1:8 ...

Spezies	Titerstufe 0	1	2	3	4	5	6	7	8	9	10	11	12
Fischreiher (Ardea cinerea)	1												
Hausgans (Anser anser f. domesticus)		2	6	1	1		1						
Stockente (Anas platyrhynchos									1				
Hausente (Anas platyrhynchos f.domesticus)		2	3	3	3	2	2						
Krickente (Anas crecca)						1							
Roter Milan (Milvus milvus)	1												
Hühnerhabicht (Accipiter gentilis)								1					1
Sperber (Accipiter nisus)								1		1			
Mäusebussard (Buteo buteo)		1				1		1		1		1	
Rebhuhn (Perdix perdix)			1		1								
Jagdfasan (Phasianus colchicus)	1				2	1							
Perlhuhn (Numida meleagris f.domestica)			1	1	1								
Hauspute (Meleagris gallopavo f. domesticus)	7	7	2										
Graukranich (Grus grus)							1						
Bleßralle (Fulica atra)		1							1				
Lachmöve (Larus ridibundus)	1												
Haustaube (Columba livia f.domestica)						1						3	
Großer Buntspecht (Dendrocopus major)							1						
Rabenkrähe (Corvus corone)				1									
Eichelhäher (Garrulus glandarius)	1												
Amsel (Turdus merula)	1					1							
Haussperling (Passer domesticus)	2				1	1	1						
Summe	16	13	13	6	9	8	6	3	2	2	0	4	1

Von Mustela erminea konnte bisher nur eine Blutprobe untersucht werden. Im Durchschnitt waren 80 % dieser Tiere P-like-positiv. Das entspricht der Phänotypenfrequenz des Homo sapiens. Bei den 82 untersuchten Vogelbluten (22 Spezies) zeigte sich ein anderes Bild der Titerverteilung (Abb. 3). Im Gegensatz zu den Mammalia traten hier auch sehr hohe Titer auf (Accipiter gentilis, Accipiter nisus, Buteo buteo, Columba livia f. domestica). PROKOP, der bei Vögeln ähnliche Befunde erhoben hat, konnte inzwischen mit Erythrozyten von Columba livia f. domestica und Buteo buteo bei Oryclolagus cuniculus f. domesticus spezifische Anti-P_1-Seren herstellen (KIRST und PROKOP, 1985). Ein überwiegen P-like-negativer Titer fand sich bei Gallus gallus f. domesticus mit 83 % (n = 24). Errechnet man ohne diese Spezies die P-like-Phänotypenfrequenz aller untersuchten Vögel, erhält man ein ähnliches Bild wie bei den Mammalia. Danach sind im Durchschnitt etwa 20 % der Tiere P-like-negativ mit Ausnahme der genannten Haustierarten (Tab. 3).

Tabelle 3: Anteil P-like-negativer Individuen bei verschiedenen Wirbeltieren

		%
Homo sapiens (nach PROKOP und UHLENBRUCK)		20 - 35
(eigene Untersuchungen; n = 109)		24,8
(Tabellen nach HUMMEL)		19,8
Aves (n = 82 aus 22 Spezies, ohne nachstehende Spezies)		19,5
Gallus gallus f. domesticus	(n = 24)	83,3
Mammalia (n = 179 aus 23 Spezies, ohne nachstehende Spezies)		17,9
Bos taurus f. domesticus (aus 3 Bezirken der DDR)	(n = 23)	100,0
Ovis aries f. domestica	(n = 11)	100,0
Capra hircus f. domestica	(n = 12)	100,0
Lama pacos	(n = 2)	100,0
Lama guanicoe	(n = 5)	100,0
Lama glama	(n = 3)	100,0

Die Frage, ob es sich dabei um ein genetisches Zufallsprodukt handelt oder ob sich daraus eine tragfähige Arbeitshypothese ableiten läßt, muß noch offen bleiben. Es wäre an einen möglichen Selektionsvorteil durch enge Kopplung des P-Genlokus mit einem verhaltensdeterminierenden Genort oder an in der Nähe liegende Steuergene zu denken, die bei der Pluripotenz der Haustierwerdung (HERRE, 1980) Bedeutung haben könnten. Unsere vorläufigen Ergebnisse sollen die Grundlage zu einer Diskussion über weiterführende Untersuchungen darstellen.

Für die zuverlässige Durchführung der Laborarbeiten und die Bewältigung organisatorisch-technischer Aufgaben danken wir Frau R. S c h a b l i n s k i und U. U h l e n h a u t sowie den Studenten B. B a r t e l s, D. H o r n und A. M ü l l e r.

Für die Bereitstellung frischer Tierblute gilt unser besonderer Dank dem Zoologischen Garten Magdeburg, den Schlachthöfen Magdeburg, Dresden und Barth, der Jagdgesellschaft Burg, dem Forstwirtschaftsbetrieb Haldensleben, der Revierförsterei Waldrogäsen, der LPG-Milchproduktion Eibau/Krs. Löbau, Mitarbeitern des Kreiskulturbundes Magdeburg und einer Reihe privater Tierhalter.

Zusammenfassung

Über den Nachweis von P-like-Substanz an Erythrozyten von Wirbeltieren

Hochtitrige Antiseren zur Erfassung des menschlichen Blutgruppenmerkmals P_1 zeigen Blutproben von anderen Mammalia und Aves durch Erythrozytenagglutination in etwa gleicher Frequenz an. Etwa 20 % der 261 untersuchten Vertebraten aus 45 Spezies waren P-like-negativ. Im Gegensatz dazu fehlte bei Bos taurus f. domesticus (n = 23), Ovis aries f. domestica (n = 11), Capra hircus f. domestica (n = 12), Lama pacos (n = 2), Lama guanicoe (n = 5) und Lama glama (n = 3) die P-like-Substanz ausnahmslos. Bei Gallus gallus f. domesticus, als einzige Vogelart, überwog der Anteil P-like-negativer Tiere mit 83 % (n = 24). Die Frage, ob es sich bei diesen Befunden um einen genetischen Zufall oder um einen Selektionsvorteil bei der Domestizierung durch eine mögliche Genkopplung handeln könnte, muß vorläufig offen bleiben.
Die vorgestellten Ergebnisse sollen eine Diskussionsgrundlage für weiterführende Untersuchungen sein.

Summary

Detection of P-Like Substance in Erythrocytes of Vertebrates

High-titre antisera for the detection of the human blood group parameter P_1 were revealed by blood samples taken from other mammals and from bird species by erythrocyte agglutination of somewhat equal frequency. P-like negative responses were produced by about 20 per cent of 261 tested vertebrates, with 45 species being included. However, P-like substance was not recorded at all from Bos taurus f. domesticus (n = 23), Ovis aries f. domestica (n = 11), Capra hircus f. domestica (n = 12), Lama pacos (n = 2), Lama guanicoe (n = 5), and Lama glama (n = 3). No answer has yet been found to the question, if these findings were genetically accidental or if they represented an advantage of selection in the context of domestication due to possible gene coupling. The results reported in this paper are intended to provide a basis for further discussion.

Résumé

A propos du dépistage de la substance P-like sur des erythrocytes de vertébrés

Des anti-sérums à titre élevé pour dépister la caractéristique du groupe sanguin humain P_1 révèlent des prises de sang d'autres mammifères ou d'oiseaux par l'agglutination d'érythrocytes d'à peu près la même fréquence. Envion 20 % des 261 vertébrés examinés de 45 espèces ont été P-like négatifs. Chez Bos taurus f. domesticus par contre (n = 23), Ovis aries f. domestica (n = 11), Capra hircus f. domestica (n = 12), Lama pacos (n = 2), Lama guanicoe (n = 5) et Lama glama (n = 3), la substance P-like manquait sans exception. Chez Gallus gallus domesticus, unique espèce d'oiseaux, la proportion d'animaux P-like négatifs prévalait avec 83 % (n = 24). La question à savoir si ces résultats constituent un hasard génétique ou un avantage de sélection en cas de domestication à cause d'un éventuel accouplement génétique doit pour le moment rester en suspens. Les résultats ici-présents doivent constituer une base de discussion pour les nouveaux examens à effectuer.

Резюме

Об определении P-like вещества на эритроцитах млекопитающих.

Антисыворотки высокого титра по определению групп крови с фактором P обнаружены с помощью эритроцитного агглютинационного теста у других Mammalia и Aves примерно в одном и том же уровне. Примерно 20 % из 26I обследованных Vertebraten из 45 специй имели отрицательный фактор P. В противоположность к этому у Bos taurus f. domesticus (п = 23), Ovis aries f. domestica (п = II), Capra hircus f. domestica(п = I2),Lama pacos(п = 2), Lama guanicoe (п = 5)и Lama glama (п = 3) фактор P полностью отсутствовал.У одного вида птиц Gallus gallus f. domesticus превосходил часть P - фактор отрицательных животных на 83 % (п = 24).Вопрос о том, являются ли эти результаты генетической случайностью или преимуществом селекции при доместицировании с возможным слиянием генов, остается открытым. Предложенные результаты могут быть взяты как основа при обсуждении дальнейших работ.

Literaturverzeichnis

ANSTEE, D.J., and G.I. PARDOE (1973): Structural Aspects of Heterologous Blood-Group-P_1-Substance. Eur. J. Biochem. 39, 149.

BROCTEUR, J., FRANCOIS-GERARD, C., ANDRE, A., RADERMECKER, M., BRUWIER, M., and J. SALMON (1975): Immunisation against Avian Proteins. Haematologia 9, 43 - 47.

DESCASTELLO, A., und A. STURLI (1902): Über die Isoagglutinine im Serum gesunder und kranker Menschen. Münch. med. Wschr. 1090.

HERRE, W. (1980): Grundlagen zoologischer Domestikationsforschung. Nova Acta Leopoldina 52, 241.

HUMMEL, K., IHM, P., und V. SCHMIDT (1970): Biostatistische Abstammungsbegutachtung, Tabellenwerte. Bern: Merz und Dade AG.

ISSITT, P.D., und CH. H. ISSITT (1981): Applied Blood Group Serology. Second Edition. Biological Cooperation of America.

KERDE, CH., FÜNFHAUSEN, G., BRUNK, RE., und RU. BRUNK (1960): Über die Gewinnung von hochwertigen Anti-P-Immunseren durch Immunisierung mit Echinokokkenzystenflüssigkeit. Z. Immunforsch. 119, 216.

KIRST, R., und O. PROKOP (1985): Anti-P_1-Herstellung mit Blut von Columba domestica. Biomed. Biochim. Acta 44, 1397.

KRAUSE, D. (1985): Neuere Untersuchungen zur Verbreitung der P-Blutgruppensubstanz. Ref. 8. Tagg. der Ges. f. Gerichtl. Medizin, Jena 14. - 16. Mai.

LANDSTEINER, K. (1901): Über Agglutinationserscheinungen normalen menschlichen Blutes. Wien. klin. Wschr. 14, 1132.

LANDSTEINER, K., and P. LEVINE (1927): A new agglutinable factor differentiating individual human bloods. Proc. Soc. Exper. Biol. Med. (N.Y.) 24, 600.

LANDSTEINER, K., and P. LEVINE (1927): Further observations on individual differences of human blood. Proc. Soc. Esper. Biol. Med. (N.Y.) 24, 941.

PROKOP, O., und G. UHLENBRUCK (1966): Lehrbuch der menschlichen Blut- und Serumgruppen. Leipzig: Georg Thieme.

PROKOP, O., und W. GÖHLER (1986): Die menschlichen Blutgruppen. 5.Aufl. Jena: Gustav Fischer.

REIMANN, W. (1986): Blutgruppenaktive Substanzen aus Mucilaginosa. Wiss. Z. Martin-Luther-Univ. Halle-Wittenberg, Math.-Nath. Reihe 17, 531.

REIMANN, W., und K. LEHMANN (1972): Phytantigene bei sukkulenten und einheimischen Pilzen. Immunformation 2, 4, 28.

Anschrift der Verfasser: Prof. Dr. sc. med. D. K r a u s e
Institut für Gerichtliche Medizin der Medizinischen Akademie Magdeburg
DDR-3090 Magdeburg
Leipziger Str. 44 (DDR)

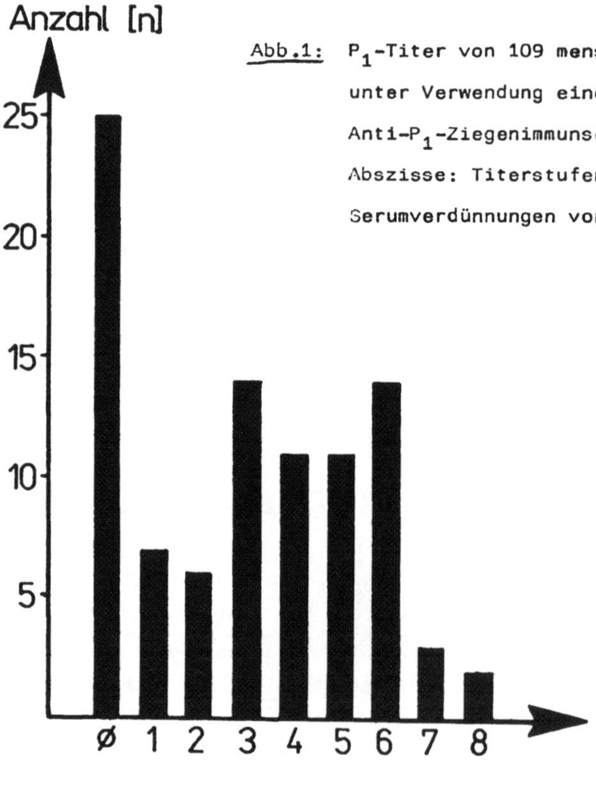

Abb.1: P_1-Titer von 109 menschlichen Blutproben unter Verwendung eines hochtitrigen Anti-P_1-Ziegenimmunserums
Abszisse: Titerstufen 1 , 2 , 3 ,... = Serumverdünnungen von 1 : 2 , 1 : 4 , 1 : 8 ...

Московский зоопарк (Директор: В.В. СПИЦИН)

ДИАГНОСТИЧЕСКИЕ АЛГОРИТМЫ НЕКОТОРЫХ ПАТОЛОГИЧЕСКИХ СИНДРОМОВ РЕПТИЛИЙ

С.В. Кудрявцев

Пресмыкающиеся в неволе более восприимчивы к болезням, чем теплокровные животные. Малая значимость их в хозяйственной деятельности человека основная причина того, что патология рептилий, наряду с амфибиями, в настоящее время наимее изученный раздел в патологии позвоночных животных. Признаки болезней рептилий в большинстве случаев неспецифичны, что существенно затрудняет диагностику. А тесная связь между возникновением и ходом болезней у рептилий и факторами внешней среды в которой они содержатся (температура, влажность и т.д.), делает диагностику ещё более сложной. Всё сказанное выше, делает рептилий наиболее трудными пациентами ветеринарных врачей.

Поэтому, облегчение диагностики различных болезней рептилий с помощью алгоритмизирования представляется весьма заманчивым. Конечно, как любой алгоритм в естественных науках, диагностический алгоритм в данном случае, обладая основными свойствами: детерминированностью, результативностью и массовостью, используется в более широком смысле и представляет собой некоторую последовательность предписаний, не предполагая строгой однозначности каждого из них. Говорить о решении задачи в данном случае приходится в некотором вероятностном смысле. Предлогаемый нами диагностический алгоритм двух наиболее распространённых синдромов в патологии рептилий, безусловно, не гарантирует получения тождественных результатов, но, на наш взгляд, позволяет передать некую систему правил, которой можно руководствоваться для того, чтобы направленно двигаться к цели или, во всяком случае, приближаться к ней. Особенно привлекательным при построении диагностического алгоритма в нашем случае, как нам кажется, является тот факт, что на каждом этапе каждый симптом расчленяется на такие элементарные критерии, для однозначного правильного решения которых требуется минимальный уровень квалификации. Это даёт возможность использовать предлагаемый алгоритм не только ветеринарным врачам, но и специалистам-зоологам, непосредственно работающим с животными. Это в настоящее время достаточно важно, так как, к сожалению, в организациях разного профиля, работающих с рептилиями (зоопарки, серпентарии и т.д.) квалифицированная ветеринарная служба ещё далеко не общедоступна.

Как и во всех областях клинической медицины, в данном случае, наиболее рациональным критерием для создания диагностического алгоритма стал ведущий синдром болезни. Наиболее распространёнными синдромами в патологии рептилий в неволе, бесспорно, являются - диспептический синдром, включающий в себя все нарушения переваривания (отрыгивание, изменение характера фекалий и т.д.), и синдром нарушенного внешнего дыхания - диспное.

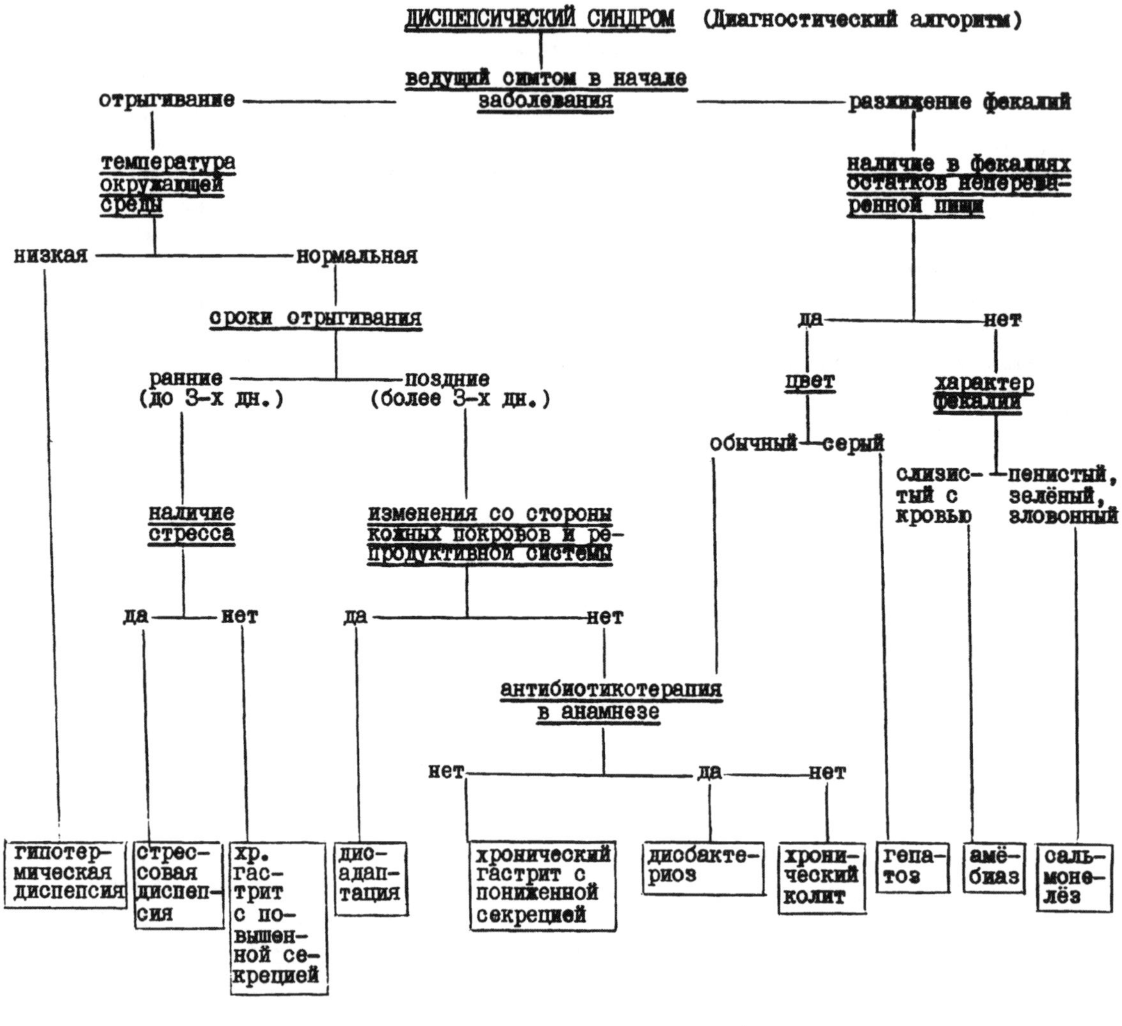
ДИСПЕПСИЧЕСКИЙ СИНДРОМ (Диагностический алгоритм)
ведущий симптом в начале заболевания
отрыгивание
разжижение фекалий
температура окружающей среды
низкая
нормальная
сроки отрыгивания
ранние (до 3-х дн.)
поздние (более 3-х дн.)
наличие стресса
да
нет
изменения со стороны кожных покровов и репродуктивной системы
да
нет
антибиотикотерапия в анамнезе
нет
да
нет
наличие в фекалиях остатков непереваренной пищи
да
нет
цвет
обычный
серый
характер фекалий
слизистый с кровью
пенистый, зелёный, зловонный
гипотермическая диспепсия
стрессовая диспепсия
хр. гастрит с повышенной секрецией
дисадаптация
хронический гастрит с пониженной секрецией
дисбактериоз
хронический колит
гепатоз
амёбиаз
сальмонеллёз

ДИАГНОСТИЧЕСКИЙ АЛГОРИТМ СИНДРОМА ДИСПНОЕ

(открытый рот, истечения из носовых ходов и хрипы, втяжение межрёберных промежутков и т.д.)

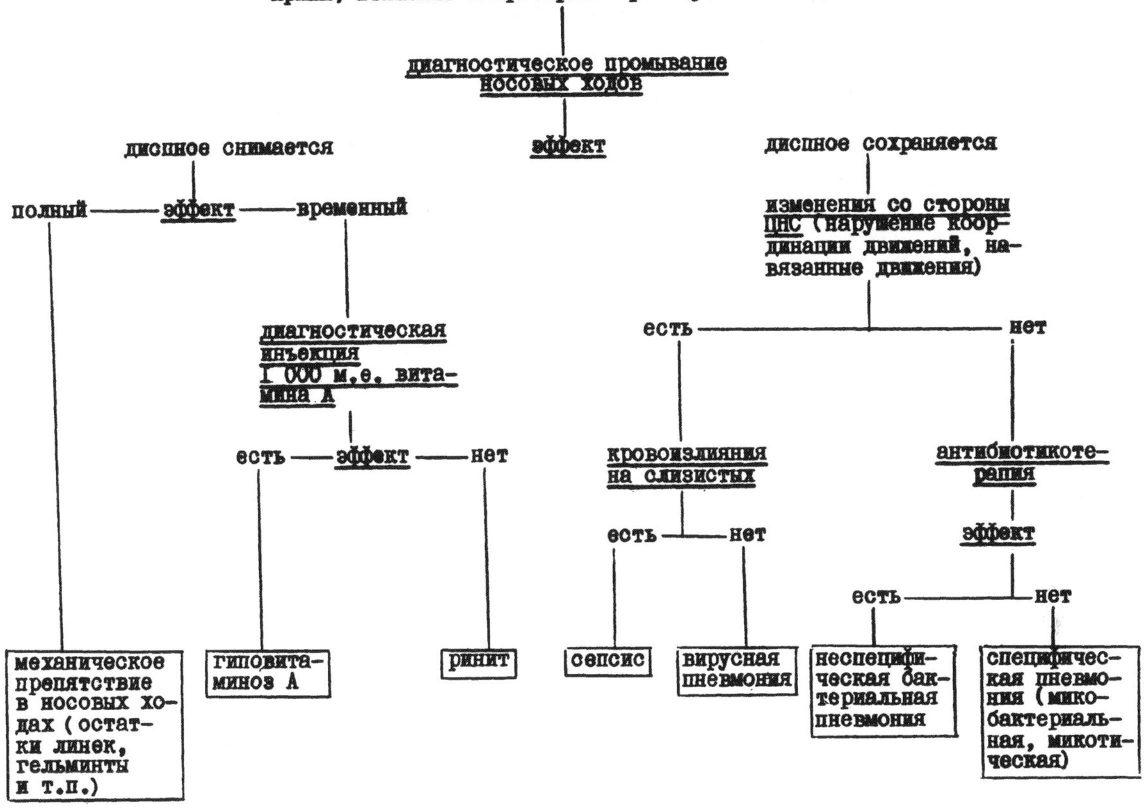

Резюме

Диагностические алгоритмы некоторых патологических синдромов рептилий

В статье предлагаются диагностические алгоритмы двух наиболее распространенных синдромов в патологии рептилий, использование которых, по мнению автора, позволяет если не поставить правильный диагноз, то хотя бы приблизиться к нему с достаточной степенью вероятности.

Zusammenfassung

Diagnostische Algorithmen einiger pathologischer Syndrome bei Reptilien

Im Artikel werden diagnostische Algorithmen zweier der am meisten verbreiteten Syndrome in der Reptilienpathologie dargestellt. Der Autor vertritt die Meinung, daß die Anwendung dieser Algorithmen es ermöglicht, eine Diagnose mit einem hohen Wahrscheinlichkeitsgrad zu stellen.

Summary

Diagnostic Algorithms for some Pathological Syndromes of Reptiles

Reference is made to diagnostic algorithms for two of the most common syndromes in reptile pathology. The use of these algorithms is claimed by the author to enable diagnosis of high probability.

Résumé

Algorithmes diagnostiques de quelques syndromes pathologiques chez les reptiles

Des algorithmes diagnostiques de deux des syndromes les plus fréquents dans la pathologie des reptiles sont présentés. A l'opinion de l'auteur l'introduction de ces algorithmes permettra une diagnose avec un degré élevé de probabilité.

Адрес автора: С.В. Кудрявцев
Московский зоопарк
Москва (СССР)

Московский зоопарк и Всесоюзный научно-исследовательский институт экспериментальной ветеринарии

КРАТКИЕ ЗАМЕТКИ О НЕКОТОРЫХ ЗАБОЛЕВАНИЯХ АМФИБИЙ И РЕПТИЛИЙ В МОСКОВСКОМ ЗООПАРКЕ

С.В. Кудрявцев, Н.М. Гаранина и В.С. Суворов

За последние годы в Московском зоопарке было диагнгстировано несколько заболеваний амфибий и рептилий, которые достаточно редки в ветеринарной практике, что и послужило причиной написания данной статьи. Материал, собранный по каждому случаю в отдельности, не столь обширен, чтобы лечь в основу самостоятельной работы, и поэтому, мы сочли возможным объединить его в настоящей статье, ограничившись кратким описанием наиболее интересных случаев.

Псевдотуморозное подкожное скопление свободного меланина у лягушки-быка: В 1979 г. у одной взрослой самки лягушки-быка (*Rana catasbeiana*) было визуально определено довольно крупное опухолеподобное образование, расположенное в крестцовой области под кожей, не спаянное с ней, но малоподвижное в основании. Образование довольно быстро увеличивалось в размерах и привело к деформации клоакальной области со смещением ануса. Было проведено оперативное лечение. Во время операции было удалено пигментное новообразование размерами 30 х 27 х 23 мм, довольно плотно фиксированное к подлежащим тканям, но не сросшееся с кожей. При гистологическом исследовании операционного материала было определено что, опухоль представляет собой скопление свободного маланина с единичными неклеточными элементами круглой или овальной формы. REICHENBACH-KLINKE & ELKAN (1965) сообщает о сходном случае скопления свободного меланина в яичниках *Rana esculenta*, идентифицируя неклеточные элементы как продукт распада паразитических грибов *Ichyosporidium hoferi* Pleha et Mulsow. В нашем случае выявить первопричину заболевания не удалось.

Веретеноклеточная саркома у шумящей гадюки: В том же году у взрослого самца шумящей гадюки (*Bitis arietans*) было обнаружено на шее опухолевое образование размерами 32 х 25 мм, не спаянное с кожей и подлежащими тканями. При операции опухоль была удалена. Послеоперационное течение гладко, заживление раны первичным натяжением. При гистологическом исследовании операционного материала (фото I): новообразование состоит преимущественно из клеток вытянутой, веретенообразной формы с округлым ядром, пучки новообразованных клеток залегают в разных направлениях, тесно прилегая друг к другу, отдельные клеточные скопления разделяются ограниченными оксифильными тяжами стромы. При окраске по ван Гизону выявлена соединительная ткань. Выявляются вновь образованные сосуды, а также обнаружены митотически делящиеся клетки, участков некроза не выявлено (свидетельство относительной зрелости). Таким образом, гистологически установлена веретеноклеточная саркома мягких тканей.

Через три недели у гадюки начали появляться множественные метастатические узлы на шее, сходные с первичной опухолью. Вскоре змея погибла от острого лёгочного кровотечения, связанного с аррозией артериального кровеносного сосуда в лёгком метастазом.

Таким образом, настоящий случай является продолжением списка злокачественных новообразований у гадюк рода *Bitis*, для которых на 1980 г. были известны: аденокарцинома (JACOBSON, 1980 и лимфосаркома (EFFORD et al., 1977).

Вспышка геотрихоза у гадюк: В 1983 г. в террариуме Московского зоопарка имело место несколько случаев тяжёлого микоза у цепочных (*Vipera russelii*) и шумящих гадюк (*Bitis arietans*). Процесс начинался с брюшных щитков, в последующем, за счёт высокой ферментативной активности гриба, происходило расплавление брюшных щитков и переход процесса на нижележащие ткани. Под кожей образовывались узлы или мешкообразные карманы, заполненные зловонной густой массой, с зоной перифокального воспаления, вызванного вторичной бактериальной флорой (чаще *Aeromonas*). Карманы легко зондировались тупым зондом, который входил под кожу, иногда на глубину 50-60 мм. В единственном случае гибели цепочной гадюки, микотический процесс перешёл на костную и хрящевую ткань, вызвав разрушение свободных концов рёбер. Аналогичный процесс описан для американского водяного ужа (KARSTAD,1961). При микологическом исследовании удалось установить систематическую принадлежность гриба только до рода - *Geotrichium*. В качестве основного лекарственного препарата был использован крем-антимикотик Dalnate, производимый фирмой "Зорка" (СФРЮ) в сотрудничестве с фармацевтической корпорацией USV (США). Крем вводился непосредственно в подкожные карманы с помощью шприца и тупой иглы с большим внутренним диаметром отверстия. Лечение антимикотиком проводилось вплоть до закрытия свищевых ходов. В начале лечения, одновременно с антимикотиком, проводился курс антибиотикотерапии с использованием гентамицин-сульфата в дозах 2.5 мг/кг веса змеи курсом 4 инъекции с интервалом между ними в 72 часа. Через полтора месяца после начала лечения внешние признаки заболевания у всех больных змей исчезли. Через два года одна из пролеченных шумящих гадюк погибла от амёбиаза и на вскрытии, как последствие перенесённого микоза, выявлены только рубцовые изменения в подкожножировой клетчатке. Таким образом, на наш взгляд, крем-антимикотик Dalnate, в сочетании с антибиотикотерапией тем или иным антибиотиком, в зависимости от чувствительности вторичной бактериальной флоры (BUSH, 1980), может быть рекомендован для лечения геотрихозов у рептилий, включая особо тяжёлые формы заболевания.

Два случая висцеральной подагры: В 1985 г. в Московском зоопарке имели место два случая гибели рептилий от мочекислого диатеза с преимущественным поражением внутренних органов. В первом случае - самец китайского аллигатора (*Alligator sinensis*), поступивший в Московский зоопарк из зоопарка г. Ашхабада в ноябре 1982 г. с размерами тела 91 + 87 см и весом 25.1 кг. При поступлении животное уже имело резковыраженные признаки не правильного развития опорно-двигательной системы - укорочение морды, девиация зубов кнаружи, деформации позвоночника и конечностей. В Ашхабадском зоопарке аллигатор содержался с 1957 г., размеры при поступлении около 1 м. В начале января 1985 г. аллигатор перестал питаться, активность его резко снизилась, началось быстрое похудание и в конце этого же месяца животное погибло. Во втором случае - молодой кубинский удав (*Epicrates angulifer*), родившийся в неволе в частной коллекции, начал отказываться от корма, худеть, появились признаки поражения центральной нервной системы (вероятно за счёт интоксикации), выражающиеся в нарушении координации движений, ригидности мышц спины, преимущественно в передней трети тела, запрокидывании головы. Внешних признаков нарушения формирования опорной системы не было. Животное погибло через месяц после появления признаков заболевания.

На вскрытии в обоих случаях: видимые слизистые оболочки бледномолочного цвета, жировой слой в подкожной клетчатке резко истончён, рёберная плевра, капсула печени и селезёнки покрыты мелообразными наложениями белого цвета, сердце имело внешний вид сходный с описанным РАЙХЕНБАХОМ-КЛИНКЕ (REICHENBACH-KLINKE & ELKAN,1965) со ссылкой на доктора В. Франка из Штуттгарта (ФРГ). В отличии от случаев висцеральной подагры, описанных АППЛЕБИ и ГИЛЛЕРОМ (APPLEBY & GILLER, 1960), в наших двух случаях наибольшему поражению из внутренних органов подверглись почки и лёгкие, ткань которых была диффузно пронизана вкраплениями солей мочевой кислоты белого цвета.

При гистологическом исследовании почек: очертания почечных канальцев и клубочков сглажены, в клетках кариолизис, просветы канальцев заполнены бесструктурной массой, клетки почечных канальцев полностью разрушены (фото 2).

Анализ двух приведённых случаев висцеральной подагры подтверждает полиэтиологичность заболевания. Хотя ни одна из принятых в настоящее время теорий происхождения подагры у рептилий (медикаментозная, почечная, дегидратационная, гиповитаминазная, диетоиндуцированная (KNOX, 1980) в наших случаях не может объяснить её возникновения, нельзя исключить что, основные причинностные факторы оказывают своё влияние вкупе с преобладанием в каждом отдельном случае того или иного механизма.

Складывается впечатление что, в зависимости от скорости течения процесса, заболевание может протекать либо очень длительно с поражением практически всех органов и систем (первый случай), либо довольно скоротечно, приводя к гибели животного за счёт быстрого и тотального поражения жизненно важных органов, к примеру почек (второй случай).

В заключении хочется выразить надежду что, данные, приведённые в настоящей работе, в последующем помогут пролить свет при изучении ещё неясных заболеваний рептилий.

Резюме

Краткие заметки о некоторых заболеваниях амфибий и рептилий в Московском зоопарке

В статье дается краткое описание некоторых заболеваний амфибий и рептилий в Московском зоопарке с описанием клиники, патолого-анатомической картины и лечения.

Zusammenfassung

Kurze Notizen zu einigen Amphibien- und Reptilienerkrankungen im Moskauer Zoo

Im Artikel werden as klinische und das pathologisch-anatomische Bild sowie die Behandlung einiger Amphibien- und Reptilienkrankheiten, die im Moskauer Zoo beobachtet wurden, kurz beschrieben.

Summary

Brief Comments on some Diseases of Amphibian Animals and Reptiles in Moscow Zoo

Clinical and pathologico-anatomic patterns as well as treatment of some diseases of amphibian animals and reptiles in the Moscow Zoo are briefly described in this report.

Résumé

A propos de quelques maladies des amphibies et reptiles dans le zoo de Moscou

Dans son exposé l'auteur résume la manifestation clinique et pathologique/anatomique ainsi que le traitement de plusieurs maladies des amphibies et reptiles qui ont été observé dans le zoo de Moscou.

Литература

APPLEBY, E.C., and W.G. GILLER (1960): Some cases of gout in Reptiles. J. Path. Bact. 30, 427-430.

BUSH, M., CUSTER, R.S., SMELLER, J.M., and P. CHARACHE (1980): Recommendation for antibiotic therapy in Reptiles. In: Reproductive Biology and Diseases of Captive Reptiles. 223-226.

EFFORT, M., GRINER, L., and K. BERNIRSCHKE (1977): Nature and rate of neoplasia in captive wild mammals, birds and reptiles at necropsy. J. Nat. Canc. Inst. 59, 185-198.

JACOBSON, E.R. (1980): Reptile neoplasms. In: Reproductive Biology and Diseases of of Captive Reptiles. 255-265.

KARSTAD, I. (1961): Reptiles as possible reservoir hosts for castern encephalitis virus. Trans. 26th N. Amer. Wildl. and Nat. Resources Conf. Wildl. Management Inst. Washington. D.C.

KNOX, D.W. (1980): Gout in Reptiles and Birds, with Observation on a Comparable Syndrome in Man. In: The Comparative Pathology of Zoo Animals. Editors MONTALI, R.J. and MIGAKI, G. Washington, D.C: Smithsonian Institution Press. 137-141.

REICHENBACH-KLINKE, H.H., and E. ELKAN (1965): The Principal Diseases of Lower Vertebrates. Vol. 2. Diseases of Amphibians, 359. Vol. 3. Diseases of Reptiles, 539.

Адрес автора: С.В. Кудрявцев
Московский зоопарк
Москва (СССР)

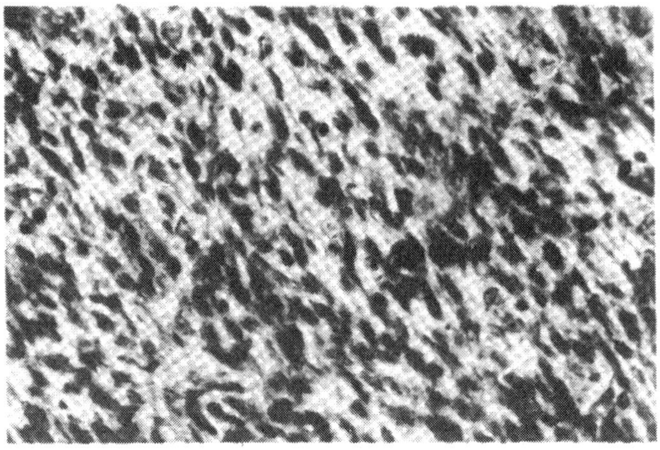

Веретеноклеточная саркома у шумящей гадюки

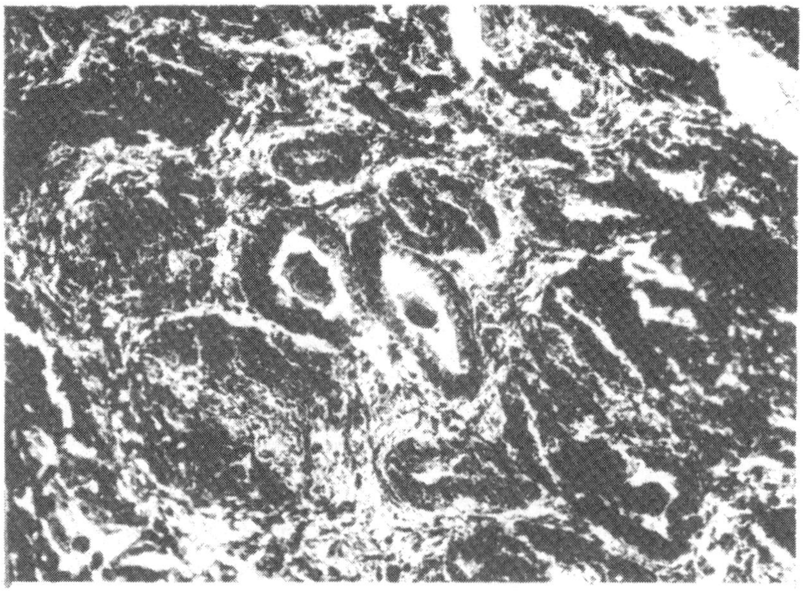

Почка х 400. На гистограмме определяется деструкция практически всех основных структурных элементов почки, скопление солей мочевой кислоты в просветах канальцев.

Aus dem Zoologischen Garten Leipzig (Direktor: Prof. Dr. S. SEIFERT) und den Wissenschaftsbereichen Mikrobiologie und Tierseuchenlehre (Leiter: OVR Prof. Dr. sc. H. LIEBERMANN) und Fortpflanzung landwirtschaftlicher Nutztiere (Leiter: OVR Prof. Dr. sc. J. SCHULZ) der Sektion Tierproduktion und Veterinärmedizin der Karl-Marx-Universität Leipzig

BAKTERIOLOGISCHE DIAGNOSTIK UND EPIZOOTIOLOGIE VON KOLIINFEKTIONEN BEI ZOOTIEREN

Von H.-J. Selbitz, K. Elze und L. Liebermann

Escherichia (E.) coli gehört zu denjenigen Bakterien, die bei der Suche nach Erregern von Infektionskrankheiten am häufigsten isoliert werden. Wenn das auch zum einen an der leichten Anzüchtbarkeit liegt, ist es doch zum anderen auch Ausdruck der weiten Verbreitung dieser Bakterienart, die bei der Mehrzahl der in Zoologischen Gärten gehaltenen Säugetierarten zur Normalflora gehört. Das bakteriologische Labor darf sich daher nicht mit der Speziesdiagnose E. coli begnügen, sondern muß danach streben, möglichst exakte Angaben zur Virulenz der jeweils isolierten Stämme zu machen.
Die Grundlagen dazu legten in den 20iger Jahren ADAM mit der Beschreibung der Enteritis-koli bei Menschen und KAUFMANN et al. in den 40iger Jahren mit der Aufstellung der ersten O-K-H-Antigentabelle (WILDFÜHR, 1977). Ausgehend von diesen Erkenntnissen dominierten über Jahrzehnte serologische Untersuchungsmethoden bei den Bemühungen um eine nähere Charakterisierung isolierter Kolistämme unter dem Gesichtspunkt der Virulenzbestimmung.

ELZE (1967) gehörte zu den ersten Autoren, die bei Zootieren das Problem der Koliinfektionen wissenschaftlich analysierten und Maßnahmen zur Therapie und Prophylaxe ausarbeiteten. Auswertungen der internationalen Literatur lassen auf ein weites Wirtsspektrum des Erregers und seine ätiologische Beteiligung an Erkrankungen bei vielen Tierarten in Zoologischen Gärten schließen. So stellte SCHRÖDER (1984 und 1985) erst kürzlich wieder die Bedeutung von Koliinfektionen für Jungtiere heraus. Auf die gesamte Literatur bezogen wurden aber bisher nur relativ selten bakteriologische Typisierungsergebnisse mitgeteilt.
Die Verfasser haben sich seit Jahren darum bemüht, die auf der Grundlage human- und veterinärmedizinischer Serumbestecks vorhandenen Möglichkeiten zur Bestimmung von Serogruppen und Serovaren mittels Objektträgeragglutination für die Diagnostik von Koliinfektionen bei Zootieren zu nutzen.
Die vorliegende Arbeit verfolgt das Ziel, einen Überblick über die mit serologischen Methoden im Zoologischen Garten Leipzig gewonnenen Erkenntnisse zu geben und aktuelle Aufgaben der wissenschaftlichen Bearbeitung von Koliinfektionen bei Zootieren zu diskutieren.

Für die Typisierungen wurden Testseren zur Ermittlung für Säuglinge und Kleinkinder enteropathogener Serovaren (Staatliches Institut für Immunpräparate und Nährmedien Berlin) und Kälberkoliruhr- und Kälberkolisepsis- sowie Schweinekoliseren (Bezirksinstitut für Veterinärwesen Dresden) verwendet.

Koliinfektionen bei ausgewählten Tiergruppen

Relativ unproblematisch sind Koliinfektionen bei Ruminantiern zu deuten. Hier treffen wir Verhältnisse an, die denen bei den Kälbern der Hausrinder weitgehend entsprechen. Des öfteren isolierten wir bei jungen Wiederkäuern im Leipziger Zoo solche E. coli-Serovaren, die in der Landwirtschaft bei vergleichbaren Erkrankungen der Kälber vorherrschen, z. B. bei Koliruhr O 101:K 30 (CRR1), O 9:K35 (CRR 19) und O 101:K28 (CRR 252), in Fällen von Kolisepsis besonders O 78:K80. Es handelte sich dabei um Infektionen sowohl bei Antilopen, als auch Hirsch- und Rinderartigen, bei denen klinisch und teilweise pathologisch-anatomisch die Diagnosen Koliruhr bzw. Koliseptikämie gestellt und bakteriologisch gesichert werden konnten. Detaillierte Befundauswertungen liegen aus unserem Material bereits vor (SELBITZ et al., 1978; SELBITZ und ELZE, 1984; EULENBERGER et al., 1985). Bei der Bekämpfung haben sich die von ELZE (1977) aufgestellten Grundsätze bewährt.

In Einzelfällen waren bei derartigen Erkrankungen angezüchtete Kolikeime mit den für Kälbern entwickelten Testseren nicht zu typisieren. Dann führten wir auch Objektträgeragglutinationen mit sogenannten Schweinekoliseren aus. Bei einem Moschustier (Moschus moschiferus), dessen Sektion Septikämie und Enteritis ergeben hatte, konnte dadurch E. coli O 149:K91 (B) diagnostiziert werden. Ein auerochsenähnliches Hausrindkalb (Bos primigenus f.taurus) erkrankte an einer klinisch typischen Koliruhr, die angezüchteten Kolikeime hatten die Antigenformal O 141:K85 a, c (B). Durch eine orale Neomyzinbehandlung konnten wir das Tier heilen. Derartige Befunde gehören aber bei Wiederkäuern doch zu den Ausnahmen. Häufiger kam es dagegen schon vor, daß Kolikeime trotz eindeutiger klinischer und auch pathologisch-anatomischer Befunde nicht typisiert werden konnten und die Diagnose mit der biochemischen Definition der Spezies abgeschlossen wurde.

Einer Traditionslinie des Zoologischen Gartens Leipzig folgend haben wir uns besonders der Koliinfektionen junger Feliden angenommen. Beiträge zur Klinik stammen von ELZE (1967) und EULENBERGER et al. (1974). 1979 konnten wir anläßlich einer Auswertung bakteriologischer Befunde auf den Nachweis von Serovaren, die als Erreger der Kälberkoliruhr gelten, bei Großkatzen aufmerksam machen (SELBITZ et al., 1979). Seither wurden weitere Befunde erhoben, die es sinnvoll erscheinen lassen, bei Proben von Feliden Typisierungsversuche mit Testbestecks für Kälber- und Schweinekolistämme vorzunehmen. Aus Organen und Darm eines während der künstlichen Aufzucht verendeten Nebelparders (Felis nebulosa) züchteten wir beispielsweise E. coli O 78:K80 an, diese OK-Kombination hat für die Kolisepsis der Kälber große Bedeutung. Erwähnenswert ist ferner die gleichzeitige Erkrankung von zwei Würfen Jaguaren (Panthera onca) an Panleukopenie. Zu jedem Wurf gehörten zwei Tiere, jeweils eines der Tiere konnte gerettet werden, während das zweite verendete. Die Sektionsbefunde beider etwa 6 bzw. 9 Monate alten Tiere sprachen eindeutig für Panleukopenie, außerdem wurden aus Leber, Milz, Dünndarm und Dünndarmlymphknoten Kolikeime der Serovar O 101:K(?) (A) (Kälberkoliruhr) angezüchtet. Wir kamen zu dem Schluß, daß der letale Ausgang letztlich durch die bakterielle Sekundärinfektion entscheidend bestimmt wurde.
Auch bei Ursiden gelang uns in den letzten Jahren die Typisierung von Koliisolaten mit den Testseren für Nutztiere. Bei einem Eisbären (Thalarctos maritimus) wurde E. coli O 8:K87 (B) als Erreger der letalen Neugeborenensepsis nachgewiesen. Diese Serovar hat ansonsten besonders bei Schweinen Bedeutung.
Koliinfektionen bei Primaten können Serovaren zugrundeliegen, die mit humanmedizinischen Testseren zu erfassen sind. Darüber sowie über vereinzelte positive Reaktionen mit Testseren für Kälber- und Schweinekolis haben wir bereits ausführlich berichtet (SELBITZ et al., 1983). In Fortführung dieser Untersuchungen sicherten wir einige der in der OK-Objektträgeragglutination erhobenen Befunde von humanen Serovaren inzwischen mit der Widal-Reaktion ab.
Für die Breite des Wirtsspektrums von E. coli mögen einige weitere Beispiele stehen. 1,1 junge Asiatische Elefanten (Elephas maximus) erkrankten einige Monate nach ihrer Ankunft in Leipzig an einer therapeutisch beherrschbaren Koliruhr, als deren Erreger wir Keime der Serovar O 141:K85 a, c (B) bestimmen konnten. Nach SOJKA (1970) und KIELSTEIN et al. (1984) ist diese Serovar für Schweine enteropathogen. Über Einzelheiten des Krankheitsgeschehens und seiner Behandlung berichten SEIFERT et al. (1986).

Die ätiologische Rolle von Kolikeimen konnte auch bei Erkrankungen junger Känguruhs nachgewiesen werden. Ein Bergkänguruh (Macropus robustus) erlag einer Neugeborenensepsis durch E. coli O 141:K 85 a, c (B) und im Durchfallkot eines weiteren Jungtieres dieser Art stellten wir eine E. coli-Serovar fest, die für Koliruhrerkrankungen von Kälbern typisch ist.

Epizootiologie

Unsere Untersuchungen weisen eindeutig aus, daß zwischen den intensiv bearbeiteten epizootiologischen Gegebenheiten von Koliinfektionen bei Haustieren und denen bei Zootieren keine grundsätzlichen Unterschiede bestehen. Sowohl bei klinisch gesunden, adulten Wiederkäuern als auch Feliden ließen sich solche Serovaren nachweisen, die wir bei Jungtieren als Krankheitserreger diagnostiziert hatten.

Mehrfache Kotuntersuchungen der gesamten Elefantenherde führten zur Anzüchtung der bei den erkrankten Jungtieren festgestellten Serovar O 141:K85 a, c (B) auch bei einem Alttier. Bemerkenswert war, daß etwa zur gleichen Zeit, als die Kolierkrankung der Jungelefanten diagnostiziert wurde, die bereits erwähnten Nachweise der gleichen Serovar bei einem auerochsenähnlichen Hausrindkalb (Bos primigenus f.taurus) und einem jungen Bergkänguruh (Macropus robustus) erfolgten. Wir wollen hier zwar noch nicht von einem Seuchenzug sprechen, jedoch machen uns diese Befunde auf die Möglichkeit des zeitgleichen gehäuften Auftretens bestimmter Serovaren auch bei sehr unterschiedlichen Tierarten aufmerksam.
Systematische Untersuchungen zur Epizootiologie und Koliinfektionen bei Zootieren fehlen bisher weitgehend. Zu den wenigen Arbeiten in dieser Richtung gehören die Publikationen von MANZ et al. (1977, 1978), die interessante Untersuchungen zur Verbreitung bestimmter O-Gruppen bei gesunden Tieren anstellten. Die Resultate ließen ebenfalls eine weite Verbreitung bestimmter O-Gruppen im Bestand erkennen. Andererseits wiesen aber selbst Tiere gleicher Gehege unterschiedliche Kolistämme auf, eine Feststellung, die wir aus unserem Leipziger Untersuchungsmaterial bestätigen können. Die zitierten Autoren maßen der Übertragung bestimmter Erregerstämme innerhalb des Bestandes daher keine große Bedeutung bei. Allerdings wurde nichts über die Typisierung von Kolikeimen aus erkrankten bzw. verendeten Tieren mitgeteilt. Für künftige Untersuchungen wären vor allem die Suche nach spezifischen Anheftungsfaktoren für bestimmte Gruppen von Zootieren und die Klärung der Bedeutung speziesübergreifender Ausbreitungen von Infektionen mit definierten E. coli-Serovaren im Zootierbestand bedeutsam.

Diskussion und Schlußfolgerungen

Die Anwendung kommerziell erhältlicher Testbestecks zur Typisierung von Kolikeimen mittels Objektträgeragglutination ist auch für die Diagnostik von Koliinfektionen bei Zootieren eine wichtige Hilfe. In Verbindung mit den klinischen und gegebenenfalls pathologischen Befunden erleichtern diese Typisierungsverfahren die ätiologische Wertung angezüchteter Kolistämme.
Die aktuellen Erkenntnisse über die pathogenetischen Mechanismen enteraler Koliinfektionen führen aber dahin, daß für die exakte Bestimmung der Virulenz eines bestimmten Stammes der Nachweis von Toxinbildung (ST- und LT-Enterotoxine) und Adhäsionsfaktoren (Fimbrienantigene z. B. K 88, K 99, CFA I, II, 987 p u. a.) vorzuziehen ist. Aus der großen pathogenetischen Bedeutung der Adhäsionsfaktoren resultiert beispielsweise der Vorschlag, die O-K-H-Antigenformel durch das Fimbrienantigen zur O-K-H-F-Antigenformel zu ergänzen (RABSCH et al., 1985). Diesen Adhäsinen wird eine relativ hohe Wirtsspezifität zugemessen (NICOLET, 1985), die aber letztlich keine absolute feststehende Eigenschaft darstellt, wie die Nachweise von K 99 bei der atypischen Koliruhr der Saugferkel zeigen (KIELSTEIN et al., 1984).
Unbeschadet dieser Erkenntnisse, die der zukünftigen Bearbeitung des Koliproblems neue Impulse und Richtungen geben, kann festgehalten werden, daß zwischen Serovar und Enteropathogenität Beziehungen bestehen, d. h., bestimmte O-Gruppen bzw. Serovaren bei Erkrankungen bestimmter Tierarten gehäuft auftreten und ihr Nachweis daher diagnostisch verwertbar ist (KIRCHNER, 1981; NICOLET, 1985). TRUSZCZYNSKI et al. (1985) bewiesen das erst kürzlich wieder an Hand einer Auswertung von über 1100 porcinen Kolistämmen. Das von ihnen als "direkter Pathogenitätsfaktor" bezeichnete K 88-Antigen war sehr oft mit der OK-Gruppe O 149:K91 verbunden, von letzterem Antigen sprachen die Autoren daher als einem "indirekten Indikator der Pathogenität".
Wir stimmen mit der Beurteilung der Bedeutung der Serotypisierung mit KIRCHNER (1981) überein, der feststellte, daß bei enteritiserregenden Kolikeimen der Hauptwert der serologischen Einordnung in der Aufdeckung epizootiologischer Zusammenhänge liegt. Die eigenen Untersuchungen, z. B. bei einem Durchfallgeschehen junger Elefanten, können als Beweis für die Richtigkeit dieser These dienen.
Bei der Diagnostik von Koliinfektionen ist künftig verstärktes Gewicht auf den Nachweis der o. g. direkten Virulenzfaktoren und auf weitere epidemiologische Labormethoden wie die Lysotypie, die Bakteriozin-Typisierung und die Plasmidbestimmung zu legen. Im Zusammenhang damit wird die Bestimmung der OK-Antigengruppen ihre dominierende Bedeutung verlieren. Das Ziel besteht darin, epidemiologisch bzw. epizootiologisch relevante Stämme

sicherer zu charakterisieren. Da medizinisch entscheidende Eigenschaften der Bakterien, z. B. die Chemotherapeutikaresistenz, die Ausbildung von Adhäsionsfaktoren und die Toxinbildung durch Plasmide kodiert werden, gewinnt der Nachweis dieser extrachromosomalen genetischen Informationsträger eine besondere Bedeutung. Hervorragende Beispiele für den Wert der Plasmidbestimmung für das Auffinden epizootiologisch bedeutsamer E.-coli-Stämme bei Haustieren lieferten BAUMGARTNER et al. (1983 a, b, c). Auch bei Zootieren wird die künftige wissenschaftliche Bearbeitung des Koliproblems entscheidend von der Anwendung derartiger Verfahren geprägt sein.

Zusammenfassung

Bakteriologische Diagnostik und Epizootiologie von Koliinfektionen bei Zootieren

Es wird über die Ergebnisse der serologischen Typisierung von Escherichia-coli-Stämmen aus Zoosäugetieren (Ruminantier, Karnivoren, Primaten, Känguruhs) berichtet. Die Befunde erleichtern die ätiologische Wertung angezüchteter Stämme und erlauben die Aufdeckung epizootiologischer Zusammenhänge. In Zukunft muß die Virulenzbestimmung durch weitere Labormethoden, wie den Nachweis von Plasmiden, Adhäsinen und der Enterotoxinbildung, präzisiert und verfeinert werden.

Summary

Bacteriological Diagnosis and Epizootiology of Coli Infections in Zoo Animals

Results obtained from serological typing of Escherichia coli strains sampled from zoo mammals are reported in this paper (ruminants, carnivores, primates, kangaroo). The findings facilitated aetiological assessment of cultured strains and proved helpful in eludidation of epizootiological correlations. Virulence determination should be improved in terms of accuracy and refined in the future by means of additional laboratory methods, such as detection and identification of plasmids, adhesions, and enterotoxin formation.

Résumé

Diagnostic bactériologique et épizootiologie des infestations au coli des animaux zoologiques

L'auteur présente les résultats d'une typisation sérologique des souches d'Escherichia coli des mammifères zoologiques (ruminants, carnivores, primates, kangourous). Les résultats de l'examen facilitent l'évaluation étiologique des souches cultivées et permettent l'identification des relations épizootiologiques. Il serait nécessaire de préciser et d'améliorer, à l'avenir, la détermination de la virulence par d'autres méthodes de laboratoire, comme la détection de plasmides, des adhésions et de la formation de l'entrotoxine.

Резюме

Бактериологическая диагностика и эпизоотиология коли инфекций у зверей зоопарка.

Сообщается о результатах серологического типизирования коли штаммов, выделенных от животных зоопарка (жвачные, скот, приматы, кенгуру).Полученные результаты способствуют этиологической характеристики выделенных штаммов идает возможность определения эпизоологических взаимодействий. В будущем желательно дальнейшее расширение лабораторных методов, определение вирулентности, плазмидов , адгезии и образование энтеротоксинов.

Literaturverzeichnis

BAUMGARTNER, A., NICOLET, J., und M. EGGIMANN (1983a): Plasmidfingerprints von Escherichia coli, isoliert von Rindermastitiden. Schweiz. Arch. Tierheilk. 125, 491 - 496.

BAUMGARTNER, A., und J. NICOLET (1983b): Plasmidgehalt von schweinepathogenen E. coli., Erreger von Diarrhoe und Enterotoxämie. Schweiz. Arch. Tierheilk. 125, 497 - 506.

BAUMGARTNER, A., NICOLET, J., und R. BRAUN (1983c): Plasmidfingerprints von schweinepathogenen E. coli 0149:91:K88 ac: Charakterisierung eines Plasmides für Streptomyzin- und Sulfonamidrestistenz. Zbl. Vet. Med. B, 30, 288 - 296.

ELZE, K. (1967): Zur Koliinfektion bei Zootieren. Verh. ber. Erkrg. Zootiere 9, 57 - 64.

ELZE, K. (1977): Zur Bekämpfung der Koliseptikämie und Koliruhr der neugeborenen Ruminantia. Verh.ber. Erkrg. Zootiere 19, 203 - 208.

EULENBERGER, K., ELZE, K., SEIFERT, S., und Ute SCHNURRBUSCH (1974): Zur Differentialdiagnose, Prophlaxe und Therapie der Panleukopenie, Salmonellose und Koli-Infektion der jungen Großkatzen (Pantherini). Verh.ber. Erkrg. Zootiere 16, 55 - 65.

EULENBERGER, K., SCHÜPPEL, K.-F., KRISCHE, G., HAUPT, W., SELBITZ, H.-J., SCHYRA, A., SEIFERT, S., und K. ELZE (1985): Beitrag zum Krankheitsgeschehen und zur Narkose bei Cerviden. Verh.ber. Erkrg. Zootiere 27, 37 - 50.

KIELSTEINE, P., WITTIG, W., LUTTER, K., und H. TROLLDENIER (1984): Zur Chemotherapie und Bekämpfung von Koliinfektionen und Schweinedysenterie. Mh. Vet.-Med. 39, 541 - 547.

KIRCHNER, A. (1981): Enteropathogene Escherichia coli, ihre Pathogenitätsfaktoren und deren Nachweisverfahren. Tierärztl. Umsch. 36, 747 - 758.

NICOLET, J. (1985): Kompendium der veterinärmedizinischen Bakteriologie, Berlin (W) und Hamburg: Paul Parey.

MANZ, J., SCHMID, A., und G. STEGER (1977): Bestimmung serologischer O-Gruppen von Escherichia coli am gesunden und kranken Ruminantiern des Tiergartens der Stadt Nürnberg. Verh.ber. Erkrg. Zootiere 19, 193 - 202.

MANZ, J., GRUBER, S., und G. STEGER (1978): Bestimmung serologischer O-Gruppen von Escherichia coli an Beständen des Tiergartens Nürnberg. Verh.ber. Erkrg. Zootiere 20, 31 - 35.

RABSCH, W., REISSBRODT, R., und H. KÜHN (1985): Adhäsine bei gramnegativen Bakterien. Tierhyg. Inf. 17, Sonderheft.

SCHRÖDER, H.-D. (1984): Zu den prä- und postnatalen Infektionen bei Zootieren. Verh.ber. Erkrg. Zootiere 26, 33 - 40.

SCHRÖDER, H.-D. (1985): Beitrag zu den Infektionskrankheiten der Cerviden. Verh.ber. Erkrg. Zootiere 27, 51 - 54.

SEIFERT, S., ELZE, K., und H.-J. SELBITZ (1986): Zur Eingewöhnung und dem Auftreten einer enteralen Koliinfektion bei zwei jungen Asiatischen Elefanten. Zool. Garten (N. F.) (im Druck).

SELBITZ, H.-J., SEIFERT, S., VOIGT, A., ELZE, K., BERMANN, A., und K. EULENBERGER (1978): Ergebnisse der bakteriologischen Untersuchungen bei Huftieren der Zoologischen Gärten Leipzig und Erfurt im Zeitraum von 1968 - 1977. Verh.ber. Erkrg. Zootiere, 20, 21 - 30.

SELBITZ, H.-J., ELZE, K., EULENBERGER, K., VOIGT, A., BERGMANN, A., SEIFERT, S., und D. ALTMANN (1979): Zu Problemen des Vorkommens und der Bedeutung bakterieller Infektionen bei Feliden in den Zoologischen Gärten Leipzig und Erfurt in den Jahren 1965 - 1978. Verh.ber. Erkrg. Zootiere 21, 191 - 199.

SELBITZ, H.-J., ELZE, K., und S. SEIFERT (1983): Nachweis und klinische Bedeutung human- und tierpathogener Serotypen von E. coli bei Affen. Verh.ber. Erkrg. Zootiere, 25, 275 - 279.

SELBITZ, H.-J., und K. ELZE (1984): Zu Infektionskrankheiten in Zoologischen Gärten gehaltener Cerviden. Beitr. Jagd- und Wildforsch. XIII, 336 - 339.

SOJKA, W. J. (1970): E. coli-Infektionen bei Schweinen, Kälbern, Lämmern und Geflügel. Wien. Tierärztl. Wschr. 57, 361 - 370.

TRUSZCZYNSKI, M., CIOSEK, D., und W. WITTIG (1985): Die Bedeutung der O- und K-Antigene sowie der Enterotoxine als Indikatoren der Pathogenität der E.-coli-Stämme vom Schwein. Arch. exper. Vet.med. 39, 479 - 491.

WILDFUHR, G. (1977): Enterobakterien. In: WILDFUHR, G. und W. WILDFUHR (Hrsg.): Medizinische Mikrobiologie, Immunologie und Epidemiologie. Bd. II, 2. Aufl., Leipzig: Georg Thieme. 956 - 1102.

Anschrift der Verfasser: Dr. sc. med. vet. H.-J. S e l b i t z
DDR - 7010 Leipzig
Margarete-Blank-Str. 8 (DDR)

From Department of Wildlife Diseases, National Veterinary Institute Uppsala

THE OCCURRENCE OF TULAREMIA IN SWEDEN

By T. Mörner

Tularemia is a bacterial disease of animals and humans caused by Francisella tularensis. The organism is a short, non-motile, nonencapsulated, non-sporeforming, Gram negative rod. Two subspecies of Francisella tularensis are recognized - F. tularensis var. tularensis, a more virulent form found only in North America, and F. tularensis var. palearctica, the usual rodent form and less cirulent found in North America as well as in Europe and Asia (BUCHANAN and GIBBONS, 1974).

F. tularensis was first isolated by McCOY and CHAPIN in 1912 in North America. In Sweden, tularemia was first recognised in man in 1931 and simultaneously in hares (GRANSTRÖM, 1931). Since then, there has been several reports of tularemia in Sweden, involving humans as well as hares, squirrels, lemmings, voles, ravens and birds of prey (LILLEENGEN, 1942; OLIN, 1942; BORG and NYSTRÖM, 1960; BERGLUND, 1965; BORG et al., 1969; REHBINDER and KARLSSON, 1979 and MÖRNER and MATTSON, 1983).

In Scandinavia the disease is often associated with "highs" in the rodent and lagomorph populations (MÖRNER and SANDSTEDT, 1983) and is among animals most often seen in the varying hare (Lepus timidus L.). It usually occurs as an epizootic in this species in late summer and early autumn, causing a severe reduction of the varying hare populations (BORG et al., 1969).

In animals tularemia is normally diagnosed at post mortem examination of animals sent in to the National Veterinary Institute. Diagnosing tularemia is normally connected with some difficulties due to the high risk for humans of aquiring the disease when handling infected animals or material. BORG et al., 1969, described the typical post mortem findings of tularemia in the varying hare, mainly based on the histological picture. This typical picture is not found in other species, for example not in birds (REHBINDER and KARLSSON, 1979; MÖRNER and MATTSON, 1983).
The use of FA-technique (fig. 1) for diagnosing tularemia (KARLSSON et al., 1970; MÖRNER, 1981) has improved the accurancy to diagnose this disease since it is difficult to isolate the bacteria from all investigated animals due to overgrowth of other bacterias.

Since the epizootiology of tularemia in Scandinavia so far is not fully understood a lot of papers today concerns serological investigations (OMLAND et al., 1977; VALTONEN, 1970; PEARSSON, 1975; MÖRNER and SANDSTEDT, 1983).

The present report is a summary of what is known today about the distribution, animal species infected, frequency and epizootiology of tularemia in Sweden.

Distribution

The majority of cases of tularemia in Sweden is seen either in man or in the varying hare (BORG et al., 1969). Almost all cases in animals originate from the northern part of Sweden (fig. 2). The exceptions from this are cases from the two islands, one outside the west coast and one in the Baltic sea where tularemia is endemic (Veckorapport 34, SBL, 1984; MÖRNER and KROGH, 1984) and one case of tularemia in a rough-legged buzzard from the south of Sweden (MÖRNER and MATTSSON, 1983).
A similar picture is seen in man with almost all cases reported from the north or from people that have been in the north shortly before they become sick (Veckorapport 34, SBL, 1984).
The reason why tularemia is only present in the north is not known. There is no natural border preventing the disease from spreading southwards. And the species in which tularemia is seen most commonly - the varying hare, is present in all parts of Sweden. Neither are there any vectors that occur only in the north.

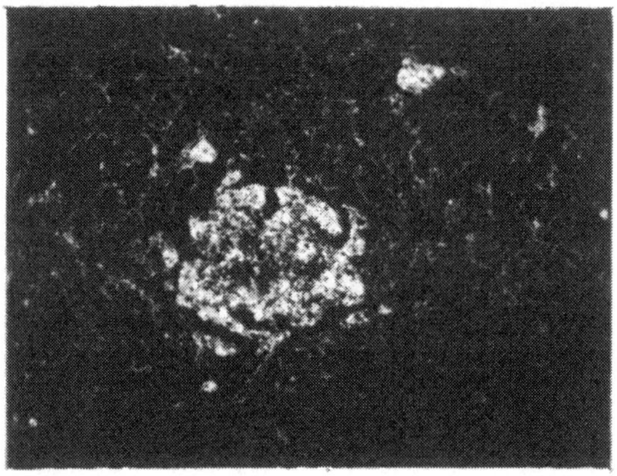

Fig 1: Positive FA-reaction in liver in a varying hare(Lepus timidus L) x 225

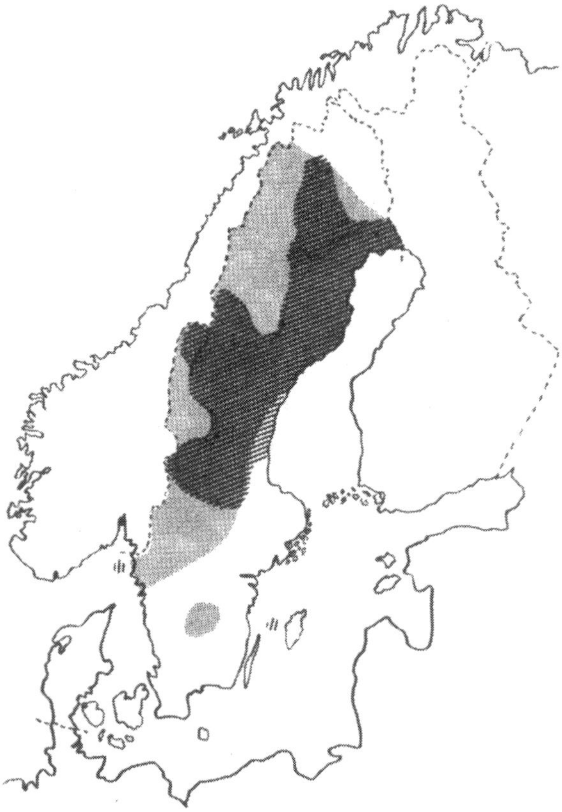

Fig 2.: Area within where beaver(Castor fiber) occurs.

Area within where cases of tularemia normally are seen.

The only species that is found almost entirely within the areas where tularemia is present is the european beaver (Castor fiber L.) and it has been suggested that this species might be the main reservoir for the disease in Sweden (MÖRNER and SANDSTEDT, 1983; MÖRNER, 1984).

Animal species infected

In Sweden tularemia is most commonly seen in the varying hare (BORG et al., 1969). This is in contrast with the situation in the southern part of Europe from where tularemia are frequently reported also in the brown hare (Lepus europaeus) (KEMENES, 1976; KARLOVIC and ALERAJ, 1973; JUSATZ, 1961). Unfortunately many authors do not give the latin name for the harespecies in which they have diagnosed tularemia, so it seems to be unclear if there is a difference in the appearence of tularemia between these two species. Among other rodents, tularemia are reported in the squirrel (Sqiurus vulgaris), lemming (Lemmus lemmus) and small rodents (BORG, 1975).
The beaver is from North America known to be very susceptible for tularemia (JELLISON et al., 1942). In Sweden there have been no recorded case of tularemia in the beaver. On the other hand did a serological survey of antibodies against F. tularensis show that the beaver frequently are infected with this agent (MÖRNER and SANDSTEDT, 1983). Future studies will deal with what role this species plays in the epizootiology of tularemia in Sweden.

Frequency

The best way to study the frequency of tularemia in Sweden is by the reports of cases in humans, since all known cases are reported annually to the National Bacteriological Laboratorium.
The annual number of cases show a cyclic variation with peaks every 5th to 7th year. The pattern is not completely regular, and sometimes the peaks are closer, as for example in the years 1967 and 1970. The peaks are normally connected with "highs" in the rodent populations (PEARSON, 1975; HÖRNFELDT, 1978), but there are years with high numbers of hares and rodents without tularemia-epizootics.

Epizootiology

To understand the epizootiology of a disease like tularemia with epizootic outbreaks and high mortality, the real question is what is the principal reservoir of the disease in the nature (PEARSON, 1975). Another question is whether there exists a number of ecosystems as in North America or if there is only one system. A third question is which animal species and arthropodes that act as transmitters of the disease.

It has been shown that the varying hare can not be the reservoir of tularemia in Sweden (BORG et al., 1969; MÖRNER and SANDSTEDT, 1983). It is more likely that someother animal species like small rodents (PEARSON, 1975) or the beaver (MÖRNER and SANDSTEDT, 1983) act as the principal reservoir.
The discovery of tularemia in some birds as the raven (Corvus corax) (REHBINDER and KARLSSON, 1979) and birds of prey (MÖRNER and MATTSSON, 1983) indicate that this animal group may play a role in the epizootiology. Most certainly do they act as transmitters of the disease indicated by the spreading of tularemia to the two islands outside the Swedish coast (Veckorapport 34, SBL, 1984; MÖRNER and KROGH, 1984).
What role the arthropodes play in the epizootiology of the disease is not known. Humans are often infected by mosquitos and occasionly by ticks. Hares from the island in the Baltic sea became infected from ticks (MÖRNER, in progress). Whether ticks and mosquitos acts as reservoirs or just only as transmittors has to be studied in the future.

The future studies at the National Veterinary Institute on tularemia in Sweden will concentrate on the question whether there is a principal animal reservoir and if the main cycle of this disease is an aquatic one.

Summary

The occurrence of tularemia in Sweden

This report is a summary of what is known today about the distribution, animal species infected, frequency and epizootiology of tularemia in Sweden.

Zusammenfassung

Zum Vorkommen von Tularämie in Schweden

Der Bericht gibt eine Zusammenfassung der gegenwärtigen Kenntnisse zur Verbreitung, Häufigkeit und Epizootiologie der Tularämie und der durch sie betroffenen Tierarten in Schweden.

Résumé

A propos de l'apparition de la tularémie en Suède

Résumé des connaissances actuelles à propos de la propagation, de la fréquence et de l'épizootiologie de la tularémie et des espèces d'animaux qui sont affectées de cette maladie en Suède.

Резюме

Туляремия в Швеции

В сообщении дается обзор данных по распространению, частоте и эпизоотиологии туляремии у различных животных в Швеции.

References

BERGLUND, A. (1964): Tularemiepidemin i norrbotten 1964. Opusc. Med., 10, 162 - 165.

BORG, K., and K. G. NYSTRÖM (1960): Tularemie aktuell. Medlemsblad Sv. Vet. Förb., 12, 349 - 351.

BORG, K., HANKO, E., KRUNAJEVIC, T., NILSSON, N.-G., and O. NILSSON (1969): On tularemia in the varying hare (Lepus timidus L.). Nord. Vet. Med., 21, 95 - 104.

BORG, K. (1975): Viltsjukdomar. Stockholm: LT förlag.

BUCHANAN, R. E., and N. E. GIBBONS (1974): Bergey Manual of Determinative Bacteriology. Baltimore: Williams and Wilkins Co.

GRANSTRÖM, K. O. (1931): Tre fall av tularemi. Svensk Läkartidning, 28, 641 - 646.

HÖRNFELDT, B. (1978): Synchrounus population fluctutations in voles, small game, owls, and tularaemia in northern sweden. Oecologia, 32, 141 - 152.

JELLISON, W. L., KOHLS, G. M., BUTLER, W. J., and J. A. WEAVERG (1942): Epizootic tularemia in the beaver (Castor canadiensis), and the contamination of stream with Pasteurella tularensis. Amer. J. Hygien., 26, 168 - 182.

JUSATZ, H. J. (1961): Dritter Bericht über den Zeitraum von 1950 - 1960. Zeitschft. für Hygiene, 148, 69 - 93.

KARLOVIC, M., und Z. ALERAJ (1973): Ein Überblick über die bisherigen Tularämiefälle bei Hasen in nordwestlichen Gebieten Jugoslawiens. Z. Jagdwissenschaft, 19, 137 - 140.

KARLSSON, K. A., DAHLSTRAND, S., HANKO, E., and O. SÖNDERLIND (1970): Demostration of Francisella tularensis in sylvan animals with the aid of fluorescent antibodies. Acta Path. Microbiol. Scand., Sect B, 78, 647 - 651.

KEMENES, F. (1976): Die Epizootiologie der Hasentularämie in Ungarn. 2. Int. Arb. Koll. "Naturherde von Infektionskrankheiten in Zentraleuropa", Graz, 285 - 289.

LILLEENGEN, K. (1942): Tularemi hos hare in sverige. Svensk Vet. Tidskrift, 47, 644 - 672.

MÖRNER, T. (1981): The use of FA-technique for detectin Francisella tularensis in formalin fixed material. Acta Vet. Scand., 22, 296 - 306.

MÖRNER, T., and K. SANDSTEDT (1983): A serological survey of antibodies against Francisella tularensis in some swedish mammals. Nord. Vet. Med., 35, 82 - 85.

MÖRNER, T., and R. MATTSSON (1983): Tularemia in a rough-legged buzzard (Buteo lagopus) and a ural owl (Strix uralensis). J. of Wildl. Dis., 19, 360 - 361.

MÖRNER, T., and G. KROGH (1984): An edemic case of tularemia in the mountain hare (Lepus timidus) on the island of stora karlso. Nord Vet. Med., 36, 310 - 313.

MÖRNER, T. (1984): Orsakar baevern harpest? Svensk Jakt, 4, 314 - 315.

OLIN, G. (1942): The occurrence and mode of transmission of tularemia in sweden. Med. Bakt. Lab. Stockholm, 14, 220 - 247.

OMLAND, T., CHRISTIANSEN, E., JOHNSON, B., KAPPERUD, G., and R. WIEGER (1977): A survey of tularemia in wild mammals from fennoscandia. J. Wildl. Dis., 13, 393 - 399.

PEARSON, A. D. (1975): Epidemiology of rodent tularemia in norway and sweden. Ecological Bull., 19, 99 - 111.

REHBINDER, C., and K.-A. KARLSSON (1979): Tularemia in the raven (Corvus corax). Nord. Vet. Med., 31, 339.

VALTONEN, M. (1970): The role of reindeer as carrier of tularemia. The IX. Int. Congr. of Game Biol., Moscow.

VECKORAPPORT 34 (1984): Weekly report 34, National Bacteriological Laboratorium.

Address of author: Torsten M ö r n e r , DVM.
Box 7073
S - 75007 Uppsala (Sweden)

Aus dem Veterinärmedizinischen Impfstoffwerk PHYLAXIA (Direktor: Dr. F. CZELLENG), Budapest

UNTERSUCHUNGEN ZUR EMPFÄNGLICHKEIT DER FELDMAUS (MICROTUS ARVALIS) FÜR LEPTOSPIRA INTERROGANS SEROVAR POMONA

Von F. Kemenes und L. Fábián

Es ist seit langem bekannt, daß die Feldmaus der Hauptwirt für Leptospira interrogans serovar grippotyphosa ist (SCHÜFFNER und BOHLANDER, 1942a und 1942b; RIMPAU, 1942/1943; WALFOLOMEJEWA und NIKIFOROVA, 1949) und daß die sich massenhaft vermehrenden Feldmäuse in kleineren oder größeren Infektionsherden den Menschen (TARASOFF, 1931; KATHE, 1940) und die Weidetiere (KATHE, 1943; MOCHMANN, 1956) leicht infizieren können. Grippotyphosa-Leptospirose wurde bei Menschen und Feldmäusen (MÓRITZ und ILLÉNYI, 1939; FÜZI et al., 1957) weiterhin in serologischen Proben bei Pferden, Rindern, Schafen, Feldhasen, Rehen, Hirschen, Hunden auch in Ungarn (HENGL et al., 1958; KEMENES, 1961) mehrmals nachgewiesen. Die in Ungarn am meisten verbreitete Leptospira-Serovar ist die Leptospira interrogans serovar pomona, ihr Wirtstier ist das Schwein (KEMENES und SZEMERÉDI, 1961), aber auch andere Tierarten (KELEN, 1952; KEMENES, 1958), ja sogar der Mensch (SZENES und BIRÓ, 1956; FÜZI und KISZEL, 1962) können sich mit diesen Leptospiren infizieren.

Da die Feldmäuse im Herbst die Unterkünfte der mit Leptospira /L./ pomona reagierenden Rinder aufsuchen und sich dort einzuquartieren versuchen, stellte sich uns die Frage, ob die Feldmäuse gegen L. pomona empfänglich sind und welche Rolle sie in der Epizootiologie der Pomona-Leptospirose spielen. Wir untersuchten diese Frage mit Hilfe der experimentellen Pomona-Infektion der Feldmäuse.

Material und Methode

Es wurden Feldmäuse, weiße Labormäuse (resistente Nager) und Goldhamster (gegen Leptospiren sehr anfällige Tiere) gleichzeitig mit demselben virulenten Pomona-Stamm intraperitoneal und per os infiziert. Zur experimentellen Infektion wurde ein im Jahre 1984 aus einem mit Hunde-Urin infizierten Goldhamster isolierter L. pomona-Stamm angewendet. Dieser Stamm wurde monatelang durch Meerschweinchen- und Goldhamster-Passagen in virulenter Form aufbewahrt. Dann wurde den Versuchtstieren eine aus zerkleinerter Leber und Milz sowie dem Blut eines moribunden Goldhamsters in physiologischer Kochsalzlösung vorbereitete 20 % Emulsion intraperitoneal verabreicht. Wir haben uns vorher durch Tierpassagen überzeugt, daß auch adulte Goldhamster nach Applikation 0.5 ml dieser Emulsion binnen einer Woche starben. Die Jungtiere (unter 25 g Körpergewicht) wurden mit je 0.1 ml, die erwachsenen Tiere mit je 0.2 ml Suspension der hochvirulenten L. pomona infiziert.

Aus 3 Würfen wurden 18 junge (16 - 21 g) weiße Labormäuse ausgewählt und die 12 adulten männlichen Tiere wurden in Gruppen von je 4 - 6 Tieren in Kunststoffkäfigen gehalten. Sie bekamen Mäuse-Fertigfutter und Trinkwasser ad libitum.

In unserer Zucht wurden die Feldmäuse paarweise gehalten und die Jungtiere mit 20 - 24 g Gewicht abgesetzt. Die 28 jungen Versuchsmäuse wurden in Gruppen mit je 3 - 4 Tieren, die 24 Adulten paarweise (ein Männchen und ein Weibchen) gehalten. Außer dem Mäuse-Fertigfutter bekamen die Feldmäuse täglich frisches Grünfutter (Kohl, Kohlrabi, Gras usw.) und Karotten oder Kartoffeln. Die 16 Goldhamster, davon 12 erwachsene Tiere (60 - 75 g) und 4 Jungtiere (40 - 45 g) bekamen dasselbe Futter wie die Feldmäuse.

Unsere vergleichenden Infektions-Versuche wurden dreimal wiederholt. Mit demselben Infektionsmaterial wurden gleichzeitig die weißen Labormäuse, Feldmäuse und Goldhamster mit der obengenannten Dosis intraperitoneal infiziert und die Resultate waren im wesentlichen gleich.

Zur Untersuchung der Möglichkeiten der oralen Pomona-Infektion legten wir Leberstückchen von in der Agonie getöteten Goldhamstern auf den Käfig-Boden für die 2 x 3 jungen Feldmäuse bzw. die 2 x 2 jungen Goldhamster (40 - 45 g) für die Dauer eines halben Tages.

Die vorher ausgehungerten Tiere verzehrten einen Teil dieser Leberstückchen. Die überlebenden Tiere wurden nach drei Wochen entblutet und das Serum wurde auf Antikörper und das Nierengewebe auf Anwesenheit von Leptospiren untersucht. Das Herzblut und Stückchen vom Nierengewebe der getöteten Tiere wurden in Korthofsches Nährmedium gelegt und die Organstückchen wurden in 10%igem säurefreiem Formalin aufbewahrt. Überlebende Mäuse (Feldmäuse) wurden anfangs in jeder zweiten Woche, später monatlich geblutet. Das Serum wurde mit dem Agglutinationsverfahren auf Antikörper und das Nierengewebe auf die Anwesenheit von Leptospiren untersucht. Die in Formalin aufbewahrten Organe, besonders die Nieren, wurden mit Haematoxylin-Eosin Färbung auf histopathologische Veränderungen und durch die Silberimprägnationsmethoden nach Levaditi auf Leptospiren geprüft.

Ergebnisse

A. Intraperitoneale Pomona-Leptospirose bei Feldmäusen

Die Ergebnisse der vergleichenden Infektionsversuche sind in der Tablle 1 dargestellt. Die weißen Labormäuse (auch die Jungtiere) durchseuchten symptomfrei. Ein Viertel der jungen Feldmäuse ist infolge Niereninsuffizienz verstorben, ihre Nieren waren erheblich vergrößert und mit blaßroten und dunkelroten Herden durchsetzt. Histopathologisch waren hochgradige Nephrose, interstitielle lymphozytäre Infiltrationen, Epitheldesquamationen in den Tubuli und kleinere Blutungen im Nierengewebe festzustellen. Die Leptospiren waren im allgemeinen nur in den Nieren mit den Züchtungs- sowie Silberimprägnationsmethoden nachweisbar.

Gleichzeitig sind Hamster an akuter Leptospirose mit Gelbsucht verstorben. Leververgrößerung, kleine Blutungen im Lungengewebe, manchmal auch punktförmige Blutungen auf der blaßen Oberfläche der Nieren waren die pathologischen Befunde. Die Pathogenität der L. pomona für Feldmäuse liegt also zwischen der Mäusepathogenität und der Hamsterpathogenität dieses Stammes, da ein Teil der jungen Feldmäuse an subakuter Pomon-aLeptospirose verstorben ist.

Den Grad der pathologischen Vorgänge im Nierengewebe der weißen Labormäuse und Feldmäuse und die längste Zeit der Leptospiren-Ausscheidung werden in der Tabelle 2 gezeigt. Es wurde festgestellt, daß die überlebenden Feldmäuse auf die Infektion mit einem höheren Antikörper-Titer antworteten. In den Nieren der weißen Labormäuse entwickelten sich hauptsächlich herdförmige interstitielle Entzündungen, demgegenüber konnte man in den Nieren der Feldmäuse öfter eine diffuse, generalisierte, interstitielle lymphozytäre Entzündung feststellen. Vermutlich ist das ein Beweis dafür, daß die Leptospiren in den Nieren der infizierten jungen Mäuse länger (bis zu 18 Wochen) nachweisbar sind als bei den Feldmäusen (bis zu 12 Wochen). Die dreimonatige L. pomona-Ausscheidung der Feldmäuse gilt als maximale Ausscheidungsdauer der L. grippotyphosa (SCHÜFFNER und BOHLANDER, 1942b; KATHE, 1947).

Die größere Empfänglichkeit der Feldmäuse für L. pomona stellt auch die Abbildung 1 dar. Demgemäß wird der Zuwachs der Mäuse in der Rekonvaleszentenperiode weniger gestört - das Körpergewicht der 8 infizierten Mäuse sank nicht unter 25 g. Das Gewicht von Dreiviertel der infizierten Feldmäuse blieb doch unter diesem Niveau und das Gewicht von den getöteten Feldmäusen war meistens geringer als es bei der Impfung war. Außerdem entwickelte sich in den Nieren von vier Feldmäusen eine schwere, diffuse Entzündung.

B. Orale Pomona-Infektion bei Feldmäusen

Was die orale Infektionsmöglichkeit der Feldmäuse mit L. pomona (siehe Tabelle 3) betrifft, wurde festgestellt, daß die Feldmäuse für L. pomona nicht so empfänglich sind wie die jungen Goldhamster. Letztgenannte sind alle infiziert worden, zwei sogar an akuter Pomona-Leptospirose gestorben. Unter den jungen Feldmäusen infizierte sich nur ein Tier und die Infektion konnte nur durch die serologische Untersuchung und den histopathologischen Befund nachgewiesen werden.

Diskussion

Aus den Untersuchungsergebnissen konnten wir feststellen, daß die Feldmäuse für Leptospira interrogans serovar pomona empfänglicher sind als die resistenten weißen Labormäuse, aber nicht in einem solchem Maße wie die Goldhamster. Das eine Merkmal der Leptospiren-Wirtstiere ist, daß sie gegen die in ihren Nieren über längere Zeit angesiedelten Leptospiren verhältnismäßig resistent sind und diese Leptospiren bei ihren Jungtieren, sogar bei stärkerer Infektion, keine Krankheit verursachen. Dasselbe konnte bei den mit L. pomona intraperitoneàl infizierten jungen Feldmäusen beobachtet werden. Was die in freier Wildbahn vorkommende orale Infektionsmöglichkeit (siehe Kapitel B) betrifft, so erkranken Feldmäuse weitaus seltener und in milderer Form als die viel empfänglicheren Goldhamster. Das andere Hauptmerkmal der Wirtstiere ist, daß sogar einige ausgeschiedene Leptospiren unter den empfänglichen Artgenossen - perkutan, über die Schleimhäute und per os - eine latente Infektion hervorrufen können.

Da Leptospira interrogans serovar grippotyphosa für alle Versuchsnager, auch für die Feldmaus, weniger pathogen ist, so ist zu vermuten, daß die Feldmaus kein Wirt der Leptospira interrogans serovar pomona sein kann. Akzidentale Infektionen können nur gelegentlich - wie hauptsächlich bei Apodemus agrarius - vorkommen (BORG-PETERSEN und FENNESTAD, 1956; KRUGLIKOW et al., 1956; KARASEVA und KOKORIN, 1965), wobei keine wesentliche Pomona-Ausscheidung beobachtet werden kann. Das beweisen auch unsere praktischen Beobachtungen, daß bei den von Pomona- oder Hardjo-positiven Rindern besuchten Weiden eingefangenen wilden Feldmäusen auch serologisch keine Leptospirose nachgewiesen werden konnte.
Die Feldmaus kann die L. pomona auf andere empfängliche wildlebende Tierarten - von einigen Ausnahmen abgesehen - nicht übertragen. Demgegenüber sind die Grippotyphosa-Infektionen - wie seit langem bekannt - meistens auf Feldmäuse zurückzuführen.

Tabelle 1: Verlauf der Pomona-Leptspirose bei experimentell infizierten weißen Mäusen, Feldmäusen und Hamstern

Tierart	Anzahl der untersuchten Tiere	davon gestorbene	davon überlebende	Verlauf der Infektion
MAUS Jungtiere[x]	18	0	18	alle durchseuchten Tiere symptomfrei
MAUS Erwachsene	16	0	16-	
FELDMAUS Jungtiere[x]	28	7	21	7 Jungtiere am 6. - 11. Tag an Nieren-Insuffizienz gestorben
FELDMAUS Erwachsene	24	0	24	
GOLDHAMSTER Erwachsene	12	10	0	alle am 4. - 6. Tag an akuter Leptospirose gestorben

x = unter 25 g Körpergewicht

Tabelle 2: Laboratoriumsergebnisse der mit Leptospira interrogans serovar pomona infizierten weißen Mäuse und Feldmäuse

Tierart		Serokonversion[x] 1 :	Interstitielle Nierenentzündung herdförmig	diffus	Leptospiren-Ausscheidung[§] in Wochen
MAUS	Jungtiere (18)[+]	50 - 100	9	1	18
	Erwachsene (12)	50 - 200	7	0	10
FELDMAUS	Jungtiere (22)	50 - 200	9	12	12
	Erwachsene (16)	200 - 800	10	6	8

\+ = Anzahl der Tiere in Klammern, die verwertbare Daten ergaben

x = Bestimmung der Agglutinationstiterwerte in der 3. - 5. Woche p. inf.

§ = Nierenuntersuchung auf Anwesenheit von Leptospiren mit Kultur- und Silberimprägnationsverfahren

Tabelle 3: Verlauf der Pomona-Leptospirose bei den per os infizierten jungen Feldmäusen und Goldhamstern

Tierart	Gesamtzahl	davon gestorben	Untersuchungsergebnisse bei getöteten Tieren: Blutprobe	Leptospiren-Isolierung aus Nierengewebe
FELDMAUS	6	0	1[x]	0
GOLDHAMSTER	4	2[§]	2[+]	2[+]

§ = zwei Goldhamster starben an akuter Leptospirose am 9. und 11. Tag nach der per os Infektion

x = Pomona-Agglutinationstiterwert von 1:50, im Nierengewebe geringgradige lymphozytäre Entzündung ohne Leptospiren-Isolierung

\+ = beide in der Entwicklung zurückgeblieben mit Pomona-Agglutinationstiterwerten von 1:800 bzw. 1:600. Im Nierengewebe ausgeprägte interstitielle lymphozytäre Nephritis mit positivem Leptospirenbefund.

Zusammenfassung

Untersuchungen zur Empfänglichkeit der Feldmaus (Microtus arvalis) für Leptospira interrogans serovar pomona

Mit einem virulenten Stamm der Leptospira interrogans serovar pomona wurden insgesamt 34 weiße Mäuse (resistente Tiere), 54 Feldmäuse und 12 Goldhamster (empfängliche Tiere) intraperitoneal infiziert. Ein Viertel der jungen (20 - 24 g) Feldmäuse sind am 6. - 11. d p. infolge schwerer Nephritis verstorben. Die durchseuchten Tiere zeigten eine feste Serokonversion, und die Leptospiren konnten aus ihren Nieren bis zu drei Monaten p. inf. nachgewiesen werden. Selbst die jungen (16 - 21 g) weißen Labormäuse blieben symptomfrei. Die Goldhamster starben am 4. - 6. d p. inf. an akuter Pomona-Leptospirose. Die Ergebnisse zeigen, daß die Feldmaus (wie der wilde Hamster) nur für Leptospira interrogans serovar grippotyphosa als Wirt betrachtet werden kann, weil die letztere Serovar gegenüber Feldmäusen eine schwächere Pathogenität besitzt.

Summary

Studies into Vulnerability of Common Vole (Microtus arvalis) to Leptospira interrogans serovar pomona

A virulent strain of Leptospira interrogans serovar pomona was used for intraperitoneal infection of 34 white laboratory mice (resistant animals) as well as of 54 common voles and twelve hamsters (susceptible animals). One quarter of the juvenile common voles (with body weights between 20 g and 24 g) died of severe nephritis, within six to eleven days from infection. Solid seroconversion was exhibited by the contaminated animals, and leptospira was recordable from their kidneys up to three months from infection. Symptoms were not even recorded from the juvenile white laboratory mice (with body weights between 16 g and 21 g). The hamsters died of acute pomona leptospirosis, within four to six days from infection. The results are likely to suggest that common vole and wild hamster can be considered as hosts only for Leptospira interrogans serovar grippotyphosa, since the latter serovar has proved to be of lower pathogenicity to common vole.

Résumé

Analyses de la sensibilité du campagnol (Microtus arvalis) au Leptospira interrogans serovar pomona

34 souris blanches expérimentales (des animaux résistants), 54 campagnols et 12 hamsters (des animaux sensibles) ont été infecté par voie intrapéritonéale d'une souche virulente de Leptospira interrogans serovar pomona. 25 % des jeunes campagnols (20 - 24 g) ont succombé le 6 - 11 d p. à cause d'une forte néphrite. Les animaux infestés ont manifesté une séroconversion fixe, et il y a été possible d'indentifier des leptospires, dans leurs reins, jusqu'à trois mois p.inf. Même les jeunes souris blanches expérimentales (16 - 21 g) sont restés sans symptomes. Les hamsters ont succombé le 4 - 6 d p.inf. à cause d'une pomona-leptospirose aigue. Les résultats soulignent que le campagnol ainsi que le hamster sauvage peuvent être considérés comme des animaux hôtes seulement pour leptospira interrogans serovar grippothyphosa, étant donné que le dernier sérovar possède une pathogénité plus faible vis-à-vis des campagnols.

Резюме

Изучение чувствительности полевой мыши к Leptospira interrogans serovar pomona

Вирулентным штаммом Leptospira interrogans serovar pomona были инфицированы 34 белые лабораторные мыши (резистентные животные),54 полевые мыши и I2 золотых хомячков (животные с повышенной чувствительностью).Одна четверть молодых полевых мышей (20 - 24 г.) погибла в течение 6 - II дней от тяжелого нефрита.Зараженные животные твердую сероконверсию и лептоспиры могут быть выделены из их почек в течении трех месяцев.Даже совсем молодые белые лабораторные мыши (I6 - 2I г.) синтомов заболевания не имели.Золотые хомячки погибли на 4 - 6 день от начала инфекции от острогр номона-лептоспироза. Результаты паказали,что полевая мышь и дикий хомячек могут служить переносными хозяивами только для Leptospira interrogans serovar grippotyphosa , так как ее серовар обладает против полевой мыши пониженный патогенитет.

Literaturverzeichnis

BORG-PETERSEN, C., and K. L. FENNESTAD (1956): A field rodent /Apodemus agrarius/ as carrier of Leptospira pomona in Denmark. J. Am. Vet. Med. Ass. 128, 204 - 205.

FÜZI, M., ALFÖLDY, Z., KISZEL, J., und I. RADITZ (1955): Die Leptospiren-Infektion der Feldnagetiere in einem Gebiet von Westungarn. Acta Microbiol. Hung. 4, 155 - 161.

FÜZI, M., und J. KISZEL (1962): Leptospirosenepidemie in einer westungarischen Gemeinde. Acta Microbiol. Hung. 9, 167 - 173.

HENGL, R., KASZA, L., und F. KEMENES (1958): Die Abnahme der Milchproduktion (Mastitis) bei Kühen infolge Grippotyphosa-Leptospirose. Magy. Áo. Lapja, 13, 33 - 38.

KARASEVA, E. V., and J. L. KOKORIN (1965): Observation over the circulation of Leptospira pomona among Apodemus agrarius Pall. in winter. Zurn. Mikrobiol. Epid. Immun. No. 7, 89 - 92.

KATHE, J. (1940): Das Schlamm- oder Feldfieber als Berufskrankheit. Ärztl. Sachverstd. Ztg. LXVI, 17 - 23.

KATHE, J. (1943): Infektion mit Leptospira grippotyphosa bei Tieren und ihre Bedeutung für die Epidemiologie des Schlamm-Feldfiebers. Zschr. Immunf. 103, 60 - 67.

KATHE, J. (1947): Experimentelle Untersuchungen über die Infektion von Mäusen mit Leptospira grippotyphosa Zbl. Bakt. I. Orig. 152, 479 - 489.

KELEN, A. (1952): Bovine leptospirosis in Hungary. Acta Vet. Hung. 2, 289 - 302.

KEMENES, F. (1958): Leptospiral serotypes in Hungary, Acta Vet. Hung. 8, 43 - 50.

KEMENES, F., and Gy. SZEMERÉDI (1961): Epizootiological aspects of porcine abortion due to Leptospira pomona in Hungary. Acta Vet. Hung. 11, 1 - 12.

KRUGLIKOW, W. M., SCHALNJOWA, A. M., GUSATSCHOWA, W. J., SAIZEW, A. A., und E. W. KOKROWSKAJA (1956): Leptospiroseninfektionsquellen natürlicher Herkunft auf Grund von in der Stawropoler Region gesammelten Angaben. Zurn. Mikrobiol. Epid. Immun. No. 11, 50 - 64.

MOCHMANN, H. (1956): Leptospirenuntersuchungen an Haustieren. Berl. Münch. Tierärztl. Wschr. 70, 181 - 185.

MÓRITZ, D., und A. ILLÉNYI (1939): Leptospirosa grippotyphosa-Fälle in Ungarn. Orvosi Hlap. 80, 205 - 209.

RIMPAU, W. (1942/1943): Systematische Untersuchungen der Feldmäuse auf Leptospiren. Münch. Med. Wschr. 991 - 994 und 46 - 51.

SCHÜFFNER W., und H. BOHLANDER (19421): Die Feldmaus als Träger des Schlammfiebers in Holland. Zbl. Bakt. I. Orig. 148, 264 - 269.

SCHÜFFNER, W., und H. BOHLANDER (1942b): Klinische und bakteriologische Beobachtung einer Laboratoriumsinfektion mit Schlammfieber. Anhaltende Leptospirurie. Zbl. Bakt. I. Orig. 149, 193 - 201.

SCHÜFFNER, W., und H. BOHLANDER (1942c): Die Feldmaus (Microtus arvalis) als Träger des Schlammfiebers (syn. Ernte-Wasser-Feldfieber). Zbl. Bakt. I. Orig. 149, 359 - 364.

SZENES, L., und Zs. BIRÓ (1956): Leptospirosenherde in Ostungarn. Acta Microbiol. Hung. 3, 19 - 26.

TARASOFF, S. (1931): Sur la decouverte de l'agent infectieuse de la Schlammfieber on leptospirosis grippotyphosa aqautilis. Ann. Inst. Pasteur. 36, 222 - 225.

WALFOLOMEJEWA, A. A., und A. S. NIKIFOROWA (1949): Die Rolle der mäuseartigen Nagetiere in der Epidemiologie des Wasserfiebers. Zurn. Mikrobiol. Epid. Immun. No. 6, 65 - 69.

Anschrift der Verfasser: Dr. F. Kemenes und Dr. L. Fábián
Veterinärmedizinisches Impfstoffwerk "PHYLAXIA"
H - 1486 Budapest
Postfach 23 (Ungarische VR)

Abbildung 1

Veränderungen im Körpergewicht bei den jungen weissen Mäuse /8/□ und Feldmäusen /9/□ von dem Tage der Infektion /I./ bis zum 11. Tage p. inf. /II. - Tötungszeit/

Körpergewicht (KM)

I. am Tage der Infektion bei weissen Mäusen 18-20 g
bei Feldmäusen 21-22 g

II. am 11. Tage nach der Infektion, siehe die

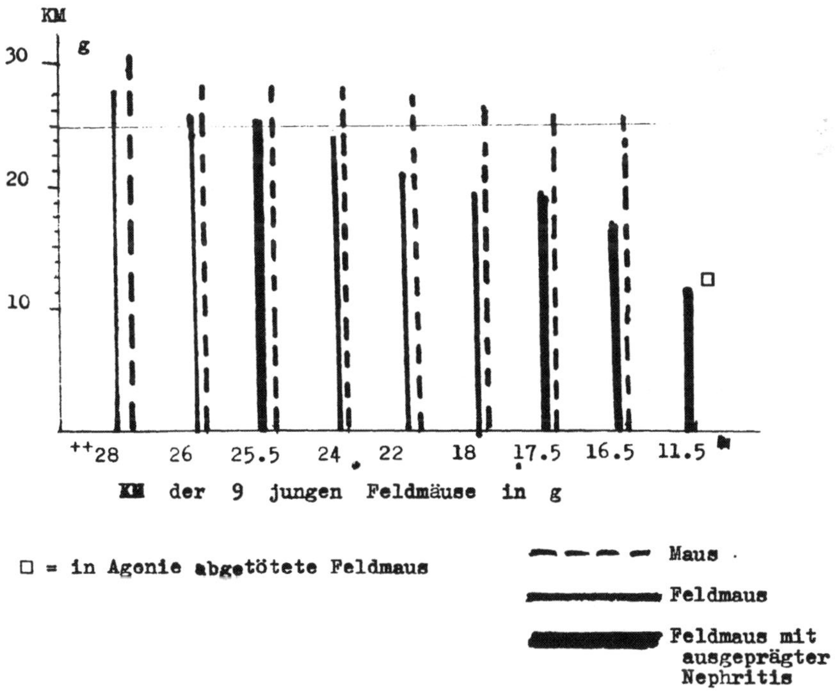

Aus dem Zoologischen Garten Berlin (Direktor: Prof. Dr. H.-G. KLÖS)

VORKOMMEN UND BEDEUTUNG VON CRYPTOCOCCUS NEOFORMANS IN ZOOLOGISCHEN GÄRTEN[x]

Von R. Göltenboth und H.-G.. Klös

Einleitung

Die Zoologischen Gärten in aller Welt stehen heute in vielfacher Hinsicht im kritischen Blick der Öffentlichkeit. Dabei geht es zwar in erster Linie um Fragen des Arten- und Tierschutzes und der artgerechten Haltung von Zootieren, aber auch ganz allgemein um den Schutz der Tierpfleger, der Zoobesucher und der Bevölkerung vor Gefahren, die von Zootieren ausgehen können. Auch wenn aufgrund der intensiven Gesundheitsüberwachung der Tierbestände, der strengen Quarantänemaßnahmen und der weitgehenden räumlichen Trennung von Publikum und Zootieren in den modernen Zoologischen Gärten derartige Gefahren als sehr gering angesehen werden können, müssen die Tiergärten und Zootierärzte doch alles tun, um mögliche Gefahrenquellen auszuschalten. Die vorliegende Arbeit soll dazu einen kleinen Beitrag leisten.

Cryptococcus neoformans ist den pathogenen Pilzen wie etwa Aspergillus und Mucorales zuzuordnen, deren zunehmende Bedeutung darin liegt, daß immer mehr immungeschwächte Personen einer oft tödlich verlaufenden aerogenen Pilzinfektion erliegen. Zytostatisch oder immunsuppressiv Behandelte, Leukämie- und Urämiepatienten, Personen mit Organtransplantationen und solche, die an AIDS erkrankt sind, fallen immer häufiger derartigen tiefen Mykosen zum Opfer. Es ist daher einerseits notwendig, Gefährdete durch intensive Aufklärung von Infektionsquellen fernzuhalten, und andererseits diese Streuherde nach Möglichkeit zu beseitigen. Während Mucor- und Aspergillus-Sporen häufig in Topfpflanzenerde, Humus, Vogelfäkalien, Nüssen und alten Backwaren vorkommen, gedeiht Cr. neoformans vorwiegend in alten Vogelfäkalien. So wird weltweit das Vorkommen dieses Erregers vor allem in alten und trockenen Kotansammlungen von Stadttauben beobachtet (AJELLO, 1980; BENNETT, 1977; EMMONS et al., 1977; KAUFMANN und BLUMER, 1977; POWELL et al., 1972; REFAI et al., 1983; STAIB, 1962b; STAIB und BETHÄUSER, 1968; WEEKS et al., 1982; WEILAND et al., 1968). Darüber hinaus haben die Untersuchungen von STAIB und Mitarbeitern gezeigt, daß Cr. neoformans , wenn auch vereinzelt, in den Fäkalien (Kot-Harngemisch) verschiedener Vogelarten vorkommen kann, die in Käfigen und Volieren in Privathand gehalten werden (GROSSE et al., 1981; STAIB, 1961, 1962a, 1962b, 1963b, 1964; STAIB et al., 1978). WEGENER und STAIB (1983) berichteten auch über eine tödlich verlaufende Kryptokokkose des Zentralnervensystems (ZNS) bei einem Vogelliebhaber, der sich Wellensittiche hielt. In den Fäkalien dieser Vögel konnte Cr. neoformans nachgewiesen werden. Ebenso hatten zwei Patienten, die nach einer Nierentransplantation an einer Kryptokokkose des ZNS verstarben, in ihrem Wohnbereich Wellensittiche (STAIB, 1982; STAIB et al., 1977).

Daß Cr. neoformans, wenn auch vereinzelt, in Zoologischen Gärten in Deutschland vorkommen kann, zeigte STAIB (1961) und GUGNANI et al., 1972, 1976), die diesen Pilz im Taubenhaus des Zoologischen Gartens von Delhi fanden wie auch im Sputum eines Tierpflegers, der an einer Lungenentzündung erkrankte.

Untersuchungen im Berliner Zoo

Die mykologischen Untersuchungen wurden von Prof. Dr. med., Dr. med. vet. F. STAIB, J. SCHULZ-DIETERICH, M. HEISSENHUBER und W. ALTMANN, Fachgruppe Mykologie am Robert Koch-Institut des Bundesgesundheitsamtes Berlin (West) durchgeführt.

Im Mai und Juni 1983 wurden von insgesamt 142 verschiedenen Vogelarten des Berliner Zoos mit Sand vermischte Kotproben entnommen und auf das Vorkommen von Cr. neoformans untersucht. Mit Hilfe des von STAIB (1962c) entwickelten Differentialnährbodens (Guizotia abyssinica-Kreatinin-Agar) konnte bei vier Vogelarten Cr. neoformans nachgewiesen werden. Es handelte sich dabei um folgende Arten:

x) Herrn Ernst-August Pistor, dem stellvertretenden Aufsichtsratsvorsitzenden, zur Vollendung seines 65. Lebensjahres gewidmet.

Eulenschwalm (Podargus strigoides) - einzeln in einer relativ kleinen Voliere im Vogelhaus untergebracht, Arakakadu (Probosciger aterrimus), Soldatenara (Ara militaris) und Graupapagei (Psittacus erithacus) - alle drei Arten in größeren Gruppen in Großvolieren im Papageientrakt des Vogelhauses lebend. Dabei konnte der Erreger nicht nur aus ein bis zwei Tage altem Kot, sondern auch aus frischen Ausscheidungen des Eulenschwalms isoliert werden. Dies deckt sich mit an anderer Stelle gewonnenen Erkenntnissen (STAIB, 1962a), daß Cr. neoformans von einem Vogel aufgenommen und innerhalb weniger Stunden oder noch bis acht Tage danach unbeschädigt mit dem Kot wieder ausgeschieden werden kann. Auch seine Widerstandskraft gegen Austrocknung (STAIB, 1963a) und sein Überleben an trockenen Materialien wie Sand, Federn und Futter machen es möglich, daß der Erreger wiederholt den Verdauungstrakt eines Käfigvogels passieren kann. Ein derartig kontaminierter Vogel ist klinisch und pathologisch-anatomisch unauffällig. Bei einem aus anderer Ursache verendeten Arakakadu, in dessen Fäkalien mehrfach Cr. neoformans nachgewiesen wurde, konnte auch trotz umfangreicher Untersuchungen aller Organe, einschließlich des Kopfes, der Erreger nicht isoliert werden (STAIB, 1985b). Dies läßt vermuten, daß Cr. neoformans bevorzugt nur in den Fäkalien, also außerhalb des Vogelkörpers, zur Ansiedlung und Vermehrung gelangt.

Desinfektion und Keimzahlbestimmung im umgebenden Luftstaub

Die Cr. neoformans-positiven Volieren wurden in der Folgezeit routinemäßig mit einer 0,5 %igen Formalinlösung desinfiziert. Um festzustellen, ob sich noch vermehrungsfähige Sporen von Cr. neoformans im umgebenden Luftstaub der Cr. neoformans-positiven Volieren finden, wurden im Februar und März 1984 zweimal im Abstand von 14 Tagen die Volieren der Arakakadus, der Soldatenaras und der Graupapageien untersucht (STAIB, 1985a). Hierbei wurde neben der Entnahme von Kot- und Sandproben mit Hilfe eines Luftansauggeräts (Reuter Centrifugal Sampler RCS) der umgebende Luftstaub auf Cr. neoformans untersucht. Es wurde festgestellt, daß von den drei untersuchten Volieren nur die der Arakakadus noch mit Cr. neoformans kontaminiert war. Bei beiden Untersuchungen konnten aus je 40 l Luft 5 koloniebildungsfähige Einheiten von Cr. neoformans auf dem Differentialnährboden (Guizotia abyssinica-Kreatinin-Agar) angezüchtet werden. Auch die Kotprobenuntersuchungen waren positiv.

Weitere Kontrolluntersuchungen im Juli und September 1985 ergaben, daß trotz der Desinfektion der Volieren mit 2 %iger Formalinlösung, in Fäkalien- wie auch Luftproben, vereinzelt vermehrungsfähige Einheiten von Cr. neoformans nachgewiesen werden konnten (STAIB und HEISSENHUBER, unveröffentlich). Die Anwendung 5 %iger Formalinlösung, wie sie in einer Veröffentlichung aus den USA (WEEKS et al., 1982) empfohlen wird, war aufgrund der entstehenden stark reizenden Dämpfe im Vogelhaus nicht durchführbar.

Diskussion

Angesichts der stetig wachsenden Zahl von Menschen, die, sei es durch therapeutische Maßnahmen, sei es durch Krankheit immungeschwächt sind, wird sich das Augenmerk einer sensibilisierten Öffentlichkeit mehr und mehr auch auf die Infektionsquellen richten. Deshalb sollte besonders auch in den Zoologischen Gärten alles mögliche versucht werden, um Cr. neoformans-Standorte und -Streuherde zu beseitigen.

Die vorliegenden Untersuchungen haben gezeigt, daß Cr. neoformans in Sand und Fäkalien von Volieren, wenn auch nur weniger Vogelarten, im Vogelhaus des Berliner Zoos nachgewiesen werden konnte (STAIB und SCHULZ-DIETERICH, 1984). Warum sich das Vorkommen auf nur 4 von 142 Vogelarten, darunter drei Papageienarten, beschränkte und es auch offensichtlich zu keiner nachweisbaren Ausbreitung auf andere Volieren im Vogelhaus kam, ist eine offene Frage. Obwohl alter und trockener Vogelkot als der bevorzugte Standort von Cr. neoformans angesehen werden muß, konnte der Erreger bei den vorliegenden Untersuchungen auch im frischen Vogelkot mehrfach nachgewiesen werden. Mit Hilfe des Luftkeimsammlers RCS unter Verwendung des Differentialnährbodens Guizotia abyssinica-Kreatinin-Agar war es möglich, aus der die Voliereneinrichtungen der Rabenkakadus umgebenden Luft koloniebildungsfähige Einheiten von Cr. neoformans zu isolieren (STAIB, 1985a). Ferner wurde festgestellt, daß trotz häufiger Reinigung und Desinfektion der Volieren mit 0,5 und 2 %iger Formalinlösung Cr. neoformans im Käfig der Rabenkakadus wiederholt gefunden werden konnte. Es muß angenommen werden, daß das Desinfektionsmittel die Erreger in den Spalten der Sitzstangen und -bäume nicht immer erreichte und einzelne Cr. neoformans-

Zellen im Gefieder,am Schnabel oder After der Vögel überleben. In dieser Hinsicht sind weitere Untersuchungen erforderlich, insbesondere auch, ob es möglich ist, das Gefieder um den Schnabel und den After der Vögel von Keimen frei machen zu können.

Vorläufige Empfehlungen zur Bekämpfung von Cr. noeformans-Standorten in einem Zoo

Angesichts der nachgewiesenen Pathogenität von Cr. neoformans für Risikopatienten sollte in den Vogel-, Hühner- und Fasanenhäusern vermehrt auf Sauberkeit und Vermeidung von Anhäufung von Vogelfäkalien und Staub geachtet werden. Routinemäßige mykologische Kontrolluntersuchungen auf Cr. neoformans sind zu empfehlen. Falls dieser Erreger in einer Voliere gefunden wird, sollte nach Herausnehmen der Vögel der Boden, die Gitter, die Wände und sämtliche Einrichtungsgegenstände einer gründlichen Reinigung und anschließenden Desinfektion mit mindestens 3- bis 5 %iger Formalinlösung unterzogen werden.

Zusammenfassung

Vorkommen und Bedeutung von Cryptococcus neoformans in Zoologischen Gärten

Durch mykologische Untersuchungen mit Hilfe des Differentialnährbodens Guizotia abyssinica-Kreatinin-Agar (nach STAIB) und eines Luftkeimsammelgerätes (RCS) konnte in einigen Volieren des Vogelhauses im Zoo Berlin sowohl in Fäkalien als auch im umgebenden Luftstaub der Einrichtungsgegenstände mehrfach Cryptococcus neoformans nachgewiesen werden. Es wird auf die Gefahr für resistenzgeschwächte Personen hingewiesen und eine mykologische Überwachung und Bekämpfung durch geeignete Desinfektionsmaßnahmen solcher Erreger-Standorte und Infektionsherde empfohlen.

Summary

Occurrence of Cryptococcus neoformans in Zoological Gardens

Cryptococcus neoformans was repeatedly recorded from faeces, airborne dust, and utensils in some aviaries of the bird house of the Berlin Zoo by means of Staib's differential medium guizotia abyssinica creatinine agar and a Reuter centrifugal sampler (RCS). Resulting dangers are underlined to persons with immune deficiency. Recommended are mycological monitoring as well as control by effective disinfection of pathogen sites and infection foci.

Résumé

Présence et importance du Cryptococcus neoformans dans les jardins zoologiques

Les examens mycologiques à l'aide d'un bouillon de culture Guizotia abyssinica-créatinine-Agar (d'après STAIB) et d'un dispositif collecteur des germes dans l'air (RCS) effectués dans quelques volières du Zoo de Berlin ont permis d'identifier plusieurs fois dans les excréments ainsi que dans la poussière entourant les pièces d'équipement le Cryptococcus neoformans. L'auteur renvoie au danger pour les personnes à résistance affaiblie et recommande un contrôle mycologique et la destruction de ces sites des agents pathogènes et foyers d'infection par des mesures appropriées de désinfection.

Резюме

Распространение и значение Cryptococcus neoformans в зоологическом саду.

В вольере и птичьих домиках зоопарка города Берлина методом микологических исследований с помощью диференцированной питательной среды Guizotia abyssinica-Kreatinin-Agar и прибора по определению зараженности воздуха обнаружено многократно наличие как в фекалиях, так в окружающей оборудование воздушной пыли. Указывается на опастность, возникающую для персонала, резистентного по отношению к Cryptococcus neoformans Предлагается организация микологического контроля и применение дезинфекционных средств в очаге возникновения возбудителя инфекции.

Literaturverzeichnis

AJELLO, L. (1980): Natural habitats of the fungi that cause pulmonary mycoses. In: H.-J. PREUSSER (ed): Medical Mycology. Zbl. Bakt. Suppl. Stuttgart, New York: Fischer, 8, 31 - 42.

BENNETT, J.E., KWON-CHUNG, K.J., and D.H. HOWARD (1977): Epidemiologic differences among serotypes of Cryptoooccus neoformans. Am. J. Epidemiol. 105, 582 - 586.

EMMONS, Ch.W., BINFORD, Ch.H., UTZ, J.P., and K.J. KWON-CHUNG (1977): Medical Mycology. 3rd Ed. Philadelphia: Lea & Febiger.

GROSSE, G., NIEDOBITEK, F., L'AGE, M., und F. STAIB (1981): Chronische Lungenkryptokokkose - Ein kasuistischer Beitrag zur Diagnostik der Kryptokokkose des Menschen aus pathologisch-anatomischer Sicht. Dtsch. med. Wschr. 106, 1035 - 1037.

GUGNANI, H.C., GUPTA, N.P., and J.B. SHRIVASTAV (1972): Prevalance of Cryptococcus neoformans in Delhi zoological park und its recovery from the sputum of an employee. Indian J. Med. Res. 60, 182 - 185.

GUGNANI, H.C., SANDHU, R.S., and S.K. SHOME (1976): Prevalence of Cryptococcus neoformans in avian excreta in India. Mykosen 19, 183 - 187.

KAUFMAN, L., and S. BLUMER (1977): Cryptococcosis: The awakening giant. Proc. Fourth Internat. Conference of the Mycoses. PAHO, Sci. Publ. No. 356, 176 - 182.

POWELL, K.E., DAHL, B.A., WEEKS, R.J., and F.E. TOSH (1972): Airborn Cryptococcus neoformans particles from pigeon excreta compatible with alveolar deposition. J. Infect. Dis. 125, 412 - 415.

REFAI, M., TAHA, M., SELIM, S.A., ELSHABOURII, F., and H.H. JOUSSEFF (1983): Isolation of Cryptococcus neoformans, Candida albicans and other yeasts from pigeon droppings in Egypt. Sabouraudia 21, 163 - 165.

STAIB, F. (1961): Vorkommen von Cryptococcus neoformans im Vogelmist. Zbl. Bakt. I. Abt. Orig. A 182, 562 - 563.

STAIB, F. (1962a): Cryptococcus neoformans beim Kanarienvogel. Zbl. Bakt. I. Abt. Orig. A 185, 129 - 134.

STAIB, F. (1962b): Vogelkot, ein Nährsubstrat für die Gattung Cryptococcus. Zbl. Bakt. I. Abt. Orig. A 186, 233 - 247.

STAIB, F. (1962c): Cryptococcus neoformans und Guizotia abyssinica (syn. G. Oleifera D.C.) (Farbreaktion für Cr. neoformans). Z. Hyg. 148, 466 - 475.

STAIB, F. (1963a): Zur Widerstandsfähigkeit von Cryptococcus neoformans gegen Austrocknung und hohe Temperaturen. Arch. Mikrobiol. 44, 323 - 333.

STAIB, F. (1963b): New concepts in the occurrence and identification of Cryptococcus neoformans. Mycopathologia 19, 143 - 145.

STAIB, F. (1964): Zur Cryptococcose bei Mensch und Tier unter besonderer Brücksichtigung des Vorkommens von Cr. neoformans im Vogelmist. Tierärztl. Umschau 19, 69 - 72.

STAIB, F. (1982): Mykotische Meningoenzephalitiden. Bundesgesundheitsblatt 25, 305 - 314.

STAIB, F. (1985a): Sampling and Isolation of Cryptococcus neoformans from Indoor Air with the Aid of the Reuter Centrifugal Sampler (RCS) and Guizotia abyssinica Creatinin Agar. A Contribution to the Mycological Epidemiological Control of Cr. neoformans in the Fecal Matter of caged Birds. Zbl. Bakt. I. Abt. Orig. B 180, 567 - 575.

STAIB, F. (1985b): Persönl. Mitteilung.

STAIB, F., und G. BETHÄUSER (1968): Zum Nachweis von Cryptococcus neoformans im Staub von einem Taubenschlag. Mykosen 11, 619 - 624.

STAIB, F., GROSSE, G., SCHOON, A., BERGER, R., und Th. ABEL (1977): Cryptococcose, Zufallsdiagnose post mortem - neue Gesichtspunkte zur Pathogenie. Mykosen 20, 319 - 325.

STAIB, F., GRAVE, B., ALTMANN, L., MISHRA, S.K., ABEL, Th.,and A. BLISSE (1978): Epidemiology of Cryptococcus neoformans. Mycopathologia 65, 73 - 76.

STAIB, F., and J. SCHULZ-DIETERICH (1984): Cryptococcus neoformans in Fecal Matter of Birds kept in Cages - Control of Cr. neoformans Habitats. Zbl. Bakt. I. Abt. Orig. B 179, 179 - 186.

WEEKS, R.J., DATTOLO, A.R., and L. AJELLO (1982): Elimination of a potential Cryptococcus neoformans health hazard in a historic building about to be renovated. J. Environmental Health 45, 70 - 73.

WEGENER, H.H., und F. STAIB (1983): Tödliche Cryptococcose eines Vogelliebhabers. Ein kasuistischer Beitrag zur Pathologie. Diagnostik und Epidemiologie der Cryptococcose. Zbl. Bakt. A 256, 231 - 238.

WEILAND, E.K., BÖHM, K.H., und I.S. ABDALLAH (1968): Zum Vorkommen von Cryptococcus neoformans in Tauben. Berlin, München: Tierärztl. Wschr. 81, 397 - 416.

Anschrift der Verfasser: Dr. R. G ö l t e n b o t h
und Prof. Dr. H.-G. K l ö s
Zoologischer Garten Berlin
Hardenbergplatz 8
1000-Berlin 30 (Berlin-West)

Aus der Helminthologie der Hoechst AG, Frankfurt/M

ZUR BEHANDLUNG VON HELMINTHOSEN BEI TIEREN IN ZOOLOGISCHEN GÄRTEN - EINE ÜBERSICHT

von D. Düwel und K. Schmid

Das Ziel der tierärztlichen Betreuung eines Zoos liegt darin, einerseits dem Besucher gesunde Tiere in optisch einwandfreiem Zustand zu zeigen und andererseits durch eigene Nachzucht den Bestand des Tierparks oder sogar den Fortbestand von der Ausrottung bedrohter Tierspezies zu sichern. Hierbei müssen neben anderen Infektionskrankheiten auch Helminthosen berücksichtigt werden, da sie die Vitalität der Tiere, insbesondere aber auch die Aufzucht von Jungtieren (IPPEN und HENNE, 1982), beeinträchtigen. Man kann davon ausgehen, daß bis zu 50 % der im Zoo lebenden Tiere von Helminthen befallen sind (SOSNOWSKI und ZUCHOWSKA, 1981, BARUTZKI et al., 1985).

Zum einen wird der Zootierarzt bei Neuzugängen von Tieren mit diesem Problem konfrontiert, zum anderen stellt der Zoologische Garten selbst ein Biotop dar, das durch die Haltung der Wirtstiere auf engem Raum den Helminthen die Voraussetzung schafft, ihren Lebenszyklus aufrecht zu erhalten. Besonders Vertreter der Geohelminthen finden in den kleinen Lebensräumen der Zootiere optimale Lebensbedingungen, so daß es immer wieder zu Reinfektionen kommt (SOSNOWSKI und ZUCHOWSKA, 1981). Vergleichbare Voraussetzungen sind für die von verschiedenen Zwischenwirten abhängigen Biohelminthen in der Regel nicht gegeben, wenngleich ihre Bedeutung, die stark von den landschaftlichen Gegebenheiten eines Zoos abhängt, nicht vernachlässigt werden darf. So rangierte im Zoo Gottwaldov-Lešná in der ČSSR, der sich durch trockene Abhänge im Wechsel mit Sumpfbiotopen auszeichnet, Muellerius capillaris hoch vor den Trichostrongyliden bei Mufflons und Hirschen an erster Stelle und die größten, endoparasitär bedingten Verluste wurden durch Fasciola hepática hervorgerufen (FROLKA und ZAVADIL, 1985).

In einer Bestandsaufnahme im Münchner Zoo Hellabrunn über neun Jahre von 1976 bis 1984 (BARUTZKI et al., 1985) standen bei den Wiederkäuern Trichostrongyliden im Vordergrund, wobei afrikanische Wiederkäuer wie Gazellen und Antilopen rund doppelt so stark betroffen waren wie einheimische Mufflons, Gemsen und Hirsche. Fohlen und Jährlinge verschiedener Equiden hatten sich vor allem mit Zwergfadenwürmern und Spulwürmern auseinanderzusetzen, und Vögel waren hauptsächlich von Haarwürmern befallen. Bei den Feliden stachen immer wieder Askariden ins Auge, wogegen Affen nur in geringem Umfang mit Zwergfadenwürmern infiziert waren, die jedoch als sehr gefährlich einzustufen sind und zu Todesfällen führen können (FEHLMANN et al., 1983). Abgesehen davon, daß jeder Zoo aufgrund besonderer Verhältnisse mit speziellen Parasitenproblemen bei Einzeltieren konfrontiert ist, stimmen diese Befunde aus München in der Tendenz mit anderen Zoos, wie z. B. dem von Halle (HEYMANN, 1981) oder von Dvůr Králové and Labem (ČSSR) überein (MOUCHA, 1981).

Die Entwicklung von Anthelminthika speziell für landwirtschaftliche Nutztiere durch die pharmazeutische Industrie hat während der letzten 30 Jahre entscheidende Fortschritte erzielt, die auch dem Zootierarzt zugute kommen. Wie von DÜWEL (1981) dargestellt, konnte die Dosis von modernen Breitspektrum-Präparaten für Wiederkäuer auf unter 10 mg/kg KM gesenkt werden bei gleichzeitiger besserer Verträglichkeit und therapeutischer Breite. So mußten z. B. 1960 zur Therapie von Magen-Darm-Strongyliden beim Schaf noch 200 mg/kg KM Methyridin verabreicht werden bei einer Dosis tolerata maxima von 2000 mg/kg KM, wogegen z. B. heute 5 mg/kg KM Fenbendazol therapeutisch wirksam sind und auch noch 10.000 mg/kg KM toleriert werden.

Im folgenden werden nach Literatur-Berichten und eigener Erfahrung Anthelminthika für die Behandlung von Helminthosen, die bei Tieren in zoologischen Gärten verbreitet und wegen ihrer Schadwirkung bedeutsam sind, aufgelistet. Dabei werden ausgewählte Tiergruppen, die in Zoos am häufigsten vertreten sind, besprochen. Die angegebenen Dosierungen beziehen sich auf den Wirkstoff.

AFFEN

Parasiten-Befall in dieser Tiergruppe führt in Tiergärten oft zu klinischen Erkrankungen trotz sachgerechter Hygiene und, wenn nicht rechtzeitig chemotherapeutische Maßnahmen ergriffen werden, auch zu erheblichen Ausfällen.

Strongyloides (Zwergfadenwurm) kann wegen seiner kurzen Präpatenzperiode (8 - 10 Tage) schnell zu massiven Infektionen führen. Eine Chemotherapie mit z. B. Tiabendazol: 4^d x 25 - 50 mg/kg KM im Futter oder mit anderen Breitspektrum-Anthelminthika über mehrere Tage ist angezeigt. Wegen der autogenen und exogenen Reinfektionsmöglichkeit und auch wegen parasitierender Stadien im Wirtskörper bei nicht vollständiger Heilung nach Behandlung, sind wiederholte chemotherapeutische Kuren angeraten.
Im Verdauungstrakt parasitieren eine Reihe weiterer Nematoden, die häufig zu klinischen Erkrankungen und Todesfällen führten, bevor die Breitspektrum-Anthelminthika zur Verfügung standen.
Ascaris (Spulwürmer) kann besonders bei jüngeren Tieren zur Verlegung des Darmes führen, gehört aber nicht zu den häufigsten Helminthen, obwohl die Eier dieser Nematoden über Jahre infektionsfähig bleiben. Oxyuris, Enterobius, weniger Prostmayria (Pfriemenschwänze) können durch Staubinfektionen auch von Besuchern in Tiergärten hineingetragen werden. Bei Massenbefall des Dickdarms sind Todesfälle nicht selten gewesen. Wegen der leichten Infektionsgefahr durch Eigen- und Staub-Infektionen ist es ein Muß, hier besonders Anthelminthika mit Immaturen-Wirkung einzusetzen - Fenbendazol in der Dosis von 5^d x 20 mg/kg KM individuell oder im Futter (auch pelletiert) hat bei Alt- wie Neuwelt-Affen ausgezeichnete Wirkung.
Zu häufig anzutreffenden Nematoden sind weiterhin zu zählen: von Oesophagostomum (Knötchenwürmer) parasitieren die Adulten im Dickdarm, wo auch die Larven in den typischen Knötchen leben und über Monate, wenn nicht Jahre parasitieren können. Blutverlust verursachen Ancylostoma (Hakenwürmer). Sie haben einen kurzen Entwicklungszyklus, bei warmen Temperaturen wachsen bereits in 10 - 14 Tagen infektionsfähige Larven heran. Bei nicht ausreichenden hygienischen Verhältnissen kommt es zu Reinfektionen durch perkutanes Eindringen. Capillaria (Haarwürmer) und Trichuris (Peitschenwürmer) werden meist nur bei Freilandhaltung erworben. Ein Massenbefall kann gefährlich werden und eine Behandlung erfordern. Im Gegensatz zu Haar- und Peitschenwürmern stellen Zwischenwirte (Schaben und Käfer) bei ungenügender Hygiene ein Reservoir für Reinfektionen mit Physaloptera (Spiruriden) dar. Die pathogene Bedeutung ist bislang nicht eindeutig; in einer Kolonie Neuwelt-Affen wurden jedoch Todesfälle (> 3,7 %) auf den starken Befall mit diesem Parasiten zurückgeführt.

Nicht selten lassen sich bei Affen Mikrofilarien verschiedener Gattungen im peripheren Blutkreislauf oder in skin-snips feststellen. Die Adulten leben in Organen und Körperhöhlen, ihre therapeutische Behandlung ist ungelöst. Mikrofilarien dagegen können durch Diäthylcarbamazin (14 - 21^d x 20 - 40 mg/kg KM p. o. oder s. c.) eliminiert werden. Aus der Human-Medizin übertragbar ist auch die Anwendung von Ivermectin (1 x 0,2 mg/kg KM s.c.), wobei eine gewisse Einwirkung auf die Adulten nicht auszuschließen ist.
CAVE: streng steriles Arbeiten!

Bandwurmbefall ist - abgesehen von Finnen-Stadien - nicht weit verbreitet. Gelegentlicher Befall durch Bertiella (Zwischenwirte: Schaben/Käfer) ist durch Fenbendazol leicht zu behandeln: 5^d x 20 mg/kg KM p. o.

Große Gefahr für kleine Neuwelt-Affen kann jedoch von Prosthenorchis (Kratzer) - mit unter anderem Schaben als Zwischenwirte - ausgehen. Die im Dünndarm und zum Teil auch im Dickdarm parasitierenden Kratzer dringen mit dem Rüssel tief in die Darmschleimhaut ein und können sie auch perforieren mit der Folge von Peritonitiden. Sie lassen sich leicht durch Fenbendazol (5^d x 50 mg/kg KM) therapieren. Auch die in der Nahrungsaufnahme wählerischen Saimiris akzeptieren Fenbendazol, wenn dieses in die Nahrungstiere injiziert wird. Die Wirkungsweise von Fenbendazol läßt die Würmer im Darm 'verhungern', so daß sie nur noch durch ihren Rüssel im Darm hängen. Vor dem endgültigen Ausschwemmen hat der Wirtskörper genug Zeit, die gesetzten Darmläsionen mit Epithel zu schließen, so daß Sekundär-Infektionen nach erfolgreicher Entwurmung ausbleiben.

Tabelle 1: **Wirksamkeit von Anthelminthika auf Affen-Nematoden**

Dosis-Angaben in mg/kg KM p.o.

	Fenbendazol§	Mebendazol	Tiabendazol
Strongyloides*)	5^d x 50	2^d x 15 - 50 7^d x (2 x 25)	4^d x 25 - 50
Ascaris	5^d x 20	2^d x 15 - 50	4^d x 50
Ancylostoma	5^d x 20	2^d x 15 10^d x 3	4^d x 25 - 35
Capillaria/ Trichuris	5^d x 20	2^d x 15 - 50	4^d x 50
Oesophagostomum	5^d x 20	2^d x 15 - 50	4^d x 25 - 35
Physaloptera	5^d x 20	2^d x 15	4^d x 25 - 35
Oxyuriden	5^d x 20	2^d x 25 - 50	4^d x 50

*) z. T. auch längere Behandlungsperioden erforderlich

§) niedrigere Dosierungen sind häufig auch voll wirksam

WIEDERKÄUER

Trematoden-Befall in dieser Tiergruppe rührt meist aus Infektionen im natürlichen Habitat her, es sei denn, daß in Großgehegen oder im Gatter ein natürliches Reservoir für die Zwischenwirte - meist Wasser- oder Schlammschnecken - existiert. Allerdings sind Trematoden meist sehr langlebig und können - bei fehlender und ungenügender Therapie - auch unter Ausschluß von Reinfektionen noch nach Jahren in ihren Wirten festgestellt werden. Die Leberegel (Fasciola spp.) stellen wohl die gefährlichsten Trematoden dar, weil durch die Zerstörung von Lebergewebe die Leberfunktion erheblich in Mitleidenschaft gezogen wird, wodurch unter anderem nicht nur Abmagerung, sondern auch Fertilitätsstörungen ausgelöst werden. Therapeutische Empfehlungen siehe Tabelle 2. Die Bedeutung einer Dicrocoelium-Infektion ist umstritten, Massenbefall hat sicherlich Auswirkungen auf den klinischen Zustand und kann durch Albendazol (1 x 20 mg/kg KM i. rum.) oder Praziquantel (1 x 50 mg/kg KM p. o.) kontrolliert werden. Von den Egeln des Verdauungstraktes sind die Jugendstadien von Paramphistomum ausgesprochen pathogen, die durch Niclosamid (1 x 57 mg/kg KM p. o.) zu behandeln sind.
Arten von Moniezia gehören neben Avitellina, Thysaniezia und Stilesia zu den am meisten verbreiteten Bandwürmern bei dieser Tiergruppe. Zwischenwirte sind meist Moosmilben. Ein Bandwurmbefall kann sich besonders für junge Tiere katastrophal auswirken und bei Abmagerung auch zum Exitus führen. Für Behandlungen bieten sich an Niclosamid (1^d x 75 - 90 mg/kg KM p. o.) oder Praziquantel (1 x 5 - 10 mg/kg KM p. o.), darüber hinaus sind auch die Benzimidazol-Breitspektrum-Anthelminthika neben ihrer Nematoden-Wirksamkeit auch auf Bandwürmer hochwirksam - siehe Tabelle 3.

Tabelle 2: Wirksamkeit von Anthelminthika bei Fasciola-Befall in Wiederkäuern

Chemische Kurzbezeichnung	empfohlene Dosis große Wiederkäuer (mg/kg KM)	kleine	Wirkung auf immature / adulte Fasciola-Stadien		Sicherheits-Index*
Albendazol[a]	10,0 p.o.	-		3	< 10
Bromphenophos	12,0 p.o.	-	3	1	4 - 5
Nitroxynil	10,0 p.o.	-		2	4
	-	10,0 p.o.	3	1	4
Oxyclozanid	10,0 p.o.	-	3	1 - 2	4
	-	17,0 p.o.		1	4
Rafoxanide	7,5 p.o.	-		1	6
	-	7,5 p.o.	2	1	6
Triclabendazol	12,0 p.o.	-	1	1	15
	-	10,0 p.o.	1	1	20

Legende:

1 = Wirksamkeit 95-100 %; 2 = Wirksamkeit ca. 80 %; 3 = Wirksamkeit ca. 60 %;
() = Wirksamkeit variabel; a) nicht in den ersten Monaten der Gravidität;
b = betr. Ostertagia Typ II; *) Sicherheits-Index= maximal tolerierte Dosis durch therapeutische Dosis (nach Literatur)

Tabelle 3: Wirksamkeit von Anthelminthika auf Wiederkäuer-Nematoden

Chemische Kurzbezeichnung	empfohlene Dosis große Wiederkäuer (mg/kg KM)	kleine	Tricho-strongyliden	Dictyocaulus	Proto-strongyliden	immature Stadien	hypobiotische Stadien	Sicherheits-Index* mehr als:
Albendazol[a]	7,5 p.o.	5,0 p.o.	1	1	(2)	1	(2)	10
Febantel	7,5 p.o.	5,0 p.o.	1	1		1	(2)	40
Fenbendazol	7,5 p.o.	5,0 p.o.	1	1	(2)	1	2	500
Ivermectin	0,2 s.c.	-	1	1		1	1[b]	30
Levamisol	5,0 s.c./i.m.	5,0 s.c./i.m.	)	)			)	8
	7,5 p.o.	7,5 p.o.	) 1	) 1			) (2)	6
	10,0 pour on	-	)	)			)	
Mebendazol	-	10 - 20 p.o.	1	1				20
Oxfendazol	4,5 p.o.	5,0 p.o.	1	1	(2)	1	2	20
Parbendazol	30,0 p.o.	-	1			3		20
Pyrantel	12,5 p.o.	25,0 p.o.	1			3		15
Tiabendazol	75,0 p.o.	50,0 p.o.	1	3		(2)		10

Legende: 1 = Wirksamkeit 95 - 100 %; 2 = Wirksamkeit ca. 80 %; 3 = Wirksamkeit ca. 60 %; () = Wirksamkeit variabel

a) nicht in den ersten Monaten der Gravidität; b) betr. Ostertagia Typ II;

*) Sicherheits-Index = maximal tolerierte Dosis durch therapeutische Dosis (nach Literatur)

Strongyliden und Trichostrongyliden, wie z. B. Chabertia, Oesophagostomum; Haemonchus, Ostertagia, Marshallagia, Trichostrongylus, Cooperia, Nematodirus, Mecistocirrus und andere, finden sich praktisch bei allen Wiederkäuern und sind als immature, hypobiotische oder adulte Stadien mit den neuen Breitspektrum-Anthelminthika leicht zu kontrollieren. Der Entwicklungszyklus verläuft direkt über Ei ⟶ Infektionslarve (L_3) ⟶ Entwicklungsstadien und Adulte im Endwirt.
Für Jungtiere bieten sich Gefahren bei starken oder wiederholten Infektionen mit Strongyloides (Zwergfadenwurm) (hier sollte Tiabendazol oder Ivermectin zur Therapie genommen werden) oder einer Infektion mit Dictyocaulus (Lungenwurm). Da diese Infektionen gerade in kleineren Ausläufen zu massivem Befall führen können, ist rechtzeitige therapeutische Behandlung angezeigt. Es sei auf die Möglichkeit der Vakzinierung mit lebenden Lungenwurmlarven, die durch Röntgenstrahlen teil-inaktiviert wurden, hingewiesen. Jedoch ist für einen vollen Schutz eine Boosterung durch natürliche Infektion erforderlich. Mit den in der Tabelle 3 aufgeführten Anthelminthika läßt sich der Befall kupieren. Bei sogenannten kleinen Lungenwürmern (z. B. Protostrongylus, Muellerius, Cystocaulus u. a.) ist in der Entwicklung eine Landschnecke als Zwischenwirt eingeschaltet. Die pathogene Bedeutung ist bei sonst gesunden Tieren nicht sehr ausgeprägt. ACHTUNG: das Springvermögen von Steinböcken, Bergziegen u. ä. Tieren ist allerdings eingeschränkt, Absturzgefahr !
Therapeutisch sind die in der Tabelle 3 aufgeführten Präparate in wiederholter Applikation anzuwenden.
Auch Toxocara vitulorum (Spulwürmer) ist vor allem bei Kälbern anzutreffen und kann Schäden, bei starkem Befall auch den Tode herbeiführen. Therapie mit Piperazin (1 - 2^d x 70 - 150 mg/kg KM p. o.) oder besser mit den Breitband-Anthelminthika (s. Tabelle 3), die auch immature Askariden abtreiben.

Zu weiteren Nematoden-Arten gehören Bunostomum (Hakenwürmer), deren L_3 auch perkutan in den Wirt eindringen. Diese wie auch Capillaria (Haarwürmer) und Trichuris (Peitschenwürmer) sind gleichfalls durch Behandlung über einige Tage mit den bewährten Präparaten zu behandeln. Mit Fenbendazol sind Peitschenwürmer bei Wisent wie auch Elch (bei Dosierungen von 5^d x 5 - 20 mg/kg KM p. o.) sicher zu behandeln. Den Peitschenwürmern ist in Tiergärten besondere Aufmerksamkeit zu schenken. Im Gegensatz zu den Hauswiederkäuern werden offensichtlich Elch wie auch Wisent und Bison durch Trichuris-Befall schwer in Mitleidenschaft gezogen. Das drückt sich in struppigem Fell, Abmagerung, Kränkeln und schlechter Entwicklung der Schaufeln aus.

Mikrofilarien im Blut (Behandlung: siehe bei Affen) und adulte Filarien in Körperhöhlen treten seltener auf; ihre klinische Bedeutung wird gering eingeschätzt.

H U N D E / K A T Z E N

Drei Parasiten stehen bei diesen Tiergruppen besonders im Blickpunkt: Spulwürmer - Hakenwürmer - Bandwürmer, die für sich allein oder als Mehrfach-Infektion auftreten können.

Trematoden-Infektionen wie u. a. mit Opisthorchis- oder Heterophyes-Arten basieren meist auf Ansteckungen via Zwischenwirten außerhalb Europas. Erstere bewirken bei starkem Befall Leber- und Gallengangs-Veränderungen mit entsprechenden Symptomen, bei letzteren stehen Darmveränderungen im Vordergrund. Eine Therapie ist mit Praziquantel (3^d x 25 mg/kg KM p. o.) möglich.
Eine Reihe von Zestoden-Arten sind bei Hunden und Katzen anzutreffen: Dipylidium, Taenia, Mesocestoides, Diphyllobothrium.
Flöhe und Haarlinge sind Zwischenwirte von Dipylidium; typisches Symptom bei Hunden ist das sogenannte "Schlittenfahren" als Reaktion auf den durch abgehende Proglottiden hervorgerufenen Juckreiz. Ektoparasiten-Bekämpfung als prophylaktische Maßnahme ist zu empfehlen.

Vielfältig sind Taenia-Arten, deren Zwischenwirte Beutetiere von Hunden und Katzen sind (Kaninchen, Hasen, Schafe, Ziege, Mäuse, Ratten). Bandwurmträger setzen mit ihrem Kot Proglottiden und damit Eier ab, die nach Aufnahme mit z. B. Pflanzen durch Zwischenwirte in diesen zum Infektionsstadium (Finne) in Wochen bis Monaten heranreifen. Der Kreislauf ist geschlossen, wenn finnenhaltige Organe von Zwischenwirten in rohem Zustand an Hund

und Katze gefüttert werden. PROPHYLAXE: Verfüttern von Innereien, die im Kern auf über 60° C erhitzt wurden.
Der Befall mit adulten Echinococcus-Arten bei Hunden und Füchsen ist zwar nicht auszuschließen, jedoch ungewöhnlich. Die Infektion verläuft symptomlos, es besteht jedoch Ansteckungsgefahr für Tierwärter durch die ausgeschiedenen Eier.
Der Entwicklungszyklus von Mesocestoides ist noch nicht voll geklärt; über Moosmilben infizieren sich wohl Mäuse, die als Beutetiere für Füchse - seltener für Hund und Katze - die Infektion in diese Tiergruppe tragen.
Bei all diesen Bandwürmern sind klinische Symptome häufig nicht vorhanden oder wenig ausgeprägt, wie z. B. Verdauungsstörungen.
Bei Diphyllobothrium erfolgt die Infektion über den zweiten Zwischenwirt (Fische); der Befall ist meist symptomlos, jedoch wird von Verdauungsstörungen oder auch Vitamin B 12-Mangelerscheinungen berichtet.
Spezifisches und breitwirkendes Bandwurm-Therapeutikum ist Praziquantel (1 x 5 mg/kg KM p. o.); andere Präparate sind Bunamidin-Hydrochlorid (1 x 25 - 30 mg/kg KM p. o. - maximal 600 mg/Tier), Niclosamid (1 x 150 mg/kg KM p. o.), Nitroscanat (1 x 50 mg/kg KM p. o.) oder Breitband-Anthelminthika, die mit einer Kur Nematoden und Zestoden eliminieren, z. B. Fenbendazol (5^d x 20 mg/kg KM p. o. im Futter) oder Mebendazol (5 Tage, Dosis in Abhängigkeit zum Gewicht).

Die Spulwürmer (Toxocara, Toxascaris) können bei Jungtieren zu großen Schäden führen. Die Aufnahme embryonierter Eier, im Darm Schlupf der Larven und Wanderung via Blutgefäße durch Leber und Lunge, sodann Abschlucken der Larven in den Darm, führt bei Erstinfektionen zum Spulwurm-Befall. Bei älteren Hunden kommt es nach Reinfektion nicht mehr zur Körperwanderung, sondern die Larven werden in Granulomen in der Muskulatur abgekapselt und erst bei besonderem Anlaß freigesetzt (Gravidität, Streß), wobei es dann zu pränatalen oder - besonders bei Katzen ! - zu galaktogenen Infektionen der Jungtiere kommt. Auch ist die Infektion über Stapelwirte (Mäuse) möglich, wenn diese vom Endwirt gefressen werden.
Typische Symptome sind Erbrechen, Husten, Abdominalschmerz und Darm-Obstruktionen; Welpen können durch Inhalation des Erbrochenen ad exitum kommen. Askariden-Befall stört die Immunitätsbildung nach Schutzimpfungen !
Der Hakenwurm-Befall durch Ancylostoma und Uncinaria ist besonders gefährlich für Kaniden. Die Infektion erfolgt durch perkutanes Eindringen, durch orale Aufnahme oder durch galaktogene (vom infizierten Muttertier) Übertragung der L_3 und nach Körperwanderung Ansiedlung im Darm. Im Vordergrund der Erkrankung stehen Darmsymptome infolge der dort gesetzten Läsionen, aus denen es zu Sickerblutungen kommt. Die Folge ist Anämie. Die Belastung wird von Welpen oft nicht vertragen und sie sterben anämisch und abgemagert.
Vor allem bei Füchsen und Hunden werden Trichuris (Peitschenwürmer) häufiger diagnostiziert. Da diese Parasiten mit ihren langen Vorderenden in der Schleimhaut von Blind- und Dickdarm verankert sind, kommt es zu Resorptionsstörungen und so zu mangelhafter Futterausnutzung.
Angaben zur Therapie dieser Darm-Helminthen sind aus der Tabelle 4 zu entnehmen.

Weniger verbreitet sind Nematoden wie Capillaria aerophila, Crenosoma, Aelurostrongylus, Angiostrongylus, Filaroides, die in den Atemwegen parasitieren. Mit Ausnahme von Capillaria sind Landschnecken Zwischenwirte. Als klinische Symptome fallen Lungenerscheinungen wie Husten, Atemnot, Nasenausfluß auf. Berichte zur Therapie sind rar, Fenbendazol in der Dosis von 5^d x 20 mg/kg KM p. o. wird empfohlen.

Dirofilaria immitis leben in der rechten Herzkammer, die Infektion erfolgt durch Stechmücken, die parasitiert sind. Die (Lauf-) Leistung ist herabgesetzt, plötzlicher Herztod kann eintreten. Mit eisenhaltigen Präparaten (Thiacetarsamid: für 2 - 3^d täglich 2 x 2,2 mg/kg KM streng i. v.) werden Adulte behandelt.

Im Urogenital-System parasitiert Capillaria plica; ausgeprägte entzündliche Prozesse der harnführenden Wege und bakterielle Sekundärinfektionen verursachen zum Teil große Schäden. Fenbendazol (3^d x 50 mg/kg KM p. o.) wird als wirksames Therapeutikum beschrieben.

Nur chirurgische Maßnahmen helfen beim Nieren-Befall durch Dioctophyme.

Tabelle 4: Wirksamkeit von Anthelminthika auf Helminthen in Hund und Katze

Dosis-Angaben in mg/kg KM

	Toxocara Toxascaris	Ancylostoma Uncinaria	Trichuris	Taenia
Fenbendazol	5^d x 20 p.o. 3^d x 50 p.o.	5^d x 20 p.o. 3^d x 50 p.o.	5^d x 20 p.o. 3^d x 50 p.o.	5^d x 20 p.o. 3^d x 50 p.o.
Levamisol§	1 x 10 p.o./s.c.	1 x 12 - 15 p.o./s.c.	-	-
Mebendazol	2^d x (2 x 25 - 40)+ p.o.	5^d x (2 x 6 - 25)+ p.o.	5^d x (2 x 6 - 25)+ p.o.	5^d x (2 x 6 - 25)+ p.o.
Nitroscanat	1 x 50 p.o.	1 x 50 p.o.	-	1 x 50 p.o.
Piperazin	1 x 75 - 100 p.o. Base*	-	-	-
Pyrantel	1 x 5 - 20 p.o.*	1 x 5 - 20 p.o.	-	-

+ = Dosis variabel zum Tiergewicht

* = nur oder überwiegend auf Darmstadien wirksam

§ = Vorsicht: Intoxikationsgefahr bei Welpen, Mähnenwölfen und Geparden

E I N H U F E R

Trematoden (Fasciola, Dicrocoelium) können bei Weidehaltung in entsprechenden Egel-Biotopen Einhufer infizieren, jedoch ist ihre Bedeutung gering. Behandlung erfolgt ggf. mit Präparaten, wie beim Wiederkäuer angegeben (siehe dort). ACHTUNG: Dosis-Angaben sind nicht ohne weiteres übertragbar, weil Wirksamkeits- und Verträglichkeits-Untersuchungen fehlen.

Desgleichen sind Bandwürmer von geringerer Relevanz, auch wenn Anoplocephala - Zwischenwirte Moosmilben auf Feuchtgebieten - häufiger nachgewiesen werden kann. Die Behandlung erfolgt mit hohen Niclosamid-Dosierungen (1 x 80 - 100 mg/kg KM p. o.) oder Fenbendazol (3^d x 10 mg/kg KM p. o.) mit gleichzeitiger Nematoden-Aktivität.

Die größte klinische Bedeutung besitzen Nematoden, von denen auch zahlreiche Arten bei Einhufern parasitieren (Therapie-Aufstellung siehe Tabelle 5). Parascaris (Spulwurm) ist offensichtlich besonders für Zebra-Fohlen pathogen und verursacht chronischen Darmkatarrh, Koliken, Dünndarm-Obstruktion und seltener Darmperforation, Exitus. Die Behandlung von Saugfohlen kann nur unter Zwangsmaßen erfolgen, da in den ersten Lebenswochen kaum festes Futter aufgenommen wird.
Im Darm parasitieren Strongyloides (Zwergfadenwurm) - wegen seines kurzen Entwicklungszyklus kann es schnell zu massiven Infektionen durch perkutane Larveninvasion kommen, die für Fohlen tödlich enden können. Ob die klinische Erscheinung auf Strongyloides direkt zurückzuführen sind oder durch Sekundärinfektionen verursacht werden, ist noch nicht eindeutig geklärt.

Wegen ihrer Pathogenität besitzen die großen Strongyliden (Strongylus edentatus, S. vulgaris, S. equinus) bei allen Einhufern Bedeutung. S. vulgaris ist wegen der Larvenwanderung für Gefäßschäden im Bereich der Gekrösewurzel verantwortlich (Arteriitis verminosa) mit Aneurysmen, Embolien und Thrombosen. Die Infektion erfolgt über L_3, die mit dem Gras aufgenommen werden. Sie sind monatelang lebensfähig und können auch überwintern. Vom Darm aus wandern sie in die darmnahen Blutgefäße und siedeln sich später im Lumen von Kolon und Zäkum an. Die Larven von S. edentatus und S. equinus dagegen gelangen nach einer Wanderung über Bauchhöhle und Leber in den Darm zurück.

Alle Infektionen mit großen Strongyliden sind charakterisiert durch klinische Symptome wie Koliken, Abnahme der Freßlust, Diarrhoen, Abmagerung, Anämie. Eine erfolgreiche Behandlung der Larvenstadien ist durch Fenbendazol (5^d x 7,5 - 10 mg/kg KM p. o.), durch Ivermectin (1 x 0,2 mg/kg KM s.c./p.o.) oder durch Tiabendazol (2^d x 440 mg/kg KM) möglich.

Vergesellschaftet mit den großen Strongyliden sind die sogenannten kleinen Strongyliden mit dem gleichen Infektionsschema (verschiedene Familien wie Triodontophorus, Craterostomum, Oesophagodontus, Cyathostomum, Cylicocyclus, Cyliostephanus, Trichonema und weitere). Große und kleine Strongyliden sind differential-diagnostisch anhand der Eier in den Fäzes nicht zu unterscheiden. Hier liegt auch ihre Bedeutung wegen der fehlenden Unterscheidungsmöglichkeit. Die kleinen Strongyliden verursachen praktisch keine klinische Beeinflussung, können aber den Befall durch die gefährlichen großen Strongyliden vortäuschen. Einige Arten haben eine Resistenz gegen Benzimidazol-Anthelminthika entwickelt, so daß bei Anwendung dieser Präparat-Gruppe nicht in allen Fällen eine Elimination zu erwarten ist.

Eine Reihe von Nematoden schmarotzt im Magen: Trichostrongylus axei, Habronema, Draschia; erstere haben eine direkte Entwicklung über Ei --> L_3 --> adulter Wurm; die beiden anderen benötigen Zwischenwirte (Fliegen), die die L_3 in der Maulgegend absetzen. Meist bleibt der Befall subklinisch, Magen-Symptome können bei starkem Befall auftreten. Habronema ist für die sogenannten Sommerwunden verantwortlich, die nässend und wuchernd schlecht abheilen. Hier ist eine Larvenbekämpfung durch wiederholte lokale Behandlung mit Metrifonat (10 %ig) angezeigt.

Pfriemenschwänze (Oxyuris, Probstmayria) verursachen durch die Ablage der Eischnüre in der Analgegend Juckreiz und sind oft anhand von abgescheuertem Haar an der Schweifrübe und an nachfolgenden Hautentzündungen diagnostizierbar. Eigentliche Darmerscheinungen sind nicht beschrieben. Die abgeschilferten Eischnüre führen leicht über die Aufnahme eihaltigen Staubs zu Reinfektionen.

Außerhalb des Darmtraktes parasitieren Lungenwürmer (Dictyocaulus), die bei Eseln praktisch symptomlos bleiben als Ausdruck einer ausgewogenen Wirt : Parasit-Adaption, wohl aber bei anderen Einhufern zu mehr oder weniger ausgeprägten Lungenerscheinungen führen können, die meist aus bakteriellen Sekundärinfektionen herrühren.

Filarien (wie Setaria, meist in der Bauchhöhle; Parafilaria, in Knötchen im subkutanen Bindegewebe; Onchocerca, im Nackenband bzw. im Musculus interosseus, wodurch sie Stützbeinlahmheit und auch Fisteln verursachen), sind klinisch wenig bedeutsam, bei aufbrechenden Knötchen jedoch verantwortlich für die "Sommerwunden". Die Mikrofilarien können durch Diäthylcarbamazin oder Ivermectin (s. bei Affen) behandelt werden; bei den kutanen Erscheinungen der Sommerwunden wird Metrifonat (4 - 6^d x 35 mg/kg KM) oder Fenbendazol (5^d x 10 - 50 mg/kg KM p. o.) angewendet, das auch wie Levamisol (1 x 5 mg/kg KM p.o. oder Injektion in den Konjunktivalsack) auf Thelazia (Augenwürmer) wirkt.

S C H W E I N E

Nur bei Weidegelegenheit in Egel-Biotopen kommt es zu Trematoden-Infektionen. Für eine eventuelle Behandlung siehe Wiederkäuer. ACHTUNG: Dosis-Angaben sind nicht ohne weiteres übertragbar, weil Wirksamkeits- und Verträglichkeitsuntersuchungen fehlen.

Bei Ferkeln kann es schnell zu massiven Infektionen durch perkutanes Eindringen der L_3 von Strongyloides (Zwergfadenwurm) kommen, da diese in Schweinesuhlen günstige Entwicklungsmöglichkeiten finden. Hautentzündungen nach Invasion der L_3, Lungenerscheinungen durch die Wanderphase und Darmerscheinungen wie Katarrh und auch evtl. Tod sind typische Symptome. Für Therapie-Angaben siehe Tabelle 6.

Auch in Suhlen aufgenommen werden die Eier von Trichuris (Peitschenwürmer), die Anlaß zu mangelhafter Futterverwertung und dadurch Abmagerung, ferner Darmkatarrh und Diarrhoe sind.

Verbreitet findet sich Ascaris (Spulwurm), der als Ei-Infektion in Schweine-Ausläufen gute Überlebensbedingungen findet. Die klinischen Symptome entsprechen der Leber-Lunge-Darm-Passage; Ikterus durch Verstopfung des Gallenganges oder Darm-Obstruktion durch Wurmknäuel sind bei Jungtieren nicht selten.

Tabelle 5: Wirksamkeit von Anthelminthika auf Pferde-Nematoden
Dosis-Angaben in mg/kg KM

	Askariden	Strongyloides	große Strongyliden	kleine Strongyliden	T. axei	Habronema Draschia	Oxyuriden	Dictyocaulus
Cambendazol	1 x 20,0 p.o.	1 x 20,0 p.o.	1 x 20,0 p.o.	1 x 20,0 p.o.	1 x 20,0 p.o.		1 x 20,0 p.o.	
Febantel	1 x 6,0 p.o.		1 x 6,0 p.o.	1 x 6,0 p.o.			1 x 6,0 p.o.	
Fenbendazol	1 x 7,5 p.o.	1 x 50,0 p.o.	1 x 7,5 p.o.	1 x 7,5 p.o.		5 x 10,0 p.o.	1 x 7,5 p.o.	5 x 10,0 p.o.
Haloxon	1 x 60-75 p.o.		1 x 60-75 p.o.	1 x 60-75 p.o.§				
Ivermectin	1 x 0,2 sc/po		1 x 0,2 sc/po	1 x 0,2 sc/po	1 x 0,2 sc/po	1 x 0,2 sc/po	1 x 0,2 sc/po	
Levamisol								2 x 5 im. im 3^d Abstand
Mebendazol	1 x 10,0 p.o.		1 x 10,0 p.o.	1 x 10,0 p.o.			1 x 10,0 p.o.	5 x 20,0 p.o.
Oxibendazol	1 x 10,0 p.o.	1 x 10,0 p.o.	1 x 10,0 p.o.	1 x 10,0 p.o.§		1 x 10,0 p.o.+	1 x 10,0 p.o.	
Parbendazol			2 x 2,5 p.o.	2 x 2,5 p.o.				
Pyrantel	1 x 19,0 p.o.		1 x 19,0 p.o.	1 x 19,0 p.o.§			1 x 19,0 p.o.	
Tiabendazol	1 x 100,0 p.o.	1 x 75,0 p.o.	1 x 50,0 p.o.	1 x 50,0 p.o.	1 x 50,0 p.o.	2-3 x 7 5 p.o.	1 x 50,0 p.o.	

*) bei parenteraler Applikation eventuell Gefahr für Klostridien-Infektion

§) Wirkung auch auf benzimidazol-resistente kleine Strongyliden

+) nur bei Habronema, Ergebnisse variabel

Tabelle 6: Wirksamkeit von Anthelminthika auf Schweine-Nematoden
Dosis-Angabe in mg/kg KM bzw. ins Futter eingemischt: ppm

	Strongyloides	Trichuris	andere Magen-Darm-Nematoden*)	Metastrongylus
Febantel			1 x 5,0 p.o. 5^d x 0,5 - 0,7 p.o.	
Fenbendazol	3 x 5,0 p.o.	6^d x 15 - 20 ppm	1 x 5,0 p.o. 6^d x 15 - 20 ppm	3 x 3,0 p.o. 6^d x 15 - 20 ppm
Flubendazol			1 x 5,0 p.o. 5 - 10^d x 30 ppm	10^d x 30 ppm
Ivermectin	1 x 0,3 ppm		1 x 0,3 s.c.	
Levamisol	1 x 5 - 10 s.c./p.o.	3 x 7,5 s.c.		1 x 7,5 s.c./p.o.
Mebendazol		9^d x 30 ppm	5 - 10^d x 30 ppm	
Parbendazol			1 x 30,0 p.o. 7 - 10^d x 3000 ppm	
Tiabendazol	1 x 50,0 p.o.		1 x 500,0 p.o. 5 - 10^d x 100 - 50 p.o.	

*) Hyostrongylus, Physocephalus, Ascarops; Globocephalus, Ascaris; Oesophagostomum

Hyostrongylus mit direkter Entwicklung und Physocephalus sowie Ascarops, die Zwischenwirte im Entwicklungskreislauf haben, parasitieren im Magen. Klinische Symptome stehen in Abhängigkeit zur Befallsintensität und sind gekennzeichnet durch u. a. blutige Fäzes, Diarrhoen, Erbrechen.
Im Dünndarm parasitiert Globocephalus (Hakenwurm) und im Dickdarm Oesophagostomum (Knötchenwurm) - die Auswirkungen sind variabel von subklinisch bis Gewichtsdepressionen.

Über Zwischenwirte (Erdwürmer) kommt es zur Infektion mit Metastrongylus (Lungenwurm), der beim Wildschwein praktisch symptomlos bleibt als Zeichen eines abgestimmten Wirt : Parasit-Verhältnisses. - Dieselben Zwischenwirte hat Stephanurus (Nierenwurm), der im Urogenitalsystem parasitiert und ausgeprägte Schäden verursacht wie Nephritiden, Leberzirrhose, Aszites und Entwicklungsstörungen. Immature und Adulte sind mit 3^d x 3 mg Fenbendazol/kg KM p. o. sicher abzutöten.

Mit Käferlarven werden Macracanthorhynchus (Kratzer) aufgenommen. Der hakenbewährte Rüssel setzt Läsionen im Dünndarmbereich, woraus Darmentzündungen und bei Perforation des Darmes Peritonitiden resultieren. Als Therapie empfiehlt sich Fenbendazol (5^d x 20 mg/kg KM p. o.).
Die Breitspektrum-Anthelminthika decken weitgehend die Helminthen-Infektion in dieser Tiergruppe gleichzeitig ab, wie die Tabelle 6 zeigt.

H A S E N A R T I G E / N A G E R

Eine Helminthenbürde ist bei den Tieren dieser beiden Gruppen meist nicht besonders ausgeprägt und stark abhängig von Umweltfaktoren. Allerdings kann es bei massiver Haltung auf kleinen Arealen wie z. B. Kaninchen auf Spielwiesen zu explosionsartiger Vermehrung kommen, die dann Erkrankungen mit Todesfällen zur Folge hat.
Hier vorkommende Trematoden entsprechen meist denen bei Wiederkäuern - Erscheinungsbild und Therapie siehe dort.

Cittotaenia- und Hymenolepis-Arten sind die bei diesen Tiergruppen am meisten verbreiteten Zestoden. Sie beeinflussen die Verdauungsvorgänge und können bei Kaninchen auch zum Tode führen. Eine erfolgreiche Entwurmung ist mit Praziquantel (1 x 5 - 25 mg/kg KM p. o.) oder mit Breitspektrum-Anthelminthika wie zum Beispiel Fenbendazol zur Bestandssanierung möglich (Dosierung s. u.).
Von Nematoden können Strongyloides sowie Oxyuren (Hase, Kaninchen: Passalurus; Nager: Syphacia, Aspiculuris, Heterakis) durch zu starken Infektionsdruck bei Überbesatz zu Trommelsucht und Abmagerung führen. Weitere Rundwürmer sind zwar auch bekannt, wie z. B. Graphidium, Gongylonema, Trichostrongylus oder Trichuris, doch wird kaum von klinischen Erscheinungen berichtet, die auf sie zurückzuführen sind.

Moniliformis (Kratzer) dagegen verursachen durch ihren Rüssel mit Stacheln Darmstörungen. Bei post mortem-Untersuchungen sind auch Capillaria sowie Protostrongyliden festgestellt worden, jedoch dürfte ihre Bedeutung gering sein.

Als Anthelminthika können empfohlen werden:

	Hasenartige	Nager
Fenbendazol	5^d x 25 - 50 ppm	5^d x 100 ppm 5^d x 20 - 50 mg/kg KM p.o.
Thiabendazol (bei Strongyloides	1^d x 400 mg/kg KM p.o. 1^d x 50 mg/kg KM p.o.)	1 - 3^d x 100 - 400 mg/kg KM p.o.

VÖGEL

Die Vielzahl der verschiedenen Vögel und deren unterschiedliche Haltung auf Teich und Wiese bei freiem Auslauf oder in Volieren, die freilebenden Vögeln zugänglich oder verschlossen sind, verlangt besondere Sorgfalt, um parasitäre Erkrankungen zu vermeiden. Da durch freilebende Vögel immer wieder Erreger eingeschleppt werden, sind regelmäßige Wiederholungen von Anthelminthika-Behandlungen angezeigt. Abgesehen von Einzelfällen eignen sich hierfür besonders Anthelminthika, die bei ausreichender therapeutischer Breite via Trinkwasser oder als medikiertes Futter verabreicht werden können.

Trematoden, Zestoden und auch einige Nematoden benötigen in ihrem Entwicklungszyklus Zwischenwirte (s. u.). Dieses ist daher bei Teichen und insbesondere bei Vogelwiesen zu beachten, da die Zwischenwirte, vor allem Erdwürmer, für Jahre die Ausläufe verseucht halten.

Da die koproskopische Diagnostik nicht immer möglich und oft auch schwierig ist, sollten verendete Tiere einer sorgfältigen helminthologischen Sektion unterzogen werden. Von Saugegeln sind vor allem Echinostomum (im Darm) und schistosomatide Trematoden - z. B. Ornithobilharzia, Trichobilharzia - (in darmnahen Blutgefäßen) bei Wasservögeln, strigeide Trematoden bei Wasservögeln und Tauben (im Dünndarm) zu nennen. In die Entwicklung sind Zwischenwirte - meist Wasserschnecken - eingeschaltet. Eine Bekämpfung dieser Zwischenwirte sollte nur nach Ablassen des Wassers vorgenommen werden. Nach der Literatur kann auf die Wirksamkeit verschiedener Anthelminthika rückgeschlossen werden, z. B. auf Flubendazol (5^d x 10 - 50 mg/kg KM p. o.), und andere Benzimidazole oder versuchsweise auch auf Praziquantel bei individueller Behandlung.

Der Befall durch Bandwürmer bei Wasservögeln und vornehmlich bei Fisch, Fleisch oder Arthropoden fressenden Landvögeln kann zu drastischen Erkrankungen führen. Verbreitet findet man Fimbriaria, Hymenolepis (syn. Echinolepis), aber auch unter anderem die vom Hausgeflügel bekannten Davainea und Raillietina. Für eine hochwirksame individuelle Behandlung wird Praziquantel (1 x 10 mg/kg KM p. o.) empfohlen. Mit dem Futter kann wirksam Niclosamid (20 mg/kg KM verteilt auf 2 - 6^d) oder z. B. Fenbendazol (4 - 5^d x 100 ppm im Futter) eingesetzt werden.
Mit Breitspektrum-Anthelminthika sind Nematoden im Verdauungstrakt weitgehend zu kontrollieren. Nematoden haben meist eine direkte Entwicklung, die mit der Aufnahme infektionsfähiger Eier beginnt. Spulwürmer (Ascaridia u. a.) können bei Jungvögeln die Aufzucht erheblich erschweren oder auch zum Tode führen. Auch Capillaria (Haarwürmer) in Kropf, Speiseröhre oder Dünndarm verursachen schwere Schäden; Arten, die im vorderen Verdauungstrakt parasitieren, benötigen Erdwürmer als Zwischenwirte. Vorwiegend im Magen schmarotzen eine Reihe von Arten wie Amidostomum, Streptocara, Echinuria, Tetrameres, Gongylonema. Syngamus (Luftröhrenwurm) führt zu schweren Atembeschwerden, für die pfeifende und röchelnde Atemgeräusche typisch sind. Die Behandlung erfolgt mit Präparaten, wie sie in der Tabelle 7 aufgelistet sind.

Kratzer, wie Filicollis, Polymorphus, sind vor allem bei Wasservögeln für Verluste verantwortlich. Ihr hakenbewehrter Rüssel setzt tiefe Läsionen in der Schleimhaut. Eine Behandlung kann versuchsweise mit Fenbendazol (5^d x 20 mg/kg KM p. o. individuell oder im Futter, wenn die Vögel noch ausreichend fressen) vorgenommen werden. Da nach Fenbendazol-Therapie die Kratzer erst nach Tagen eliminiert werden, können bestehende Darmläsionen vom Wirt epithelisiert und so Peritonitiden vermieden werden.

Tabelle 7: **Wirksamkeit von Anthelminthika auf Geflügel-Nematoden**
Dosis-Angaben in mg/kg KM p.o. bzw. ins Futter eingemischt: ppm

Präparate	Ascaridia	Heterakis	Amidostomum	Syngamus	Trichostrongylus	Capillaria
Cambendazol	5^d x 10 ppm	5^d x 10 ppm		5^d x 10 ppm		5^d x 10 ppm
[A]Fenbendazol	4^d x 100 ppm	4^d x 100 ppm	4^d x 100 ppm	4^d x 100 ppm	4^d x 100 ppm	4^d x 100 ppm
[B]Haloxon						ca. 50,0 p.o.
[A]Ivermectin	1 x 0,2 s.c.	1 x 0,2 s.c.	1 x 0,2 s.c.	1 x 0,2 s.c.	1 x 0,2 s.c.	1 x 0,2 s.c.
[C]Levamisol	1 x 20,0 p.o.	1 x 20,0 p.o.				1 x 30,0 p.o.
[D]Mebendazol	7^d x 60 ppm	7^d x 60 ppm	7^d x 60 ppm	7^d x 60 ppm	7^d x 60 ppm	7^d x 60 ppm
Piperazin	1 x 200-300 p.o.					
Tiabendazol			1 x 300,0 p.o.	1 x 300,0 p.o.		

[A] = nach Literatur-Berichten hochwirksam auf immature und adulte Nematoden
[B] = nicht bei Wasservögeln, Psittakiden, Greifvögeln
[C] = auch via Trinkwasser, bei Futter-Applikation Futterverbrauch der verschiedenen Altersgruppen berücksichtigen
[D] = bei Wildvögeln Dosierung 14^d x 120 ppm; Vorsicht bei Psittakiden !

R E P T I L I E N / A M P H I B I E N

Die Zahl der in Tiergärten gehaltenen vielen verschiedenen Reptilien und Amphibien läßt eine detaillierte Auflistung und Besprechung nicht zu, auch wenn Parasiten in dieser Tiergruppe eine sehr große Bedeutung besitzen (IPPEN, 1971). So sind die Helminthen nachfolgend auch nur gruppenweise zusammengefaßt. Für die anthelminthische Behandlung ergeben sich daraus keine Nachteile, weil die zu empfehlenden Anthelminthika meist ein breites Wirkungsspektrum besitzen. Die Applikation des Präparates in ein Beutetier erleichtert die Behandlung.

Zahlreich sind monogene wie digene Trematoden im Verdauungstrakt und in verschiedenen Organen wie Niere, Harnblase, Gallengang, Nasenhöhle und so fort. Die klinische Bedeutung ist gering; eine Therapie sollte versuchsweise mit Praziquantel (1 x 10 - 15 mg/kg KM p.o.) erfolgen, um Sekundärinfektionen an verletzten Organen zu vermeiden. Trematoden-Infektionen bei Reptilien und Amphibien werden in der Regel nur bei Wildfängen, die sich in ihrem natürlichen Habitat infiziert haben, festgestellt. Im Zoo kann der Lebenszyklus mit meist zwei Zwischenwirten kaum aufrecht erhalten werden.
In gleicher Vielfalt parasitieren Zestoden wie Proteocephalidea, Pseudo- und Cyclophyllidea bei Reptilien und Amphibien. Ein Massenbefall kann sicherlich zu klinischer Beeinflussung führen, vor allem im Hinblick auf gestörte Verdauung. Für die Therapie geeignet sind bei individueller Applikation Praziquantel (1 x 10 - 15 mg/kg KM p. o.), Niclosamid (1 x 150 mg/kg KM p. o.) oder Bunamidin-Hydrochlorid (1 x 25 mg/kg KM p. o.) - einige Wiederholungsbehandlungen nach jeweils 3 - 4 Wochen sind angezeigt. Niclosamid sollte nicht gleichzeitig mit Levamisol appliziert werden wegen möglicher Unverträglichkeit.

Die Pathogenität der verschiedenen Nematodengruppen ist unterschiedlich. Während auch Todesfälle vor allem bei Massenbefall durch Rhabditiden, Strongyliden, Askariden, Spiruriden auftreten, sind Oxyuriden und Trichuriden wenig oder kaum pathogen.
In der Lunge schmarotzende hermaphrodite Rhabdias verursachen nicht nur Affektionen der Atemwege, sondern können auch Ursache für bakterielle Pneumonien sein.

Als Anthelminthika empfehlen sich:

Fenbendazol	-	50 mg/kg KM p. o., 2 x im Abstand von 3 Wochen
Ivermectin	-	0,2 mg/kg KM s. c., (bislang nur bei Schlangen eingesetzt)
Levamisol	-	50 mg/kg KM i. p. oder 200 mg/kg KM p. o.
Mebendazol	-	100 mg/kg KM p. o. an mehreren Tagen
Tiabendazol	-	100 mg/kg KM p. o. an mehreren Tagen

Nicht selten sind in der Leibeshöhle oder in serösen Häuten adulte Filarien festzustellen, Mikrofilarien treten dann im Blutkreislauf auf. Nur die Behandlung letzterer ist mit Diäthylcarbamazinzitrat (siehe bei Affen) möglich.

Kratzer (Acanthocephala) sind meist nur als Larven in Organen häufiger anzutreffen. Adulte im Darm sind durch Fenbendazol ($3 - 5^d$ x 20 - 50 mg/kg KM p. o.) zu behandeln.

Die Angaben zur Dosierung sind lediglich als Richtwerte anzusehen und müssen je nach Stoffwechselaktivität der wechselwarmen Tiere variiert werden. Bei Tieren, die in eine Ruhephase eintreten (z. B. Schildkröten vor dem Winterschlaf) ist immer die Gefahr einer Intoxikation gegeben.

F I S C H E

Die Vielzahl der Süß- und Salzwasserfische und die Vielzahl ihrer Helminthen, von denen bei etlichen das Wissen über Lebenszyklen, Biodynamik und Pathogenität unvollkommen ist, gestatten es, nur zusammengefaßt über einzelne Gruppen und Therapie-Möglichkeiten zu referieren. Trematoden, Zestoden, etliche Nematoden und auch Acanthocephala benötigen Zwischenwirte in ihrem Lebenszyklus, die in Aquarien weitgehend fehlen; es sei denn, daß Zierschnecken im Aquarium oder Futtertiere (z. B. Tubifex) die Zyklen der Fischhelminthen aufrecht erhalten. Damit gewinnt die chemotherapeutische Behandlung bei Übernahme von Fischen in die Zoos Bedeutung.

Fische können End- wie Zwischenwirte für Trematoden sein. Während Adulte im Verdauungstrakt parasitieren, beherbergen Organe und Muskulatur Metazerkarien. Diese reifen dann in den Wirten heran, die Metazerkarien-infizierte Fische als Beutetiere nutzen. Für die Chemotherapie ist es nicht erforderlich und hier in diesem Rahmen nicht möglich, die vielen verschiedenen Arten im einzelnen aufzuzählen und zu beschreiben. Die Pathogenität dieser digenen Trematoden im Verdauungstrakt ist sehr unterschiedlich und zum Teil auch nicht untersucht. Eine breite Palette besteht zwischen symptomlosen Befall und mechanischen Störungen mit Darmentzündungen, Nekrosen und weiteren Symptomen. Die Schwere der Erscheinungen ist abhängig von der Befallsdichte.
Eine Therapie ist versuchsweise durchzuführen mit Praziquantel: 1 x 5 mg/kg Fisch ins Trockenfutter eingemischt oder Di-n-Butyl-Zinnoxid als 25 g/100 g Trockenfutter.

Auf Kiemen und Haut parasitieren vielfach kaum festzustellende monogene Trematoden (Dactylogyriden, Gyrodactyliden), die zum Teil mit den Fischen ein ausgeglichenes Wirt : Parasit-Verhältnis besitzen, zum Teil tödliche Infektionen setzen. Eine Behandlung kann mit Phosphonsäure-Präparaten (z. B. Masoten^R) als Dauerbad erfolgen: für drei Tage 0,4 ppm; VORSICHT: die Fischarten sind unterschiedlich empfindlich und die Verträglichkeit von Masoten^R ist abhängig zur Wassertemperatur.

Verschiedene Gruppen von Bandwürmern schmarotzen in Fischen im Darm als Adulte und in den Organen als Larven, wobei Fische dann auch hier als Zwischenwirte fungieren. Die im Darm lebenden Adulte haben nicht nur eine zum Teil sehr unterschiedliche Größe, sondern je nach Arten hat ihr Skolex nur Sauggruben oder ist auch zusätzlich mit Haken bewährt. Entsprechend ist die pathogene Einwirkung sehr unterschiedlich. Massenbefall führt zu Darmverstopfung, aber auch leichte Infektionen verursachen z. B. Nahrungsentzug und mechanische Schäden durch die Haken.

Eine Behandlung kann erfolgen mit Niclosamid (5 g/kg Trockenfutter) oder Praziquantel (1 x 5 mg/kg Fisch ins Trockenfutter eingemischt).

Mehrere hundert Arten von Nematoden sind bei Fischen bekannt - unter anderem gehören sie zu Ascaridoidea, Trichuroidea, Spiruroidea. Die Entwicklung erfolgt je nach Art direkt oder über Zwischenwirte (Kleinkrebse). Auch hier ist die pathogene Bedeutung sehr unterschiedlich und hängt vordergründig von der Stärke des Befalls ab.
Levamisol in der Dosis von 1 x 350 mg/kg Trockenfutter wird als Chemotherapeutikum genannt.

Auch zahlreiche Kratzerarten parasitieren im Darm von Fischen und können wegen ihres hakenbewährten Rüssels erhebliche Schäden verursachen. Empfohlen wird eine Behandlung für vier Tage mit Di-n-Butyl-Zinnoxid (25 g/100 kg Trockenfutter) und Wiederholungs-Behandlung nach einer Woche.

Auch in der Prophylaxe von Helminthosen gilt grundsätzlich, neue Tierfänge aus der Wildbahn in der Quarantäne mit wirksamen Anthelminthika zu behandeln. Wegen oft langer Präpatenz- (Entwicklungs-) Zeiten der Helminthen sind diese oft bei Übernahme von ihren Fangplätzen (noch) nicht diagnostizierbar, es empfiehlt sich daher die Anwendung von Anthelminthika mit Wirkung auf heranwachsende, immature Helminthen. Auch bei Übernahme aus anderen Tier-Haltungen sollten grundsätzlich Entwurmungen erfolgen, da durch Transport, Futter- und Milieu-Umstellung eine Streßsituation entsteht, die ein eventuell vorhandenes Wirt-Parasit-Gleichgewicht zugunsten des Parasiten verschiebt.
Auch sollten grundsätzlich drei (bis vier) Anthelminthika-Behandlungen pro Jahr durchgeführt werden, da die Ausläufe im Vergleich zur freien Wildbahn viel zu stark besetzt sind, was nicht zu ändern ist, aber Berücksichtigung finden muß.

Parasitenbefall ist im allgemeinen nicht ein Problem einzelner Individuen, sondern ein Problem der ganzen Gruppe, die deshalb gemeinsam zu behandeln ist, auch wenn eventuell nicht bei allen Tieren parasitäre Stadien diagnostiziert werden.

Ein Review

- faßt Bewährtes zusammen,
- zeigt neue Möglichkeiten auf,
- in einem derartig heterogenen Gebiet können nur pauschal die wichtigsten Parasiten sowie Chemotherapeutika genannt werden und lokal gebundene Erfahrungen nicht Erwähnung finden.

In dieser Übersicht können nur die üblichen Anthelminthika berücksichtigt werden, die eine große Indikationsbreite, eine ausgeprägte Wirksamkeit und eine sehr gute Verträglichkeit besitzen. Den Breitspektrum-Anthelminthika ist der Vorzug gegeben.

Alle chemotherapeutischen Behandlungen müssen aber, sollen sie von Erfolg gekrönt sein, begleitet werden von hygienischen Maßnahmen, dazu gehören in erster Linie sach- und zeitgerechte Desinfektionen und - soweit erforderlich und möglich - Ausschalten der Zwischenwirte.

Zusammenfassung

Zur Behandlung von Helminthosen bei Tieren in zoologischen Gärten - eine Übersicht

Nach Literatur-Berichten und eigener Erfahrung werden Anthelminthika für die Behandlung von Helminthosen, die bei Tieren in zoologischen Gärten verbreitet und wegen ihrer Schadwirkung bedeutsam sind, aufgelistet. Dabei werden ausgewählte Tiergruppen, die in Zoos am häufigsten vorkommen, besprochen.

Summary

A general survey of the treatment of helminthiases in animals in zoological gardens

From existing publications and personal experience, a list has been drawn up of the anthelmintics used to treat helminthiases prevalent in animals in zoological gardens and significant on account of their harmful effect. Within this framework, animal groups most frequently encountered in zoos are selected and discussed.

Résumé

Vue d'ensemble sur le traitement des helminthiases observées chez les animaux dans les jardins zoologiques

Compte tenu des publications existantes et d'une expérience personnelle de la question, on a établi une liste des vermifuges employés pour traiter les helminthiases courantes chez les animaux en jardin zoologique et importantes du fait du préjudice qu'elles causent. On mentionne dans le cadre de cet aperçu les groupes d'animaux les plus fréquents dans les zoos.

Резюме

Обзор о лечение гельминтоза у зверей зоопарка

На основе литературных данных и собственных результатов дается описание лечения гельминтоза с помощью различной антельминтики, применяемой у животных зоопарка, при этом учитываются побочные явления препаратов.Описаны выборочные группы животных, с более частыми заражениями.

Literaturverzeichnis

ANDREWS, P., THOMAS, H., POHLKE, R., and J. SEUBERT (1983): Praziquantel. Med. Res. Rev. 3, 147 - 200.

BARUTZKI, A., HASSLINGER, M. A., SCHMID, K., und H. WIESNER (1985): Situationsanalyse zum Endoparasitenbefall bei Zootieren. Tierärztl. Umschau 12, 953 - 961.

DÜWEL, D., KIRSCH, R., und B. TIEFENBACH (1979): Zur Behandlung des Nematoden-Befalls beim Wild mit Panacur[R]. Berl. Münch. tierärztl. Wschr. 92, 400 - 405.

DÜWEL, D. (1981): Zur Behandlung von Helminthosen bei Wiederkäuern - Eine Übersicht. Berl. Münch. tierärztl. Wschr. 94, 378 - 382.

DÜWEL, D., WEIMANN, E., und R. KIRSCH (1981): Zur Panacur[R]-Behandlung des Prosthenorchis- und Bertiella-Befalls bei Affen. Verh.ber. Erkrg. Zootiere 23, 247 - 251.

ENIGK, K., und A. DEY-HAZRA (1976): Die Behandlung des Helminthenbefalles wildlebender Säugetiere und Vögel mit Fenbendazol. Kleintier-Praxis 21, 133 - 140.

FEHLMANN, P., HAUSER, B., und E. ISENBÜGEL (1983): Strongyloidose bei einem jungen Gorilla. Verh.ber. Erkrg. Zootiere 25, 327 - 329.

FORSTNER, M. J., REGENSBURGER, J., and J. CLAUSSEN (1982): Investigation on drug control of helminths in Tortoises. Zbl. Bakt. I. Abt. Referate 227, 111.

FROLKA, J., und R. ZAVADIL (1985): Parasitenbefall bei Hirschen und Mufflons im Zoologischen Garten Gottwaldov-Lešná. Verh.ber. Erkrg. Zootiere 27, 149 - 154.

FROLKA, J., und J. ROSTINSKÁ (1985): Možnosti využiti připravků Ivomec[R] a Equalan[R] pri léčbě parazitárnich onemocněni u zvířat v zoologických zahradách. Veterinářstvi 35, 415 - 416.

GÖLTENBOTH, R., und H. G. KLÖS (1978): Zum derzeitigen Stand der parasitologischen Überwachung der Zootiere im Zoo Berlin. Verh.ber. Erkrg. Zootiere 20, 335 - 341.

GÖLTENBOTH, R. (1983): Parasitenbekämpfung bei Zootieren im Zoologischen Garten Berlin. Berl. Münch. tierärztl. Wschr. 96, 214.

HEYMANN, H. (1981): Analyse der koprologischen Untersuchungen und der Obduktionen von Zootieren aus dem Zoologischen Garten Halle von 1976 - 1980. Verh.ber. Erkrg. Zootiere 23, 353 - 357.

HOLT, P. E. (1981): Drugs and dosages. In: Diseases of Reptilia. Eds. Cooper, I. E., and O. F. Jackson. London: Academic Press.

HOLT, P. E. (1982): Efficacy of fenbendazole against the nematodes of reptiles. Vet. Rec. 110, 302 - 304.

IPPEN, R. (1971): Zur Problematik des Parasitenbefalls bei Reptilien. Verh.ber. Erkrg. Zootiere 13, 173 - 186.

IPPEN, R., und D. HENNE (1982): Zur Bedeutung des Parasitenbefalls bei der Aufzucht von Zoo- und Wildtieren. Verh.ber. Erkrg. Zootiere 24, 25 - 32.

KLÖS, H.-G., und E. M. LANG (1976): Zootierkrankheiten. Berlin, Hamburg: Verlag P. Parey.

KUTZER, E. (1983): Erfahrungen mit der Entwurmung des Schalenwildes in freier Wildbahn und in Jagdgehegen mit Fenbendazol (Panacur). Die Blauen Hefte Nr. 67, 324 - 327.

MEHLHORN, H., DÜWEL, D., und W. RAETHER (1986): Diagnose und Therapie der Parasiten von Haus-, Nutz- und Heimtieren. Stuttgart, New York: G. Fischer-Verlag.

MÖLLER, H., und K. ANDERS (1983): Krankheiten und Parasiten der Meeresfische. Kiel: Müller-Verlag.

MOUCHA, P. (1981): Review of parasites of animals in zoological garden of Dvůr Králové nad Labem, 1978n- 1980. Verh.ber. Erkrg. Zootiere 23, 147 - 153.

REICHENBACH-KLINKE, H.-H. (1980): Krankheiten und Schädigungen der Fische. Stuttgart, New York: G. Fischer-Verlag.

SOSNOWSKI, A., und E. ZUCHOWSKA (1981): Beitrag zum Nematodenbefall bei Zootieren. Verh.ber. Erkrg. Zootiere 23, 193 - 195.

THEODORIDES, V. J., FREEMAN, J. F., and J. R. GEORGI (1982): Anthelmintic activity of albendazole against Dicrocoelium dendriticum in sheep. Vet. Med./Small Anim. Clin. 77, 569 - 570.

TIEFENBACH, B. (1975): Panacur - weltweite klinische Prüfung eines neuen Breitband-Anthelminthikums. Die Blauen Hefte Nr. 55, 204 - 218.

Anschrift der Verfasser: Dr. D. Düwel, Dr. K. Schmid
Hoechst AG, Helminthologie
Postfach 80 03 20
D-6230 Frankfurt/M. 80 (BRD)

A N H A N G

Chemische Kurzbezeichnung	Hersteller	Handelnamen[R]
Albendazol	- SmithKline	- Valbazen
Bromphenophos	- ACF Chemiefarma	- Acedist
Bunamidin-Hydrochlorid	- Coopers	- Scolaban
Cambendazol	- MSD-AGVET	- Cambenzole, Ascapilla
Diäthylcarbamazin	- verschiedene Firmen	- Caricide, Dicacid, Franocid, Hetrazan u.a.
Febantel	- Bayer AG	- Rintal
Fenbendazol	- Hoechst AG	- Axilur, Panacur, Safeguard
Flubendazol	- Janssen GmbH	- Flubenol
Haloxon	- Coopers	- Eustidil, Halox, Loxon
Ivermectin	- MSD-AGVET	- Ivomec, Equalan
Levamisol	- verschiedene Firmen	- z.B. Concurat, Citarin, Ripercol
Mebendazol	- Janssen GmbH	- Mebenvet, Ovitelmin, Telmin
Metrifonat	- Bayer AG	- Neguvon
Niclosamid	- Bayer AG	- Mansonil, Yomesan
Nitroscanat	- Asid	- Lopatol
Nitroxynil	- May & Baker	- Dovenix, Trodax
Oxibendazol	- Norden Lab.	- Anthelcide
Oxyclozanid	- ICI	- Diplin, Zanil
Parbendazol	- SmithKline	- Neminil, Parbendazol
Piperazin	- verschiedene Firmen	-
Praziquantel	- Bayer AG	- Biltricide, Droncit
Pyrantel	- Pfizer	- Banminth
Rafoxanid	- MSD-AGVET	- Raniden
Thiacetarsamid	- verschiedene Firmen	- Caparsolate, Filcide u.a.
Tiabendazol	- MSD-AGVET	- Equizole, Helmintazol, Thibenzol u.a.
Triclabendazol	- Ciba Geigy	- Fasinex
	- Bayer AG	- Masoten

From the Department of Animal Pathology and the Institut of Zoology and Comparative Anatomy - University of Pisa (Italy)

MORPHOLOGICAL RELIEVES ON SARCOCYSTOSIS IN FALLOW DEER (DAMA DAMA L.)

By A. Poli, M. Arispici, M. Nigro and F. Mancianti

Introduction

In recent years light and electron microscopical studies have been intensively carried out on Sarcocystis of cervids since the ultrastructure of sarcocystis is one of the different criteria that are useful in distinguishing among species of Sarcocystis especially within a single species of intermediate host (MEHLHORN et al., 1976; SERAVIN and GERASIMOVA, 1983).

The morphology of cyst wall of many species of Sarcocystis has been described from Roe deer (Capreolus capreolus) (BERGMANN, 1978; ENTZEROTH, 1982, ENTZEROTH, 1985; ERBER et al., 1978; SCHRAMLOVA and BLAZEK, 1978), Chamois (Rupicapra rupicapra) and Ibex (Capra ibex) CORNAGLIA et al. (1980), Moose (Alces alces) COLWELL and MAHRT (1981), White tailed deer (Odocoileus virginianus) (DUBEY and SCOTT, 1983; ENTZEROTH et al., 1982), Mule deer (Odocoileus hemiomus) DUBEY and SPEER (1984), Red deer (Cervus elaphus) (ENTZEROTH et al., 1983; HERNANDEZ-RODRIGUEZ et al., 1981; NEMESERI et al., 1983), Reindeer (Rangifer tarandus) GJERDE (1985) and Fallow deer (Dama dama) ENTZEROTH et al. (1985).

At the present time there is only one electron microscopical study of Sarcocystis sp. from fallow deer ENTZEROTH et al. (1985).

The present paper reports light and ultrastructure relieves of Sàrcocystis sp. from naturally infected fallow deer.

Materials and methods

Three fallow deers from the Natural Park of San Rossore and Migliarino (Italy) were examined for Sarcocystis infection. Samples of oesophagus, heart and diaphragm were fixed in buffered pH 7.4, 10 % formalin solution. Paraffin embedded tissue were cut at 5 µm, sections were examined after staining with hematoxylin and eosin, or periodic acid-Schiff hematoxylin. For ultrastructural investigation, heart muscle of the fallow deer n. 1 were processed for transmission electron microscopy. Samples fixed in formalin were subdivided into 1 mm^3 pieces, rinsed overnight in 0.1 M phosphate buffer pH 7.3 and post fixed in 1 % Osmium tetroxide in the same buffer for 2 hrs. Following fixation fragments were dehydrated in a graded series of ethanols, exchanged in propylen oxide and embedded in a Epon-Araldite mixture. 1 µm-thick and ultrathin sections were cut using glass or diamand knives. Thick sections were mounted on microscope slides, stained with toluidine blue and examined by light microscopy. Ultrathin sections were stained with Uranil acetate and lead citrate and examined with a Siemens Elmiskop 101 electron microscope.

Results

The 3 fallow deers examined were positive for Sarcocystis sp. and the intensity of infection was high in all the three animals. The cysts were located within the sarcoplasm of the host cells. In this study it was impossible to measure isolated muscle cysts and the cysts in muscle sections measured 30.7 $\pm$ 4.5 µm in width with values ranging from 22 to 39 µm (n = 30), and 143.1 $\pm$ 41.5 µm in length with values ranging from 88 to 220 µm (n = 30). Utilizing light microscopy, the cysts appeared thin walled and were internally divided by septa into compartments containing the merozoites and few shorter less curved metrocytes.

x) This research was financed by a grant from C. N. R. (Italy) and Amministrazione Provinciale di Pisa (Italy).

In the electron micrographs the primary cyst wall appeared to be composed of a unite membrane thickened by an osmiophilic layer folded forming numerous projections. These projections, most probably consisting of flattened cisternae, appeared in our sections as narrowed elongated digitations. At their bases these protrusions measured from 92 to 185 nm in width, while distally they became narrowed measuring 20 - 25 nm in width. Most projections were overlapped each other, folded over and occasionally branched at their distal end. The zone of folded protrusions reached a thickness of about 0.5 - 0.6 µm and corresponded to the "thin wall" observed by light microscopy. The space between the bases of the elongated protrusions showed numerous little invaginations of the primary cyst wall.

Beneath the primary cyst wall there was a 0.4 - 0.6 µm thick layer of an amorphous material commonly called "ground substance". The ground substance, a material of middle electron-density, extended into the protrusions and also into the septa which surrounded groups of merozoites. All cysts examined ultrastructurally contained mostly merozoites and very few metrocytes. Spheroid masses of degenerate material were also observed among merozoites. Merozoites measured 9 - 12 µm in lenght and they showed a nucleus typically located posteriorly, numerous amylopectin granules and a well developed conoid apparatus.

Discussion

Cyst morphology in the present study showed the characteristic features of Sarcocystis species, having an highly folded primary cyst wall under which there was an amorphous ground substance extending into septa MEHLHORN and FRENKEL (1980).

All cysts examined were to be considered nearly mature because of the presence of mostly merozoites and very few metrocytes and the parasite stages were identical to those described by ENTZEROTH et al. (1985). The Sarcocystis in examined fallow deers were "thin walled", the walls having a thickness of about 1 µm and consisting of reduced projections which overlapped to a great extent.

The ultrastructural features of these cysts resembled those of Sarcocystis sp. found in the tongue and abdominal muscle of fallow deer in a previous observation ENTZEROTH et al. (1985), although there were some differences in width and length of the sarcocystis and the wall projections showed less dilatated bases. These cysts observed in both studies were similar to those of Sarcocystis bovicanis as described by HEYDORN et al. (1975), although differences in the width of primary cyst wall, as well as absence of fibrils in the granular zone, were evident. Ultrastructurally the wall of the cysts observed in fallow deer in our and previous studies resembled those of Sarcocystis sp. type IV observed in Roe deer ENTZEROTH (1982), Sarcocystis cervicanis HERNANDEZ-RODRIGUEZ et al. (1981) and Sarcocystis sp. from Red deer ENTZEROTH et al. (1983), Sarcocystis wapiti from wapiti SPEER and DUBEY (1982) and Sarcocystis sp. type A from Moose COLWELL and MAHRT (1981).

All these cysts with similar morphology occur in hosts of the family Cervidae. Whether Sarcocystis with a similar primary cyst wall structure observed in different cervids re-present the same or different species cannot be argued here on the basis of the morphological data only. However further investigations will be undertaken on the life cycle, ultrastructure and ecology for a more detailed of Sarcocystis sp. observed in fallow deers with those from other Cervidae.

Summary

Morphological relieves on sarcocystosis in fallow deer (Dama dama L.)

Light and electron microscopy studies were carried out on Sarcocystis sp. from three fallow deers (Dama dama). Sarcocystis, found in oesophagus, diaphragm and hearth were nearly mature and measured 22 - 39 µm in width and 88 - 220 µm in length. The cyst wall, thin and folded by reduced projection is compared with other Sarcocystis sp. observed in fallow deer in a previous observation.

Zusammenfassung

Morphologische Untersuchung über Sarkozysten bei Damhirschen (Dama dama L.)

Die Autoren führten licht- und elektronenmikroskopische Untersuchungen über Sarkozysten bei drei Damhirschen (Dama dama) durch. Die Sarkozysten in Ösophagus, Diaphragma und Herz waren fast reif, 22 - 39 um breit und 88 - 220 um lang. Die Zystenwand erschien dünn und leicht gefaltet und wurde mit anderen früher bei Damhirschen beobachteten Sarkozysten verglichen.

Résumé

Observations morphologiques sur l'infestation aux sarcocystes chez le daim (Dama dama L.)

Les auteurs ont étudié des sarcocystes, avec le microscope optique et électronique, chez trois daims (Dama dama). Les sarcocystes trouvées dans l'oesophage, le diaphragme et le coeur étaient presque mûres et mesuraient de 22 à 39 et de 88 à 220 µm. La paroi de la cyste, mince et munie de petites projections, a été comparée avec d' autres sarcocystes observées précédemment chez des daims.

Резюме

Морфологические исследования саркоцист у ланей (Dama dama L.)

Авторы провели микроскопические и электронномикроскопические исследования саркоцист у трех ланей.Саркоцисты в озофагусе, диафрагме и сердце почти созрели, 22 –39 им ширины и 88 - 220 им длины.Стенки цист тонкие ислегка складчатые , авторы сравнили их с раннее обнаруженными саркоцистами у ланей.

References

BERGMANN, V. (1978): The ultrastructure of sarcocystis in the skeletal muscles of Roe Deer and Wild Pigs. Verh.ber. Erkrg. Zootiere, 20, 163 - 165.

COLWELL, D. D., and J. L. MAHRT (1981): Ultrastructure of the cyst wall and merozoites of Sarcocystis from Moose (Alces alces) in Alberta, Canada. Z. Parasitenkd. 65, 317 - 329.

CORNAGLIA, E., GUARDA, F., GUARDA, F., e M. E. MISCIATTELLI (1980): Ricerca, frequenza, diagnosi, morfologia istopatologica ed ultrastrutturale della sarxosporidiosi cardiaca nei camosci e stambecchi. Ann. Fac. Med. Vet. Torino, 27, 279 - 296.

DUBEY, J. P., and M. L. SCOTT (1983): Sarcocystis infection in the whitetailed deer (Odocoileus virginianus) in Montana. Intensity and description of Sarcocystis odoi n sp. Am. J. Vet. Res., 44, 1738 - 1743.

DUBEY, J. P., and C. A. SPEER (1984): Prevalence and ultrastructure of three types of Sarcocystis in Mule deer, Odocoileus hemionus (Rafinesque) in Montana. J. Wildl. Dis., 21, 219 - 228.

ENTZEROTH, R. (1982): A comparative light and electron microscope study of the cysts of Sarcocystis species of Roe deer (Capreolus capreolus). Z. Parasitenkd. 66, 281 - 292.

ENTZEROTH, R., CHOBOTAR, B., and E. SCHOLTYSECK (1982): Ultrastructure of Sarcocystis sp. from the muscle of a white-tailed deer (Odocoileus virginianus). Z. Parasitenkd. 68, 33 - 38.

ENTZEROTH, R., NEMESÉRI, L., and E. SCHOLTYSECK (1983): Prevalence and ultrastructure of Sarcocystis sp. from the red deer (Cervus elaphus L.) in Hungary. Parasitol. Hung., 16, 47 - 52.

ENTZEROTH, R., CHOBOTAR, B., SCHOLTYSECK, E., and L. NEMESÉRI (1985): Light and electron microscope study of Sarcocystis sp. from the fallow deer (Cervus dama). Z. Parasitenkd. 71, 33 - 39.

ENTZEROTH, R. (1985): Light, scanning and transmission electron microscope study of the cyst wall of Sarcocystis gracilis Ratz, 1909 (Sporozoa, Coccidia) from Roe Deer (Capreolus capreolus L.). Archiv. Protistenk., 129, 183 - 186.

ERBER, M., BOCH, J., und D. BARTH (1978): Drei Sarkosporidienarten des Rehwildes. Berl. Münch. Tierärztl. Wschr., 91, 482 - 486.

GJERDE, B. (1985): Ultrastructure of cysts of Sarcocystis grueneri from cardiac muscle of reindeer (Rangifer tarandus tarandus). Z. Parasitenkd., 71, 189 - 198.

HERAÑANDEZ-RODRIGUEZ, S., MARTINEZ GOMEZ, F., NAVARRETE, I., and I. ACOSTA GARCIA (1981): Study by optical and electron microscopy of the cysts of Sarcocystis cervicanis. Rev. Iberica de Paras., 41, 351 - 361.

HEYDORN, A. O., MEHLHORN, H., und R. GESTRICH (1975): Licht- und elektronenmikroskopische Untersuchungen an Zysten von Sarcocystis fusiformis in der Muskulatur von Kälbern nach experimenteller Infektion mit Oocysten und Sporocysten der großen Form von Isospora bigemina des Hundes. 2. Die Feinstruktur der Cystenstadien. Zbl. Bakt., I Abt. Orig. A 233, 123 - 137.

MEHLHORN, H., HARTLEY, W. J., and A. O. HEYDORN (1976): A comparative ultrastructural study of the cyst wall of 13 Sarcocystis species. Protistologica 12, 451 - 467.

MEHLHORN, H., and J. K. FRENKEL (1980): Ultrastructural comparison of cysts and zoites of Toxoplasma gondii, Sarcocystis muris and Hammondia hammondi in skeletal muscle of mice. J. Parasitol., 66, 59 - 67.

NEMESÉRI, L., ENTZEROTH, R., and E. SCHOLTYSECK (1983): Frequency and ultrastructure of Sarcocystis from deer in Hungary. Magyar Allatorvosok Lapja. 38, 758 - 759.

SCHRAMLOVA, J., und K. BLAZEK (1978): Ultrastruktur der Zystenwand der Sarkosporidien des Rehes (Capreolus capreolus L.). Z. Parasitenkd. 55, 43 - 48.

SERAVIN, L. N., and Z. P. GERASIMOVA (1983): The role of electron microscopy in the modern systematics of protozoa. In "Svobodnozhivushchie i paraziticheskie bespozvonochnye (morfologiya, biologiya, evolutsiya) (Trudy Biologischeskogo Nauchno-Issledovatel'skogo Instituta n. 34) Edited by: Polyanskii, Yu., 53 - 69.

SPEER, C. A., and J. P. DUBEY (1982): Sarcocystis wapiti sp. nov. from the North American Wapiti (Cervus elaphus). Can. J. Zool. 60, 881 - 888.

Adress of authors: A. P o l i
University of Pisa
Department of Animal Pathology
56100 Pisa (Italy)

From the Department of Zoology, Jhargram Raj College, Jhargram, Dist. Midnapur, West Bengal, India

AMOEBIASIS IN SOME WILD MAMMALS OF SUNDARBANS FORESTS, INDIA

By D. Mandal and A. Choudhury

Introduction

During the course of investigations on the parasites of wild mammals of Sundarbans forests, India some members of the family Endamoebidae were encountered in the faecal samples of the larger wild mammals of the forests. The rhesus monkey (Macaca mulatta) and the wild pig (Sus scrofa scrofa) are found to harbour some species of the genus Entamoeba and Iodamoeba. Since the genus Dientamoeba is no longer considered under the family Endamoebidae no reference in this context is cited for the present. Moreover, the amoebiasis on smaller mammals (rat and bat) of Sundarbans is the subject of another communication to be published shortly.

Materials and Methods

Fresh faecal samples of the hosts were collected from the forest field. The smears of the faecal samples were fixed in Schaudin's fluid and were stained by Heidenhain iron-alum haematoxylin. Observation were made under an oil-immersion lens of the Olympus binocular research microscope. A Zeiss ocular micrometer and a Leitz camera lucida were used for measurements and line drawings respectively.

Results

Host animal 1. Macaca mulatta: During the course of study Entamoeba coli (Fig. 1 - 3), E. histolytica (Fig. 4 - 6), E. chattoni, E. cervis (Fig. 7 - 10), and Iodamoeba bütschlii (Fig. 18 - 21) were encountered in the faecal samples of the rhesus monkey.

a) E. coli: Uni-, bi-, tetra- and octonucleate cysts were found. The uninucleate cysts were most dominating one (56 %) among the other forms (binucleate 8 %, tetranucleate 12 % and octonucleate 24 %). The cysts are spherical in shape and the diameter varies form 8.05 to 17.71 µm with an average of 11.20 µm. The chromatoid bars were found in some cysts only.

b) E. histolytica: The size of the cyst varies from 5.63 to 12.88 µm with an average of 9.61 µm. The chromatoid bars when present are small in size (1.61 to 4.02 µm with an average of 2.75 µm in length) with round blant ends. 60 % of the cysts were found uninucleate, while 8 % and 32 % were found binucleate and tetranucleate respectively.

c) E. chattoni: Both the trophozoites and cysts of E. chattoni which fall within the morphometry as reported earlier (MANDAL and CHOUDHURY, 1984) were also encountered.

d) E. cervis: This protozoon was reported earlier (MANDAL and CHOUDHUTY, 1981) from Axis axis of Sundarbans forests. Both the trophozoites and cysts of E. cervis have been recorded from the faeces of M. mulatta. The trophozoites measure 6.4 to 9.6 µm by 4.16 to 9.2 µm (average 7.13 µm by 5.46 µm). The cysts are always uninucleated measuring 4.2 to 10.5 µm (average 6.82 µm) in diameter. Other morphological details of protozoon corroborate with those reported earlier (MANDAL and CHOUDHURY, 1981).

e) Iodamoeba bütschlii: Both the trophozoites and the cystic forms have been recorded. Most of the trophozoites contain one large iodinophilic vacuole. No chromatoid body or cytoplasmic mass was found in the cytoplasm. The nucleus is with a large endosome. The periendosomal space is filled up by some loosely arranged fibrillar structures radiating from the endosomal area to the nuclear membrane. The trophozoites measure 4.73 to 9.60 µm (average 6.44 µm) by 3.15 µm (average 4.83 µm). The cysts are some what irregular shaped measuring 3.22 to 6.44 µm with an average of 5.29 µm in diameter.

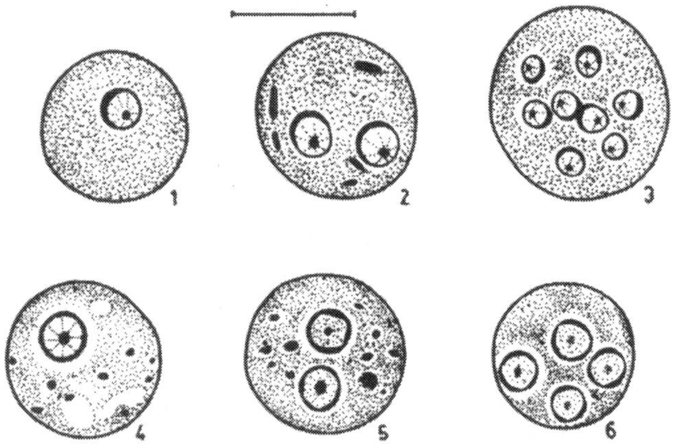

1-3. Cysts of *E. coli* from *M. mulatta*

1 .Uninucleate cyst
2. Binucleate cyst with chromatoid bars
3. Octonucleate cyst

4-6. Cysts of *E. histolytica* from *M. mulatta*

4. Uninucleate cyst
5. Binucleate cyst
6. Tetranucleate cyst

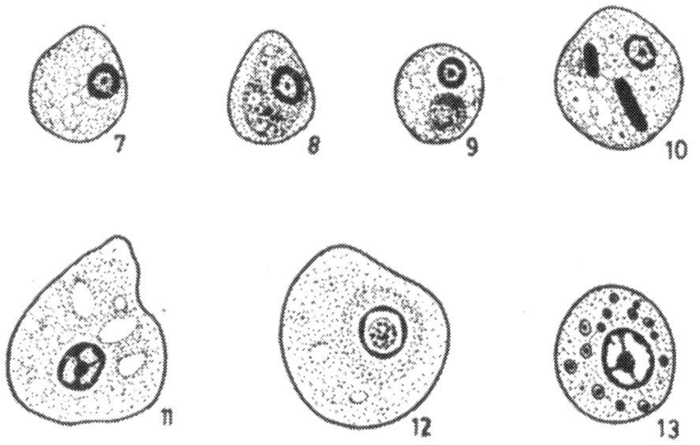

7-10. *E. cervis* from *M. mulatta* and *A. axis*

7&8. Trophozoites
9&10. Cysts

11-13. *E. suis* from *S. scrofa scrofa*

11&12. Trophozoites
13. Cyst with inclusion bodies

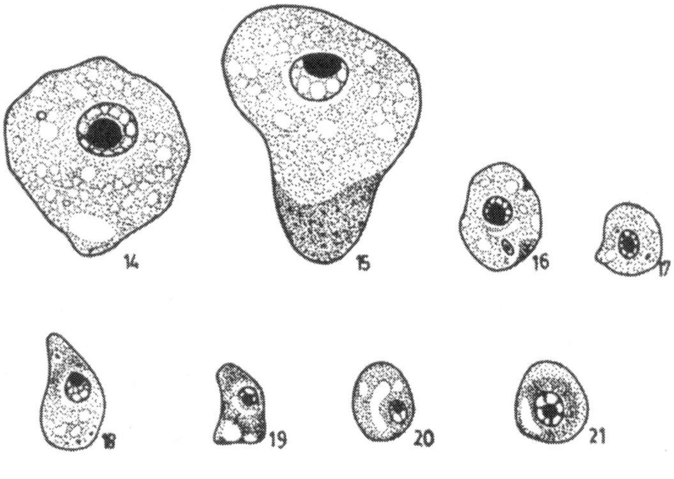

14-21. *I. butschlii*

14-17. From *S. scrofa scrofa*
14&15. Trophozoites
16&17. Cysts
18-21. From *M. mulatta*
18&19. Trophozoites
20&21. Cysts

Scale= 10 um

Host animal 2. Sus scrofa scrofa: From the faeces of the wild pig both the trophozoites and cysts of Entamoeba suis (Fig. 11 - 13) and Iodamoeba bütschlii (Fig. 14 - 17) have been encountered.

a) E. suis: The trophozoites are usually oval or occasionally triangular. The length varies from 7.89 to 16.30 µm (average 10.84 µm) and the width ranges from 4.73 to 12.62 µm with an average of 8.81 µm. The sphericular cysts measure 7.24 to 11.27 µm with an average of 8.85 µm in diameter. Several membrane bound inclusion bodies which are probably hyperparasites were detected in the cytoplasm of some cysts.

b) I. bütschlii: This protozoon from S. scrofa scrofa are much larger in size than that from M. mulatta. The trophozoites measure 10 to 20.8 µm (average 14.07 µm) by 7.89 to 16.83 µm (average 11.53 µm). The cysts are irregular in shape and measure 6.31 to 13.15 µm (average 9.42 µm) by 4.73 to 11.04 µm (average 8.20 µm) in dimension.

Clinical symptoms

No notable changes in the stool samples of the host animals were found.

Discussion

The octonucleate amoebic cyst from M. mulatta conforms to the morphometric parameters as studied by different authors (WENYON, 1926; KUDO, 1966; LEVINE, 1961). It is considered as a nonpathogenic entamoeba of both man and monkeys.

E. histolytica is though considered as less harmfull organism for the monkeys the authors intend to endorse the opinions expressed by HOARE, 1959 and JINDAL et al., 1977 that M. mulatta may act as a reservoir host of E. histolytica and there is a possible zoonotic implication of such findings.

E. chattoni was once considered as synonym of E. histolytica. SALIS (1941) pointed out the difference between the two species. LEVINE (1961) suggested to retain the name E. chattoni for the monkey form. This organism is also known to be a nonpathogenic one.

E. cervis was described by the present authors from Axis axis (MANDAL and CHOUDHURY, 1981). Subsequently the protozoon was also reported from Cervus unicolor of Betla forest (MANDAL and CHOUDHUTY, 1984). M. mulatta ist being registered as an additional host for E. cervis through the present communication. The wide range of sharing the hosts by E. cervis is possibly due to the existence of the hosts in a common niche.

The dimension of E. suis more or less conforms to the descriptions as cited by the previous authors (PROWAZEK, 1912; NIESCHULZ, 1924; MACKINON and DIBB, 1938; NOBLE and NOBLE, 1952 and HOARE, 1959).

I. bütschlii has been recorded from the wild rhesus monkey and pig of Sundarbans forests. The morphometric parameters of the protozoon under discussion conform with those as cited by earlier workers (WENRICH, 1937; HOARE, 1959 and LEVINE, 1961). But some major difference in relation to the size of both the trophozoites and cysts from two different host sources (pig and monkey) have been documented. The specimens of I. bütschlii from the pig source are much larger in size than those from the monkey source. This difference is attributed to the host interactions.

The present communication represents the amoebic parasites naturally prevalent among the game mammals of Sundarbans forests. In addition to the host animals as cited in the paper the investigation was also conducted on Panthera tigris tigris, Rattus rattus arboreus and Scotophilus kuhli kuhli. Among them some species of Entamoeba have also been recorded from the rat and bat which is the subject of another communication to be published shortly.

Acknowledgements

The authors are thankful to the Directorate of Forests, Govt. of West Bengal and the Field Director, Sundarbans Tiger Reserve for their cooperations. One of the authors (DM) thankfully acknowledges the financial assistance form the Ministry of Agriculture and Irrigation, Govt. of India through the President, F.R.I. & C., DehraDun.

Summary

Amoebiasis in some wild mammals of Sundarbans forests, India

Morphological characteristic and size measures of Entamoeba coli, E. histolytica, E. chattoni, E. cervis, E. suis and Iodamoeba bütschlii are reported in this paper. The findings reported were recorded from Macaca mulatta, Axis axis and Sus scrofa scrofa of Sundarbans forests.

Zusammenfassung

Amöbenbefall bei einigen Wildsäugern im Sundarbans-Dschungel, Indien

Die vorliegende Arbeit berichtet über die Morphologie und über die Größenmessungen bei Entamoeba coli, E. histolytica, E. chattoni, E. cervis, E. suis und Iodamoeba bütschlii. Die Untersuchungen erfolgten an Rhesusaffen (Macaca mulatta), Axishirschen (Axis axis) und Wildschweinen (Sus scrofa scrofa) aus dem Sundarbans-Dschungel.

Résumé

Infestation aux amibes chez certains mammifères sauvages dans le jungle de Sundarbans (Inde)

Dans son exposé l'auteur parle de la morphologie et des mesurages de grandeur des Entamoeba coli, E. histolytica, E. chattoni, E. cervis, E. suis et Iodamoeba büttchlii. Les études ont été faites chez les rhésus (Macaca mulatta), les axis (Axis axis) et les sangliers (Sus scrofa scrofa) de la jungle de Sundarbans.

Резюме

Заражение амебами некоторых диких животных в Зиндарба джунглях.

В работе сообщается о морфологии и распространении Entamoeba coli, E. histolytica, E. cervis, E. suis, Iodamoeba bütschlii. Исследования проводились на макаках (Macaca mulatta), на оленях (Axis axis) и диких кабанах (Sus scrofa scrofa) из Зиндарба джунглей.

References

HOARE, C. A. (1959): Amoebic infections in animals. Vet. Rev. Annot. 5, 91 - 102.

JINDAL, B. R., VINAYAK, V. K., and P. N. CHUUTANI (1977): Intestinal parasitosis of rhesus monkey (Macaca mulatta) in health and diseases. Bull. Postgrad. Inst. Med. Ed. Res. Chandigarh. 11, 110 - 113.

KUDO, R. R. (1966): Protozoology. 5 ed. Illinois, USA: C. C. Thomas.

LEVINE, N. D. (1961): Protozoan parasites of domestic animals and of man. Minneapolis, Minnesota: Burgess Publ. Co.

MACKINON, D. L., and M. J. DIBB (1938): Report on intestinal protozoa of some mammals in the Zoological Garden at Regent's Park. Proc. Zool. Soc. London B. 108, 323 - 346.

MANDAL, D., and A. CHOUDHURY (1981): Studies into Entamoeba of cervid animals. Verh.ber. Erkrg. Zootiere 23, 179 - 184.

MANDAL, D., and A. CHOUDHUTY (1984): Amoebiasis in some wild mammals of Betla Forest, Palamau Tiger Reserve, Bihar, India. Verh.ber. Erkrg. Zootiere 26, 449 - 453.

NIESCHULZ, O. (1924): Über Entamoeba debliecki mihi, eine Darmamöbe des Schweines. Arch. Protistenk. 48, 365.

NOBLE, G. A., and E. R. NOBLE (1952): Entamoeba in farm animals. J. Parasit. 38 (6), 571 - 595.

PROWAZEK, S. V. (1912): Entamoeba. Arch. Protistenk. 25, 273.

SALIS, H. (1941): Studies on the morphology of the Entamoeba histolytica like amoeba found in the monkey. J. Parasit. 27 (4), 327 - 341.

WENRICH, D. H. (1937): Studies on Iodamoeba bütschlii (Protozoa) with special reference to nuclear structure. Proc. Am. Philosoph. Soc. 77, 183.

WENYON, C. M. (1926): Protozoology. London: Bailliere, Tindall and Cox.

Address of authors: Dr. D. Mandal
Department of Zoology
Jhargram Raj College
P. O. Jhargram
Dist. Midnapur
West Bengal, (India)

Aus dem Tierpark Berlin (Direktor: Prof. Dr. sc. Dr. h.c. H. DATHE)

MAGEN- UND DARMNEMATODEN BEI ENTENVÖGELN (ANATIDAE) IM TIERPARK BERLIN

Von W. T s c h e r n e r

Von 1982 - 1985 wurden 169 Entenvögel aus 59 Arten untersucht. Die Sektion der Vögel erfolgte in der Abteilung für Zoo- und Wildtiererkrankungen der Forschungsstelle für Wirbeltierforschung (im Tierpark Berlin) der Akademie der Wissenschaften der DDR. Von dort kamen Magen und Darm zur Untersuchung ins parasitologische Labor des Tierparks. Neben der Durchsicht auf Helminthen wurden auch (allerdings nicht bei allen Tieren) Kotproben auf parasitäre Entwicklungsstadien durchgemustert. Die von uns untersuchten Vögel wurden in 6 Gruppen unterteilt.

Von den 169 Vögeln konnten bei 41 Nematoden nachgewiesen werden. Der Befall verteilte sich auf die einzelnen Wirtsgruppen wie folgt, wobei hinter die Anzahl der untersuchten Tiere die Zahl derjenigen mit Nematodenbefall gesetzt wurde: Oxyurini 14 (3); Cairini 16 (4); Anserini 67 (19); Anatini 32 (7); Aythyni 33 (7); Mergini 7 (0). Es wurden 10 Nematodenarten gefunden, deren Vorkommen bei den 5 Wirtstiergruppen, in denen Befall registriert wurde, die Tabelle 1 ausweist. In den Tabellen 2 - 6 ist dargestellt, bei welchen Wirtstieren die einzelnen Nematodenarten auftraten.

Tabelle 1: Anzahl der in den verschiedenen Gruppen der Entenvögel mit Nematoden befallenen Tiere

Wirtsgruppe / Parasitenart	Oxyurini	Cairini	Anserini	Anatini	Aythyni
Capillaria spec.			1		2
Capillaria retusa	2	1	3	1	
Trichostrongylus tenuis			4		
Epomidiostomum uncinatum	1			2	
Amidostomum acutum				1	
Amidostomum anseris			9		
Amidostomum orientale					1
Heterakis dispar			11	2	2
H.gallinarum		1			
Echinuria uncinata	1	2	6	3	3

Capillaria anatis (SCHRANK, 1790) = C. retusa (RAILLIET, 1893): Diese Haarwurmart wurde in Oxyura leucocephala, Nettapus auritus, Anser cygnoides, Branta bernicla und Anas platyrhynchos gefunden. Wirte: Vor allem Gänsevögel, seltener Hühnervögel, Taucher, Möwen, Seeschwalben. Lokalisation: Blinddärme, hinterer Abschnitt des Dünndarms. Entwicklung: Die Parasiten sollen nach GAGARIN (1951, zit. aus SKRJABIN et al., 1957) Regenwürmer als Zwischenwirte benutzen. Es ist nicht bekannt, ob sie sich nicht auch direkt, also ohne Zwischenwirt, entwickeln können. Koprologische Diagnose: Eier 52-56 x 24-27 µm. Die Eischale zeigt eine wellige Oberflächenstruktur.

Capillaria spec.: Die aus dem Dünndarm von 1 Anser indicus und 1 Aythya fuligula isolierten Haarwurmfragmente konnten nicht näher bestimmt werden. Das gleiche gilt für die im Enddarm einer Netta peposaca aufgefundenen Capillaria-Eier (55 x 22,5 µm).

Trichostrongylus tenuis (MEHLIS, 1846): Wir haben den Parasiten in Branta canadensis und B. leucopsis gefunden. Wirte: Vorwiegend Hühnervögel, weniger häufig in Gänsevögeln, Tauben und Trappen. Lokalisation: Blinddärme, Dünndarm. Entwicklung: Direkt. Aus der im Freien geschlüpften La I entwickelt sich binnen 6 - 14 d die La III (= Invasionslarve). Diese wird mit dem Futter aufgenommen. Die Präpatenz beträgt ca. 7 d, die Lebensdauer der Adulten nicht länger als 2 Monate. Diagnose: Die relativ dünnschaligen Eier werden im Morula-Stadium abgelegt. Ihre Maße betragen 70 x 38 µm (HIEPE, 1985). Wir haben 66-75 x 35-42 µm gemessen. Sie sind in der Flotation mit gesättigter NaCl-Lösung nachzuweisen.

Epomidiostomum uncinatum (LUNDAHL, 1848): Nachweis der Art bei Anas platyrhynchos und Oxyura jamaicensis. Wirte: In erster Linie Gänsevögel. Der Nachweis gelang aber auch in Lappentauchern. Lokalisation: Muskelmagen im Grenzbereich zum Drüsenmagen, auch im Kropf und Ösophagus. Entwicklung: Direkt. Die La III (= Invasionslarve) entwickelt sich innerhalb der Eischale binnen 2 - 3 d. Die Invasionslarven werden oral aufgenommen und wachsen in 3 - 4 Wochen zu geschlechtsreifen Würmern heran (aus LEVINE, 1968). Diagnose: Nachweis der 74-90 x 45-50 µm großen, ellipsenförmigen Eier mittels Flotation.

Amidostomum acutum (LUNDAHL, 1848) = Amidostomum boschadis (PETROV und FEDJUSCHIN, 1949): Die Art wurde von uns einmal in Anas platyrhynchos gefunden. Wirte: Gänsevögel (Anatini, Aythyni, Mergini) nach BARUŠ et al. (1978). Lokalisation: Unter der Kutikula des Muskelmagens. Entwicklung (nach ZAJICEK, 1964): Direkt. Die La III entwickelt sich innerhalb der Eihülle in 3 d. Reife zum adulten Wurm nach oraler Aufnahme durch den Endwirt in 20 - 26 d. Diagnose: Nachweis der 86-89 x 58-65 µm messenden, im Morulastadium ins Freie gelangenden Eier.

Amidostomum anseris (ZEDER, 1800): Die Art wurde bei Anser anser, A. caerulescens, A. cygnoides, A. indicus, Branta canadensis, B. leucopsis, Cygnus olor nachgewiesen. Wirte: Gänsevögel, vorzugsweise Anserini. Nach BARUŠ et al. (1978) auch bei Reihern und Tauchern. Lokalisation: Unter der Hornschicht des Muskelmagens, meist an der Grenze zum Drüsenmagen. Entwicklung: In den mit dem Kot abgesetzten Eiern entwickeln sich die Invasionslarven = La III. Diese schlüpfen sowohl an Land als auch im Wasser aus der Eihülle. Sie kriechen aktiv an Grashalmen hoch und gelangen mit dem Grünfutter in den Endwirt. Im Wasser schwimmend sind sie 4 - 12 Wochen lebens- und invasionsfähig. Sie sind in der Lage, sich in die Haut an den Füßen schwimmender Vögel einzubohren (ENIGK und DEY HAZRA, 1968a). Die Präpatenz ist abhängig vom Alter der Vögel und beträgt 14 d bis 22 d. Im Endwirt leben die erwachsenen Würmer 15 - 20 Monate. Diagnose: Die Eier sind 85-125 x 50-80 µm groß, haben eine z.B. im Vergleich mit Trichostrongylus tenuis relativ dicke Eischale und gleichmäßig breit abgerundete Pole. Die Furchungskugeln sind relativ dunkel. Der Nachweis gelingt mit der Flotationsmethode.

Amidostomum orientale (RYŽIKOV und PAVLOV, 1959): Unser Fund stammt aus einer Tafelente (Aythya ferina), die im Januar 1983 zur Untersuchung kam. Der Parasit ist bislang nur aus dem Nordosten der Sowjetunion gemeldet worden (vgl. BARUŠ et al., 1978). Möglicherweise handelt es sich bei der Tafelente um einen Vogel, der im Tierpark Berlin überwintert hat. Wirte: Gänsevögel (Anatini, Aythyni). Entwicklung: Unbekannt.

Heterakis dispar (SCHRANK, 1790): Wir konnten den Parasiten in folgenden Vogelarten nachweisen: Anser anser, A. brachyrhynchus, A. indicus, Branta canadensis, B. leucopsis, B. sandvicensis, Cereopsis novaehollandiae; Anas sibilatrix, A. strepera, Aythya marila, Netta peposaca. Wirte: Gänsevögel, ausnahmweise Hühnervögel (Truthuhn). Lokalisation: Blinddärme, Dickdarm. Entwicklung: Die Eier werden ungefurcht abgelegt. In der Außenwelt erfolgt innerhalb der Eischale die Entwicklung zur La II (= Invasionslarve). Diese werden mit dem Futter aufgenommen, schlüpfen im Dünndarm aus der Eihülle und wandern in die Blinddärme ein. Die Präpatenz beträgt 18 - 25 d. Ob auch indirekte Entwicklung möglich ist (wie bei Heterakis gallinarum) ist nicht bekannt. Diagnose: Die Eier sind regelmäßig elliptisch, dickschalig und messen (nach HARTWICH, 1975) 62-76 x 35-55 µm. Unsere eigenen Messungen ergaben 67,5-75 x 40-50 µm, im Mittel 71 x 42 µm. Der koprologische Nachweis gelingt mit der Flotationsmethode.

Heterakis gallinarum (SCHRANK, 1788): Der Parasit wurde in einer Mandarinente (Aix galericulata) gefunden. Lokalisation: Blinddärme, auch hinterer Abschnitt des Dünndarms. Wirte: In erster Linie Hühnervögel, nur gelegentlich Gänsevögel. Entwicklung: Direkt, wie bei H. dispar geschildert. Außerdem können aber auch Regenwürmer als paratenische Wirte dienen, in denen die Invasionslarven das Ei verlassen und auf einen Endwirt 'warten'. Die Präpatenz dauert 3 - 4 Wochen. Diagnose: HARTWICH (1975) gibt folgende Eimaße an: 63-85 x 41-48 µm. Unsere Messungen ergaben 67,5-75 x 40-45 µm. Sie sind ellipsenförmig, besitzen eine dicke Schale und sind bei der Ablage noch ungefurcht. Eine Differenzierung von H. dispar aufgrund der koprologisch aufgefundenen Eier ist nicht möglich.

Echinuria uncinata (RUDOLPHI, 1819): Eigene Funde liegen vor bei Anser anser, A. cygniodes, Cygnus atratus, C. olor, Aix galericulata, Aix sponsa, Anas sibilatrix, Aythya marila, Netta peposaca. Wirte: Vorwiegend Gänsevögel; auch in Tauchern und Möwen nachgewiesen (BARUŠ et al., 1978). Lokalisation: Drüsenmagen. Entwicklung: Indirekt. Zwischenwirte sind verschiedene Arten von Kleinkrebsen, z.B. der Gattungen Cyclops und Daphnia. Die ins Wasser gelangten Parasiteneier reifen in der Leibeshöhle der Krebstiere zum Invasionsstadium heran. Die Endwirte erwerben den Parasiten, indem sie befallene Krebschen fressen. Die Präpatenz beträgt 30 - 40 d. Diagnose: Die Eier sind farblos und bei der Ablage bereits embryoniert, d.h., sie enthalten die La I. Sie besitzen eine verhältnismäßig dicke, ca. 2,5 µm messende Schale. Die Eier sind 32,5-37,5 x 17,5-22,5 µm groß (die von uns gemessenen Eier stammen aus dem Uterus eines Weibchens, das bei einer Nonnengans, Branta leucopsis, gefunden wurde). Im übrigen werden sie durch Flotations- und Sedimentationsmethoden nur ausnahmsweise einmal nachgewiesen, da sie im Wasser schweben (siehe HIEPE, 1985).

Tabelle 2: Nematoden bei Ruderenten (Oxyurini)

Parasitenart / Wirtsart	Capillaria retusa	Epomidiostomum uncinatum	Echinuria uncinata
Oxyura jamaicensis		X	X 1)
Oxyura leucocephala	X		

1) koprologischer Nachweis

Tabelle 3: Nematoden bei Glanzenten (Cairini)

Parasitenart / Wirtsart	Capillaria retusa	Heterakis gallinarum	Echinuria uncinata
Aix galericulata		X	X
Aix sponsa			X
Nettapus auritus	X		

Tabelle 4:

Nematoden bei Gänsen (Anserini)

Parasitenart / Wirtsart	Capillaria retusa	Capill. spec.	Trichostrongylus tenuis	Amidostomum anseris	Heterakis dispar	Echinuria uncinata
Anser anser				X	X	X
A.brachyrhynchus					X	
A.caerulescens				X		
A.cygnoides	X			X		X
A.indicus		X		X	X	
Branta bernicla	X					
B.canadensis			X	X	X	
B.leucopsis			X	X	X	X
B.sandvicensis					X	
Cereopsis novaehollandiae					X	
Cygnus atratus						X
Cygnus olor				X		X

Tabelle 5:

Nematoden bei Schwimmenten (Anatini)

Parasitenart / Wirtsart	Capillaria retusa	Epomidiostomum uncinatum	Amidostomum acutum	Heterakis dispar	Echinuria uncinata
Anas platyrhynchos	X	X	X		
Anas sibilatrix				X	X
Anas strepera				X	

Tabelle 6:

Nematoden bei Tauchenten (Aythyni)

Parasitenart / Wirtsart	Capillaria spec.	Amidostomum orientale	Heterakis dispar	Echinuria uncinata
Aythya ferina		X		
Aythya fuligula	X			
Aythya marila			X	X
Netta peposaka	X [1]		X	X

1) koprologischer Nachweis

Häufigster Nematode der von uns untersuchten Vögel war Heterakis dispar, gefolgt von Echinuria uncinata und Amidostomum anseris. Nicht überraschend ist die Häufung von Nematoden mit direkter Entwicklung (Amidostomum anseris, Trichostrongylus tenuis, Heterakis dispar) bei den Gänsen. Dies liegt sicher nur zum Teil daran, daß diese Vögel in unserem Material am stärksten repräsentiert waren. Gänse halten sich zur Nahrungssuche weit mehr an Land auf als die übrigen Vertreter der Anatidae. Sie haben deshalb auch eine größere 'Chance', beim Grasrupfen Eier und Larven solcher Parasiten aufzunehmen. Was die Art A. anseris betrifft, so hat ihr ausschließliches Vorkommen bei den Anserini möglicherweise nicht nur ökologische Gründe. Wie die Versuche von ENIGK und DEY-HAZRA (1968b) zeigen, ist der Parasit wahrscheinlich spezifisch für die echten Gänse. Der Magenwurm Echinuria uncinata ist bei allen mit Nematoden befallenen Wirtsgruppen angetroffen worden. Das massenhafte Vorkommen von Daphnien in den Tierpark-Gewässern sowie die zahllos hier einfliegenden Stockenten begünstigen einen Befall der Zoovögel mit diesem Parasiten. Obwohl die Intensität des Befalls mit den von uns gefundenen Parasiten durchweg gering war (pathologische Veränderungen waren zumindest makroskopisch nicht erkennbar), so stellen doch vor allem A. anseris und E. uncinata eine potentielle Gefahr für die Gänsevogelhaltung im Zoo dar. Der Tierpark Berlin hat z.B. schon junge Trauerschwäne (Cygnus atratus) durch E. uncinata verloren. Entsprechende Erfahrungen teilen auch GRÄFNER und GRAUBMANN (1967) mit.

Zusammenfassung

Magen- und Darmnematoden bei Entenvögeln (Anatidae) im Tierpark Berlin

Von 169 untersuchten Vögeln wiesen 41 Nematoden im Magen-Darm-Trakt auf. Häufigster Darmnematode war Heterakis dispar. Im Magen waren Echinuria uncinata und Amidostomum anseris am meisten vertreten.

Summary

Gastro-Intestinal Nematodes in Duck Species (Anatidae) in Tierpark Berlin

Nematodes were recorded from the gastro-intestinal tract of 41 in 169 examined birds. Heterakis dispar was the most common intestinal nematode, while Eschinuria uncinata and Amidostomum anseris were most frequently observed in the stomach.

Résumé

Nématodes dans le caral gastro-intestinal des ansériformes (Anatidae) dans le Tierpark Berlin

41 des 169 oiseaux examinés ont manifesté des nématodes dans le canal gastro-intestinal. Le nématode intestinal le plus fréquent a été Heterakis dispar. Dans l'estomac on a trouvé avant tout les Eschinuria uncinata et Amidostonum anseris.

Резюме

Нематоды желудка и кишечника у утковых (Anatidae) в зоопарке города Берлина.

Из I69 обследованных птиц у 4I обнаружены в кишечно-желудочном тракте нематоды. Чаще всего в кишечнике встречались Heterakis dispar. В желудке обнаружены Echinuria uncinata, Amidostomum anseris.

Literaturverzeichnis

BARUŠ, V., SERGEEVA, T.P., SONIN, M.D., and K.M. RYŽUKOV (1978): Helminths of fish-eating birds of the palaearctic region. I. Nematodes. Moscow, Prague: Publishing House of the Czechoslovak Academy of Science.

ENIGK, K., und A. DEY-HAZRA (1968a): Die perkutane Infektion bei Amidostomum anseris (Strongyloidea, Nematoda). Z. Parasitenk. 31, 155 - 165.

ENIGK, K., und A. DEY-HAZRA (1968b): Zur Wirtsspezifität von Amidostomum anseris (Strongyloidea, Nematoda). Z. Parasitenk. 31, 266 - 275.

GRÄFNER, G., und H.-D. GRAUBAUM (1967): Echinuriose und Tetramerose bei Zoovögeln. Verh.ber. Erkrg. Zootiere 9, 171 - 173.

HARTWICH, G. (1975): Rhabditida und Ascaridida. Tierwelt Deutschlands, 62. Teil. Jena: Gustav Fischer.

HIEPE, Th. (1985): Lehrbuch der Parasitologie, Bd. 3: Veterinärmedizinische Helmithologie. Jena: Gustav Fischer.

LEVINE, N.D. (1968): Nematode parasites. Minneapolis: Burgess Publishing Co.

SKRJABIN, K.I., ŠICHOBALOVA, N.P., i I.V. ORLOV (1957): Osnovy nematodologii, t. 6. Moskva: Izdat. Akademii Nauk.

ZAJIČEK, D. (1964): The embryonal and postembryonal development of Amidostomum boschadis PETROV and FEDJUSCHIN, 1949 (Nematoda). Proc. Symp. 'Parasitic worms and aquatic conditions', Prague, 137 - 143.

Anschrift des Verfassers: Dr. W. T s c h e r n e r
DDR-1136 Berlin
Am Tierpark 125 (DDR)

Aus der Abteilung Veterinärwesen (Kreistierarzt: VR Dr. R. SCHWARZE) des Rat des Kreises Oschatz, dem Bezirksinstitut für Veterinärwesen Schwerin (Direktor: OVR Dr. G. FUCHS), der Forschungsstelle für Wirbeltierforschung (im Tierpark Berlin)
(Direktor: Prof. Dr. sc. Dr. h. c. H. DATHE) der Akademie der Wissenschaften der DDR und dem Tierpark Berlin (Direktor: Prof. Dr. sc. Dr. h. c. H. DATHE)

EIN BEITRAG ZUM VORKOMMEN UND ZUR BEHANDLUNG DES KRATZERBEFALLS (ACANTHOCEPHALA) BEI ENTEN

Von U. Hofmann, G. Gräfner, R. Ippen und W. Tscherner

Der Befall mit Kratzern der Art Filicollis (F.) anatis kann beim Hauswassergeflügel aber auch bei den in tiergärtnerischen Einrichtungen gehaltenen Entenarten von erheblicher Bedeutung sein. HOFMANN et al. berichteten 1985 über das Auftreten von F. anatis in individuell gehaltenen Entenbeständen und wiesen darüber hinaus die gleichen Parasiten bei wildlebenden Entenarten nach, womit auf ein ständig vorhandenes natürliches Reservoir aufmerksam gemacht wurde.

Auf die pathogene Bedeutung des Befalls von F. anatis bei Enten gehen HOFMANN et al. (1985) ausführlich ein. Weitere Berichte über Erkrankungen und Todesfälle liegen sowohl aus der Sowjetunion (PETROCENKO, 1958) als auch aus anderen Ländern vor (THOM und GARDEN, 1955 ; GARDEN et al., 1964). In allen Berichten wird auf die ungenügende Entwicklung und verringerte Gewichtszunahme der betroffenen Tiere verwiesen, wobei als klinische Symptome Schwäche und Abgeschlagenheit im Vordergrund stehen.

In Fortführung der Untersuchungen von 1982/83 wurden 1984/85 die Nachkommen aus drei Gelegen von Flugenten aus individueller Haltung untersucht. Auch bei ihnen wurden Filikollosen mit den typischen klinischen Symptomen wie Schwäche, Apathie und Somnolenz festgestellt. Aus dem Schlupf 1984 starben von 13 Entenküken 6 Tiere (46,2 %) und vom ersten Schlupf 1985 von 18 Küken vier Tiere (22,2 %) und schließlich vom zweiten Schlupf 1985 verstarben von 11 Küken noch 2 Tiere (18,2 %). Die relativ niedrigen Verlustraten im Jahr 1985 sind mit als Folge einer eingeleiteten medikamentellen Behandlung anzusehen. Alle Tiere wurden genau untersucht. Die Befallsintensität mit F. anatis betrug bei den gestorbenen Entenküken maximal 51 Exemplare. Die Hälfte aller Enten wiesen einen Befall mit mehr als 25 Exemplaren von F. anatis auf. Im Vergleich hierzu konnten 1982/83 Maximalbefunde von 57 Exemplaren bei einer Verlustquote bis zu 58,8 % registriert werden.

Interessanterweise ließ sich bei den untersuchten Enten gleichzeitig ein beachtlicher Helminthenbefall feststellen. So wurden neben fünf Nematodenarten, drei Trematodenarten und drei Zestodenarten nachgewiesen. Unter den Nematoden erwies sich bei einem Tier ein Tetrameres fissispina-Befall mit nachgewiesenen 322 Exemplaren als gravierend.

Weitere umfangreiche histopathologische und elektronenmikroskopische Untersuchungen sind zur Zeit noch nicht abgeschlossen und werden Gegenstand einer späteren Publikation sein. Schon jetzt kann darauf hingewiesen werden, daß sowohl im Darmgewebe als auch in der Herzmuskulatur und in weiteren Organen parasitäre Gebilde beobachtet werden konnten, die mit hämatoxylin-tingierten Partikeln ausgefüllt erscheinen. Eine Entscheidung, ob es sich um protozoäre Entwicklungsformen oder andere Parasitenstadien handelt, konnte noch nicht getroffen werden.

Zum Nachweis von Kratzern bei lebenden Enten wurden koproskopische Untersuchungen durchgeführt. Es zeigte sich, daß der Nachweis von Eiern sowohl bei der Anwendung der kombinierten Sedimentations-Flotationsmethode als auch der ausschließlichen Sedimentationsmethode gelingt. Die positiven Ergebnisse schwanken zwischen 25 % und 75 %. Die Feststellung erlaubt die Aussage, daß sich die gebräuchlichen Untersuchungsverfahren (in vivo) zum Nachweis von Kratzereiern im Kot durchaus eignen und eine relativ sichere Diagnosestellung garantieren.

Eine medikamentelle Behandlung mit dem Präparat Nilverm (Wirkstoff: Tetramisol) wurde sowohl bei den Tieren des Schlupfes 1984 als auch bei denen des ersten Schlupfes von 1985 durchgeführt. Hierzu wurden zweimal im Abstand von 8 Tagen 2 ml/kg KM Nilverm appliziert.

Die von HOFMANN et al. (1985) zunächst als relativ effektiv eingeschätzten Nilverm-Medikationen erwiesen sich bei dem erneuten Einsatz als weitgehend erfolglos. Die nach dem Tod von vier Küken aus dem Schlupf von 1984 (13 Tiere) verbleibenden 9 Enten wurden nach dem Auftreten deutlicher, klinischer Symptome mit Nilverm behandelt. Anfangs trat eine gewisse Besserung des Allgemeinbefindens ein . Trotz der erfolgten zweiten Nilverm-Behandlung im Abstand von 10 Tagen verstarben weitere drei Tiere und jede weitere Besserung blieb aus. Gleiche Beobachtungen wurden auch bei 16 behandelten Tieren des ersten Schlupfes von 1985 gemacht. Auch von ihnen starben zwei Enten nach erfolgter Nilvermbehandlung und die anderen Enten zeigten eine unbefriedigende Entwicklung. Die parasitologischen Untersuchungen geschlachteter Tiere dieser Gruppe ließen nach wie vor einen mittelgradigen Befall mit F. anatis erkennen.

Nach Feststellung der Unwirksamkeit von Nilverm wurden die letzten sechs Tiere des Schlupfes 1984 einer Behandlung mit Panacur (Wirkstoff: Fenbendazol) unterzogen. Es wurden über drei Tage dreimal 40 mg / kg KM Fenbendazol eingesetzt. Der vor der Behandlung beobachtete Durchfall hörte auf, und es traten keine weiteren Todesfälle ein. Das Allgemeinbefinden der Enten besserte sich sichtbar. Eine parasitologische Untersuchung von vier geschlachteten Enten dieser Gruppe ergab, daß keine Kratzer mehr nachzuweisen waren.

Auch bei den überlebenden neun Tieren des zweiten Schlupfes 1985 wurde eine Panacurbehandlung zweimal mit 40 mg / kg KM Fenbendazol über zwei Tage durchgeführt. Der Erfolg der Behandlung war eindeutig. Die Enten entwickelten sich gut und die parasitologische Untersuchung auf einen Kratzerbefall bei zwei geschlachteten Enten verlief negativ.

Zur Zeit noch nicht geklärt bleibt die Frage der Bedeutung von Zwischenwirten und deren prophylaktische Bekämpfung. Erste Untersuchungen haben einen erheblichen Besatz der zu den Ausläufen gehörenden Fließgewässer mit Wasserasseln (Asellus aquaticus) ergeben.

Zusammenfassung

Ein Beitrag zum Vorkommen und zur Behandlung des Kratzerbefalls (Acanthocephala) bei Enten

Es wird über das Vorkommen der Kratzerart Filicollis anatis in Entenbeständen berichtet, das zu erheblichen Verlusten führen kann. Die Möglichkeit einer koproskopischen Diagnosestellung durch die gebräuchlichen Untersuchungsverfahren ist gegeben. Eine medikamentelle Behandlung erkrankter Enten mit den Handelspräparaten Nilverm (Tetramisol) und Panacur (Fenbendazol) wird ausgewertet.

Summary

Occurrence in and Treatment of Duck for Scabies (Acanthocephala)

Filicollis anitis may inflict serious damage upon duck stock, and its continued occurrence is reported. The common techniques of examination are good enough for safe coproscopic diagnosis. The best results have so far been obtained from therapeutic medication of contaminated ducks, using two commercially available preparations, Nilverm (tetramisol) and Panacur (phenbendazol).

Résumé

Apparition et traitement des égratignures (sur acanthocéphales) chez les canards

Rapport sur l'occurence du type des égratignures Filicollis ânitis dans les effectifs de canards qui pourraient susciter des pertes considérables. Il y a la possibilité d'une diagnose coproscopique par moyen des techniques d'examen usuels. Un traitement médicamenteux des canards malades avec les préparations commerciales Nilverm (Tétramisol) et Penacour (Fenbendazol) a eu les meilleurs résultats.

Резюме

Лечение заражений ,вызванных часоточными очагами (Acanthocephala) у уток

Сообщается о заражении уток часоткой вида Acanthocephala , приводящих к значительным потерям. Описана копроскопическая диагностика с обычно применяемыми методами исследования. Медикоментозная терапия препаратами Nilverm (Tetramisol), Panacur (Fenbendazol) дала положительные результаты.

Literaturverzeichnis

GARDEN, E. A., RAYSKI, C., and V.M. THOM (1964): A parasitic disease in eider ducks. Bird Study 11, 280 - 287.

HOFMANN, U., ELFLEIN, G., GRÄFNER, G., und H.-D. GRAUBMANN (1985): Kratzer (Acanthocephala) bei domestizierten und wildlebenden Vogelarten. Mh. Vet.-Med. 40, 483 - 486.

PETROCENKO, V. I. (1958): Akantozefaly (skebni) domasuich dickich zivotnich. Vol II. - Izdat. AN SSSR, Moskva.

THOM, V. M. and E. A. GARDEN (1955): A heavy mortality among eider ducks. Fair Isle Bird Observ. Bull. 2, 325.

Anschrift der Verfasser: Dr. U. H o f m a n n
DDR - 7261 Calbitz
Flurstraße 6a (DDR)

From the Department of Parasitology and Parasitic Diseases, Faculty of Veterinary Science, University of Córdoba (Spain)

PARASITES FROM THE WILD GOAT IN SPAIN

By F. Martinez-Gomez, S. Hernandez-Rodriguez, Isabel Acosta, and Mª Setefilla Martinez-Cruz

The taxonomic position of the wild goats is today a matter of discussion, without any agreement on its definitive situation (MANEZ et al., 1983). Traditionally in Europe three species of wild goats have been accepted, distinguishable by their size and by their horn shape. These three species are the Alpine goat, Ibex, or Capra ibex, the bezoar goat C. aegagrus and the Iberian wild goat C. pyrenaica. CABRERA (1914) considered this last species divided into three subspecies with different localization, throughout the Iberian Peninsule: C. pyrenaica pyrenaica inhabiting the Pyrinean Mountains, C. pyrenaica victoriae, inhabiting the Gredo's Sierra and C. pyrenaica hispanica, inhabiting the large chain of mountains bordering the Mediterranean coast (Fig. 1). COUTURIER (1958) considered only one species of european wild goat, C. aegagrus, with three subspecies corresponding to the three species from the other authors. C. aegagrus aegagrus, C. aegagrus ibex and C. aegagrus pyrenaica. In this last species are included all the iberian wild goats with different populations, adapted to the different ecosystems they occupy.

We studied the population localized in the Natural Park of the "Sierra de Cazorla y del Segura", in the South of the Iberian Peninsule, corresponding to the old subspecie C. pyrenaica hispanica in the Cabrera's classification. This population was formed in 1977 of more than 9000 individuals (NUNEZ et al., 1983), according to the data supplied by the National Institute for the Conservation of Nature (ICONA). The animals we studied were obtained by this Institution, in a cooperative scheme of fighting against the parasites of the wild animals inhabiting this Natural Reservation.

Our work is the first in depth study of the endoparasitoses of the wild goat made in Spain. Previously, there was only one reference (LOPEZ-NEYRA, 1947) to Moniezia expansa from a wild goat hunted in "Sierra Nevada" (Fig. 1). In the ecosystem studied by us, we diagnosed the parasitoses from the red deer Cervus elaphus and from the wildboar, Sus scrofa baeticus Thomas, 1912, and we made very interesting findings, most of them waiting to be published.

Material and methods

We studied the parasites from three wild goats Capra aegagrus pyrenaica (Capra pyrenaica hispanica), all of them females between ten and twelve years old, supplied by ICONA and coming from the Natural Reservation of the "Cazorla and Segura Mountains", in the South of the Iberian Peninsule (Fig. 1).

All the methods used in the necropsy, search of the parasites, and treatment of them, were those usual in a laboratory of Parasitology, and they were described in early works (HERNANDEZ-RODRIGUEZ et al., 1980).

Results and discussion

We identified 15 species of parasites: 1 of Protozoa, 1 of Trematodes, 9 of gastrointestinal Nematodes and 4 of bronchopulmonary Nematodes. We didn't found neither haematic, muscular Protozoa, larval nor adult Cestodes.

In table number 1 we show the 15 parasitic species identified, ordered in taxonomical groups, and inside them, in an alphabetical order. We show, too, their distribution between the three studied animals.

We found only one species of Protozoa, Eimeria arloingi, in one of the three studied animals, but it is, in our regions, a very frequent parasite of the domestic goat (MARTINEZ-GOMEZ at al., 1974). This coccidium has been described previously in wild goats from Switzerland (COUTURIER, 1962; BOUVIER et al., 1963), from Israel (BATELLI et al., 1978) and from the Zoological Garden of Paris (NOUVEL et al., 1968).

Dicrocoelium dendriticum has been diagnosed in two of the three examined individuals. It is a habitual parasite of the C. hircus (MARTINEZ-GOMEZ et al., 1973) and of the domestic sheep (LOPEZ-NEYRA, 1947) in most of the region of Andalucia, and it was found in wild goats in Central Europe (COUTURIER, 1962; SCHWEIZER, 1949, and JAROS et al., 1966).

TABLE Nº 1

PARASITE	Goat nº 1	Goat nº 2	Goat nº3
PROTOZOA			
Eimeria arloingi	•		
TREMATODA			
Dicrocoelium dendriticum	•	•	
GASTROINTESTINAL NEMATODES			
Bunostomum trigonocephalum		•	•
Marshallagia marshalli		•	
Nematodirus abnormalis			•
Ostertagia circumcincta	•	•	•
O. occidentalis		•	•
O. trifurcata	•	•	•
Trichostrongylus axei		•	
T. capricola		•	•
T. vitrinus		•	•
BRONCHOPULMONARY NEMATODES			
Cystocaulus ocreatus	•		
Dictyocaulus filaria	•		
Muellerius capillaris		•	
Protostrongylus rufescens		•	

We never found Cestodes, either adult or larval forms, but they are very frequent in our region, both in domestic sheep and goats (MARTINEZ-GOMEZ et al., 1974). In the Spanish bibliography there is a reference (LOPEZ-NEYRA, 1947) to Moniezia expansa in a wild goat hunted in "Sierra Nevada", and we found larval forms of Cestodes in Cervus elaphus of the same ecological region (HERNANDEZ-RODRIGUEZ et al., 1984).

In relation to the gastrointestinal Nematodes, the most frequent are Ostertagia circumcincta and O. trifurcata, that we found in all the three examined animals, and O. occidentalis, found in two of the three.

Ostertagia spp. are very common parasites from sheep and goats in the South of Spain (CORDERO DEL CAMPILLO, 1980; MARTINEZ-GOMEZ and HERNANDEZ-RODRIGUEZ, 1971; MARTINEZ-GOMEZ et al., 1974). In spite of this, there is no previous reference to its presence in Spanish wild goats. In different localities and Zoological Gardens in Europe, they have been cited by different authors (COUTURIER, 1962; ASADOV, 1960 and 1963; KUTZER and HINAIDY, 1969; BALBO, 1978; and JAROS et al., 1966).

We found three species of Trichostrongylus: T. axei in one of the three investigated individuals, and T. vitrinus and T. capricola in two of them. All three species have been frequently cited in our region parasiting domestic ruminants (MARTINEZ-GOMEZ and HERNANDEZ-RODRIGUEZ, 1971; MARTINEZ-GOMEZ et al., 1974), but they are cited for the first time in Spain in this host. We found T. axei and T. vitrinus in C. elaphus from the same geographical localization (HERNANDEZ-RODRIGUEZ et al., 1984) and COUTURIER (1962), BOUVIER et al. (1963), KUTZER and HINAIDY (1969), JAROS et al. (1966) and BALBO et al. (1978) found Trichostrongylus spp. from C. aegagrus aegagrus and C. aegagrus ibex in different European localities.

Marshallagia marshalli was found in one of the three wild goats examined. There are no references to its presence parasiting domestic goats in Spain (CORDERO DEL CAMPILLO, 1980) or red deer (HERNANDEZ-RODRIGUEZ et al., 1984). BALBO et al. (1978) diagnosed this species from C. aegagrus ibex from the Alps Mountains in Italy.

One of the three wild goats studied was parasitized by Nematodirus abnormalis, a parasite rarely diagnosed in Spain (CORDERO DEL CAMPILLO, 1980). We found it in domestic goats in two occasions (unpublished).

We found Bunostomum trigonocephalum in two of the three wild goats, this parasite beeing a quite common one from ruminants in the South of Spain. COUTURIER (1962) shows its presence in Switzerland parasiting C. aegagrus ibex.

In relation to the bronchopulmonary Nematodes, we found four different species. Two of them, D. filaria and C. ocreatus were found in the individual number 1, and the other two, M. capillaris and P. rufescens, in the wild goat number 2. All the four Nematodes are cited for the first time in the wild goat in Spain. D. filaria, C. ocreatus and M. capillaris have been previously diagnosed on many occasions from the domestic goats in Spain (CORDERO DEL CAMPILLO, 1980; MARTINEZ-GOMEZ et al., 1974), but P. rufescens never before has been cited in this host.

ASADOV (1960) found D. filaria from C. aegagrus aegagrus in Azerbeidzhan. JAROS et al. (1966) diagnosed C. ocreatus from C. aegagrus ibex in the Zoological Garden of Prague. The most frequent bronchopulmonary Nematode from wild ruminants in Central Europe ist Muellerius capillaris, cited by COUTURIER (1962), JAROS et al. (1966) and BOUVIER et al. (1963) and P. rufescens was found by COUTURIER (1962) from France and Switzerland parasiting C. aegagrus ibex.

We show, in table nº 2, the parasitocoenoses found in the examined animals. The wild goat number one was parasitized only by six species of parasites, but it presents the most complete of the parasitic associations, with representatives from all the four groups of parasites. The wild goat number two is the individual presenting the highest number of different parasitic species (eleven), and it shows a parasitocoenose with only three of the four groups of parasites. There are no parasitic Protozoa. Finally, the wild goat number three was parasitized by seven different species of parasites, all of them from the same group of gastrointestinal Nematodes.

TABLE Nº2

Goat nº	Total spp.	Protozoa	Trematoda	GINematodes	BPNematodes
1	6	1	1	2	2
2	11	0	1	8	2
3	7	0	0	7	0

Summary

Parasites from the wild goat in Spain

Reported in this paper is the parasitocoenosis of wild goats in the Natural Reservation of Carzola and Segura Mountains.

Zusammenfassung

Über Parasiten bei Wildziegen in Spanien

Es wird über die Parasitozönose der Wildziegen im Naturreservat von Carzola und Segura berichtet.

Резюме

О паразитах диких коз в Испании

Говорится о паразитном ценозе диких коз в природной резервации

References

ASADOV, S. M. (1960): Helminths of domestic and wild ruminants in Azerbaidzhan. Trudy Inst. Zool. Azerbaidzhan SSR. 21, 97 - 108.

ASADOV, S. M. (1963): On natural focalization of Helminths of ruminants of Azerbaidzhan. Mater. Nausch. Sess. Gel'mintol. Respublik Kazakaz. Vopr. Gel'mintofauny i Bor'by Gel'mintoz. Cheloveka, Sel'skokhoz. Zhivoynykh i Rastenii, 20 - 29.

BALBO, T. (1978): Raffronto comparativo della diffusione dei Nematode gastro-intestinali neu ruminanti domestici e nei ruminanti selvatici delle Alpi Occidentali. Parassitologia 20, 131 - 137.

BOUVIER, G., und B. HORNING (1963): Parasitologische Untersuchungen an Steinwild der Schweiz, unter besonderer Berücksichtigung der Kolonien am Mout-Pleureur und am Piz Albris. Rev. Suisse Zool. 70, 611 - 676.

CABRERA, A. (1914): Fauna Ibérica. Mamiferos. Museo Nacional de Ciencias Naturales. Madrid.

COUTURIER, M. A. J. (1958): Parallèle anatomique et phisiologique entre le pied du bouquetin des Alpes et celui du chamois en raport avec l'adaptation à la vie en montagne des deux espèces. Mammalia 22, 76 - 89.

COUTURIER, M. A. J. (1962): Le bouquetin des Alpes Capra aegagrus ibex ibex L. Ed. Universitaire. Grenoble.

CORDERO DEL CAMPILLO, M., ed. (1980): Indice-catálogo de Zooparásitos Ibéricos. M$^{\underline{o}}$ Sanidad. Madrid.

HERNANDEZ-RODRIGUEZ, S., MARTINEZ-GOMEZ, F., CALERO CARRETERO, R., MORENO, T., y I. NAVARRETE (1980): Parásitos del ciervo C. elaphus en Córdoba. I. Primera ralación. Rev. Iber. Parasitol. 40, 93 - 106.

HERNANDEZ-RODRIGUEZ, S., MARTINEZ-GOMEZ, F., GUTIERREZ, P., and S. MARTINEZ-CRUZ (1984): Parasitocoenoses of red deer C. elaphus in Sierra Morena, Córdoba, Spain. Verh. ber. Erkrg. Zootiere 26, 429 - 433.

JAROS, Z., VALENTA, Z., and D. ZAJICEK (1966): A list of Helminths from the section material of the Zoological Garden of Prague in the years 1954 - 1964. Helminthologia 7, 281 - 290.

KUTZER, E., und H. K. HINAIDY (1969): Die Parasiten der wildlebenden Wiederkäuer Österreichs. Zschr. Parasitenkd. 32, 354 - 368.

LOPEZ-NEYRA, C. R. (1947): Helmintos de los Vertebrados Ibéricos. C.S.I.C., Granada.

MANEZ, M., ESPINA, J., y J. BARREIRO (1984): Guia de la caza mayor. Pub. M° Transportes. Madrid.

MARTINEZ-GOMEZ, F., and S. HERNANDEZ-RODRIGUEZ (1971): Helminth parasites from sheep O. aries in Córdoba (Spain). Arch. Zootechn. 20, 249 - 255.

MARTINEZ-GOMEZ, F., HERNANDEZ-RODRIGUEZ, S., y R. CALERO-CARRETERO (1973): Helmintos parásitos de la cabra C. hircus en Córdoba. Rev. Iber. Parasitol. 33, 625 - 631.

MARTINEZ-GOMEZ, F., HERNANDEZ-RODRIGUEZ, S., CALERO, R., y C. BECERRA (1974): Contribución al conocimiento de los zooparásitos en la provincia de Córdoba. III Reunión Nal. Centros Inv. Ganadera CSIC. Córdoba, 325 - 328.

NOUVEL, J., et J. RINJARD (1968): Effectif, mortalité et natalité enregistrés au Parc Zoologique de Paris pendant l'année 1966. Bull. Mus. Nat. Hist. Nat., Paris, 39, 615 - 631.

SCHWEIZER, R. (1949): Beobachtungen über Wildkrankheiten. Arch. Tierh. 91, 391 - 396.

Address of authors: Prof. Dr. M a r t i n e z - G o m e z
Department of Parasitology and Parasitic Diseases,
Faculty of Veterinary Science, University of
Córdoba
Córdoba (Spain)

FIGURE 1

1.- Capra pyrenaica pyrenaica
2.- Capra pyrenaica victoriae
3.- Capra pyrenaica hispanica

From the San Diego Zoo, California and the National Park of Madrejón, Paraguay

OBSERVATIONS ON THE CHACOAN PECCARY (CATAGONUS WAGNERI)

By K. Benirschke, S. Gonzalez, G. Gould, M. Byrd and A. Kumamoto

Introduction

The Chacoan peccary (Catagonus wagneri) was first found in 1972 and described by WETZEL in 1975, 1977. A number of morphologic features have since been described and its chromosome number of 2n=20 found to be different from the other two species of peccary (Tayassu tajacu, 2n=30; Tayassu pecari, 2n=26; HUFTY et al., BENIRSCHKE et al. 1985). Little is yet known about the morphology of internal organs, physiology, and other biologic aspects of this animal.

In Paraguay the Chacoan peccary is known as the "taguá," or the "great gray pig," and is well appreciated by hunters, farmers and land clearers as the most desirable meat. Because of the relentless and rapid clearing of the native bush, agricultural development and asphalting of the principal road (Trans-Chaco route) the taguá and other once plentiful species are gradually becoming very rare and are in danger of extinction. One three year old male is held in the Asunción Botanical Garden and Zoo, and a female of approximately one year lives in the enclosure of the National Park of Madrejón. No others are known to be in captivity at the present time. The species, which prefers dry bush is found in the Western Chaco of Paraguay, Northern Argentina and Southeastern Bolivia. Its numbers in the wild are unknown and would be difficult to estimate due to the relative impenetrability of the Chaco bush.

In November 1985 a 10day exploration of many parts of Western Paraguay was undertaken in an effort to bring additional specimens into the park at Madrejón. In speaking to inhabitants of the area it became evident that the animal is less frequently seen than in the past but also, that it is still often hunted and lives in proximity of the longstanding Mennonite farming communities. Radio announcements were made from the Mennonite colony of Filadelfia in German, Spanish, Guarani and several Indian languages offering 10,000 Guarani ($ 18) for each live animal. Immediately, radio messages began coming back and within a few days we had three taguá, one collared peccary and one still to be determined species of peccary.

Observations

Two days prior to arrival a Mennonite farmer and builder had shot an adult male for food. The accompanying female and two young disappeared into the bush. A few days after arrival, a Mennonite captured a young male animal weighing 2.9 kg. Its mother and sibling disappeared. This male readily took to a bittle and is currently being fed eight times daily with whole, fresh, warmed cow milk and melon. It is happy in the company of a domestic boar that had previously been castrated. It will shortly be taken to Madrejón to join the female.

Two days later two slightly larger young, one male and one female, were purchased from an Indian mission near Blumenthal, a Mennonite colony. The mother had been shot and the young were hunted down by the dogs of this almost professional hunter, who was also raising some 30 young theas for sale on his small farm. These two animals are the principal subjects of this report.

Another one year old male was said to live on a farm near Filadelfia. When arriving there the peccary had allegedly been sold that morning to a skin collector from Asunción. A female collared peccary lived on that farm, as well as a three month old puma, an animal relentlessly hunted by farmers, as is the jaguar.

A final specimen of unknown type (3 hind claws) was purchased at Steinthal from a Mennonite farmer (approximately 80 km south of Filadelfia). It had lived with the family for one year, was quite tame and very odoriferous. In transporting the animal in the back of a Toyota Land Cruiser, it quickly became overheated and had to be given a water bath on the spot. It was placed with a Mennonite family in Filadelfia but will soon join the 780,000 ha National Park at Madrejón.

<u>Male</u>: Approximately 5 kg and significantly more mature than the live male with 2.9 kg that was still dependent on bottle milk. The animal had to be sacrificed when it was discovered that its jaw had been fractured by the dog bite and was impacted with food.

Measurements: snout to tail 55 cm, crown to tail 48 cm, standing height 37 cm, ear length 7 cm, tail 1 cm, distance from inner canthus of eye to other 5 cm, maximal breadth of head 7 cm, eye lid 2 cm. The lower jaw was broken by dog bite and the fracture impacted with foreign materials. Heart and lung were normal, lungs well expanded. Stomach was partitioned (Fig. 1) and contained chewed plant material, as did large intestine. The small intestine measured 437 cm from stomach to ileocecal valve, the folded large intestine was 136 cm; there was a 1 cm funnel-shaped empty appendix. Liver (12 x 9 x 1.8 cm) without gall bladder, 12 x 0.5 cm pancreas, 15 x 4.5 cm flat spleen, 5 x 4 x 1.5 cm kidneys, triangular 2.5 x 1.5 x 0.3 cm adrenals. The testes were only partially descended and measured 1.8 x 0.5 cm each. On cross section they had a yellow appearance. The bladder was hugely distended with nonodoriferous yellow urine and extremaly thin. The dorsal scent gland was light brown, flat, nonodoriferous and an ovoid of 2.5 x 2 x 0.1 cm. A small amount of subcutaneous fat was present. There were numerous hematomas from bite wounds in all legs.

<u>Female</u>: This animal died several hours after purchase from numerous bite wounds. Approximately 4 kg.

<u>Measurements</u>: snout to tail 48 cm, crown to tail 45 cm, snout to crown 17 cm, breadth of head 9 cm, eye distance 5 cm, eye lid 1 cm. All organs were essentially similar to the male, including the intestinal and bladder contents although most were very slightly smaller in dimensions. This animal had been bitten into the right thorax, resulting in atelectasis and interstitial emphysema. Bruises were present in the extremities. The ovaries were round and white, each 1.5 cm in diameter and yellow on cross section; the uterus was diminutive (Figs. 2, 3). The ovaries were contained in a delicte partial bursa.

Portions of tissues were collected in 10 % formalin solution for histologic study; portions of finely minced liver were placed into 100 % ethyl alcohol for DNA studies. Two ticks were also collected from the animals (Figs. 4, 5). These were identified as belonging to the genus Amblyomma and will be further characterized through the Museum of Natural History at San Diego and Dr. A. OLSON. No other ectoparasites nor intestinal worms were identified.

<u>Histology</u>

No unusual findings were made in sections of heart, lung, diaphragm, liver, spleen and bladder which had a single layer of epithelium and, despite its stretched nature a very muscular wall. Skeletal muscle sections had fresh hemorrhages. The submaxillary gland had mucus-secreting epithelium only. Kidneys showed completed glomerulogenesis with several tubules separating glomeruli from capsule. Adrenals possessed a thin glomerulosa, a broad fascicularis but neither reticularis nor remnants of a possible fetal zone which is therefore judged not to have existed; there was abundant medullary tissue. The pancreas had very few and inconspicuously small islets of Langerhans. Larynx was accompanied by a very flat thyroid which contained irregular colloid-filled follicles. Small intestines had very little lymphoid tissue. The lymphnodes were remarkable in their size and structure. Most follicles had reactive centers but they formed the lesser part of these structures. Over 90 % of nodal tissue was medullary, reticular tissue in very loose stroma. Numerous erythrocytophagocytes (from the dog injury) and some pigment were present. Remarkably, one inguinal lymphnode containde foreign body giant cells with grayish spicules thought to be portions of ticks.

Genital Tracts: The testes were remarkable because of their prominent presence of interstitial cells, many of which were vacuolated and appeared to be degenerating (Fig. 9). Germ cells were uniformly scattered through the tubular apparatus, the dilated epididymis was empty.

The vagina was lined by squamous epithelium having prominent parakeratosis. The empty cervix had single-branched glandular clefts, the uterine horns had inactive glands (Fig. 6, 7). The ovaries, lying in an incomplete bursa, were remarkable for the presence of a predominant fetal interstitial gland that made up 90 % of their volume (Fig. 8). The oocytes, located in a peripheral mantle, showed no evidence of maturation. Oogenesis was completed. The interstitial gland was made up of nests of eosinophilic polyhedral cells as most others described (MOSSMAN and DUKE, 1973) and showed no signs of degeneration.

Scent Gland: The general morphology was similar to that of the gland described for the javelina (EPLING, 1956). A single squamous epithelium-lined duct led into a primary sac which was surrounded by a larger component of sebaceous glands through which coursed smaller ducts (Fig. 10). Secondary storage sacs lined by flat epithelium were interspersed or, more often, peripheral to this sebaceous component and, in turn, surrounded by sudoriferous (sweat gland type) glands. The latter were composed in part of very eosinophilic cells, in part of vacuolated, less eosinophilic and more lumen-containing glandular cells (Fig. 11). The whole gland was surrounded by a fibrous capsule. Vater-Pacinian corpuscles, as described for the javelina, were not identified.

Discussion

This paper adds some bits of knowledge to the poorly understood biology of the recently discovered Chacoan peccary (MAYER and BRANDT, 1978). Despite earlier reports by local observers it appears that the young of this species are born from September on. NOVAK and PARADISO (1981) suggest that young come mainly in September, which is verified by our obtaining 1 - 2 month old youngsters in November. It would be easiest to obtain young for purposes of establishing captive herds at this time. At least one of the animals we obtained was chased and captured by a farmer without harming the sow or other young. Twins are apparently encountered most frequently.

This paper also first documents the features of the scent gland of Catagonus, which, with the exception of the absence of Pacinian corpuscles, was found to be similar to that of the javelina described by EPLING (1956). Perhaps because of the juvenile nature or the less odoriferous nature of this species, the gland did not smell, nor could secretions be expressed from it.

The intestinal tract had great similarity to that of suidae, especially the great length of the intestinal tract. No descriptions have been made of these features in Catagonus, however, when comparing the morphology of the sacculated stomach with that described of the collared peccary by LANGER (1974, 1979) it was found to be essentially of the same structure. Because of the potentially important phylogenetic importance of the gastric morphology, the stomach will be further studied by Dr. Peter LANGER (1979).

The reproductive tract of the Tayassuidae has only been described in detail by WISLOCKI (1931) for the collared peccary. SOWLS (1984) summarizes the very small information recorded in these species, that of the Chacoan peccary not having been described. The most remarkable features are the prominence of testicular interstitial cells and the presence of a large interstitial gland in the ovary in these juveniles, estimated to be about two months old. While MOSSMAN and DUKE (1978) suggest that most or all neonates possess fetal interstitial glands, the size of the component found in the taguá is unusual. Both, interstitial gland and testicular interstitial cells suggest early degeneration. Thus, it would appear likely that they were steroidogenically active in utero, aspects that would

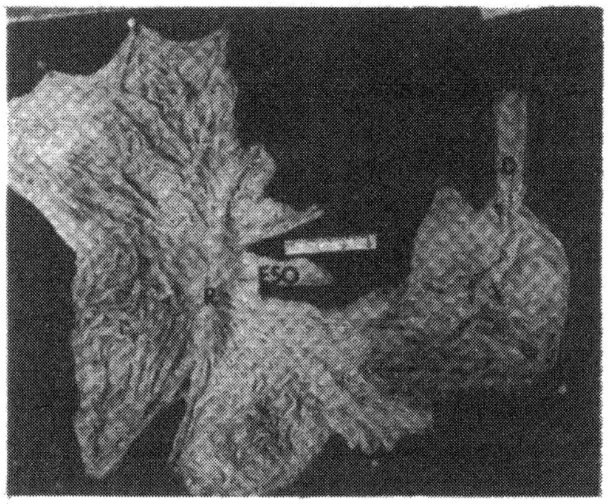

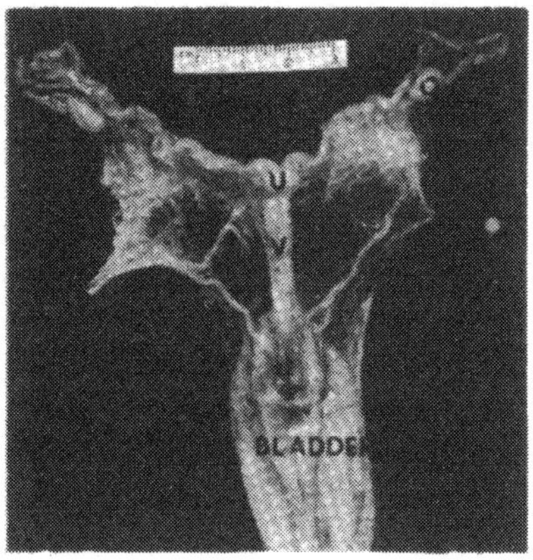

Figure 1: Stomach of juvenile Catagonus wagneri. Forestomach with two blind pouches at left. R: ridge delimiting forestomach. ESO: esophagus. D: duodenum.

Figure 2: Internal female genitalia with long vagina (V), uterine body (U) from which small uterine horns and tubes stretch laterally to the delicate bursae containing the ovaries (O).

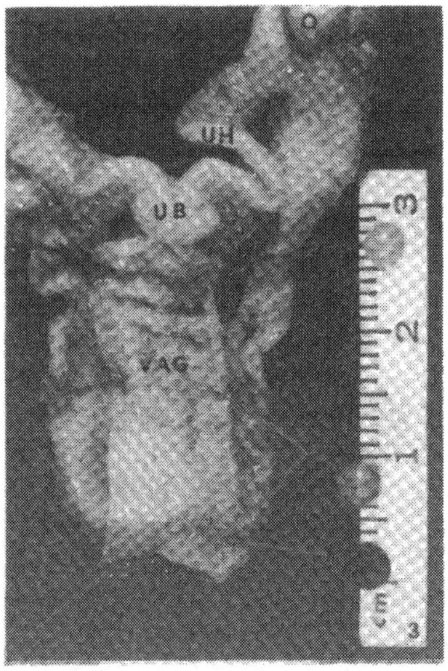

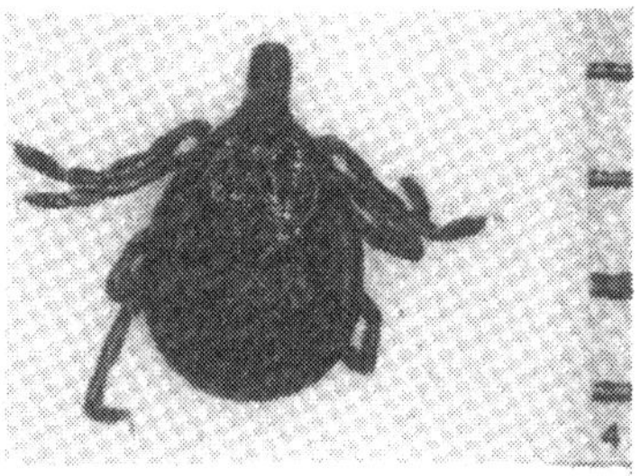

Figure 3: Higher magnification of female genitalia with vagina (VAG) opened to disclose rugae and absence of clear-cut cervix. . UB: uterine body; UH: uterine horn; O: ovary.

Figure 4: Dorsal aspect of tick removed from juvenile peccary. Lines indicate millimeters.

Figure 5: Ventral aspect of tick.

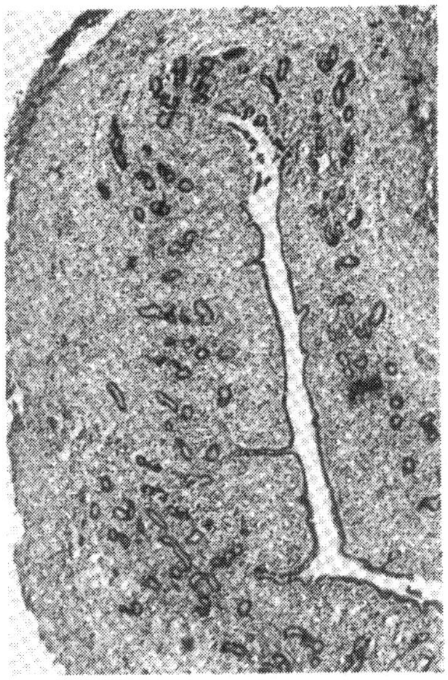

Figure 6: Cross section of vagina displaying parakeratosis (H & E x 60).

Figure 7: Section of uterus with inactive endometrium (H & E x 60).

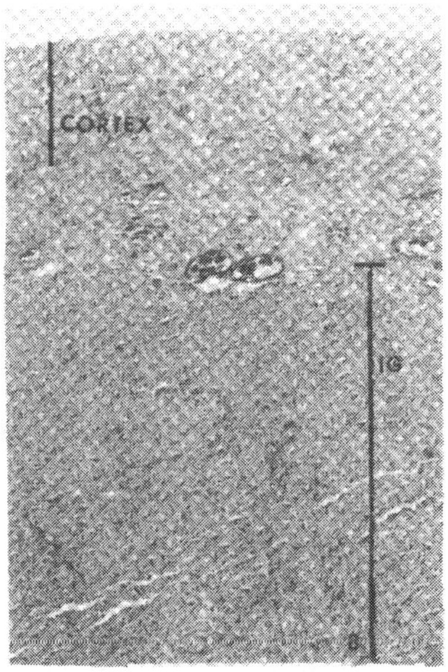

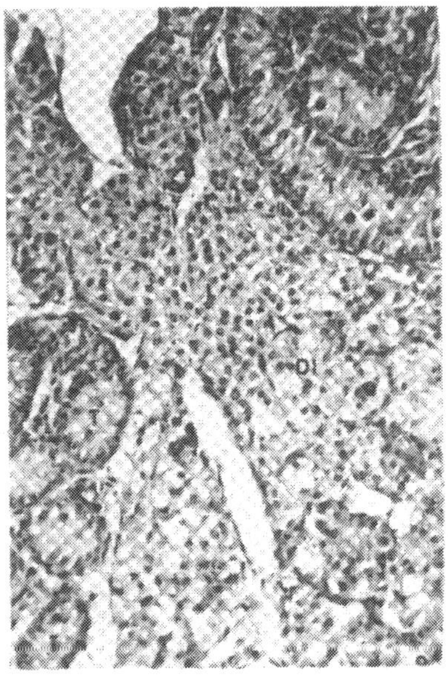

Figure 8: Portion of neonatal ovarian cortex. Mantle is composed of oocytes in single granulosa encasement. IG is the large interstitial gland made up of polyhedral cells (H & E x 60).

Figure 9: Section of neonatal testis with tubules (T) containing conspicuously large germ cells, interstitial cells at I and vacuolated, degenerating interstitial cells at DI (H & E x 250).

be of interest to investigate in all Tayassuids. Perhaps the second "corpus luteum" that WISLOCKI (1931) was unable to explain adequately in his study represents interstitial gland tissue. WISLOCKI also remarks that, in contrast to what would be expected, placentas of Tayassuids were similar to those of suids, while the genital tracts differed markedly. In our study, the female genitalia of Catagonus were similar to those described by WISLOCKI (1931) for the collared peccary and drawn in SOWLS (1984).

Summary

Observation on the Chacoan Peccary (Catagonus wagneri)

Observations on Catagonus wagneri, the recently discovered Chacoan peccary, made on a recent visit to Paraguay are recorded. Two juveniles were autopsied and the findings made are here described. Particularly the presence of an ovarian interstitial gland and marked interstitial cell development of the testis in juveniles is remarkable.

Zusammenfassung

Untersuchungen am Nabelschwein (Catagonus wagneri)

Bei einem Besuch im Chaco Paraguays wurden zwei junge Catagonus wagneri, vor kurzem entdeckte neue Nabelschweine, seziert. Die wesentlichsten Befunde werden hier beschrieben. Besonders auffällig sind die Entwicklung der Leydig-Zellen im Hoden und eine große Anhäufung fötaler Interstitialzellen im jungen Ovar.

Résumé

Examens du pécari (Catagonus wagneri)

A l'occasion d'une visite au Chaco de Paraguay deux nouveaux pécaris (Catagonus wagneri) qu' on avait découvert récemment ont été disséqués. Les auteurs expliquent les résultats les plus importants. Les constatations les plus spectaculaires ont été le développement des cellules Leydig dans les testicules et une accumulation importante de cellules interstitielles fétales dans l'ovaire j une.

Резюме

Изучение (Catagonus wagneri).

При посещении Парагвая авторы наблюдали секционные исследования двух Catagonus wagn. которые были недавно обнаружены. Особо интересно развитие Leydig- клеток в яичках и большое количество интерстициальных клеток в молодых овариях.

References

BENIRSCHKE, K., KUMAMOTO, A. T., and D. A. MERITT (1985): Chromosomes of the Chacoan peccary, Catagonus wagneri (Rusconi). H. Hered., 76, 95 - 98.

EPLING, G. P. (1956): Morphology of the scent gland of the javelina. J. Mammal., 37, 246 - 248.

HUFTY, M. P., SEDGWICK, C. J., and K. BENIRSCHKE (1973): The karyotypes of the white-lipped and collared peccaries: aspects of their chromosomal evolution. Genen Phaenen, 16: 81 - 86.

LANGER, P. (1974): Stomach evolution in the artiodactyla. Mammalia, 38, 295 - 314.

LANGER, P. (1979): Adaptational significance of the forestomach of the collared peccary, Dicotyles tajacu (L. 1758) (Mammalia: Artiodactyla). Mammalia, 43, 235 - 245.

MAYER, J.J., and P. N. BRANDT (1978): Pelage description and reproductive data of the Chacoan peccary, Catagonus wagneri. American Soc. Mamm. Abstr. Tech. Pap., 58th Ann. Mtg., p. 44.

MOSSMAN, H. W., and K. L. DUKE (1973): Comparative Morphology of the Mammalian Ovary. Madison: Univ. of Wisconsin Press.

NOVAK, R. M., and J. L. PARADISO (1983): Walker's Mammals of the World, 4th ed., pp. 1183 - 1184. Vol. II. Baltimore: Johns Hopkins Univ. Press.

SOWLS, L. K. (1984): The Peccaries. Tucson: Univ. Arizona Press.

WETZEL, R. M., DUBOS, R. E., MARTIN, R. L., and P. MYERS (1975): Catagonus, an "extinct" peccary, alive in Paraguay. Science, 189, 379 - 381.

WETZEL, R. M. (1977): The Chacoan peccary Catagonus wagneri (Rusconi). Bull. Carnegie Mus. Nat. Hist. No. 3, 36 pp.

WISLOCKI, G. B. (1931): Notes on the female reproductive tract (ovaries, uterus and placenta) of the collared peccary (Pecari angulatus Bangsi Goldman). J. Mammal., 12, 143 - 149.

Address of authors: Kurt Benirschke, M. D.
San Diego Zoo
PO Box 551
San Diego, California 92112 (USA)

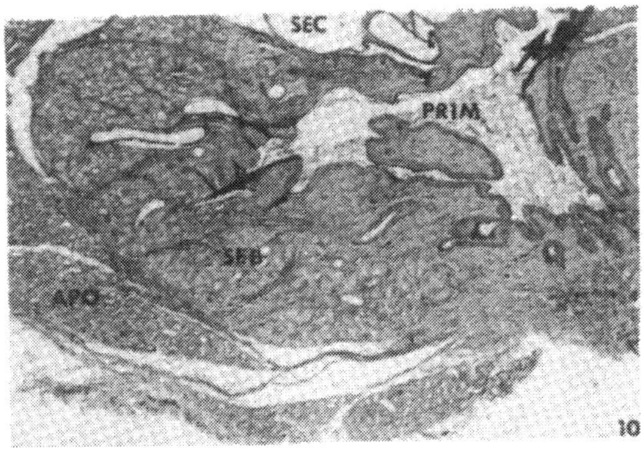

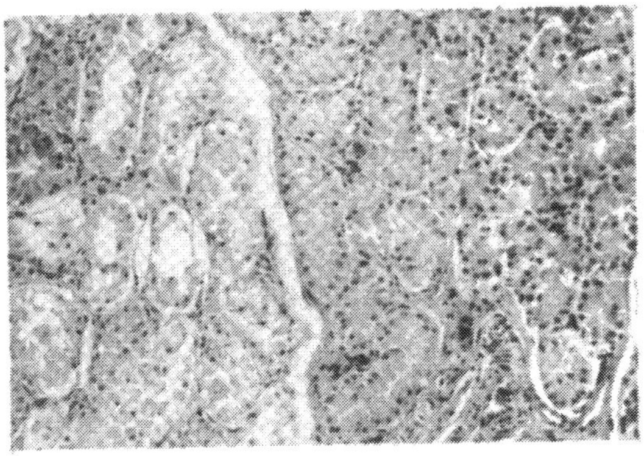

Figure 10: Section of scent gland with single duct at arrow, primary sac (PRIM) and secondary (SAC) enveloped by sebaceous glands (SEB). Apocrine glands (APO) are most peripheral (H & E x 16).

Figure 11: Higher magnification of two types of odoriferous glandular epithelium as described in text (H & E x 160).

Aus der Forschungsstelle für Wirbeltierforschung (im Tierpark Berlin)
(Direktor: Prof. Dr. sc. Dr. h.c. H. DATHE) der Akademie der Wissenschaften der DDR

EINIGE ANATOMISCHE UND PHYSIOLOGISCHE BESONDERHEITEN VON CERVIDEN, MUSTELIDEN UND PSITTAZIDEN

Von R. Meister

Jeder mit der Behandlung von Zootieren betraute Tierarzt weiß, daß der Umgang mit und die Behandlung von Wildtieren, im Gegensatz zu den domestizierten Tieren, wesentlich mehr Einfühlungsvermögen erfordert. Wildtiere reagieren auf Reize der Umwelt bedeutend intensiver und schneller als Haustiere. Das vegetative Nervensystem spricht unmittelbarer an, der Sympathikotonus ist stärker und bildet sich in kurzer Zeit aus. Dadurch kann ein Exzitationsstadium entstehen, durch das das Tier bei Flucht-, Verteidigungs- und Angriffsreaktionen innerhalb weniger Sekunden zu einem großen Kraftaufwand befähigt wird. Diese Alarmsituation, die bei domestizierten Tieren infolge des hemmenden Einflusses des Kortex auf die niederen Hirnzentren nur noch bei sehr starken Reizen zum Tragen kommt, ermöglicht u.a. den Wildtieren das Überleben in freier Natur (DOZSA, 1971). Eine weitere "Anpassung", die lebensnotwendig erscheint und mit diesen neurophysiologischen Besonderheiten im Zusammenhang steht, ist das Maskieren von Krankheitssymptomen. Ein krankes Tier wird in der Wildnis meist die Beute seiner Feinde. Nach außen sichtbare Anzeichen einer Erkrankung sind daher geradezu lebensgefährlich und werden instinktiv unterdrückt. Mit Erstaunen werden immer wieder schwerste Organveränderungen bei sezierten Wildtieren betrachtet, bei denen nachweißlich keinerlei klinische Anzeichen einer Krankheit zu erkennen waren. Nicht selten kommen deshalb Therapieversuche zu spät. Zu diesen, die Arbeit des Tierarztes erheblich erschwerenden Eigenarten der Wildtiere kommen abweichende physiologische und morphologische Daten hinzu, die spezielle Kenntnisse erfordern. Leider gibt es nur von einigen Wildtierarten ausreichende Kenntnisse über ihre Anatomie und Physiologie. Mehr oder weniger umfangreiche Übersichten bleiben die große Seltenheit. Aus diesem Grund scheint es lohnenswert, einige spezielle anatomische und physiologische Daten zusammenzustellen.

1. Cerviden

Die Hirsche (Cervidae) werden auf Grund der Ausbildung des vorderen Metapodiums in zwei Gruppen, die Telemetacarpalia und die Plesiometacarpalia, eingeteilt. Bei den Telemetacarpalia (Neuwelthirsche) sind die distalen Reste der Ossa metacarpalia II und V erhalten, während bei den Plesiometacarpalia (Altwelthirsche) die proximalen Reste des 2. und 5. Mittelhandknochens vorhanden sind. An den Afterklauen sind im allgemeinen sämtliche Fingerknochen ausgebildet. Das Meta- und Akropodium der Hinterextremität sollen denen der Vordergliedmaßen entsprechen, allerdings wurden bei Röntgenuntersuchungen diagnostisch wichtige proximale Reste der Ossa metacarpalia II und V beim Elch gefunden und gleichzeitig ein Schwund der Ossa metatarsalia II und V gesehen (WISSDORF und BUTENDIECK, 1980). Es ist nicht auszuschließen, daß bei systematischen Untersuchungen weitere Abweichungen vom bisher gültigen Bauplan des Autopodiums der Cerviden beobachtet werden.

Die Zehenendorgane sind bei den Cerviden von den sog. Schalen umhüllt. Während die Vorder- und Seitenwände keine besonderen Merkmale aufweisen, können die Sohlenflächen unterschiedliche Ausbildung erfahren. Beim Rotwild finden wir eine relativ große Hornsohle und einen kurzen, höchstens 1/4 bis 1/3 der Sohlenfläche einnehmenden Ballen (kurzballig), während beim Rehwild ein langer, mindestens die Hälfte der Sohle bedeckender Ballen und eine dafür kurze Hornsohle auftritt (langballig) (WAGENKNECHT, 1981). Beim Rentier spannen sich zwischen den Klauen Häute aus, die ein weites Spreizen des Zwischenklauenspaltes ermöglichen. Eine ebenso physiologisch weite Spreizung der Klauen sehen wir beim Elch. Beim Rentier berühren die Afterklauen den Boden, und beim Gehen kann man ein typisches Knacken an den distalen Gliedmaßengelenken hören, was aber wahrscheinlich auf die Bewegung der Sehnen zurückzuführen ist (HECK, 1968).

Eine der auffallendsten Besonderheiten der Cerviden stellt das Geweih dar, welches außer beim Moschustier und dem Wasserreh, die als urtümliche Arten überhaupt kein Geweih ausbilden, nur bei männlichen Tieren vorhanden ist. Eine Ausnahme von dieser Regel machen die Rentiere, bei denen auch die weiblichen Tiere ein Geweih tragen. Die Rener sind außerdem in der Lage, den Aufbauplan des Geweihs im Laufe seiner Bildung durch Nachschieben von Sprossen abzuwandeln, während bei den anderen Cerviden der Grundbauplan des Geweihs mit Beginn der Neubildung festgelegt ist und nicht mehr verändert werden kann (HALTENORTH, 1968).

Die alljährliche Geweihbildung ist eines der bemerkenswertesten biorhythmischen Phänomene der Cerviden. Die Wachstumsprozesse erfolgen hierbei so schnell, daß sie von keinem anderen Wachstumsprozeß (auch nicht vom pathologischen) übertroffen werden (BUBENIK et al., 1956). Innerhalb einer Zeitspanne von nur 4 - 5 Monaten erreicht das Geweih bis zu 10 - 15 % der Skelettmasse des Tieres (BUBENIK, 1959). Untersuchungen an jungen Hirschen ergaben, daß die Tiere während des Körperwachstums bis zum 3. - 4. Lebensjahr insgesamt 20 kg Knochensubstanz (monatlich ca. 1,7 kg) als Skelettmasse neu produzieren. Bei der Geweihbildung aber werden innerhalb von nur knapp 100 Tagen bis zu 10 kg Knochensubstanz gebildet. Das Geweih selbst besteht dann zu 50 % aus Ca-Phosphat, zu 5 % aus anderen Ca- und Mg-Salzen und zu 45 % aus organischer Substanz (VOGT, 1937). Daß in der Zeitspanne der Geweihbildung eine ausreichende Versorgung mit Nährstoffen durch das Futter gewährleistet sein muß, liegt auf der Hand, zumal durch die hohe Geschlechtsaktivität in der Brunft bei den männlichen Tieren anschließend zusätzlich ein Gewichtsverlust von 30 - 60 kg auftreten kann (FISCHER und FABIAN, 1970). Auf die Relation Geweihausbildung-Futterqualität wird deshalb wiederholt hingewiesen (FISCHER und FABIAN, 1970; SZEDERJEI, 1970).

Das Geweihwachstum geht von den Rosenstöcken aus. Letztere sind echte Apophysen des Os frontale, woraus sich auch die enorme Regenerationsfähigkeit des Rosenstockes erklärt. Anscheinend sind größere Bezirke des Stirnbeins befähigt, die Geweihbildung in Gang zu setzen, denn auch nach Verlust des eigentlichen Rosenstocks kommt es zu einer neuen, wenn auch manchmal deformierten Ausbildung von Stangen. Das Wachstum des Horns und des Geweihs unterscheiden sich. Während es beim erstgenannten von der Basis zur Spitze erfolgt, geht das Wachstum des sich entwickelnden Geweihs ausschließlich von der Spitze aus.

Der periodische Geweih- und Sexualzyklus der Cerviden ist auf das engste mit der Intensität der Lichteinstrahlung und der dadurch beeinflußten Hormonproduktion (Wachstumshormon, Thyreoideahormone) gekoppelt. Die später einsetzende Gonadotropinproduktion stimuliert die Gonaden und regt die Testosteronbildung an. Mit Vorhandensein der männlichen Geschlechtshormone setzt die Verkalkung des Geweihs ein und später, in dem die Hoden an Größe zunehmen, ebenso die Samenzellbildung. Wahrscheinlich spielt im Ensemble der Hormone noch ein bis jetzt nicht näher definiertes Geweihbildungshormon mit, das von der Hypophyse der Cerviden produziert werden soll. Schließlich folgen im Rhythmus der Geweihbildung auf die wenigen Wochen Brunft und hoher Geschlechtsaktivität eine lange Periode der absoluten Ruhe der Samenzellproduktion. Diese in dieser Zeit fehlende Samenproduktion kann bei mikroskopischen Untersuchungen des Hodens (Obduktionsmaterial, Biopsieproben usw.) zu Fehlinterpretationen hinsichtlich der Beurteilung der Befruchtungsfähigkeit der Tiere führen.

In der Haut der Cerviden sind eine Reihe von Drüsen eingelagert. Sie produzieren meist ein visköses Sekret, das zur Markierung des Territoriums dient. Die beim Rehwild im Bereich der Stirn befindlichen Drüsen werden als Stirnduftorgan bezeichnet und fehlen dem weiblichen Tier an dieser Stelle. Häufig ist die Sekretbildung in der Vorperiode der Brunft so stark, daß die Stirnlocke völlig verklebt erscheint. Bei Hirschen kommen diese Drüsen sowohl beim männlichen als auch beim weiblichen Tier vor und werden Brunftfalten genannt (WAGENKNECHT, 1981).

Ein weiteres Drüsenpaket befindet sich als sog. Infraorbitalorgan am nasalen Augenwinkel. Dieses Organ stellt eine Vertiefung im Os lacrimale dar und wird oft fälschlicherweise als Tränengrube bezeichnet. Bei Hirschen besonders gut ausgeprägt, liefert es ein übelriechendes Sekret (Hirschbezoar) und wird zur Reviermarkierung benutzt. Das Rehwild und der Elch besitzen nur eine schwache Vertiefung des Tränenbeins und die praeorbitalen Drüsen sind rudimentär und fast funktionslos. Beim Moschustier fehlt eine Voraugendrüse völlig. Eine dritte Duftdrüsenansammlung ist das relativ auffällige Metatarsalorgan. Es befindet sich an der Lateralseite der Hinterläufe dicht unter dem Tarsalgelenk, ist durch einen vorspringenden, runden Fleck mit ihn umgebenden langen, teils kräftigen Haaren gekennzeichnet und wird beim Rehwild als Laufbürste bezeichnet. Schließlich sei das Interdigitalorgan genannt, das im Zwischenklauenspalt der Hintergliedmaßen liegt und beim Reh besonders deutlich und groß ausgeprägt ist. Beim Hirsch ist es weniger stark ausgeprägt. Reh und Elch besitzen diese Drüsen, wenn auch nur angedeutet, ebenso an den Vorderextremitäten. Der Vollständigkeit halber muß letztlich das Zirkumanalorgan an der Unterseite des Schwanzes beim Hirsch erwähnt werden.

Die Cerviden sind gegenüber Erkrankungen der Verdauungsorgane insbesondere der Vormägen sehr empfänglich. Die spezifischen Verhältnisse der Verdauungsphysiologie geben schon bei den domestizierten Wiederkäuern häufig Anlaß für Dysfunktionen, obwohl die Futterrationen optimal ausgewogen angeboten werden. In Menschenhand gehaltene Wildwiederkäuer unterliegen oft erheblichen ernährungsphysiologischen Belastungen, vor allem, wenn die Besonderheiten der Verdauung dieser Tiere nicht beachtet werden. Untersuchungen über die Ernährung und die Verdauungsorgane am Reh- und Rotwild ergaben, daß die Kenntnisse über die Haustiere nicht vorbehaltlos auf die Cerviden übertragen werden können. So nimmt das Reh als Konzentrat-Selektierer in freier Wildbahn eine große Anzahl verschiedene, sehr nährstoffreiche, zellulosearme, leicht verdauliche Pflanzen auf, wobei der Pansen nie voll gefüllt wird. Letzterer ist relativ einfach gebaut, bei großen Öffnungen der Blindsäcke wenig unterteilt, nimmt nur 6 % des Körpervolumens ein und hat somit ein verhältnismäßig kleines Fassungsvermögen. Durch die über die gesamte Schleimhaut gleichmäßig verteilten, vielen Zotten wird aber die resorbierende Oberfläche enorm vergrößert (um das 4- bis 9fache). Die Verdauung beim Rehwild ist biochemisch durch eine hohe amylolytische Vergärungsrate gekennzeichnet (HOFFMANN et al., 1976). Neben den vorwiegend Stärke und wenig Zellulose zersetzenden Bakterienarten kommt im Pansen des Rehs nur eine Infusorienart vor, die natürlich gegenüber Futterumstellung besonders empfindlich ist (BRÜGGEMANN et al., 1967). Gleichzeitig soll das Reh hohe Bedarfswerte für Vit. A, B_1 und C haben, wobei Vit. C von dieser Spezies wahrscheinlich nicht synthetisiert werden kann (BRÜGGEMANN und DRESCHER-KADEN, 1971). Alle diese genannten Fakten machen deutlich, wie problematisch z.B. die optimale Fütterung der Rehe sein kann und mögliche Ursachen für Haltungsschwierigkeiten beinhaltet. Sehr rohfaserreiche Nahrung ist relativ ungeeignet und plötzliche Futterumstellungen können fatale Folgen haben.

Nicht ganz so kompliziert scheinen die Verhältnisse beim Rotwild zu sein. Der Pansen ist hier deutlich unterteilt, macht 15 % des Körpervolumens aus und besitzt drei kaudale Blindsäcke. Damit tritt eine Verzögerung der Futterpassage ein, was auf eine langsame zellulolytische Fermentation hinweist. Die Zottenverteilung sowie -breite und -länge ist unregelmäßig, wobei in der Dorsal- und Ventralregion eine Reduktion der Zotten zu sehen ist. Der Panseninhalt weist im Gegensatz zum Reh eine Schichtung der Pflanzenteile auf. Das Rotwild wird daher seinem Nahrungsbedarf nach als Intermediärtyp oder Mischäser eingestuft (HOFFMANN et al., 1976).

Auch Rentiere sind, was die ernährungsphysiologische Situation betrifft, besonders heikle Pfleglinge. Viele Dinge sind noch nicht geklärt, eines wird aber immer wieder hervorgehoben, einseitig proteinreiches Futter führt bei den im natürlichen Biotop vorwiegend Gräser, Kräuter, Laub und Flechten aufnehmenden Tieren zu besonders schweren Verdauungsstörungen (CHRISTENSEN, 1967; IPPEN und SCHRÖDER, 1973). Die Flechten sind zwar kein unentbehrlicher Futterbestandteil und können durch gutes Heu ersetzt werden, doch stellen sie für die Erhaltung einer guten Kondition der Tiere eine ideale Nahrungsgrundlage dar (WOLINSKI, 1967).

Ein weiteres Problem bei der Haltung von Cerviden, nämlich die künstliche Aufzucht, ist ebenfalls in ernährungsphysiologischen Besonderheiten begründet. Die Milch der Hirschartigen hat einen hohen Trockenmasse-, Protein-, Fett- und Mineralstoffgehalt, aber einen relativen geringen Laktosewert (TREICHLER et al., 1974). Dieses Mißverhältnis insbesondere des Laktosegehaltes wird häufig für das Auftreten von Diarrhoen bei der Verabreichung von Kuhmilch an Jungtiere verantwortlich gemacht (WAGNER und COCIU, 1967). Hinzu kommt die Schnellwüchsigkeit der Cerviden. So verdoppelt das Rotwild sein Geburtsgewicht z.B. in nur 20 Tagen, während das Rind dazu 46 Tage braucht (TREICHLER et al., 1974). Es muß also für die Cerviden ein Ersatzfutter geboten werden, daß den Nährstoffbedarf der Tiere deckt und den Inhaltsstoffen der natürlichen Milch in etwa gleicht.

Die Cerviden besitzen mit Ausnahme des Moschustieres keine Gallenblase. Bei den Zähnen sind die ersten Praemolaren generell zurückgebildet und die Reduktion der oberen Canini hat eingesetzt, ist aber im Gegensatz zu den Hauswiederkäuern noch nicht abgeschlossen. So sind die oberen Backzähne meist verkümmert oder fehlen völlig. Eine Ausnahme macht das Rotwild, bei denen die Zähne eigentlich regelmäßig als sog. Grandeln vorhanden sind, sowie das Wasserreh und das Moschustier, wo die Canini des Oberkiefers beim männlichen Tier als lange, mächtige, säbelzahn- und hauerähnliche, relativ locker sitzende Zähne ausgebildet sind.

Die Cerviden haben im allgemeinen 2 Paar Zitzen, die Tragezeit beträgt 5 - 8 Monate. Beim Reh ergibt sich dabei eine Besonderheit, da hier infolge einer sog. Vortragezeit von August bis Dezember eine Art Keimruhe einsetzen kann, in der der bis zum Blastozysten entwickelte Keimling keine wesentliche Weiterentwicklung erfährt. Erst mit Einsetzen der "Implantationsphase" in die Uterusschleimhaut kommt es dann zu einer raschen Reifung des Fetus.

2. Musteliden

Bei den Musteliden finden wir sowohl an den Vorder- als auch Hintergliedmaßen 5 Finger bzw. Zehen mit nicht zurückziehbaren, manchmal besonders langen (beim Dachs an Vorderpfoten) Krallen. Die Fußsohlen sind je nach Tierart behaart (Baummarder, Zobel) oder nackt (Steinmarder, Dachs, Fischotter). Der Fischotter besitzt zwischen den Zehen für die Fortbewegung im Wasser Schwimmhäute.
Die unterschiedliche Anzahl der Zähne im Gebiß der Musteliden rührt von der reduzierten Ausbildung der Praemolaren im Ober- und Unterkiefer her. Die Marder und der Dachs besitzen alle vier Praemolaren, während bei Wiesel, Nerz und Iltis ein Fehlen der ersten Praemolaren im Ober- und Unterkiefer und beim Fischotter nur im Unterkiefer zu verzeichnen ist. Der letzte Praemolar im Oberkiefer und der erste Molar im Unterkiefer stellen auch bei den Musteliden die Reißzähne dar. Beim Dachs ist der obere 1. Molar als Anpassung an die vorrangig pflanzliche Kost als breitflächiger Mahlzahn ausgebildet (STUBBE, 1973).

Die Verdauungsorgane der Musteliden sind eigentlich ganz auf die Verarbeitung tierischer Eiweißkost ausgerichtet. Der bei Hauskarnivoren sehr kleine Blinddarm fehlt völlig und die Gesamtlänge des Darmes entspricht dem 4fachen der Körperlänge. Allerdings können nicht alle Musteliden als ausgesprochene Fleischfresser eingestuft werden, denn der Baummarder und der Zobel nehmen in freier Wildbahn teils auch viele Beeren, Nüsse und Früchte zu sich, während die Nahrung des Dachses bis zu 3/4 aus Pflanzenkost bestehen kann (HERTER, 1972). Beachtet werden sollte auch, daß die Musteliden, besonders das Wiesel, relativ viel Flüssigkeit zu sich nehmen. Im natürlichen Biotop decken sie ihren Bedarf durch Aufnahme des Taues von den Gräsern (KRUMBIEGEL, 1935).

Besondere anatomische und physiologische Anpassungserscheinungen an das zeitweilige Leben im Wasser hat der Otter entwickelt. Neben den ausgebildeten Schwimmhäuten, ist das Tier in der Lage, während des Tauchens die Ohren- und Nasenöffnungen zu verschließen. Speziell angelegte Liddrüsen verhindern das Eindringen von Wasser in den Konjunktivalsack. Weiterhin wird eine Verfestigung der Trachea durch spiralig angeordnete, das Lumen der Luftröhre mehrmals umgreifende Knorpelringe beobachtet, die die Trachea inkompressabel machen. Und letztlich ist der Fischotter in der Lage, durch Herabsetzen der Herzschlagfrequenz von sonst ca. 260 auf etwa 42 Schläge pro Minute den Sauerstoffverbrauch des Körpers beim bis 8minütigen Tauchvorgang zu drosseln (STUBBE, 1973).

Ein weiteres Merkmal vieler Carnivora und damit auch der Musteliden ist das Vorhandensein eines Os priapi. Betrachtet man diese Bildungen, so erstaunen die vielfältigen, recht sonderbaren Formen. So ist der Penisknochen des Wiesels dorsal abgeknickt und zeigt eine leichte Drehung nach rechts, der des Frettchens dorsal hakenförmig abgeknickt und leicht gedreht, der des Nerzes dorsal aufgebogen mit einem gekrümmten Haken am Ende, der des Iltis dorsal gekrümmt mit einem scharfen distal gelegenen Haken, der des Marders fast gerade und rund, wobei er distal leicht dorsal gebogen ist und am Ende eine nach rechts ausladende Öse trägt, sowie der des Dachses fast gerade, schwach dorsal gebogen mit leichter Abflachung und Verbreiterung am distalen Ende (PRASAD, 1974). Auffallend an den männlichen Geschlechtsorganen ist ferner, daß die akzessorischen Geschlechtsdrüsen teils rudimentär sind und einige (Gl. prostatica, Gl. vesiculosa beim Wiesel z.B.) gänzlich fehlen (PRASAD, 1974). Die Ausbildung der Geschlechtsorgane unterliegt häufig einer Jahresrhythmik. Beim männlichen Tier werden die Hoden in der Paarungszeit größer, können einer Verlagerung unterliegen und sind dann deutlicher in den manchmal wenig entwickelten Skrotaltaschen zu sehen. Beim weiblichen Tier kann die Vulvaschwellung so stark werden, daß sie wie z.B. beim Iltis zapfenartig bis kaffeebohnengroß aus der Urogenitalfalte herausragt.

Die Embryonalentwicklung wird bei einigen Musteliden, ähnlich der des Rehwildes, durch eine in ihrer Länge nicht immer genau bekannten Keimruhe (Hermelin, Edelmarder, Dachs, partiell Fischotter) unterbrochen. Die Blastozysten bleiben auch hier eine Zeit lang frei im Uteruslumen liegen und nisten sich dann erst in die Schleimhaut ein, wo meist eine rasche Weiterentwicklung der Embryonen erfolgt. Dadurch ist die Tragezeit der Musteliden recht unterschiedlich.
Die Herzfrequenz der Musteliden liegt sehr hoch und wird mit 160 bis 311 Schlägen/Minute angegeben. Diese Schwankungen ergeben sich mit hoher Wahrscheinlichkeit durch streßbedingte Situationen beim Untersuchen der Tiere. Das gleiche gilt für die Atemfrequenz, die mit 30 bis 70 pro Minute angegeben wird (ZEISSLER, 1984).

3. Psittaziden

Das veterinärmedizinische Wissen insbesondere über die Physiologie dieser exotischen Tiere ist nach ARNOLD et al. (1983) keineswegs befriedigend und den Erfordernissen entsprechend. Ein weiteres Problem liegt bei einigen kleinen Psittaziden darin, daß durch die Körpergröße und damit entsprechend kleiner Ausbildung der Organe keine exakte Diagnose am kranken Tier möglich ist. Hinzu kommt durch die besondere Kreislaufsituation eine große Kollapsbereitschaft bei Streßsituationen, sowie eine hohe Stoffwechselrate mit schneller Verdauung und Umsetzung der Nahrungsenergie und ein geringes Flüssigkeits-, Mineralstoff- und Vitaminreservoir (KRONENBERGER, 1967). Im allgemeinen benötigen Psittaziden 10 - 15 % ihres Körpergewichtes pro Tag an Futter (RÜBEL und ISENBÜGEL, 1984). Kleine Papageienvögel, wie Sittiche, Loris u.a., können aber je nach Aktivität unter Umständen mehr Nahrung aufnehmen, als es ihrem Körpergewicht entspricht. Je kleiner ein Sittich ist, desto kürzer kann er bekanntlicherweise ohne Nahrungsaufnahme bzw. -resorption leben. Mängel in der Ernährung der Psittaziden sind nicht selten Ursache für eine Veränderung des physiologischen Status der Tiere, was negative Folgen nach sich ziehen kann. In erster Linie spielt dabei das Eiweiß eine Rolle. Nach RÜBEL und ISENBÜGEL (1984) soll der Proteingehalt im Futter von Psittaziden 20 - 24 % der Trockenmasse ausmachen, wobei die Aminosäuren Lysin, Arginin, Methionin und Threonin für Papageien essentiell sind (KRONBERGER, 1973). Vor einem Überangebot an Protein muß auf Grund der Gefahr einer Gichterkrankung der Tiere, die in dem besonderen Ausscheidungsmechanismus von Harnsäure begründet liegt, aber ebenfalls gewarnt werden.

Von den für eine optimale Versorgung der Vögel und damit der Psittaziden wichtigen Vitaminen, kommt dem Vitamin A eine besondere Bedeutung zu. Als Epithelschutzvitamin ist es entscheidend an der Abwehr von Infektionen bei den Tieren beteiligt. Deshalb sind zur Vitaminabdeckung Grünfuttergaben wichtig. Die in der Leber gespeicherten Vitamin A-Reserven können bei z.B. ausschließlicher Körnerfütterung nach 5 - 8 Monaten aufgebraucht sein, bei Gaben von unterdosierten Vitamintropfen erst nach Jahren. Daher treten Mangelerscheinungen an diesem Vitamin meist relativ spät auf, nämlich dann, wenn die Reserven der Leber schon um das tausendfache vermindert sind (ZWART et al., 1979).

Der Verdauungskanal der Psittaziden weist gegenüber anderen Vögeln einige Besonderheiten auf. So besitzen die Papageienvögel einen außerordentlich beweglichen, kräftigen Schnabel, der oft auch als sog. 3. Bein bezeichnet wird, da er zum Klettern, zur Futteraufnahme und zur Verteidigung wirkungsvoll genutzt werden kann. Der hakig übergreifende Oberschnabel läßt sich durch ein Gelenk hinter dem Nasenloch gegen den Schädel bewegen, und der Unterschnabel kann seinerseits vor und zurück, sowie gewöhnlich auch seitlich hin und her geschoben werden (MAUERSBERGER, 1969). Je nach Psittazidenart befindet sich in der Schnabelhöhe eine nach Form und Beweglichkeit der Futteraufnahme angepaßte Zunge, die bei körnerfressenden Arten fleischigderb ausgebildet ist und stumpf endet, während Weichfutter und Nektar fressende Tiere eine speziell mit vielen Papillen besetzte Zunge haben (RÜBEL und ISENBÜGEL, 1984). Ösophagus, Kropf und Drüsenmagen sind stark erweiterungsfähig, der Muskelmagen relativ klein und mit einer mittelstarken Keratinschicht überzogen. Zur optimalen Funktion von letzterem sollten die Psittaziden, insbesondere die Körnerfresser, stets die Möglichkeit haben, Grit mit dem Futter aufzunehmen. Papageien besitzen keine Gallenblase und Blinddärme. Das Herz erscheint in Relation zum Körper relativ groß und wie bei allen Vögeln ist nur der linke Eierstock ausgebildet.
Drei paarig und ein unpaarig angelegter Luftsack sowie der komplizierte Bau der Lungen ermöglicht den Psittaziden wie allen Vögeln eine Ventilation mit sehr guter Ausnutzung der Atem-

luft ohne eine wegen erhöhter Stoffwechselaktivität notwendigen Steigerung der Atemfrequenz. Allerdings läßt die starre Befestigung der Lunge am Brustkorb, wie sie typisch für alle Vögel ist, nur eine geringe Beweglichkeit des Organs zu. Das dadurch bedingte Unvermögen, angesammelte Sekrete auszustoßen oder zu husten, leistet nicht selten tödlich verlaufende Atemwegserkrankungen Vorschub. Erkrankungen der Respirationsorgane stehen bei Wellensittichen nach Verdauungsstörungen statistisch gesehen an 2. Stelle (KRONBERGER, 1968).

Die Lautäußerungen der Papageien werden in der Syrinx im Bereich der Bifurcatio tracheae erzeugt. Unmittelbar an dieser Stelle liegen dicht an den Aorten beiderseits der Trachea die kleinen Schilddrüsen. Letztere sind gerade bei Wellensittichen oft infolge krankhafter Veränderungen erheblich vergrößert und führen durch Kompression der Syrinx, der Trachea, der Aorta und auch des Nervus vagus zu Atembeschwerden und vegetativen Ausfallerscheinungen.

Die Sittiche haben einen sehr frequenten Herzrhythmus, der es beinahe unmöglich macht, eine diagnostische Auskultation durchzuführen. Ähnlich wie bei der Atmung gilt, je kleiner die Papageienart, desto höher sind die Frequenzen von Herz und Atmung (Herzfrequenz je nach Art 140 - 600; Atemfrequenz 40 - 120; PETRAK, 1982). Bei Erregung steigen beide stark an, so daß immer die Gefahr des Kreislaufversagens besteht. Die Körpertemperatur unterliegt dem gleichen Einfluß. Sie schwankt unter physiologischen Bedingungen bei Psittaziden zwischen 39 und 44 °C (RÜBEL und ISENBÜGEL, 1984). Beim Wellensittich haben exakte Messungen am Brustmuskel eine durchschnittliche Temperatur von 41,3 °C ergeben (ARNOLD et al., 1983). Dabei tritt deutlich ein Zirkadianrhythmus hervor, wobei die Temperatur am Tage niedriger als in den Abend- und Nachtstunden ist. Die normalerweise hohe Körpertemperatur der Psittaziden bedingt eine geringe Toleranzbreite, so daß Temperaturänderungen in beiden Richtungen schnell lebensbedrohliche Zustände herbeiführen können.

Weitere anatomische Besonderheiten der Psittaziden ergeben sich am Skelettsystem. Die beiden Claviculae sind nicht zur bekannten Furkula verknöchert, sondern stehen durch straffe, bandartige Bindegewebszüge in Verbindung. Der Tarsometatarsus ist auffallend kurz und zeigt an seinem distalen Ende nur eine undeutliche Aufteilung zur Artikulation mit den Phalangen. Die Anzahl der Zehenglieder der 1. - 4. Zehe gleicht denen anderer Vögel. Typisch für die Psittaziden ist aber die Stellung der Zehen. Die 1. und 4. Zehe sind nach hinten gerichtet, während die 2. und 3. Zehe nach vorn weisen.

Bei der Vielfalt der anatomischen und physiologischen Daten der genannten Tiere konnten nicht alle Details berücksichtigt werden. Die Auswahl der besprochenen Details erfolgte in der Form, daß die unserer Ansicht nach wesentlichen Merkmale besprochen wurden.

Zusammenfassung

Einige anatomische und physiologische Besonderheiten von Cerviden, Musteliden und Psittaziden

Von den drei gesondert aufgeführten Tiergruppen werden auf Grund von Literaturauswertungen und eigenen Beobachtungen einige anatomische und physiologische Besonderheiten herausgearbeitet und zusammengestellt.

Summary

Anatomic and Physiological Peculiarities of Cervids, Mustelids, and Psittacids

Some anatomic and physiological peculiarities of these three groups of animals are separately described and summarised, with reference to literature and the author's own observations.

Résumé

Quelques particularités anatomiques et physiologiques des cervidés, mustelidés et psittacidés

Sur la base d'une évaluation de la littérature et de quelques observations faites séparément chez ces trois groupes d'animaux l'auteur a mis en évidence et groupé certaines particularités anatomiques et physiologiques.

Резюме

Некоторые анатомические и физиологические особенности Cerviden, Musteliden, Psittaziden

На основе литературных данных дается обзор анатомических и физиологических особенностей трех групп, выше указанных животных.

Literaturverzeichnis

ARNOLD, P., GOETTE, W., HERZOG, K., und H. WALTER (1983): Die Körpertemperatur bei Greifvögeln und Wellensittichen. Verh.ber. Erkrg. Zootiere 25, 209 - 217.

BRÜGGEMANN, J., und U. DRESCHER-KADEN (1971): Welche Vitamine braucht unser Wild? Pirsch 23, 126 - 130.

BRÜGGEMANN, J., GIESECKE, D., und K. WALSER-KÄRST (1967): Beiträge zur Wildbiologie und vergleichenden Tierphysiologie. II. Mikroorganismen im Pansen von Rothirsch (Cervus elaphus) und Reh (Capreolus capreolus) Z. Tierphysiol., Tierernährung und Futtermittelkd. 23, 143 - 151.

BUBENIK, A.B. (1959): Ein weiterer Beitrag zu den Besonderheiten der Geweihtrophik beim Reh. Z. Jagdwiss. 5, 51 - 55.

BUBENIK, A.B., PAVLANSKY, R., und J. RERABEK (1956): Trophik der Geweihbildung. Z. Jagdwiss. 2, 136 - 141.

CHRISTENSEN, N.O. (1967): Erkrankungen der Verdauungsorgane bei den Wiederkäuern. Verh.ber. Erkrg. Zootiere 9, 15 - 23.

DOZSA, I. (1971): Zur unterschiedlichen pharmakodynamischen Reaktion von Haus- und Wildtieren während der Immobilisation. Verh.ber. Erkrg. Zootiere 13, 199 - 201.

FISCHER, A., und L. FABIAN (1970): Ein Beitrag zur optimalen Fütterung der Hirsche (Cervus elaphus). Verh.ber. Erkrg. Zootiere 12, 189 - 191.

HALTENORTH, TH. (1968): Die Geweihbildung. In: GRZIMEK's Tierleben, Bd. 13, Säugetiere. Zürich: Kindler.

HECK, L. (1968): Renhirsche. In: GRZIMEK's Tierleben, Bd. 13, Säugetiere. Zürich: Kindler.

HOFFMANN, R.R., GEIGER, G., und R. KÖNIG (1976): Vergleichend-anatomische Untersuchungen an der Vormagenschleimhaut von Rehwild (Capreolus capreolus) und Rotwild (Cervus elaphus). Z. Säugetierkd. 41, 167 - 193.

IPPEN, R., und H.-D. SCHRÖDER (1973): Über Transportverluste bei Zootieren. Verh.ber. Erkrg. Zootiere 15, 167 - 176.

KRONBERGER, H. (1967): Erkrankungen der Verdauungsorgane der Vögel. Verh.ber. Erkrg. Zootiere 9, 23 - 31.

KRONBERGER, H. (1968): Erkrankungen der Atmungsorgane der Vögel. Verh.ber. Erkrg. Zootiere, 10, 27 - 36.

KRONBERGER, H. (1973): Haltung von Vögeln. Krankheiten der Vögel. 1. Aufl. Jena: VEB Gustav Fischer.

KRUMMBIEGEL, I. (1935): Gefangenhaltung und Farbwechsel der Wiesel. Zool. Garten (NF) 8, 8 - 15.

MAUERSBERGER, G. (1969): Vögel. Urania Tierreich, Bd. 5. Leipzig: Urania.

PETRAK, M.L. (1982): Zit. bei RÜBEL, A., und E. ISENBÜGEL: Papageien. In: GABRISCH, K., und P. ZWART (Hrsg.): Krankheiten der Heimtiere. Hannover: Schlütersche Verlagsanstalt 1984.

PRASAD, M.R.N. (1974): Männliche Geschlechtsorgane. Handbuch der Zool. Bd. 8, 51. Lfrg., 107 - 110.

RÜBEL, A., und E. ISENBÜGEL (1984): Papageien. In: GABRISCH, K., und P. ZWART (Hrsg.): Krankheiten der Heimtiere. Hannover: Schlütersche Verlagsanstalt.

SZEDERJEI, A. (1970): Die Geweihbildung bei in Gehegen gehaltenen Rehböcken als Gesundheits- und Konditionsindex. Verh.ber. Erkrg. Zootiere 12, 183 - 188.

STUBBE, H. (1973): Buch der Hege. Bd. 1, Haarwild. 1. Aufl. Berlin: VEB Deutscher Landwirtschaftsverlag.

TREICHLER, J., NOGAI, K., und H. STAHLHUT-KLIPP (1974): Beitrag zur Zusammensetzung der Rehwildmilch. Dtsch. tierärztl. Wschr. 81, 189 - 191.

VOGT, F. (1937): Neue Wege der Hege. 2. Aufl. Neudamm: Neumann.

WAGENKNECHT, E. (1981): Rotwild. 1. Aufl. Berlin: VEB Deutscher Landwirtschaftsverlag.

WAGNER, G., und M. COCIU (1967): Künstliche Aufzucht von Jungtieren in spezieller Hinsicht auf die Aufzucht von Rehkitzen. Verh.ber. Erkrg. Zootiere 9, 257 - 260.

WISSDORF, E., und E. BUTENDIECK (1980): Epi- und Apophysen am Gliedmaßenskelett eines sechs Wochen alten Elches (Alces alces L., 1758). Verh.ber. Erkrg. Zootiere 22, 313 - 321.

WOLINSKI, Z. (1967): Todesursachen und Krankheitsfälle bei Rentieren (Rangifer tarandus L.) in polnischen Zoologischen Gärten. Verh.ber. Erkrg. Zootiere 9, 55 - 56.

ZEISSLER, R. (1984): Physiologische und biochemische Grundlagen der Edelpelztiere. In: WENZEL, U.D. (Hrsg.): Edelpelztiere. 2. Aufl. Berlin: VEB Deutscher Landwirtschaftsverlag.

ZWART, P., SCHREURS, W.H., and G.M. DORRESTEIN (1979): Vitamin A-Deficiency in Parrots. Verh. ber. Erkrg. Zootiere 21, 47 - 52.

Anschrift des Verfassers: Dr. med. vet. R. Meister
DDR-1136 Berlin
Am Tierpark 125 (DDR)

Aus dem Anatomischen Institut der Tierärztlichen Hochschule Hannover

ANATOMISCHE GRUNDLAGEN ZUR PUNKTION, ENDOSKOPIE SOWIE OPERATIVEN ERÖFFNUNG DES LUFTSACKES (DIVERTICULUM TUBAE AUDITIVAE) BEIM SCHABRACKENTAPIR (TAPIRUS INDICUS)

Von H. Wißdorf und C. Poulsen Nautrup

Eitriger Nasenausfluß ist nach REICHEL (1983) bei in Gefangenschaft gehaltenen Tapiren ein nicht selten zu beobachtendes Symptom. Eine der Ursachen kann möglicherweise in der Erkrankung des Luftsackes liegen.
In der vorliegenden Untersuchung sollen die anatomischen Grundlagen für eine diagnostische Intervention am Luftsack aufgezeigt werden.
Die makroskopisch-präparatorische Darstellung des Luftsackes bei Tapirus americanus erfolgte durch LECHNER (1932), während WISSDORF und SCHRÖDER (1983) die röntgen-anatomischen Befunde am Luftsack eines Tapirus indicus beschreiben.
Auch beim Pferd hat der Luftsack eine erhebliche klinische Bedeutung. Seine operative Eröffnung kann sowohl von ventral über das Viborgsche Dreieck, als auch von dorsal nach der von CHABERT (1779) entwickelten Methode erfolgen.

Material und Methoden

Zur Verfügung stand das Kopf-Hals-Präparat eines 5 Jahre alten weiblichen Schabrackentapirs (Tapirus indicus) aus dem Zoologischen Garten Heidelberg. Zur Darstellung der Topographie des Luftsackes und seiner Umgebung wurde die Haut ventral der Ohrbasis kranial und kaudal je 11 cm lang durchtrennt und in ventraler Richtung von der Unterlage bis zur Mittellinie abpräpariert. Rechterseits wurde am frischen Präparat die Ausdehnung des Luftsackes präparatorisch bestimmt. Auf der linken Seite wurde nach Formalinfixierung die Topographie des Luftsackes unter dem Aspekt der operativen Eröffnung erarbeitet und die Ergebnisse fotografisch festgehalten. Die Verwendung der anatomischen Termini erfolgte unter Berücksichtigung der NOMINA ANATOMICA VETERINARIA (1983).

Ergebnisse

Bei der Adspektion des Präparates fällt eine kaudal des Ohrgrundes (Abb. 1-4/a), kaudoventral verlaufende Hautfalte (Abb. 1-4/b) auf, die sich auf einer Länge von 70 mm auf die Lateralfläche des Halses fortsetzt. Die Hautstärke beträgt im Schnittbereich, ventral des Ohrgrundes kranial ca. 8 mm, im Bereich der Hautfalte ca. 14 mm und kaudal davon ca. 17 mm. Nach Abpräparation der Haut zeigt sich kranial der M. parotidoauricularis (Abb. 2/1). An seinem Kaudalrand, in Höhe der lateralen Hautfalte ist der sich kaudal verbreiternde, von der Fascia parotidea bedeckte, mittlere Teil der Glandula parotis (Abb. 2/d) sichtbar. An die Glandula parotis (Abb. 2-4/d) schließt sich ein ca. 25 mm breiter, den M. cleidomastoideus (Abb. 3-4/2) kranial und kaudal umfassender und lateral bedeckender Fettkörper (Abb. 2/c) an, der sich in ventraler Richtung auf ca. 40 mm verbreitert. Rumpfwärts folgt dem Fettkörper der M. cleidooccipitalis (Abb. 2-4/3), der mit dem kaudodorsal von ihm liegenden M. omotransversarius (Abb. 2-4/4) breitflächig verwachsen ist.
Die laterale Luftsackabteilung (Abb. 4/X) liegt rostromedial des proximalen Drittels der Glandula parotis (Abb. 2/d) und rostral des Processus paracondylaris. Über seine Kaudalwand verläuft von ventral aufsteigend der N. auricularis caudalis (Abb. 4/5), der von der ca. 1 mm starken A. auricularis caudalis (Abb. 4/8) und der gleichnamigen Vene begleitet wird.
Zur Punktion bzw. zur Eröffnung der lateralen Luftsackabteilung hebt man nach Durchtrennung der Fascia parotidea, die Glandula parotis (Abb. 2-4/d) vom Fettkörper (Abb. 2/c) und vom kaudomedial von ihr gelegenen M. cleidomastoideus (Abb. 3-4/2) soweit wie möglich ab. Danach führt man das entsprechende Instrumentarium etwa 25 mm rostral des Ohrgrundes (Abb. 1-4/a) auf der Lateralfläche des M. cleidomastoideus (Abb. 3-4/2), in einem Winkel von ungefähr 45° zur Medianen vor und erreicht beim erwachsenen Tier nach ca. 50 mm die Wand der lateralen Luftsackabteilung (Abb. 4/X).
Zur Einführung des Endoskopes wird vorher in der gleichen Art der Luftsack aufgesucht und mit einer langschenkeligen Schere eröffnet. Zur Spülung des Luftsackes bietet sich der oben beschriebene Zugang an.

Diskussion

Aufgrund der spezifischen Morphologie der Kopfknochen sowie des schweineartigen kurzen Halses mit kräftiger Muskulatur und der damit verbundenen arteigenen Form der Muskulatur und der Glandula parotis, ist beim Tapir ein Zugang zum Luftsack über das vom Pferd her bekannte typische Viborgsche Dreieck nicht möglich. Der mächtige M. sternocephalicus und die voluminöse Glandula parotis verhindern einen Zugang zur medialen Luftsackabteilung. Unter Berücksichtigung dieser Tatsachen wurde versucht, einen Zugang zur kleineren lateralen Abteilung zu erarbeiten.

Da die mediale Wand der pharynxseitigen Öffnung des Diverticulum tubae auditivae von einer Schleimhautfalte gebildet wird, die nicht wie beim Pferd eine palpierbare Knorpelplatte enthält sondern nur mikroskopisch nachweisbare Knorpellagen besitzt (LECHNER, 1932), ist zu erwarten, daß bei einer Spülung der lateralen Luftsackabteilung die Spülflüssigkeit ohne Probleme über die Nase abfließt.

Beide Abteilungen stehen wie beim Pferd über dem rostralen Rand des Stylohyoids in weit offener Verbindung, so daß auch die mediale Abteilung von dem beschriebenen Zugang aus erreicht werden kann.

Schwierigkeiten bei der Eröffnung der lateralen Luftsackabteilung bereitet die enorm dicke, derbe Haut sowie die mächtige Glandula parotis, die den Luftsack kaudolateral abdeckt. Ihre sorgfältige Ablösung ist Voraussetzung zum Auffinden der etwa 50 mm tief gelegenen lateralen Luftsackabteilung.

Zusammenfassung

Anatomische Grundlagen zur Punktion, Endoskopie sowie operativen Eröffnung des Luftsackes (Diverticulum tubae auditivae) beim Schabrackentapir (Tapirus indicus)

An Hand eines Kopf-Hals-Präparates eines Schabrackentapirs (Tapirus indicus) werden die anatomischen Grundlagen zur Punktion, Endoskopie sowie operativen Eröffnung des Diverticulum tubae auditivae dargestellt.

Summary

Anatomic Fundamentals regarding Punction, Endoscopy, and Surgical Opening of Air Sac (Diverticulum tubae auditivae) of Malayan Tapir (Tapirus indicus)

Reference is made to a head-neck specimen of a Malayan tapir (Tapirus indicus) for an account of anatomic fundamentals regarding function, endoscopy, and surgical opening of the Diverticulum tubae auditivae.

Résumé

Les principes anatomiques de la ponction, de l'endoscopie et de l'ouverture par voie opératoire du sac à air (Diverticulum tubae auditivae) chez le tapir de l'Inde (Tapirus indicus)

A la pièce d'anatomie de la tête et du cou d'un tapir de l'Inde (Tapirus indicus) l'auteur explique les principes anatomiques de la ponct ion, de l'endoscopie et de l'ouverture par voie opératoire du sac à air (Diverticulum tubae auditivae).

Резюме

Анатомические основы пунктации, эндоскопии и оперативного вмешательства в трахею у старого тапира (Tapirus indicus)

На основе шейно-головного препарата представлены анатомические возможности,пунктация, эндоскопия и оперативное вскрытие трахеи.

Literaturverzeichnis

CHABERT, P. (1779): Die Operation der Hypovertebrotomie, in: E. VIBORG (1802): E. Viborgs Sammlung von Abhandlungen für Thierärzte und Oekonomen. Bd. 3. Kopenhagen: Prost, 223 - 239.

LECHNER, W. (1932): Über die Tubendivertikel (Luftsäcke) beim Tapir. Anat. Anz. 74, 250 - 268.

Nomina Anatomica Veterinaria 3. Aufl. (1983): Publ. Int. Comm. Vet. Anat. Nomenclature of the World Assoc. Vet. Anat., Ithaca, New York.

REICHEL, K. (1983): Persönliche Mitteilung.

WISSDORF, H., und H.-D. SCHRÖDER (1983): Röntgenologische Darstellung des Luftsackes beim Tapir. Verh.ber. Erkrg. Zootiere 25, 385 - 387.

Anschrift der Verfasser: Prof. Dr. H. Wißdorf
Anatomisches Institut der Tierärztlichen Hochschule Hannover
Bischofsholer Damm 15
D-3000 Hannover 1 (BRD)

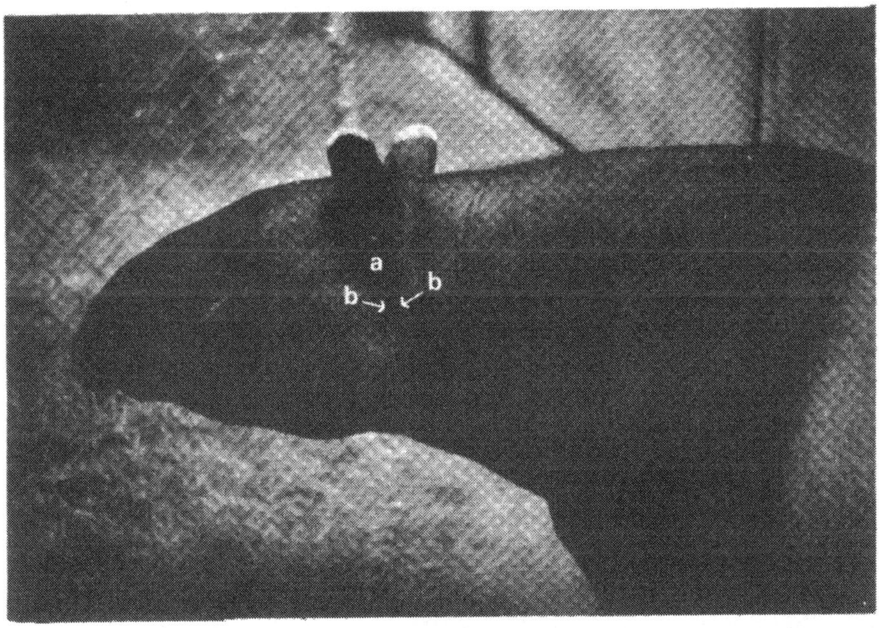

Abb. 1: Linker Kopf-Hals-Bereich eines Schabrackentapirs

A - Processus condylaris des Ramus mandibulae
a - Ohrgrund
b - Teil der Hautfalte kaudal des Ohrgrundes
c - Fettkörper
d - Glandula parotis
1 - M. parotidoauricularis
2 - M. cleidomastoideus
3 - M. cleidooccipitalis
4 - M. omotransversarius
5 - N. auricularis caudalis
6 - Verzweigungen des Ramus ventralis n. C_2
7 - A. carotis externa
8 - A. auricularis caudalis
X - Diverticulum tubae auditivae, laterale Abteilung

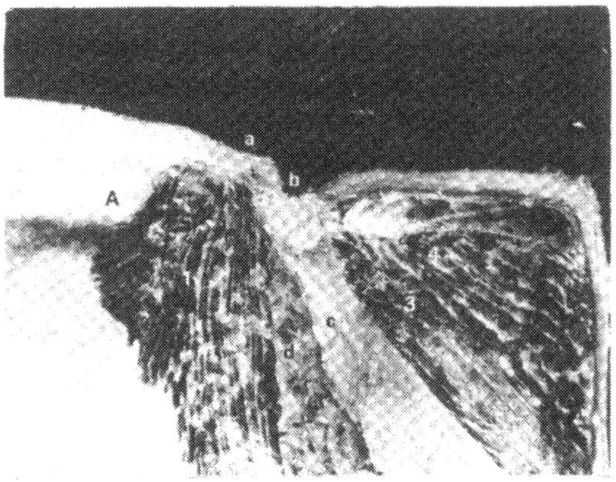

Abb. 2: Linker Kopf-Hals-Bereich nach Abtragen der Haut

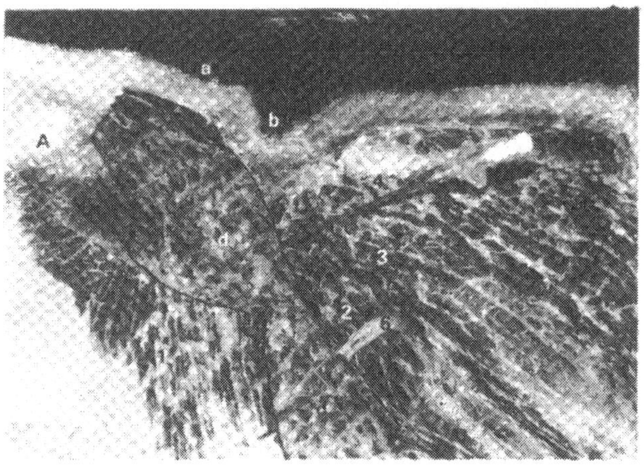

Abb. 3: Ausdehnung der Glandula parotis (schwarz umrandet) und Lage der Kanüle bei der Luftsackpunktion nach Entfernen des Fettkörpers

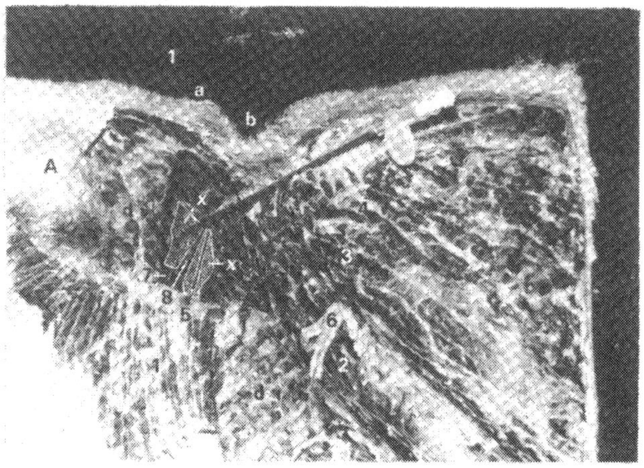

Abb. 4: Topographie des Luftsackes (weiß gepunktet) nach Abheben des dorsalen Teiles der Glandula parotis (kaudaler Rand der Ohrspeicheldrüse durch schwarzen Strich markiert)

Sektion Tierproduktion und Veterinärmedizin der Karl-Marx-Universität Leipzig, Wissenschaftsbereich Anatomie, Histologie und Embryologie (Leiter: VR Prof. Dr. sc. G. MICHEL)

ZUR FORM DER PLAZENTA DER RAUBTIERE, UNTER BESONDERER BEACHTUNG DES BAUES DER BÄRENPLAZENTA

Von G. Michel

Durch einen glücklichen Umstand konnte unmittelbar nach dem Abstoßen die geburtsreife Plazenta eines Brillenbären (Tremarctos ornatus) gewonnen und untersucht werden (MICHEL et al., 1983, MICHEL, 1984). Die dabei gewonnenen Befunde regten zu Betrachtungen über die Stellung der Plazenta des Bären und damit zur vergleichenden Betrachtung der Plazenten der Raubtiere an. Dabei soll im Vordergrund der Vergleich zu dem wiederholt beschriebenen, durch die Untersuchung eigener Präparate bestätigten und in den Lehrbüchern der Embryologie dargestellten Bau der Plazenten von Hund und Katze stehen. Jedoch sollen auch die aus der Literatur (u. a. SUBBA RAU, 1925; STARCK, 1965) bekannten Angaben zu den Plazenten anderer Raubtiere berücksichtigt werden.

Zielstellung der Betrachtungen ist es, weitere Hinweise zur Frage der Evolution und Leistungsfähigkeit der Plazenten der Raubtiere zu gewinnen.

Kurze Darstellung des Baues der Plazenta des Brillenbären

Die Plazenta des Brillenbären zeigt makroskopisch eine typische, mehr oder weniger ovale Scheibenform mit einem Längsdurchmesser von 12,0 cm und einem Breitendurchmesser von 9,5 cm. Die mittlere Dicke betrug 0,5 cm und die Masse 55,4 g. Die äußere Oberfläche weist nach der Abtrennung vom Uterus ein rauhes, unebenes Aussehen auf, die innere Oberfläche erscheint auf Grund des Überzuges durch das Allantochorion glatt. In ihm verlaufen in nahezu gleichweiter Entfernung voneinander die 4 Hauptäste der Allantoisgefäße (Aa. und Vv. umbilicales) und teilen sich nach etwa 2 bis 3 cm Verlauf in das fetale Gefäßnetz auf. Im Randbereich umzieht das Randhämatom als runzelige, strangartige Bildung die Plazenta.

Histologisch lassen sich an der Plazenta des Bären von der allantochorialen Oberfläche nach dem Uterus hin das Plazentarlabyrinth, die Übergangszone und die basale Drüsenzone unterscheiden. Dazu kommt am Rande das Randhämatom.

Das Plazentarlabyrinth ist durch die Aufzweigung der Chorionzotten und die Verbindung mit dem Endothel der Uteruskapillaren gekennzeichnet. Die andeutungsweise schon makroskopisch sichtbaren Zotten lassen eine annähernd regelmäßige Anordnung erkennen und führen zu einer undeutlichen Läppchenzeichnung. Auf Grund der intensiven Aufzweigung der Zotten und der Verbindung mit den mütterlichen Anteilen wird diese jedoch im histologischen Schnitt nur andeutungsweise in dem ausgeprägten Plazentarlabyrinth sichtbar.

Im Mesenchym der Zotten liegen die relativ englumigen fetalen Kapillaren mit ihrem sehr flachen Endothel. Das Chorionepithel ist unregelmäßig und erhält das Bild des synzytialen Trophoblasten. Die mütterlichen Kapillaren sind durch ihre Weitlumigkeit und ein relativ hohes Endothel gekennzeichnet. Drüsenreste finden sich, wenn überhaupt, nur nach der Übergangszone hin. Das Plazentarlabyrinth entspricht somit beim Bären in seinem Aufbau vollkommen einer Placenta endotheliochorialis.

Die Übergangszone schließt sich an das Plazentarlabyrinth unmittelbar an. Sie ist durch Anhäufung von Zelltrümmern, Symplasma, fibrinähnliche Blutansammlungen und Drüsenreste gekennzeichnet. Besonders ausgeprägt sind die Drüsenreste nach dem Plazentarlabyrinth zu. Sie bedingen dadurch eine gewisse Abgrenzung. Dazwischen ragen jedoch Chorionzotten bis in die Übergangszone hinein. Nach dem Uterus zu folgen auf die Übergangszone die zum Teil aufgelösten Drüsenabschnitte der basalen Drüsenzone. Die Übergangszone ist als Ort intensiver Embyotrophebildung anzusehen und trägt dadurch in hohem Maße zur Erhöhung der Leistungsfähigkeit der Plazenta bei.

In der basalen Drüsenzone finden sich mehr oder weniger parallel angeordnet die Uterindrüsen. Nach der Übergangszone zu unterliegen diese einer zunehmenden Auflösung, während sie uteruswärts eine deutliche Ausbildung aufweisen. In diesem Bereich erfolgt die Trennung während der Geburt, eine sog. Drüsendeckschicht fehlt.

Das Randhämatom ist histologisch dem anderer Raubtiere gleichzusetzen. Durch Auflösung der Wand von Blutgefäßen entstehen große Blutansammlungn, in welche die Chorionzotten hineinragen. Die Plazenta entspricht im Bereich des Randhämatoms einer Placenta hämochorialis.

Das Randhämatom steht mit der Übergangszone in kontinuierlicher Verbindung. Dabei überwiegt im Bereich des Randhämatoms mehr die Hämotrophebildung, während im Bereich der Übergangszone die Embryotrophebildung im Vordergrund steht. Beide Strukturen, zwischen denen sich fließende Übergänge erkennen lassen, dienen letzten Endes der Erhöhung der Leistungsfähigkeit der massemäßig relativ kleinen Bärenplazenta.

Vergleichende Betrachtungen zur Form und zum Bau der Plazenten bei den Raubtieren

Bei den Canidae und Felidae weist die Plazenta eine typisch gürtelförmige Ausbildung (Placenta zonaria) auf. Sie zeigt den Aufbau einer Labyrinthplazenta mit dem Plazentarlabyrinth und der Durchdringungszone, einer mehr oder weniger deutlichen Drüsendeckschicht und einer tiefen Drüsenschicht, von der aus die Erneuerung der Uterusschleimhaut erfolgt. Sie bildet gleichfalls eine Placenta endotheliochorialis. Charakteristisch ist die durch die Verzweigung der Zotten bedingte Form der Chorionblätter und die Struktur des mit den mütterlichen Kapillaren in Verbindung tretenden Trophoblasten (umgebildetes Chorionepithel). Beim Hund verlaufen im Plazentarlabyrinth der reifen Plazenta bei den Chorionblättern die verzweigten Hauptblätter weniger gestreckt und weisen mehr und kürzere Nebenblätter auf. Die Dicke der Blätter variiert stark. Im Gegensatz dazu sind die Haupt- und Nebenblätter bei der Katze annähernd gleich dick, verlaufen mehr gestreckt und bedingen einen mehr lamellenförmigen Aufbau des Plazentarlabyrinthes. Beim Fuchs gleicht der Bau mehr dem der Katze. Am Chorionepithel erfolgt bei der Katze stärker als beim Hund eine Umwandlung in den Zyto- und Synzytiotrophoblasten. Im Bereich des Randhämatoms trägt die Plazenta des Hundes schon Züge einer Placenta haemochorialis.

Allgemein betrachtet bestätigen die Befunde zum Bau der Plazenta des Bären im Vergleich zu dem der Canidae und Felidae die von STARCK (1965) getroffene Feststellung, wonach die Plazenta der Raubtiere eine Mittelstellung zwischen der massigen und der gedehnten Plazenta einnimmt. Dies geht einmal aus der äußeren Form der Plazenta hervor. Der Übergangscharakter der Plazenta der Raubtiere wird zum anderen auch aus der histologischen Ausbildung (mit der Übergangszone und dem Randhämatom) ersichtlich.

Die Form der Plazenta reicht von der gürtelförmigen Plazenta (Placenta zonaria) bei den Canidae und Felidae mit dem beim Hund deutlichen, bei der Katze weniger deutlichen Randhämatom über die unterbrochene gürtelförmige Plazenta ohne Randhämatom beim Waschbären und Frettchen und der zweigeteilten Plazenta beim Bandiltis (Zorilla) bis zu der scheibenförmigen Plazenta (Placenta discoidalis) mit deutlichem Randhämatom bei den Ursidae. Durch die relative Verkleinerung erreicht die Plazenta immer mehr den Charakter einer massigen Plazenta.
Mit der Formveränderung geht ein gewisser Wandel der histologischen Struktur der Plazenta einher. Zu dem bei den Canidae und Felidae ausgebildeten Plazentarlabyrinth mit der Durchdringungszone tritt bei den Mustelidae zwischen dem Plazentarlabyrinth und der tiefen Drüsenschicht erstmals eine Übergangszone auf. Diese ist schließlich besonders deutlich beim Bären und gibt gemeinsam mit dem Randhämatom der Bärenplazenta das Gepräge.

Bemerkenswert ist auch die Veränderung des synzytialen Trophoblasten, der bei den Canidae und Felidae relativ dick, bei den Mustelidae und vor allem den Ursidae dagegen auffallend dünn ist. Keine Beziehung zu einer Höherentwicklung lassen sich aus dem Randhämtom ableiten, indem es sowohl bei den Canidae als auch bei den Ursidae deutlich ausgebildet ist und es bei den untersuchten weiteren Arten entweder völlig fehlt oder nur in Form einzelner lokalisierter Hämatome vorhanden ist.

Durch ihre hohe Differenzierung erreicht die Plazenta des Bären eine große Leistungsfähigkeit. Diese ist mit als Voraussetzung für die relativ kurze eigentliche Entwicklungsperiode des Bären anzusehen. Diese beträgt nach der sich über mehrere Monate erstreckenden Ruheperiode nur 8 - 10 Wochen. Somit kann die histologische Differenzierung der Plazenta des Bären als eine weitere Bestätigung für die Unterteilung der Entwicklung in eine Entwicklungsphase vor der Ruheperiode, die embryonale Ruheperiode und die eigentliche Entwicklungsperiode angesehen werden.

Im Hinblick auf die Evolution der Plazenta bei den Raubtieren soll in einer Übersicht nach Angaben verschiedener Autoren (SUBBA RAU, 1925, STARCK, 1965) sowie nach den eigenen Befunden die Ausbildung der Plazenten bei verschiedenen Raubtierarten nochmals zusammengefaßt werden:

Familie	Form der Plazenta	histologischer Bau	Hämatome
Canidae	Placenta zonaria	Plazentarlabyrinth unregelmäßig durch kurze, unterschiedlich dicke Chorionblätter, synzytialer Trophoblast dick	deutliches Randhämatom und Labyrinthhämatome
Felidae	Placenta zonaria	Plazentarlabyrinth mehr lamelläre Struktur, in synzytialen Trophoblasten Riesenzellen	undeutliches Randhämatom
Procyonidae	Placenta zonaria (mit geringer Unterbrechung)	ähnelt weitgehend der Struktur der Plazenta des Hundes	keine Hämatome
Mustelidae	doppelt diskoidale Plazenta	Plazentarlabyrinth mit undeutlicher Übergangszone, synzytialer Trophoblast dünn	einzelne Hämatome
Ursidae	Placenta discoidalis	Plazentarlabyrinth mit deutlicher Übergangszone, synzytialer Trophoblast sehr dünn	deutliches Randhämatom

Diese Übersicht bestätigt die Meinung von SUBBA RAU (1925) zur Evolution der Plazenten innerhalb der Raubtiere. Die Placenta zonaria von Hund und Katze ist als primitive Form der Raubtierplazenta anzusehen. Sie ist bei den Canidae, Felidae, und Procyonidae ausgebildet, stellt auf Grund ihrer Ausdehnung eine Übergangsform von der gedehnten zur massigen Plazenta dar und weist zum anderen aber schon eine hohe Differenzierung des Plazentarlabyrinthes auf, was sich vor allem auch in der Ausbildung des Randhämatoms bei den Canidae zeigt. Die anderen Formen leiten sich von der Gürtelplazenta ab und weisen einen spezifischen Charakter auf. Dabei erreicht die Plazenta des Bären mit der Übergangszone und dem Randhämatom die höchste Differenzierung und Leistungsfähigkeit. Die Plazenta der Mustelidae, bei denen die doppelt diskoidale Form eine sekundäre Spezialisierung darstellt, bildet eine Zwischenstufe, was auch aus der histologischen Differenzierung (Auftreten einer, wenn auch zum Teil noch undeutlichen Übergangszone) ersichtlich ist.

Die vergleichende Betrachtung der Struktur der Raubtierplazenta ergibt aber auch, daß noch erhebliche Lücken in unseren Kenntnissen bestehen. Dies betrifft u.a. den Bau der Plazenta der Hyanidae, aber auch der Pinnipedia. Im Interesse einer vergleichenden Plazentaforschung sollte diesen Fragen in der Zukunft unsere verstärkte Aufmerksamkeit geschenkt werden.

__Zusammenfassung__

__Zur Form der Plazenta der Raubtiere unter besonderer Berücksichtigung des Baues der Bärenplazenta__

Ausgehend von der Beschreibung der Plazenta eines Brillenbären erfolgt eine kurze vergleichende Betrachtung der Plazenten der Raubtiere. Diese bestätigt den Übergangscharakter innerhalb der Raubtiere von der gedehnten zur massigen Plazenta. Er zeigt sich einmal in der

Form von der Placenta zonaria bei Canidae und Felidae bis zur Placenta discoidalis bei den Ursidae, zum anderen in der histologischen Differenzierung (Auftreten der Übergangszone, Ausbildung des Randhämatoms, Ausbildung des Synzytiotrophoblasten).

Summary

Placenta Form of Predators, with Particular Reference to Structure of Bear Placenta

Placenta shapes of predators are briefly compared, based on a description of the placenta of spectacled bear. Evidence is produced to the transitional nature of the placenta of predators, from the extended to massive form. This may be seen from the form of placenta zonaria in dogs and cats and that of the placenta discoidalis in bears and has been borne out also by histological differentiation (occurrence of transitional zone, development of marginal haematoma, formation of syncytiotrophoblasts).

Résumé

A propos de la forme du placenta des carnivores en considération de la structure du placenta chez les ours

Sur la base de la description du placenta d'un ours à lunettes l'auteur compare les placentas des carnivores. Cette comparaison confirme le caractère transitoire, à l'intérieur des carnivores, du placenta étendu au placenta massif. Ce caractère se manifeste de l'un côté chez les canidés et félidés, dans la forme du placenta sonoria jusqu'au placenta discoidalis chez les ursidés, et de l'autre côté par la différenciation histologique (occurrence de la zone transitoire, développement de l'hématome marginale, développement des cyncytiotrophoblastes).

Резюме

О форме плаценты хищных, при особом учете плаценты медведей.

Исходя из описания плаценты очкастого медведя, даются короткие сравнительные описания плацент хищных зверей.При этом подтверждантся переходный характер плаценты у хищных от растянутой до массивной. Это показано на форме Placenta zonaria у Canidae и Felidae до Placenta discoidalis у Ursudae, кроме того в гистологической дифференцировке как возникновение переходных форм, образование по краям гематом, образование синзитиотрофобластов.

Literaturverzeichnis

KEHRER, A. (1979): Zur Entwicklung und Ausbildung des Chorions der Plazenta zonaria bei Katze, Hund und Fuchs. Z. Anat. u. Entw. 143, 25 - 42.

MICHEL, G. (1984): Zum Bau der Plazenta des Bären. Anat. Anz., 155, 209 - 215.

MICHEL, G., ELZE, K., und S. SEIFERT (1983): Zur Embryonalentwicklung des Bären unter besonderer Beachtung des Baues der Bärenplazenta. Zool. Garten N. F., 53, 290 - 294.

STARCK, D. (1965): Embryologie. Ein Lehrbuch auf allgemein biologischer Grundlage. 2. Aufl. Stuttgart: Georg Thieme.

SUBBA RAU, A. (1925): Contributions to our Knowledge of the Structure of the Placenta of Mustelidae, Ursidae and Sciuridae. Proc. Zool. Soc. London 68, 1027 - 1070.

Anschrift des Verfassers: VR Prof. Dr. sc. G. M i c h e l ,
Wissenschaftsbereich Anatomie, Histologie und Embryologie,
Sektion Tierproduktion und Veterinärmedizin
der Karl-Marx-Universität Leipzig
DDR-7010 Leipzig
Semmelweisstraße 4 (DDR)

AUTORENREGISTER (Nur Erstautoren, Seitenzahl)

Manuscripts for Proceedings

Only first publications will be accepted. Please type double-space and leave 5-cm margin on the left. Give affiliations of all authors in the head section. Type title of paper in capital letters, all underlined. Number all manuscript pages. Prepare larger tables to A-3 format (double size of normal typewritten page) and allow for 3-cm margin on all sides. Submission of tables in A-3 format for direct reproduction will be appreciated.

Personal names (literature quotations) in text paragraphs should be typed in capital letters but not spaced out. The name of the author quoted should be followed by the year of publication in parentheses. Example: MUELLER (1982). More than two authors of one source are represented by the full surname of the first followed by et al.
Example: (LEHMANN et al., 1982; SCHULZ et al., 1981).

The list of references should cover, as a matter of principle, all sources quoted in the text. Names of authors not mentioned in the text should not appear in the list of references either.

Example für journals: METTLER, F., PALMER, D., RÜBEL, A., und E. ISENBÜGEL (1982): Gehäuft auftretende Fälle von Parakeratose bei Schildkröten. Verh.ber. Erkrg. Zootiere 24, 245 - 248.

Example for books: FOWLER, M. E. (1978): Zoo and Wild Animal Medicine. Philadelphia, London, Toronto: W. B. Saunders Company.

Miscellaneous: Names of preparations mentioned in the text should have added to them in parentheses active ingredients contained in them and names of manufacturers.
Doses should be specified in mg/kg body weight or other appropriate quantities. For illustrations submit only high-contrast black-and-white originals. Enclose brief captions on separate sheet of paper.

Add at the end of the paper brief, informative summaries in German, English, French, and Russian, with the title of paper fully translated in all four languages.

Give full name and address only of first in several authors. For papers by two authors give both names, if there is only one affiliation.

Every author will receive 30 free special prints at personal disposal. More copies can be obtaines for payment on request from the publishers.

Richtlinien für die Anfertigung der Manuskripte

Manuskripte: Es können nur Erstveröffentlichungen eingereicht werden. Der Text ist zweizeilig mit Schreibmaschine zu schreiben, wobei links ein 5 cm breiter Rand bleiben soll. Jede Arbeit soll im Kopf die Institutionen aller Autoren ausweisen. Der Titel der Arbeit ist in Großbuchstaben zu schreiben und zu unterstreichen. Die Manuskriptseiten sind zu numerieren. Größere Tabellen sind so anzufertigen, daß sie auf einem A 3-Bogen (doppelte Schreibmaschinenseite) mit allseitig 3 cm Randabstand Platz finden. Die Zusendung solcher großen Tabellen zur direkten Verwendung wird erbeten.

Eigennamen (Literaturzitate) werden im Text in Großbuchstaben und nicht gesperrt erbeten. Dem Namen des Autors folgt das Erscheinungsjahr der zitierten Literaturangabe in Klammern gesetzt. Beispiel: MÜLLER (1982). Bei mehr als 2 Autoren wird der erste zitiert mit dem Zusatz et al. Beispiel: (LEHMANN et al., 1982; SCHULZ et al., 1981).

Literaturverzeichnis: Es soll grundsätzlich alle im Text zitierten Literaturangaben enthalten. Nicht im Text ausgewiesene Autoren sollten nicht im Literaturverzeichnis erscheinen. Als Beispiel für die Anfertigung des Literaturverzeichnisses gilt:

Für Zeitschriften

METTLER, F., PALMER, D., RÜBEL, A., und E. ISENBÜGEL (1982): Gehäuft auftretende Fälle von Parakeratose bei Schildtkröten. Verh.ber. Erkrg. Zootiere 24, 245 - 248.

Für Bücher

FOWLER, M. E., (1978): Zoo and Wild Animal Medizin. Philadelphia, London, Toronto: W. B. Saunders Company.

Sonstige Hinweise: Im Text angeführte Präparate sollten in Klammern mit Wirkstoffbezeichnung und mit Herstellerangabe versehen werden. Dosierungsangaben sind als mg/kg KM bzw. in entsprechenden Mengenangaben anzuführen. Abbildungen können nur als kontrastreiche, schwarz-weiße Vorlagen angenommen werden. Kurze Legenden sind den Abbildungen auf einem Bogen beizufügen.

Kurze aussagekräftige Zusammenfassungen sind in deutscher, englischer, französischer und russischer Sprache mit voller Übersetzung der Überschrift des Beitrages am Schluß der Arbeit anzufügen.

Als Anschrift der Autoren wird bei mehreren Autoren nur der Erstautor benannt. Handelt es sich um nur zwei Autoren, die beide aus einer Institution kommen, so werden beide genannt.
Jeder Autor erhält 30 Sonderdrucke zu seiner persönlichen Verwendung. Bei Übernahme der Kosten kann in Absprache mit dem Verlag diese Zahl nach Wunsch erhöht werden.

Wir bitten, bei der Anfertigung der Manuskripte einen Beitrag des letzten Verhandlungsberichtes zum Muster zu nehmen, um die Schreibweise des Kopfes, der Überschrift, Anschrift usw. richtig vornehmen zu können.

FSC
www.fsc.org
MIX
Papier | Fördert gute Waldnutzung
FSC® C083411

Kolibri 360 GmbH
Ferdinand-Jühlke-Straße 7
99095 Erfurt, Deutschland
produktsicherheit@kolibri360.de